Jean-Phil...

L'Amateur de cuisine

Stock

A Jacqueline Derenne
et
Georgette Elgey

In memoriam.

Fernand, Maurice
et Suzanne Tremblin
Henri, Philomène et René Chalon
et Marcel-Mahmoud Reggui
qui a tant attendu ce livre
et ne l'a jamais vu.

« Je crois que j'aime les cuisines plus que tout autre endroit au monde. »

Banana Yoshimoto,
Kitchen (Gallimard).

Remerciements

Il est difficile de dénombrer tous ceux que l'auteur voudrait remercier. Il y a ses amis qui l'ont aidé de leurs encouragements, de leur soutien, de leurs critiques, de leurs suggestions, de leur présence. Il y a ceux qui ont donné leur temps, leur compétence, leur expertise. Et ceux qui, inconnus, ont soufflé leurs idées, leur énergie et qui ont indiqué par leur exemple la voie qu'il fallait suivre.

De cette longue et complexe chaîne, je voudrais remercier tout particulièrement Suzanne TREMBLIN, Philomène et Françoise CHALON et Henriette REGGUI qui, par la générosité et la qualité de leur cuisine, ont, à des âges différents, éduqué mon goût et m'ont montré que cuisiner c'est d'abord un acte d'amitié et d'amour, leur exemple m'a incité à les suivre.

Monique BERNARD pour sa générosité, son abnégation et son courage dans l'adversité; sans elle ce livre n'aurait pu exister.

Françoise NORDMANN dont les remarques, d'une pertinence aiguë et bienveillante ont, en ce domaine comme en d'autres, été à l'origine de la prise de conscience du propos même de l'auteur.

Bruno MINARD et Guy RENOU, amis fidèles, présents dans les difficultés autant et plus que dans le succès.

Hubert MICHEL, toujours disponible, inventif et créatif.

Le major Jean BOURGOIN dont le regard malicieux et critique ainsi que la compétence horticole ont permis d'explorer, de découvrir et parfois de comprendre les possibilités culinaires de nombreuses plantes usuelles ou rares.

Monique PATAT pour sa contribution généreuse, à l'image de sa nature.

Mahmoud EL GHOUL qui, par son aide, me permit il y a plusieurs décennies d'approcher le concret des produits et de la cuisine tunisienne.

L'auteur tient à remercier tout particulièrement ceux qui, par leurs connaissances et par leurs relations, l'ont aidé à identifier les critères de référence dans les divers secteurs concernés par ce livre et qui lui ont ainsi permis de mieux appréhender les univers complexes qui participent à ce qui, devenu nourriture, sert de matière à la cuisine.

Que soient donc remerciés Isabelle ARNULF, Jean Raymond ATTALI, Roger BARRALIS, Jean-Louis BISCAGLIA, Marcel BISSON, Roger BOCCARD, Yves BRIAND, Guy CLEMENT, Pierre COMBRIS, Thierry DENIS, Jeanne DERENNE, Roger DERENNE, Claude GRIGNON, André GRIMALDI, Etienne JACOB, Pierre LEMANISSIER, Marcello MASTROIANNI, Jean de MAXIMY, Selma MEHIRI, André PATAT, Joseph PERFETTINI-DERENNE, Lionel POILANE, Claudio TANTUCCI, ALAIN THUILLIER, Michel TREMBLIN, Gérard TURPIN, Bernard SWYNGHEDAUW, Pierre VERGER, Jean-Claude WILLER, Marc ZELTER, Marie-Thérèse ZELTER-LETABLIER.

Que celles et ceux qui ont transmis leurs recettes, anciennes et traditionnelles, ou nouvelles et personnelles, soient également remerciés : Chantal ALADENYSE, Marcelle ALADENYSE, Muriel AUZOU, Ennoufous BEDAIRIA, Meriem BEDAIRIA, , Christophe et Christiane BOBY de la CHAPELLE, Mrs BRODIE, Marie-Thérèse CHAUMETTE, Mireille CONNAN, Achille CONFLIT, Malika GHRIB, Mohamed HARBI, Édouard KIEFFER, Bernard LOUYRETTE, Marilou et Michel MAIN, Gudrun von MALTZAN, France MULLER, Zala N'KANZA, Frédérique PERFETTINI-DERENNE, W.A. WHITELAW.

Il y a aussi l'énergie, qui permet de concrétiser et déterminer ce qui n'est parfois qu'une simple impression. Elle porte la main et soutient l'esprit.

Que soient remerciés Larry DOBENS, Philippe GRENIER, Bruno HOUSSET, Jennifer MACKLEM, Laurence MANGIN, Brigitte ORCEL, Marcel MANGIN, Marc ROBINE, Thomas SIMILOWSKI.

Et il faut aussi remercier mes parents et amis qui m'ont soutenu dans cette longue et aventureuse entreprise. Et surtout ceux, si nombreux, que je ne connais pas, ou si peu, tous ces grands maîtres de cuisine, morts ou vivants, dont les réalisations, les écrits et le souvenir ont été les jalons essentiels de ma réflexion.

Un livre n'existe réellement que s'il est édité, la responsabilité de Claude Durand est grande. Au vu de cinq pages seulement, il a cru suffisamment à ce projet pour me signer un contrat et m'obliger ainsi à l'écrire. Monique Nemer, à sa suite, m'a apporté un soutien constant et des conseils toujours avisés, pertiments et bienveillants. Sans eux, cet ouvrage n'aurait pu être porté à son terme, et mes remerciements sont à la mesure de ce que je leur dois.

Comment utiliser ce livre

Ce livre de cuisine est un livre. A ce titre, il peut se lire dans l'ordre normal. Il n'est cependant pas usuel de se servir ainsi d'un ouvrage de ce type, puisqu'on y cherche d'habitude des indications précises pour des objectifs limités, en général la préparation d'un repas.

Toutefois, le cuisinier a d'abord besoin d'instruments, de produits de première nécessité; il doit disposer d'une cuisine équipée; il est également un être humain, avec son humeur et ses obligations. La première partie de l'ouvrage (« Cuisiner c'est choisir ») est composée d'une série de courts chapitres abordant ces divers aspects. Le cuisinier a ensuite le choix d'acheter divers produits, dont le nombre ne cesse de s'accroître.

La deuxième partie (« Le marché ») étudie systématiquement les différents produits naturels qu'il peut se procurer.

L'auteur a essayé de les regrouper d'une façon logique ou en tout cas aisément compréhensible. Il a essayé de décrire plus précisément des produits relativement peu courants, mais qu'il serait judicieux de proposer plus souvent aux consommateurs en raison de leurs qualités : cela concerne particulièrement les légumes, les herbes aromatiques et les épices.

Avec la troisième partie (« Au travail ! ») sont abordées les recettes. Elles ne sont pas présentées dans l'ordre traditionnel du repas, mais en tenant compte des principes de cuisson ou de préparation. Il apparaît en effet que la compréhension de certaines méthodes, souvent simples, permet de varier les recettes de façon quasi indéfinie. Par exemple, une fois qu'on a compris qu'une blanquette est le résultat de trois opérations successives, on peut en préparer non seulement avec le veau traditionnel, mais aussi avec d'autres viandes blanches, avec les poissons à

13

chair ferme, et également avec certains légumes et certains fruits. Sur un modèle initial, on peut varier les ingrédients, s'aventurer dans les épices, jouer du salé comme du sucré. Et pourtant, l'épaule de veau à l'ébouriffée de poireaux, les carottes tandoori à la bière ou les pêches au sauternes et à la menthe poivrée sont, si l'on peut dire, le même plat ; seuls les composants et les temps de cuisson changent.

Parfois, le plat n'existe que par la juxtaposition de plusieurs modes de cuisson. Dans ce cas, les recettes se retrouvent soit dans le cadre des cuissons mixtes, soit, si un des modes de préparation est fortement dominant, dans le chapitre réservé à ce dernier.

Les recettes elles-mêmes sont de plusieurs sortes.

Il y a d'abord les préparations de base, celles des principales sauces, pâtes à gâteaux, etc. Une deuxième catégorie comprend de grands classiques, généralement des plats traditionnels français ou étrangers (couscous, pot-au-feu, choucroute, cassoulet, etc.).

Un troisième groupe comporte des recettes « mères », c'est-à-dire des indications permettant de préparer un plat qui se suffit à lui-même et peut donc être servi tel quel. Sont cependant indiquées un certain nombre de variantes : par exemple la recette de la salade de haricots verts et champignons de Paris comporte une liste non exhaustive de produits complémentaires et facultatifs, qui permet de réaliser plusieurs centaines de plats différents.

Enfin, d'autres recettes, mises au point par l'auteur ou par plusieurs de ses amis, représentent des élaborations originales.

Le fonds culinaire est français, mais avec une forte influence méditerranéenne, en provenance principalement d'Italie et d'Afrique du Nord. On trouvera cependant quelques recettes, en nombre limité, originaires d'Amérique du Nord ou du Sud, d'Asie Mineure et d'Asie du Sud-Est, d'Inde et de certains pays africains. Il ne s'agit pas de considérer cet ouvrage comme une encyclopédie de la cuisine mondiale, mais plutôt d'illustrer le principe même de son propos : la préparation des plats procède de procédés et de techniques. Cela s'applique également à des plats d'inspiration apparemment lointaine.

La dernière partie (« A table ») reconstitue l'ordre du repas et permet au lecteur qui serait dérouté par l'organisation atypique de l'ouvrage de choisir les recettes qu'il souhaite préparer.

On voit ainsi que ce livre peut être utilisé de multiples manières. Il comporte une base de données élémentaires concernant les instruments, les aliments, les techniques. Il contient plusieurs centaines de recettes qui, toutes, peuvent être réalisées sans difficulté particulière (s'il y a un problème, il est décrit précisément).

Ce livre a été conçu également pour que le lecteur l'utilise comme un journal : il peut tout lire, ou se contenter des titres, d'un chapitre, d'une recette. Bien qu'il comporte de nombreux éléments de réflexion, il est avant tout pratique, car la cuisine ressemble à la médecine en ceci qu'elle est discipline d'intervention et d'action.

Première Partie

Cuisiner, c'est choisir

1

A qui s'adresse ce livre?

Ce livre est écrit pour ceux qui aiment manger, qui aiment cuisiner, qui recherchent l'authenticité et dédaignent l'artifice.

Il est pour ceux qui n'ont qu'un temps limité, qui exercent un métier, qui ont des obligations et qui savent occuper leurs loisirs.

Il est pour ceux qui aiment comprendre.

Il est pour ceux qui recherchent la simplicité, qui ne veulent pas prendre un poids excessif, inutile et inesthétique, qui savent que certains aliments peuvent être dangereux pour leur santé.

Il est pour ceux qui ont le goût de la découverte, l'esprit ouvert et bienveillant, qui essaient de discerner le parfum et l'arôme des épices et des herbes, qui apprécient de retrouver la consistance, le grain, la forme et la couleur de ce qu'ils aiment.

Il est pour ceux qui ne se contentent pas de la nourriture industrielle, mais qui n'ont pas non plus de préjugé systématique contre les nouveautés de la technologie.

Il est pour ceux qui, lorsqu'ils sont fatigués, se satisfont de quelques aliments vite cuits et qui, lorsqu'ils sont d'humeur créatrice, peuvent passer leur temps en cuisine.

Il est pour ceux qui aiment déambuler et rêver dans un marché, qui se laissent séduire par un légume, un poisson ou une volaille, et pour ceux qui chaque samedi font en une seule fois les courses de la semaine dans un supermarché.

Il est pour ceux qui rentrent tard à la maison et qui ne trouvent d'ouvert que l'épicier nord-africain ou le dépanneur du coin de la rue, et pour ceux qui traversent la ville pour acheter *le* produit chez le commerçant qui en a l'exclusivité.

Il est pour ceux qui attendent, à leur heure, le retour des cèpes, des truffes et du gibier, et pour ceux qui mangent des fraises en hiver et des oranges en été.

Car, aujourd'hui, ce mélange de résignation et de dynamisme, de conformisme et d'originalité, de respect du rythme naturel et en même temps de transgression, de compétence et d'ignorance, n'est-ce pas le lot de tout un chacun ?

2

Avant-Propos

Ce livre est un livre de cuisine hors du commun. D'abord parce que son auteur exerce quelques activités professionnelles qui ne sont pas le propre des métiers de la bouche (professeur de médecine, chef de service dans un grand hôpital parisien) et qu'il est loin encore de l'âge de la retraite qui voit les éminents mandarins se découvrir quelques ambitions paralittéraires...

Et cependant, ce livre se veut modestement la synthèse de plus de trente ans de cuisine quotidienne, avec ses enthousiasmes, ses espoirs, ses succès, ses insuccès et ses erreurs. Avec ses expéditions gastronomiques, parfois sublimes, parfois non concluantes, et même parfois consternantes. Avec la consultation d'innombrables livres de cuisine de tous genres et de toutes spécialités. Avec, même, la recette du saucisson d'ours et du ragoût d'opossum trouvée dans le recueil de cuisine des pompiers volontaires du Sulphurous Lake (Canada)[1].

Je fais une part exceptionnelle à trois originaux, ceux qui ont contribué à m'ouvrir les yeux : La Reynière avec ses *100 Merveilles de la cuisine française*; Denis avec sa *Cuisine*; et Jacques Manière avec son *Grand Livre de la cuisine vapeur*[2]. Tous engagés, passionnés. Parfois injustes ou insuffisants, toujours en quête d'idéal, de perfection. Des hommes de caractère que je n'ai pas connus, mais qui m'ont aidé à prendre conscience d'un des grands problèmes de la cuisine : pourquoi cuisiner de telle ou telle manière, pourquoi choisir telle ou telle recette.

1. *Sulphurous Lake District Volunteer Firefighters Association Cookbook*, 1980.
2. L'auteur tient à remercier Michel Guérard, dont *Le Livre de cuisine minceur* a démontré que la diminution du nombre de calories n'est pas un obstacle à la réalisation d'un plat de grande qualité.

Par leurs choix, voire leurs diktats, parfois en accord, parfois en réaction, j'ai réalisé que la grande difficulté pour cuisiner est de trouver la règle, ou les règles. Que la cuisine n'est pas l'œuvre de la futilité mais de la nécessité. Où trouver la voie qui mène à la réussite, au plat dont on se dit qu'on ne le refera pas, parce qu'on le croit trop réussi, mais qu'on refait quand même, parce qu'il n'y a pas de voie miraculeuse, mais simplement la soumission à la règle? Quelle est-elle cette règle mystérieuse? Elle est simple. Elle a nom authenticité, respect de la nature des choses et de leur harmonie. Elle a nom humilité, car seule l'humilité permet de reconnaître et de respecter cette nature. Elle a nom curiosité, car elle seule permet de s'intéresser aux goûts nouveaux, aux ingrédients exotiques, à la subtile subdivision des espèces et des genres apparemment connus. C'est ainsi qu'on ne cuisine plus un poulet, mais un poulet fermier, ou mieux, un Bresse, que l'on s'interroge sur l'origine des épices que l'on achète ou sur la composition du café que l'on boit et du chocolat que l'on croque. Et de cet apprentissage pragmatique naît un ensemble confus, divers, où il est difficile de se retrouver. De cette confusion est né le souci de clarifier, de comprendre. Le déclic m'est venu par hasard, en lisant un livre de recettes provençales. La bouillabaisse n'y apparaissait pas comme une soupe de poissons, mais comme un principe de cuisson, l'utilisation de l'émulsion créée à grand feu par le mélange de deux composés qui par nature s'opposent et ne se mélangent pas : l'eau et le gras. Dès lors je me suis interrogé, devant chaque recette, sur les principes de la cuisson. Ils ne sont pas très nombreux et, une fois qu'on les a compris, le nombre de recettes qu'on peut réaliser est quasiment illimité. C'est pourquoi l'ordre de présentation des chapitres de cet ouvrage ne suit pas celui du repas (entrée, plat principal, fromage et dessert), mais s'ordonne à partir de chacun de ces principes. C'est également pourquoi le nombre de recettes est limité.

Mon objectif n'est pas d'être exhaustif, mais, à travers des exemples, d'illustrer mon propos afin que le lecteur puisse s'exercer. A lui, ensuite, de développer sa propre interprétation, de laisser le champ à sa sensibilité, à sa culture et à sa créativité. L'auteur ne prétend pas prendre la place d'un des grands chefs que le monde nous envie, mais, humblement, d'aider le cuisinier amateur, particulièrement le débutant, et plus précisément l'homme pressé.

Au fond, cet ouvrage est celui que l'auteur aurait aimé trouver lorsqu'il a lui-même commencé à cuisiner.

3

Préface

La cuisine, la vie et le temps

Tous les animaux se nourrissent. Seuls les êtres humains cuisinent. Cuisiner veut dire modifier volontairement la nourriture. Cuisiner implique un concept, une vision du monde et de la société. Cuisiner comporte ses règles et ses interdits qui varient selon les époques, les peuples, la géographie. Cuisiner fait référence à une conception du corps humain et Hippocrate, le fondateur de notre médecine, considérait déjà, au Ve siècle avant Jésus-Christ, que la cuisine et la médecine avaient des origines communes et un développement parallèle. La cuisine a donc deux composantes distinctes : nutritionnelle et culturelle.

Il n'est peuplade, même primitive, qui ne transforme les éléments consommables en aliments. Il n'est peuple, même dédaigneux des plaisirs de la table, qui ne consomme sa nourriture sans transformation préalable. Cuisiner est un processus complexe qui inclut sélectionner, préparer, mélanger, éventuellement cuire et finalement présenter, chacune des étapes n'ayant pour fonction que de parvenir en fin du processus à la présentation d'un ensemble : le plat ou le repas qui est destiné à être consommé, généralement en commun.

Le rôle du cuisinier ou de la cuisinière est donc très particulier ; il consiste à gérer une série de fonctions afin d'assurer la subsistance et la convivialité de l'ensemble familial. Toutefois, la cuisine est par nature essentiellement conservatrice ; elle assure la reproduction de l'activité énergétique, c'est-à-dire de l'activité vitale, beaucoup plus qu'elle ne la crée, elle favorise la continuité des échanges familiaux ou amicaux autour de la table, mais elle n'en est pas le moteur. Elle est complément. La meilleure cuisine ne réconcilie pas les ennemis et la plus mauvaise n'empêche pas les couples de vivre en harmonie. Elle enrichit ou appauvrit, à la manière d'une sauce qui peut améliorer ou détériorer un plat, mais qui ne peut s'y substituer.

Élément fondamental de la tradition, c'est-à-dire de la transmission d'une certaine conception de l'ordre des choses, elle est historiquement l'œuvre des femmes. Avec l'éducation des enfants et l'organisation de l'ordre domestique, elle participait d'une séparation des tâches domestiques où l'homme exerçait son pouvoir à l'extérieur et où il manifestait une autorité d'autant plus contradictoire à l'intérieur de la maison que malgré son apparente indiscutabilité, en fait l'essentiel du pouvoir domestique était entre les mains des femmes.

Aujourd'hui, tout au moins dans le monde occidental, la revendication féminine d'identité de droits et de devoirs, le changement du statut des enfants, devenus de plus en plus ordonnateurs directs de consommations et de dépenses, brisent ces fonctions et modifient radicalement l'ordre traditionnel. Cela d'autant plus que la fragmentation des activités des membres de la famille, l'éloignement du lieu de travail, rendent illusoire la préparation de certains repas, par exemple le déjeuner. On se nourrit de plats rapides, souvent de plats déjà préparés. La conserve et le surgelé remplacent progressivement les plats traditionnellement fabriqués. L'organisation d'un repas familial comparable à ce qui se pratiquait il y a un siècle tend à devenir l'exception, souvent le passe-temps d'un jour férié ou la préparation d'une fête. La nourriture programmée, précuite, standardisée, envahit progressivement la maison — mais aussi le restaurant —, le temps disponible pour cuisiner étant de plus en plus réduit, en particulier à cause d'une augmentation du temps passé dans des occupations imposées (transports par exemple). Cuisiner n'a guère plus de sens au quotidien. La cuisine voit s'éloigner ses deux composantes : nourriture et culture, de façon peut-être irréversible.

Mais il est une autre série de raisons à l'abandon de la tradition culinaire. Elles tiennent à une modification radicale de la place de la nourriture. La cuisine traditionnelle prend ses racines dans des époques où manger à sa faim n'était pas garanti. La malnutrition était fréquente, les disettes revenaient avec régularité, causes d'ailleurs de mouvements sociaux et de modifications politiques. Aujourd'hui, l'économie occidentale ne souffre pas d'un manque, mais d'un excès de production et les récents développements du statut de l'agriculture dans le GATT prouvent que l'apport du nombre de calories nécessaires à maintenir l'énergie vitale est aisément assuré à tous, même aux pauvres.

Dès lors, d'autres priorités apparaissent. Les unes sont d'ordre médical : il ne s'agit plus d'ingurgiter le maximum de calories et le maximum d'énergie, mais au contraire de limiter l'ingestion d'aliments qui risquent de mettre en jeu à plus ou moins long terme la durée et la qualité de la vie. Certains aliments sont recommandés ou rejetés selon qu'ils contiennent la bonne ou la mauvaise quantité de vitamines, de cholestérol, d'acides gras mono ou polyinsaturés, de sel, de sucres lents ou rapides, etc.

Être gros est un signe de richesse dans les pays qui sortent de la pauvreté ou dans les classes aisées des pays où une grande partie de la population vit dans la misère. Dans les pays développés, l'obésité apparaît alternativement comme une maladie et comme une série de facteurs de risques de diverses maladies. En tout cas l'image de marque de l'obésité est aujourd'hui fortement déconsidérée.

L'autre modification est purement culturelle. L'augmentation considérable du nombre d'aliments disponibles, l'accessibilité pour beaucoup à des produits autrefois réservés à une minorité fortunée, le développement des échanges et des voyages avec l'expérience de goûts, de fruits et de légumes inconnus, d'assaisonnements exotiques et de modes de cuisson inédits, ont bouleversé les anciennes habitudes. On veut goûter des choses différentes, comme en témoigne le succès des restaurants présentant des cuisines étrangères.

Ainsi veut-on manger une nourriture qui ne soit pas trop riche, mais qui soit goûteuse, qui à l'occasion transporte dans d'autres pays, dans d'autres cultures. Et en même temps, l'organisation de la vie moderne pousse à consommer des produits souvent hypercaloriques et de composition fortement déséquilibrée (un exemple caricatural étant l'association hamburger-Ketchup-frites).

Le consommateur est aujourd'hui fortement insatisfait. Il n'a pas le temps de préparer le repas. Il n'a souvent pas même le temps ou la possibilité de le manger.

Veut-il faire la cuisine lui-même qu'il est face à une avalanche de livres, de méthodes et surtout de recettes. Que choisir, qui suivre ? Comment discerner ce qui est important, essentiel, de la fioriture inutile ? Comment repérer ce qu'il veut réellement faire et manger dans des collections de recettes où se juxtaposent des plats traditionnels et les dernières créations, ou l'interprétation des dernières créations, des grands chefs d'aujourd'hui ?

Lorsque l'on n'a que peu de temps, on a d'abord besoin de comprendre certains principes de préparation et de cuisson.

L'expérience montre que nombre de recettes, y compris traditionnelles, peuvent être considérablement rajeunies et revivifiées lorsque l'on applique un des principes décrits dans cet ouvrage, qu'elles peuvent être réalisées en peu de temps et assurer au consommateur le plaisir qu'il attend.

L'homme moderne est pressé. Il n'a plus peur de cuisiner. Il aime le bon et apprécie le beau. Il a peu de temps, c'est à lui que s'adresse cet ouvrage, qui lui fournit principes et méthodes pour lui permettre de tirer le maximum de son temps et de sa créativité.

4

L'organisation de la cuisine

La France est le pays occidental où l'art culinaire occupe la place la plus éminente. Comment peut-on dès lors expliquer que l'organisation des cuisines, leur taille, la hauteur et la profondeur des plans de travail, les surfaces de rangement soient aussi mal étudiées? Lorsqu'on compare ce qui est fait outre-Atlantique avec l'électroménager et l'assemblage disponibles en France, on est stupéfait. Fours riquiqui, plans de travail faits pour l'esbroufe et pas pour s'en servir, placards exagérément et inutilement profonds, brûleurs mal étudiés, hauteur standard des éléments calculée sur la taille moyenne de la femme au XVIe siècle [1], la panoplie offerte au cuisinier est particulièrement peu attirante. Rien n'est plus déprimant que la lecture d'un catalogue de meubles de cuisine et de cuisinières, plans de travail et autres fours.

Le cuisinier doit avoir ses aises. Il doit disposer de l'espace suffisant et nécessaire à son activité. Il ne doit pas attraper un torticolis en vérifiant la cuisson et un lumbago en sortant le plat du four. Il doit évoluer dans la cuisine sans effort, trouver couteaux, écumoires et chinois à portée de main, pouvoir stocker sans difficulté les robots ménagers, atteindre sans encombre le réfrigérateur et son contenu, de même que les huiles, les épices, la chapelure, etc. Il faut manifestement repenser l'organisation de la cuisine.

1. On sait qu'elle était beaucoup plus petite qu'aujourd'hui.

La cuisine est un espace. Comme telle, elle subit des contraintes impératives : surface, longueur des murs, nombre et disposition des fenêtres. Il y a ensuite des éléments que l'on est parfois obligé de respecter — par exemple si on est locataire : la hauteur et la disposition des plans de travail et de l'évier, la localisation des prises de courant, du point d'eau, le nombre des sources de lumière, la profondeur et la répartition des placards.

Selon les cas, ces « figures obligées » favoriseront ou gêneront vos mouvements et votre inspiration. Il importe donc de bien observer les lieux et les structures non modifiables, car il vous appartiendra ensuite d'en renforcer les avantages et d'en corriger autant que faire se peut les défauts. Car, bien sûr, il est un grand nombre d'éléments sur lesquels exercer votre créativité et votre intelligence, afin de créer cet outil complexe et plastique dont vous aurez besoin pour cuisiner à votre aise : la table, le four, les plaques, l'électroménager, la vaisselle, les ustensiles, etc. La cuisine est l'espace du cuisinier, il doit s'y sentir libre et à l'aise. Dans le cas de la construction d'une maison, on tiendra compte de la fonction de la cuisine (simple lieu d'élaboration ou lieu de rencontre), de la surface disponible, de l'orientation, etc. Ces considérations sortent du cadre de cet ouvrage.

LA LUMIÈRE

La vue est un des sens les plus importants en cuisine. Il faut apprécier la fraîcheur des ingrédients et la couleur que prennent les aliments en cours de cuisson. Un éclairage adéquat est donc indispensable, en cuisine comme à table. Dans les deux cas, ce qui doit être éclairé est bien l'aliment et non le cuisinier ou le convive. Pour qu'on travaille à l'aise, le plan de travail, l'évier, les feux de cuisson doivent être lumineux. Il convient donc de prévoir diverses sources de lumière, de direction et de force adaptées aux différentes parties de la cuisine ainsi qu'aux diverses fonctions exercées. L'accès à la lumière doit être automatique : il ne s'agit pas, au milieu de la découpe du gigot ou de la finition d'une sauce, d'aller chercher une lampe de chevet pour l'installer près de soi parce que la pénombre rend problématique le succès de ces opérations simples. La cuisine se fait dans la lumière. Celle-ci peut être naturelle, mais seulement pendant une partie de la journée et, sauf pendant quelques mois d'été, elle est généralement absente le soir. L'installation électrique doit donc être pensée en fonction des nécessités de l'éclairage.

Si le cuisinier doit savoir ce qu'il fait, le convive doit savoir ce qu'il mange. On sait que les restaurants où les plats sont servis dans une demi-obscurité doivent être tenus, sinon dans la suspicion, du moins dans une raisonnable interrogation : que se cache-t-il dans le clair-obscur des assiettes ? Ce n'est pas recommandé. Même si dans certaines circonstances on peut préférer les lumières tamisées à l'illumination éclatante, les plats et les aliments doivent apparaître dans toutes leurs qualités de forme et de couleur, autant que de goût, de consistance et d'odeurs.

PLANS DE TRAVAIL ET ÉVIER

La cuisine, c'est le conditionnement d'aliments élémentaires, éventuellement complété de diverses cuissons. En effet, rares sont ceux qui peuvent être consommés sans préparation, sauf certains produits industriels dont l'usage peut court-circuiter l'action culinaire. Même s'ils se répandent — et sûrement de plus en plus —, il est peu vraisemblable qu'ils remplacent la cuisine domestique et il est probable qu'ils se superposeront à cette dernière. Le propos de ce livre n'est pas de définir une vision dogmatique ni d'imposer un mode de vie, mais au contraire d'apporter des éléments de réflexion permettant de rendre plus faciles les choix de chacun, et de diminuer les contraintes et les difficultés inhérentes par nature à l'acte de cuisiner et à ses implications.

Le plan de travail c'est le centre de la cuisine, c'est là que le cuisinier épluche, coupe, rectifie, assaisonne, découpe et prépare les plats de service. Le plan de travail doit donc être bien éclairé. Il doit être situé à une hauteur adaptée à la taille du cuisinier. Ce dernier doit se sentir à l'aise et il ne doit entendre de son corps que le silence. Une mauvaise disposition est source d'attitudes et de postures néfastes, avec leur contingent de douleurs diverses ou simplement de fatigues.

Le plan de travail doit être de niveau avec les plaques de

cuisson et avec l'évier, et il doit en être situé le plus près possible. Du plan de travail, on doit également accéder aux ustensiles d'usage courant, cuillères, couteaux, louches, etc., ainsi qu'aux objets de protection, gants en particulier.

L'évier doit être suffisamment profond, aisé à nettoyer. Si on a la place, il est préférable de le choisir avec un double bac. La ou les sources d'eau froide et chaude doivent également être d'accès facile.

LES PLACARDS

Les placards de la cuisine doivent être pensés comme des archives. De la même façon qu'on oppose archives vives ou mortes selon qu'on les utilise plus ou moins d'une fois par mois, il convient de classer les placards comme actifs ou dormants.

Les placards actifs comportent des places pour les ustensiles, les condiments et les aliments dont on se sert couramment. Les placards dormants renferment ce qui est le complément occasionnel, ou ce qui ne s'utilise qu'une seule fois, des conserves de dépannage par exemple.

Les placards doivent être fermés. On voit parfois dans des magazines d'ameublement intérieur de belles étagères, toutes propres dans leur présentation photographique. Sauf à être un maniaque du nettoyage ou à disposer d'un personnel domestique nombreux, il faut éviter une telle organisation, car cuisiner salit, par suite des projections et plus encore des vapeurs et des fumées. En l'absence de protection, ustensiles et conteneurs alimentaires se couvrent d'une couche grasse et noirâtre, collante, qui ne part qu'avec certains produits à vaisselle.

Le cuisinier doit savoir ce que contiennent les placards. Il ne doit pas se demander chaque fois où se trouvent le sel, la farine ou les casseroles. Il importe de trouver une place rationnelle aux objets, et de les remettre toujours à cette même place après usage.

Les placards ne doivent pas comprendre trop de choses. Il faut éviter de les transformer en caverne d'Ali Baba ou en champ d'études pour archéologues soucieux d'étudier la stratification des activités successives du cuisinier. Ils doivent être vivants et ne contenir que les objets réellement utilisés. Sauf à être habité par l'âme d'Harpagon ou celle d'Onc'Picsou, l'accumulation d'objets et d'aliments inutiles a un effet dépressif sur l'humeur et sur la créativité. Il faut savoir jeter les objets manifestement sans utilité, les vieilles poêles et les vieilles casseroles, les boîtes de conserve dont on ne se servira jamais et les herbes aromatiques ou les épices périmées. Il faut savoir donner à quelqu'un d'autre les ustensiles achetés à tort ou les aliments en trop grandes quantités.

Il n'y a pas de règle qui nous indiquerait avec exactitude ce qu'il faut stocker dans un placard. Tout dépend de l'utilisateur, du caractère et de la motivation du cuisinier. On n'organise pas ses placards de la même façon selon qu'on les utilise tous les jours pour la préparation des repas d'une famille nombreuse ou qu'on ne cuisine qu'exceptionnellement ; selon que, dépressif, on ne consomme que des surgelés ou des boîtes de conserve ou, au contraire qu'on trouve plaisir à utiliser des aliments frais et les transformer à sa guise.

Dans tous les cas, la règle utilitaire doit primer : l'indifférent et le fatigué doivent trouver aisément plats, assiettes et assaisonnements ; l'imaginatif ne doit pas se transformer en spéléologue de placard pour suivre les méandres exigeants de son imagination.

Cette disponibilité est d'autant plus grande qu'on voit ce dont on dispose ; l'idéal du placard, bien sûr, est celui dont les portes sont vitrées et qui ont le double avantage de protéger contre la poussière et de permettre de voir immédiatement les objets. En contrepartie, le coût en est élevé.

Certains placards doivent être assez profonds pour qu'on y range les ustensiles longs et larges, les grosses cocottes, les grandes poêles par exemple ; mais l'expérience montre que la plupart sont inutilement profonds. Une quinzaine de centimètres suffisent largement pour entreposer farines, huiles, pâtes, épices, etc. Sauf à utiliser systématiquement le fond des placards comme archives mortes, ce qui requiert une gestion particulièrement précise et sous-entend que d'éventuels amis venus aider à ranger après un repas n'en modifieront pas l'ordre, ce qui est situé dans le fond des placards plus profonds ne sert généralement à rien, et constitue au contraire un espace où on oublie des objets que l'on croit disparus simplement parce qu'on ne les a plus devant les yeux. On est ainsi souvent amené à acheter plusieurs fois la même chose, en toute inutilité.

Ces placards bien conçus ne se trouvant pas dans les catalogues, on peut les fabriquer soi-même, ou souhaiter que les industriels de l'ameublement se penchent sérieusement sur les besoins réels des utilisateurs.

LES FOURS [1]

Il sera discuté plus loin de la nature et de l'utilisation des fours. En ce qui concerne l'équipement de la cuisine, le choix, là encore, dépendra de l'espace disponible et des habitudes du cuisinier.

Le célibataire vivant dans un espace réduit pourra se contenter d'un de ces fours multifonctions qui associent une source à micro-ondes avec programme de décongélation, une source à convection, éventuellement avec ventilation (chaleur tournante), et un gril. De tels fours consomment de l'énergie et ils sont relativement exigus et un peu chers. Néanmoins, leur facilité d'utilisation, la possibilité de combiner les modes de cuisson, l'existence d'une horloge permettant de différer le démarrage en font des outils extrêmement utiles et performants. Ils sont suffisants pour l'isolé, mais sont également fort utiles comme fours d'appoint pour ceux qui disposent de fours traditionnels dont les capacités ne sont pas suffisantes. Les fours simples à micro-ondes peuvent être utilisés pour certaines cuissons, mais ils ne sauraient à eux seuls se substituer aux fours classiques; en pratique, c'est surtout pour réchauffer les plats qu'on s'en sert.

Les fours conventionnels électriques ou à gaz restent indispensables à de multiples cuissons. Il est fort regrettable que leur taille soit aussi réduite et uniforme, les standards nord-américains étant beaucoup plus grands et adaptés aux habitudes des cuisiniers. En fait, il conviendrait que les fabricants fassent preuve d'un minimum d'imagination et proposent des solutions adaptées aux besoins individuels, au lieu d'imposer des normes qui semblent inspirées par le souci d'uniformiser l'apparence des cuisines, indépendamment de leur utilisation.

1. Pour l'historique des modifications des fours et de la cuisine, le lecteur pourra se référer à l'ouvrage de S. Giedion, *La Mécanisation au pouvoir* (« La mécanisation des tâches ménagères », pp. 424-451), édité par le Centre Georges-Pompidou.

Il importe que ces fours soient dotés d'un gril et si possible d'une étuve — mais cette dernière est bien rare.

La cuisson dans un four est parfois longue, parfois, au contraire, elle peut être courte, ou requérir des manipulations répétées à intervalles rapprochés. Ces nécessités impliquent donc de placer le four dans une situation qui permet de surveiller son contenu — nombre d'entre eux disposent d'une porte transparente. Il n'est pas certain que la conception idéale soit de placer le four au-dessous des plaques de cuisson. En fait, il devrait être fixé nettement au-dessus du sol, afin que le cuisinier n'ait pas besoin de se baisser pour surveiller la cuisson et pour manipuler les aliments. Bien sûr, une telle disposition nécessite de prendre en considération les conséquences de la chaleur sur les cloisons et sur les structures adjacentes. Il ne s'agit pas, sous prétexte de meilleure visibilité, de mettre le feu aux placards.

Il existe aussi des cuisinières intégrées à bois, à charbon ou à mazout. On trouve également des cuisinières de luxe, intermédiaires entre le matériel amateur et professionnel.

Les fours sont des sources de chaleur et, comme tels, sources de danger. Il existe des systèmes de sécurité dans les fours à micro-ondes pour éviter les conséquences catastrophiques d'une fuite d'ondes — il faut s'assurer que ces systèmes sont en bon état. Les fours placés sur le sol peuvent occasionner des brûlures graves aux enfants.

Enfin, il faut protéger ses mains et ses avant-bras avec des gants de grande taille quand on manipule les plats et les aliments en train de cuire.

N.B. On ne doit jamais mettre d'objets métalliques dans un four à micro-ondes.

LES FEUX ET PLAQUES DE CUISSON

La cuisson des aliments peut se faire, comme autrefois, au feu de bois dans la cheminée, mais il est évident qu'il ne s'agit plus aujourd'hui que d'un mode anecdotique, même s'il est recommandé par des chefs aussi prestigieux que Michel Guérard. Concrètement, la cuisson se fait soit dans une enceinte close — le four — soit sur un feu de cuisson sur lequel on dispose poêles, casseroles et cocottes.

Le choix des feux de cuisson n'est pas toujours simple. Il existe en effet diverses sources d'énergie qui ont des propriétés différentes et dont l'utilisation n'est pas la même. Avant de choisir, il convient de s'interroger sur cette utilisation, c'est-à-dire sur le type de cuisson, sur les caractéristiques de la chaleur nécessaire.

Tout d'abord le cuisinier peut souhaiter, c'est la règle en général, disposer d'une source thermique permettant de varier rapidement son amplitude. S'il veut cuire un steak, il a besoin d'un gril qui chauffe très vite et dont il puisse éventuellement diminuer la température, une fois la viande saisie. Le gaz est de ce point de vue la source énergétique idéale permettant des modifications très rapides d'intensité de chauffe.

Le cuisinier peut également souhaiter une cuisson lente, longue et à faible chaleur. Du coup, ce sont les plaques électriques ou à induction qui sont le plus appropriées, car elles sont plus faciles à régler dans les basses températures.

Elles deviennent indispensables pour les très longues cuissons, car on ne peut jamais exclure qu'un feu à gaz s'éteigne, laissant ainsi s'échapper le combustible avec tous les graves dangers que cela comporte.

Il semble donc, en pratique, qu'il soit souhaitable d'avoir un équipement mixte. Le gaz permet les cuissons à feu vif, les plaques électriques ou à induction étant utilisées pour la chaleur douce.

Le nombre de feux disponibles dépend à l'évidence des habitudes du cuisinier, de son goût, du nombre usuel de convives, de la fréquence de ses invitations, etc. Deux feux sont suffisants pour le célibataire casanier, mais, s'il a la place suffisante, six feux conviendront à celui qui est amené à recevoir car il peut avoir besoin de cuire simultanément un nombre relativement élevé de préparations.

Les feux de cuisson doivent être disposés près du plan de travail, les aliments pouvant aisément passer de l'un à l'autre et le cuisinier à la fois surveiller la cuisson et continuer ses préparations.

Enfin, les feux doivent être situés à une hauteur adaptée au cuisinier. S'ils sont trop hauts, il ne pourra pas manipuler facilement et sans risque les ustensiles les plus lourds. S'ils sont trop bas — et c'est la règle générale en France — il ne sera pas à son aise, il peinera, se fera mal au dos et, d'un plaisir, cuisiner deviendra une pénible corvée.

L'introduction du froid produit en continu à partir de sources d'énergie (gaz et électricité) a marqué une étape importante dans l'équipement des cuisines, permettant une conservation prolongée des aliments. C'est ainsi que les denrées les plus rapidement périssables, viandes, poissons, certains produits lactés, fruits et légumes purent se conserver quelques heures ou quelques jours de plus qu'auparavant, offrant de ce fait une plus grande liberté d'utilisation. L'introduction successive des réfrigérateurs, puis des congélateurs a ainsi permis non seulement le stockage à rotation rapide, mais encore une immobilisation de longue durée des produits congelés.

Réfrigérateurs et congélateurs sont devenus des compagnons indispensables du cuisinier. Il faut toutefois que ce dernier réfléchisse à la nature de ses besoins et, partant, à la taille, à la forme et à l'emplacement de ces appareils. Il est clair en effet que le célibataire citadin occupant un studio doté d'un mini-coin cuisine n'est pas dans les mêmes conditions que la mère de famille nombreuse vivant dans une grande maison campagnarde, disposant de beaucoup d'espace et récoltant par vagues successives les produits du potager, de la chasse ou de la pêche.

Le premier point à considérer est la taille et la place du réfrigérateur. En effet, on y range le beurre, les viandes fraîches, le poisson, les légumes et les fruits périssables, les œufs, autrement dit les éléments dont ont besoin régulièrement non seulement le cuisinier, mais aussi les autres habitants de la maison, par exemple pour le petit déjeuner. Le réfrigérateur doit donc être situé dans la cuisine, aisément accessible, de taille appropriée à l'espace disponible et au nombre de personnes vivant ensemble.

Le congélateur ne connaît pas ces mêmes contraintes. En dehors de quelques aliments surgelés, dont le cuisinier peut avoir éventuellement besoin une ou deux fois dans la journée, le congélateur reste fermé. On ouvre et on ferme le réfrigérateur en permanence pour y apporter des produits et pour les enlever. L'utilisation du congélateur est beaucoup plus occasionnelle. Sa taille peut donc être très variable et relativement indépendante du nombre de personnes vivant au foyer. Un célibataire peut souhaiter utiliser beaucoup de surgelés et les stocker une fois par mois dans un congélateur de grande taille, et la mère de famille nombreuse peut de son côté n'aimer cuisiner que des produits frais et se contenter d'un tout petit congélateur comme simple moyen de dépannage.

De même l'emplacement du congélateur n'a-t-il pas une importance particulière. Il dépendra principalement de la place dont on dispose. Il ne s'impose dans la cuisine que si la disposition des lieux d'habitation ne permet pas de le mettre ailleurs, car il n'y a aucune nécessité à entreposer les aliments surgelés dans la cuisine même.

Réfrigérateurs et congélateurs doivent être pensés comme des placards froids. De même que pour les placards, il faut pouvoir accéder immédiatement à leur contenu.

Un défaut fréquent est de les encombrer d'aliments en quantités incompatibles avec l'utilisation qu'on en fait. Ainsi s'accumulent dans le réfrigérateur des produits qui, après un temps de stagnation plus ou moins long, passent directement dans la poubelle; et on trouve dans le congélateur des masses stratifiées d'aliments provenant de l'industrie alimentaire ou que l'on a soi-même conditionnés et qui attendent tranquillement leur date de péremption, quand ils ne se transforment pas brusquement en denrées inconsommables, par exemple après une panne d'électricité.

Il faut veiller à ne stocker que ce qu'on peut prévoir raisonnablement de consommer dans un futur proche. Combien de congélateurs et de réfrigérateurs ne sont, comme les placards, que des mouroirs où les aliments sont, de même que les misérables au Moyen Age, jetés aux oubliettes domestiques en attendant l'enterrement final dans un sac poubelle!

LES APPAREILS LÉGERS

Outre l'infrastructure lourde, des objets plus petits, uni- ou plurifonctionnels, trouvent de plus en plus leur place à la cuisine. Ils facilitent la tâche, mais compliquent le stockage — surtout s'il y a pénurie d'espace — et le nettoyage, car ils sont souvent faits de telle façon qu'ils peuvent s'encrasser très vite et devenir difficiles à récupérer : laisser sécher des restes d'agrumes dans un presse-citron ou un fond de sauce à l'œuf dans un saucier électrique est source de bien des ennuis.

Il existe une multitude de tels appareils et le risque, pour le cuisinier, est de se laisser tenter par certains, qui apparaissent attirants, utiles ou amusants, et dont en définitive il n'aura pas l'usage. Soit que la fonction qu'ils remplissent ne corresponde pas aux habitudes du cuisinier, soit qu'ils n'apportent pas de gain de temps ou de productivité, voire qu'ils soient moins pratiques que des méthodes traditionnelles. Soit enfin que leur maniement, éventuellement les opérations de démontage pour les nettoyer imposent une série de contraintes qui transforment l'aspect ludique de leur utilisation en pensum contraignant et ennuyeux. Il faut donc bien réfléchir, au-delà de l'attrait de la nouveauté, surtout quand elle est ingénieuse, à l'utilité réelle, à l'utilisation prévisible, à l'encombrement et à la facilité du nettoyage. Au prix aussi, bien sûr. A chacun donc de faire son choix. Néanmoins, quelques appareils semblent réellement utiles à tous :

— Un *grille-pain.*
— Un *presse-agrume* électrique (ne pas oublier de le nettoyer immédiatement après usage).
— Un ou deux *robots* multifonctions permettant de mixer, de hacher, de battre, de mélanger. Il faut se méfier du miroir aux alouettes que constituent certains appareils comportant tellement de fonctions qu'elles ne sont jamais utilisées, et qui peuvent être fragiles ou difficiles à utiliser, parfois par manque de puissance, et à nettoyer à cause de la qualité médiocre de leurs éléments. On pourra également trouver usage d'un *mixer plongeant.*
— Un *moulin à café* qui servira également à moudre les épices et à obtenir des poudres incomparablement supérieures à celles vendues toutes faites.
— Une *cafetière.*
— Une *bouilloire électrique.*
— Une *centrifugeuse.*

LES USTENSILES DE CUISSON
POÊLES, CASSEROLES, COCOTTES, ETC.

Il y a peu d'aliments qui peuvent cuire sans être placés dans un conteneur. La forme, la taille, la nature de ces derniers sont extrêmement variées et diverses.

37

Tous les matériaux n'ont pas le même comportement sur le feu et ne transmettent pas la chaleur de la même manière. Il existe des matériels de bas de gamme, difficiles à entretenir, inesthétiques et qui ont généralement la propriété de faire attacher la quasi-totalité des ingrédients qui y cuisent. Leur seul avantage est leur bas prix, mais si on en a les moyens il est préférable de les éviter. En cuisine comme pour l'ensemble des activités techniques, il convient d'acheter un matériel de bonne qualité.

La qualité se reconnaît à l'épaisseur du fond et des parois, à la stabilité d'ensemble, à la diffusion homogène de la chaleur. De plus, on recherchera les matériels antiadhésifs, qui sont de maniement plus aisé et permettent parfois d'éviter l'utilisation de graisse de cuisson tout en préparant une cuisine plus diététique.

Parmi les matériaux les plus adaptés, on notera ceux en fonte de fer ou d'aluminium, éventuellement recouverts d'émail ou de divers revêtements antiadhésifs. Traditionnellement c'étaient les ustensiles en cuivre étamé qui avaient la faveur des chefs ; ils sont malheureusement chers et d'entretien délicat. Il existe d'autres matériaux — acier inoxydable, aluminium et divers métaux, dont le cuivre, répartis en couches superposées. Il faut mettre à part les matériaux non métalliques — verre, terre cuite, céramiques diverses —, qui peuvent être utilisés dans les fours et qui en général ne sauraient être placés sans risque sur la flamme, même avec l'interposition d'un diffuseur. Rappelons par ailleurs que les ustensiles utilisés pour les appareils à induction sont spécifiques.

La taille des ustensiles doit être proportionnelle au volume de l'aliment. C'est pourquoi il faut toujours disposer de poêles et de casseroles de petite taille pour y cuire l'œuf sur le plat et le steak individuel, comme pour y préparer les sauces. En fonction de ses ambitions culinaires et de ses obligations, de la place dont il dispose également, le cuisinier disposera :

> — De plusieurs *poêles* de taille et de profondeur variables. Il est généralement utile d'en avoir à manche amovible, éventuellement dotées d'un couvercle. Les poêles peuvent ainsi passer des plaques de cuisson au four, ce qui est souvent pratique.
> — D'un jeu de *casseroles* de tailles variées, faciles à stocker quand elles s'emboîtent les unes dans les autres.
> — D'une ou plusieurs *cocottes* disposant d'un couvercle — il existe certains couvercles qui se recouvrent d'eau, ce qui permet des cuissons lentes.

— D'un ou plusieurs *faitouts* ou *marmites*, récipients de grand volume.

— De *terrines*, de *moules* à gâteaux divers et de *plats à gratin*.

— D'une *poissonnière*, long récipient à couvercle, muni d'une grille permettant de plonger le poisson dans le liquide de cuisson et de l'en retirer. Il existe également des turbotières pour les poissons plats.

— D'une ou deux *plaques à rôtir*, plats profonds et rectangulaires, adaptés à la cuisson dans le four.

Il est en outre fort utile de disposer d'un *ensemble* permettant la cuisson à la *vapeur*, d'un *wok*, sorte de plat à sauter de forme arrondie, comme un fragment de sphère, très adaptée à la cuisson sur feu vif, d'une *friteuse*, récipient destiné à contenir de l'huile dans laquelle on plonge les aliments à frire ; il en existe d'ailleurs qui marchent à l'électricité.

On peut également compléter l'équipement culinaire avec un *autocuiseur* — pour la cuisson à la vapeur sous pression.

On trouve dans les catalogues et chez les marchands de multiples autres récipients et ustensiles adaptés à certains modes de cuisson ou plus spécialement utiles pour cuire certains aliments (saucisses, raclette, steaks, etc.) et chacun pourra compléter à sa guise l'équipement de sa cuisine. On voit que le nombre d'ustensiles de cuisson est relativement élevé, ce qui pose des problèmes de rangement — et de coût d'achat évidemment. Il faut donc bien évaluer ses besoins et ses désirs avant d'acheter, en sachant que c'est un domaine où il est déraisonnable de faire des économies sur la qualité, un bon équipement devant durer très longtemps — il n'y a guère que les ustensiles revêtus de produits synthétiques antiadhésifs qui ont une durée de vie réduite, et il convient de les éliminer quand le revêtement commence à s'abîmer car ils deviennent dangereux pour la santé.

A ce matériel de cuisine proprement dit, on ajoutera un matériel plus spécifiquement adapté à la pâtisserie : *culs-de-poule*, suites de *bassines* à fond plat et à bords incurvés, *bassine à confiture, plaques* et *grilles* à pâtisserie.

LE PETIT MATÉRIEL DE CUISINE

La préparation d'un plat comporte la réalisation de très nombreux actes précis et spécifiques, à la fois pour laver, éplucher, découper les éléments avant cuisson, pour surveiller cette dernière, séparer les diverses parties du plat, pour faire les sauces, pour présenter les mets sur le plat de service, enfin pour nettoyer et laver. Rien n'est plus exécrable que de manquer de l'écumoire, des ciseaux ou du couteau requis.

Certains de ces instruments sont peu onéreux et aisés à se procurer, de petit volume de surcroît — il est raisonnable d'en avoir deux ou trois à la fois, par exemple des tire-bouchons ou des couteaux économes. D'autres, du fait de leur volume ou de leur nature, doivent être choisis d'abord en fonction de leur qualité — matière, tranchant, poids.

La liste de ces outils indispensables ne peut évidemment être faite de façon exhaustive, mais on retiendra au moins :

— Des objets pour nettoyer et préparer les aliments.
  • Plusieurs petits *couteaux économes* pour peler.
  • Des *ciseaux* fins et longs pour ciseler les herbes aromatiques et des ciseaux puissants et épais pour les poissons.
  • Des *râpes*.
  • Un ou deux *moulins à poivre*.
  • Un *moulin à gros sel.*
  • Un *laminoir à pâtes* (si on ne dispose pas d'un robot spécialisé).
— Des objets pour les découper.
  • Une *feuille à fendre* pour les os et les cartilages.
  • Une petite *scie à os.*
  • Un jeu de *couteaux* (plusieurs petits couteaux à bout fin, un couteau de boucher, un couteau à tranches fines, un couteau à désosser, un couteau à pain, un couteau multifonction).
  • Des couteaux à parmesan.
On s'assurera que les couteaux soient tranchants et piquants. On les aiguisera très régulièrement. On les nettoiera après usage.

Il sera bon de prévoir une gorge spéciale pour les stocker, pointe en bas, protégée et manche sorti, disponible. Sinon, il faudra prévoir des gaines de protection, un bon couteau est un couteau qui coupe.

  • Une *pierre* à aiguiser et un *fusil* à aiguiser.
  • Une *planche à découper*, large et épaisse, garnie d'une gorge et d'un collecteur pour recueillir le jus.
— Des objets pour manipuler et pour transformer les aliments.
  • Des *spatules* en bois, en métal et en plastique ; il en faut un jeu adapté à la diversité des situations.
  • Une grande *fourchette* droite pour piquer et maintenir les viandes.
  • Plusieurs *louches* de taille et de forme différentes.
  • Une *essoreuse* à salade.

40

- Des *brochettes* en bois ou en métal.
- Un *rouleau à pâtisserie*.
- Des *écumoires* et des *passoires* de taille variée.
- Un *chinois*, filtre conique (en forme de chapeau chinois).
- Une *étamine* permettant une filtration fine.
- Une *araignée* pour collecter les aliments en train de frire ou de bouillir.
- Des *fouets* à sauce.
- Un grand et un petit *entonnoir*.
- Un *mortier* et son *pilon* faits de matière lourde permettant de piler finement.
- Une *lardoire*.
- Deux *paniers à nids*, sortes d'araignées s'emboîtant l'une dans l'autre et permettant de frire divers légumes finement émincés, en leur donnant ainsi la forme et la fonction d'un nid.
- Un *pinceau* de cuisine.
- Un jeu d'*aiguilles* à larder et à brider, et du *fil* solide à brider.
- Deux *balances*, une pour les poids très petits (quelques grammes ou quelques dizaines de grammes), l'autre pour les poids plus usuels, graduée en hectogrammes.

— Des objets permettant d'ouvrir aisément les conserves.
- *Décapsuleur*.
- *Ouvre-boîte* mécanique.
- *Tire-languette* pour tirer le caoutchouc des bocaux à couvercle en verre.
- *Pince à conserves* pour dévisser les fermetures métalliques des bocaux.
- *Tire-bouchons*.

— Des objets permettant de conditionner les aliments et de les stocker.
- *Dévidoir* avec papier aluminium, papier « éponge », film alimentaire, papier sulfurisé.
- *Sacs de congélation*.
- *Récipients* pour produits devant cuire au four à *micro-ondes*.
- *Récipients* hermétiques *en verre* ou *en plastique* pour y mettre les restes.
- Une *huche* à pain.

— Des objets de protection et de nettoyage.
- Des *gants de caoutchouc*.
- Des *gants épais* remontant jusqu'aux coudes, de protection thermique.
- Des *torchons* à vaisselle et à verrerie.
- Des *essuie-mains*.
- Des *crochets* adhésifs pour y suspendre torchons, gants, etc.
- Des *couvercles* finement grillagés, amovibles, pour éviter les projections de certains plats.

— Par ailleurs, on n'oubliera pas, en cas de besoin de se munir de :

- *Allumettes.*
- *Allume-gaz* automatique.
- *Bougies* (en cas de panne de courant).
- *Minuteur.* ·
- Instruments et produits de *nettoyage.*

MATÉRIEL DE PÂTISSERIE ET DE CONFISERIE

La pâtisserie et la confiserie peuvent requérir l'utilisation des divers instruments décrits dans les lignes précédentes. Il est bon de compléter l'équipement de la cuisine avec les outils suivants :

- Une série de *cercles à pâtisserie* de diamètres variés.
- Une ou plusieurs *plaques à gâteaux* sur lesquelles on place le ou les cercles.
- Un *batteur à œufs.*
- Des *bols* en acier inoxydable pour fouetter.
- Un ou plusieurs *pinceaux.*
- Un *couteau canneleur* pour zester les agrumes.
- Des *roulettes* à pâte.
- Des *cornes* à pâte.
- Un *rouleau* à pâtisserie.
- Une *grille* à pâtisserie pour laisser « ressuyer » les gâteaux au sortir du four.
- Une *poche à douilles* avec un jeu de douilles de taille et de forme variées.
- Un ou deux *thermomètres* (il est préférable d'en avoir un pour les basses températures et un autre pour les fortes).
- Une *seringue* à pâtisserie.
- Un *anneau à gâteaux.*
- Un *verre doseur* et des mesurettes.
- Les *moules à gâteaux* seront choisis en fonction des goûts de chacun. En général, l'équipement de base comprend un moule à brioche (ou à kouglof), un moule à baba, un moule à charlotte, un moule à manqué, un moule à cake, un ou plusieurs moules à tarte et un ensemble de moules pour petits gâteaux : madeleines, tartelettes, pots à crème individuels.
- Des *caissettes en papier* pour petits gâteaux individuels.
- Des *moules en aluminium* léger à usage unique.
- Un *gaufrier.*

Remarque : Les divers matériaux utilisés pour cuire n'ont pas le même comportement. Les moules en tôle blanche cuisent moins vite que ceux en tôle noire. Les moules à revêtement anti-adhésif ont l'avantage de ne pas nécessiter de graissage. Les moules en verre, en céramique et en porcelaine à feu conduisent mal la chaleur.

Des variations des temps de cuisson de l'ordre de 20 % sont aisément observées en fonction du matériau utilisé et ce d'autant plus que la cuisson est plus hétérogène dans les moules à mauvaise conduction thermique (le dessus cuit plus vite que l'intérieur, ce qui peut être un avantage ou un inconvénient, selon les cas).

5

Contraintes et dangers dans la cuisine

ORDRE ET DÉSORDRE DANS LA CUISINE

La cuisine est éphémère, le désordre est durable. Le cuisinier modifie l'ordre des choses : il épluche, il tranche, il mélange, il grille, il frit, il bout ou il rôtit ce qu'il reçoit sous forme de légumes, de fruits, de chairs animales.

Il recrée un ordre nouveau, le sien, qui présente les produits consommables sous forme de hors-d'œuvre, d'entremets, de plats principaux et de desserts. On conçoit aisément qu'il y ait des laissés-pour-compte en cours de route — déchets, épluchures ou parures diverses, ou restes alimentaires. Il y a de plus les objets salis par la préparation, l'élaboration et la consommation des aliments — casseroles, couverts ou assiettes. L'ordre du cuisinier, malgré la beauté et l'attrait passagers des plats qu'il prépare, crée ainsi trois sources de désordres qu'il doit maîtriser s'il veut retrouver joie et plaisir lorsqu'il se met à l'ouvrage. Rien de plus déprimant en effet qu'une cuisine sale et malodorante. Rien non plus de plus destructeur que les reproches répétés du conjoint s'il est chargé de la peu glorieuse tâche de nettoyer les salissures du chef. Cette contradiction n'est pas facile à résoudre, car il y a une opposition certaine entre le moteur créatif qui pousse le cuisinier à inventer, à innover et à expérimenter, et le sens de la conservation qui préside à l'élimination des déchets, à l'utilisation des restes et au nettoyage de la cuisine, des ustensiles et de la vaisselle.

Il n'y a pas de règle générale, de mode opératoire qui permettrait de trouver une solution universelle. D'ailleurs, les

44

conditions de la vie sont bien hétérogènes, et ce qui est la solution du célibataire n'est peut-être pas applicable à celui qui fait la cuisine quotidiennement pour une famille nombreuse. Mais si le point d'équilibre peut différer, en revanche la nature même des contraintes opposées reste la même : insatisfaction de ne pas faire ce que l'on voudrait et dépression devant le spectacle d'une cuisine ravagée par de trop nombreuses opérations, souci de ne pas jeter des restes d'aliments appétissants et sujétion due à ce trop-plein (ceux qui ont un potager connaissent bien ces périodes où, après avoir attendu tel ou tel légume, ils en sont submergés avec pour alternative de jeter des produits de qualité ou d'en manger à chaque repas).

Dans tous les cas, le cuisinier devra viser au contrôle de ces aspects apparemment inconciliables. A lui de distribuer les rôles, de déterminer les pôles d'intervention : où et quand stocker les déchets et les éliminer ; comment prévoir la succession des plats qui peuvent naître les uns des autres. Il peut considérer les restes comme de tristes menus des jours à venir. Inversement, il peut programmer, au terme d'une série d'opérations réalisées sur plusieurs jours, la confection finale d'un plat rare et subtil, apothéose glorieuse s'il en est.

Au cuisinier également de penser et prévoir la balance qui existe entre les temps nécessaires à la fabrication et ceux imposés par le nettoyage, et comment il peut faire de ces derniers des temps de récupération, car il y a déséquilibre entre l'éphémère de sa création et le durable du désordre qu'il fabrique, sous-produit inévitable de son art. A lui d'en comprendre la nature, d'en analyser les phases et d'en identifier les bénéfices secondaires qu'il peut en recueillir.

LAVER ET NETTOYER LA CUISINE

Bien sûr, il faut laver la vaisselle et nettoyer la cuisine. De belles corvées, répétitives, souvent énervantes. Encore plus désagréables d'ailleurs lorsqu'elles sont dévolues aux autres, à l'épouse par exemple, invitée à transformer le champ de bataille aimablement légué par le chef de maison en espace vivable. Éclaboussures de graisse, épluchures diverses, casseroles au fond collé ou brûlé, fours transformés en tableaux tachistes, grils incrustés de débris calcinés ; plus les couverts, les bols, les

45

assiettes et les plats recouverts de résidus huileux, crémeux ou confiturés, avec en prime des restes de légumes, des miettes, des os ou des parures divers. Le legs marital n'a pas réellement le don d'améliorer les relations humaines au sein de la cellule familiale.

Si en revanche le cuisinier est célibataire, la contemplation du désastre a de quoi saper son moral et freiner ses inspirations ultérieures.

C'est pourquoi il importe de penser très concrètement à l'intégration des fonctions de nettoyage, d'une part dans l'organisation spatiale de la cuisine — place de la poubelle, de l'évier, du lave-vaisselle —, d'autre part dans l'organisation temporelle de la préparation et de la fabrication des plats.

Mais tout d'abord une question, une interrogation : les travaux de nettoyage sont-ils aussi fastidieux, aussi ennuyeux, aussi stériles qu'il semble naturel de le penser ? Peut-on d'ailleurs imaginer métier moins considéré que celui de balayeur ? Si on devait dresser une hiérarchie des activités humaines, ne pourrait-on au contraire honorer celles qui distinguent l'homme des autres animaux ? C'est sûrement le cas des activités purement intellectuelles, mais aussi d'un certain nombre de métiers dits manuels. Et parmi ces derniers les tâches de nettoyage occupent une place éminente. En effet, la tendance naturelle est au chaos.

Spontanément tout tend à accroître sa propre entropie, cette forme d'organisation ou plutôt de désorganisation anarchique de la matière. Lutter contre l'entropie est la condition même de l'activité humaine et sociale. Or, s'il est naturel de laver son corps — et nombre d'espèces y passent une grande partie de leur temps —, laver et nettoyer l'espace où l'on vit, avec la segmentation des activités, la séparation des fonctions de nutrition, de reproduction, d'élimination des résidus ou d'organisation des loisirs, est caractéristique et spécifique de l'espèce humaine. Si certains animaux nettoient leur nid ou leur terrier, ce n'est jamais que de façon grossière, les débris alimentaires y faisant généralement bon ménage avec les déjections.

Il est donc étrange que cette fonction d'organisation quotidienne d'un espace propre, agréable à l'œil, attirant, inspirateur à lui seul de désirs de plats, de sauces et de fumets, ne soit pas plus considérée. Revalorisons cette fonction de recréateurs d'espaces de vie, d'agents implacables traquant l'entropie sournoise sous ses déguisements d'épluchures et de papiers gras.

Nettoyer la cuisine, c'est la ressourcer, c'est lui redonner jour après jour une jeunesse, un attrait, en réinventer les parties. Jour après jour, c'est recomposer cet outil complexe et plastique que l'imagination, l'œil et la main peuvent soumettre à leurs injonctions, à leurs projets, à leurs désirs et à leurs plaisirs.

Nettoyer a également une autre fonction. Il est normal de laver son corps. Pourquoi en est-il ainsi? Nos aïeux ne se lavaient pas. D'ailleurs, ne pas se laver ne provoque guère de maladie, alors que le manque d'hygiène culinaire est une cause majeure de troubles digestifs et d'affections parfois sévères, responsable, en particulier, dans certaines contrées, de la mortalité infantile. En effet, la prolifération microbienne ou la sécrétion de toxines accompagnent les phénomènes de macération, voire de putréfaction, causés par les souillures de l'eau, par les mauvaises conditions de conservation des aliments et par l'insuffisance du nettoyage des instruments et ustensiles. Nettoyer sa cuisine c'est donc aussi se garantir contre certaines maladies, c'est préserver sa santé. Alors, s'il est aujourd'hui admis que prendre une douche ou un bain, que se laver les cheveux ne sont plus les corvées que ressentaient les enfants il y a quelques dizaines d'années, mais, par-delà leur fonction obligée de nettoyage et de parure, des plaisirs simples et physiques, ne pourrait-on imaginer qu'il en soit de même pour les tâches de reconstitution d'un espace lumineux, gai, et dont l'ordre et la propreté semblent autant d'appels au plaisir et à la joie?

Mais, de même qu'il est plus agréable de se laver dans une baignoire ou dans une cabine adaptée à cette fonction, encore faut-il disposer des outils et des objets à la fois plaisants et performants. En particulier, l'évier doit être placé près du plan de travail et des plaques de cuisson. Plus encore, sa hauteur doit être adaptée à la taille du cuisinier. Nettoyer la vaisselle ne doit pas entraîner ces douleurs dorsales du cou ou des épaules qui sont le lot de beaucoup. Pour cuisiner comme pour nettoyer, on doit avoir ses aises. De même, la machine à laver la vaisselle doit-elle être placée de façon telle qu'en sortir les couverts et la vaisselle n'entraîne pas de blessure ni de gêne.

Il faut également optimiser le travail de nettoyage, ce qui implique le choix des serpillières, des balais, des éponges, des tampons et autres auxiliaires. Mais aussi des produits de nettoyage, en tenant compte de leurs caractéristiques écologiques.

Cela nécessite aussi de réfléchir à deux choses. D'une part, certains plats demandent beaucoup de temps de préparation ou de cuisson, mais relativement peu de temps de nettoyage. D'autres, au contraire, sont relativement brefs, mais, consistant à gérer rapidement une série d'actions complexes, peuvent nécessiter un nombre élevé d'ustensiles.

Calculer le temps de travail doit donc inclure également le temps de nettoyage. En général, les plats « conviviaux », ceux que l'on sert entiers à table pour un grand nombre d'invités, appartiennent à la première catégorie ; alors que nombre de préparation à l'assiette, souvent réalisables seulement pour trois ou quatre personnes, peuvent ne pas prendre trop de temps de préparation, mais beaucoup de nettoyage. Un deuxième facteur à considérer est celui de la nature même des ustensiles, en particulier poêles et casseroles. Il est des matériaux dans lesquels on peut faire fondre du sucre directement sur le feu, faire brûler du lait ou cuire des œufs sans graisse — et il suffit ensuite de nettoyer simplement en passant un peu de papier absorbant, alors que ces opérations détériorent définitivement (ou entraînent des temps de nettoyage invraisemblables) les instruments faits d'autres composants. Il convient donc de faire très attention à la constitution des ustensiles de cuisine.

On voit donc que laver et nettoyer la cuisine n'est pas cette fatalité pénible et obligée, ni cet impôt amputant le temps du rêve et des loisirs, mais bien plutôt une forme malléable et évolutive de préparation, à la fois travail de clôture d'une activité et d'ouverture d'une autre. Nettoyer, c'est assurer cette transition, c'est finir la fête et préparer la suivante, c'est permettre le changement. De même que le bain ou la douche, par-delà leur fonction d'hygiène corporelle, marquent le temps et le rythment, le nettoyage de la cuisine lui apporte une transformation qui la recompose dans sa forme accueillante et propre. Ainsi, l'œil et l'esprit peuvent-ils progressivement retrouver l'organisation des objets et des choses dont ils ont besoin pour imaginer le repas suivant. Le nettoyage est comme le sommeil, phase de réparation et de récupération.

LES DÉCHETS

Par définition, la cuisine est grande fabricante de déchets qu'il faut évacuer au rythme de leur production. Il convient donc de prévoir un ou plusieurs récipients pour les recueillir avant de les porter dans les places qui leur sont destinées. Remarquons tout d'abord que la récupération des déchets est une préoccupation de plus en plus grande et qu'il convient d'en limiter le volume, autant que faire se peut. Tout au moins de ceux qui arrivent en définitive dans les structures d'élimination collective. Car pour qui dispose d'un potager, voire simplement d'un jardin d'agrément, certains déchets, loin d'être un handicap, permettent au contraire de fabriquer un compost qui, après maturation, fera un engrais naturel de qualité : il s'agit en général des restes végétaux. Dans ce cas, on prévoira un conteneur spécial dans la cuisine, qu'on videra régulièrement dans la fosse ou le bac prévu à cette fin dans le jardin. Il convient évidemment de ne pas y mêler les restes carnés, les sacs en plastique ou les boîtes de conserve.

Une deuxième collecte spécifique est celle du verre. Il est raisonnable de le déposer dans les récipients prévus à cette fin dans un nombre grandissant de villes et de villages ou de centres commerciaux.

Les ordures ménagères sont dans certains immeubles évacués par des vide-ordures ; même s'ils sont étroits, ils permettent de se débarrasser d'une partie des déchets. Il ne faut pas oublier de les envelopper et de les réduire à leur volume minimal avant de les y placer.

La plupart du temps, il y a nécessité d'une poubelle dans la cuisine. Cette dernière doit être immédiatement accessible et ne pas nécessiter d'ouvrir et de fermer en permanence un placard dans lequel elle serait cachée, du moins si l'utilisation est régulière. La taille de la poubelle doit dépendre elle aussi du débit des ordures. Une minipoubelle dans une famille nombreuse risque d'être constamment pleine et une trop grande, chez un célibataire, risquerait de se transformer en quelques jours en un cloaque nauséabond. Quelle que soit la solution, il convient de ne s'en servir que comme d'un conteneur fixe, qui sera doublé intérieurement de sacs spéciaux qu'on enlèvera une fois pleins.

Quant à la forme de la poubelle, elle reste objet de controverse. Les systèmes à ouverture commandée par le pied et ceux à couvercle manuel ont leurs partisans et le choix entre les deux dépend de l'utilisation plus ou moins grande qu'on en fait, les premières étant généralement plus petites, plus fragiles aussi.

PROTECTION ET SÉCURITÉ

La cuisine assure la reproduction de l'énergie et de la vie, et le cuisinier est son serviteur. Il convient donc qu'il ne change pas de mission pour se transformer en pourvoyeur des hôpitaux.

On sait qu'aujourd'hui une des grandes causes de morbidité et, chez les enfants tout au moins, de mortalité, est liée à des accidents d'autant plus dramatiques qu'ils surviennent dans le cours d'une activité dont la fonction vise à maintenir la santé et la vie.

Il existe dans une cuisine des dangers multiples et permanents. Il y a tout d'abord ceux liés directement à la nature des objets. Un couteau tranchant ne fait pas de lui-même la différence entre l'aliment et la main du cuisinier. De même un four étant par nature utilisé en général entre 160° et 250° est-il à une température qui n'a pas plus de raison de respecter celui qui vient en retirer un plat que le contenu de ce dernier.

D'autres dangers proviennent des conséquences de ce qu'on fait, par exemple les projections d'huile bouillante ou de vapeurs brûlantes qui peuvent être occasionnées par l'introduction d'un aliment ou de liquide dans un plat qui cuit. Autre exemple : le dérapage du couteau à huîtres.

Il y a aussi les accidents vrais, le couteau de cuisine qu'on a laissé au milieu des épluchures, la casserole que l'on renverse. On encore la tache d'huile sur le sol ou le tapis mal posé qui font glisser et ne causent pas que les rires de l'assistance.

Mentionnons aussi les étourderies : le plat trop chaud ou trop lourd, le couteau mal équilibré, et qu'on laisse tomber.

Autre source de dangers, l'appareillage électrique — en cas de faux contact — et à gaz — une fuite est toujours possible. Quant aux instruments eux-mêmes, on se méfiera tout particulièrement des robots, des moulins à café, etc.

Se protéger est donc important. Protéger les autres, en particulier les enfants, est impératif. Ces derniers ne doivent pas pouvoir ouvrir le four qui chauffe, atteindre la queue de la casserole d'eau bouillante, s'approcher du poêlon à fondue bourguignonne ou s'agripper aux pieds du barbecue de jardin. Le drame accompagne le quotidien et plus encore la fête.

Il ne faut évidemment pas vivre dans la hantise de l'accident, transformer ce qui doit être une activité nécessaire, certes, mais surtout une source de plaisir en une course d'obstacles marquée par la peur et la crainte. Rien de cela, mais à la fois une réflexion sur les usages et les risques, et l'application de certaines règles simples et systématiques. Il faut se protéger le visage et les mains du chaud, surtout du bouillant et du brûlant. Il faut mettre ses doigts hors de portée du fil du couteau et des pales rotatives des robots domestiques. Il faut appliquer des règles strictes de protection des prises électriques et éviter de laisser le gaz allumé pour rien. Et puis, on ne le répétera jamais assez, on pensera aux enfants.

La sécurité et la protection, c'est aussi se préoccuper de ce qu'on mange. Non pas tant des effets diététiques à long terme, mais des conséquences immédiates et directes. Il s'agit de ne pas s'empoisonner avec des champignons sauvages mal identifiés, ou avec des conserves avariées. Il s'agit plus banalement d'éviter les aliments de provenance douteuse ou dont les dates de péremption sont dépassées. De laver soigneusement les légumes. De ne pas consommer certains coquillages, les moules par exemple, lorsqu'elles sont cueillies hors des zones d'élevage. De même, la mode actuelle de la collecte d'herbes et de légumes sauvages, pour attirante et excitante qu'elle soit, doit se limiter strictement à ce qu'on connaît.

L'esprit de découverte et d'ouverture caractérise le cuisinier moderne, pas l'aveuglement ni la témérité ignorante.

MANGE, SINON TU VAS PAS MOURIR

« Mange, sinon tu vas pas mourir », c'est par cette phrase qu'on comprend que les quatre hommes qui se sont retrouvés dans une grande et belle maison de Paris, en compagnie d'une institutrice et, brièvement de quelques femmes de joie, se sont rassemblés pour mourir. Pour mourir d'indigestion. C'était en 1973. Le film s'appelait *La Grande Bouffe*, de Marco Ferreri. Successivement Marcello Mastroianni, Michel Piccoli, Ugo Tognazzi et Philippe Noiret décédaient de ce trop-manger, accompagnés au seuil de la mort par une Andréa Ferreol pulpeuse et maternelle à souhait. Ils mouraient à l'écran. Francis Blanche, qui avait écrit les dialogues, les suivit l'année suivante, mais pour de bon. Dans la vraie vie, on peut mourir d'indigestion, quoique rarement de manière directe. C'est plutôt par le biais des vomissements inhalés qu'une issue fatale peut survenir, ou par l'ingestion de produits toxiques ou de trop grandes quantités d'éléments dangereux à forte dose (alcool ou sel entre autres).

Certains amateurs recherchent le jeu avec le danger. C'est le cas des Japonais pour lesquels la chair du *fugu*, un poisson empoisonné, est un des mets les plus recherchés. Pour être autorisé à le goûter, il faut tout d'abord être introduit, car seuls certains cuisiniers ayant fait de longues et précises études ont le droit de le découper. On ne trouve ce plat que dans certains des restaurants *Kaiseki* spécialisés, et seuls certains initiés ont le droit de risquer leur vie en mangeant une quantité limitée de ce poisson d'exception. Une erreur de découpe et c'est la mort. Une trop grande quantité de poisson et les risques augmentent.

Certains champignons sauvages sont mortels, comme chacun le sait, mais c'est volontairement qu'un médecin a consommé une centaine de grammes d'amanites phalloïdes, en ayant auparavant pris le traitement préventif qu'il avait mis au point. Heureusement pour lui, cette thérapeutique fut efficace. Assez efficace. (A signaler que la méthode qu'il a décrite n'est pas celle qui est aujourd'hui appliquée par les centres antipoison.)

Car la nourriture qui apporte l'énergie vitale peut aussi apporter la mort. C'est le cas de nombreux champignons. C'est le cas de certaines conserves souvent familiales, lorsqu'elles sont colonisées par un germe anaérobie qui cause le redoutable botulisme (on se rappellera de ne jamais consommer de conserve dont le couvercle ou le fond sont bombés).

C'est le cas de certains poissons qui, par période, deviennent toxiques dans diverses régions du Pacifique. C'est également le cas de nombreux aliments qui peuvent être colonisés par des microbes ou des parasites, staphylocoques dorés, salmonelles diverses, listeria, trichine, etc., régulièrement responsables d'intoxications individuelles ou collectives, avec ses malades et avec ses morts.

Et puis il y a les composants cachés, les produits toxiques, qu'on risque d'autant plus de consommer que les règles d'hygiène sont rudimentaires. On sera donc prudent en voyage. Dans certains pays, même la cuisine des plus grands restaurants et hôtels peut être toxique.

C'est dire l'importance de rester vigilant, de respecter les règles de l'hygiène, de veiller à ne consommer que les aliments dont on peut être certain qu'ils sont sains et sans danger.

Il ne s'agit pas de soupçonner la présence de poison dans toute nourriture et de se transformer en paranoïaque persécuté et persécuteur. Il s'agit de raison garder. La nourriture est source de joie et de plaisir, elle doit réjouir l'esprit comme le corps. Elle apporte la vie mais, comme toute chose ici-bas, elle peut aussi apporter son contraire. Il convient donc de limiter ces derniers risques au minimum autant que faire se peut.

La listériose est une maladie rare et grave, due à une bactérie, Listeria monocytogenes. Elle survient après ingestion d'aliments souillés et on en a reconnu quelques épidémies secondaires à l'ingestion de produits variés : salade de chou *(cole slaw)* au Canada en 1983, vacherin en Suisse en 1988, fromage de style mexicain en Californie en 1988, langue de porc en gelée en 1992 et rillettes en 1993 en France, etc.

Cette diversité rend évidemment difficile une prévention efficace, mais la gravité de la maladie a conduit la direction générale de la Santé à proposer aux sujets exposés à des complications graves (femmes enceintes, vieillards et malades immunodéprimés) des recommandations visant à éliminer les risques de contracter cette maladie fréquemment mortelle et cause d'avortements.

RECOMMANDATIONS POUR LA PRÉVENTION DES CAS DE LISTÉRIOSES CHEZ LES FEMMES ENCEINTES, LES PATIENTS IMMUNODÉPRIMÉS ET LES PERSONNES ÂGÉES

Pour les achats de produits de charcuterie consommés en l'état (pâté, rillettes, produits en gelée, jambon...) *préférer les produits préemballés* aux produits vendus à la coupe; si ces produits sont achetés à la coupe, ils devront être consommés rapidement après leur achat.

Éviter la consommation de lait cru et de produits à base de lait cru.

Cuire soigneusement les aliments crus d'origine animale.

Laver soigneusement les légumes crus et les herbes aromatiques.

Dans le cas de repas qui ne sont pas pris en collectivité, les *restes alimentaires* et les *plats cuisinés* doivent être réchauffés soigneusement avant consommation immédiate.

Conserver les aliments crus (viande, légumes, etc.) séparément des aliments cuits ou prêts à être consommés.

Se laver les mains, nettoyer les ustensiles de cuisine, après la manipulation d'aliments non cuits.

Nettoyer fréquemment (deux fois par mois), et désinfecter ensuite avec de l'eau javellisée votre réfrigérateur.

Dans quoi faut-il faire cuire les aliments sans détériorer sa santé? Les matériaux anciens (cuivre, fonte de fer, poteries) sont-ils plus sûrs que les modernes faits de verre, de plastiques et de métaux divers? Voilà qui mérite réflexion. Après tout, il semble bien que le plomb ait été consommé en grande quantité par les Romains, avec les désastreuses conséquences que cela entraîne. Ledit plomb se trouvant dans certains pigments utilisés pour décorer des poteries alimentaires ou dans le revêtement intérieur de divers conteneurs, c'est par ce moyen que le métal était ingéré. Certains aliments contiennent en effet des produits capables de se lier avec certains composants des récipients dans lesquels ils cuisent ou sont entreposés.

Plus récemment, des polémiques ont surgi çà et là à propos de l'aluminium, accusé d'être responsable du développement de la maladie d'Alzheimer, ou des revêtements antiadhésifs suspectés d'être cancérigènes. Et puis il y a le cuivre qui peut se transformer en vert-de-gris, le nickel et le chrome de l'acier inoxydable, dont les effets sur la santé sont discutés. Sans compter l'utilisation de matériaux inhabituels qui peuvent se révéler dangereux.

Il n'y a pas de risque nul dans la cuisine. Il convient simplement de s'interroger et d'observer; la cuisson à la vapeur ou le pochage dans l'eau pure ont peu de risques de produire des combinaisons toxiques. Par contre, le vinaigre ou le citron de l'assaisonnement peuvent se combiner avec les sels qui font les jolis décors des saladiers. Comme les longues cuissons à petit feu, avec la multitude des composés produits augmente les risques de fabriquer des combinaisons avec les éléments constitutifs de la casserole. Dans ces derniers cas, on préférera donc le verre, l'acier inoxydable, les revêtements antiadhésifs, l'émail.

PRODUITS NATURELS ET PRODUITS TRAITÉS
L'EXEMPLE DES CÉRÉALES

Quoi de plus attirant que l'idée du pain biologique fait avec de la bonne farine non traitée, entière, avec son germe? Alors que le pain industriel fait de farine blanche, on pourrait dire blanchie, n'est-il pas le symbole culinaire d'une certaine modernité où on pressent la présence de multiples produits chimiques tous plus ou moins délétères?

D'ailleurs, n'est-il pas significatif que la loi (arrêté du 10-2-1989, modifié par celui du 10-12-1990) fixe des teneurs maximales en pesticides? L'un d'entre eux (l'aldrine) est même devenu illégal en 1972, cependant que l'heptachlore ne bénéficie pas d'une homologation de vente en France.

Il faut tout d'abord remarquer que les traitements effectués en cours de culture ne semblent pas laisser de trace sur les produits récoltés. Les produits sont donc utilisés pour conserver les grains. Autrement dit, la situation des céréales traitées doit se comparer à celles dont le stockage s'effectue sans intervention particulière. Et, comme chacun sait, elles attirent les rats et les souris, les blattes et les charançons, elles peuvent moisir, elles sont manipulées et donc exposées aux germes présents en cas d'hygiène insuffisante. Les traitements visent à éviter au consommateur d'acquérir des produits souillés.

Puisqu'ils sont effectués sur les grains, la fixation des produits se fait surtout à la périphérie. Le son en contient plus que la farine blanche. De plus, les pesticides étant liposolubles s'accumulent dans les produits riches en graisse. C'est le cas du germe.

Ainsi y-a-t-il du point de vue de la concentration en pesticides — ce sont surtout les insecticides qui sont dangereux — une hiérarchie qui est à l'opposé de ce qu'une alimentation « naturelle » laisserait à penser : le produit le plus risqué est le germe, suivi du son (qui est contenu dans la farine complète); le produit raffiné « industriel », celui qui donne la farine blanche, est de ce point de vue celui qui offre la meilleure garantie sanitaire, sans qu'on puisse affirmer cependant qu'il ne contienne ni malathion, ni pyrimiphos-méthyl, ni chlorpyriphos-méthyl, ni même de lindane.

Face aux produits de traitements dont les effets potentiellement graves sur la santé (ce sont des organo-chlorés et des organo-phosphorés) sont connus, il faut mettre en balance les contaminations dont ils ont mission d'éliminer ou au moins de limiter les nuisances.

Parmi elles, il faut mentionner les microbes, les moisissures et les levures. Certains de ces micro-organismes peuvent être plus gênants que redoutables, comme le Bacillus subtilis responsable du « pain filant ». D'autres cependant (colibacilles, salmonelles, staphylocoques, germes anaérobies divers) sont bien connus pour être responsables de maladies plus ou moins sévères, et en particulier de la grande majorité des toxi-infections alimentaires. Le développement de ces germes dépend à la fois des conditions de stockage (le conditionnement est une étape indispensable de la mouture en raison de la siccité des blés, et l'apport d'eau effectué à cette occasion favorise le développement microbien), de l'hygiène du personnel et de la propreté de l'installation.

Qui plus est, les moisissures fabriquent des toxines, les mycotoxines dont plus de deux cents ont été répertoriées. La plus fameuse est celle causée par *Claviceps purpurea*, l'ergot de seigle, responsable du mal des ardents des âges anciens. Ces toxines peuvent causer des effets à court terme (intoxication) ou entraîner des conséquences délétères à distance, en particulier des cancers. Les plus importantes sont l'*aflatoxine B 1*, très toxique et mortelle à très faible dose, synthétisée par certains Aspergillus; la *vomitoxine* produite par des Fusariums, à la fois émétique, anorexiante et immunosuppressive; la *zéaralénone*, elle aussi produite par des Fusariums et de structure proche de celle des œstrogènes; et l'*ochratoxine A*, hépato et néphrotoxique et immunosuppressive, produite par des Aspergillus et des Penicillinums (en France c'est surtout l'orge qui en contient). Le risque principal pourrait être lié à la vomitoxine : en 1981, toute la récolte de blé du Québec a dû être éliminée de l'alimentation humaine pour cause de contamination, et il semble qu'un certain nombre de farines et de sons produits en France en contiennent assez pour subir le même sort. La vomitoxine est vraisemblablement liée à une contamination avant la moisson.

La dernière source de pollution est la présence d'animaux. Les normes de la Food and Drug Administration (FDA), organisation des États-Unis connue pour sa sévérité sont, pour 50 grammes de farine un maximum de 75 fragments d'insectes ou d'acariens et moins d'un poil de rongeur. Aucun insecte vivant, même sous forme de larve ou d'œuf, n'est toléré. Il est ainsi acceptable de consommer un maximum de 1 500 fragments d'insectes et de 20 poils de souris par kilo de farine. Dans certains cas, des échantillons fournis aux minotiers peuvent contenir jusqu'à dix fois ou plus de ces éléments, et on conçoit le rôle de gardiens de notre santé qu'ils jouent en refusant l'utilisation et la commercialisation de tels produits.

On le voit, le choix entre des méthodes qui n'utiliseraient aucun produit de traitement et d'autres qui en feraient trop grand usage doit tenir compte des risques et des dangers de chacune. Un blé biologique peut conjuguer des risques majeurs de pollution animale bactériologique et chimique. Un blé traité inconsidérément peut entraîner des effets toxiques plus ou moins graves. Entre les deux, on doit trouver des produits cultivés proprement, récoltés et stockés dans des conditions sanitaires rigoureuses, traités avec des produits conjuguant efficacité et innocuité, transformés et conditionnés avec une hygiène rigoureuse. Enfin, le consommateur devrait être informé de façon claire de l'analyse bactériologique et toxicologique ainsi que du *filth test* (recherche de déchets animaux) de ce qu'il achète.

FOLLES VACHES

Le 6 avril 1996, le journal britannique *The Lancet* publiait sous le titre « Une nouvelle variante de maladie de Creutzfeldt-Jakob dans le Royaume-Uni » dix cas atypiques de la maladie. Cette publication était le résultat d'une investigation menée depuis 1990 quant à la possible transmission à l'homme de l'encéphalite spongieuse bovine dite maladie des vaches folles, qui semble causée par des *prions*, agents infectieux d'un genre nouveau considérés comme des protéines dont la disposition spatiale est anormale (mal repliée).

Indépendamment de la responsabilité des autorités britanniques mise en cause par *The Lancet* — depuis 1989 le rapport Southwood avait montré que la maladie bovine était due à l'incorporation dans leur alimentation de protéines provenant de moutons atteints par la tremblante —, ces constatations posent d'importantes questions.

Tout d'abord celle de la barrière d'espèce : quelles sont les maladies transmissibles de l'animal à l'homme et quel est le délai d'incubation des troubles observés ?

Les réponses ne semblent en l'occurrence pas simples à apporter et grands sont les risques de sous- comme de surestimation des conséquences d'un phénomène qui reste essentiellement mystérieux.

Ces points sont autant d'éléments qui renforcent l'un des propos de cet ouvrage : le consommateur doit savoir ce qu'on lui vend, les circuits de production et de distribution doivent être clairement identifiables.

6

La cuisine et la table

L'une des plus délicates tâches du cuisinier est la gestion de son temps lorsqu'il reçoit des invités. Comment en effet concilier préparation des plats, service et desserte, voire nettoyage de la vaisselle, avec la présence à table qui est, après tout, la raison première de telles réunions?

Il est des solutions simples, à l'efficacité éprouvée : hors-d'œuvre froids préparés à l'avance, viande rôtie — et il en est un nombre et une variété suffisants pour ne pas servir la même à chaque repas —, glaces ou gâteaux achetés chez un bon professionnel. Il n'y a guère que pour le café que le cuisinier quittera, brièvement, ses hôtes.

Il existe une variante qui ne réduit presque pas le temps convivial : le plat principal peut être un ragoût cuit à l'avance et qu'on réchauffera au dernier moment ou qu'on aura laissé au chaud au coin du feu.

Néanmoins, il y a d'autres possibilités, qui demandent toutefois une réflexion préalable.

Tout d'abord, à qui s'adresse le repas? Il est des personnes que la nourriture n'intéresse pas, d'autres qui ne sont impressionnées que par le prix de ce qu'on leur sert, certains n'aiment pas tel ou tel aliment, la viande rouge ou le poisson par exemple, il en est qui respectent des interdits religieux, ou qui, malades, doivent suivre un régime — les plus courants étant sans sel ou sans sucre.

Dans le choix du menu, il faut aussi prendre en considération le nombre de convives. Plus il est grand, plus il faudra choisir des plats qui ne demandent que peu ou pas de finition. Il faut réserver les préparations délicates, celles qui demandent peu de temps, mais beaucoup d'attention, aux petits nombres. Sauf exception, il faut éviter les plats qui cuisent vite et qui requièrent une attention soutenue. En effet, ils sont rarement faisables en même temps pour plus d'une ou deux personnes : à supposer qu'ils ne prennent que trois ou quatre minutes à chaque fois, on conçoit que cette solution excellente pour quatre convives, devienne désastreuse pour plus de six : le temps total de préparation de court devient long, le cuisinier est absent et n'a le choix qu'entre nourrir ses invités à tour de rôle ou amener à table un ensemble refroidi ou trop cuit.

Cependant, il existe un certain nombre de plats qui peuvent être précuits ou préparés à l'avance, et cuits ou finis au dernier moment. Par exemple, la célèbre escalope de saumon des frères Troisgros comporte deux composantes : une sauce dont la préparation prend un certain temps et qui peut être prête avant l'arrivée des invités — il suffira de la réchauffer ou d'en exécuter la finition au dernier moment — et le poisson dont la cuisson ne prend qu'une vingtaine de secondes. Comme on peut cuire trois ou quatre escalopes en même temps, on comprend qu'il s'agit là d'un de ces exemples de plat rapide que l'on peut servir pour un grand nombre. Et comme au lieu de la classique sauce à l'oseille, on peut l'accommoder d'une multitude d'autres manières, c'est une solution simple et modulable : la seule constante est la cuisson très rapide du poisson.

CUISINE PROPRE, CUISINE SALE

L'enfant, à l'instar de l'animal, a naturellement tendance à prendre les aliments directement avec ses mains et à les porter à sa bouche. Une partie de l'éducation qu'il reçoit consiste à lui inculquer l'usage de divers instruments, couteaux, fourchettes, cuillères entre autres, qui servent de médiateurs entre le plat ou l'assiette et sa bouche.

L'utilisation de ces instruments est relativement récente, bien que le couteau ait été, pour des raisons évidentes, de tous les temps. Elle n'est pas universelle non plus. Il est traditionnel chez les nomades sahariens de se servir de l'agneau rôti (méchoui) avec la main, et le savoir-vivre consiste à donner à chacune un rôle bien défini, car on ne mange pas avec les deux. De même est-il d'usage dans les grandes familles marocaines, à Fès par exemple, d'honorer les convives en les invitant à se servir avec les mains des portions de pastilla souvent géantes.

En Occident, en général, l'usage prévaut de ne pas se salir les mains, autrement dit de ne pas les mettre en contact direct avec la nourriture.

Il y a d'ailleurs des exceptions, l'interdit ne touchant pas le pain, certains légumes, les radis par exemple, ou certains fruits comme les cerises ou les mirabelles. De même, certains gâteaux de petite taille peuvent-ils se déguster en les prenant avec les doigts, tout comme les petits fours ou confiseries qu'on sert avec le café. Il y a donc un parcours, un itinéraire où la main nue et la main armée se voient attribuer des rôles précis. Avec ses cas limites : doit-on manger une tartelette à la main ou à la fourchette ? Que faire avec des framboises ou des petits fruits de la forêt ? Ce n'est pas toujours net.

L'hôte aura donc pour rôle de faciliter la tâche de son invité, il évitera de l'embarrasser en lui présentant un plat difficile à manger sans y mettre la main. Ou alors, lui annonçant d'emblée qu'il s'agit de cuisine « sale », il lui procurera des rince-doigts, sortes de bols remplis d'eau citronnée, et lui permettra de placer autour de son cou une de ces grandes serviettes qui recouvrent complètement les habits et les garantissent des éclaboussures et des taches que le maniement des crustacés, des cuisses de grenouille, des petits os des oiseaux ou de l'épi de maïs entraîne fréquemment.

Certaines sauces ou aliments peuvent causer des dommages parfois irréversibles. Il faut donc s'en protéger et en protéger ses invités. De même faut-il leur permettre de se nettoyer les doigts afin d'enlever les restes inesthétiques et désagréables des aliments avec lesquels ils auront été en contact.

Une question intéressante concerne les sauces. Ces dernières sont, on le sait, un élément majeur de la complexité et de la longueur des goûts, saveurs et flaveurs des plats. On sait également que ces derniers ne doivent pas en être noyés. Mais un reste d'une sauce particulièrement réussie, une fois l'aliment dégusté, n'attire-t-il pas le petit morceau de pain embroché, selon la règle, sur une fourchette, ou encore tenu du bout des doigts (pas très orthodoxe, certes, mais si agréable). Il est des endroits où se comporter ainsi est signe de grossièreté. Et d'autres où c'est la manifestation du contentement et donc du remerciement discret par lequel le convive signale à son hôte sa satisfaction, et le complimente de la qualité de l'apprêt et de la finition de son travail.

Question délicate, donc, où parfois l'invité et l'hôte regardent d'un air mélancolique partir le meilleur de ce qui est dans leur assiette en direction du lave-vaisselle.

Quoi qu'il en soit, le cuisinier doit, lorsqu'il compose un menu et le réalise, prévoir si les plats seront du propre ou du sale, et donc régler en conséquence l'ordre des plats et la disposition de la table et des ornements, garnitures et instruments (certains sont nécessaires, par exemple pour casser certaines carcasses). Il veillera à mettre les convives à l'aise tout en protégeant leurs vêtements ainsi d'ailleurs que le linge de table.

LA CUISINE ET LES SENS

La cuisine est affaire de sensations. Visuelles tout d'abord, par la sélection des légumes, des viandes, des épices, etc. La vue repère, recherche la beauté des formes et des couleurs, traque le défaut, le moisi ou le pourri caché, vérifie la taille, la forme, accompagne et guide l'épluchage et le conditionnement ainsi que la cuisson, préside à la disposition dans les plats de service.

Le toucher est lié à la vue, il vérifie la consistance du légume nouveau, tendue et gonflée, ou s'assure que celle du légume qui semble d'âge trop avancé est molle et flétrie. C'est aussi la main, nue ou porteuse de divers instruments, qui contrôle l'état du pain, l'élasticité du poisson, la consistance d'une sauce. C'est la main qui étire et travaille la pâte à pain et, selon les recommandations de Michel Guérard, qui mélange la salade.

L'oreille a une place moins importante. On peut cependant savoir si le pain est cuit en le percutant avec l'index : s'il sonne creux, c'est qu'il est prêt. Les bruits guident également la surveillance : une friture par exemple n'émet pas les mêmes sons au début et en fin de cuisson. Le matériel électrique ou à gaz est souvent bruyant lorsqu'il fonctionne ; de plus certains appareils émettent des signaux à intervalles, dotés qu'ils sont d'horloges à sonnerie.

Ce sont néanmoins l'odorat et le goût qui sont les plus sollicités, les plus importants des sens. Rappelons tout d'abord qu'ils sont intimement liés. En fait, les sujets frappés d'anosmie, c'est-à-dire ceux qui sont dépourvus de sensations olfactives, ne conservent du goût que des indications très grossières : ils reconnaissent le sucré et le salé ainsi que le piquant ; le reste est peu différencié.

C'est donc paradoxalement l'odorat et non le goût qui est le plus important. Paradoxalement, car en définitive les aliments sont faits pour être consommés et pas seulement humés. En cuisine, cette hiérarchie est plus subtile. Le rôle du cuisinier n'est pas de manger, même s'il peut goûter ; il est de préparer, d'apprêter ce que les autres vont consommer. L'odorat est donc un guide très important. Parfois c'est la reconnaissance olfactive quasiment automatique qui le prévient : l'aliment est prêt, ou bien il brûle. Plus généralement, c'est avec son nez qu'il reconnaît la fraîcheur d'un poisson, d'un crustacé, d'une huître, qu'il apprécie la maturité et la qualité d'un melon ou d'une pêche, la subtilité d'une épice.

Et puis il y a les odeurs fortes et aromatiques, qui envahissent la maison, celle du chocolat qui cuit toute la nuit, que célébrait Colette, ou celle du pain sortant du four.

Il y a aussi les odeurs désagréables, au premier rang desquelles on retrouve évidemment celles des aliments non consommables. Elles sont bien connues, elles sont, au fond, protectrices, elles préviennent, elles annoncent qu'il faut s'abstenir, et on peut regretter que ce ne soit pas une règle constante : un aliment nauséabond serait impropre à la consommation, tous les aliments agréables à l'odorat seraient également bons à manger.

Mais parfois aussi les odeurs fortes, insistantes et désagréables sont le lot d'aliments sains et même excellents. La cuisson du chou-fleur dégage des effluves « organiques » que peu apprécient. Plusieurs poissons — la sardine, l'anchois, le hareng, le maquereau ou le sabre — cuits au gril, au four ou frits, libèrent des relents puissants et tenaces, dont profite le voisinage, et qu'on peut qualifier de nauséabonds.

Et puis, il y a l'odeur particulière de certaines fermentations. Le munster, l'époisse, le maroilles et un grand nombre de fromages libèrent des senteurs fortes et agressives qui contrastent avec le moelleux, la distinction et la subtilité de leur goût. De même, en Asie du Sud-Est, porte-t-on aux nues la chair du duryan, douce, onctueuse et parfumée, mais dotée d'une odeur que la plupart des Occidentaux trouvent répugnante. Remarquons à ce propos que les Chinois trouvent également répugnante l'odeur des fromages à pâte fermentée.

Ainsi l'odorat peut-il être pris en faute et le cuisinier devra-t-il faire des choix.

Dans certains cas, il devra s'abstenir pour ne pas incommoder voisins et invités. Dans d'autres, il devra ruser et trouver une solution pour éliminer les odeurs inconvenantes. Parfois, il ne pourra pas faire autrement que d'accepter cette étrange association d'un arôme déplaisant et d'un goût délectable.

Quoi qu'il en soit, l'odorat restera pour lui et pour ses convives un des guides les plus importants, souvent plus fiables que ceux prodigués par les autres sens, mais qui, comme la plupart des choses en ce monde, comporte ses incertitudes, ses insuffisances et ses erreurs.

LA TABLE ET LA PRÉSENTATION DES PLATS

Il y a tous les intermédiaires entre le célibataire mangeant à la cuillère des raviolis bas de gamme, froids, dans leur boîte de conserve à demi ouverte, et le service d'apparat dans des assiettes de fine porcelaine, avec des couverts d'argent ou, pourquoi pas, de vermeil, et des carafes et des verres de cristal coûteux.

Tous les intermédiaires, parce que la nourriture est universelle et commune à tous, et que sa préparation et sa présentation recouvrent la totalité des statuts, des habitudes et des moyens des individus.

Il ne saurait donc être question de juger, ni de donner des règles universelles. Simplement de rappeler des évidences. Le rapport de l'homme à la nourriture est radicalement différent de celui de l'animal. Le plus grossier des hommes consomme ses aliments d'une façon beaucoup plus élaborée que le plus sophistiqué des animaux.

C'est vrai du contenu — la gamme des aliments rencontrés et sélectionnés par l'homme est sans commune mesure avec celle que consomment les autres animaux. C'est vrai du mode de traitement. L'homme est le seul à utiliser la cuisson et à apprêter aussi diversement ce qu'il entend manger. C'est vrai aussi de la présentation. Il n'est d'autre animal qui recherche et imagine la manière la plus harmonieuse de présenter les plats, avec les couleurs les mieux sélectionnées, les formes les plus hardies ou les plus esthétiques.

Comme et autant que la cuisson, la présentation est le fait de l'homme, avec l'esprit de décision, le choix, avec les conceptions idéologiques et artistiques qui en sous-tendent et la nature et les variétés.

Le service en cuisine, pour le cuisinier célibataire, ou pour le petit noyau familial de deux ou trois personnes, peut se faire à la bonne franquette, sur une nappe en plastique placée sur un coin de table, ou parfois même debout. Même en ce cas, il faudra néanmoins prévoir une situation différente, une exception, une célébration ou une fête, qui seront l'occasion de sortir une nappe et des serviettes autres qu'en papier.

Sur la table de la salle à manger, on pourra disposer des sets en osier tressé ou en matière synthétique. Ou une belle nappe. Et par-dessus un ou deux dessus de table. Une corbeille à pain, et bien sûr les autres éléments du service décrits ailleurs.

L'ordonnance et la présentation de la table de service, avec son apparat ou sa simplicité, forment l'introduction au repas.

LA VAISSELLE, LES PLATS ET ACCESSOIRES DE SERVICE

La présentation des plats joue un rôle très important. Les grands restaurants l'ont bien compris, qui ont fait de tout temps du service, de sa qualité, de son apparat, un des éléments distinctifs de leur statut, avec ses nappes, sa verrerie, son argenterie et sa vaisselle. L'évolution des dernières décennies s'est faite en direction du service à l'assiette, les maîtres d'hôtel perdent peu à peu leurs prérogatives de maîtres découpeurs et maîtres présentateurs pour devenir les ordonnateurs d'un ballet de garçons apportant à chacun une portion savamment disposée dans une assiette individuelle.

Le service à l'assiette existe à la maison, surtout chez le célibataire. Ce n'est cependant pas la règle. Il est plus fréquent, souvent plus convivial aussi, de présenter les mets sur un plat commun dans lequel chacun se sert ou à partir duquel on les sert.

On peut apporter le plat de cuisson. C'est parfois la solution la plus spectaculaire, par exemple la plaque sortant du four avec sa volaille toute dorée, ou encore son cochon de lait farci avec ses garnitures. Ou bien c'est la surprise à l'ouverture de la croûte de sel ou simplement du couvercle de la cocotte.

En général, il est préférable de présenter sur un plat ou dans un conteneur spécifique au service. Un potage ou un velouté ne sont jamais meilleurs que servis dans une soupière. Le gigot ou le rôti peuvent circuler indépendamment des légumes s'ils ne sont pas présentés dans le même plat, etc.

Il convient donc de disposer d'un ensemble de plats, de forme plate ou creuse. Plus une soupière, des raviers, et une saucière. Dans la matière qui corresponde le mieux aux moyens, au goût, et à l'harmonie nécessaire avec les couverts et le reste de la vaisselle, qui soit la plus résistante aussi et la mieux adaptée aux nécessités du nettoyage.

Les placards contiendront ainsi tout un ensemble de vaisselle dont le nombre des éléments, la matière, les motifs et la couleur seront choisis en fonction des besoins et des désirs, et qui sera évidemment en harmonie avec les plats de service.

La vaisselle comprendra assiettes creuses, plates et à dessert, ainsi que bols et tasses à thé ou à café. De plus, des coquetiers, un beurrier, un sucrier, une théière et une cafetière compléteront l'ensemble. En outre, on pourra ajouter, en fonction des goûts de chacun, certains éléments spécifiques, adaptés à tel ou tel légume, viande ou préparation.

LES COUVERTS

A côté des divers ustensiles nécessaires pour préparer les aliments, il convient évidemment de disposer de couverts de service. Comme dans les autres chapitres consacrés à l'organisation de la cuisine, il faut tout d'abord préciser les moyens et les intentions du cuisinier. Le célibataire endurci et solitaire peut ne pas avoir les mêmes besoins que les couples dotés de multiples enfants, parents et invités.

De plus, les moyens financiers comptent, puisque à la différence des ustensiles de cuisine où il faut viser à la meilleure qualité — dans des limites raisonnables, certes —, les couverts de service, comme la vaisselle, sont de prix extrêmement divers, fonction de la rareté, de la finition et du coût des matériaux.

Dans tous les cas, deux objectifs, parfois contradictoires d'ailleurs, devront être pris en compte : fonctionnalité et esthétique. Le rôle premier est utilitaire. Un couteau doit couper. Une cuillère doit être profonde afin de pouvoir contenir les liquides que le convive veut consommer. Les couverts doivent avoir une rigidité suffisante pour que la lame du couteau ne casse pas en tartinant du beurre — c'est plus fréquent qu'on ne le croit — et que la fourchette ne se plie pas en deux en piquant dans le beefsteak. On devra donc éviter tant les couteaux à la lame minuscule et les cuillères ultraplates que les éléments faits d'un métal médiocre, bon marché mais mou. Un bon couteau a une lame longue, solidement emmanchée. Il est bien préférable qu'elle soit linéaire et dépourvue de ces dents qui ont envahi ces derniers temps la production de masse. Les cuillères, grandes et petites, doivent être creuses, avec un bord arrondi et non tranchant afin de ne pas blesser les lèvres. Les dents des fourchettes doivent être fines et longues. On adjoindra selon ses goûts et ses moyens des couteaux à steak à lame fine et coupante, des fourchettes à dessert et à escargots, des couverts à poisson, etc. Se rappeler que les couverts doivent se stocker et que, s'ils demandent a priori peu d'espace, dans certains cas les ménagères vendues en écrins réclament une place importante.

On adjoindra à ces objets individuels les ustensiles de service : louche, cuillère à sauce, grande fourchette, couverts à salade, sécateur à volaille, éventuellement couteau à découper si on n'utilise pas un de ceux de la cuisine.

Le deuxième critère est esthétique et dépend évidemment du goût de chacun. Il n'y a donc pas de critère universel de choix de matériau, de couleur, de forme, et c'est bien heureux. Dans tous les cas, toutefois, il faut prévoir d'utiliser pour les repas d'autres ustensiles que ceux de la cuisine. Manger ne doit pas se résumer à calmer sa faim, n'importe où, n'importe comment ; c'est au contraire une activité par laquelle l'homme affirme ses choix, sa volonté d'organiser sa vie, au fond son regard actif et positif sur le monde.

LES VERRES

Les verres ont des fonctions différentes. Ou plus exactement, l'homme leur assigne des fonctions différentes. Ce qui veut dire qu'il porte un jugement sur la nature de ce qu'il boit et, ce faisant, il a élaboré des formes diversifiées et adaptées. On voit mal la dégustation d'un montrachet dans un verre à moutarde orné d'une Schtroumpfette, et inversement la limonade servie à l'enfant dans un verre à liqueur risque-t-elle de ne pas susciter de la part de ce dernier un enthousiasme autre qu'éphémère.

A chaque boisson son verre, à chaque âge le sien également. Les enfants aiment les verres de volume adapté à leurs mains, quoiqu'ils adorent boire dans des conteneurs d'autant plus grands qu'ils sont eux-mêmes petits, affirmant ainsi par là leur désir d'être reconnus à part entière. Ils aiment également volontiers qu'ils soient colorés ou décorés. Ce n'est pas le cas des adultes, sauf dans le cas de certains verres de prix souvent réalisés avec des matériaux rares — par exemple certains cristaux. On évitera délibérément les verres de couleur. Même dans ce dernier cas, c'est en fait la verrerie que l'on présente plus que ce qu'on met dedans. De même qu'on doit savoir ce qu'on mange, on doit également identifier ce qu'on boit. C'est particulièrement important pour les boissons alcoolisées. La robe du vin, la teinte des alcools, la coloration et le trouble du cidre ou de la bière doivent être évidents, pouvoir être observés par transparence.

La forme des verres joue également un rôle très important : on doit pouvoir humer les arômes et les effluves. Aux divers types de vins correspondent des formes particulières. Il en est même de très élaborés, mis au point par des amateurs éclairés.

En général, ils ont un pied permettant de tenir le verre sans réchauffer le liquide et sont de formes arrondies et diverses, s'incurvant vers l'intérieur dans leur partie supérieure, pour concentrer les arômes et mieux les humer.

Il faut aussi considérer la solidité des verres — certains lave-vaisselle sont de redoutables casseurs, comme certains humains d'ailleurs. De même que pour les autres éléments de service, l'esthétique est importante et chacun choisira selon ses goûts et ses moyens.

LES CARAFES

A côté des verres, il y a les bouteilles, de plastique pour les eaux minérales et la plupart des boissons industrielles, de verre pour la bière, le cidre, le vin, les alcools et les apéritifs. Certaines sont esthétiques, d'autres prestigieuses. D'autres encore sont purement utilitaires ou banales. Quant à l'eau du robinet, qui reste une des boissons les plus répandues, elle n'a par définition pas de récipient. Il est donc nécessaire de disposer d'une ou de plusieurs carafes. Pour l'eau tout d'abord, de la ville ou de source. Pour décanter les vins fins ou simplement tirer ceux d'un tonneau ou d'un cubitainer. Pour présenter aussi certains alcools.

La carafe peut être de verre banal, transparent ou coloré. Là encore on choisira systématiquement celles qui respectent la couleur de ce qu'elles contiennent. La carafe doit être avant tout un faire-valoir du liquide qu'elle enferme, et ne doit pas, sauf exception, attirer plus l'attention que son contenu. A moins que ce dernier ne soit très inférieur, mais alors la fonction de la carafe devient purement esthétique et non plus utilitaire.

Les plus belles carafes, dans la diversité de leurs formes, apportent brillance et lumière, permettant ainsi de mieux observer la couleur et l'apparence des boissons.

7

La cuisine au rythme du temps

POUR QUI FAIRE LA CUISINE ?

On ne fait pas la même cuisine pour soi-même et pour les autres. Il est également bien différent d'assurer l'organisation et la fabrication du repas pour la famille traditionnelle matin, midi et soir, sans compter les en-cas et casse-croûte, ou de ne cuisiner pour les autres que dans des occasions rares.

De plus, l'évolution à la fois des habitudes alimentaires, des conditions de travail et des produits disponibles a changé les temps et les modes de préparation ; parfois ces derniers ne sont plus que l'application des indications inscrites sur la boîte de conserve ou le plat cuisiné et surgelé.

Il y a aujourd'hui beaucoup plus de choix qu'au siècle dernier. Avec des contraintes beaucoup plus diversifiées, la vie est hachurée et non plus continue, avec ses périodes de solitude et de rencontres, amicales, familiales ou amoureuses ; avec ses fêtes et ses deuils ; avec son quotidien de fatigue et de dépression, mais aussi de joie et de plénitude ; avec ses forces, ses faiblesses ou simplement son indifférence.

Il n'y a donc pas de règle générale, mais plutôt une série de conditions spécifiques. Avec des contraintes diverses ; avec surtout un rapport au temps qui varie considérablement selon les individus et chez la même personne selon les jours et les périodes. Beaucoup n'ont ainsi qu'un temps limité, qui cependant souhaitent manger autre chose qu'une nourriture industrielle et médiocre.

69

CUISINE DE LA CERTITUDE, CUISINE DU DOUTE

> « D'après moi cet enfant était très malheureux car
> il lui manquait cette faculté de l'esprit qui consiste à
> douter. »
>
> Yasunari KAWABATA, *L'Adolescent.*

La cuisine est œuvre. Œuvre de reproduction de la vie, donc de certitude. C'est bien la certitude qui accompagne le geste de la mère de famille refaisant invariablement, génération après génération, les recettes du couscous, du clam chowder, de la truffade ou de la caldeirada.

Certitude aussi qui préside à la découpe du canard à la pékinoise, ou au flambage des crêpes au Grand-Marnier.

Certitude acquise par un lent apprentissage, par une reproduction fidèle et laborieusement acquise des règles, des formes, des rythmes transmis par la mère ou par le maître, par l'ancien ou par celle qui est détentrice du savoir. La certitude peut aussi, de façon marginale il est vrai, envahir l'esprit du cuisinier moderne : certains « s'y croient », leur moindre variation devient règle, invention, coup de génie.

Ce sentiment rassurant peut donc traduire la simple transmission passive des recettes et des méthodes, comme l'impression, vraie ou fausse, que la maîtrise des techniques fait accéder à un état particulier, qui ouvre les portes d'univers nouveaux, que le cuisinier explore et annexe, comme les conquistadors découvraient et se partageaient les terres inconnues.

La certitude permet la transmission des recettes les plus traditionnelles. Elle est la compagne des grands inventeurs et des grands cuistres. La certitude assure la tranquillité d'esprit. Elle est calme et sereine. Elle s'oppose ainsi à la modernité, qui est, elle, toute d'inquiétude, de savoirs déchiquetés et heurtés, d'affirmations contredites. La simple lecture des recettes de certains maîtres anciens est instructive : souvent les indications ou les proportions des ingrédients étaient autrefois indiquées de manière très générale. Telle cette recette de pâté de lapin transmise par un ami qui l'avait trouvée dans le carnet de cuisine de son grand-père : « Prendre un lapin, du porc, du poivre et de la sauge. » C'est tout. Aujourd'hui, les revues spécialisées ou les livres des grands chefs décrivent par le menu, au gramme, au filament de safran ou à la rondelle de concombre près, le détail le plus ténu, les gestes les plus anodins — en fait, ils en oublient toujours —, comme s'ils craignaient que le cuisinier ne se perde en route, comme si la recette à réaliser était une sorte de circuit obligatoire, de jeu de piste compliqué aux règles inexorables et spécifiques. Avec en bout de course le succès ou l'échec. Mais la règle est dans le livre et le résultat sur la table. C'est finalement non pas le conseilleur, mais le consommateur qui est le vrai juge. Dans certains cas, tout marche bien, les indications précises aident, elles guident la main et permettent de parvenir sans encombre au résultat souhaité. Parfois, au contraire, soit que le cuisinier ne dispose pas de la totalité des ingrédients requis ou qu'il n'ait pas les moyens de contrôler l'évolution des diverses opérations — par exemple la température des fours n'est manifestement pas la même d'un appareil à un autre, la correspondance entre les nombres qui fréquemment en indiquent l'intensité, de 1 à 10, et la température elle-même, varie selon les livres —, et alors tout change. Le résultat diffère de ce qui était escompté, bon ou acceptable, ou bien raté. Il y a d'ailleurs d'autres raisons à l'échec : les épices utilisées ont une force différente de celles du livre, ou bien se cachait un piège dans la recette, telle celle de l'omelette mère Poulard indiquant de cuire à part les blancs et les jaunes et de les mélanger après.

On peut aussi ignorer une notion pourtant bien établie, par exemple d'enlever le fiel du poulet ou de faire jeûner les escargots ramassés dans le jardin. On peut aussi se fatiguer et, à force de multiplier et de démultiplier les opérations élémentaires, rater le dernier virage et s'offrir un retentissant échec. Échec d'autant plus désagréable que le temps passé à l'achat, à la préparation, à la réalisation aura été long et l'attention minutieuse.

On le voit, la sécurité offerte par les recettes écrites est parfois trompeuse ou insuffisante. Au dernier moment, cependant, un plat qui s'annonce raté et même parfois désastreux peut être rattrapé, par ajout d'ingrédients ou d'épices, par une nouvelle cuisson et par une série de mini-interventions. Il vaut mieux rester l'esprit en éveil.

Chacun cuisine avec sa compétence, avec son énergie, avec son caractère et sa sensibilité. L'un doit compter les minutes sur le réveil, l'autre a un sens automatique du temps. L'un se guide à la vue, l'autre à l'odorat. Ajoutons les interférences de la vie quotidienne, les enfants qui pleurent ou le téléphone qui insiste. La certitude peut ainsi conduire à des résultats malheureux.

La cuisine est un espace et un temps. L'espace est stable et le temps variable : l'attention portée à la cuisson lente du gigot à la

7 heures n'est pas la même que celle du foie de veau cuit en une seule minute. Dans le premier cas, la surveillance est détendue, se contentant d'une vérification de temps en temps. Dans le second, c'est une attention concentrée, exclusive et tendue, portée par un mélange de certitude et de doute, d'affirmation et d'inquiétude.

La réalisation, la réussite d'un plat ne sont jamais assurées. De même que le pilote d'avion le plus expérimenté peut rater son atterrissage, le cuisinier le plus sûr peut connaître l'échec. Il doit donc garder l'œil ouvert et l'esprit critique. Chaque plat est un défi, qui comporte sa part de doute. Le cuisinier est un peu comme le pilote d'avion, il dispose d'un système de pilotage automatique — pour lui c'est son savoir et son expérience —, et son intervention principale consiste à l'adapter aux conditions précises dans lesquelles il intervient. Le résultat est donc celui d'un mariage étrange et conflictuel entre certitude et doute.

La réussite finale dépend du bon rapport entre les deux. La cuisine a ceci de beau et de terrible, de réconfortant et d'implacable : le succès et l'échec sont sans excuse, ils sont ceux du cuisinier et de lui seul.

LA CUISINE DE L'HOMME PRESSÉ

Être pressé veut dire ne pas disposer d'un temps infini. Le temps, contrairement à ce qu'on dit souvent, est élastique. Chacun en a l'expérience : des temps longs où les minutes et les heures passent sans que survienne un événement significatif; et puis des temps concentrés où le plaisir, la joie ou la peine s'imposent de façon tellement intense qu'ils en restent gravés dans la mémoire et, avec la mémoire, ils revivent à un rythme imprévisible et inexorable — en bien comme en mal.

Le cinéma japonais est construit sur cette conception du temps : longs silences, dialogues où apparemment il ne se passe rien, puis, brusquement, passage à une action souvent brutale, violente, toujours tendue. Cette conception du temps est celle du pêcheur à la ligne, du méditant, du jardinier parfois.

Être pressé en cuisine veut dire concentrer son attention dans un temps bref, en organiser précisément toutes les phases, les maîtriser et produire un plat qui reflète l'équilibre et la force, l'inspiration et la simplicité, une sorte d'œuvre fugitive, belle à l'œil, odorante et savoureuse, aussitôt faite et sitôt disparue. Un petit moment de poésie dans notre univers de tensions et d'éclatements. Une œuvre d'art parfois, même si elle reste d'un genre mineur. Mais pourrait-on vivre avec les seuls arts majeurs? L'âme humaine, celle des Français en tout cas, a besoin de ces fragiles et éphémères plaisirs. Comme la contemplation du beau, ils l'apaisent.

L'homme pressé va organiser sa cuisine en fonction du temps dont il dispose, de son humeur et de l'objectif qu'il s'assigne.

Il y aura la cuisine des nœuds du temps et celle des ventres. Il y aura la cuisine de ses repas solitaires, et celles de ses dîners amoureux, de ses réunions amicales, familiales ou professionnelles. Et les plats qui peuvent demander du temps, mais qui se gardent des semaines, prêts à être utilisés sur-le-champ. L'homme pressé dort ses six ou huit heures, et certains plats cuisent pendant ce temps, alors que la préparation en est courte. Il peut utiliser les restes, en une sorte de plats gigognes qui naissent les uns des autres, occupant les repas pendant trois ou quatre jours. Il a ses plats tout prêts pour ses jours de paresse ou pour les visites surprises. Et ses plats non pas vite faits, mais réalisés en un temps réduit.

LES REPAS DE LA SOLITUDE

C'est le lot quotidien du célibataire ou de celui dont les horaires de travail ne concordent pas avec ceux des autres membres de la famille. C'est aussi la contrainte occasionnelle de celui dont le conjoint est temporairement absent.

Cuisiner pour soi est en général peu motivant. Rares sont les caractères qui se sentent le cœur de se lancer dans des opérations complexes et longues avec pour objectif d'en consommer seul le résultat fini. C'est que la fonction de la cuisine est d'abord conviviale avant même d'être nutritive. Seul, le cuisinier tend à redevenir un consommateur peu exigeant, qui se contente d'un sandwich, d'une soupe en boîte ou d'un surgelé du commerce réchauffé au micro-ondes. Sans compter ceux qui n'ont même pas ce courage et qui sautent carrément le repas.

De même que la solitude peut dans certains cas amener à négliger l'hygiène corporelle ou la propreté et l'ordre du logement, elle peut également entraîner une désaffection, une indifférence, à vrai dire plutôt un abandon dépressif, voire auto-dépréciatif, des rapports de plaisir et d'esthétique que causent ordinairement la nourriture et sa préparation.

L'homme a besoin de ces satisfactions, de la proximité de la beauté, de la perception de ces senteurs et de ces saveurs, voire du bruit de l'eau qui bout, de la brochette qui grille ou du pain que l'on coupe.

La solitude est partout aujourd'hui. Les couples n'ont souvent qu'une durée limitée. L'activité professionnelle est moins assurée : c'est vrai de l'emploi, encore plus de la nature des gestes et des techniques utilisés. Fréquemment, elle cause des variations cycliques des horaires ou des déplacements géographiques de plus ou moins longue durée. Être seul, régulièrement ou par périodes, est le lot de beaucoup.

Le solitaire doit donc analyser précisément les conditions et les contraintes de son statut. Il ne trouvera pas la même solution s'il rentre chez lui alors que les commerces sont ouverts ou fermés, selon qu'il est proche ou éloigné des boutiques ou des marchés, selon qu'il est ou non motorisé ou qu'il dispose de moyens de transport aisément accessibles.

Mais il lui faut de plus prendre en considération son propre caractère et son tempérament, en particulier y guetter les tendances dépressives, la fatigue et la lassitude. Bref, un inventaire en forme de constat, une observation de ses propres habitudes et comportements. De même que l'hygiène corporelle et l'entretien de l'intérieur de la maison ne sont pas des données naturelles, mais le résultat de l'éducation, il faut au solitaire s'éduquer sur le plan des habitudes alimentaires. Faute de quoi, grand est le risque d'un profond déséquilibre, avec consommation excessive de produits caloriques et d'alcool. Le vin et la nourriture sont des sources naturelles de plaisirs précis et subtils. Pour cela, il faut les reconnaître, les différencier, les comparer, en bref les aimer. De même que l'entropie naturelle tend à transformer la cuisine et la maison en taudis, elle peut faire du célibataire un cachalot inerte, ingurgitant sans discernement des aliments anonymes, échoué devant le dieu télévision avec, interposées entre lui et elle, quelques offrandes rituelles en forme de mégots de cigarettes, de canettes de bière vide et de peaux de saucisson.

Le célibataire doit prendre en compte les exigences de son corps et de son esprit. Il doit les garantir contre la dégradation qui est l'évolution naturelle de toute chose. Il doit leur fournir les aliments dont ils ont besoin. Il doit plaire aussi et, pour cela, il doit se préparer, s'apprêter.

Les repas du célibataire doivent donc, comme ceux de l'homme déprimé, être conçus et programmés à l'avance. Non qu'il faille établir un tableau rigide et obligatoire qu'il devrait suivre sans déroger. Au contraire, il faut que soient disponibles toute une série d'ingrédients qu'il puisse utiliser à sa guise. Il faut aussi qu'il se fasse une idée même approximative du contenu calorique des aliments et de leur composition.

En effet, l'état de solitude peut être durable et il convient de prévoir une alimentation équilibrée, ce qui n'est pas obligatoire lorsque cet état est temporaire, de courte durée.

Il faut enfin prévoir de passer un certain temps à préparer ses repas. Là encore, il n'y a pas de règle absolue qui indiquerait le nombre de minutes. Il n'existe pas de gamme de plats tout prêts pour lesquels il suffirait de frapper dans ses mains pour les voir servis, beaux et appétissants, par un djinn sorti d'un conte des *Mille et Une Nuits*.

Il faut donc savoir, et prévoir, qu'on ne fera de repas agréable qu'en s'investissant quelque peu dans sa préparation. Il faut éviter les idées toutes faites, les conformismes réducteurs. Tout peut être utilisé : aliments desséchés, pâtes et riz, boîtes de conserve, surgelés, etc. Rien ne doit être frappé d'interdit. Mais rien non plus ne doit être accepté passivement. Le célibataire ne doit pas réduire son repas du soir à une boîte de cassoulet bas de gamme vaguement réchauffé. Laissons ce genre de conserves à nos amis les chiens — et après tout ce sera bien : ne s'agit-il pas de l'animal qui souhaite le plus devenir un homme ? L'homme, lui, voudrait être oiseau. Il souhaite s'élever dans les airs. Il veut perdre la notion du poids de son corps qui le colle contre le sol, c'est pourquoi il affectionne tant les activités qui lui donnent cette illusion, la moto, le ski, le parapente ou le saut à l'élastique. Il voudrait être poisson car dans l'eau il perd la sensation du poids de son corps.

La cuisine du célibataire doit le transformer en oiseau, le rendre léger. Il doit pouvoir contempler son intérieur d'un regard calme et dominateur, et non trouver devant ses yeux les multiples manifestations de l'échec et du laissez-aller.

Rien n'est donné, rien n'est gratuit. Le célibataire ne trouve dans son intérieur, dans son alimentation, comme dans le reste de sa vie, que ce qu'il y met, que le temps, l'attention et l'amour qu'il leur accorde.

S'il est une entité qui s'est modifiée avec la modernité, c'est bien le concept de famille. La famille traditionnelle, père, mère et enfants flanqués éventuellement d'aïeux, d'oncles et de cousins, ne subsiste que par endroits, plus souvent d'ailleurs chez les immigrants que chez les Français de souche.

En fait, la famille n'est plus un modèle unique et monomorphe; bien au contraire se juxtaposent des noyaux de forme et de statut diversifiés. Souvent les familles sont relativement peu nombreuses, parfois changeantes. Les enfants n'ont pas toujours deux, mais éventuellement trois ou quatre parents qu'ils se partagent dans le temps selon des protocoles plus ou moins formels.

Les repas familiaux sont repas de la répétition. Par-delà la variation du nombre de convives, il reste un noyau relativement fixe, souvent réduit à deux ou trois personnes, parfois plus important. Mais il y a également de grandes différences d'une famille à l'autre, en particulier liées au statut social du cuisinier. Selon qu'il reste à la maison ou qu'il a une activité professionnelle, le cuisinier dispose de temps très différents, dans la répartition comme dans la durée.

Il n'y a donc pas un modèle de ce qu'est la cuisine de la famille. D'autant plus que si le cuisinier dispose d'un potager personnel — c'est le cas d'un bon quart des Français — et éventuellement d'une basse-cour, s'il pêche ou s'il chasse, s'il voyage autour du monde, s'il a accès à des producteurs ou à des revendeurs de produits sélectionnés, des raretés et des aliments d'exception pourront être son quotidien.

Il est cependant une constatation qui s'impose à tous, ne serait-ce que sous la pression des enfants. La nourriture familiale est aujourd'hui un mélange, un compromis entre des aliments traditionnels et des produits industriels.

Le quotidien familial les connaît d'autant plus que le cuisinier est pris par son travail ou par ses déplacements. Il lui faut alors gérer son temps de façon précise. La cuisine familiale en ville est souvent déterminée en priorité par ces contraintes. Elle dépend aussi du tempérament, du caractère et de l'inclination à cuisiner qui varient selon les individus, et chez la même personne selon les circonstances. Car, au-delà de la technique même qui préside à la préparation des repas, il faut considérer l'économie qui l'organise. C'est-à-dire pour qui et pour quoi on cuisine. Le même plat fera le bonheur du gourmet qui reconnaîtra dans sa fabrication une marque de l'affection que lui porte celui qui l'a préparé, et au contraire indisposera celui que la nourriture indiffère ou qui aurait souhaité tout autre chose. La cuisine et la nourriture sont au centre de la relation complexe qui unit et désunit les couples, qui forme ou déforme les enfants.

Le cuisinier familial doit donc bien réfléchir au rôle qu'il entend jouer, à la place qu'il assigne à la nourriture dans les relations affectives et éducatives.

Le cuisinier de la quotidienneté familiale doit savoir gérer les variations d'humeur et d'appétence de chacun, les respecter et en retour les amener à respecter sa propre activité. Il doit s'adapter à la croissance des enfants, à la fois leur offrir des aliments qui leur plaisent et les introduire à un univers sensoriel plus élaboré.

Il doit aussi expliquer que tel soir il est fatigué et que le surgelé ne demande que quelques minutes de cuisson au micro-ondes, que le temps passé à faire les courses, à préparer l'alimentation et à nettoyer est un temps choisi, qui pourrait être utilisé à autre chose, qu'il est ouvert aux suggestions et aux critiques, qu'il a ses limites et qu'elles doivent être reconnues. En bref, qu'il n'est ni un dictateur ni une vache à lait.

Le cuisinier familial dispose par ailleurs d'un gros avantage. Puisqu'il a pour fonction de préparer au moins un repas par jour, il peut et il doit programmer ses menus. Il dispose également d'un certain volume d'ingrédients. Il peut ainsi préparer plusieurs jours à l'avance certains fumets ou certaines réductions et sauces et fabriquer ces plats gigognes nés les uns des autres en une succession qui peut se terminer après deux, trois ou quatre jours par un plat complexe et infaisable en une seule journée. Il peut aussi conserver quelques jours des restes qu'il va apprêter ou intégrer à d'autres plats, apportant ainsi une touche originale et imprévue à des recettes bien connues, voire banales.

On le voit, la cuisine au quotidien pour la famille, loin d'être une tâche fastidieuse et répétitive, peut être au contraire la source d'une série de miniévénements familiaux, de suggestions, de variations, d'échanges, de plaisirs et de gaieté. Transformer le repas quotidien en fête quotidienne, tels sont l'enjeu et le défi.

N'est-il pas paradoxal de ranger parmi les plats de l'homme pressé ces préparations longues et douces qui durent six, huit, douze heures ? L'homme pressé ne compte-t-il pas ses minutes et ses heures, bousculé qu'il est par les obligations de toutes sortes, avec celles qui surviennent à horaire fixe, plus toutes celles que l'urgence impose ? Son temps est tellement pris qu'il ne lui reste parfois guère que celui du sommeil pour s'évader quelque peu et temporairement de l'encadrement contraignant de ses activités et de son énergie. Le sommeil est pour lui repos et échappement. Mais le temps du sommeil, le temps de la nuitée, est également celui pendant lequel peuvent cuire, à chaleur bien douce et bien tempérée, beaucoup de ces plats de la tradition que parfois l'homme pressé aime consommer. Comme s'il trouvait là un moyen de rejoindre une époque où le temps n'était pas compté, où la vie s'écoulait au rythme du soleil et des saisons.

Ces plats de la nuitée, comme tous les autres, nécessitent un temps de préparation. Il faut éplucher les légumes, parer et découper les viandes, composer les marinades, effectuer les opérations initiales de la cuisson, souvent en faisant sauter tout ou partie des ingrédients. Ces opérations sont de durée variable, fonction de la complication de la recette et du nombre de convives pour lequel on la prépare. Toutefois, il y a peu de plats dans cette catégorie qui prennent réellement beaucoup de temps : pour six à huit personnes par exemple, il faut rarement plus d'une demi-heure. De plus, s'agit-il d'opérations simples et faciles à réaliser.

Cette phase initiale terminée, il suffit de réunir l'ensemble des ingrédients dans une cocotte ou une casserole bien fermée, parfois lutée, c'est-à-dire qu'on aura introduit entre la cocotte et son couvercle une pâte faite de farine et d'eau qui, en cuisant, garantira l'étanchéité de ce joint temporaire. On posera ensuite le récipient sur le coin du feu, ou dans le four à feu très doux afin que le plat cuise lentement pendant la nuit.

La réalisation est donc particulièrement aisée. Toutefois, le plat cuisant tout seul et sans contrôle, il faut prendre deux précautions indispensables. La première est la sécurité. Pas question de laisser un brûleur à gaz fonctionner sans contrôle pendant huit heures. En cas de baisse de pression, la flamme pourrait s'éteindre et, le gaz revenant, grand serait le risque d'explosion, sans compter la toxicité propre à certains mélanges. Les plats de la nuitée nécessitent donc des appareils électriques ou, dans certains cas, des cuisinières au charbon.

L'autre précaution concerne la température exacte de cuisson. Trop faible, elle ne cuit rien. Trop forte, elle brûle tout et détruit casseroles et cocottes, ou encore fait déborder les contenus avec tous les risques et inconvénients qu'on devine. Il faut donc bien connaître les caractéristiques de la cuisinière ou de la plaque de cuisson avant de se lancer dans la réalisation de tels plats. Non seulement le résultat serait risqué, mais il y aurait danger.

Les plats de la nuitée sont meilleurs réchauffés. Certains peuvent cuire plusieurs nuits ou fragments de nuits de suite. Si, en plus d'être pressé, le cuisinier est insomniaque, il pourra ainsi réaliser ces plats proches de certaines traditions régionales, par exemple des daubes qui mijotent quelques heures par nuit pendant une petite semaine.

Au matin, le cuisinier veillera à ôter le récipient du feu, car il est peu de préparations qui cuisent pendant vingt-quatre heures sans en être altérées. Le plat refroidira progressivement et sans brutalité.

Le soir, lorsqu'il rentrera du travail, la graisse de cuisson sera remontée à la surface, figée, et il pourra l'éliminer facilement avec une cuillère. Le plat sera alors réchauffé et l'assaisonnement rectifié.

Les plats de la nuitée sont donc une façon très pratique d'utiliser le temps du sommeil pour que le repas cuise tout seul. Mieux vaut toutefois éviter ce genre de cuisine si on ne dispose que d'un studio, à moins d'aimer se réveiller dans les senteurs rustiques des tripes ou des ragoûts. Et par ailleurs, s'il y a de petits enfants à la maison, il faut veiller à ce qu'ils n'aient pas accès au plat en train de cuire.

LES REPAS DE L'INSOMNIE

L'homme dort ses six à huit heures par jour, avec des différences importantes entre individus, les uns se contentant de quatre ou cinq heures, alors que d'autres ont besoin de neuf, dix, voire onze heures. Et puis, il y a ceux qui ronflent, ceux qui s'endorment d'un seul coup et ceux qui doivent attendre, ceux qui rêvent et ceux qui ne rêvent pas, ceux qui se réveillent dix, cinquante, cent fois par heure et qui ne s'en rendent pas compte, ceux dont les jambes s'agitent, ceux qui crient et ceux qui marchent.

Et puis, il y a ceux qui ne dorment pas, que les soucis, les angoisses, les maladies, le bruit ou la peur réveillent et qui marquent les minutes et les heures, comptent les moutons ou se racontent des histoires.

En vain, car l'insomnie est têtue. Elle s'accommode des yeux fermés, mais les préfère ouverts, elle accepte la vigilance complète à la condition qu'elle ne cède la place au sommeil, elle tolère toutes les sensations, toutes les impressions, le froid comme le chaud, l'énervement ou la paix, l'inquiétude et le malaise, ou bien le relâchement décontracté et le songe éveillé.

Et souvent, de rêve en projet, d'analyse en fantaisie, l'insomniaque bouge, s'agite, se retourne dans le lit, change de position, soupire et finalement se lève. Il se lève et va aux toilettes, se lave les mains et la figure, boit un verre d'eau et retourne se coucher. Mais, de nouveau, il ne peut se rendormir.

Alors, il se relève et il se rend à la cuisine, ouvre le réfrigérateur, en sort un reste de poulet ou de jambon avec lequel il se fait un sandwich, l'arrose d'une bière ou d'un verre de vin. Et puis il ingurgite un yaourt, des fruits, un gâteau. Bref, il fait un second repas, tranquillement, sans même s'en rendre compte. Et s'il suit un régime, par exemple pour ne pas grossir, cet « extra » n'en fait pas partie, n'est pas comptabilisé, est oublié, éliminé de la conscience et de la mémoire. C'est un repas fantôme. Mais pas fantôme pour tout le monde, car les calories ingérées n'ont évidement aucune raison de disparaître par magie. Ces en-cas de l'insomnie sont des repas désinhibés, ou la mayonnaise et le beurre ne souffrent plus de restrictions, où les gâteaux et les crèmes sont en consommation libre. Les repas de l'insomnie sont des faiseurs d'obésité.

Pourtant l'insomnie peut être créatrice. Il y a, il est vrai, plusieurs états d'âme et de conscience qui ne sont pas tous propices à la réalisation de desseins innovants. Il faut aussi se méfier de ces impressions de succès qui dans la conscience claire de l'éveil matinal perdent les qualités éminentes dont les brumes de la nuit les avaient parées.

De l'insomnie, il ne faut retenir que les ébauches, les idées saugrenues, les associations inhabituelles, le tout en vrac, sans cohérence. Le tri sera fait le lendemain ou un autre jour. Et les bribes accumulées pourront soudain s'assembler et produire un jour un plat original.

Cependant, toute insomnie n'est pas symbole de création et de progrès. En ce cas, l'insomniaque a le choix entre cuisiner et manger.

L'insomnie est une de ces conditions qui semblent faites pour la préparation des repas de la patience, des plats qui demandent de minutieuses et longues préparations. Attention, toutefois, à éviter les opérations qui comportent des dangers. Si certains insomniaques ont une lucidité totale, parfois même supérieure à celle de l'éveil diurne, ce n'est pas le cas chez tous. Chez d'autres, au contraire, certains réflexes peuvent être ralentis et certaines réactions de protection et de défense insuffisantes ou absentes, voire déviées. Il est alors plus prudent de ne pas manipuler trop d'instruments à la fois et de se méfier des couteaux aiguisés et de l'huile bouillante.

Le temps de l'insomniaque n'est pas compté. C'est un temps en plus, mais c'est un temps anormal. On ne saurait donc en attendre des performances et des rendements analogues à ceux de l'éveil usuel, avec des variations individuelles considérables.

Celui que l'insomnie dynamise saura utiliser toutes les ressources de ses facultés intellectuelles, celui dont l'esprit reste brouillon saura en limiter l'expression. L'éveil de l'insomnie est à prendre tel quel, il ne faut ni le forcer ni le pousser au-delà de sa durée naturelle, et si l'envie de dormir vient à l'interrompre, il faut la suivre et abandonner ses activités, si prometteuses qu'elles soient, car on ne se rendort pas sur commande, mais par soumission à des phénomènes dont les progrès de la connaissance médicale nous indiquent qu'ils sont chaque jour plus mystérieux. La rançon de l'insomnie est la fatigue et la somnolence pour le reste de la journée.

Mieux vaut laisser en plan une recette inachevée que de s'imposer un lendemain inconfortable et inefficace, maussade et sans agrément.

Le cuisinier insomniaque peut également préparer la cuisine ordinaire du lendemain, simple et sans difficulté particulière. Il peut aussi se décider pour un de ces repas de la nuitée, un de ces plats qui, sans gros travail de préparation, nécessitent un long temps de cuisson. Ce sont plats de la chaleur douce, qui restent quatre, six, douze heures sur le coin du feu, avec cette fabrication lente dont les parfums successifs envahissent la pièce, puis tout l'habitat, qui stimulent l'appétit en même temps qu'ils le comblent. L'insomniaque peut se livrer à une multitude d'autres activités physiques ou intellectuelles, mais la préparation et la cuisson des repas du lendemain et des jours suivants reste un des meilleurs moyens d'utiliser son esprit et ses mains d'une façon à la fois ordonnée et peu contraignante. Il y trouve également un autre bénéfice : préparer le repas pousse peu à le consommer, ainsi va-t-il sans effort particulier éviter de manger et de boire. La cuisine faite par l'insomniaque peut donc être, pour lui, une activité diététique.

Il se peut également que, trop énervé, il ne puisse se résoudre à cuisiner, ou qu'il n'en ait pas le goût. Il se peut qu'il ait faim.

Séparons là deux cas, selon que l'insomnie est rare et occasionnelle ou qu'elle reste régulière chaque nuit.

Dans le premier cas, peu importe. Sauf chez quelques malades qui doivent suivre un régime impérieux et contraignant, un repas de plus, s'il est d'exception, n'a pas d'importance particulière. Ce n'est pas un morceau de fromage mangé à trois heures du matin qui sera responsable de la prise de poids de l'obèse.

Par contre, si l'insomnie se reproduit et si celui qui en souffre prend l'habitude de faire chaque nuit un repas supplémentaire, il en va tout autrement. D'une part, l'insomniaque risque d'ingurgiter ainsi une quantité considérable d'aliments et de boissons. De plus, l'utilisation par l'organisme de ce qu'il consomme varie avec les heures de la journée : il semble que le soir et la nuit, les calories soient préférentiellement stockées sous forme de réserves, de graisse, comme si notre corps était programmé pour utiliser l'énergie alimentaire le jour quand nous bougeons et la préserver la nuit quand nous sommes censés dormir et que les besoins sont moindres. Les repas de l'insomnie sont donc des manières très insidieuses et très efficaces de se constituer une bonne réserve de graisses, avec ses rondeurs de cuisses, de gorge ou de hanches que les canons esthétiques modernes dénoncent avec plus ou moins de sens.

L'insomnie répétée pose encore un autre problème, un problème étrange et sur lequel on ne s'est pas encore penché avec tout l'intérêt qu'il mérite : l'oubli. L'oubli est certes positif quand il s'agit de ses misères — quoique, avec l'oubli, tout se retrouve sur le même plan, car l'oubli concerne d'abord et avant tout ce qui est désagréable, pénible, ce qui fait culpabiliser. Les morts sont tous de braves types, chantait Brassens.

Par un phénomène étrange, nombre de malades annulent au matin leurs misères de la nuit. Le dyspeptique oublie ses brûlures digestives, le fumeur sa toux et ses crachats. L'asthmatique élimine ses nuits hachurées, ses réveils asphyxiques et l'ombre de la mort qui plane autour de lui. A la lumière du matin, tout est beau, tout est oublié, un nouveau jour se lève et rien n'est arrivé.

Rien non plus n'est arrivé à l'obèse boulimique qui pendant la nuit a vidé consciencieusement le réfrigérateur et tapé significativement dans les réserves de pâtes et de conserves. Il peut commencer sa journée dans la béatitude innocente de la faim comblée, de la somnolence discrète, voire de l'imprégnation lénifiante de diverses boissons alcoolisées. L'insomniaque a oublié ses repas. Tout lui est pardonné. Il peut reprendre consciencieusement son régime pendant la journée. Quitte à se plaindre de ce que ses efforts méritoires, ses privations strictes et héroïques ne lui fassent perdre aucun poids, voire lui en fassent prendre.

On voit que la première difficulté pour l'insomniaque est de se rappeler ce qu'il fait réellement lorsqu'il se lève la nuit. C'est d'autant plus difficile que ce réveil peut n'être que partiel, qu'il peut ne s'agir que d'une demi-conscience dont l'annulation par la mémoire est fréquente. Il lui reste cependant les faits objectifs : le saucisson qui a disparu, le demi-camembert dont la croûte se retrouve dans la poubelle ne peuvent pas avoir été mangés par le chat. Pas plus que ce dernier n'a pu déboucher une bouteille de vin et salir assiette, fourchette et couteau. L'insomniaque peut noter cela au réveil sur une feuille de papier. L'oubli se fera dans sa mémoire, mais les faits reviendront à sa conscience ultérieurement quand il les lira, écrits de sa main.

La seconde phase consistera à programmer ces moments à la fois prévisibles et impromptus où la faim et la soif ne connaissent plus de barrage. L'insomniaque pourra ainsi préparer des repas de régime, avec des aliments de consistance dure, qui nécessitent un long travail de mastication et qui amènent plus rapidement la satiété, avec des eaux gazeuses ou des bières sans alcool qui sont souvent de bons palliatifs aux boissons alcoolisées, avec la crème allégée qui procure les sensations suaves du gras sans en contenir beaucoup. Ainsi, l'insomniaque pourra-t-il limiter très considérablement sa consommation de calories et d'alcool sans en ressentir de privation ou de ressentiment majeurs. Car encore une fois, et cette conception ne s'applique évidemment pas à certains grands malades, il ne s'agit pas de se priver ni de se punir.

L'insomnie est un désagrément, voire une infirmité. Boire et manger peuvent parfois constituer un apaisement. Encore faut-il que cela ne constitue pas une source secondaire d'ennuis.

L'insomniaque affamé devra trouver la juste voie entre la satisfaction de l'appétit et les conséquences de la consommation. A lui de prévoir ce qu'il doit manger et boire. A lui de s'astreindre à mâcher consciencieusement les aliments, à multiplier les activités « mécaniques » alimentaires, à fuir les préparations trop moelleuses ou trop riches.

LES REPAS DE LA SÉDUCTION

Cuisiner, recevoir, séduire. Cuisiner pour quelqu'un qu'on veut séduire est une déclaration d'intentions. Bonnes ou mauvaises. Car on peut vouloir séduire pour une multitude de raisons. D'ailleurs, ce mot ne s'applique-t-il pas à des cas de figure bien différents, par exemple selon qu'il s'agit de l'être désiré ou de sa mère ? La séduction en elle-même cache des sentiments divers et contradictoires, opposés même, les uns nobles et les autres médiocres, voire honteux. Recevoir pour séduire ne saurait donc impliquer une seule et unique méthode de cuisine.

Il convient en premier lieu que le séducteur précise ses intentions. Espérons qu'elles sont bonnes, que ses pensées sont dénuées de ces machinations manipulatrices et perverses qui sont le lot des êtres faibles ou troublés, où l'objet du désir n'existe pas en tant qu'être respectable, mais en simple figurine impersonnelle, dont on veut tirer un avantage précis et égoïste, et qu'on abandonne une fois satisfait.

La séduction n'est ni anodine, ni sans risque, car elle n'est pas à sens unique. Elle révèle l'âme du séducteur à travers sa pratique. Séduire, c'est engager avec une autre personne un état de déséquilibre. Intentionnel ou velléitaire, timide ou décidé, maladroit ou avisé, le séducteur se place en situation d'être vu, jaugé, jugé. Le séducteur se met à nu. Dans ses détours et ses malices, dans ses naïvetés et ses élans sincères, dans sa force comme dans sa gaucherie, il s'expose au refus, à la moquerie, au mépris, alors même qu'il cherche à se faire aimer ou au moins accepter.

Le séducteur doit donc se montrer digne. Car, issue heureuse ou insatisfaisante de son dessein, il ne doit en garder ni amertume, ni dégoût, ni remords. Il vaut mieux quelques regrets, car l'insatisfaction du désir reste moteur de rêves alors que celle d'une victoire honteuse ne laisse que malaise ou oubli.

Le séducteur doit respecter l'objet de son désir, s'interroger sur ses goûts, son histoire, ses habitudes. La cuisine du séducteur doit être un élément dans la proposition de se connaître mieux ou de mieux se retrouver, qui caractérise la rencontre. La cuisine sera simple et subtile, adaptée à l'être désiré. Tout d'abord, il faudra tenir compte d'éventuels interdits alimentaires, qu'ils soient religieux ou médicaux — rien ne serait plus catastrophique que de présenter du saumon fumé à quelqu'un qui doit manger sans sel. A moins que, de catastrophe en catastrophe, ce soit le côté gaffeur qui séduise — mais n'est pas Jerry Lewis ou Woody Allen qui veut.

En second lieu, il faudra s'enquérir des goûts, des aversions et des préférences.

Mais surtout, il faudra éviter deux excès : étouffer l'invité en le submergeant d'une nourriture trop abondante ou trop riche, ou au contraire l'affamer par des portions microscopiques. Il faut se rappeler de ce que l'acte de séduction implique en retour : le séducteur se verrait classé parmi les mères poules ou les pingres. Il n'est pas certain que ces deux catégories soient, au moins pour un soir, celles que recherche l'être désiré. Le séducteur doit consacrer l'essentiel de son temps à son invité. Ce dernier ne doit pas se morfondre au salon pendant que le chef se dépense en cuisine. D'un autre côté, si le repas n'a pas d'originalité, l'image de l'hôte peut apparaître peu attirante et le résultat de la rencontre décevant. Le choix du menu est donc particulièrement critique.

En général, il vaut mieux choisir des mets qui ne demandent qu'un temps très court de finition. Il existe de nombreux plats qui sont longs à préparer — par exemple les tartares tièdes de légumes — mais très courts à finir. Il suffit d'avoir effectué la première partie avant l'arrivée de l'invité et de ne le quitter qu'au dernier moment pour deux ou trois minutes. Une autre solution consiste à préparer un de ces plats qui, cuits à l'avance et déjà prêts, ne nécessitent que quelques finitions minimes, ou certains rôtis (caneton par exemple) qui cuisent à four très chaud pendant un temps relativement court — ils nécessitent toutefois quelques opérations simples et régulières : retourner et arroser l'animal. A chacun donc de programmer son temps, de façon à réduire au minimum son séjour en cuisine.

Il va de soi que le séducteur n'a pas pour rôle de se transformer en enivreur, guettant par le moyen de libations exagérées les signes de faiblesse de son invité. Ce dernier doit avoir en permanence le choix de ce qu'il boit, en qualité comme en quantité.

S'il veut boire de l'eau, tant mieux, et s'il préfère le champagne, c'est encore tant mieux. La séduction est préalable à une meilleure connaissance, à une rencontre, pas à une gymnastique d'ivrogne.

Enfin, il ne faut oublier ni la lumière, ni les jeux d'ombres, ni la musique, ni les fleurs, ni même — pourquoi pas — les parfums, pour que la cuisine s'intègre dans cet ensemble sensuel et affectueux qui est l'objet même de l'invitation.

LES REPAS DE L'AMITIÉ

A l'opposé des repas de la séduction, les repas de l'amitié sont des célébrations de la stabilité. Les premiers sont repas d'inquiétude aux résultats incertains, avec leurs lendemains de plénitude et d'amour, ou bien de tristesse et de frustration, car l'objet de la séduction est inconnu, le séducteur tente d'en déchiffrer et d'en apprivoiser le mystère. Les repas de l'amitié sont repas de certitude : amis et hôtes connaissent leurs qualités et leurs travers. Ils ont en commun réussites et ratés. Cuisiner pour ses amis est un renouvellement, une réannonciation des sentiments à leur égard.

C'est à cette occasion que le cuisinier peut prendre les plus grands risques, oser, innover, ne pas craindre l'échec. Il peut également s'absenter plus longtemps en cuisine, voire y accepter la présence de certains pendant qu'il travaille, se faire aider pour diverses opérations, discuter telle ou telle possibilité ou modification de dernier moment. Parfois, d'ailleurs, il y a partage dans la préparation et le rôle du cuisinier peut consister à finir ou à compléter ce que ses invités ont apporté.

Les repas de l'amitié doivent tenir compte des préférences, se rappeler les fêtes et les anniversaires et, sans être vraiment des cérémonies d'exception, doivent marquer également certains petits événements familiers, professionnels ou collectifs. Malléables dans leur programme et non protocolaires, ils ne doivent cependant pas être la célébration du laxisme. Stabilité ne veut pas dire décrépitude et tolérance n'est pas synonyme de laisser-aller. Il convient donc que le menu et le choix des boissons favorisent l'échange amical sans constituer un parcours imposé de produits et préparations désagréables. Car l'amitié se nourrit, comme se nourrissent le corps et l'esprit. Elle se nourrit de pensées et d'actes communs. La permanence et le renouvellement de l'amitié impliquent autre chose que la répétition d'échecs ou de manques de considération ou de discernement. L'amitié vit de succès et de plaisirs, même si elle ne tient pas rigueur d'un raté occasionnel.

La prise de risque dans l'élaboration de nouveaux plats et dans l'exploration d'harmonies gustatives expérimentales est une manifestation de la vitalité amicale. Mais elle n'est pas indispensable. Certains préféreront au contraire célébrer les retrouvailles en refaisant chaque fois le même menu ou au moins un plat identique, devenu emblématique, sorte de clin d'œil complice et convenu.

Les liens amicaux supposent des caractères et des relations fort divers : il importe que chacun agisse et cuisine selon son propre tempérament. L'erreur n'est pas impardonnable dans un repas d'amis. L'absence d'imagination non plus.

LES REPAS DE LA FATIGUE

Cuisiner demande de l'énergie : il faut faire attention à bien choisir ce que l'on va utiliser, à peler les légumes et à couper les viandes, à effectuer les diverses opérations de cuisson dans l'ordre, avec les températures et les temps adéquats, à ne pas se blesser. On cuisine pour diverses raisons, mais essentiellement par obligation ou par plaisir.

La fatigue se caractérise par un manque d'énergie, physique après un exercice intense, mentale surtout, si fréquente dans les conditions de la vie moderne. Sans compter les temps de cafard, de déprime et ces instants incertains où rien n'est vraiment attirant, où tout se ressemble et où tout a le même goût.

Pourtant, dans ces instants mêmes, il faut manger, il faut boire, comme il faut respirer et se reposer. Les raisons de la fatigue sont variables et leurs effets dépendent du caractère, des relations affectives, du travail, du logement, du climat. Elles ne constituent pas un ensemble cohérent et il ne saurait y avoir d'unicité de la fatigue avec en corollaire une façon particulière de cuisiner.

Non, tout au contraire, cet état, ou ces états, nous les connaissons car en général, nous les avons déjà éprouvés ou subis. Nous savons donc que dans telle circonstance, tout geste, toute pensée coûtent tellement que nous préférons ne rien faire. Dans telle autre, c'est au contraire en nous lançant à corps perdu dans des opérations longues et compliquées, où les mains pétrissent longuement des pâtes, découpent minutieusement des cubes minuscules, tranchent les chairs, pèlent ou décortiquent des fruits et des légumes de petite taille, semblables et nombreux, que nous pouvons lutter contre elle et trouver la meilleure contenance.

Et entre ces extrêmes, nous connaissons ces temps où cuire un steak à la poêle, une pomme de terre au micro-ondes, faire bouillir un œuf dur ou assaisonner une salade achetée prête à être utilisée, dans un emballage plastique, avec un assaisonnement industriel, représente l'activité la plus intense que nous sommes prêts à développer.

Ces temps, nous les connaissons, nous en savons la durée et l'intensité, nous pouvons même prévoir souvent quand ils surviendront.

La cuisine comprendra donc de ces en-cas tout prêts ou ne demandant qu'un effort minimum : thon ou sardines à l'huile, soupes lyophilisées ou en boîte, purée en flocons, pâtes et riz, yaourts et fromages, crudités, œufs, et puis quelques surgelés : steaks, côtes d'agneau ou autres grillades faciles à faire, ne demandant pas d'effort ni d'attention particuliers. Pourtant, il suffit d'un rien pour passer d'un plat terne, laid et déprimant, à un impromptu délicat, vif ou doux, cocasse, beau même. Pour cela, il suffit d'un peu de crème et d'épices dans la soupe, d'une tomate ou d'un œuf dur avec le thon, de quelques échalotes sur le steak, d'huile d'olive de qualité sur les pâtes, bref, d'un rien. Un rien qui peut faire basculer la nature et l'apparence du plat, et avec, peut-être aussi, l'humeur.

Cuisiner, c'est prévoir. Prévoir les jours où tout est facile, où les gestes se font avec naturel, où le goût et le parfum des aliments se combinent, imaginés avant le repas, rémanents après, où l'eau est fraîche et le vin gai. C'est aussi prévoir ces phases où tout coûte et où rien n'attire car dans ces conditions, un aliment bien cuit, une couleur harmonieuse, une consistance plaisante certes ne changent pas la grisaille en félicité, mais y introduisent un coin de différence, en rompent la continuité, bref, y apportent un peu de contentement, de plaisir même.

La première personne qui a disparu dans ma vie fut un de mes arrière-grands-pères. Il avait quatre-vingt-douze ans, des moustaches blanches tombantes, il avait fait la conquête du Tonkin. J'avais sept ans. Après l'enterrement, toute la famille se rendit au restaurant pour déjeuner. Ma grand-mère, quoique grande cuisinière, n'avait pas eu le courage de préparer le repas. Ce fut pour moi une surprise et un sentiment étranges — le restaurant, c'était exceptionnel, je crois que je n'y étais jamais allé auparavant : tous, vêtus de noir, graves et tristes, mangeaient avec application des mets de fête, du foie gras, des poissons, des viandes, des desserts, comme si la consommation des plats les plus chers constituait un dernier hommage, une sorte de baiser d'adieu, une affirmation aussi que la disparition d'un être, si aimé fût-il, n'empêchait pas la vie de continuer ; et même qu'elle en marquait le cours, que l'image du mort veillait, sorte de figure bienveillante, à ce que la joie et le plaisir s'affirment dès le jour même où son ensevelissement rituel marquait pour toujours sa disparition physique. Depuis, il y a eu d'autres deuils, d'êtres que j'ai mieux connus et plus aimés. Les enterrements, les crémations ont été suivis et accompagnés de ces repas de la confusion des sentiments, rencontres où, à travers la peine partagée, s'affirmait la communauté des survivants, où le mort pénétrait l'âme et la mémoire de chacun pour y trouver refuge avant qu'eux-mêmes à leur tour s'en allant, il disparaisse à jamais. Comme si la mort ne devenait complète qu'avec celle de ceux qu'on a connus et aimés. Une mort en deux temps, une double vie suivie d'une double mort.

Les repas du deuil remplissent donc un rôle très important dans la vie. En marquant la disparition, la blessure irrémédiable, ils affirment aussi la pérennité du souvenir et de la deuxième vie du défunt en même temps que ce dernier encourage et protège ceux qui l'aiment. Et la cérémonie est aussi celle de l'enfouissement du mort qui va désormais résider dans une partie sensible et facilement souffrante de chacun. Il y réside et souvent n'accepte guère qu'on parle de lui, l'évocation gêne son repos et le dérange, elle fait monter les larmes, qu'on peut à volonté laisser couler au-dehors ou refluer vers l'intérieur. La deuxième vie des morts protège dans le silence.

Les repas du deuil doivent être des hommages faits au disparu où sont consommés les plats et les vins qu'il aimait, et il faut qu'ils comportent leur part de joie, de gaieté et de plaisir, tant il est vrai qu'il s'agit du dernier repas pris avec lui. Les menus du deuil sont menus de fête.

LES REPAS DE L'ILLUSION

Avant même son arrivée sur la table, un plat peut s'être déjà introduit, soit parce que règne une odeur caractéristique, soit parce que certains ustensiles spécifiques sont présents sur la table, annonçant en apparence des aliments bien précis, soit que des bruits ou des informations venant de la cuisine indiquent la nature des mets.

La présentation devant les invités entraîne également des réactions. De reconnaissance du contenu quand la nature en est facilement identifiable, ou au contraire d'interrogation quand ce n'est pas le cas. Selon le mode de présentation et de service, l'information peut être délivrée immédiatement ou après un temps d'attente : par exemple un poulet ou un poisson cuits dans une croûte de sel apparaissent tout d'abord sous la forme masquée d'une sorte de gâteau cristallin et opaque. En cassant cette coque minérale, le contenu qui était mystérieux apparaît brusquement à chacun dans son évidence simple. De même les potages et consommés servis en soupières individuelles couvertes d'un feuilletage — mode de présentation mis à la mode par Paul Bocuse avec sa célèbre soupe aux truffes Valéry Giscard d'Estaing — révèlent, dès le premier coup de cuillère qui brise le couvercle doré de la pâte, leurs arômes, leurs parfums, leurs couleurs et, avant même d'être goûtés, leur vraisemblable nature.

La présentation des plats peut ainsi jouer à la fois des informations immédiatement compréhensibles et de petits mystères temporaires qui donnent un rythme, créent de miniévénements dont la succession participe à l'atmosphère de plaisir et de beauté qui doit caractériser le repas de fête.

On peut aussi tendre des pièges. Pas de grossière mystification dont le but est d'humilier le convive. Il ne s'agit pas de vraiment tromper, mais d'apporter aise et contentement. La surprise de goûter un plat délicat et agréable, mais qui a l'aspect apparent d'un autre peut être, si on n'en abuse pas, une manière subtile et humoristique d'apporter un rythme original au repas. Cette attitude fut à la mode au XVIIIe siècle et elle a disparu parce qu'elle n'a de valeur qu'employée à bon escient, c'est-à-dire à petites doses. Quel intérêt en effet y aurait-il à ne manger que des plats qui ressemblent à autre chose que ce qu'ils sont ? L'œil humain apprend vite et cette « originalité », rapidement réduite à une casanière redondance, à des présentations rivalisant d'artifices, perdrait progressivement tout intérêt culinaire pour se transformer en un lassant et monotone jeu des questions. Donc, pas de poivre caché dans le dessert ou de piment immangeable dans un plat renommé pour sa douceur, pas de composition compliquée non plus. Mais quelques illusions, apportées çà et là, soigneusement cuisinées, aussi bonnes et goûteuses que ce à quoi elles ressemblent, avec en plus ce discret rappel, que l'illusion fait aussi partie de la vie, du rêve, du plaisir.

LES REPAS ÉNIGMATIQUES ET LES PLATS MYSTÉRIEUX

Le voyageur traversant les terres étrangères est confronté en permanence à l'interrogation. Que se cache-t-il derrière les appellations diverses qu'on lui présente sur les menus ? Il peut certes s'en tenir à ce qu'il connaît ; pourtant, même ainsi, il ira de surprise en surprise. Le beefsteak à Florence, à Tunis et dans une steak house nord-américaine n'ont guère en commun que de provenir du bœuf. Épaisseur, consistance, choix du morceau et de la coupe, cuisson, accompagnement n'ont guère de points communs, et même la race et le mode d'élevage des animaux donnent un goût différent. Il n'y a donc pas de solution évidente. Le voyageur est plus ou moins obligé de plonger dans le dédale des appellations mystérieuses. S'il est averti, c'est d'ailleurs précisément pour cela qu'il va au restaurant, pour rechercher le goût du pesto à Gênes, du tom yam kung à Bangkok et du clam chowder à Boston, avec ses souvenirs inoubliables, avec aussi ses déceptions, et parfois encore les conséquences digestives de certaines préparations. Le décryptage progressif des énigmes des menus, l'apprentissage et la comparaison des divers modes de préparation, des nuances apportées selon les régions et les cuisiniers font partie du voyage, de l'expérience du voyage. Mais les repas énigmatiques ne sont pas seulement ceux que l'on fait à l'étranger. Le fonds traditionnel de la cuisine française abonde d'appellations étranges et mystérieuses en dehors de leur région d'origine.

Parfois, un chef renommé les a mis au goût du jour, ou bien la mode s'en est emparée, et l'aligot du Massif central, les caillettes de l'Ardèche et la piperade basque rejoignent la choucroute alsacienne, la bouillabaisse de Marseille ou le cassoulet du Sud-Ouest dans ce fonds commun que chacun connaît.

En effet, il existe de très nombreux plats dont le nom prête à réflexion. Il y a tout d'abord ceux qui font partie d'un vocabulaire supposé commun, mais qui est souvent réservé à une minorité, qui fait partie du lexique de certaines professions. Tout un chacun ne sait pas forcément ce que sont un bavarois, ou des alouettes sans tête. Parfois le mot, même non familier, peut indiquer une voie : la truffade ou touffarde évoque la truffe (il n'y en a pas dans ce plat), mais aussi pour certains la pomme de terre à laquelle on l'assimile traditionnellement dans certaines régions — après tout on la trouve elle aussi sous la terre.

Mais deviner ce que sont le mourtayrol, l'estofinado, le tourin, les bourdelots et doyons, le ttoro ou les millats est impossible, car on ne les connaît que localement, à moins d'y avoir été initié antérieurement. Il y a ainsi plusieurs centaines d'appellations traditionnelles, évidentes pour un petit nombre, inconnues et opaques pour la plupart.

Ces plats mystérieux peuvent être simples ou complexes, frugaux ou élaborés, unidimensionnels ou subtils. Ils constituent un ensemble qui plonge ses racines dans les traditions régionales les plus authentiques. Un peu à la manière de ces chansons traditionnelles avec, comme elles, ses variations de village en village, et de famille à famille.

Un repas entier peut n'être fait que de ces plats du mystère. Mystère d'autant plus paradoxal qu'il consiste simplement à un retour aux sources, généralement paysannes, de notre pays. Une invitation à un détour en trompe-l'œil. Au rêve qui est le compagnon du mystère. Et à la solidité du sol et de la terre qui est l'espace du paysan. Ce qui n'empêche pas de toiletter les recettes de la tradition, non pour les défigurer, mais pour les rendre compréhensibles. De même que les meilleurs des musiciens folkloriques français ont su à la fois retrouver des instruments musicaux souvent tombés en désuétude, écrire des arrangements où modernité et tradition se rencontrent et exhumer des textes souvent remarquables d'invention, de vivacité et de véracité[1], de même le cuisiner amateur pourra-t-il s'imprégner à la fois du fonds ancien et de ce que les techniques et méthodes d'aujourd'hui offrent de meilleur.

LES REPAS GIGOGNES

Tous les livres de cuisine de grande diffusion comportent leurs chapitres sur l'utilisation des restes. Et de décrire ce qu'on peut faire avec une carcasse de poulet, un talon de jambon et l'entame du rôti. C'est ainsi qu'une deuxième cuisine, ou si on préfère une cuisine de deuxième ligne, se profile à la suite des plats les plus connus. Il y a dans ces recettes des chefs-d'œuvre — le hachis parmentier en est un exemple. Mais aussi combien de raccommodages grossiers et appliqués, qui menacent les lendemains de fêtes et de réceptions de leur redoutable récurrence.

Il est aussi des plats qui nécessitent des préparations tellement longues qu'ils en sont devenus irréalisables dans le quotidien de l'amateur. Prenons simplement le bouillon cube, ou plus exactement au cube, autrement dit un premier bouillon fait d'eau et d'aromates avec une première viande, qui cuit pendant suffisamment de temps. Puis un second fait avec le premier, passé, et recuit avec une seconde viande, et enfin le troisième, le bouillon « au cube », obtenu avec le second et une troisième viande. Un vrai bouillon cube, c'est entre six et neuf heures de cuisson au minimum. Autant acheter le bouillon commercial et homonyme — dont la composition réelle est ce qu'elle est, pourront dire certains.

Mais on peut aussi cuire le premier jour un jarret de veau et en servir la viande, avec des légumes tendres et du gros sel par exemple ; une poularde avec du riz et y ajouter une sauce délicate le lendemain ; puis, en apothéose, présenter le troisième jour de la queue de bœuf avec du plat de côtes et des morceaux de bœuf à bouillir.

On aura ainsi décliné diverses possibilités offertes par les viandes de boucherie. Au soir du troisième jour on aura un vrai bouillon cube, qu'on pourra utiliser seul ou pour préparer divers plats qu'il agrémente.

1. Signalons à ce sujet l'exceptionnelle et extraordinaire *Anthologie de la chanson traditionnelle française*, éditée par Marc Robine (EPM, 188, bd Voltaire, 75011 Paris) en 1995.

Prenons un autre exemple. Le premier jour, on cuit un poisson avec des aromates et du vin blanc ; le lendemain on poche un crustacé dans le court-bouillon de la veille, et on sert la chair de l'animal, cependant qu'on fait cuire le coffre et les pattes dans le fumet pour obtenir un coulis ou une bisque ; le reste est réduit le lendemain, et additionné de crème et d'épices, ou de beurre émulsionné et d'herbes, et on obtient une sauce complexe.

On peut ainsi programmer une série de plats qui naissent les uns des autres et qui s'étalent sur deux, trois ou quatre jours. Les restaurateurs, qui disposent de beaucoup plus de temps que l'amateur, connaissent bien ce système, qui leur permet de disposer de fonds de sauces complexes, d'ingrédients de salades surprenants, de terrines, de gratins et de hachis inhabituels, inattendus et de qualité dans le respect des règlements, cela va sans dire. Feu Alain Chapel était un maître en la matière.

L'amateur ne peut certes penser ses repas en permanence plusieurs jours à l'avance, il y perdrait toute spontanéité ; mais, de temps en temps, il y trouvera une façon inhabituelle et active de se préparer ou de préparer ses convives en un à trois jours à la dégustation d'un plat final qui, loin de n'être que la somme des résidus des précédents, en est au contraire le concentré et la quintessence.

LES REPAS DU RÊVEUR SOLITAIRE

On rêve seul. L'univers onirique que constitue cette fantasmatique mi-consciente et mi-cachée, en partie décidée ou acceptée et en partie subie, est individuel. Les couples les plus unis, les amis les plus chers rêvent chacun à part. Comme chacun naît et meurt dans la solitude de son identité.

Le repas, le plat, la recette, peuvent faire partie de cet ensemble personnel. Vient tout d'abord l'idée, le projet, qui peut se matérialiser d'emblée dans la suite logique de ses opérations successives. C'est, au détour du marché, ou bien en se réveillant le matin, ou encore en lisant ou en entendant tout autre chose, que brusquement apparaissent, comme catapultés d'on ne sait quelle planète extérieure, une association insolite, un mode de cuisson inédit, des assaisonnements imprévus. Le rêveur doit alors se transformer en homme ou en femme d'action. Il doit vérifier le bien-fondé de son intuition. Le rêve est aveugle. Parfois son conseil est brillant. L'être doué y trouve même les sources de son génie. Parfois aussi il est trompeur, mystificateur. Et chez chacun il est vraisemblable que les deux aspects existent à la fois, qui se croisent dans une succession dont la logique échappe.

Parfois le rêve ne livre qu'une impression, ou encore qu'un fragment. Le cuisinier doit alors tenter de rechercher non pas la suite et les séquences du rêve lui-même — il n'est pas psychanalyste. Mais plutôt à inventer un système dans lequel cet élément s'insère ou qui corresponde à l'atmosphère qui l'entoure. Il pourra tenter d'intégrer à cette construction d'autres fragments de rêves antérieurs, créant ainsi une sorte de collage qui peut, comme le faisaient certains peintres surréalistes, former un ensemble cohérent et subtil. Ou rater, bien sûr. Il peut aussi, et c'est la règle, s'investir dans le travail, cent fois sur le métier remettre son ouvrage, essayer, corriger, se tromper, recommencer, jusqu'à parvenir à une solution qui lui plaise, c'est-à-dire la mise au point d'une recette équilibrée et de qualité.

Il est aussi des produits ou des situations qui sont chez chacun associés au rêve, comme d'autres le sont à la peine, à l'amour, à des souvenirs d'enfance. Présenter ou cuisiner de tels produits, refaire de telles recettes, ressource celui chez lequel elles ont cette influence personnelle et secrète.

Les repas du rêveur solitaire ne sont pas repas de la solitude. Ce sont repas nés du rêve. Ils peuvent être réalisés pour des conditions extrêmement diverses et s'adapter à des convives très variés en nombre et en qualité. Parfois ces derniers pourront reconnaître la source secrète de l'inspiration culinaire. Parfois, au contraire, elle leur restera étrangère, inaccessible ou simplement ignorée. Le rêveur devra donc savoir que le produit de son imaginaire peut être transmissible ou incommunicable, il devra le prévoir et se garantir contre d'éventuelles déconvenues.

Si le repas, qui est par nature un acte de communication généreuse, de proposition positive, ne plaît pas ou indiffère, il se sera trompé. Mais cette erreur peut être dans la nature même de ce qu'il a créé, ou alternativement dans le choix qu'il a fait de la situation et des convives, pour présenter sa recette.

L'inspiration peut se trouver dans le fracas, le clair-obscur et la grisaille du béton ou du bitume. Elle vient plus souvent de la rencontre du beau, que ce dernier soit le fait de la nature ou de la main de l'homme, qu'il soit spontané ou produit avec soin et détermination. Parfois, enfin, l'inspiration sort des discontinuité de la vie, traverse les difficultés et les peines, pénètre l'âme du rêveur d'une façon imprévue, lui apportant ainsi force, énergie et réconfort.

Il faut y croire pour le voir, tel est le titre du dernier ouvrage de Jean-Claude Forest (avec Alain Bignon, Dargaud, 1996). Le rêve précède l'existence.

8

Science et cuisine

Pendant des siècles et des siècles les cuisinières ont reproduit, elles reproduisent encore, les recettes, invariables, dont elles ont appris les détails de leurs mères — ou de leurs belles-mères. Brillat-Savarin et à sa suite nombre d'auteurs, dont récemment Harold McGee aux États-Unis et Hervé This en France, ont tenté d'adapter l'interprétation des phénomènes entraînés par les manipulations culinaires à l'évolution de la connaissance scientifique et d'expliquer la nature exacte des réactions chimiques et physiques en cause.

Il y a là matière à réflexion. Tout d'abord, il est clair que le domaine culinaire n'échappe pas à l'analyse, à la mesure, à la confrontation conceptuelle et à l'interrogation. Toute façon de mieux connaître, de mieux comprendre ne peut qu'être considérée avec faveur. La meilleure maîtrise des concepts et la connaissance de ce qui différencie la bonne cuisine de la mauvaise pourront à leur tour être facteurs de progrès. Pourquoi le lapin est-il tendre ou dur après cuisson, pourquoi la pâte de la tarte est-elle savoureuse et délicate, ou grasse et écœurante, cela dépend du savoir-faire du cuisinier, lequel peut être transmis de bouche à oreille, également être écrit sur une feuille de papier ou dans un livre. Mais, même ainsi, il n'est pas certain que la recette soit applicable par tous. Il peut manquer des ingrédients. Ou encore la qualité de ces derniers peut varier, et le résultat n'être pas à la hauteur des espérances. De même les caractéristiques du feu ou du four, de la casserole, du moule ou de la terrine interviennent-elles dans ce que sera le produit fini.

On mesure la difficulté : une explication scientifique serait celle qui, identifiant précisément la nature physique et chimique du plat réussi, définirait une méthode et un mode d'emploi qui permettraient de le reproduire à coup sûr. Nous n'en sommes pas là et il n'y a pas d'indice permettant même de penser que cela soit un jour possible.

Il y a vingt ans, de doctes articles ont été publiés sur la bio-chimie du bœuf bourguignon, avec force formules et réactions identifiées, avec la séquence des opérations. Ce que les cher-cheurs, les savants qui avaient mené les travaux dont les conclu-sions étaient publiées ne disaient pas, était pourtant ce que le cuisinier aurait aimé savoir : est-ce que le plat était réussi, est-ce que le travail scientifique avait analysé la différence entre le bon et le raté, entre l'œuvre du tâcheron et celle du génie, entre la répétition bâclée, réalisée avec des viandes de réforme et des vins médiocres, et la réalisation active, fondé sur la sélection cri-tique des ingrédients et du liquide de cuisson. Au fond, la bio-chimie est-elle au service de la reproduction industrielle d'un à peu près ou au contraire tente-t-elle de percer les mystères de l'excellence ?

Car la pensée scientifique est exigeante, mais l'explication d'apparence scientifique n'est souvent qu'un miroir aux alouettes. Prenons par exemple le pot-au-feu ou les viandes bouillies en général. On sait que Brillat-Savarin a développé la théorie, reprise par de nombreux auteurs, de l'osmozone, c'est-à-dire d'une substance présente dans les viandes, qui se dissou-drait dans l'eau et lui conférerait ses propriétés de sapidité. C'est l'osmozone qui ferait le bouillon. Inversement, sa rétention par la viande ferait la qualité gustative de cette dernière : selon le mode de cuisson, le cuisinier pourrait choisir de privilégier l'un ou l'autre.

On sait, on pressentait à vrai dire, que l'osmozone n'est qu'une fiction. Les éléments de sapidité sont bien plus nombreux et les qualités gustatives reposent sur des mélanges complexes, par-faitement inconnus aujourd'hui dans une grande majorité de cas. Cela est vrai en cuisine comme dans la fabrication des vins, d'ailleurs. Si certains sont supérieurs, c'est qu'ils contiennent, dans des proportions et des combinaisons essentiellement mys-térieuses en l'état actuel de nos connaissances, des composés chimiques que les autres n'ont pas.

De plus, il y a une hiérarchie parmi eux, avec des goûts, des arômes, des évocations, des longueurs, des flaveurs plus pro-fondes, plus amples, plus poétiques. Tout cela a un support chimique. Mais lequel ? Il est vraisemblable qu'un jour on en saura plus, mais on doit bien dire qu'aujourd'hui nous en sommes à une phase préliminaire. La tâche est ardue, d'ailleurs, car chacun d'entre nous ne ressent pas les stimulations sensorielles de manière identique. De même qu'il y a de grandes variations dans la façon dont les centres qui commandent notre respiration réagissent au manque d'oxygène ou à l'excès de gaz carbonique, de même y a-t-il de grandes différences entre les seuils de détection du sucré, du salé ou du piquant. Et ce d'autant plus que les habitudes interfèrent avec le goût. Par exemple, ceux qui consomment usuellement des mets très épicés et pimentés ont une réactivité, un seuil de détection et de tolérance vis-à-vis du « piquant » bien différent de ceux qui n'en mangent pas. On a également pu montrer d'ailleurs que ces consommateurs de capsaïcine (le produit « actif » du poivre et du piment) avaient également un comportement différent dans certaines activités ou au décours de ces dernières.

L'interaction entre les capacités individuelles de chacun, ses habitudes, son éducation, son exigence de progrès et de qualité, et les centaines de produits et composés chimiques contenus dans chacun non des plats mais des éléments qui le composent, se traduit par un jugement de valeur : c'est bon, c'est mauvais ou c'est intermédiaire. On conçoit aisément que les règles en sont complexes et qu'il n'est même pas certain qu'en définitive les mêmes s'appliquent à tout le monde. Après tout il y a des personnes qui préfèrent le sucré et d'autres le salé, il y en a qui aiment la viande, d'autres ne jurent que par le poisson, cependant que d'autres encore, indépendamment de toute position philosophique, choisissent le goût des légumes. Où est la règle ? où sont les lois ? Voilà des questions dont les réponses risquent d'attendre encore quelque temps avant que s'impose une solution universellement admise.

PHYSIOLOGIE DU GOÛT

Le goût et l'odorat font partie des fonctions les plus primitives, ils sont liés à la fois au plaisir et au danger, ils ont joué un rôle important dans la sauvegarde et dans le développement des hommes et des animaux. Avec les pièges et les erreurs. N'est-ce pas ce qu'exploite le pêcheur qui amorce en jetant dans l'eau des produits aromatiques censés faire se rassembler les poissons attirés par les effluves subtils de la farine d'arachide, de maïs ou par l'huile de chènevis ? Il est d'ailleurs remarquable que lesdits poissons n'aient aucune chance d'avoir jamais rencontré de telles substances. Comme ils n'ont jamais pu être confrontés à la boulette de pain fatale qui cache l'hameçon qu'ils gobent et qui les conduit dans la bourriche du pêcheur. Le code génétique des poissons contient-il le sens de l'exotique, l'attrait de l'inconnu, le goût et l'attrait de l'expérimentation et de la découverte?

Plus fortes que le sens de la sauvegarde, les molécules aromatiques auxquelles nous sommes confrontés continuellement signalent le danger ou le plaisir et nous informent sur ce qu'il faut rechercher ou éviter. De même que le tact, la vision et l'audition, les sensations olfactives et gustatives nous renseignent sur le monde extérieur et confrontent ces informations à notre environnement intérieur, à ses besoins, à ses désirs, à ses choix et à ses rejets, à son histoire et à sa culture, qu'il s'agisse de la soif, de la faim ou de la sexualité.

L'odorat est particulier car ses connections centrales se projettent sur des parties phylogénétiquement anciennes avant d'atteindre le thalamus et le néocortex cérébral. De plus, goût et odorat ont accès à des circuits neuronaux qui contrôlent des états émotionnels et la mémoire (les odeurs et les sensations gustatives évoquent des souvenirs bien précis).

Les systèmes nerveux concernés par le goût et l'olfaction sont remarquablement sensibles et, bien que différents, travaillent en commun. L'odorat et le goût résultent de l'activation de récepteurs spécifiques qui reconnaissent des structures chimiques fines. Ces récepteurs sont capables de discriminer des composés stéréo-isomériques. Comme le font remarquer Jane Dodd et Vincent Castelucci[1], D-carvone a l'odeur de la menthe douce (Mentha spicata) alors que L-carvone a celle du carvi (Carum carvi) cependant que l'isomère L-du méthyl ester de l'acide aspartique L-phénylalanine, l'aspartame, est sucré de goût alors que la forme D-aspartique ne l'est pas. Il semble bien exister des récepteurs spécifiques et les individus peuvent être classés comme sensibles ou non sensibles, par exemple en fonction de leur capacité à identifier le groupe thiocarbonyl, responsable du goût amer de la phénylthiourée. Sensibilité qui semble déterminée génétiquement.

Les sensations olfactives sont transmises à partir de récepteurs situés dans une zone de la partie postérieure des fosses

1. « Smell and Taste : the chemical senses », chapitre 34 de *Principles of Neural Sciences*, 3ᵉ édition, E. R. Kandell, J. H. Schwartz, T. M. Jessell, Prentice Hall, 1991.

nasales, logés dans la partie profonde de l'épithélium. Les récepteurs sont des neurones bipolaires dont la partie périphérique s'étend vers la surface de l'épithélium, constituant le bouton olfactif qui donne naissance à des cils formant un tapis dense à la surface de la muqueuse, recouvert d'un film muqueux. La partie centrale, qui reçoit les informations de la périphérie se projette sur le bulbe olfactif ipsilatéral. Les neurones olfactifs ont une particularité : ils se régénèrent après lésion, ce qui correspond au fait que de nouveaux récepteurs sont fabriqués en permanence — tous les deux mois environ — alors que les cellules du système nerveux sont stables ; elles ne se divisent pas, il leur faut donc accepter des connexions en permanence.

La présentation de molécules olfactives suppose une protéine de liaison et la transmission implique des canaux ioniques (la stimulation maximale est produite par des composés floraux, fruités ou épicés).

L'information olfactive se projette sur le bulbe olfactif dans des zones synaptiques spécialisées appelées les glomérules. De là, les axones se projettent dans certaines zones du cortex olfactif. De plus certains circuits se projettent sur le système limbique (hippocampe et amygdale) dont on considère qu'il transmet la composante affective des stimulations olfactives alors que les projections corticothalamiques semblent plutôt liées à la sensation olfactive consciente.

Les sensations olfactives sont variables d'un individu à l'autre, ce qui correspond à la fois à des dispositions innées et acquises. Les anomalies de l'olfaction peuvent se traduire par une perte plus ou moins complète de ce sens (hyposmie ou anosmie) ou au contraire par des hallucinations déplaisantes (cacosmie) qui peuvent d'ailleurs faire partie des accès d'épilepsie temporale.

Le rôle des récepteurs du goût est de transformer les signaux chimiques repérés dans les aliments en signaux électriques transmis au cerveau. Ils sont localisés sur des cellules regroupées en bourgeons gustatifs situés sur la langue (papilles), le palais et le pharynx. On en trouve aussi sur l'épiglotte et le premier tiers de l'œsophage.

Il y a trois sortes de papilles gustatives qui diffèrent de forme et de localisation sur la langue. De plus, leurs connexions nerveuses ne sont pas les mêmes. Les deux tiers antérieurs de la langue sont innervés par la corde du tympan qui est une branche du nerf facial (VII), le tiers postérieur l'est par la branche linguale du glossopharyngien (IX), le palais par la grande branche pétreuse superficielle du facial (VII), l'œsophage et l'épiglotte par la branche laryngée supérieure du pneumogastrique (X). Ainsi les sensations gustatives sont-elles transmises par un réseau nerveux complexe. Complexité d'autant plus grande que sont transmises par les mêmes nerfs des sensations d'autre nature provenant des régions adjacentes aux bourgeons gustatifs et qu'il est parfois difficile de discerner exactement la nature de l'information transmise.

La complexité des sensations gustatives résulte probablement de l'activation de différentes sortes de récepteurs. L'hypothèse émise par Hans Henning en 1922, que les sensations gustatives sont liées à la mise en jeu spécifiques de récepteurs sensibles à quatre qualités élémentaires : sucré, salé, amer et acide (aigre), est aujourd'hui encore admise par tous. Il y a discussion d'une cinquième qui serait celle du glutamate monosodique cher aux cuisines chinoise et japonaise. On ne sait pas précisément comment se fait le codage qui aboutit à la reconnaissance de la complexité gustative. Les régions de la langue ayant le seuil de détection le plus bas — autrement dit les plus « sensibles » diffèrent selon des stimuli : d'avant en arrière on trouve les zones sensibles au sucré, au salé, à l'aigre et finalement à l'amer.

La transduction des quatre stimuli de base se fait par des mécanismes intra- et extracellulaires différents, complexes et encore mal connus faisant intervenir le sodium, le calcium, l'acide AMP cyclique et le potassium. La salive semble également jouer un rôle (en particulier dans la détection de l'amertume).

Les informations gustatives sont transmises au noyau gustatif, qui fait partie du complexe du noyau solitaire, lui-même très impliqué dans les mécanismes qui contrôlent la respiration. De là, les neurones se projettent dans la région parvocellulaire du noyau ventral postéromédian du thalamus. Puis les neurones se projettent dans le cortex cérébral, sur la région gustative du gyrus postcentral (aire 3 b de Brodmann) et sur la face intérieure de l'opercule central et de l'insula. Il faut remarquer que les représentations cérébrales des sensations gustatives, sont ipsilatérales — il n'y a pas de traversée pour se projeter du côté opposé du cerveau (décussation) comme c'est le cas dans un grand nombre de fonctions sensitives et motrices.

Il existe deux grandes théories pour expliquer la perception gustative. La théorie des voies spécifiques propose que des classes particulières de neurones répondent à chacun des quatre goûts élémentaires — selon l'autre théorie (appelée *across-fiber pattern coding*) les neurones centraux comparent les messages d'une population de fibres afférentes, elles-mêmes répondant préférentiellement à certains stimuli, mais cependant sensibles également à d'autres. Il n'y a actuellement pas de certitude quant à la réalité des choses, l'une ou l'autre, voire l'une et l'autre des théories pouvant expliquer certains phénomènes. Il faut cependant remarquer que la deuxième est conforme à un principe général de traitement des informations sensorielles valable par exemple dans la reconnaissance des couleurs.

Les préférences gustatives peuvent être innées — c'est le cas dans certaines conditions de l'envie de sel chez des individus ou des animaux déplétés. Tant l'expérimentation animale que l'expérience de tout un chacun montre que le lien entre une sensation gustative et un événement d'une autre nature (maladie, émotion, etc.) entraîne des comportements de rejet ou d'attraction caractéristiques de l'apprentissage.

Il semble bien que le goût et l'olfaction, qui sont liés de façon si particulière aux émotions et à la vie affective, relèvent cependant de mécanismes fondés sur les mêmes principes de traitement et d'organisation que les autres sens. Un exemple remarquable de différence dans la similitude.

LE DOUX ET L'ACIDE

L'acidité est un phénomène physique mesurable : c'est la concentration en ions H^+. On l'exprime généralement sous la forme de l'antilogarithme de cette concentration, le pH. La neutralité est définie comme pH = 7, c'est-à-dire $10^7 H^+$. Au-dessous, on considère qu'on est dans la zone acide. Au-dessus, dans la zone alcaline. (Dans le plasma sanguin la neutralité est à 7,40.)

Ainsi, plus le pH est bas, plus il y a d'ions H^+. Une solution de pH = 1 contient dix fois plus d'ions H^+ qu'une autre de pH = 2 et cent fois plus que pour un pH = 3.

Toutefois, le goût acide est, quant à lui, dépendant d'autres composants. Avec le Pr Marc Zelter, nous avons mesuré le pH de divers fruits bien mûrs pressés et de quatre vinaigres, tous achetés en même temps, le 21 décembre 1995, dans un supermarché proche de la Salpêtrière. Les résultats en sont intéressants : le jus d'ananas, bien doux pourtant, était aussi acide que le vinaigre de cidre (pH = 3,20) et tout juste un peu plus que le kiwi (3,25) ou des kumquats pourtant très acides au goût (3,30). Des clémentines d'Espagne (3,43) et des oranges navelinas également espagnoles, pourtant douces et sucrées (3,50) n'en étaient guère éloignées. Un pomélo rose d'Israël, bien doux au goût, était plus acide (2,89), à égalité avec du vinaigre de vin rouge (2,90) et plus que du vinaigre de xérès (3,04), alors qu'un jaune de même origine, beaucoup plus aigre à la dégustation, avait un pH de 3,10. Des citrons du Mexique (2,46) et d'Espagne (2,67) étaient les plus acides, avec un vinaigre d'alcool (2,54). Une mangue (4,24) et une papaye (5,24) se révélaient respectivement dix et cent fois moins acides que l'ananas.

Ainsi donc le goût acide est-il bien différent de la réalité physique de l'acidité. Pourquoi il en est ainsi reste le sujet de recherches neurophysiologiques. Pour le cuisinier, il y a matière à réflexion. Un grand nombre d'aliments sont beaucoup plus acides qu'ils ne le paraissent, ce dernier caractère participant d'ailleurs à l'équilibre aromatique et sensoriel.

9

Nutrition et diététique[1]

« Avant de mal juger un homme maigre, il faut se
renseigner. C'est peut-être un ancien gros. »

Fernand POINT, *Ma gastronomie*.

Les aliments se composent d'éléments essentiels : l'eau, les
sucres, les graisses et les protéines. En outre, ils comportent un
très grand nombre de corps chimiques plus ou moins complexes
dont certains sont nécessaires à la vie ou à la bonne santé. On
doit donc séparer deux ordres de facteurs.

D'une part, le nombre de calories, fournies par les sucres, les
graisses et les protéines. Ce sont les sources d'énergie qui
assurent la maintenance de la vie et l'adaptation des grandes
fonctions de l'organisme aux contraintes de la vie : croissance,
exercice, lutte contre le chaud et le froid, maladies, etc. Les pays
pauvres se caractérisent historiquement par l'insuffisance de ces
apports, les pays riches par une tendance à l'excès.

D'autre part, les besoins qualitatifs en vitamines, en acides
gras ou acides aminés essentiels, en métaux ou métalloïdes
nécessaires, etc. On en connaît un certain nombre, mais il serait
profondément erroné et dangereux de croire qu'on dispose
actuellement d'une liste exhaustive de ce qui est bon et de ce qui
est nuisible pour la santé.

C'est que la diététique scientifique est une discipline difficile

1. L'auteur tient particulièrement à remercier ses amis, les professeurs
Jean-Raymond Attali, Gérard Turpin et André Grimaldi, pour la qualité, la précision et la sagesse de leurs précieux avis sur cette question épineuse et délicate.

qui dispose d'outils délicats à manier et à interpréter. Les effets sur la santé apparaissent généralement à long terme. De plus, il est rare de trouver une population qui consomme régulièrement la même chose. Bien entendu, il n'en existe pas qui ne consomme qu'une seule chose. On a pu décrire certaines maladies, par exemple les conséquences des manques de vitamine B1 ou de vitamine C, car les effets du béribéri et du scorbut pouvaient être aisément et rapidement observés. On devine que, si les effets n'apparaissent qu'après dix, vingt ou trente ans, il est difficile d'en retrouver la cause. D'autant plus qu'existent des variations génétiques, elles-mêmes mal connues, sauf dans des cas très particuliers et rares.

Ainsi s'expliquent les variations d'opinion des diététiciens, à propos par exemple du pain ou de certaines graisses. On ne saurait les considérer comme des oracles aux prédictions changeantes, mais il faut tenir leurs recommandations comme traduisant l'état actuel de la connaissance. Cette dernière est fragile et il faut savoir rester raisonnable.

C'est d'ailleurs ce que les nutritionnistes sérieux recommandent. La règle est celle de l'équilibre : il faut manger de tout, en proportions et quantités raisonnables. Et fuir les dangereux régimes du tout ceci ou tout cela. Et fuir encore plus les innombrables gourous, psychopathes et escrocs qui ont proliféré, faisant leurs choux gras du désarroi causé par les incertitudes du savoir rationnel.

Il faut se rappeler que dans ce domaine comme en beaucoup d'autres les conseilleurs ne sont pas les payeurs et que c'est avec sa santé ou sa vie que paye le consommateur induit en erreur.

En pratique, la cuisine et la table sont sources de plaisir. Il ne s'agit pas de les transformer en un lieu de peine et de labeur. Il faut cependant vivre avec son temps et un certain nombre de notions doivent être prises en compte. Non comme une série d'oukases ou de firmans, mais comme des orientations générales. Le cuisinier n'est pas médecin et c'est une grande prétention de la part de ce dernier de vouloir donner des ordres au premier. Le cuisinier est confronté à des modes de cuisson, à des appareils, à des produits qui n'existaient pas au siècle dernier. Il doit aussi intégrer quelques concepts simples de nutrition.

COMPTER LES CALORIES

Il existe de nombreuses cartes donnant le contenu calorique des aliments, extrêmement difficiles à utiliser. Tout d'abord, elles ne donnent pas toutes les mêmes chiffres. Parfois la différence est acceptable, de l'ordre de quelques pour cent. Dans d'autres cas, les nombres affichés varient du simple ou double. C'est particulièrement vrai des viandes. L'explication en est simple : la principale source de calories ce n'est pas la viande elle-même qui contient essentiellement de l'eau (70 à 80 %), c'est la graisse. Dès lors, affirmer que tel morceau contient 187 ou 223 calories pour 100 grammes n'a aucun sens, car tout dépend de la quantité de graisse qu'elle contient et de la façon dont elle a été parée. La deuxième raison est que la logique de ce système est pour le cuisinier et son convive de se promener avec une calculette et de se transformer en son serviteur zélé. Quel intérêt, quel sens, quelle raison médicale se cachent derrière l'affirmation qu'une part de tel plat est égale à 377 calories, à 326 ou à 442 ? Outre le fait qu'il n'y a rien de plus déprimant que de voir le beefsteak ou les lentilles transformés en casse-tête arithmétique, le compte même n'a aucun sens. Qui peut vraiment savoir qu'il a mangé 23 grammes de pain ou 77 grammes de filet de merlan ?

Est-ce à dire qu'il faut fermer les yeux et considérer que tout est pareil ? Bien au contraire, si le cuisinier, si le convive souhaitent connaître réellement la nature et le contenu calorique, cette démarche n'a de sens que sur le long terme. Se livrer à des comptes compliqués pendant quelques jours ou quelques semaines n'a d'effet que négatif.

Le long terme implique la simplicité. Certains principes doivent être rappelés :

1. L'eau n'apporte aucune calorie, un aliment en comporte une proportion variant de 0 à 95 %.
2. Le calcul des calories fournies par un aliment ne se fait que sur la partie qui reste après qu'on a décompté l'eau : c'est ce qu'on appelle le poids sec.
3. Les sources d'énergie sont :
   • Les *graisses* (lipides) qui apportent 9 calories par gramme.
   • Les *sucres* (glucides) qui apportent 4 calories par gramme.
   • Les protides qui apportent 4,5 calories par gramme.
4. La graisse animale ou végétale ne se mélange pas avec l'eau.

5. Les sucres peuvent être purs ou mélangés à l'eau. Les protides sont toujours mélangés.

6. L'alcool apporte 7 calories par gramme[1].

Il est donc important de ne pas tomber dans le piège de certaines appellations. Le fromage, par exemple, peut être annoncé à 0, 20, 45 %, etc., de matières grasses. Il s'agit en fait de pourcentage du poids sec. La différence entre deux fromages blancs frais, l'un à 0 % et l'autre à 20 %, doit se calculer sur la fraction sèche. Or ces fromages contiennent 85 % d'eau. Le contenu en graisse se calcule sur les 15 % restants, le fromage à 0 % en contient en fait moins de 1 %, alors que celui à 20 % en comporte 3 %. La différence réelle est de l'ordre de 2 %, c'est-à-dire moins de 0,2 calorie par gramme. Autrement dit, elle est minime et sans signification. Par contre, deux fromages secs ayant des proportions différentes de matière grasse seront de contenu calorique significativement différent. Comme sont radicalement différents le steak dégraissé finement et l'entrecôte bien entrelardée. Ce qui compte, c'est la graisse, pas la viande.

En pratique, calculer les calories apportées non par les constituants énergétiques, mais par les aliments eux-mêmes peut être assez simple.

ALIMENTS	CALORIES PAR GRAMME
Pâtes, riz, céréales (poids sec) farine, biscottes, sucre, bonbons	3,5 à 4
Pain	2,5 à 3
Viandes dégraissées	1 à 2
Viandes grasses	2 à 4
Poissons maigres, fruits de mer	1
Poissons gras	2
Charcuteries	3 à 5
Abats	1,5 à 3
Yaourts, fromages frais	0,5
Fromages	2 à 4
Huiles et graisses	9
Beurre	8
Noix et amandes	4 à 6
Fruits secs	1,5 à 2,5
Légumineuses cuites	1
Fruits frais	0,3 à 0,6
Thé, café, tisanes, eau	0
Jus de fruits, bière, cidre	0,3 à 0,5
Vin	0,6 à 0,7
Alcools forts, liqueurs	2,5 à 3,5

1. Signalons que les rations « bistro » — demi de bière, verre de vin, whisky ou alcool — apportent chacune 70 calories.

108

On peut évidemment arrondir les chiffres. Encore une fois, sauf à suivre un régime strict — en ce cas, il faut le faire sous le contrôle de spécialistes compétents et non de paranoïaques assoiffés d'or et de pouvoir — il suffit d'avoir une idée approximative de ce qu'on ingère, ou de ce qu'on propose à ses invités, plutôt que de refaire les épreuves de calcul de feu l'examen de passage en sixième.

ASSURER UN ÉQUILIBRE ENTRE LES SOURCES D'ÉNERGIE

Un équilibre calorique comprend 50 à 60 % de calories d'origine glucidique, 20 à 30 % lipidique, les protides apportant le reste.

On privilégiera systématiquement les sucres lents aux dépens des sucres rapides (sucreries, confitures, bonbons, etc.), en raison de leur rythme d'assimilation et de leur influence sur les variations de glycémie (taux circulant du glucose dans l'organisme). Les sucres lents assurent des valeurs plus stables et limitent les variations brutales, sources de malaises, de prise de poids et de fringales. Toutefois, l'évolution récente des connaissances en la matière ont amené des reclassements. Chocolat, lentilles et haricots blancs sont à classer dans les sucres lents, biscottes et pain dans les rapides. Les pâtes cuites *al dente* sont des sucres plus lents que les pâtes trop cuites. Le riz est intermédiaire. De plus, il faut tenir compte de ce qui accompagne. Une tartine modérément beurrée avec une fine rondelle de saucisson « cale » mieux que du pain sec. Retour au bon sens.

LES AUTRES CONSTITUANTS

Il faut tout d'abord s'abstenir de toute considération dogmatique. La diététique est chose difficile et les vérités y sont, plus que partout ailleurs, remises en question régulièrement. Cependant il faut considérer quatre points importants.

1. *Les vitamines et les micronutriments (fer, cuivre, etc.)*

Un grand nombre est nécessaire. Toutefois, une nutrition équilibrée apporte la quantité requise de ces constituants.

2. *Les fibres végétales*

Elles ont certaines propriétés, progressivement découvertes : elles protègent de certains cancers, elles régularisent le transit intestinal, elles « rabotent » les redoutables pics de glycémie et d'acides gras consécutifs à l'ingestion de sucre et de graisses. Les principales sources sont les légumineuses (lentilles, haricots), les céréales complètes (riz, pain, farine), l'essentiel étant contenu dans le son — mais il n'est pas besoin de se transformer en âne. On en trouve également des quantités raisonnables dans les légumes, les fruits, la farine et le riz blanc.

3. *Protéines animales et végétales*

On préférera systématiquement les protides d'origine végétale car les protides animaux sont souvent liés à certains lipides dont les effets sont considérés comme négatifs sur la santé.

4. *Bonnes et mauvaises graisses*

Les graisses ne sont pas seulement des sources de calories et d'énergie. Elles contiennent également certains éléments nécessaires à la fabrication de constituants importants de l'organisme. Ainsi certains acides gras et le cholestérol. Ce dernier est à la base de nombreuses hormones. Toutefois, le « mauvais » cholestérol a la fâcheuse particularité de participer à la formation de l'athérome, maladie qui altère les artères et qui peut entraîner de graves conséquences, alors que le « bon » cholestérol protège contre l'athérome.

On voit que la situation n'est pas toujours simple à comprendre ; d'ailleurs les progrès, donc les changements, de la connaissance sont une des manifestations de la fragilité du savoir en ce domaine. Trop de lipides, trop de graisses est mauvais. Pas du tout ou trop peu n'est guère meilleur. Généralement, on préférera les graisses d'origine végétale, bien que cette affirmation doive être prise de façon relative : par exemple les lipides contenus dans certains poissons dits gras comme le saumon sont considérés comme particulièrement recommandés. Quant au gras de canard et d'oie, il semblerait — mais ce fait demande à être confirmé — qu'il soit également bénéfique.

Par contre, les lipides qui constituent certaines margarines, loin d'être de bons palliatifs du beurre, sont de redoutables agents athérogènes, c'est-à-dire fabricants d'athérome. Cela semble dû à la disposition spatiale de certains lipides, la position trans étant mauvaise, la position cis, au contraire, étant bonne. La providence n'est pas du côté des amateurs américains de cookies et de buns industriels : les margarines étant toutes composées d'éléments trans, les grands consommateurs de ces produits ont été soumis à un régime fortement néfaste. Avec toutes ses conséquences délétères.

10

Achats et réserves

CHOIX, CONSEILS ET INFORMATIONS

Il est évidemment impossible à chacun de connaître et reconnaître tout ce qui est bon, tout ce qui est nouveau. Il faut donc chercher l'information. A moins que, par conservatisme ou indifférence, on ne décide une fois pour toutes d'acheter seulement les aliments que l'on connaît sans jamais déroger.

Dans le cas contraire, le cuisinier a le choix entre la sélection au hasard, l'intuition fondée sur l'aspect extérieur, l'information guidée par le marchand ou par la publicité, les recommandations et les on-dit des amis et des voisins, les indications des médias de grande communication ou des organes spécialisés. Qui donc est le conseilleur, quelle est sa compétence, quelle est la sûreté de son goût, quelle est son indépendance, voilà qui prête à réflexion. Qui faut-il suivre ? Peut-on croire aux conseils ou faut-il au contraire désespérer et douter de tout ? Il est bien difficile de répondre à cette question et la solution est probablement intermédiaire et complexe.

Tout d'abord on pourrait attendre de l'État qu'il clarifie la situation. Il existe des définitions : on ne peut pas vendre des pommes sous le nom de poires, par exemple. Un progrès apparaît quand la variété doit être indiquée : dans le cas des pommes, on achète des Golden delicious ou des Reinettes du Canada. Mais cette information est très insuffisante, car on souhaiterait connaître le lieu d'origine, le nom du producteur ou du distributeur, le rendement, l'âge des arbres, la date de la cueillette, le mode de conservation. Ainsi seulement pourrait-on vraiment savoir ce qu'on achète, et pourrait-on comparer un produit avec un autre.

De l'État et de l'Union européenne, on est en droit d'attendre une garantie de qualité, au moyen des diverses appellations d'origine.

LES LABELS OFFICIELS

Des pouvoirs publics, le consommateur attend qu'ils veillent à la qualité, à la conformité et à la garantie sanitaire de ce qu'il achète. Il existe un certain nombre de labels décernés par l'État caratérisant des qualités particulières. Ce sont :

• *Appellation d'Origine Contrôlée* (AOC). Officialisée en 1935 dans le domaine des vins, elle s'est étendue aux produits laitiers dans les années 60 et, depuis 1990, à l'ensemble des produits agricoles et alimentaires bruts ou transformés. La mention AOC est attribuée à un produit typique et spécifique lié à l'origine, exprimant le lien intime entre une production et un terroir, le tout mis en œuvre et perpétué par des hommes doués d'un savoir-faire.

• Le logo « *Label Rouge* », introduit en 1960, attribué aux produits carnés et laitiers, est étendu depuis peu aux produits de la mer, aux végétaux alimentaires et au sel. Il garantit la qualité supérieure d'un produit résultant d'exigences sévères et contrôlées à tous les stades (production, élaboration, commercialisation).

• Le logo vert « *Agriculture Biologique* » *(AB)* garantit depuis quelques années des normes, uniformisées au niveau de l'Union européenne : mode de production attentif à l'environnement, interdiction d'utiliser des produits chimiques de synthèse, respect du bien-être des animaux. Il peut s'appliquer à tous les produits alimentaires et agricoles conformes à ces règles.

• Le logo « *Atout Qualité Certifié* », bleu et rouge sur fond blanc, introduit en 1990, garantit des qualités ou des règles de fabrication particulières, strictement contrôlées. Il atteste d'une qualité régulière et distincte du produit courant (par exemple, des fruits cueillis à maturité, des viandes vendues à maturité, du jambon sans polyphosphate).

LA RÉGLEMENTATION COMMUNAUTAIRE

• *L'Appellation d'Origine Protégée (AOP)* est le nom d'une région, d'un lieu déterminé (exceptionnellement, d'un pays) qui désigne un produit agricole ou une denrée alimentaire qui en est originaire et dont les qualités et caractères dépendent principalement de facteurs géographiques naturels et humains. *Production, transformation et élaboration ont lieu dans l'aire délimitée.*

• *L'Indication Géographique Protégée (IGP)* désigne un produit

---

113

originaire de la zone considérée dont une qualité, une réputation ou une autre caractéristique peut lui être attribuée et dont la production et/ou l'élaboration ont lieu dans l'aire délimitée.

• *L'Attestation de spécificité* reconnaît qu'un produit est obtenu à partir de matières premières traditionnelles, présente une composition traditionnelle ou présente un mode de production et/ou de transformation de type traditionnel.

L'Institut national des appellations d'origine (INAO) est chargée de l'attribution desdites appellations. En fait, sur la liste transmise par cette institution en avril 1995, il existe 33 appellations de fromages, 5 de crèmes et de beurres, 2 de volailles et 5 de fruits et d'huiles, contre plusieurs centaines de vins, de spiritueux et d'alcools. Et comme on sait qu'en matière de vins, une même appellation, qui associe pourtant un terroir d'origine et divers types de raisins, recouvre tout et son contraire en matière de qualité, on ne peut que constater la longueur du chemin qui reste à faire. Même dans le haut de gamme, par exemple les grands crus bourguignons ou les crus classés du Bordelais, le meilleur voisine avec le pire, et il est absolument impossible au seul vu de l'étiquette de prévoir si un vin est extraordinaire, bon ou simplement buvable. En fait, il est nécessaire de disposer d'autres informations, car l'échezeaux de M. X est fabuleux alors que celui de M. Y est d'une insigne médiocrité. Un conseiller fiable est donc indispensable à l'amateur moyen.

Ce conseilleur peut être un marchand. Un vrai professionnel de la vente de bons produits est quelqu'un de précieux, qui sait que la pérennité de son commerce dépend de la satisfaction de ses clients. Dès lors, quelle chance et quel plaisir de se faire indiquer le caneton croisé, la roquette fraîche ou l'époisses à maturité. Ces grands professionnels existent. Ils ont parfois pignon sur rue. Souvent ils sont sur les marchés ou exercent derrière des façades bien modestes. Quelquefois également on les trouve dans des supermarchés. Preuve qu'il n'y a pas en ce domaine de lieu béni où tout serait bon et des enfers où ne régnerait que la médiocrité. Car on trouve chez les petits commerçants des ignares rapaces et indifférents à côté de formidables et enthousiastes puits de science et de compétence, comme dans les supermarchés se côtoient des crétins indifférents et paresseux et des employés serviables, disponibles et avertis.

Une autre source d'information provient des médias spécialisés. Là encore se pose le problème de la compétence et surtout de l'indépendance. La survie d'un organe de presse dépend de contraintes économiques qui peuvent amener à certains compromis individuels ou collectifs. Il faut donc choisir parmi ces conseils et parmi ces conseilleurs, sans oublier la valeur relative des résultats escomptés.

Un domaine particulièrement trompeur est celui des dégustations à l'aveugle, car l'ensemble des dangers et des risques énumérés plus haut s'y trouve à la fois réuni et masqué. Réuni, car ce n'est pas en rassemblant plusieurs personnes, si compétentes soient-elles, que la hiérarchie réelle des qualités des produits testés pourra apparaître. Tout au plus risque-t-on de voir surgir un « goût moyen » où ce qui est le moins talentueux apparaît le meilleur, les produits les plus typés pouvant déplaire à certains et se retrouver éliminés par le jeu des moyennes. Aussi parce que rien ne garantit que le produit testé soit à son optimum. Prenons par exemple une dégustation comparative de pommes. Comment peut-on s'assurer que chaque variété est vraiment goûtée avec toutes ses qualités quand on sait que la maturité s'échelonne de juillet à avril et que la période la meilleure ne dure que quelques jours ou semaines pour certaines, deux ou trois mois pour d'autres ? Ainsi s'expliquent les différences considérables que l'on observe dans les divers essais.

Et pourtant les essais comparatifs tendent à instituer une directive, certes plus ou moins suivie, mais qui vise à limiter les inconvénients énoncés plus haut. Il semble bien que le consommateur ait besoin de ces avis. Il faudrait donc que s'impose une méthodologie fiable et indiscutable. Ce serait l'intérêt de tous et chacun pourrait ainsi choisir qui la qualité courante moyenne, qui le produit d'exception. On peut rêver au-delà, et espérer que s'instaure une véritable Éthique, une véritable Déontologie.

Qui codifierait les liens existant entre les conseils ou les experts, et les producteurs et revendeurs. Qui définirait les critères de compétence dans un domaine où le don et le travail devraient être de règle. Qui établirait des protocoles d'étude et de comparaison suffisamment rigoureux pour être crédibles, suffisamment clairs pour être compréhensibles.

FONDS DE ROULEMENT, STOCKS ET USAGE

Tout cuisinier dispose de stocks. Au minimum, il a du sel, du poivre et du sucre. Au maximum, il transforme son logement en succursale de supermarché. Entre ces deux extrêmes, on peut trouver tous les intermédiaires possibles.

Le cuisinier fait ses courses, il renouvelle les produits dont il entend se servir. Il en existe qui vont rester longtemps dans la cuisine ou dans la réserve, et d'autres qui vont être utilisés très rapidement. On peut schématiser et définir les produits qui ne font que passer, utilisés immédiatement, ceux qui séjournent un temps moyen — disons moins d'un mois — et ceux qui restent plus longtemps (les stocks). Ces catégories se définissent de manière purement fonctionnelle : prenons un emballage composé de deux paquets de café de 250 grammes. S'il y a quarante personnes à en consommer matin et midi, il sera du premier groupe. Dans un couple qui en boit deux bols chacun, il sera du second. Chez le célibataire qui n'en prend que deux tasses, le premier paquet sera également du deuxième groupe et le deuxième fera partie des stocks.

Il existe un rapport évident entre l'usage et le stockage. Entre les deux, on peut définir le fonds de roulement (c'est notre deuxième catégorie, celle qui séjourne un temps moyen).

Étant donné la nature dynamique de cette classification, deux écueils apparaissent immédiatement : le manque par insuffisance de stockage et l'engorgement par excès.

En France, il est d'usage, en cas de menace de pénurie, de faire des provisions et des stocks importants. Passe encore pour le sucre, relativement stable qui risque seulement de s'humidifier. Mais que faire de cinq, dix ou vingt kilos de beurre ? Ou de trois kilos de café ? Même sans menace de guerre, certaines personnes ne supportent pas de ne pas disposer d'une masse considérable de réserves. Il ne s'agit pas ici de les condamner, chacun est libre de faire ce qu'il croit bon. Mais il faut reconnaître que ce comportement ne correspond pas à une attitude rationnelle. Les stocks doivent bouger. Les placards et les réserves ne doivent pas devenir ces mouroirs que certains ont conservés longtemps après la fin de la Seconde Guerre mondiale et qui ont fini directement à la poubelle.

Inversement, les cigales domestiques sont toujours prises de court. Elles manquent un jour de beurre, le lendemain de sucre, puis de café, de sel, d'huile, etc. A la longue, les voisins charitables se lassent et les amis évitent les invitations à des repas dont le ratage est la règle.

Il convient d'apprécier la nature et le volume de ce qui est consommé régulièrement et de prévoir son renouvellement. De façon raisonnable. Il est préférable d'avoir une bouteille d'huile d'olive ou de vinaigre et un paquet de sucre d'avance. Sauf à disposer d'un produit d'exception difficilement retrouvable, il n'est guère utile d'en avoir plus. De même l'amateur de riz ou de pâtes en aura-t-il un ou deux paquets d'avance. On pourra y joindre quelques boîtes de conserve ou quelques surgelés de dépannage. Point trop n'en faut.

Quant au fonds de roulement, il dépend en premier lieu du nombre de convives ordinaires et du nombre de repas. Des goûts et des habitudes aussi. Le fonds de roulement est directement lié à la nature et au style de cuisine, à la tradition culinaire.

Le cuisinier doit évaluer ce qui sera vraisemblablement consommé. Il doit prévoir les ruptures de stock des éléments les plus usuels et en même temps éviter la sédimentation de produits qui risquent de ne jamais être utilisés.

LE FRAIS, LE SEC, LES CONSERVES ET LES SURGELÉS

Les aliments se présentent sous quatre formes. Initialement, ils sont tous frais, ou tout au moins les ingrédients qui les constituent existent d'abord sous cette forme. Quasiment tous les produits naturels contiennent de l'eau et tendent avec le temps à se dessécher. C'est sous cette forme qu'on les a traditionnellement conservés. Le séchage peut se faire naturellement, au soleil, ou à l'intérieur des silos et des maisons. Il peut aussi être accéléré par de l'air chaud, par exemple, ou par des opérations plus complexes comme la lyophilisation, dessèchement sous vide qui permet d'obtenir certaines préparations qu'il suffit de réhydrater pour les utiliser (par exemple les sauces ou les soupes en sachets). Les produits desséchés peuvent être conservés tels quels ou réduits en poudre ou en farines.

On peut aussi conditionner les produits frais en les mettant dans la saumure ou dans un produit acide comme le vinaigre, plus rarement dans l'huile. A côté de ce type de conserves, il existe également une multitude de produits qui sont d'abord cuits puis mis en boîte ou en bocal afin de supporter une longue conservation. Longue mais pas indéfinie. Les conserves se périment au bout d'un certain temps. Signalons que certaines s'améliorent avec le temps, le foie gras — pas le mi-cuit — et les sardines à l'huile notamment. Les conserves peuvent se gâter. Il faut se méfier en particulier d'un germe des plus dangereux, responsable du redoutable botulisme. Une boîte de conserve dont le couvercle ou le fond sont bombés doit être systématiquement éliminée. Le botulisme ne pardonne guère.

La quatrième forme de conservation est l'utilisation du froid. Du très froid même, puisqu'il doit être aux alentours de moins 18 degrés centigrades. Cette forme de conservation (surgélation) doit se faire très vite, sur des produits sains et conditionnés. En aucun cas on ne doit rompre la chaîne du froid, c'est-à-dire recongeler un produit qui a été réchauffé. Il faut être particulièrement rigoureux avec le froid — se rappeler à ce propos les dangers que présentent crèmes glacées et glaçons dans les pays chauds. Le froid ne tue pas la plupart des microbes. Faute de précautions, on s'expose à des intoxications alimentaires qui peuvent être graves.

Dans l'idéal c'est le produit frais qu'il faut rechercher. Le haricot vert et la laitue ne sont jamais meilleurs que « vivants », juste sortis du potager. Le poisson frais sorti de l'eau, encore frétillant, ne se compare pas au même, cuit deux ou trois heures plus tard, encore moins à celui acheté le lendemain sur le marché, même soigneusement conservé sur un lit de glace. Ce que recherche le cuisinier, ce qu'attend le consommateur averti, c'est le goût de violette de l'éperlan, le parfum musqué et subtil des abricots et des pêches à leur maturité naturelle, le discret goût d'amande de la minicourgette.

Il est des produits pour lesquels la notion de fraîcheur ne se discute pas. Soit qu'on les consomme généralement secs — c'est le cas des épices, de certains fruits et légumes ou des amandes et des noix —, soit encore que leur maturité soit longue et qu'ils se transportent facilement — par exemple les agrumes, les oignons ou les pommes de terre.

Inversement, certains produits ne se consomment qu'à l'état de conserves — cornichons, pickles, câpres, choucroute n'ont d'existence culinaire et gustative que parce qu'ils ont été transformés et conditionnés avec du sel, du sucre, du vinaigre, etc. Il en est de même de certaines spécialités de viandes ou de poissons : la morue séchée, le bresaola, le porc demi-sel ne s'achètent que préparés et conditionnés, la notion de fraîcheur n'a guère de sens en ce qui les concerne.

Ce qui ne veut pas dire que les poissons ou les viandes salés et conditionnés ou fumés soient tous des produits secs ou de conserve. Le saumon fumé, par exemple, est meilleur frais ; en séchant, il perd ses qualités gustatives.

De certains produits il est impossible de connaître le goût frais. Le caviar ne se trouve que dans des pots en verre ou en métal ; peut-être est-il meilleur juste sorti de la Caspienne, le consommateur de Paris ou de Montpellier n'en a cure car il n'a pas le choix. De même est-il vraisemblable que les crabes dont on fait des boîtes de conserve d'importation lointaine aient une chair plus fine frais sortis de l'eau, mais qu'y faire ?

En pratique, on trouve parfois les mêmes produits dans des conditionnements différents. Les petits pois sont en cosses sur les marchés en saison, en boîtes de conserve et en surgelés toute l'année. Rien ne vaut les premiers s'ils sont ultrafrais. S'ils ont traîné deux ou trois jours sur les étals, ils ne sont en rien supérieurs aux autres catégories. On voit ainsi qu'il n'y a pas une position simple et univoque, à ma gauche les bons (ou les méchants si on préfère), au milieu les acceptables, à ma droite les autres. D'autant que certains produits perdent toute qualité lors de la mise en boîte de conserve ou lors de la transformation en surgelés. C'est le cas de nombreux poissons et crustacés. Pourtant, le thon au naturel ou à l'huile, les sardines et les anchois judicieusement assaisonnés et mis en boîte de conserve sont des préparations de goût différent du frais et qui peuvent être particulièrement délectables. De même certaines grosses crevettes surgelées sont-elles parfois excellentes et bon marché. Alors qu'en contraste il est des queues de langouste et de homard que le processus a rendues médiocres pour ne pas dire minables.

N'oublions pas les poissons, les viandes, les légumes dont l'appellation est approximative, dont on ne sait rien des conditions de production et dont la qualité gustative est hasardeuse.

Seuls avantages de la surgélation : la disponibilité immédiate, un temps de préparation et de cuisson souvent réduit, parfois un coût moindre. Le royaume du surgelé est cependant un miroir aux alouettes : à la différence du frais, le consommateur n'a aucun moyen d'apprécier ou de supputer la qualité de ce qu'il achète. D'une marque à une autre, il y a des différences assez importantes et il serait intéressant de connaître, chez un même producteur, sous un même label, la nature exacte du produit : s'agit-il du même, cultivé, pêché ou élevé de la même manière, conditionné de la même façon, ou bien a-t-il subi des changements, et si oui, lesquels ? Sans compter les éventuelles ruptures de la chaîne du froid, bien sûr. On le voit, les produits surgelés n'offrent que rarement des garanties indiscutables.

Est-ce à dire qu'ils doivent être bannis ? Tout dépend de quoi. Dans le quotidien, certains produits sont honorables et suffisants, à condition de bien les connaître. Ils sont rarement aussi bons que les frais, mais, nécessité faisant loi, ils peuvent dans certains cas dépanner. A l'occasion d'un repas recherché ou raffiné, il faut être plus circonspect. Inutile d'acheter surgelés des coquilles saint-jacques ou des poissons fins, certes moins chers que leurs homologues frais, mais de qualité telle qu'en définitive ils sont en général bien trop coûteux pour ce qu'ils valent. Il vaut mieux acheter des produits moins prestigieux, moins chers et meilleurs. Toutes ces règles doivent être adoptées et suivies avec pragmatisme. Le cuisinier moderne doit avoir l'esprit critique et ouvert. S'il tombe sur un bon produit, tant mieux, qu'il en profite. Mais, dans le cas des surgelés, le risque est plus grand qu'avec les produits frais, du moins lorsqu'il existe un choix raisonnable parmi ceux-ci.

Un dernier point concerne les plats cuisinés. Tout d'abord, il peut arriver que le cuisinier en achète une ou plusieurs portions chez le traiteur voisin, il lui faut alors le réchauffer, l'apprêter, en compléter l'assaisonnement. Il peut aussi se trouver que, faute de temps ou d'énergie, ou encore en cas de visite imprévue, il décide de préparer un plat déjà cuisiné, et conservé — en boîte métallique ou en bocal, ou surgelé. Là encore, il faut opposer deux cas de figure. Il est des préparations qui par nature ne se présentent qu'ainsi, par exemple le confit d'oie ou de canard, le foie gras cuit, et par extension nombre de préparations charcutières, rillettes et pâtés. Quant aux diverses sortes de saucissons, elles sont intermédiaires entre le « vieux » frais et le sec.

Plus généralement, le cuisinier aura le choix entre des gammes de produits allant de l'extrême médiocrité — telles quenelles, tels raviolis ou cassoulets — jusqu'à des plats, souvent surgelés à vrai dire, portant la marque d'un chef particulièrement réputé. Certains, en outre, offrent l'avantage d'être considérablement réduits en calories. Parmi ces produits, il en est de tout à fait acceptables et il ne saurait être question de les rejeter en bloc. Remarquons toutefois qu'ils sont finalement assez chers.

On le voit, la situation doit être analysée avec prudence et raison. Certains aliments séchés, certaines conserves sont indispensables, d'autres acceptables. Parmi les surgelés, on trouve quelques excellents produits au milieu d'une gamme moyenne, voire médiocre. Les produits frais restent la référence préférable, mais non hégémonique. Selon leur qualité et leur prix, selon aussi le temps dont dispose le cuisinier et selon les circonstances, il pourra privilégier l'une ou l'autre de ces catégories. Car on se nourrit tous les jours, plusieurs fois par jour; les conditions de la vie sont changeantes, comme est changeante l'humeur, comme sont variables le temps disponible et l'inclination à préparer ses aliments. S'y ajoute l'influence des convives et de leurs préférences, en particulier des enfants qui ont une manière bien spécifique de peser sur le choix des menus.

Il appartient au cuisinier de tenir compte de ces facteurs, tout en imprimant sa marque à l'ensemble. La multiplicité des choix peut faire perdre de vue qu'il existe un concept général, une ligne directrice. Cette dernière existe, qu'elle soit décidée et active, ou subie et passive. L'homme ayant comme particularité de prendre en charge, au moins partiellement, son destin, il lui importe de décider dans sa vie personnelle des choix qui le concernent. C'est vrai des relations affectives, amicales et amoureuses, des affinités et activités sportives, artistiques, culturelles ou de loisir. C'est parfois vrai de son rapport au travail. C'est vrai de son rapport à la nourriture.

A lui donc de décider dans quelle catégorie il se range. Celui qui ne mange que des conserves ou le produit des fast-foods se situe dans une continuité passive et indifférente. Sans le condamner ni même le contester, il est clair que le propos de ce livre ne s'adresse guère à lui. Dans tous les autres cas — c'est le statut général de la modernité citadine — il s'agit d'une consommation mixte : c'est la raison pour laquelle des règles d'utilisation du temps, d'expression des préférences, de préparations des plats, d'exploration de produits et de recettes inconnus, doivent être les éléments constitutifs d'un système qui, avec ses réussites et ses échecs, permet de donner un sens à la nourriture quotidienne et à sa fabrication. Un sens, cela veut dire une direction et des objectifs. Cela veut dire chercher à travers ces activités à introduire dans la vie quotidienne plus de beauté, plus de plaisir, plus de communication, en bref, plus d'amour.

LES COURSES

Puisqu'il est devenu exceptionnel pour l'homme moderne de vivre en autarcie, il doit acheter tout ou partie de son alimentation. Les possibilités sont nombreuses, mais les mouvements de population et l'évolution des méthodes et des circuits de distribution ont imprimé des changements importants. L'essentiel de l'alimentation est aujourd'hui vendu dans des super- ou des hypermarchés, sortes de conglomérats où l'acheteur se sert lui-même, où se côtoient toutes sortes de produits qu'on trouve traditionnellement chez des commerçants ou des artisans divers.

Résultat : on peut choisir ce qu'on achète, gain de temps et souvent d'argent. Résultat : des produits standardisés et, sauf exceptions — elles existent —, une uniformisation qui n'est pas toujours plaisante. De plus, la qualité moyenne est extrêmement variable selon les catégories d'aliments. Le beurre, les yaourts et certains fromages frais, les pâtes alimentaires sont souvent de qualité correcte, parfois même excellente, les fromages ou les légumes sont généralement médiocres. Dans tel supermarché, la viande de boucherie est excellente, mais le poisson fort moyen. Chez le voisin, c'est le contraire. Le choix des vins, sauf exception, est généralement peu enthousiasmant, dans le meilleur comme dans les gammes moyennes ou bon marché — alors que celui des alcools et spiritueux est parfois plus intéressant. Il est quasiment impossible d'y trouver du vrai cidre et miraculeux d'y acheter une huile d'olive de belle origine. Faire ses courses dans un supermaché présente encore d'autres désavantages. L'éloignement tout d'abord, et la nécessité de se déplacer, de trouver une place pour garer son véhicule. Et puis la fatigue causée par la recherche du ou des produits souhaités, surchargés de multiples appellations, dans les rayons et les gondoles. Fatigue aussi de l'attente aux caisses. Et dépenses indues, pour telle promotion à prix intéressant et qu'on ne consommera jamais, tel produit de nécessité vendu cher, mais puisqu'on est là, etc. En pratique, acheter dans un super- ou un hypermarché nécessite énergie et sens de la décision. Le mieux est, avant de s'y rendre, de faire une liste et de s'y tenir. Beaucoup de dépenses inutiles pourront ainsi être évitées.

L'achat au supermarché reste pour une majorité un acte incontournable. Si on y trouve, en gardant l'œil ouvert et critique, certains produits de qualité acceptable, il est rare cependant — cela arrive — que l'acheteur se sente enthousiasmé par ce qui lui est proposé. Lieu privilégié de la consommation de masse, le supermarché est avant tout le lieu de la norme, du standard, triste dans beaucoup de cas, intéressant et original parfois. Cependant, la masse même et le nombre des produits proposés permettent presque toujours de trouver, exhibés ou cachés, un ou plusieurs produits originaux et de qualité. Il ne saurait donc être question de les frapper d'un ostracisme d'autant plus aberrant qu'on peut noter chez certains un réel effort pour présenter des denrées sélectionnées.

Néanmoins, le supermarché ne saurait être le lieu exclusif d'achat, sauf en cas de contrainte particulière. D'autres formes peuvent et doivent être utilisées, nécessitées par le temps ou par une exigence de qualité.

Le temps et l'heure sont, avec la proximité immédiate, les raisons principales de l'existence des dépanneurs, ces commerces où on trouve de l'épicerie et des produits frais, souvent de qualité moyenne, à prix élevé, mais ouverts tard le soir et presque toujours tous les jours.

Le cuisinier peut souhaiter se procurer des produits qu'il lui est difficile de trouver dans un supermarché. Il a le choix entre trois formes d'achat. L'achat par correspondance présuppose la confiance dans la qualité des produits offerts. Il est aujourd'hui réservé à certaines catégories de denrées. Les meilleurs vins de Bourgogne ou d'Alsace se trouvent rarement chez les marchands, même bien approvisionnés. De même, si on souhaite manger des huîtres de Prat Ar Coum, du vrai saucisson pistaché de Lyon ou de l'huile d'olive de Nyons, il est souvent nécessaire de les commander directement au producteur. Ce système est avantageux — on s'adresse directement à la source —, mais il peut poser des problèmes liés au transport lui-même (bris de bouteille, colis perdus) et surtout il nécessite d'être présent à la réception; or, comme les transporteurs annoncent rarement leur venue, il y a là source de difficultés parfois insolubles.

Une deuxième forme d'achat est de se rendre chez l'artisan ou le commerçant spécialisés. Quand ils sont compétents, avenants et honnêtes, on dispose à la fois de conseils, d'expérience et, en même temps, d'une assurance de qualité dont il faut bien dire qu'il n'y a pas de situation plus confortable et plus plaisante. La confiance, l'échange des informations permettent dans ce cas de se procurer de bons produits et de prévoir pour eux des recettes et une utilisation réussies. Ce n'est malheureusement pas toujours le cas et, lorsque l'incompétence et l'avidité l'emportent, le cuisinier se voit engagé dans une lutte sourde avec le commerçant ou l'artisan, jalonnée de péripéties plus ou moins désagréables et déplaisantes.

Reste le marché, exposition parfois temporaire, parfois permanente de spécialités diverses. Pour le cuisinier, c'est la source principale de ses plaisirs. Se trouvent en effet rassemblés des dizaines de commerçants indépendants. Il suffit d'en trouver deux ou trois qui présentent de beaux produits pour en être satisfait. Plus généralement, la disposition, changeant avec le temps et la saison, des fruits et des légumes, des viandes et des poissons, des épices et de diverses spécialités cuisinées, tous plus colorés ou parfumés les uns que les autres, est pour lui le moteur principal de l'imagination. Ce n'est pas par hasard que Paul Bocuse a intitulé son livre de référence *La Cuisine du marché* ou que Gilbert Bécaud a chanté les marchés de Provence.

Sur le marché, on peut déambuler, comparer, discuter, choisir, acheter les tomates chez un marchand, l'ail chez un second et le persil chez un troisième. On trouve chez les professionnels du marché quelques-uns des grands spécialistes, tel fromager, tel volailler, tel tripier. On trouve aussi des revendeurs du bas de gamme. Et ceux qui proposent côte à côte le bon et le médiocre. Une sorte de concentration pittoresque et chaleureuse de l'humanité. De l'humanité laborieuse, car les paresseux n'y font pas carrière.

Le cuisinier rapporte ainsi à la maison un peu de ce monde diversifié qu'il a côtoyé en faisant les courses. Car c'est à lui d'acheter les produits qu'il entend préparer. Comment pourrait-il déléguer cette tâche à quelqu'un d'autre, sauf pour certains produits usuels ? Qui mieux que lui peut repérer le poisson inattendu, le légume frais brillant et le fruit odorant ? C'est le cuisinier qui décide, il doit pouvoir changer d'avis et rapporter une volaille quand il voulait faire de la choucroute, ou préférer des navets nouveaux aux pommes de terre prévues. Il doit pouvoir profiter des promotions, vérifier la fraîcheur des denrées. Il doit pouvoir se laisser aller à son inclination, il doit pouvoir rêver.

TRÉSORS SECRETS DES LOGIS, DES JARDINS ET DES CHEMINS

En plus de ce qu'ils achètent, certains cuisiniers disposent de produits domestiques. C'est le cas de ceux qui ont un jardin potager, de ceux qui ont une basse-cour. Plus généralement, ce peut être le cas de ceux qui font leur propre vinaigre, cuisent leurs confitures ou cultivent sur le rebord de la fenêtre un pied de thym ou de la ciboulette.

En dehors des cuisiniers dont l'activité professionnelle est justement la production de ces denrées, et qui consomment ce qu'ils fabriquent, il existe un univers amateur, qui peut aussi bien concerner l'essentiel des denrées alimentaires que se réduire à une seule. Le pêcheur apportera un jour une friture de goujons, le lendemain une perche ou un brochet. Le chasseur, un lapin ou une perdrix. Le jardinier pourra faire de la production extensive, il cultivera autant d'oignons, de carottes et de pommes de terre qu'il est nécessaire pour une année, ou bien il se contentera de légumes rares et introuvables : les catalogues de graines en proposent de très nombreuses variétés. Ou encore, il ramassera un jour la cardamine hirsute et l'ortie brûlante, le lendemain l'alliaire et les boutons floraux du pissenlit. Toutes mauvaises herbes avec lesquelles il pourra préparer des plats rares et subtils. Le luxe dans les plus humbles des plantes... Celui qui préfère le jardin floral et d'agrément trouvera dans une collection de thyms, de menthes ou d'origans, dans la déclinaison des fleurs comestibles — phlox, roses, soucis, capucines, hostas, aulx d'ornement, etc. — la matière à des accompagnements, des assaisonnements, des confitures, des desserts inattendus et inédits. La seule exigence est d'être sûr de l'innocuité de ce qui est utilisé.

De même, celui qui fait son propre vinaigre, celui qui conserve la salicorne ou qui sèche l'ail ou l'aspérule odorante se constitue-t-il une série de petits trésors à bon marché.

Avec ces produits sans prix — quelle est la valeur d'une mauvaise herbe? —, même le plus humble pourra explorer des gammes gustatives de qualité que seuls les très fortunés peuvent se permettre d'acheter. La fabrication et la production familiale, la cueillette éclairée apportent à tous des aliments inédits et rares, des expériences aromatiques et gustatives délicates et variées. Au fond, chacun peut cultiver son propre jardin, même réduit à un ou deux godets sur une étagère. Chacun peut collecter les herbes et les fleurs comestibles, en respectant les autres et la nature, bien sûr.

LA CUISINE DES DÉCHETS ET DES ÉPLUCHURES

Quelle est la meilleure partie de l'animal, du poisson, de la plante, du légume, du fruit? Chaque cuisinier a son idée, souvent définitive. De même que, selon la légende, le père de Grimod de la Reynière ne supportait de manger que le sot-l'y-laisse des dindes, chacun d'entre nous édicte permis et interdits, constitue un damier où les cases blanches sont autorisées et les noires inaccessibles.

Ce qu'on doit placer dans les cases blanches est éminemment discutable. Par exemple, il ne viendrait à l'idée de personne de consommer des intestins ou des estomacs de porc ou de bœuf sans les laver, en sorte que toute trace de matière fécale en soit éliminée. Au contraire, les amateurs de bécasses considèrent que la meilleure partie est constituée par les tripes, non nettoyées cela va sans dire. Pourquoi mange-t-on la racine du navet ou de la carotte et non leurs fanes? Doit-on éplucher la jeune carotte, la pomme de terre nouvelle? Évidemment, on peut biaiser et prétendre qu'il faut se contenter de les gratter — réponse de Normand.

En fait, tout le monde sait se retrouver dans la jungle des parties comestibles ou immangeables des divers aliments. Une fois ceux-ci préparés selon la méthode voulue, on se pose systématiquement la question : que faire du reste? Il y a des réponses évidentes : on ne saurait consommer la terre qui collait au poireau ou à la doucette, pas plus que les os, les arêtes, les écailles. De même, certaines parties végétales sont-elles de toute évidence non utilisables : extrémités des racines, radicelles, parties ligneuses, écorce de noix ou de noisette (on peut quand même s'en servir comme combustible).

En fait les restes, les épluchures, les rognures peuvent être classés en plusieurs catégories.

Il y a tout d'abord celles qui sont comestibles, et même parfois recherchées, comme le sot-l'y-laisse et les tripes de bécasse déjà mentionnés; on peut y ajouter les œufs de certains poissons (mulets, carpes, cabillauds... et bien sûr esturgeons), les laitances de hareng, etc.

Il y a ensuite celles qui sont également consommables, à condition de les préparer : c'est le cas de la « moelle » de choux, de chou-fleur, de salade, etc., la moelle étant une partie tendre et goûteuse, enfermée dans une « coque » fibreuse qui ne l'est pas. De même, les tiges des laitues montées en graine sont-elles un légume qui s'apparente à l'asperge. Dans cette catégorie on peut aussi ranger les fanes fraîches de certains légumes-racines (carottes, navets, radis entre autres) avec lesquels on fabrique potages, mousses, sauces ou purées. On peut également les utiliser comme des légumes à part entière.

Une troisième catégorie est celle des épluchures : la question de savoir s'il faut peler aubergines, poivrons, potirons, etc. n'appelle pas une réponse unique. Certaines épluchures peuvent être utilisées en tant que telles dans diverses préparations : c'est le cas de la peau d'aubergine, des épluchures de pommes de terre, des zestes d'orange, de citron et en général d'agrumes.

Certains cuisiniers, par exemple Alain Ducasse, cuisinent à part la peau de certains poissons (bars, saumons, etc.).

Parfois, n'entrent dans cette catégorie que les jeunes pousses ou les jeunes fruits : la coque du noyer n'est évidemment pas comestible, pas plus que la partie extérieure verte, avec laquelle on fait le brou de noix ; pourtant, lorsque le fruit est jeune, avant la formation de la coque ligneuse, on peut l'utiliser entière, par exemple pour la fabrication de vin de noix. Inversement, c'est parfois le fruit vieux qui est utilisable : les prunelles sauvages ne deviennent consommables qu'après que les premières gelées les ont touchées, leur « saison » précédant de peu leur décomposition terminale.

Une quatrième catégorie n'est pas consommée en tant que telle, mais sert d'élément aromatique. On y range toute une série de déchets : têtes et arêtes de poisson, pattes et têtes de volailles, carapaces et têtes de crustacés, os et carcasses d'animaux, zestes d'agrumes, tiges de persil, herbes et « mauvaises » herbes diverses, noyaux de fruits, etc.

On obtient ainsi des fumets, courts-bouillons, jus, qui servent de base à des potages ou à des sauces. Parfois d'ailleurs, les éléments ayant servi de base aromatique à ces préparations peuvent être mixés et former des purées elles-mêmes consommables.

On dit souvent que les expériences ratées des savants sont la base des découvertes de leurs successeurs. Sur le bord des chemins poussent des mauvaises herbes qui se révèlent pleines de goûts et de saveurs. Dans le tas des épluchures, au milieu des déchets et des bas morceaux, le cuisinier fait son deuxième marché, gratuit celui-là. Une sorte de promenade ésotérique et intime, un chemin secret et personnel.

11

La cuisine et la vie

L'honnête homme du XVIIIe ou du XIXe siècle, période distante seulement de quelques générations, serait ébahi s'il venait nous rendre visite aujourd'hui. Par l'incroyable profusion d'aliments. Par l'arrivée systématique du frais comme par les modes sophistiqués de conservation. Par les nouveaux produits issus de l'industrie. Par la sélection, par la comparaison, par la disposition d'aliments provenant des quatre coins de l'univers. Et il y a fort à parier que, loin de regretter les fruits véreux, le beurre rance et le poisson douteux qui en son temps trônaient souvent sur des éventaires malpropres, il se jetterait sur le surgelé, le lyophilisé, la pomme bien rouge ou bien verte.

En fait, qu'il fasse comme tout un chacun. C'est qu'il faut appeler un chat un chat et un progrès un progrès. La quantité, la diversité et la qualité de base de l'alimentation d'aujourd'hui — sans parler des garanties sanitaires — sont sans commune mesure avec celles d'aucune période antérieure.

Ce qui ne veut pas dire que tout soit parfait, loin s'en faut. Car ce progrès s'est accompagné d'une standardisation, d'une banalisation de beaucoup de produits. Nombre de fruits et de légumes sont sains mais sans caractère, les viandes sont souvent plus tendres que goûteuses. Les fromages évoquent volontiers le plâtre et la pâte à modeler. Le pain a fréquemment une consistance trop molle ou trop sèche, etc.

L'imposition de règles à la fois techniques et sanitaires définit de plus en plus des produits de qualité moyenne, courante, standardisée. De ce fait, ces produits servent de référence au cuisinier amateur. C'est à partir d'eux qu'il définit ses objectifs, construit ses repas.

Il n'y a donc pas de critique à lui adresser. Chacun vit à son époque. Toutefois, cette qualité commune n'est pas suffisante. Elle ne définit qu'un seul point, variable d'ailleurs puisqu'il est clair pour chacun que les produits disponibles sont évolutifs. Certains apparaissent, se banalisent. D'autres se transforment. D'autres encore disparaissent.

Le cuisinier ne peut donc s'arrêter à ce niveau à la fois moyen et changeant. Car son souhait est soit de reproduire ce qu'il a fait de mieux, soit d'améliorer ce qu'il juge insuffisant. Il lui faut donc définir le meilleur.

Il en est des arts de la bouche comme des autres. Il convient que le consommateur se crée une échelle de valeurs. L'amateur de peinture doit éduquer son goût. Comment s'y prend-il ? Certainement pas en regardant au hasard les toiles qu'il rencontre sur son chemin ou les reproductions qui apparaissent sur les calendriers ou les publicités. C'est au contraire en faisant un acte précis, par exemple en allant dans un musée ou en achetant un livre, qu'il va orienter sa formation. Il prend la décision de « caler » son système de valeurs sur Piero della Francesca, sur Van Gogh ou sur Picasso. Une fois définie l'excellence, il peut ensuite apprécier les produits intermédiaires. Il peut également se servir de la culture qu'il aura acquise pour partir à la découverte de formes d'art qu'il aurait ignorées, car il les aurait jugées a priori trop naïves, trop simplistes ou trop conventionnelles. A lui de ne pas non plus devenir une sorte de perroquet, incapable d'apprécier la spontanéité et l'émotion, subordonnant ses jugements à des règles préétablies.

Il en est de même en cuisine. C'est seulement en calant la gamme de ses sensations sur l'excellent que l'amateur pourra améliorer ses prestations, qu'il pourra critiquer sa cuisine et celle des autres, qu'il pourra avancer à son tour dans la voie de l'amélioration. Pour cela, il dispose de plusieurs pistes. Il peut aller manger dans les meilleurs restaurants ; mais, s'il s'agit là d'une éventualité souhaitable, l'éloignement et le prix en rendent la réalisation aléatoire et accessible seulement à une minorité.

Il peut acquérir les livres que de nombreux grands chefs ont écrits, souvent disponibles à des prix accessibles, et reproduire leurs recettes. Il peut aussi se procurer les produits reconnus comme le haut de gamme dans leurs catégories et les préparer à son goût. Selon ses moyens, selon ses possibilités, il s'agira de situations d'exception ou au contraire fréquentes. Mais, dans tous les cas, l'agneau de lait de Pauillac, le gigot de pré-salé, l'angus beef, les fruits de vieux arbres de jardin utilisés le jour de leur maturité, le pont-l'évêque fermier et le poisson sortant de l'eau constitueront autant de critères gustatifs auxquels il pourra comparer les produits d'extraction plus modeste ou courante. Ainsi se constituera un univers sensoriel dont on peut constater les remarquables capacités que nous avons à les mémoriser. Ce qui permet la hiérarchisation et la comparaison. Et avec elles le progrès, l'amélioration. Il n'y a pas de fin sur le chemin de l'excellence.

CONFRÉRIES, ACADÉMIES ET SOCIÉTÉS GOURMANDES

Leurs membres ont souvent une apparence étrange, réunis en conclaves costumés aux couleurs vives et bariolées, souvent coiffés de couvre-chefs surannés. On peut les prendre pour quelque reviviscence archaïque et désuète. Ridicule, pourquoi pas ? D'autant que le nom des confréries et sociétés qu'ils représentent n'incite guère à garder son sérieux : la Confrérie des gaubregueux gousteurs de testes de veau de Rambervillers, celle des Mangeux d'esparges de Sologne ou l'Ordre souverain et pacifique des tastos mounjetos de Comminges semblent sortis d'un dépliant touristique attrape-gogos.

Derrière cette apparence folklorique y a-t-il quelque chose d'intéressant, d'authentique ? Voilà qui mérite réflexion. Car, au fond, quelle est la raison d'être de ces sociétés ? Reprenons nos trois exemples. Le premier s'emploie à défendre et illustrer les qualités culinaires de la tête de veau dont Rambervillers, dans les Vosges, est un haut lieu, le terme de gaubregueux signifiant, selon Fernand Woutaz[1] : amateur bon enfant de vie simple et détendue. La seconde est vouée à l'asperge dont la Sologne est, depuis qu'Argenteuil s'est transformé en lotissements, l'un des centres de production. Quant au dernier, il célèbre le haricot blanc et plat, proche de la mohjette du Poitou, avec lequel on prépare des plats proches du cassoulet.

On le voit, loin d'être absurdes et archaïques ces sociétés ont

1. *Le Grand Livre des sociétés et confréries gourmandes de France*, Club français du vin, Fleurie, 1978.

une fonction précise et bien actuelle : préserver, populariser, critiquer et promouvoir des produits ou des plats traditionnels — en sachant que cette tradition peut évoluer. Des clubs ou associations se créent régulièrement, d'autres dépérissent ou disparaissent.

Certaines, en raison de leur succès, deviennent des références. Elles peuvent, comme les Chevaliers du Tastevin de Bourgogne, apposer leur sceau ou leurs étiquettes sur les produits. D'autres organisent des concours. La jeune Commanderie des fins goustiers du duché d'Alençon organise ainsi en octobre le championnat d'Europe du boudin blanc et le championnat de France d'andouillette. En 1995, on a compté environ cinq cents participants venus non seulement de France mais aussi d'autres pays, en particulier d'Allemagne. Et, comme résultat, selon l'un de ses membres les plus notables, Michel Tremblin, une nette amélioration de la qualité moyenne proposée. Non loin de là, à Mortagne-au-Perche, une compétition de boudin noir attire encore plus de participants (confrérie des chevaliers du goûte-boudin de Mortagne-en-Perche).

Ainsi donc, les amateurs d'andouilles, de caillettes, d'andouillettes, de cassoulet, de chocolat, d'escargots, de jambon, de madeleines, de bigorneaux, de fromages, de marrons, de pieds de cochon, de poulardes, de quiches, de rillettes, de tripes et de tant d'autres spécialités disposent-ils de références, de groupements de spécialistes généralement éclairés et indépendants. Loin d'être ridicule, leur travail est au contraire laborieux, exhaustif, honnête et informé. Ils sont les maillons élémentaires d'un réseau d'experts qui connaissent les produits, savent goûter, savent rechercher la faille et découvrir la tricherie, comme ils peuvent identifier le haut de gamme, le grand produit, l'exceptionnel.

Comme toute organisation humaine, ils ne sont pas infaillibles. Ils le savent et ne se prennent pas trop au sérieux. Sérieux pourtant ils le sont, et beaucoup plus que certains « spécialistes » ou pseudo-défenseurs des consommateurs, qui manifestent souvent plus leur ignorance et leur arrogance que leur compétence.

Rendons ainsi hommage à ces confréries modestes mais si sympathiques et utiles, embryon de ce que pourrait être un ensemble de défense des consommateurs. Ensemble fondé sur la défense de la qualité et de la joie de vivre.

A côté de ces confréries et clubs thématiques existent des associations, des académies et divers clubs regroupant des personnalités intéressées à la promotion et à la célébration de la gastronomie au sens le plus large. Les uns sont réservés à une corporation (auteurs, compositeurs, journalistes, médecins, maîtres cuisiniers). D'autres sont régionalistes. D'autres enfin, souvent limités en nombre (Club des Cent, Club Prosper-Montagné, Académie culinaire de France, Académie Rabelais...), ont pour objet de réunir des personnalités sélectionnées sur leurs qualités de goûteurs, afin de célébrer ensemble les mérites de la cuisine ou de la grande cuisine et, pour certains, de décerner des prix, symboles de l'importance attachée à la promotion de la qualité.

PRÉSENTER LES ALIMENTS

Il y a plusieurs façons de servir les aliments. On peut présenter le plat dans un récipient allongé ou arrondi, voire dans le conteneur où il a cuit. De cette façon, on renforce l'aspect convivial du repas puisque chacun, à son tour, se sert ou se fait servir en quantité voulue. Bien sûr, il s'agit là d'une conception idéale, car il est possible ainsi au glouton ou à l'égoïste de choisir les meilleurs morceaux en toute impunité, ne laissant aux autres que leurs restes. Tel ce curé du 16e arrondissement qui, il y a quelques années, faisait pivoter les plats qui lui étaient présentés en commentant : « Mes chers frères, la terre tourne », jusqu'à ce que le morceau convoité se trouvât en face de lui, justifiant ainsi qu'il fût le mieux servi. Par ailleurs, la présentation dans un plat de service peut n'être simplement que le résultat de la paresse du cuisinier ou du maître de maison.

Néanmoins, il est des mets qu'on n'imagine guère servis autrement, par exemple le couscous, la paella, la choucroute. La soupe aussi, bien sûr.

Une deuxième façon de présenter est le service à l'assiette. Au restaurant, elle est devenue la règle. A la maison, elle est moins fréquente. Elle est cependant recommandée lorsqu'on veut renforcer l'aspect visuel des aliments. Également lorsque ces derniers sont fragiles : il est plus facile de placer directement un filet de poisson cuit dans une assiette que d'abord dans le plat puis dans cette dernière. Le service à l'assiette permet de jouer avec les volumes, les couleurs. On sait d'ailleurs comme certains chefs aiment décorer, qui d'un cercle de sauce safranée, évoquant la célèbre Marque jaune d'E.P. Jacobs, qui d'une unique pâte noire aux algues, d'un minibrocoli ou d'une petite carotte. Mélange hétérogène d'esthétique visuelle, de recherche gustative et aussi souvent d'avarice.

On peut aussi renforcer le goût et la beauté d'un plat en le présentant dans un conteneur comestible. C'est le cas des pâtés en croûte, des feuilletés légers. C'est le cas tout banalement des tartes. On peut aussi cuire et servir à l'intérieur d'un légume — les petits farcis de Provence, les diverses recettes de pommes de terre farcies, les croûtons, les canapés sont autant d'exemples de cette association de la vue et du goût, avec ses réussites, et ses échecs également.

Une autre manière consiste à remettre l'aliment dans le conteneur naturel d'où il vient. La coquille de la saint-jacques ou des escargots, le coffre du crabe, de l'araignée de mer ou du homard, la coque de l'oursin peuvent être farcis de la chair de l'animal qu'ils contenaient. Ils peuvent également être servis renversés et servir d'enveloppe ou de couvercle au plat : la présentation du homard, bien épluché, dont la forme reconstituée est recouverte de sa carapace peut être particulièrement spectaculaire.

On peut également tromper la vue. Une manière classique consiste à remplir la coquille de la saint-jacques non avec la chair du mollusque, mais avec du poisson. Économie oblige. Parfois on peut même rejoindre le goût du XVIIIe siècle pour les nourritures contrefaites et présenter des aliments totalement différents de l'apparence qu'ils revêtent. La mode en est quelque peu passée, en dehors de certaines friandises telles que les escargots en chocolat, les animaux en massepain, etc., mais l'effet peut être amusant.

On peut enfin présenter les plats en portions plus ou moins petites, dans des conteneurs individuels de formes et de couleurs variées : petits pots à escargots, minisoupières, petits plats à gratin ou à soufflés.

On le voit, les possibilités sont nombreuses et le choix doit être fait en fonction de divers facteurs : le contenu du plat, le nombre de convives, la nature ordinaire ou exceptionnelle du repas, la quantité relative des divers constituants, la maîtrise plus ou moins grande des temps de cuisson, la recherche d'un effet visuel, voire spectaculaire. A chaque plat, à chaque repas, à chaque occasion correspondent une ou plusieurs options. Un légume et une viande ont des goûts différents selon la manière dont ils sont découpés, puis préparés. De même, un mets ne fera pas la même impression selon qu'il est présenté dans son plat de cuisson, dans un plat de service ou en portions individuelles. A chaque plat, à chaque occasion, correspond une présentation préférable. Le repas du célibataire, le dîner d'affaires ou le réveillon familial de Noël sont bien différents dans leur nature sociale, dans le menu et dans le mode de présentation des plats qu'il convient de choisir en fonction des objectifs recherchés et des moyens employés.

CUISINE DES HOMMES, CUISINE DES FEMMES

Hommes et femmes font-ils la même cuisine, suivent-ils les recettes de la même façon, choisissent-ils différemment les ingrédients, les épices, les modes de cuisson? L'espace, le temps, les ustensiles sont-ils les mêmes, sont-ils utilisés de manière semblable? On connaît les propos d'un grand cuisinier sur les femmes qui d'après lui ne sont que gardiennes des traditions, talentueuses certes, mais se contentant de répéter ce qu'elles ont appris. Des gardiennes du temple en quelque sorte, le rôle de novateur étant réservé aux hommes, du moins à certains.

Il est vrai que l'histoire de la cuisine française n'a retenu que des noms d'hommes. De là à conclure que les femmes en cuisine ne savent que suivre des règles établies par d'autres, des hommes sans doute, il n'y a qu'un pas à franchir. De quoi, pour certains, s'enorgueillir à bon compte.

En fait on ne sait absolument pas qui est à l'origine des recettes les plus communes. Étaient-ce des hommes ou des femmes, bien malin qui peut le dire. Qui a découvert les concepts les plus importants reste aussi parfaitement inconnu. Ce qu'on sait, en revanche, c'est que la cuisine des femmes, ou plus exactement la cuisine faite traditionnellement par les femmes, dépendait de conditions aujourd'hui largement révolues : elles restaient à la maison, elles devaient économiser et s'occuper en même temps de multiples tâches. Leur cuisine ne subissait pas les mêmes contraintes de temps qu'aujourd'hui. Elle était l'un des liens principaux — sinon le principal — entre les membres de la famille. Elle devait être nutritive, accueillante, chaleureuse et réconfortante. Elle devait combler le mari et faire grandir les enfants, accueillir les amis et nourrir les serviteurs — et aussi les pauvres pour lesquels parfois il restait une part. La cuisine des femmes était une des démonstrations les plus spectaculaires de leur nature maternelle. Nature ou fonction, d'ailleurs, peu importe. Elle était une des principales manifestations de la continuité et une célébration de la stabilité.

Cette cuisine, c'était celle des plats mijotés, des légumes qu'on vient d'arracher du potager, des œufs frais et des lapins et volailles juste tués.

S'agit-il pour autant de la cuisine des femmes, celle qui refléterait leur nature et leur tempérament, ou simplement de la cuisine que devaient faire les femmes en ces temps de tradition où la répartition des tâches entre les sexes était clairement établie, il est probablement impossible de le dire. Car il est bien difficile de savoir ce que deviendront les rôles respectifs des hommes et des femmes avec le gtemps. Nombre de jeunes filles refusent tout simplement de cuisiner, ce qui rend encore plus aléatoire la définition de ce que sera la cuisine, ou plus probablement les cuisines, des femmes dans le futur.

N'y a-t-il cependant pas de tempéraments en cuisine, comme il y en a dans la littérature, dans le cinéma, dans les relations amoureuses ? Prenons les choses à l'envers : que serait le monde si tous les individus, hommes et femmes, jeunes et vieux, avaient la même approche des choses ?

L'ensemble ne serait-il pas d'abord et avant tout d'un ennui incommensurable ? N'est-il pas au contraire rassurant de penser que chacun a son propre caractère, qui d'ailleurs se modifie avec le temps, avec les rencontres et les expériences ? N'est-il pas agréable de rechercher parmi les comportements, les influences, les traditions, les tempéraments ?

En chacun on retrouve non une série de caractères simples, voire simplistes, où l'homme serait strictement masculin et la femme féminine, mais un système plus contrasté où l'affirmation de la masculinité et de la féminité est la résultante de facteurs complexes et contradictoires, dont l'affrontement et la juxtaposition constituent justement la spécificité individuelle. Cela ne veut pas dire qu'il y a doute, au contraire, sur leur nature respective. Il peut être intéressant de repérer des pôles dont la distribution individuelle est variée et diverse, constituant ainsi la richesse du caractère de chacun.

Et si on caricaturait ce propos, on l'illustrerait de mouvements caractéristiques : la main masculine tenant tout d'abord fermement un couteau aiguisé, émincant à la suite viandes et légumes, puis les faisant sauter isolément d'un mouvement vif, tendu et bref; et la main féminine, gérant en même temps quatre plats en train de mijoter, tournant une cuillère de bois d'un geste souple, expert et circulaire, le petit doigt légèrement écarté des autres, jusqu'à ce que les quatre mets atteignent, à leur heure, leur point de finition.

Illustration et non définition, où chacun retrouvera tout ou partie de soi, ou de ceux et celles qu'il connaît ou a connus. Car au fond, plus que d'opposer hommes et femmes, ces propos ont pour objet d'attirer l'attention sur le fait que l'application de tel ou tel principe, de telle ou telle recette, n'est pas seulement la reproduction de ce qui est écrit et décrit, mais également la conséquence d'un certain état d'esprit, d'une certaine inclination. Telle personne sera plus à l'aise dans le grand feu et telle autre dans la chaleur douce. A chacun donc de choisir, de reproduire ou d'innover en suivant les méandres et les contradictions de son tempérament.

LA NOURRITURE, LA CUISINE ET LES ENFANTS

Le rapport des enfants à la nourriture fait partie des premiers contacts avec les adultes. Que ce soit au sein ou au biberon, le nouveau-né rythme la vie des parents par ses besoins itératifs, qu'il exprime avec la véhémence et le côté déchirant qui caractérisent ses pleurs. Entre cette phase initiale de dépendance absolue et celle où l'enfant, devenu grand et autonome, quitte le domicile de ses parents, se produit une évolution — dans la fréquence des repas, la nature, le goût, la variété et la consistance des aliments. De même le rapport précis avec les parents lié à la nutrition subit-il une modification, à la fois progressive et par étapes, liées par exemple à la scolarisation.

La nourriture fait partie d'un rapport complexe et évolutif où se manifestent à la fois une nécessité — il faut manger — et une relation qui comprend de nombreux facteurs, volonté de chaque partie d'imposer ses goûts ou ses préférences, souhait éducatif ou désir de contestation, exigences variées et contradictoires.

A travers la nourriture se manifestent les velléités d'autonomie ou d'indépendance par lesquelles l'enfant tente d'affirmer son existence propre. Du côté parental, il y a tout d'abord l'aspect nourricier : pendant longtemps l'enfant dépend des moyens financiers et du travail des parents ; ce sont eux qui achètent et préparent les aliments. Il y a aussi désir d'assurer un équilibre nutritif afin de garantir une croissance équilibrée. Il y a désir éducatif, d'abord pour faire comprendre à l'enfant que la vie collective comprend certaines contraintes, que le travail des autres n'est pas un dû, mais doit être respecté, qu'il peut également participer à la préparation de certains plats, aider à desservir et à nettoyer. Enfin, les parents peuvent également souhaiter introduire leurs enfants dans l'univers complexe des arômes, des consistances et des saveurs.

Tout cela, les parents le font avec leur caractère, avec leur énergie ou leur fatigue, avec leurs joies et leurs peines, avec le temps ou le peu de temps dont ils disposent. Avec la structure sociale qu'ils ont choisie et son évolution. Nombre d'enfants sont ainsi partagés entre plusieurs lieux, les parents vivant séparés. Les règles ne sont pas forcément les mêmes dans chaque endroit. Sans compter les grands-parents, qui peuvent avoir d'autres habitudes. Mais l'enfant apprend généralement à s'adapter à ce parcours contrasté, de même qu'il apprend qu'on ne s'habille pas de la même manière sur la plage et dans une classe à l'école.

Au fond, l'essentiel de l'interrogation concernant la cuisine, la nourriture et les enfants est d'apprécier jusqu'à quel point la liberté et le choix doivent leur être laissés, où la règle, la régularité et la contrainte doivent commencer. Et, bien entendu, il n'y a pas de réponse universelle ni de solution globale.

Il faut cependant remarquer que le laisser-faire, le laisser-agir ne font que renforcer les tendances égoïstes, les désirs velléitaires et les travers caractériels, cependant qu'ils donnent aux enfants l'impression que le monde leur appartient, ce qui peut être à l'origine de découvertes fort désagréables pour eux, l'univers ayant la fâcheuse habitude d'échapper à leurs désirs. Inversement, l'autoritarisme et l'absolutisme, en contrariant l'évolution harmonieuse de leur sensibilité et de leur personnalité, en font des enfants tristes, inhibés, ou bien retors, dissimulés. Ces propos ne constituent évidemment pas la condamnation de tel ou tel. Ils sont simplement des illustrations extrêmes. Car le rapport parents-enfants est un dialogue. Chacun doit y trouver une place satisfaisante et reconnue. Place qui évolue dans le temps. Mais cet espace, cette sphère d'interférence, dont l'essentiel, telle une pièce de théâtre, se joue dans un lieu clos, peut être prétexte au bien comme au mal, à la douceur comme à la violence. Et, comme chacun sait, le bien absolu n'existe chez personne. Il y a dans le meilleur des cas des ratés, des incompréhensions.

En fait, le lien que représente la nutrition est un de ceux où se manifeste l'amour familial. Comme ses autres constituants, il comporte ses pièges et ses erreurs. Il fait aussi partie de ceux où il est relativement simple de suivre une voie, une règle, avec ses espaces de négociations, ses espaces communs et ses espaces privés, avec ses exceptions, ses transgressions, ses initiations. Il ne s'agit ni d'imposer ses propres goûts ni de refuser la parole aux enfants. Il ne s'agit pas non plus d'en devenir les esclaves. L'expérience alimentaire est aujourd'hui bien différente de celles des générations antérieures. L'intrusion de la publicité, le désir de faire comme les autres poussent les enfants vers certaines marques commerciales et spécialités qui ne sont manifestement pas ce qu'on peut considérer comme les aliments les plus subtils ni les mieux adaptés à leur santé. Il ne s'agit pas de les empêcher d'en consommer, pas non plus de démissionner. Si les enfants aiment ça, il faut respecter leur désir. Mais il convient aussi de leur ouvrir des voies gustatives qui leur permettront d'accéder ultérieurement à un univers sensoriel d'une qualité et d'une ampleur tout autres.

L'ITALIE, LA SIMPLICITÉ ET L'ARROGANCE

Ce n'est que par citations fragmentaires que les grands de l'écriture culinaire française mentionnent la cuisine italienne. Il y a là quelque chose d'étrange. Les historiens ne semblent-ils pas attribuer l'achèvement de la gastronomie transalpine à la synthèse des cuisines traditionnelles française et cisalpine, particulièrement importante à la Renaissance ? Rappelons-nous simplement que deux reines de France ont appartenu à la même famille florentine des Médicis, et qu'un cardinal italien en fut le Premier ministre, juste avant que Louis XIV n'établisse la gloire de son règne [1].

A vrai dire, il est difficile de savoir ce qu'était réellement la cuisine française avant cette époque. Bien sûr nous avons les recettes du *Viandier* de Taillevent et du *Ménagier de Paris*, mais

1. C'est d'ailleurs sous ce roi que la cuisine française s'est constituée comme l'entité particulière et spécifique que l'on reconnaît, avec les ouvrages de cuisiniers tels que La Varenne, Pierre de Lune... La filiation est directe puisque Louis, roi Bourbon, est aussi un Médicis par sa grand-mère Marie.

l'écriture en est telle qu'il est difficile de savoir quelles étaient les techniques pratiquées. En dehors d'une utilisation forte et constante des épices, on ne sait pas quelles étaient les conditions précises de cuisson. Un peu comme dans les recettes allant du XVIIe siècle au début du XXe siècle, il existe un non-dit, ou plutôt un non-écrit qui cache l'implicite du savoir-faire de celui qui écrivait et qui était censé être celui du lecteur, aussi.

On ne sait donc si la cuisine de ces temps antérieurs à l'arrivée de l'influence italienne avait comme objectif principal de valoriser les spécificités des ingrédients ou au contraire de masquer les insuffisances de certains produits, trop verts, trop mûrs, moisis ou corrompus — ce qui était fréquent en ces temps où on ne connaissait ni le réfrigérateur ou le congélateur, ni même les principes et les raisons pour lesquelles les aliments gardent leurs qualités ou au contraire se transforment en de tristes restes dépassés, pour ne pas dire pire.

Quelles que soient les raisons de cette amnésie, particulière puisqu'elle frappe principalement les faits anciens, on ne peut qu'être surpris par la non-reconnaissance des qualités éminentes de la cuisine italienne. Il y a à cela diverses explications. Tout d'abord, le niveau des restaurants italiens en dehors de l'Italie est en général plutôt une insulte au génie de la cuisine de la péninsule qu'une illustration de ses qualités. Et puis n'existe-t-il pas une sorte de non-crédibilité de ce pays, comme si les contradictions et les difficultés de formation d'un État moderne ne permettaient pas, ne lui avaient pas permis, de donner au monde les artistes, les savants, les religieux de la Renaissance et de la Contre-Réforme ? Comme si de la péninsule ne venaient pas de nos jours nombre des plus grands peintres, écrivains, metteurs en scène de théâtre et de cinéma, sans compter les acteurs et les actrices.

Quelle est donc la spécificité de la cuisine italienne, quelle est cette qualité particulière qui justifierait notre attention à telle ou telle recette réalisée avec des produits qui semblent banals, avec une technique apparemment sans surprise ?

Eh bien, c'est cette simplicité même, ce respect des produits et des principes. C'est une recherche des meilleurs ingrédients et une interrogation sur la nature de ce qui les exprime le mieux. C'est en définitive une attitude humble et inquiète. Le monde et la vie ne sont qu'un songe ou un théâtre. C'est ce que disent les bouddhistes, c'est ce qu'écrivait Shakespeare, c'est ce qu'ont imaginé les architectes des jésuites et de la Contre-Réforme. Dans ce théâtre que sommes-nous ? Peut-être simplement le rêve de nous-mêmes. Ou d'autres. Ou de qui sait quoi.

139

La simplicité, c'est l'humilité, et il n'est pas surprenant que ce soit dans le pays dont la capitale n'est qu'un immense théâtre que cette attitude face à la cuisine soit aussi imprégnée de cette exigence de simplicité. Un grand acteur de théâtre est au service du texte, il disparaît derrière, et c'est là que son talent éclate. La même chose se vérifie au cinéma — quel acteur est plus grand, plus digne que Marcello Mastroianni dans cette soumission qu'il exprime aux exigences de metteurs en scène dont les grands sont vraiment grands, mais dont les autres sont également ce qu'ils sont ? Comme si le talent ne pouvait s'exprimer que par une négation de lui-même.

Dans la disparition de soi face à la grande qualité, face à l'impérieuse évidence qui est celle de la méthode la mieux adaptée à préparer tel ou tel aliment, réside la plus forte affirmation de ce qu'on est. La prétention, la suffisance, l'apparat boursouflé ne sont-ils au fond autre chose que l'expression de la trahison de cet idéal de vérité, de force et finalement d'optimisme, que chacun porte au fond de soi ?

ÉLOGE DE LA CUISINE FRANÇAISE

La cuisine française a la réputation d'être la meilleure du monde. Si tant est que cela signifie quelque chose. Néanmoins, il est net que son influence est grande et que la « cuisine internationale », terme générique et vague qui regroupe le petit noyau de recettes qu'on retrouve à la carte des restaurants des grands hôtels internationaux, est d'inspiration fortement hexagonale.

Y a-t-il à cela une raison intrinsèque à la France ? Aurions-nous un don lié soit à la géographie, soit à une sorte de génie propre à notre peuple ? On peut fortement en douter. La littérature antique n'indique nulle part que la cuisine gauloise ou gallo-romaine ait été particulièrement élaborée. Il est vrai que nous manquons de documents et qu'il peut y avoir eu sousestimation de ces qualités. Après tout, les Romains n'ont pas paru impressionnés non plus par la beauté de la numismatique celte.

L'or et l'argent se conservant mieux que les reliefs des repas, nous pouvons, à la suite d'André Breton et des surréalistes, constater aujourd'hui que les pièces de monnaie gauloises sont d'une élaboration artistique et d'une modernité ahurissantes, et comptent parmi les authentiques chefs-d'œuvre de l'art mondial.

Néanmoins, il n'existe pas d'indice du même genre pour la gastronomie. Quant aux invasions germaniques dont les noms sont devenus ceux de notre pays et de certaines provinces (Burgondes, Francs...), il est peu vraisemblable qu'elles aient apporté des innovations particulières et spécifiques. D'ailleurs, les Francs saliens, qui constituent l'essentiel du monde néerlandophone, ont eu une évolution culinaire différente de ceux qui ont fait la France.

L'analyse des deux traités de cuisine les plus connus du XIVe siècle (le *Viandier* de Taillevent et le *Ménagier de Paris*) ne relève guère de différence avec les ouvrages anglo-saxons, écrits en anglais, c'est-à-dire en rupture avec ce qui fut la langue dominante pendant près de trois siècles après la conquête de l'Angleterre par Guillaume le Conquérant : le français.

Ainsi donc au XIVe siècle, il n'y avait guère de différence entre la nourriture en France et la nourriture en Angleterre. Du moins dans les classes privilégiées, car les livres s'adressaient évidemment à cette minorité.

Si l'on considère la situation de l'époque, un pouvoir central cherchant à s'affirmer face à d'innombrables pouvoirs locaux, on peut émettre l'hypothèse que chaque région avait sa propre cuisine, dépendant à la fois des ingrédients disponibles, de certaines traditions antérieures, d'influences diverses.

De plus, ce que nous appelons aujourd'hui la France s'est constitué progressivement. Après tout, Nice et la Savoie ne sont françaises que depuis la seconde moitié du XIXe siècle, et Sospel depuis la fin de la Seconde Guerre mondiale.

Ce qu'on peut appeler cuisine française est d'abord la juxtaposition de styles et de méthodes extrêmement différents. Il y a des ensembles cohérents, qui pourraient chacun constituer une tradition nationale. On peut ainsi individualiser les cuisines alsacienne, flamande, normande, bretonne, charentaise, basco-béarnaise, gasconne, languedocienne, catalane, provençale, corse, rouergate, limousine, berrichonne, francîlienne, avec leurs sous-ensembles, leurs liens, leurs influences réciproques. Il est remarquable que, à l'inverse des parlers régionaux, rien n'ait été tenté pour les faire disparaître, mais qu'au contraire on ait eu le soin de les valoriser et de les sortir de l'oubli dans lequel elles peuvent parfois tomber.

Il y a cependant un lien commun, qui assure une unité à l'ensemble, lien complexe, semble-t-il, induit par la cour royale à la suite d'abord des croisades — et de l'intérêt pour l'Orient, les épices, le raffinement qui en ont résulté —, puis sous l'influence italienne, principalement florentine. Le lien commun aux cuisines françaises semble donc être principalement d'origine étrangère, et ce paradoxe est probablement l'un des facteurs déterminants de ce qui constitue la suprématie de la cuisine française.

En effet, loin d'être la manifestation d'un repli chauvin, d'une complaisance déplaisante vis-à-vis de ses propres productions, la force de la cuisine française — du meilleur de notre cuisine — est sa capacité d'ouverture et d'intégration de plats d'origine extérieure.

Dans le monde d'ouverture et de communication d'aujourd'hui, cela peut sembler vrai pour tous. Il est clair que la capacité de s'ouvrir n'est pas, heureusement, le fait de la seule cuisine française. Mais, il y a dans le mouvement d'internationalisation culinaire une ambiguïté extrême.

Par où s'effectue le mouvement, voilà une question essentielle. Les résultats diffèrent selon que ce qui se transmet est le fait d'une exigence esthétique, c'est-à-dire, dans le cas de la cuisine, la recherche de nouveaux accords gustatifs, l'élargissement de la palette aromatique, la recherche d'une excellence ; ou que ce soit le fait d'une logique commerciale visant le subliminaire, le dessous de la ceinture et transformant les consommateurs en crétins analphabètes et invertébrés.

Rechercher un nouvel élément culinaire, c'est d'abord et avant tout le respecter, le découvrir, l'explorer. C'est accepter qu'il nous change. Pour cela, il faut bien se constituer un univers de référence. De même que pour bouger, il faut un référentiel, même mobile, de même pour apprécier le nouveau, faut-il une tradition.

Les rois capétiens ont inventé le droit du sol. La république jacobine a prolongé cette conception. Ce sont elles qui permettent qu'on adresse un tel éloge à la cuisine française. Des cuisines différentes et régionales unies par une conception d'influence étrangère, voilà qui définit une identité forte, qui permet de s'ouvrir au monde, de communiquer avec les autres peuples et de les aimer.

Deuxième Partie

Le Marché

1

Les minéraux

L'homme ne se nourrit ni de pierre ni de sable. Il ne peut non plus trouver sa subsistance en ingérant la terre, fût-elle arable. L'homme vit de la consommation d'êtres vivants, végétaux et animaux. Des minéraux présents dans la nature, il n'y a guère que le sel et l'eau qui soient couramment utilisés. Et encore, ni l'un ni l'autre ne sont des aliments au sens strict, car ils n'apportent pas d'énergie. Ils jouent tous deux, et conjointement, un rôle important dans la régulation de l'hydratation corporelle ; en effet, nous sommes constitués d'environ 60 % d'eau.

Le sel — le chlorure de sodium — joue cependant une autre fonction : gustative. Il apporte une sapidité particulière aux aliments et sa consommation dépend plus de ce rôle sensoriel que de celui de gardien des stocks hydriques extracellulaires.

De même, le glutamate de sodium est un ingrédient majeur dans certaines cuisines d'Asie. Au Japon, on considère même qu'en plus des goûts élémentaires — sucré, salé, acide, amer — existerait un goût glutamate.

Parmi les autres minéraux communément utilisés, citons le bicarbonate de sodium, qui entre dans certaines préparations pâtissières et dans la cuisson de légumineuses séchées. Ainsi que plusieurs autres produits chimiques (carbonate d'ammonium, pyrophosphate, etc.), qui font partie des diverses *baking powders* ou levures chimiques dont on peut se servir pour faire lever les pâtes, principalement en pâtisserie.

Bien entendu, il existe des substances minérales, en quantité généralement très faibles, dans les autres aliments, mais elles ne sont pas consommées en tant que telles.

Par contre, l'industrie utilise de très nombreux composés, les uns minéraux ou dérivés de substances minérales, les autres d'origine végétale ou animale, ou encore synthétisés à partir de produits inertes, pour reproduire des composés extraits d'êtres vivants, ou encore pour leur ressembler. Ainsi se constitue peu à peu un ensemble de produits artificiels, d'origine minérale ou de synthèse, dont on peut prédire qu'il va jouer un rôle de plus en plus important dans l'alimentation.

Quelle sera la proportion de ces produits par rapport à ceux qui proviennent de la nature, on peut difficilement le prédire. Ils participent aujourd'hui de ce phénomène d'expansion, en nombre et en qualité, des produits disponibles. Il n'y a donc pas à le regretter. Il faut seulement, comme de tout ce qui touche à la cuisine, en faire l'inventaire critique. Sans a priori systématique et réducteur.

2

Les végétaux

La plupart des végétaux se composent de racines, tiges, turions ou branches, et de feuilles. Les organes de la reproduction, les fleurs donnent des fruits dont les graines, en germant, sont capables de produire de nouvelles plantes. Comme chacun sait, il existe d'innombrables variétés botaniques, et le cuisinier pourra utiliser tout ou partie de certaines. Car toutes ne sont pas comestibles, par manque de saveur ou, au contraire, goût trop prononcé et désagréable, consistance trop dure, ligneuse ou trop molle. D'autres sont indigestes ou toxiques, parfois mortelles.

Le cuisinier doit posséder une bonne connaissance du goût et des propriétés physiques des végétaux qu'il utilise. Il doit aussi différencier les sains et les dangereux. S'il achète au marché ou au magasin, il y a peu de risques qu'il se trompe. Mais celui qui dispose d'un jardin et plus encore celui qui herborise et qui, tels certains des chefs à la mode, ramasse herbes et légumes sauvages, doivent être parfaitement maîtres des connaissances indispensables pour éviter des erreurs graves.

En général, racines, tiges et feuilles constituent des légumes. Les fruits se rattachent soit aux fruits proprement dits, soit aux légumes : le concombre, la courge, le cornichon, la courgette, la tomate sont les fruits produits par des plantes, mais ils sont utilisés comme légumes. Les graines peuvent être légumes, ou aromates, ou épices, ou encore entrer dans la catégorie des fruits (par exemple les amandes, les noix, les noisettes, les faînes, les glibettes, etc.). Quant aux fleurs, elles servent souvent d'ornement, parfois d'épice (par exemple les filaments du crocus qui donnent le safran), de légumes (les classiques beignets de fleurs de courge ou de courgette), voire de fruits, c'est-à-dire de dessert, tels les beignets de fleurs d'acacia.

C'est que la classification gastronomique des légumes et des fruits s'ordonne bien davantage selon le goût que selon la réalité botanique. Les fruits sont sucrés et les légumes appellent le sel. Il y a cependant des entorses à cette règle, puisque certains légumes sont utilisés en dessert ou en confiture sucrée, alors que des fruits participent traditionnellement à la cuisine de mets salés où ils apportent un contrepoint sucré. Toutefois, certains peuvent être utilisés salés, voire en saumure ou au vinaigre comme des légumes. Rien n'est simple, en vérité.

En fait, ce que la règle dominante, l'opposition salé/sucré avec ses entorses et exceptions, nous apprend, c'est qu'il n'y a pas de règle. D'ailleurs, selon les régions et les pays, l'utilisation de la même plante peut varier. Et puis il faut se rappeler que les constituants essentiels de la plupart des végétaux sont l'eau et des sucres composés dont certains — les amidons — sont assimilables par le tube digestif de l'homme et d'autres, en premier lieu la cellulose, ne le sont pas. Par exemple, un légume tel que la pomme de terre n'est fait quasiment que d'amidon et d'eau. Pourtant nous ne l'utilisons guère que comme légume salé. Manipulons-le un peu et nous fabriquons une « galette fine de pomme de terre caramélisée » qui vaudra tous les desserts — ajoutons-y des fleurs de phlox et nous voilà à la pointe des recherches les plus en vogue.

A chacun donc de choisir l'usage qu'il veut faire des légumes et des fruits, de connaître ses propres limites et de manifester son goût et sa créativité personnels.

LES LÉGUMES, LES FLEURS ET LES HERBES DU JARDIN

Les légumes du jardin sont-ils meilleurs que ceux du marché ou du supermarché? La question ne manque pas d'audace. Comment pourrait-on douter que ces petits légumes bien frais, tout juste cueillis, biologiques cela va de soi, ne soient pas de pures merveilles, souvenirs de temps ancestraux riants et heureux? Nous ne nous aventurerons pas sur ce terrain glissant — après tout, il est vrai que ceux de mon jardin sont meilleurs que ceux que j'achète. Mais il me semble qu'une question plus intéressante doit être posée : est-il vraiment utile d'avoir un jardin potager et que doit-on y cultiver?

Il faut d'emblée distinguer deux cas. Pour certains le potager est économiquement nécessaire. Dans ces conditions, pas de discussion — le jardinier peut vivre à peu près de son travail, il lui suffit de disposer d'un terrain de taille adaptée, de ne pas compter sa peine, de prévoir et échelonner la maturation des légumes, de savoir passer le temps qu'il faut à congeler ou mettre en conserve les surplus, de ne pas hésiter à manger la même chose matin et soir pendant de longues périodes. Cependant, il trouvera aussi avantage à s'inspirer du deuxième cas, le plus fréquent aujourd'hui, celui où le potager est un complément, voire une sorte de luxe. Il est inutile, à vrai dire, de cultiver de grandes surfaces, de mettre en silo des dizaines de kilos de carottes et d'entasser les pommes de terre d'une année dans un endroit suffisamment sec pour qu'elles ne germent pas trop vite et suffisamment humide pour qu'elles ne sèchent pas.

Disposer d'un potager présente plusieurs avantages. Le premier est d'obtenir des légumes jeunes et ultrafrais. Ainsi peut-on goûter de petites carottes, de jeunes navets, des poireaux qui en sont vraiment, des haricots verts « vivants », des salades tendres. Le jardinier pourra aussi avancer (par culture sous châssis) de quelques semaines ces petits légumes de printemps qui marquent si agréablement la mort de l'hiver. Il pourra également disposer à l'automne des radis noirs, des salades fortes et croquantes, des petits épinards. Il pourra surtout essayer des légumes inhabituels, difficiles à trouver communément : arroche blonde, topinambours, aubergines blanches, grands haricots chinois, petsai, courges spaghetti, etc.[1].

Et puis surtout, il pourra cultiver des herbes aromatiques, les usuelles : ciboulette, estragon, thym, sauge, sarriette, etc., mais aussi la livèche, le thym citron, l'hysope, l'origan doré et ces multiples variétés disponibles dans les jardineries et chez les pépiniéristes. De même les fleurs, belles à la vue et parfois utiles en cuisine[2]. Ainsi, chacun peut-il, au rythme des saisons et au gré de son humeur, essayer de nouveaux accords de couleurs et de saveurs.

PLANTES D'ORNEMENT, PLANTES À CUISINER

Les plantes constituent un ensemble, naturel ou créé par l'homme, ou encore simplement organisé par lui. Il existe de nombreuses « mauvaises herbes » qui, telles les espèces

1. Pour les méthodes de culture, le jardinier amateur pourra se référer utilement à l'excellent livre de Victor Renaud et Christian Dudouet : *Le Potager par les méthodes naturelles, un trésor de santé*, Rustica, 1994.

2. Attention toutefois : nombre de plantes sont toxiques. Il faut toujours se renseigner avant de préparer et de consommer une plante qu'on ne connaît pas.

animales dangereuses de jadis, prolifèrent dans les friches et les jachères, mais aussi qui envahissent les jardins. Face à elles l'homme est impuissant. Plus exactement, il les ignore, ce qui assure leur survie. Imaginons en effet qu'il décide vraiment de s'attaquer au liseron, au chiendent ou à l'ortie brûlante. Il ne lui serait pas difficile de s'en débarrasser, mais il faudrait investir des moyens financiers et humains considérables, sans commune mesure avec l'enjeu de l'entreprise. Laquelle, du reste, ne se ferait qu'au détriment d'autres causes, comme la lutte contre le cancer, le sida, ou les maladies génétiques. Alors le jardinier sait que, malgré les progrès de la technologie, il devra, année après année, saison après saison, lutter pour imposer la présence des espèces qu'il souhaite voir pousser, fleurs ou arbustes d'ornement, légumes ou fruits.

Le jardinier s'oppose foncièrement à l'ordre naturel, qui se définit simplement comme une sorte de compromis entre l'agressivité des végétaux et leurs capacités d'adaptation et de résistance aux maladies et aux variations de température et d'humidité. Le jardinier peut choisir de cultiver des végétaux pour leur aspect ornemental, ou pour leurs qualités gustatives et l'utilisation culinaire de leurs diverses propriétés. On peut ainsi séparer les espèces selon leurs fonctions. Certaines sont purement esthétiques, parce qu'elles sont belles ou spectaculaires, ou encore parce qu'elles ont des propriétés particulières, de forme, de taille, de texture ou même de rythme. On accepte l'hiver de s'intéresser à des fleurs ou à des plantes qu'on négligerait en d'autres saisons, mais, comme elles sont les seules à manifester une activité apparente, à offrir formes, couleurs et parfums, elles apparaissent parées de qualités imprévues et paradoxales. De même est-il tout aussi imprévu et paradoxal de découvrir des propriétés gustatives, des parfums et des saveurs, des consistances et des arrière-goûts dans des plantes cultivées pour la décoration, et des caractères esthétiques dans certains légumes et fruits.

Communément, les végétaux, et en particulier ceux que l'homme sélectionne et cultive, se rangent dans des catégories rigides et en apparence définitives. Telle plante est d'ornement, telle autre un légume et la troisième un fruit, chacune figée une fois pour toutes dans un rôle invariant et éternel.

Jusqu'à ce que le voyageur, l'historien constatent tout un chacun que le même végétal joue des rôles fort différents.

Prenons quelques exemples. Le dahlia a été introduit pour nourrir les populations pauvres : qui oserait aujourd'hui en manger? A l'opposé, qui cultive les pommes de terre pour leurs fleurs, pourtant aussi belles que bien d'autres? Qui songe à consommer l'ortie, l'alliaire ou la cardamine hirsute, toutes mauvaises herbes patentées? En même temps, il faut rester raisonnable. Il ne s'agit pas de manger tout ce qui est beau ni de rejeter les plantes de médiocre intérêt esthétique. Mais il faut aussi savoir innover : l'une des dernières « folies » britanniques n'est-elle pas d'utiliser les laitues, végétaux de consommation s'il en est, comme plantes d'ornement? Folie validée par la très sérieuse Royal Horticultural Society, c'est tout dire.

Le cuisinier doit savoir sortir des rôles fixes qu'on lui propose, non par goût de l'innovation à tout prix, mais parce que le jeu qu'il découvre n'est qu'une manière d'aborder un ensemble plus grand et plus complexe, où le sucré et le salé ne sont pas des pôles incompatibles, où le gras et le maigre peuvent intervertir leur position, où le chaud et le froid n'ont pas d'attribution définitive.

Au jardin, le bon peut être beau. En cuisine, les plantes les plus imprévues peuvent s'avérer intéressantes. La seule précaution, nous l'avons dit, est leur innocuité, car l'ingestion d'une plante toxique peut être fatale.

LAVER LES LÉGUMES

Bien sûr, il faut laver les légumes, enfin presque tous les légumes. Toutefois, laver ne veut pas dire noyer. Certains sont presque toujours très sales, très terreux, et pour peu qu'ils poussent en terrain sablonneux, littéralement farcis de petits grains de sable. C'est le cas des poireaux, surtout ceux de jardin, de la mâche ou, pire encore, de la doucette. Dans ce cas, il faut faire tremper, éplucher quasiment feuille à feuille, retremper plusieurs fois. Malgré ces précautions, il n'est pas rare de retrouver en mangeant quelques grains de sable ou quelques petites pierres, sensation fort peu agréable et peu recommandée pour l'émail dentaire.

La plupart du temps, il convient simplement de passer les légumes sous l'eau. Mais rapidement. Combien de petits haricots verts, de jeunes pois, de tendres carottes et de navets de printemps ont traîné, épluchés minutieusement, dans de grandes bassines d'eau claire, pour y perdre tout ce qui en faisait la qualité et la fraîcheur.

Enfin, certains légumes ne se lavent pas, ils s'essuient avec du papier absorbant, et on enlève la terre, le sable ou les parties endommagées avec un couteau pointu. C'est le cas tout particulièrement des champignons sauvages.

LES RACINES, RHIZOMES ET TUBERCULES

Au Moyen Age nos ancêtres se nourrissaient de racines. Et chacun d'imaginer de pauvres hères grattant le sol de leurs mains nues dans l'espoir de déterrer quelques fragments plus ou moins ligneux et de les jeter, à peine nettoyés, dans un chaudron rempli d'un brouet d'aspect peu engageant. Il est évident que si nos pères ont par périodes souffert de malnutrition et parfois de disette — ils subissaient du reste au moins autant le froid et les maladies —, les racines en question continuent de nos jours à faire l'ordinaire des plats quotidiens. C'est que les racines constituent l'une des plus importantes variétés de légumes — carottes, navets, céleris-raves, radis de toutes sortes, ignames, etc. Si l'on considère la partie de la plante qui pousse sous terre, on peut y ajouter les bulbes, en particulier ceux de l'ail, de l'oignon ou de l'échalote, les tubercules dont le plus commun est la pomme de terre, mais qui comprend aussi les crosnes, les topinambours ou les rhizomes.

Nous séparerons arbitrairement les bulbes car leur emploi est assez nettement différent des autres aliments souterrains.

La betterave

Des multiples variétés, dont certaines servent à alimenter le bétail, d'autres à faire du sucre, la plus commune en utilisation culinaire est la betterave rouge — Beta vulgaris (peut-on rêver d'un nom plus difficile à porter?).

Bien qu'il y ait des variétés jaunes et blanches, ce sont les rouges, de type rond, qu'on retrouve en salade chez nous, et plus encore en Allemagne et en Autriche. On peut les manger crues; en général on les fait cuire avant de les consommer. Signalons l'amusante Chioggia pink, rose orangé à l'extérieur et qui, lorsqu'on la coupe transversalement, apparaît faite de cercles concentriques blancs et mauves. Très décorative.

152

C'est évident, les carottes rendent aimables et font bien roses les fesses des bébés, et puis les petits lapins les adorent — à mon avis, ils préfèrent les fleurs —, etc. Présenter les carottes, ces solides racines que nos ancêtres consommaient, plus petites et de goût plus fort, depuis tellement longtemps qu'il n'y a guère d'époque où on ne l'a utilisée, c'est un peu enfoncer des portes ouvertes. Rappelons cependant que la couleur de la carotte — Daucus carota —, intermédiaire entre le jaune et le rouge brique, est très variable d'une espèce à l'autre, il y en a d'ailleurs des jaunes et des quasiment blanches. De forme, elles sont également fort diverses — en tronc de cône, en cylindre, ovalaires, parfois fourchues, en billes —, de taille aussi variée —, de la mignonne petite carotte naine à ces volumineuses mémères pesant plus d'une livre. Et le goût est si différent d'une sorte à l'autre qu'on se demande s'il s'agit bien du même légume, car il peut être fin et racé, ou plat, douceâtre et écœurant. En fait, la carotte peut constituer un redoutable obstacle au cours d'un repas : une purée de carotte mal faite peut atteindre des sommets dans la médiocrité.

A chacun donc de faire attention à ce qu'il achète, à ce qu'il prépare, à ce qu'il offre et à ce qu'il consomme.

Dans la carotte, on mange aussi les fanes : certains en mettent dans le couscous, d'autres en font du potage, d'autres encore les utilisent finement émincées dans les salades. Il convient évidemment qu'elles soient fraîches et de qualité.

Quant aux racines, on les choisira jeunes et généralement petites. On les lavera et on les essuiera soigneusement — en ne les épluchant que contraint et forcé, par exemple si leur provenance n'est pas d'une culture biologique.

Les carottes se mangent crues, entières quand elles sont petites et goûteuses, ou bien râpées et servies avec du citron et de l'huile d'olive, ou mélangées à d'autres salades. Elles se font cuire aussi — pas trop surtout, il faut qu'elles gardent leur goût : donc ne pas les laisser patauger dans le bouillon pendant des heures. Elles servent aussi d'aromates, soit entières, soit coupées en dés, en lamelles, en julienne, en bâtonnets, etc. Et selon chacune de ces formes, la carotte prend une nuance de goût différente.

En petites quantités, les carottes seront ainsi les accompagnatrices de la quasi-totalité des courts-bouillons et des ragoûts. En soupe, attention, leur force aromatique est dominante et risque de masquer celui des autres ingrédients.

Cuites, elles accompagnent les viandes bouillies et les ragoûts. Le bœuf-carottes est le symbole d'une certaine cuisine, avant d'être celui de l'inspection générale des services de police. Bien relevées et additionnées de beurre, on en fait une purée très agréable.

Et puis, on peut aussi se contenter d'en extraire le jus, très « légume », doux et plaisant.

Incontournable, en vérité, la carotte.

Le céleri-rave

On ne peut pas dire qu'elle soit bien attirante, cette grosse boule brunâtre et un peu terreuse qu'on trouve sur les étals maraîchers. Pourtant le céleri-rave — Apium graveolens rapaceum —, dont on ne consomme guère que la racine, est un légume fin et distingué, d'un goût franc et fort dont nos voisins et amis d'outre-Rhin et des Pays-Bas ont depuis longtemps compris la qualité. La France est cependant le premier producteur, la récolte s'étalant d'août aux gelées, selon les variétés semi-précoces ou de saison.

Pour l'apprécier, il suffit de le peler et on voit apparaître une chair ferme et blanche. Cru, c'est évidemment râpé qu'il est consommé — le céleri rémoulade, enrobé d'une mayonnaise moutardée, est un des grands classiques des hors-d'œuvre variés des menus traditionnels.

On peut le cuire et en faire des purées délicates, des beignets. On peut ne le cuire qu'à moitié et le faire sauter dans divers corps gras, ou en faire des ragoûts. Il accompagne très bien le gibier et les viandes en général, mais aussi le riz et les pâtes. C'est un légume original dont le goût est bien particulier et dont les qualités sont manifestement sous-estimées en France.

Le cerfeuil tubéreux (Chaerophyllum bulbosum)

Peu répandu, doté d'un feuillage dangereux car toxique, il s'agit d'un bulbe renflé en forme de toupie, dont l'utilisation se répand peu à peu. On consomme les racines plusieurs mois après leur récolte. On peut en faire des purées ou les faire sauter après les avoir pochées dans l'eau. Leur chair est sucrée et délicate.

Le chervis

Avec ses racines fusiformes, cannelées, grisâtres, le chervis — Sium sisarum — ressemble à une grosse toupie à chair blanche, légèrement sucrée et farineuse. Traditionnellement on le sert à la manière des salsifis.

Les crosnes

Ils sont curieusement monoliformes, ces petits tubercules au goût fin évoquant la noisette. Comme ils ne sont pas bons crus et qu'ils ne supportent pas la cuisson prolongée, il faut les surveiller. Ils sont apparentés aux oreilles d'ours — Stachys sieboldii est leur nom savant — et ils accompagnent viandes et ragoûts.

L'hélianti

L'hélianti est un soleil — Helianthus strumosus —, tout comme le topinambour. Il forme des racines allongées et fusiformes qui semblent intermédiaires entre celles des salsifis et des topinambours. L'hélianti se cuit comme ces derniers. Son goût est très fin et complexe, évoquant en finale celui de l'artichaut. Un légume de haut de gamme.

L'igname

Elle est « de Chine », cette grande vivace dont on consomme les rhizomes. Son goût est un peu fade et sa consistance quelque peu farineuse et, comme l'indique son nom latin — Dioscorea batatas —, elle s'utilise comme les pommes de terre. Il en existe plusieurs variétés.

Le manioc

C'est la racine de cet arbre de trois mètres de haut — Manihot utilissima —, encore appelé manioc amer, qu'on consomme largement dans les pays africains ou dans certaines cultures où l'influence africaine reste présente, au Brésil par exemple.

On pèle l'écorce brune et la chair blanche est utilisée de

multiples manières — après cuisson car elle contient une substance amère et toxique — dans le salé comme dans le sucré.

Le tapioca, utilisé traditionnellement dans les bouillons, est fait à 100 % de fécule de manioc. Parmi les quatre-vingts espèces de manihot, signalons le manioc doux, dont la racine s'utilise à la manière du céleri-rave. En Côte-d'Ivoire, on tire du manioc une sorte de couscous appelé l'*attiéké*. De plus, les feuilles prébouillies et séchées, puis coupées grossièrement, sont utilisées pour aromatiser les sauces et les épaissir.

Le navet

Bien que son usage soit proche de celui de la carotte et du panais, le navet est de la famille et du genre des choux — Brassica rapa. Il en existe de très nombreuses variétés, de couleur et de forme variables. Le navet peut être blanc et allongé, ou bicolore, blanc et violacé, arrondi. Sa chair peut être blanche ou jaune. Il peut s'utiliser cru ou cuit. En fait, le navet est un de ces légumes controversés sur lesquels il est difficile d'avoir une opinion simple. Les petits navets nouveaux, d'un blanc éclatant, à la chair ferme et douce, s'apparentent aux radis, on peut les manger tels quels à la croque au sel, ou les faire cuire très brièvement, seuls ou avec d'autres légumes, ou les faire confire doucement et les servir en accompagnement de jeunes oiseaux printaniers. On les trouve aussi dans le pot-au-feu, les potées, etc. Quant à leurs jeunes fanes, d'un joli vert clair, elles sont aussi bonnes que celles des radis et peuvent être cuites comme les épinards. Les navets vieillis, ligneux, sont d'odeur âcre, grossière. Trop cuits, ils se délitent et peuvent être un chef-d'œuvre d'insipidité, tout juste bons pour les animaux. Avec le navet, il faut être circonspect et savoir choisir.

L'oca

C'est un oxalis — Oxalis crenata — et on peut en consommer les petites feuilles, qui ressemblent à celles du trèfle, à la manière de l'oseille. Comme leur nom latin l'indique, elles sont riches en acide oxalique. Dans la famille des oxalidacées, l'oca est particulière car c'est sa racine tubéreuse que l'on récolte après les premières gelées. On la sèche une dizaine de jours et on l'accommode comme la pomme de terre.

Le panais

Un grand classique, quasiment disparu des étals — au moins en France, car il est des pays où il reste commun. Le panais — Pastinaca sativa — ressemble à une carotte blanche. Mais il n'en a pas le goût. Celui-ci est particulier, à la fois fort et douceâtre. On peut, comme la carotte, le manger cru, râpé en général, ou cuit. Dans ce dernier cas, il peut être aromate ou légume. Comme la carotte, il impose son arôme lorsqu'on le mélange à d'autres ingrédients pour faire la soupe. On peut le manger bouilli, ou cuit à la vapeur ou au bouillon, en purée, en friture, etc. C'est un accompagnement classique des viandes bouillies.

La patate douce

La patate douce évoque la cuisine d'Amérique du Sud et des Antilles. Elle est de la famille des convolvulacées, avec les ipomées, ces liserons aux couleurs souvent fortes qu'on fait grimper sur les pergolas pour profiter de la profusion de leurs fleurs estivales.

Il en existe de nombreuses variétés, de couleurs différentes et de goût agréable et douceâtre. En fait, la patate douce — Ipomoea batatas — se consomme comme les pommes de terre et, en plus, dans des préparations classiques sucrées.

Le persil tubéreux

Cet original, dont on utilise les feuilles dans des conditions proches de celle des autres persils, et les racines, est très prisé par certains chefs allemands, comme Eckart Witzigmann. La racine blanche du persil tubéreux — Petroselinum crispum radicosum — s'utilise comme les carottes et les panais. Son goût est agréable, à défaut d'être très original.

La pomme de terre

Elle fut d'abord introduite comme plante ornementale et ce n'est que longtemps après son importation d'Amérique qu'elle supplanta d'autres candidats, en premier lieu le dahlia qui, lui, avait été rapporté dans le but de nourrir les populations européennes affamées par les guerres et les disettes. On raconte les ruses de Parmentier, qui aurait fait garder fictivement les champs par des soldats pour encourager les voleurs et transmettre par leur intermédiaire l'idée que non seulement il ne s'agissait pas d'une plante toxique ou dangereuse, mais au contraire d'un aliment réservé aux riches et aux nantis, assez précieux pour être surveillé manu militari, et donc volé.

Les tubercules de la pomme de terre — Solanum tuberosum — sont ainsi devenus à la fin du XVIIIe siècle l'un des piliers de l'alimentation, à tel point qu'on se demande comment nos ancêtres ont pu s'en passer.

Néanmoins, la pomme de terre a longtemps eu la réputation d'être ce pour quoi elle avait été introduite : une nourriture de pauvres. L'image du paysan n'ayant que ces tubercules terreux pour se nourrir n'est pas près de disparaître. Elle reste, il est vrai, un moyen économique de compléter un repas. Mais la pomme de terre a beaucoup d'autres ressources. D'ailleurs son nom même tend peu à peu à disparaître au profit de ses variétés. C'est que la multiplicité des utilisations possibles et la diversité de ses goûts et de ses consistances ont imposé un classement, une organisation. Faute de quoi le cuisinier induit en erreur ou mal informé risquerait de se tromper dans son choix, avec pour résultat une purée transformée en colle humide, des frites sèches et des pommes de terre sautées transformées en poudre.

Les pommes de terre ne se consomment que cuites. Selon les préparations, on les pèle ou on garde leur peau[1]. On peut d'ailleurs ne consommer que cette dernière : Marc Meneau et Alain Senderens servent des épluchures de pommes de terre dans leurs restaurants de luxe.

La chair de la pomme de terre est généralement jaune clair, mais il en existe de couleur rosée ou violacée. La pomme de terre se cuit entière, à la vapeur, à l'eau ou au four. Elle se prépare, découpée de multiples façons, en fritures diverses, en gratin, en ragoût. On l'écrase pour en faire potages, purées, soufflés en une multitude de recettes. En fait, il y a peu de légumes qui puissent être préparés de façon aussi variée, preuve de ses qualités exceptionnelles. Le goût des pommes de terre, à la fois fin et discret, a en effet suffisamment de présence, de force et d'élégance pour s'accommoder d'aussi diverses manières, pour être des hors-d'œuvre comme des potages, des salades comme des plats principaux.

---

1. Leur peau, mais pas les « yeux », qu'il convient d'enlever. De même éliminera-t-on toutes les parties vertes.

Il est parfois difficile de se retrouver dans la multiplicité de ses variétés, les unes courantes, les autres plus rares, et dans leurs noms aux consonances souvent mystérieuses.

On peut les classer selon leur date de maturité, des très précoces aux tardives. On les range surtout en catégories caractérisées par les qualités de leur chair et leur mode d'utilisation.

Quelles sont les meilleures pommes de terre ?

La pomme de terre est aujourd'hui le symbole ou plus probablement l'avant-garde de ce que sera le marché des légumes dans un futur prévisible. On ne vend plus de pommes de terre, mais des bintjes, des rattes, des roseval, etc. Progrès incontestable, car s'affirme ainsi le souci de consommer des produits bien définis, au goût précis. Fini les patates.

En contrepartie, apparaît un inconvénient : comment savoir quelles sont les meilleures ? De même, comment déterminer les mieux adaptées à l'usage qu'on veut en faire, à quelle période sont-elles à leur optimum ?

Joël Robuchon a récemment publié un livre consacré entièrement à ce tubercule. Il y manifeste son attrait pour certaines espèces — et on sait avec quel talent il a pu par exemple utiliser la ratte, dont il tire une purée devenue emblématique de son art, alors que cette même ratte a la réputation d'être impropre à cet usage. Par cet exemple on comprend comme il est difficile de s'y retrouver ; mais peut-être s'agit-il d'une exception, d'un renversement des règles, forme d'art réservée aux très grands.

Le cuisinier amateur peut certes faire sa propre enquête, comparer entre elles les espèces qu'il trouve à acheter. La difficulté viendra pour lui qu'à moins d'être un fanatique de ce légume, il ne pourra en acheter beaucoup à la fois pour les comparer et qu'il devra finalement soit faire son choix en fonction des recommandations du vendeur — on espère pour lui que ces conseils seront judicieux — soit se fonder sur sa propre expérience ou celle de ses amis et connaissances.

S'il compte sur les enquêtes et dégustations comparatives menées par certaines revues, il risque de tomber sur un beau casse-tête. Ainsi trouve-t-on dans la célèbre revue *Rustica* (semaine du 1er au 7 mars 1995) le classement suivant de la qualité gustative de dix espèces : la meilleure est la bintje, suivie de la charlotte, de la nicola, de la claustar et de la BF 15. Dans le numéro du 12 au 18 avril, la même revue, analysant les « nouvelles » pommes de terre, classe dans l'ordre la pompadour, la florette et la delikatess. Reportons-nous maintenant à *The*

Garden de décembre 1994, revue officielle de la très célèbre et très sérieuse Royal Horticultural Society. La variété qui, pour le goût, se détache est la famosa, suivie, sans ordre de préférence, d'avalanche, désirée, fianna, pentland dell, santé et valer. Sur le plan de la texture, avalanche, croft, famosa, heather, penta, picasso et valer étaient placées premières ex aequo. Comment expliquer ces divergences ? Est-ce une question de disponibilité des espèces, de manière de présenter les légumes, de compétence gustative ou simplement de différence de goût ? Quoi qu'il en soit, on comprend que l'amateur reste quelque peu interloqué et concrètement ne puisse se raccrocher qu'à quelques valeurs sûres — sans pour autant en être satisfait, car, après tout, ce qu'il souhaite c'est de disposer d'une information indiscutable et de guides qui lui permettent d'acheter avec suffisamment de confiance et de sécurité des produits aussi variés que possible.

L'amateur aimerait également savoir pourquoi telle espèce nouvelle apparaît sur le marché et pourquoi telle autre disparaît. Qu'on se rappelle simplement qu'il y a dix ans il était impossible de trouver des rattes, alors qu'aujourd'hui nombre de chefs la considèrent comme la meilleure ! Qu'en est-il de la négresse, de la saucisse et de la rognon rose ? Sont-elles, ou plutôt étaient-elles inférieures aux variétés actuelles ou sont-elles simplement dans une retraite temporaire ? En vérité, l'amateur a de quoi manifester une certaine irritation devant la manière dont certains semblent traiter les « patates ». De même a-t-on vu des pommes de terre nouvelles de Noirmoutier, sous prétexte qu'elles étaient des grenailles de Bonnot — variété quasi disparue — se vendre 265 francs le kilo en mai 1995 : qu'est-ce que cela veut dire ?

On sépare conventionnellement les pommes de terre en groupes, qui sont fonction de leur date de maturation et de leur consistance.

Citons parmi les espèces précoces la belle de Fontenay, l'ostara et la royal kidney, parmi les espèces intermédiaires la bintje, la claustar, la BF 15, la ratte, la viola, la charlotte, l'urgenta, la roseval et la stella. Les variétés tardives sont moins renommées.

Sur le plan de la consistance, les pommes de terre dites de consommation servent à faire des purées et des frites. Les plus fréquentes sont la bintje et la sirtema. On peut leur préférer l'urgenta et la claustar.

Parmi les pommes de terre à chair ferme, outre l'incontournable ratte, citons la charlotte, la belle de Fontenay, la viola, la roseval, la BF 15.

160

L'écrivain japonais Sôseki Natsumé écrivait dans son livre *Oreiller d'herbes* que la nourriture occidentale était dépourvue d'esthétique, à la réserve toutefois des radis roses. L'expérience culinaire européenne de Sôseki s'étant résumée apparemment à un séjour de trois ans en Grande-Bretagne entre 1900 et 1903, peut-être faisait-il référence à l'austère nourriture des étudiants britanniques de l'apogée victorien et sans doute faut-il minimiser la portée de ses déclarations. Il n'en reste pas moins que les radis roses sont un des plus beaux légumes crus qui soient, avec la vivacité de leurs tons, l'harmonie de leurs formes, l'équilibre de la racine et du feuillage. Avec aussi ce goût unique de fraîcheur, ce croquant, cette douceur tempérée d'un piquant bien personnel. Peut-on rêver d'un hors-d'œuvre plus franc, plus simple, plus goûteux que des petits radis roses avec du sel de Guérande, du beurre d'Échiré ou d'Isigny-Sainte-Mère et du bon, du vrai pain? Un régal dont on ne se lasse jamais et, qui plus est, disponible presque toute l'année. Car les divers cultivars — on en met sur le marché de nouveaux tous les ans — permettent une production qui ne se ralentit jamais.

Mais le radis ce n'est pas seulement la racine rose ou rouge que le jardinier sort de terre avant de la consommer, c'est aussi le feuillage, les fanes, avec lesquelles on peut faire soupes et purées, qu'on ajoute crues aux salades et qui font de très honnêtes aromates.

Les radis peuvent aussi se faire cuire, à la vapeur, au bouillon ou sautés — les radis glacés sont un accompagnement de choix.

On classe les radis usuels en deux groupes bien connus, les ronds rouges et les demi-longs à bout blanc dont il existe d'innombrables variétés.

Les radis — Raphanus sativus — ce sont encore d'autres variétés, dites d'hiver, plus longues, plus grosses, plus ventrues. Elles sont violettes, ou noires, ou roses. On peut les utiliser comme les petits radis roses, ou en saumure — c'est une façon traditionnelle de les préparer dans l'Empire du Soleil levant; on peut les traiter comme des navets, plus goûteux d'ailleurs, ou comme le céléri-rave. Avec leurs noms poétiques — radis roses de Chine, violet de Gournay ou noir gros rond d'hiver —, ils peuvent être servis crus, ou cuits, en salade comme en accompagnement. Tout comme ces radis blancs et géants venus du Japon, les *daikon*, où ils occupent une place éminente en cuisine.

La famille des radis occupe donc une position particulière, et qui ne peut que devenir plus importante dans notre alimentation, tant elle est gaie, vive, belle et simple.

Le raifort ou rave de Paris[1].

Le raifort est une plante condimentaire plus qu'un légume. Très utilisé dans les pays saxons, Grande-Bretagne et Allemagne, le raifort — Armoracia rusticana —, longue racine jaunâtre, peut être râpé ou émincé finement, ou réduit en une sorte de purée de goût piquant qui accompagne le gibier et les rôtis froids. Il a en fait les mêmes utilisations que la moutarde (le condiment).

La raiponce

C'est une campanule — Campanula rapunculus. Ses feuilles sont petites, elle fleurit dans la deuxième moitié du printemps. Chez elle, c'est la racine, mais aussi les feuilles qui se consomment en addition aux salades, ou seules avec une vinaigrette et des amandes, ou des noix.

Le rutabaga

C'est un chou — Brassica napus — et depuis que les Français ont dû en manger pendant la Seconde Guerre mondiale, personne ne l'aime. A vrai dire, sa chair jaune n'est ni exceptionnelle ni immangeable. C'est probablement là qu'est son problème : il n'a pas assez de qualités pour qu'on veuille le réhabiliter. Mais c'est quand même un bon légume qui trouve sa place avec les autres racines et les poireaux dans un pot-au-feu, ou qu'on peut servir frit ou sauté en accompagnement des viandes.

Les salsifis et scorsonères

On les confond parfois, car leur utilisation culinaire est identique. La racine des salsifis — Tragopogon porrifolium — est jaune, celle des scorsonères — Scorzonera hispanica — noire. Du moins en surface, car leur chair est claire.
Bien que certains consomment les jeunes feuilles crues ou

1. *La Science du maître d'hôtel cuisinier*, 1776.

légèrement cuites, comme des épinards, ce sont les racines allongées que l'on utilise généralement. Ce sont elles d'ailleurs qu'on trouve sur les marchés. On les épluche et on les cuit à la vapeur, à l'eau, dans un bouillon, etc. Ensuite on les fait sauter au beurre ou on les prépare avec une sauce. En les épluchant, il faut prendre la précaution de les mettre au fur et à mesure dans l'eau pour éviter que la chair noircisse.

Le souchet

Populaire en Espagne, le souchet — Cyperus esculentus — se présente comme une touffe d'herbe assez raide. On consomme les tubercules, petits, de la taille d'un pois, de goût agréable et proche de la noisette, qu'on consomme crus ou grillés.

Le topinambour

Le topinambour, ou artichaut de Jérusalem, appartient au genre des Hélianthus, qui comprend un grand nombre de variétés florales souvent jaunes, semblables à de grandes marguerites, facilement envahissantes.

Ce n'est pas pour ses qualités esthétiques que le topinambour — Helianthus tuberosus — est cultivé, mais pour ses tubercules blanc terne, rouge foncé ou jaunes, de forme irrégulière, et qui partagent avec le rutabaga le triste héritage d'avoir nourri les Français pendant la dernière guerre. Il n'a donc pas trouvé réellement sa place en cuisine, ce qui est dommage car son goût est fin et, comme le veut son deuxième nom, proche de celui de l'artichaut. Son utilisation culinaire est d'ailleurs à peu près la même.

Légumes souterrains inhabituels

Nous consommons un nombre limité de légumes. Dans chaque espèce, souvent on ne trouve qu'une ou deux variétés. Parfois, d'ailleurs, une maladie s'attaque à un fruit ou à un légume particuliers : la poire passe-crassane en est un exemple, menacée de disparition par le feu bactérien.

Les légumes souterrains sont, avec les céréales, les éléments les plus importants de notre alimentation. Ils l'étaient encore davantage il y a plusieurs siècles et la pomme de terre s'est installée avec un statut d'incontournable leader, d'autant plus inattendu qu'elle avait en France mis du temps à se faire accepter. D'autres pays avaient été moins réticents. Las, à peine devenue hégémonique, elle fut menacée de disparaître, frappée vers 1845 par une maladie qui semblait incontrôlable, équivalent pour elle de ce que fut le phylloxera pour les vignes non greffées, quelques décennies plus tard.

Cette disparition annoncée de la pomme de terre suscita, nous dit Désiré Bois[1], la recherche de tubercules et de racines de remplacement. Certaines furent abandonnées car, malgré toute la science des jardiniers et des savants, elles restèrent désagréables. Parmi elles on peut citer les dahlias, la glycine apios — Apios tuberosa —, le boussingoultia — Boussingoultia baselloides — dont la famille, celle des chénopodiacées, est pourtant riche en légumes de qualité, la picotiane — Psoralea esculenta —, la poire de terre Cochet — Polymnia edulis —, toutes rapportées de diverses parties de l'Amérique.

A côté de ces éliminées pour cause d'insuffisance gustative, il y en eut qui, malgré leurs qualités, n'eurent pas de développement et restèrent confidentielles.

Cependant, il existe un grand nombre de légumes souterrains dont certains sont accessibles même s'ils sont inhabituels, tels la raiponce, l'hélianti ou l'oca. Il est donc étrange de ne pas les voir proposés ailleurs que dans certains catalogues et chez certains pépiniéristes. Pour ne citer que l'hélianti, légume de grande race, on doit constater que le consommateur qui ne dispose pas d'un potager souhaiterait certainement pouvoir acheter et cuisiner ces inhabituelles sources d'expériences et de plaisirs gustatifs.

Certains — ceux dont l'auteur a pu constater lui-même les qualités — sont décrits avec les autres légumes souterrains. La liste suivante est tirée de l'ouvrage de Désiré Bois. Ce dernier fut, dans le premier tiers de ce siècle, un personnage clé dans ce domaine. Responsable du jardin expérimental de Crosnes, on lui doit l'introduction du petit tubercule qui porte ce nom.

    — La *monnaie du pape* (Lunaria annua)
    — Le *wasabi* (Sysimbrium wasabi), c'est le raifort vert des restaurants japonais
    — La *moutarde tubéreuse* (Sinapis juncea napiformis)
    — Le *maca* (Lipidium meyenii)

1. *Les Légumes*, Comedit, 1995.

— La *capucine tubéreuse* (Tropaeolum tuberosum) aujourd'hui utilisée comme plante d'ornement

— Les *châtaignes de terre* (Lathyrus tuberosus et Conopodium demidatum)

— La *patate cochon* (Pachyrhizus angulatus) proche des navets

— Le *yam bean* (Pachyrhizus tuberosus) qui s'emploie comme la patate douce ou l'arrow-root

— Le *filipendule* (Spirea filipendula), plante d'ornement aujourd'hui

— Le *panais de Syrie* (Malabaila sekakul)

— Le *talruda* (Carum talruda) d'Afrique du Nord

— La *pomme de terre indienne de Californie* (Panicula tubera) toute petite, considérée comme l'un des plus fins des légumes souterrains et qui se mange crue

— L'*arracia* (Arracia xanthorrhiza), gros tubercule intermédiaire entre céleri et pomme de terre

— La *bardane* (Lappa major et minor)

— Le *gobo* (Lappa major edulis) proche du cardon par le goût, du salsifis par l'apparence

— L'*accoul* (Gundelia tournefortii) très apprécié en Syrie

— Le *scolyme d'Espagne* (Scolymus hispanicus) considéré par tous comme supérieur aux salsifis et scorsonères

— Le *mukekai* (Adenophora verticillata) proche de la raiponce

— L'*ammobroma sonorae* des Indiens Papago

— Le *fikongo* (Brachystelma bingeri) de l'Ouest africain, proche du navet

— L'*oussou nigué* (Coleus rotundifolius) sorte de « pomme de terre » tropicale

— Le *dazo* centrafricain (Coleus dazo) proche du salsifi

— L'*ulluco* (Ullucus tuberosus) qui semble inférieur à la pomme de terre

— Certains *curcumas* (Curcuma angustifolia, leucorhiza, rubescens, pierreana)

— L'*arrow-root* (Maranta arundinacea) utilisé traditionnellement pour épaissir purées et sauces

— Le *topitambour blanc* (Calathea allonia)

— Le *balisier comestible* (Canna edulis) ainsi que d'autres cannas, utilisés généralement comme plantes florales

— La *banane poiété* (Musa oleracea) proche de l'igname

— L'*arrow-root de Tahiti* ou Pia (Tacca pinnatidifolia)

— La *massette* (Typha latifolia) de nos étangs

— Le *taro* (Glocosia antiquorum) dont on extrait une farine qui se vend dans les épiceries chinoises

— Certaines *sagittaires* (Sagittaria sagittifolia, diversitolia, variabilis) des zones humides tempérées

— Les *lotus* (Nelumbium speciosus et luteum) communément utilisés en cuisine orientale

— Le *radis serpent* (Raphanus sativus caudatus)

— Le *pourpier à grande fleur* (Portulaca grandiflora) à la racine tubéreuse « au goût exquis »

— La *lavatère d'Australie* (Lavatera plebeia) à la racine proche du panais

— Le *haricot de terre* ou *hog nut* (Amphicarpea monoica) dont les graines souterraines peuvent être utilisées comme les haricots

— L'*aha* (Amphicarpea edgeworthii) d'utilisation similaire par les Aïnos du Japon

— Le *kuzu japonais* (Pueraria thunbergiana) dont on tire une fécule délicate et que l'on trouve sous forme de cristaux blancs ressemblant à du sucre

— Le *voandzou* (Voandzeia subterranea) et le *doï* (Kertingiella geocarpa) qui donnent, comme l'arachide, des graines souterraines comestibles

LES TIGES, LES BRANCHES ET LES TURIONS

La racine est cachée, c'est un trésor qu'on découvre. La feuille savoureuse se montre évidente dans sa prime jeunesse, la fleur éclatante. Quant à la tige, elle se remarque peu. Parfois on la méprise. D'autant que souvent elle ne fait pas partie de ce qu'il est usuel et traditionnel de manger. Certaines tiges, par exemple le tendre intérieur des robustes troncs et branches du chou-fleur ou encore les côtes des bettes, seront traitées dans des chapitres différents. On ne trouvera ici que celles des branches, des tiges, des turions considérés comme partie principale de ce qui est consommé. On y trouve des légumes si divers qu'on ne saurait prétendre en faire une synthèse.

L'asperge

De ses griffes naissent des turions souterrains qui, avant ou lorsqu'ils sortent des sols sableux où on cultive l'asperge, sont coupés avec une gouge spéciale. S'ils continuent de pousser, ils se dressent et se ramifient en extrémités fines et ornementales du plus bel effet au jardin. Le cuisinier jardinier a donc le choix entre le beau et le bon. En fait, la décision est simple car certaines variétés, en particulier celles d'Asparagus officinalis, sont spécialement adaptées à l'utilisation culinaire alors que d'autres sont principalement cultivées pour leur beauté.

Les asperges peuvent être blanches, vertes ou violettes, leurs extrémités colorées plus ou moins longues, leur diamètre plus ou moins gros et chacune de ces variétés a ses partisans et ses utilisations.

Les grosses blanches sont souvent tendres, de goût très fin, peu prononcé. On les préférera donc pour les manger entières, à la vinaigrette ou à la sauce hollandaise. Les plus petites vertes ont un goût plus fort et on utilisera les pointes pour en faire des omelettes, des canapés, des tartes, et en général pour accompagner les préparations de cuisine fine.

Les asperges se consomment cuites. Elles s'accordent difficilement avec le vin, au moins lorsqu'elles sont servies seules.

Il faut isoler les asperges sauvages, vertes et beaucoup plus petites, dont la présence est de plus en plus fréquente dans les menus proposés par certains grands chefs. Elles se cuisent très peu et sont d'un goût plus prononcé et plus fin que les formes horticoles. C'est le haut de gamme de la catégorie, mais il faut les trouver.

Le cardon

Avec ses feuilles épineuses, c'est une plante défensive. Elle cache cependant sous cet aspect rude des tiges larges dont la chair se révèle, après épluchage, tendre et épaisse. Cuite, la chair du cardon — Cynara cardunculus — se révèle fine et agréable. Les cardons à la moelle sont un élément fondamental de la cuisine traditionnelle lyonnaise.

Le céleri branche

Il est étonnant de constater à quel point les deux céleris, le céleri branche et le céleri-rave, tous deux appelés Apium graveolens, peuvent être différents. L'un est aérien, translucide, doté d'un feuillage jaune à cœur, d'un beau vert printanier au sommet. L'autre est rond, souterrain, épais, à chair blanche et opaque.

Le céleri branche est un excellent condiment — mais dans ce rôle on peut lui préférer la livèche au parfum plus puissant. C'est surtout un admirable légume. Admirable, car ses branches ou tiges sont incomparablement fraîches et agréables, à la fois douces et croquantes quand elles sont crues (on regroupe les diverses variétés en vertes ou en dorées). Et elles se prêtent à toutes les présentations ; entières, en bâtons, en cubes, en tranches. Elles sont d'un caractère avenant et accueillant ; dans une salade mélangée, elles apportent toujours cette bonne humeur et cette délicatesse qui les caractérisent. On veillera simplement à éliminer les gros « fils » qu'elles peuvent contenir sur leur face extérieure, particulièrement à leur base.

Les feuilles, très aromatiques, peuvent être émincées et ajoutées aux salades ou aux plats cuits dont elles relèvent la saveur.

Cuit, le céleri branche est moins apprécié. Au début du XXe siècle, il s'agissait pourtant d'un des légumes les plus prisés. Escoffier et Édouard Nignon en faisaient grand cas, les cœurs de céleri branche étant d'abord blanchis pendant une quinzaine de minutes, puis servis avec différentes sauces, de même que les cardons.

Le fenouil bulbeux

On le trouve sous forme de gros bulbes renflés blanc verdâtre, doté de quelques feuilles fines et douces. Les bulbes — qui sont en fait l'origine des tiges, ou pétioles — sont de goût légèrement anisé. On les utilise en salade, coupés en rondelles, ou on les fait cuire en accompagnement. On peut en faire des gratins, des soufflés. Le fenouil — Foeniculum vulgare dulce — s'accommode en fait du salé comme du sucré, bien qu'il ait été peu utilisé en dessert. Les feuilles, très fines, peuvent être ciselées et ajoutées comme herbe aromatique à de nombreux plats au moment de servir. On utilise également les graines dans les courts-bouillons, et dans certains desserts.

La rhubarbe

Les rhubarbes sont généralement cultivées pour leur caractère ornemental, souvent spectaculaire. La rhubarbe potagère — Rheum rhaponticum — est une plante vivace dont on utilise les tiges, épaisses et fibreuses, à la chair verte et au revêtement rouge. Les feuilles sont toxiques. Les tiges repoussent une ou deux fois après avoir été coupées, permettant plusieurs récoltes.

On épluche les tiges et on les cuit en compote avec un peu d'eau. On peut alors les utiliser en dessert, en ajoutant du sucre car elles ont un goût acidulé qui ne plaît pas à tout le monde. Elles peuvent aussi être utilisées comme légumes ou comme aromates dans une sauce, et elles valent largement l'oseille dans le registre de cette dernière.

LES FEUILLES

On mange les feuilles d'un certain nombre d'espèces végétales. Curieusement, dans certaines plantes, il est commun de ne manger que les jeunes pousses alors que dans d'autres cas de petites feuilles d'aussi bonne qualité sont négligées ou dédaignées. Pourquoi mange-t-on les épinards et néglige-t-on les feuilles de jeunes navets ou de radis est un mystère assez étrange. De même est-il surprenant que certaines espèces particulièrement agréables, l'arroche blonde par exemple, ne soient qu'exceptionnellement proposées alors qu'elles sont faciles à produire. Énigme des modes.

La plupart des légumes feuilles peuvent se manger crus en salade ou cuits. Certaines se conservent en saumure (la choucroute par exemple). On peut les cuire de diverses façons, en accompagnement de viandes, d'œufs ou de poissons. On peut aussi les farcir, soit entiers — c'est le cas des choux —, soit en petits paquets. Dans ce cas, on fait pocher les feuilles très rapidement pour les assouplir et on enveloppe la farce dans une ou plusieurs feuilles roulées. On les fait ensuite cuire en ragoût ou au four. On peut ainsi consommer non seulement les feuilles des légumes, mais aussi de certaines plantes telles que la vigne (les dolmas grecques).

Les légumes feuilles ne doivent pas être trop cuits afin de conserver couleur, consistance et sapidité.

L'arroche et la tétragone

Ce sont des plantes différentes. L'arroche — Atriplex hortensis — de couleur variable selon la variété (on préférera l'arroche blonde) et la tétragone — Tetragonia tetragonioides — n'appartiennent pas à la même famille.

Elles ont en commun de produire en quantités des feuilles dont le goût et l'utilisation sont proches de celles de l'épinard, en meilleur. Il est plus que dommage qu'on ne les trouve que si rarement proposées.

L'artichaut

L'artichaut est une plante vivace des pays doux et, bien que largement cultivé, principalement dans le Finistère et les Côtes-d'Armor, il est également importé d'Italie et d'Espagne.

C'est une magnifique plante d'ornement, au feuillage découpé et dressé, d'un vert aux reflets parfois bleutés. De l'artichaut — Cynara scolimus — on consomme les extrémités, capitules couverts d'écailles (« feuilles ») qui lui donnent cette forme particulière, immédiatement reconnaissable. On mange la base des feuilles et les fonds. Généralement il se prépare cuit, mais il existe certaines variétés de petite taille dont les jeunes capitules se consomment crues (poivrade).

L'artichaut, un des légumes les plus fins, trouve sa place en entrée, et en accompagnement de viande ou de poisson.

Lorsqu'on prépare les fonds d'artichauts crus, il faut les citronner pour éviter qu'ils noircissent.

Il faut considérer que le goût de l'artichaut, profond et puissant, ne s'accommode guère de celui des vins. Il faut en tenir compte lorsqu'on prépare un menu. Le classique artichaut vinaigrette en particulier ne peut guère s'accompagner que d'eau. Il « tue » allégrement le goût des meilleurs vins.

La bette, blette ou poirée

Encore un légume de la famille de l'épinard. Mais dans la poirée, tout est bon et tout est beau. Les feuilles d'un vert profond et brillant, éclatant, les tiges d'un blanc légèrement crème, brillantes et droites, érigées. La poirée est au jardin une plante magnifique et généreuse qui repousse mois après mois lorsqu'on la coupe.

On cuit évidemment les feuilles et les côtes de façon différente. Les feuilles, dont on aura ôté non seulement les côtes, mais aussi leurs ramifications plus petites, se préparent comme celles des épinards, on les fait pocher juste le temps qu'elles changent de consistance. Elles gardent ainsi leur goût et cette magnifique couleur émaillée qui les caractérise.

Les côtes, dont on ôtera les fils, sont cuites dans un blanc, c'est-à-dire de l'eau additionnée de farine et de jus de citron, puis préparées en gratin, à la crème, en salade, etc.

Les feuilles de poirée sont de goût fin et léger. Les côtes de poirée ont un goût proche de celui des cardons, à la fois léger, rafraîchissant et distingué.

Les chicorées

Il s'agit d'un ensemble de plantes, les unes annuelles, les autres vivaces, généralement utilisées en salade. On peut également les cuire, ce qui est commun pour certaines, inhabituel pour d'autres puisque règne en cuisine une rigidité mentale qui impose des rôles très précis à chaque élément et n'admet pas de dérogation à des règles qui n'ont souvent de justification que la force de l'habitude.

Les chicorées — Cichorium endivia — ont en commun l'amertume. Au début de ce siècle ou à la fin du précédent, Fernand Widal, célèbre médecin qui a donné son nom à l'hôpital parisien où se trouve le service spécialisé dans les empoisonnements et intoxications, écrivait : « Rien ne vaut les amers que la cuisine peut employer[1]. »

On trouve parmi les chicorées des légumes fort divers de forme, de consistance et de couleur.

Parmi les plus notables, il faut signaler :

• *L'endive* (le chicon belge), produite à partir de la Witloof bruxelloise, forcée au jardin ou en cave, une plante d'une vingtaine de centimètres, blanche à bord jaune clair, dont on peut faire des salades quand elle est crue et qui, cuite, donne un légume d'accompagnement léger et amer, d'une élégance un peu austère. On peut aussi en faire des gratins.

• *La chicorée frisée.* C'est cette magnifique salade aux feuilles étroites et longues, finement dentelées, jaune clair au centre, bien vertes sur les bords. C'est une des salades les plus achevées, offrant un équilibre tout à fait unique entre la fraîcheur, l'amertume, la douceur et le croquant. La frisée aux lardons, éventuellement additionnée d'un œuf poché, est un des sublimes chefs-d'œuvre de la cuisine simple, de la grande cuisine simple. Il en existe de nombreuses variétés de taille et de forme différente — les chicorées frisées restent cependant toujours « pommées » avec des pieds plus ou moins gros. De plus, ces variétés ont le bon goût d'être disponibles à des dates fort variées, permettant ainsi qu'on en dispose quasiment toute l'année.

• *La scarole.* Elle est voisine de la frisée, mais avec des feuilles larges, souvent arrondies, formant une grosse pomme. La plus connue est la batavia, mais il existe d'autres variétés allant du jaune clair au vert profond. La scarole est une salade plus ferme que la laitue, avec une pointe d'amertume particulière.

• *La barbe de capucin.* C'est une variété de chicorée sauvage à tiges très fines et blanches, et fin feuillage vert clair.

• *La chicorée pain de sucre.* C'est une grosse pomme oblongue,

---

1. Cité par Édouard Nignon dans son livre *Éloges de la cuisine française*, François Bourin, 1992.

verte, qu'on récolte en automne, de goût assez doux, qu'on utilise crue en salade ou cuite en accompagnement de viandes grillées.

• *Les rouges italiennes*. Les plus connues sont la trévise et la palla rossa. Elles ont des côtes blanches et un feuillage rouge homogène, parfois tacheté. Elles sont d'une amertume élégante. Il existe en Italie de nombreuses autres variétés particulièrement renommées et appréciées, mais elles sont rares en France.

Les choux

Les choux font tellement partie du patrimoine culinaire de nos régions qu'ils finissent par perdre tout attrait. Bien sûr, on prépare de temps en temps une potée ou une choucroute, voire un chou farci, mais dans l'ensemble, le chou occupe une place de moins en moins importante. Du moins dans ses formes classiques, chou cabus et chou de Milan — Brassica oleracea capitata.

Le *chou-fleur*, emblème de la Bretagne horticole — Brassica oleracea cauliflora ou botrytis —, garde une place plus importante. Des variétés moins traditionnelles, telles que le *chou brocoli* d'origine italienne — comme l'indique son nom scientifique : Brassica oleracea italica —, voire exotiques comme les *choux de Chine* — Brassica pekinensis et Brassica chinensis — dont les variétés pakchoi et petsai se trouvent maintenant sur certains étals, ont peu à peu trouvé leur place dans la cuisine. Sans oublier le traditionnel *chou de Bruxelles* — Brassica oleracea gemmifera —, le *rutabaga*, le *chou-rave* — Brassica oleracea gongyloides — et certains choux souvent cultivés pour leurs qualités ornementales, mais dont les feuilles sont comestibles, tel le *crambe maritima*.

On voit en fait que les choux forment une famille fort diverse, de forme, de consistance, de goût et d'utilisation. Les choux appartiennent, comme la plupart des légumes feuilles, au cru comme au cuit. La grande cuisine en utilise souvent les feuilles, blanchies rapidement pour les assouplir, comme enveloppes dans lesquelles on prépare et on présente de multiples ingrédients fins et délicats, ce qui montre à quel point les choux, même les plus communs, peuvent s'accommoder de nombreuses façons.

Escoffier les répartissait en sept classes : les choux blancs destinés à la choucroute, les choux rouges utilisés comme légumes, hors-d'œuvre et condiments, les choux pommés à cuire, les choux frisés et de printemps, à poêler, les choux-fleurs et brocolis, les choux de Bruxelles et les choux-raves et rutabagas.

On peut, comme aux cartes, jouer au jeu des Sept-Familles du chou, tant est grande la variété des préparations auxquelles ils se prêtent.

• *Le chou cabus et de Milan.* Ils sont verts, avec des nuances allant du vert clair presque jaune au vert bleu profond, ou bien encore rouges ou même bleu-noir. Le chou cabus forme une grosse pomme lisse. Le chou de Milan est crépu, dentelé, on l'appelle aussi chou frisé. Ce sont les choux les plus traditionnels, ceux des potées, des farcis poitevins, de la soupe aux choux.

Crus, on peut aussi en faire des salades, tel le *cole slaw,* ce hors-d'œuvre typique nord-américain.

Le chou rouge se prépare en France traditionnellement cru, en salade. On peut également le cuire, avec des pommes fruits, des marrons, etc. Il est très apprécié dans les pays germaniques.

Il est souvent recommandé de cuire les choux dans deux eaux. On les coupe en quartiers et on les blanchit dans une première eau. On les retire, on les presse pour en ôter l'excès d'eau et on prépare le plat définitif par une deuxième cuisson.

Les feuilles, prélevées individuellement et pochées, sont utilisées pour faire des sortes de paupiettes.

• *Le chou-fleur.* En France, il est d'un beau blanc souvent brillant, parfois crème. Il en existe d'autres couleurs, jaune-vert comme en Italie, mais aussi pourpres ou violets. Dans le chou-fleur on consomme les bouquets terminaux. On peut les servir crus avec une sauce, ou cuits. Dans ce dernier cas, on recommande de les préparer dans deux eaux successives. En cuisant, le chou-fleur dégage une odeur assez désagréable. On peut également consommer les feuilles comme celles des choux cabus ou de Milan. Des tiges on prépare également la « moelle », tendre et délectable.

Le chou-fleur cuit peut être servi en purée, en salades froides ou tièdes, en gratin, etc. C'est un légume de goût personnel et fin, beau et raffiné.

• *Les choux brocoli.* Ils ressemblent un peu aux choux-fleurs. Originaires d'Italie, ils ne sont apparus en France que récemment. Du moins leur introduction dans la consommation

173

courante est-elle récente, car ils étaient déjà recommandés au début de ce siècle par Édouard Nignon. Toutefois, la seule variété régulièrement présente sur les étals, d'un beau vert sombre légèrement bleuté, avec les feuilles brillantes et comme perlées d'une discrète humidité, n'est probablement pas la meilleure. Bien supérieurs sont les brocoletti, ou cime di rape, dont on consomme les bouquets terminaux — beaucoup plus clairs et petits —, ainsi que les fleurs, et les brocoli romains — Brocoli romanesco — qui ressemblent à un chou-fleur dont les bouquets sont coniques, hérissés, d'un beau vert jaune et d'une grande finesse de goût. Signalons également les choux brocoli branchus (*sprouting*) parfois appelés brocoli asperges.

Les brocolis sont de culture facile. Ce sont les plus délicats et les plus fins de tous les choux. On les mange cuits — très peu — et, comme dans le chou-fleur, on peut consommer non seulement les boutons floraux, mais aussi les feuilles et tiges qui sont également excellentes. Le brocoli, c'est un peu le légume phare de la cuisine italienne : à peine cuit, assaisonné d'huile d'olive et de gros sel, c'est une sorte de vitrine de cette grande cuisine, dont la simplicité est égale à l'exigence. Bien sûr, une telle préparation exige des produits de première qualité. Mais alors, quelle classe !

• *Le chou de Bruxelles.* C'est un tout petit chou — ou plus exactement les pommes de chou de Bruxelles sont petites, arrondies et naissent, serrées comme de grosses billes, sur une tige qui mesure cinquante à quatre-vingts centimètres. On les cueille au fur et à mesure de leur mûrissement. Le chou de Bruxelles, de goût assez rustique, bien particulier à défaut d'être de grande finesse, se consomme cuit.

• *Le chou de Daubenton* — Brassica oleracea acephala. C'est un chou très rustique. On en coupe les feuilles toute l'année. Comme son nom l'indique, il ne forme pas de tête. On utilise les feuilles et les jeunes branches.

• *Le chou-rave.* Dans ce chou, c'est l'origine de la tige, arrondie, renflée, d'où naissent des branches porteuses des feuilles, que l'on consomme. Le chou-rave a la faveur de la cuisine de l'est de la France et des pays germaniques. Il se prépare cru, râpé, ou cuit. Bien qu'il s'agisse de la partie aérienne de la plante, le chou-rave s'utilise comme les légumes racines. Sa chair, blanc-vert ou rouge selon les espèces, est à la fois ferme et douce, rafraîchissante et d'un goût fin et délicat. Encore un grand méconnu.

• *Les choux de Chine*. Ils apparaissent timidement, peu à peu, sur les étals. Ce sont les piliers des cuisines orientales, thaïlandaise et chinoise en particulier. Savoureux, légers, ils s'emploient crus ou cuits. Leur consistance permet des cuissons très courtes. On trouve en France surtout le petsai de couleur claire et le pakchoi vert foncé au goût plus fort, plus rarement le chou de Shanghaï — le gaai choi, le choi sum et le kailan.

Suivant en cela la mode venue d'Amérique du Nord, il est vraisemblable que les choux chinois — y compris les nombreux cultivars d'origine japonaise — gagnent peu à peu la France car ils correspondent aux exigences actuelles du goût — léger, distingué et personnel.

Le cresson

Le cresson fait partie des « petites » salades, avec la mâche, le pissenlit et certaines plantes qui poussent au jardin, parfois classées dans les bonnes, parfois dans les mauvaises herbes. Le goût du cresson — Barbarea verna — est bien typé, assez fort, un peu piquant. Ses feuilles sont petites et arrondies. On les sert en salade. On peut aussi les cuire pour en faire des soupes, des sauces. A peine cuit, le cresson a une très belle couleur vive et laquée qui se dégrade très vite si on poursuit la cuisson. Il convient donc de ne le laisser que le temps de changer de consistance, c'est-à-dire quelques dizaines de secondes. Son goût est également modifié par la chaleur et perd d'autant plus de spécificité que la cuisson est prolongée.

Le cresson alénois

On cultive les feuilles au goût piquant de Nasturtium — ou Lepidum — sativum depuis des temps reculés. Apprécié en petits tas dans les salades complexes des grands restaurants.

L'épinard

Avec ses variétés printanières et surtout d'automne, il est de la même famille que l'arroche ou le chénopode Bon-Henri. Comme ses cousins, l'épinard — Spinacia oleracea — peut se manger cru ou cuit. Curieusement, on l'utilise peu en salade, du moins en France, alors que c'est cru qu'il est le meilleur. Les

175

jeunes pousses, d'un vert plus tendre, plus clair, ont un goût très fin, évoquant celui de la noisette. On en fait des salades particulièrement distinguées, seul ou en accompagnement.

Cuit, l'épinard peut aisément se transformer en un magma caca d'oie bien peu engageant, doté, de plus, d'un goût désagréable et métallique. La longue cuisson en dénature le goût et la couleur. Certaines purées d'épinard occupent une place éminente dans le registre des plats immangeables.

Par contre, à peine cuit, c'est-à-dire juste le temps que les feuilles changent de consistance, c'est un légume fin et distingué, au goût bien particulier. La préparation de l'épinard est donc délicate, bien que sans mystère.

Un dernier point : l'épinard est un redoutable piège à sable, petits cailloux, restes terreux, et doit se laver feuille à feuille. Il faut également enlever les grosses côtes, fibreuses et de goût assez grossier. La préparation des épinards nécessite donc un peu de temps et d'attention.

A signaler, une variété amusante : l'épinard fraise — Chenopodium capitatum — qui, outre ses feuilles, produit de petits fruits rouges qui ressemblent à des fraises — légume et dessert au même menu.

Ficoïde glaciale

Les feuilles épaisses recouvertes de petites vésicules transparentes et comme givrées, et les jeunes tiges de cette plante ornementale — Mesembryanthemum cristallinum — sont utilisées comme l'épinard. Une espèce apparentée, la ficoïde épinard — Mesembryanthemum angulatum — serait même supérieure.

Les laitues

Symbole entre tous de la salade, la laitue — Lactuca sativa — ou plutôt les laitues occupent une place éminente en cuisine. Un repas traditionnel français comporte en effet une salade, et c'est généralement une laitue.

Les laitues peuvent se faire cuire, soit comme légume principal — la laitue braisée est un vieux classique —, soit comme aromate, accompagnant conventionnellement les petits pois nouveaux. On peut aussi en assouplir la consistance en la pochant rapidement dans l'eau chaude et s'en servir comme enveloppe de paupiettes.

Cependant, c'est crue que son utilisation est la plus commune et, telle quelle, elle est quasiment ubiquitaire. Dans certains pays, par exemple en Amérique du Nord, il n'y a guère de plat servi au restaurant qui ne s'accompagne d'une ou de plusieurs feuilles de laitue.

Il existe de très nombreuses variétés de laitue, de forme et de goût très différent, et la sélection offerte aux consommateurs doit souvent plus aux conditions de culture qu'à la qualité gustative des cultivars. C'est ainsi que la variété iceberg, craquante et aqueuse et quasiment dénué de goût, a longtemps été la seule proposée aux cuisiniers d'Amérique du Nord, alors qu'il s'agit d'une des plus médiocres.

La laitue, c'est d'abord la *laitue pommée*, de printemps, d'été, d'automne ou d'hiver selon les cas. Elle est souvent verte, avec le cœur jaune clair, elle est alors douce, tendre et suave. Le mariage de la variété reine-de-mai avec la crème et un bon vinaigre est un des événements attendus du printemps. Elle peut aussi être rouge, les feuilles peuvent être dentelées et groupées, voire simuler l'apparence d'une chicorée scarole. Leur consistance et leur goût sont variables, mais restent dans un registre principalement doux et tendre.

Les *laitues à couper* se récoltent feuille par feuille, ce qui permet d'en disposer pendant plusieurs mois, car les pieds coupés repoussent. Les plus connues sont dites feuilles de chêne, rouges ou vertes.

Les *laitues romaines* forment des pommes de couleur variée, d'un vert clair ou foncé, ou rouge. Elles sont d'un goût moins doux et de consistance plus ferme que les laitues pommées.

Les *laitues batavias*, aux feuilles découpées ou cloquées, sont des laitues croquantes de goût plus fort et moins fin que les laitues pommées.

La *laitue asperge*, ou *celtuce*, est une laitue aux feuilles allongées, qui a la particularité d'être cultivée pour sa tige que l'on mange comme une asperge[1].

La mâche ou doucette

Il en existe de très nombreuses variétés, sauvages ou cultivées, toutes de petite taille, aux feuilles parfois arrondies, comme celles du cresson, parfois allongées. La mâche est une valériane

---

1. La tige de laitue montée comporte une partie fibreuse non comestible et une partie tendre très agréable (la « moelle »). Nostradamus en faisait des confitures.

— Valerianella locusta. Elle est de couleur verte, plus ou moins foncée selon les cultivars. La mâche est une des salades les plus fines et les plus douces. Bien qu'on puisse également la consommer cuite, c'est crue qu'elle manifeste le mieux ses qualités et qu'elle exprime son goût élégant, long et raffiné. Elle s'accompagne d'huile d'olive ou d'huile de noix de qualité, de gros sel et de bon vinaigre. On la sert seule ou avec diverses préparations, comme entrée, dans les repas raffinés. Son seul défaut, c'est d'être un redoutable piège à sable et à petits cailloux, et il faut la laver à plusieurs eaux et souvent feuille à feuille. C'est long et fastidieux, mais le résultat vaut bien cet effort.

La roquette

Formidable salade. Comme les Turcs, les Italiens ne s'y sont pas trompés et la Rucola est un ingrédient fort utilisé, comme légume ou comme aromate, voire comme herbe condimentaire. C'est elle qui donne au mesclun, ce mélange de salades, variable selon la saison et changeant à l'inspiration du moment, son caractère unique et subtil.

La roquette — Eruca sativa —, aux feuilles découpées, est une salade coupée qui repousse régulièrement. On peut donc en disposer pendant de longs mois.

Utilisée seule, elle peut être de goût légèrement amer et même fort, c'est pourquoi on la mélange à d'autres herbes plus douces. Ciselée sur une viande ou un poisson, elle apporte longueur de goût et distinction.

Légumes feuilles exotiques

Avec le développement des commerces d'alimentation d'origine extrême-orientale, on trouve de plus en plus de légumes inhabituels, d'autant plus que certains peuvent facilement être cultivés sous nos climats. Il y en a qui ont été introduits en France voici plusieurs siècles, de façon plus ou moins anecdotique. Signalons :

• Les *baselles blanches* ou *rouges* — Basella rubra — qui sont utilisées comme l'épinard; on les appelle également *épinards de Malabar.*

• Le *shiso japonais* — Perilla crispum —, aux fleurs comestibles.

- Les *laitues chrysanthèmes* et *de Thaïlande.*
- Les *moutardes à feuilles de chou* — Sinapsis juncea.
- La *moutarde champêtre* — Brassica campestris — et la *moutarde blanche* — Brassica alba.

LES FLEURS ET LA CUISINE DES FLEURS

Par leur diversité de formes et de couleurs, les fleurs sont les plus attractives des pousses végétales, pour l'œil mais aussi pour l'odorat, avec leurs senteurs multiples, agréables, parfumées, étranges ou simplement discrètes. Curieux de nature, l'homme a eu très tôt la tentation d'y goûter.

Mais beauté et fragrance ne signifient pas forcément aptitudes à la consommation. Combien de belles, d'originales, de discrètes, finement découpées, cachent des poisons plus ou moins redoutables, voire mortels. D'ailleurs, les fleurs sont à la base de très nombreuses préparations médicinales, pas seulement celles dont les propriétés sont encore utilisées en herboristerie. Elles furent même parmi les premiers médicaments réellement efficaces, avec leurs effets bénéfiques et leurs effets secondaires, avec leurs surdosages et leurs effets toxiques. Malheur donc à celui qui ingurgite les fleurs de digitale, d'aconit ou d'ancolie.

Si le jardinier désire étendre la gamme des produits qu'il utilise aux fleurs du jardin, il aura la sagesse d'enlever ces plantes vénéneuses qui, par la beauté des couleurs et des formes, risquent d'attirer l'envie des enfants, les plus petits étant les plus tentés et les plus vulnérables.

Il existe une certaine confusion dans la littérature qui, depuis quelques années, en a remis l'utilisation culinaire au goût du jour. Certaines fleurs recommandées par les uns sont rejetées par d'autres en raison d'effets nocifs sur la santé. Qui a raison, il est difficile de trancher. Dans le doute, il faut s'abstenir. Il y a encore suffisamment de martyrs inutiles de la gastronomie sauvage, inutiles parce que leurs ennuis digestifs, nerveux ou autres, ne servent en définitive à personne. Rappelons-nous ces personnes traitées en Belgique par « des plantes homéopathiques évidemment sans danger », il y a quelques années, qui y ont laissé leurs reins et qui pour survivre doivent subir toutes les conséquences de la dialyse chronique ou de la greffe.

Certaines fleurs n'ont à vrai dire jamais déserté la table. C'est le cas par exemple du Crocus sativus dont le pistil donne le safran, des boutons floraux du câprier qui, confits au vinaigre, donnent les câpres, des fleurs de diverses herbes aromatiques, thym, romarin, etc. C'est également vrai des capucines, dont on orne parfois les salades, des fleurs d'acacia dont on fait des beignets. Il s'agit là d'exemples limités alors qu'en fait de très nombreuses fleurs peuvent être utilisées comme légumes, comme condiments, comme décoration, comme desserts.

Il n'est évidemment pas question de faire ici un compte exhaustif des fleurs culinaires, mais de donner quelques exemples à partir desquels le lecteur intéressé pourra entrer dans ce monde surprenant.

Certaines fleurs des légumes comestibles le sont aussi, et ce n'est pas surprise.

Parmi ces dernières citons :
• Les fleurs jaunes des diverses espèces de choux.
• Les fleurs d'ail, y compris les espèces utilisées pour l'ornement. Il n'y a pas de plante toxique parmi les aulx ; ce n'est évidemment pas le cas de toutes les plantes bulbeuses. Cependant certains aulx sont de valeur gustative limitée, voire désagréable, il faut donc goûter avant de les utiliser.
• Les fleurs de céleri et de livèche — ache.
• Les fleurs de courge et de courgette, qu'on utilise comme légume, en délicates fritures, ou farcies.
• Les fleurs d'onagre — œnothère.

On a déjà parlé du légume « à part entière » que sont les terminaisons du chou-fleur et du chou brocoli. Il en est de même des fleurs des principales herbes aromatiques utilisées en cuisine. Le romarin ouvre le bal, mais il y a aussi les thyms, la sauge, la ciboulette (c'est un ail), la coriandre, la lavande, la verveine, les origans, le basilic, l'aneth, l'anis, les menthes, les calaments, etc. En outre, de très nombreuses améliorations ou sélections ornementales ont été proposées, avec leurs parfums spécifiques et particuliers, allant du thym à odeur de cumin à la sauge à odeur d'ananas.

Parfois ce sont les fleurs des arbres qu'on peut utiliser. C'est le cas des fleurs d'arbres fruitiers, en particulier cerisiers, pommiers et cognassiers. C'est aussi le cas de l'acacia commun — Acacia dealbata —, de l'aubépine — Crataegus laevigata — et du sureau noir — Sambucus nigra — dont les sommités fleuries permettent de confectionner des beignets appréciés.

Parmi les fleurs les plus intéressantes, citons celles des mauvaises herbes. On utilisera les fleurs elles-mêmes ou les boutons floraux qui pourront être confites au sel et au vinaigre, comme les câpres. Il s'agit par exemple de la cardamine des prés, des primevères, des violettes sauvages odorantes, de l'aspérule odorante, des pissenlits, des coquelicots, des soucis.

Enfin on trouve d'autres fleurs comestibles parmi les vraies fleurs de jardin. Il y en a une très grande variété et certains grainetiers proposent même des mélanges de graines de fleurs comestibles.

Au premier rang, il faut citer les roses, surtout les variétés parfumées — attention à ne consommer que les fleurs n'ayant pas reçu de traitement, en particulier systémique. Mais aussi les fleurs des œillets, des phlox — les grands Phlox paniculata sont de goût particulièrement délicat, de la bourrache officinale, des perilla, des pavots, des hémérocalles, dont on mange également les boutons floraux au goût délicat, des hostas parfumés, des capucines, bien sûr, dont on consomme fleurs et boutons floraux (ces derniers remplacent les câpres). Traditionnellement les Japonais consomment certains chrysanthèmes.

LES LÉGUMES FRUITS

Nombre de fruits sont utilisés comme légumes. On remarquera que certains de ces fruits légumes sont aussi utilisés, dans certaines traditions, comme fruits sucrés. La tomate et la courge en sont des exemples. Les autres peuvent-ils retrouver le chemin du sucré, les chefs nous le diront. En ce domaine comme en beaucoup d'autres, des découvertes, des accords inattendus sont à prévoir.

Le fruit de l'arbre à pain (artocarpe)

C'est un fruit dur grossièrement sphérique, à la peau verte ponctuée de brun. Il est de taille relativement importante (quelques kilos). Pour l'utiliser, on le pèle, on enlève la partie fibreuse centrale et on le prépare à la manière des patates douces ou des pommes de terre. Il a un léger goût d'artichaut. On peut également fabriquer un « fromage » en laissant fermenter le fruit de cet arbre ornemental — Artocarpus altilis —, ou en faire de la farine.

L'aubergine

Elle ne se mange que cuite, cette grosse ventrue. Grosse sur les étals occidentaux où règnent surtout les variétés à chair très sombre, car les Proche-Orientaux, qui l'ont placée au tout premier plan des ingrédients nobles de la table, utilisent des fruits beaucoup plus petits. Et la cuisson de l'aubergine — Solanum melongena — n'est pas sans poser des problèmes délicats. Souvent on la prépare en friture, mais elle se révèle un redoutable buvard à huile et se transforme aisément en une peu appétissante masse calorique, bien lourde à digérer. On peut aussi la cuire au four, et alors, soit elle explose si on n'a pas eu la précaution de piquer ou d'inciser la peau pour permettre à la vapeur de s'échapper, soit elle se révèle tristement affaissée et flétrie par la cuisson, remplie d'un jus noirâtre et vaguement visqueux, assez peu engageant à vrai dire.

Pourtant, il ne s'agit pas d'un légume insauvable, au contraire. Tout d'abord, il faut goûter le vrai goût de ce fruit qui est parfois trop piquant lorsqu'il est mal préparé. La façon la plus simple est de le cuire au four à micro-ondes. La chair se révèle onctueuse, douce, avec une nuance d'amande fine et délicate. Un des meilleurs, des plus distingués des légumes sans aucun doute. Et on comprend la place qu'il joue dans la cuisine syro-libanaise.

La chair de l'aubergine se prête à de nombreuses préparations. On peut en faire des sautés, avec de l'ail, un peu de beurre ou d'huile, des tomates. Elle entre dans la composition de la ratatouille, de la classique moussaka et de l'*imam bayaldi* (délices de l'imam). En purée, additionnée d'huile d'olive, de diverses épices et d'ail, on en fait des caviars, ou *baba ghannouj* plus délectables les uns que les autres. Elle est également farcie, de viande ou de diverses combinaisons d'herbes et de légumes.

On trouve fréquemment sur les étals la très grosse violette de Florence, ou des variétés allongées et renflées de grande taille, de couleur brillante violet foncé ; quelquefois ce sont des fruits mauves et arrondis. Plus rarement on voit ces merveilleuses aubergines blanches et allongées qui sont parmi les meilleures. Et c'est bien dommage. Les variétés les plus communes sont dites allongées, semi-allongées ou globulaires — les variétés traditionnelles tendent à disparaître au profit d'hybrides cultivés sous abris froids.

Signalons également l'apparition récente des aubergines africaines — Solanum macrocarpum et Solanum aethiopicum — de petite taille, jaunes ou rouges.

L'avocat

Il existe plusieurs variétés d'avocat — Persea gratissima —, à peau lisse et vert foncé ou à peau brunâtre et ridée. L'avocat contient un gros noyau non comestible. La chair, vert-jaune clair, est grasse et douce, rappelant le goût de l'amande. On utilise l'avocat cru tel quel ou réduit en purée, mais on peut également le cuire. Le guacamole, purée d'avocat citronnée et épicée, est un classique de la cuisine mexicaine. (Le mot avocat vient de l'aztèque *anacatal*.) Il convient de citronner la chair de l'avocat une fois coupée afin d'éviter qu'elle noircisse. Bien entendu, on consommera les fruits mûrs, et non durs, et on évitera ceux dont la chair devient noirâtre, signe que le temps de la consommation est passé.

On trouve également des avocats de toute petite taille (cinq à six centimètres), sans noyau, de bonne qualité. Les deux variétés les plus communes en France sont le Hass, à peau granuleuse, et le Fuerte à peau lisse et verte, mais il en existe d'autres (Ettinger, Nabal, Benik, Lula, Edranol en particulier).

Les châtaignes

Le fruit du châtaignier a servi de base à l'économie agricole de zones pauvres de demi-altitude pendant des siècles et des siècles. La châtaigne — Castanea sativa —, c'était à la fois la nourriture des cochons et des hommes. Une fois séchées, on en faisait une farine qui était celle du quotidien. Il faut avoir vu *Au temps des châtaignes*, admirable moyen métrage de Jean-Michel Barjol, pour se rendre compte de l'ampleur de la tâche : ramassage, transport, stockage, dans des conditions exemplaires de précarité et de pénibilité. Au milieu du film, la fermière mourait — elle mourut vraiment —, et avec elle disparaissait en direct, devant nous, cette transmission de gestes millénaires, sous les yeux endeuillés et résignés de son vieux mari.

Aujourd'hui, on ne récolte que le centième de la production

du siècle dernier. C'est le cas partout dans le monde occidental, et les paysans de Toscane comme ceux de Corse n'en récoltent souvent plus que de façon anecdotique. De la châtaigne on consomme l'amande, protégée par une coque verte et piquante, la bogue, et par une enveloppe épaisse et brune. Une fois ôtée cette double tunique, la chair est encore revêtue d'une membrane brune et adhérente.

Les châtaignes se consomment cuites, à l'eau ou sous la cendre — les marrons grillés de l'automne. Ils accompagnent les gibiers et la dinde de Noël. On peut les confire ou en faire des gâteaux. Elles sont plutôt difficiles à peler et c'est là une des raisons de leur désuétude.

Les châtaignes séchées et moulues donnent une farine très intéressante pour faire crêpes et gâteaux, qu'on peut également incorporer à la pâte à pain, et dont les qualités sont actuellement sous-estimées.

Il est donc paradoxal que la France importe désormais presque autant de châtaignes qu'elle en produit, ou plus exactement en récolte. A vrai dire, à côté de l'utilisation comme légume, elle joue un rôle important en confiturerie (la crème de marrons, spécialité ardéchoise) et en confiserie pour la fabrication des marrons glacés et des préparations apparentées. Selon Jean-Louis Biscaglia, qui est un des plus notables producteurs de ces produits, les fruits qui conviennent le mieux sont gros, doivent s'éplucher facilement et contenir peu de cloisonnements. Certaines variétés d'Ardèche, de Provence ou de Corse se prêtent bien à ces préparations, mais les meilleures viennent d'Italie (Piémont, région napolitaine et Viterbo, au-dessus de Rome). Avec l'arrivée des marrons de Chine et du Chili, la châtaigne connaît une internationalisation dont il sera intéressant de suivre l'évolution, d'autant qu'on note un intérêt croissant dans certaines régions pour mieux répertorier, connaître et populariser les variétés traditionnelles.

Les concombres et cornichons

Il s'agit de la même espèce — Cucumis sativus — et généralement le passage du cornichon au concombre est simplement une question d'âge et de taille, un peu comme le veau et le bœuf. En fait, leur usage est différent. Les cornichons sont traditionnellement préparés en conserves ou semi-conserves, au vinaigre, à l'aigre-doux, au sel. Les concombres sont souvent consommés crus. Ils peuvent également se cuire et font partie des légumes les plus prisés par certains des grands maîtres de la cuisine classique, au premier rang desquels Escoffier et Édouard Nignon.

Il existe de nombreuses variétés, plutôt destinées à la production de cornichons, de couleur verte, parfois jaunâtre, et même blanche dite de Paris. Les concombres sont de couleur variée, souvent verte, mais aussi dorée ou blanche. Leur forme en général allongée peut également être arrondie. Signalons la variété japonaise tellement allongée qu'elle ressemble à un serpent.

Le goût du concombre est plus fin, plus fort, plus délicat lorsque le fruit est de taille relativement petite. Les plus grosses variétés sont souvent aqueuses et fades.

A côté des concombres usuels, on peut trouver sur les marchés le concombre des Antilles hérissé de piquants — Cucumis anguria —, de goût plus doux, et le concombre amer — Momordica charantia —, souvent utilisé en achards ou confits.

Les courges

Elles appartiennent à une famille particulièrement nombreuse, celle des cucurbitacées, fort variée de taille, de forme et de goût, dont font également partie concombres et melons. Parmi les courges, certaines ont une fonction purement ornementale. Toutes sont spectaculaires, souvent semblables à de délicates poteries. Les plus grosses espèces sont traditionnellement utilisées dans les pays anglo-saxons lors de la fête des enfants, Halloween : on les sculpte pour en faire des figures grimaçantes qui, éclairées de l'intérieur, prennent alors des allures diaboliques.

La chair des courges est un peu fade et douceâtre ; on peut en tirer, selon la qualité de la préparation, une série de chefs-d'œuvre de subtilité et de distinction, ou au contraire de ratages écœurants ou insipides. Il faut donc se garder d'idées toutes faites et d'a priori. On trouve tout et son contraire dans la cuisine des courges.

Du fait de leur plasticité gustative, les courges peuvent faire partie de la cuisine salée ou de la cuisine sucrée. Dans ce dernier cas, ces légumes fruits rentrent dans la catégorie des fruits. Les fleurs sont également remarquables en cuisine.

Les courges, ce sont, au sens strict, les variétés du genre Cucurbita (C. pepo, C. maxima, C. moschata, C. mixta, C. ficifolia,

C. foetidissima)[1] mais aussi les genres Lagenaria et Benincasa.

Parmi les « groupes » de légumes qui font partie de la famille des courges on peut isoler :

- Les *citrouilles*, les *courges acorn*, les *coloquintes*, les *courges spaghetti*, les *pâtissons*, les *courgettes*, les *courgerons* et *Jack o'lanterns* utilisés pour la fête de Halloween, et qui font partie de l'espèce vaste et polymorphe Cucurbita pepo.
- La *courge de Siam* — C. ficifolia.
- Les *courges musquées* — C. moschata.
- Les *potirons*, les *potimarrons*, les *giraumons*, les *miniturbans rouges* — C. maxima.
- Le *benincasa* asiatique — B. cerifeza.
- Les *gourdes* — Lagenaria siceraria et ses diverses variétés — essentiellement ornementales.

- *Les courges pâtissons*. Elles ont l'air d'avoir été fabriquées par Bernardin de Saint-Pierre, l'auteur de *Paul et Virginie*. Plus que le melon et les agrumes, imagine-t-on fruit ou légume plus fait pour être découpé en famille? En famille nombreuse, ou avec des amis, car les pâtissons, courges de forme arrondie et aplatie, sont nettement divisés en dix parts. Les pâtissons sont blancs, jaunes, orange, vert clair ou foncé, ou panachés. Ils sont beaux.

Ils sont bons, avec une grande finesse de goût, aux réminiscences de noix.

Les pâtissons peuvent se préparer bouillis, frits ou rôtis. Toutes les recettes des courgettes peuvent leur être appliquées. Ce légume encore assez mal connu devrait prendre une place de plus en plus grande.

- *Les courges spaghetti*. Une extraordinaire bizarrerie de la nature. Dans la grande famille des courges, une courge, ou plutôt diverses sortes de courges, les unes blanches, les autres jaunes ou orangées, les unes grosses comme des potirons, les autres comme des aubergines, au lieu de révéler après cuisson une chair homogène, se délitent en une série de véritables spaghettis végétaux naturels que l'on peut préparer comme s'ils étaient faits de fine semoule de blé. On les présente et on les

---

1. Pour une description des principales variétés, le lecteur pourra se référer à l'excellent *Grand Livre des courges*, de Jean-Baptiste et Nicole Prades et Victor Renaud, Rustica, 1995.

accommode aussi comme s'ils étaient de « vrais » spaghettis. Leur goût est évidemment différent, mais fin et délicat. Un vrai mystère.

• *Les courgettes.* S'il fallait au jardin ne garder qu'un légume, ce serait la courgette. Peut-on imaginer en effet plante plus spectaculaire, plus puissante, plus productive ? Elle « fait le ménage ». Rien ne la menace, sauf peut-être la sécheresse. Et elle produit à la fois des fleurs et des fruits. Des fleurs, on cueillera les mâles, larges, dorées, élégantes et élancées, implantées au bout de longues tiges. Des femelles naissent de petits fruits ovalaires qui, parfois en une seule nuit, plus souvent en quelques jours, grandissent et se transforment en ces longues formes cylindriques, arrondies à leur extrémité, déclinant du clair tendre et tacheté au sombre uni et laqué les diverses nuances du vert. Et elles croissent, jusqu'à en devenir monstrueuses, les courgettes. Avec, à chaque taille, son usage. Les toutes petites, grandes comme le doigt, peuvent se manger crues ou à peine cuites, juste chauffées en vérité, avec un soupçon d'huile d'olive et une ou deux herbes fraîches cueillies. Les plus grosses, les énormes, se coupent en deux, on les évide et on les farcit avant de les cuire au four. Entre les deux, on les prépare de multiples façons, sautées, grillées, bouillies, cuites à la vapeur, rôtie ; on en fait des purées, des soupes et des gratins. Elles aiment la crème comme l'huile d'olive, le citron comme le vinaigre, le beurre comme le parmesan ou le beaufort râpé. Elles se marient avec la pomme de terre, se mélangent avec les tomates, les poivrons, les aubergines ou les oignons, acceptent l'origan et le thym ainsi que la menthe ou le piment. Elles accompagnent les poissons comme les viandes, les oiseaux comme les œufs. Elles sont du Nord comme du Sud, de l'Occident comme de l'Orient. Elles sont de la cuisine douce comme du piquant. Y a-t-il vraiment un légume qui se prête à plus de combinaisons ?

• *Le giraumon* — Cucurbita maxima. Il a la forme d'un turban turc, de couleur orangée, avec quelques traces de vert. Son goût est agréable, sa présentation surprenante. Le miniturban rouge lui ressemble, en version miniature.

• *Les potirons.* Ce sont les géants de la famille Cucurbita maxima. Ils sont de grande taille, de forme et de couleur variée. La citrouille — Cucurbita pepo —, bien que simple cousine, a les mêmes utilisations.
On utilise la chair pour en faire des soupes, des purées, on

peut également la frire ou la faire pocher — c'est un des légumes qui accompagnent le mieux le couscous. On en fait aussi des préparations sucrées, en particulier la tarte à la citrouille, spécialité traditionnelle anglo-saxonne. En France, ce sont les variétés hexagonales qui sont les plus utilisées : potirons d'Alençon, de Paris et d'Étampes, dont les couleurs varient du jaune à l'orange vif. A signaler l'amusante variété Galeux d'Eysines, recouverte de bourrelets de liège irréguliers.

• *Le potimarron.* C'est un potiron — Cucurbita maxima — de taille relativement réduite, de chair orangée douce et ferme. C'est peut-être le plus fin de tous les fruits de la famille des courges. De plus, il se conserve bien l'hiver. Ses utilisations sont les mêmes que les autres potirons : farcis, en soupe, en tarte, additionnés au pain, servis en légume d'accompagnement.

L'olive — Olea europea

C'est à la fois l'une des plus anciennes plantes cultivées et un des produits alimentaires les plus importants et symboliques. Le pain et l'huile d'olive agrémentés de poissons et de quelques légumes ne résument-ils pas toute une civilisation issue des rives de la Méditerranée ? Avec son histoire, ses philosophes, ses savants, ses religions. Avec le sens de la beauté visuelle et du temps, avec ce goût de la cuisine et des odeurs. Mère nourricière des mondes gréco-romain, judaïque, christique, musulman et de leurs multiples déclinaisons, l'olive, c'est tout d'abord l'huile. C'est aussi le fruit, qu'on peut cueillir jeune, vert, au début de l'automne ou mûr, noir, en hiver.

Il existe d'innombrables variétés grosses ou petites, d'utilisation variée. Parmi celles produites en France continentale, citons les noires : Tanche (Nyons[1]) et Cailletier (Nice) et les vertes : Picholine, Lucques et Salonenque. Les variétés corses les plus renommées sont la Sabine et la Germaine.

Bien entendu, on trouve des variétés remarquables dans les autres pays de la Méditerranée ainsi que dans ceux qui ont importé l'olivier, en Californie, par exemple, avec la variété Mission introduite par les franciscains à San Diego.

L'olive est un fruit qui se consomme dans le salé, essentiellement comme accompagnement de hors-d'œuvre froids ou en

1. Les olives noires de Nyons bénéficient d'une AOC.

amuse-gueule. Elle entre également dans de nombreuses préparations cuites, servies chaudes ou froides.

Les piments et poivrons

Il faut en cuisine séparer les piments doux et les piments forts. Il s'agit en fait de plantes apparentées, mais différentes — Capsicum annum et Capsicum frutescens —, du même genre que le poivrier. Ils sont de couleurs vives, verts ou rouges, mais aussi orange et jaune d'or.

Le piment doux est souvent confondu avec le poivron. Bien que ce dernier mot soit synonyme de piment doux, on vend en fait des légumes différents sous ces noms. Les poivrons doux sont verts ou jaunes, parfois rouges, allongés et de taille moyenne. On les fait cuire à la vapeur ou à l'eau, on les fait griller, ou rôtir, ou frire. Ils font partie de ce chef-d'œuvre de la cuisine tunisienne qu'est la salade mechouia. On peut aussi les farcir.

Les poivrons verts, dorés, orange ou rouges sont plus renflés, ventrus, avec une forme côtelée. On les utilise crus ou cuits. Leur peau est vernissée et brillante, ils sont aromatiques. Ils font partie de certains classiques —, le poulet basquaise, les poivrons farcis, les poivrons rouges à l'huile, etc. Il est recommandé d'enlever la peau des poivrons, ce qui est parfois délicat.

Les piments forts sont plus utilisés comme épices que comme légumes. Il en existe de très nombreuses variétés (cf. le chapitre sur les épices). Certaines sortes sont utilisées comme légumes. Comme ils sont réellement forts — c'est le *harr* des Arabes —, la quantité qu'on peut mettre dans un plat ou qu'on peut manger isolément est très variable d'un individu à l'autre, phénomène d'adaptation bien connu des neuro-physiologistes. Les néophytes devront donc se méfier.

La tomate

La pomme d'or rapportée des Amériques était originellement arrondie et toute petite. Son développement comme plante culinaire ne s'est faite que lentement car, comme cette autre solanacée qu'est la pomme de terre, elle était regardée avec suspicion — il faut reconnaître que nombre de plantes de cette famille sont toxiques. Mais, depuis, elle a pris sa revanche !

La tomate — Lycopersicon esculentum — est un de ces fruits

de couleur éclatante utilisés généralement comme légumes et rarement dans le sucré — la confiture de tomates vertes étant la seule recette classique dans ce registre — bien qu'Alain Passard apporte la démonstration éclatante de son potentiel remarquable comme dessert.

Comment parler d'un légume aussi connu? En effet, ce symbole de la culture de grand soleil se trouve toute l'année, et provient souvent de régions telles que la Hollande ou la Belgique qui ne sont pas particulièrement renommées pour leur ensoleillement. Cela se paye : la tomate, charnue, douce et parfumée lorsqu'elle est de bonne origine, peut aussi se révéler une triste sphère aqueuse et fade.

Les tomates sont, comme chacun le sait, rouges. Il y en a pourtant des variétés pourpres, orange, jaune d'or et même blanches. Leur taille est également variable. Il en existe des naines utilisées souvent en amuse-gueule — tomates cerises et tomates poires — et d'énormes, ventrues, côtelées. Les variétés proposées sur les étals sont souvent choisies plus en fonction de leur productivité et de leur durée de conservation — on sait que la tomate est un des « champs de bataille » de la génétique industrielle, l'objectif étant d'obtenir une tomate qui ne pourrit jamais, une tomate éternelle en quelque sorte. C'est dire comme l'amateur doit être précautionneux dans ses achats. Car ce qui est éternel, c'est sa médiocrité gustative, du moins actuellement.

Parmi les bonnes variétés citons les grosses, Saint-Pierre ou Marmande; les Italiennes, petites et oblongues, type Roma, ou arrondies type Prince-Borghèse; l'Orange-Bourgoin et la Sungold petites et rondes. En fait nombre de variétés sont excellentes lorsqu'elles viennent de culture de pleine terre au soleil. Citons aussi les minitomates en forme de cerises, de poires, elles aussi de qualité variable en fonction de leur origine; enfin à l'opposé, les énormes tomates beefsteak.

Les tomates se consomment crues, en salade, ou pressées pour en extraire le jus. Cuites, leur emploi est tellement divers qu'elles se sont imposées au tout premier plan des utilisations culinaires.

LES CHAMPIGNONS

S'il fallait décerner le qualificatif de mystérieux, ne serait-ce pas au champignon qu'on l'attribuerait, au champignon évocateur d'ombre, de forêts, de fourrés, d'humidité, d'automne, d'alchimies étranges, de sorciers, de philtres, de breuvages, de décoctions, d'empoisonnement, de malédictions, d'oracles, de phantasmes, de délires, de prédictions, de voyages intérieurs, d'hallucinations, de mal-être, de bien-être, d'initiations, de mysticisme, de désincarnation, de réincarnation, de chair, de plaisir, d'odeurs, de goûts, d'arômes, de parfums, de mort aussi? Les champignons ne sont-ils pas tout cela, confusément, dans notre esprit?

Les champignons ne servent pas à grand-chose dans l'alimentation. Ils contiennent très peu d'éléments nutritifs, sont peu caloriques, leurs fibres n'ont pas de propriété éminente. On aurait donc pu penser que l'addition: légume peu nutritif + danger potentiel, en ait fait des bannis, des exclus de la table.

Bien au contraire, ils constituent des éléments particulièrement prisés. Les champignons cultivés, ceux de Paris tout d'abord, puis progressivement d'autres espèces: shii-také et pleurotes, sont communément vendus au marché et dans les grandes surfaces. Le moindre catalogue de vente par correspondance propose des bottes de paille ensemencées de leur mycélium ou de celui des coprins chevelus, ces derniers n'étant pas vendus dans le commerce alimentaire à cause de leur fragilité. En saison, c'est la multitude des champignons sauvages, girolles, cèpes, trompettes de la mort, bolets à l'automne, mousserons en été, morilles au printemps, avec tous les entrecroisements que permettent les transports modernes, avec l'arrivée rapide de produits en provenance de pays dont les différences climatiques assurent la maturité à des périodes différentes des nôtres.

De fait, il n'est de chef qui ne propose de champignons à sa carte, et en nombre, comme si leur présence conditionnait la reconnaissance de ses qualités professionnelles. Imagine-t-on un restaurant trois étoiles qui ne servirait ni cèpes ni girolles ni morilles?

Quelle est donc la cause de ce statut, unique parmi les légumes? Y a-t-il une qualité ou des qualités tellement éminentes qu'elles élèvent les champignons à ce rang exceptionnel? Est-ce la rareté — mais les champignons cultivés ne le sont pas — ou le caractère rituel et saisonnier de la brève apparition des espèces sauvages? Est-ce le reste d'un savoir oublié, sans doute cher payé d'ailleurs, la mémoire des survivants en quelque sorte? L'apprentissage a sûrement été rude, qui a permis de discerner les espèces dangereuses des comestibles — il n'est que de compter les morts annuels par empoisonnement par les champignons, alors que nous sommes censés reconnaître les toxiques, pour imaginer les hécatombes aux temps de l'ignorance.

Quoi qu'il en soit, les champignons constituent des végétaux que le cuisinier se doit de maîtriser. Ils peuvent se manger frais. Un certain nombre d'espèces, surtout sauvages, peuvent se faire sécher et s'utilisent après réhydratation. En fait, cette opération a des effets différents selon les cas. Parfois, le goût du champignon n'en est pas modifié, parfois au contraire, il y a des différences importantes entre les deux formes.

Les champignons peuvent se manger crus ou cuits, mais pas toutes les espèces. Certaines peuvent être consommées cuites et sont dangereuses crues, les morilles par exemple. Bien sûr, le bon vieux champignon de couche, dit de Paris, ne fait courir aucun risque. Mais avant de s'aventurer dans la consommation d'espèces inconnues ou douteuses, il faut à tout prix s'assurer de l'absence de risque. Dans le doute, mieux vaut toujours s'abstenir, les inconvénients même mineurs, sans parler bien sûr des troubles graves, voire mortels, dus aux intoxications étant sans commune mesure avec les plaisirs gustatifs. Il ne faut donc jamais « explorer » soi-même les espèces inconnues ou les modes de cuisson ou de non-cuisson inhabituels.

Les champignons sont d'utilisation polymorphe. On peut les consommer comme légumes et, en ce cas, ils seront en quantité suffisante pour constituer soit l'essentiel, soit l'accompagnement du plat. On peut également les utiliser comme aromates, souvent mêlés à des carottes, des oignons, des échalotes, etc.; coupés en morceaux plus ou moins gros, ils apportent un discret parfum aux marinades, aux sauces, aux liquides de cuisson. Certains, particulièrement ceux que l'on fait sécher, peuvent même être utilisés comme de véritables épices, avec leur arôme profond et ample qui envahit la cuisine. D'autres, enfin, particulièrement certaines espèces asiatiques, apportent au contraire une fadeur élégante qui contraste avec le croquant qu'ils révèlent sous la dent.

On comprend que l'utilisation de chaque type de champignon doit être pensée bien précisément.

Champignons crus, champignons cuits

Certains champignons sont toxiques crus (les morilles par exemple), et il faut être extrêmement vigilant avec les espèces dont on n'a pas l'habitude. Parmi ceux qui peuvent être consommés crus, citons les agarics (dont le champignon de Paris), les cèpes et l'oronge.

Certains champignons peuvent être cuits rapidement, c'est-à-dire de quinze à vingt minutes. Parmi ces derniers, citons les chapeaux de coulemelles[1], les laqués améthystes, les clitocybes orangés et en entonnoir, les psalliotes à pied bulbeux (anisés), les coprins chevelus, les pieds-bleus, les russules. Par contre, bolets, cèpes et golmottes peuvent nécessiter jusqu'à une heure de cuisson. En fait, dans le cas des cèpes, on peut trouver toutes les formes de préparation : crus, cuits brièvement, ou longtemps, tant est riche la diversité de leurs possibilités. Attention quand même : une mauvaise cuisson a vite fait de les transformer en éponges peu appétissantes.

Quant à la cuisson des champignons des bois, c'est une alchimie, se plaît à dire Jean de Maximy.

Les meilleurs champignons[2]

Les cèpes et bolets

Ils ne sont pas tous comestibles, et parmi ces derniers on en trouve de qualité gastronomique fort inégale. On les reconnaît facilement : ils ont tous un air de famille avec un chapeau arrondi, des tubes et non des lamelles, et un pied cylindrique.
Les meilleurs sont :
- Le *cèpe de Bordeaux* — Boletus edulis —, au chapeau brun.
- Le *tête-de-nègre* — Boletus aereus —, au chapeau noir.
- Le *cèpe de pins* — Boletus pinophilus ou pinicola —, au chapeau acajou.
- Le *cèpe d'été* — Boletus aestivalis —, au chapeau café au lait.
Parmi les autres variétés, de moindre intérêt, citons :
- Le *bolet à pied rouge* — Boletus erythropodus.
- Le *bolet orangé* — Krombholziella aurantiaca.
- Le *bolet bai* — Xerocomus badius.
- Le *bolet bleuissant* — Gyrosporus cyanescens.
Les cèpes et bolets sont parmi les plus réputés des cham-

---

1. La meilleure façon consiste cependant, selon Marcel Bisson, à les cuire lentement et longuement devant un feu de bois.
2. Classement établi à partir de *Champignons de France et d'Europe occidentale*, Marcel Bon, Arthaud, 1988.

pignons sylvestres. On les cuisine de multiples façons. On peut les sécher et les réhydrater.

Les russules

• *La russule verdoyante* — Russula virescens. De toutes les russules, c'est la meilleure. On la reconnaît aisément à son chapeau vert et craquelé. C'est un petit champignon des bois, utilisable en fricassée. La *russule charbonnière* — Russula cyanoxantha —, à chapeau noir, est moins intéressante.

L'hygrophore de mars — Hygrophorus marzuolus

En fait, de mars à mai, ce champignon de montagne, épais et court, jouit d'une bonne réputation gastronomique.

Les pleurotes

Depuis qu'on les cultive, on les trouve partout. On peut même acheter du mycélium et les produire à domicile. Ce sont d'assez bons champignons, qui manquent un peu de finesse. On trouve surtout la *pleurote en forme d'huître* — Pleurotus ostreatus. La *pleurote du panicaut* — Pleurotus eryngii, dont le nom indique la proximité des chardons, a meilleure réputation. On trouve également la *pleurote corne d'abondance* — Pleurotus cornucopiae. Il est recommandé de ne consommer que le chapeau des pleurotes. Sur les marchés, on trouve aussi des formes jaunes et roses.

Les clitocybes

• *Clitocybe en entonnoir* — Clitocybe infundibuliformis. Petit et agréable, ce champignon, dont le chapeau brun clair a une forme d'entonnoir, se cuit rapidement.

• *Clitocybe nébuleux* — Clitocybe nebularis. Il est plus gros et plus large que le clitocybe précédent. Son chapeau est gris et lisse, ses lamelles à peine rosées. Il dégage en cours de cuisson une odeur ammoniacale, qui est loin de plaire à tout le monde. Dans une fricassée de champignons des bois, un clitocybe nébuleux apporte toutefois, selon Jean de Maximy, une note sauvage et agréable. Un seul, cela va sans dire.

• *Le clitocybe laqué* — Laccaria amethystea. Améthyste, telle est la couleur de ce petit champignon haut d'une dizaine de centimètres qui se rencontre en grand nombre dans les bois. Sa chair est agréable et il se cuit assez rapidement.

Les rhodopaxilles

• *Le pied-bleu* — Lepista nuda. Ce champignon nu est tout bleu, à vrai dire d'un bleu tirant sur le violet, y compris les lamelles. C'est un champignon sylvestre d'automne et parfois de printemps, de qualité honnête. Il peut être cultivé et se trouve sur les marchés.

Les tricholomes

• *Les tricholomes.* Il existe plusieurs espèces de tricholomes considérés comme excellents : Tricholoma terreus (*tricholome terreux*, gris), Tricholoma colombetta *blanc*, Tricholoma equestre (*chevalier* ou *jaunet*), Tricholoma portentosum (*petit-gris* ou *prétentieux*). Ils sont petits, avec un chapeau ne dépassant pas dix centimètres de diamètre. On les apprête en fricassée.

Mousserons et faux mousserons

• *Le mousseron* — Calocybe gambova. C'est le *tricholome de la Saint-Georges*, le seul à avoir le droit de s'appeler mousseron. On le trouve surtout au printemps, dans les prés. Il a un pied épais, il est court sur pattes, avec un chapeau épais, d'un brun plus ou moins clair. C'est un champignon des plus renommés.

• *Le marasme des Oréades* ou *d'Oréade* — Marasmius oreades. C'est le faux mousseron, celui qui fait les ronds de sorcière dans les prés. Il est petit, avec un chapeau brun. Le pied est souvent dur. C'est un remarquable champignon, excellent cuit. De plus, il est très facile à dessécher et se conserve très bien. On peut alors l'utiliser comme légume, comme aromate et même comme épice, étant donné sa force et sa puissance aromatique.

La pholiote ridée — Rozites caperata

C'est un champignon de taille assez petite, de couleur jaune clair, qui se plaît en forêt et dont la chair est correcte, au dire du peintre graveur de Samois-sur-Seine, Jean de Maximy, dont les moustaches de mousquetaire guident la quête répétitive des meilleures espèces de la forêt de Fontainebleau.

Le strophaire rugueux à anneaux — Stropharia rugosa annulata

Ce champignon encore peu répandu se trouve maintenant dans plusieurs catalogues de vente par correspondance. Il a été introduit avec l'avoine en provenance des pays nordiques. Il peut se trouver en masse certaines années et ne plus se reproduire. Il est déclaré « le plus facile à faire pousser, saveur assez douce » (Baumaux) on encore « champignon aromatique ressemblant au cèpe, à chair blanche et ferme » (Bakker). Un bon programme.

La pholiote du peuplier — Agrocybe aegerita

Elle pousse en masses serrées sur les troncs morts ou blessés des peupliers et d'autres arbres. Son chapeau blanc ocré est luisant, sa taille variable. On peut en quelques minutes en ramasser une quantité considérable. C'est un champignon d'une grande finesse, un des meilleurs sans conteste. On peut le cultiver chez soi.

Les coprins

• *Le coprin chevelu* — Coprinus comatus. Il est facile à reconnaître, on le trouve un peu partout : au bord des routes, dans les cours d'immeubles, sur les parcs municipaux. Son chapeau a la forme d'une grosse olive verticale blanche et parsemé de « cheveux ». Les lamelles sont roses. Quand il vieillit, elles noircissent et deviennent immangeables.

Le coprin chevelu est un excellent champignon, d'un goût très fin. Il doit cependant être cuit immédiatement après la récolte, car il s'abîme très vite, noircit ou rend un jus noir et désagréable à la cuisson.

On en rapprochera un autre coprin qui se trouve souvent sur des sites voisins, le *coprin noir d'encre* — Coprinus atramentarius —, qui est comestible, mais présente la propriété d'être antabuse, c'est-à-dire de rendre intolérant à l'alcool. L'effet antabuse est utilisé pour dégoûter les alcooliques de leurs habitudes en les rendant malades dès qu'ils boivent du vin, de la bière ou des apéritifs. Ceux qui ont essayé n'ont généralement pas envie de recommencer. Avis aux amateurs.

Les agarics

• *Le rosé des prés* — Agaricus campester. C'est un champignon blanc aux lamelles rosées, qui pousse l'été dans les prés. Son goût l'apparente, en plus fin, au champignon de Paris. Son utilisation est identique.

• *La boule-de-neige des bois* — Agaricus sylvicola. C'est un cousin du précédent ; ses lamelles sont rose pâle — il jaunit au frottement. Champignon sylvestre, il est proche du rosé des prés sur le plan gustatif, avec une discrète odeur anisée.

• *Le champignon de Paris* — Agaricus bisporus. Ce champignon cultivé se trouve partout sur les marchés. Il est de toutes les cuisines.

Les lépiotes

• *La lépiote pudique* — Leucogaricus leucothite. Ce champignon champêtre ne doit pas être confondu avec les amanites. Il pousse au printemps et à la fin de l'été. Il est blanc ou gris et de bonne qualité.

• *La coulemelle* — Macrolepiota procera. La coulemelle se reconnaît aisément à sa haute taille, parfois plus de trente centimètres, et à son chapeau couvert d'écailles brunâtres. On ne consomme que ce dernier, généralement cuit sur le gril. Étant donné qu'il existe deux variétés au moins de lépiotes toxiques, voire mortelles — Lepiota brunneo incarnata et Lepiota helveola —, qui sont de petite taille et lui ressemblent, par prudence on ne consommera que les coulemelles de plus de quinze à vingt centimètres de haut.
La chair de la coulemelle est agréable, mais non des plus fines. On rapprochera de la coulemelle la *lépiote déguenillée* — Lepiota rhacodes —, qui lui ressemble et s'utilise de même façon.

Les amanites

• *L'amanite des césars* ou *oronge vraie* — Amanita caesarea. Considérée comme l'un des meilleurs champignons, l'oronge devient de plus en plus rare. Alors qu'elle était commune en forêt de Fontainebleau au xixe siècle, il est devenu difficile de la rencontrer. C'est une amanite comestible, il ne faut donc pas la confondre avec celles qui sont dangereuses, comme la fausse oronge ou amanite tue-mouche — Amanita muscaria —, dont le chapeau rouge est ponctué de petites crêtes blanc jaunâtre. La vraie oronge a un chapeau bien lisse et d'un beau rouge légèrement orangé. Les anciens livres donnent de nombreuses recettes d'oronge, signe de sa fréquence et de ses qualités.

• *L'amanite engainée* — Amanita vaginata. C'est un champignon de sous-bois de bonne qualité, qu'on récolte de juin à octobre.

• *L'amanite vineuse* ou *golmotte* — Amanita rubescens. L'amanite rougissante est relativement courante. Elle est reconnaissable à son pied rose et à son chapeau écailleux gris-brun rosé. Là encore, il faut faire bien attention à ne pas la confondre avec d'autres amanites. Toutefois, elle est facile à identifier. Le pied est enflé, globuleux sans rebord identifié, les taches sur le chapeau sont grises ou crème (elles sont blanches sur celui de l'amanite panthère). Il faut donc *toujours cueillir le champignon entier.* C'est un bon champignon, qu'on utilise souvent en mélange avec d'autres. Elle doit être bien cuite et ne pas être consommée crue.

Les chanterelles

• *La girolle* — Cantharellus cibarius. La girolle jaune, petite et jaune, tend à se raréfier. On la trouve à partir du début de l'été. C'est l'un des meilleurs et des plus fins des champignons, qu'il faut bien faire cuire. Les girolles de fin de printemps sont les meilleures.

• *La chanterelle en tubes* — Cantharellus tubaeformis. Elle a un chapeau brun et le pied brun et jaune. On en trouve de grandes quantités. Elle est de bonne qualité et peut se sécher.

• *La chanterelle jaunissante* — Chantharellus lutescens. C'est un champignon d'automne, sylvestre et de qualité moyenne.

• *La trompette de la mort.* Elle n'apporte ni n'annonce la mort. On l'appelle aussi *corne d'abondance,* comme dans son nom latin Craterellus cornucopioides. Gris foncé, elle est faite d'une membrane qui s'épanouit vers l'extérieur à la manière d'une trompette. Elle vit en grandes colonies et se sèche assez facilement. On peut alors la réhydrater ou la transformer en poudre aromatique.

La trompette de la mort est un champignon d'un goût agréable.

Le pied-de-mouton

Très commun, il est blanc jaunâtre. Il porte des sortes d'aiguillons à la face inférieure du chapeau, qui s'effritent au toucher et lui donnent un aspect bien particulier. Le pied-de-mouton — Hydnum repandum — est un assez bon champignon, qui cependant est ferme et sans grande finesse.

La langue de bœuf — Fistulina hepatica

C'est une grosse masse à chapeau rouge brunâtre qui pousse sur les troncs d'arbres. Elle se mange traditionnellement crue, mais elle peut aussi se cuire. On ne consomme que les jeunes champignons.

Les morilles

Il en existe en fait plusieurs. Morchella rotunda, ou *morille blonde*, Morchella conica, ou *morille conique*, Morchella vulgaris, ou *morille vulgaire*, Morchella esculenta, ou *morille grise*.

Les morilles ont une tête particulière, alvéolée et irrégulière. Elle est blonde ou brune, et a un goût très fin et particulier. C'est un champignon printanier qui se sèche très bien. Il doit impérativement être cuit car il ne faut pas le consommer cru.

On le confond parfois avec la *gyromitre* — Gyromitra esculenta — qui a la propriété d'être mortelle crue et qui, malgré sa présence à la carte de Michel Bras, doit être évitée, même cuite, car il semble que des accidents graves lui aient été imputés.

Les truffes

Il faut bien dire *les* truffes car, sous ce nom générique, se cachent des champignons très différents.

• Le plus classique en cuisine française est la *truffe noire*, ou *du Périgord* — Tuber melanosporum —, qui vit en symbiose avec la racine de certains arbres, chêne truffier en premier lieu. Sa production naturelle a diminué considérablement au cours du XXe siècle, ce qui explique en partie son prix exorbitant. A tel point que l'essentiel de la production nationale vient de Provence. La truffe noire est un symbole un peu mythique d'une certaine grande cuisine française, faite de luxe et d'apparat. Aujourd'hui son prix en rend l'accès difficile à l'amateur. De plus, sont arrivées des variétés différentes, presque dépourvues d'arôme. C'est ainsi qu'on en trouve sur les marchés d'Alep et de Damas à des prix à peine plus élevés que celui des champignons sauvages en France.

La truffe noire est en fait plus grise que noire, légèrement veinée. De légume elle est devenue aromate et presque épice, puisque ses arômes délicats deviennent progressivement inaccessibles, sauf sous forme de rognures et de brisures en conserve, de qualité évidemment inférieure.

• La *truffe blanche* — Tuber magnatum —, dite d'Italie car elle se trouve dans le Piémont (mais il y en a aussi en Provence), est encore plus chère. Cependant, son parfum puissant l'a placée depuis longtemps parmi les aromates. Résultat, elle est largement utilisée dans la cuisine du nord de l'Italie où elle agrémente les pâtes et diverses préparations de ses relents subtils.

Le shii-také (Lentinula edodes)

Ce champignon japonais a pénétré les foyers hexagonaux il y a quelques années car on peut le cultiver aisément.

C'est un très bon champignon, brun, très considéré dans l'empire du Soleil levant.

LES GRAINES ET LES LÉGUMINEUSES

On se doute bien, évidemment, que les légumineuses sont des légumes. Ce sont des plantes qui réussissent dans les terres légères, même pauvres, et on comprend qu'elles aient été à la base de l'alimentation depuis fort longtemps. Comme on consomme surtout leurs graines et que ces dernières peuvent être séchées, donc aisées à stocker, elles sont des pays chauds comme du froid, garanties contre les mauvaises récoltes, sorte de fond de réserve. Le cuisinier d'aujourd'hui en garde d'ailleurs dans ses placards, en prévision des retours trop tardifs pour faire des courses, ou de l'arrivée impromptue d'invités.

Les légumineuses sont d'emploi aisé — la seule contrainte étant la nécessité du trempage de certaines graines, sèches, mais pas de toutes. Même si elles sont parfois cause de flatulences, par contre, elles sont riches en fibres, surtout les lentilles, et aussi en sucres lents, et il est donc recommandé d'en consommer régulièrement.

• *La fève*. Les fèves ont subi un revers de faveur lorsque sont arrivés les haricots venus d'Amérique. Avec les pois et les pois chiches, elles constituaient en effet la base d'une certaine cuisine d'où elles ont été évincées par l'arrivée de leurs cousins d'outre-Atlantique.

Les fèves — Faba vulgaris — sont des graines de taille variable selon les variétés, qui nécessitent du travail. Il faut d'abord les écosser, les cuire, généralement à l'eau, les rafraîchir et enlever l'enveloppe qui les recouvre. On leur applique alors leurs préparations définitives : en salade, à la crème, avec des herbes aromatiques, en potage, etc. On peut les utiliser fraîches ou sèches. Dans ce dernier cas, on doit les faire tremper plusieurs heures à l'eau froide. Comme pour les autres légumes secs, il est recommandé de les cuire avec de la sarriette, de l'ajowan, de la sauge ou de l'asa foetida pour diminuer les flatulences qu'elles peuvent provoquer.

Les fèves sont de couleur variée, blanches, vertes, brunes et même pourpres. Elles sont en définitive relativement onéreuses quand on les achète fraîches, car il y a beaucoup de déchets, mais elles ont une très bonne qualité gustative, à la fois douce et typée. Elles ont gardé une place importante dans la cuisine de certains pays méditerranéens.

• *La gesse* — Lathyrus sativus. C'est la cousine du pois de senteur — Lathyrus latifolius. Il s'agit d'un ancien légume dont on consomme les graines. Il convient de les cuire à deux eaux, faute de quoi elles sont indigestes. Elles se préparent comme les haricots ou les fèves.

• *Les haricots*. On cultive les haricots — Phaseolus vulgaris — pour consommer leurs gousses (*haricots mangetout* ou *haricots beurre*) ou leurs graines (*haricots à écosser*).

Les haricots filets ou mangetout peuvent être de couleur verte, noire ou pourpre. Ils se cueillent lorsqu'ils sont petits (dix à

201

quinze centimètres selon les variétés). Le haricot mangetout, ou haricot vert, est un des meilleurs légumes. Il nécessite toutefois deux qualités précises : extrême fraîcheur et cuisson courte. Vieilli, le haricot vert perd sa fermeté et la finesse de son goût. Trop cuit, il prend une couleur vert-de-gris en devenant insipide. Les haricots verts demandent du temps, pour les récolter tout d'abord, pour les éplucher ensuite : car, si certaines espèces sont quasiment sans fil, il faut toutefois enlever les deux extrémités de chaque haricot et, comme ils sont meilleurs petits que gros, cette opération n'est pas à recommander aux cuisiniers pressés. A signaler les variétés asiatiques de haricots dits *kilomètres* qui mesurent cinquante à cent centimètres, très utilisés en cuisine chinoise.

On les mange froids en salade, ou chauds en accompagnement des viandes et des poissons.

Les *haricots beurre* sont des haricots mangetout de couleur jaune, plus ou moins clair ou doré. Ils se préparent comme les haricots verts mais sont de goût plus doux.

Les *haricots graines* sont des variétés que l'on écosse pour en recueillir les « fèves » qui sont cuites fraîches ou séchées. La préparation des haricots secs nécessite un trempage préalable. On les cuit ensuite à l'eau additionnée de sauge et de sarriette.

Il existe de très nombreuses variétés de haricots graines. Parmi les plus notables citons les *cocos*, les *soissons*, les *tarbais*, les *mohjettes* qui sont généralement blancs (il existe des haricots cocos de toutes couleurs) les *flageolets verts*, les *haricots rouges* dont les plus célèbres proviennent du sud des États-Unis, les petits *haricots noirs* utilisées pour la feijoada brésilienne, et toute une kyrielle de haricots de couleur variée, souvent bariolée et spectaculaire.

Il est souvent agréable et beau à l'œil de présenter un mélange de haricots graines. Dans ce cas il est impératif de les cuire séparément car, le temps de cuisson est très différent d'une variété à l'autre. Le haricot doit être suffisamment cuit pour ne garder aucune dureté, mais il doit conserver sa forme et ne pas éclater, ce qui se produit après une trop longue cuisson.

Les haricots graines se présentent froids en salade, chauds en légumes, en purées, en potages. Ils constituent l'élément central de certains plats-repas traditionnels, tels le cassoulet du Sud-Ouest français, la feijoada du Brésil, le chili con carne mexicain.

Le haricot de mouton, dont on sait qu'il n'en comportait pas originellement, était préparé avec de la viande haricotée, c'est-à-dire découpée. Le mariage avec les fèves venues d'Amérique est apparu si réussi qu'elles y ont trouvé leur nom : haricots.

Dans leurs diverses formes et variétés, les haricots révèlent des qualités gustatives éminentes qui leur assurent une place bien particulière.

• *Autres haricots*. Parmi les multiples variétés de haricots il faut isoler :
— Les haricots de Lima (Phaseolus lunatus) aux graines délicates
— Les haricots d'Espagne (Phaseolus coccineus) dont on n'utilise que les graines blanches
— Les doliques longues (Dolichos sesquipedalis) encore appelés haricots-kilomètres
— Les doliques naines (Dolichos unguiculatus) qu'on peut manger comme des haricots verts
— Les haricots mung, souvent appelés soja vert qu'on peut apprêter de diverses manières (on pourra se référer au livre de Claude Aubert : *Fabuleuses légumineuses-Terres Vivantes*, 1992)

• *Les lentilles*. Elles sont d'utilisation ancestrale et devaient être si réputées qu'elles ont pu servir de prétexte à la damnation de l'humanité : n'est-ce pas parce que son frère Jacob lui avait échangé son droit d'aînesse contre un plat de lentilles que Caïn le tua, devenant le premier assassin, le premier proscrit, le premier coupable ?

Les petites graines de lentilles — Lens culinaris — peuvent être brunes, vertes, blondes ou roses. Elles sont extrêmement riches en fibres et leur consommation est donc particulièrement recommandée. Comme elles accompagnent les viandes, surtout de porc, qu'elles aromatisent les potages, qu'elles peuvent se préparer en salade, qu'elles supportent gaillardement la vinaigrette comme les lardons, le piquant comme la tomate, leur emploi est varié et tend peu à peu à revenir à la mode. Car, comme tous les symboles liés à la pauvreté, la lentille avait quasiment disparu des menus d'apparat. Elle y revient grâce à certains chefs et elle figure aujourd'hui en bonne place sur la carte des grands cuisiniers, comme Guy Savoy. Le récent classement en appellation d'origine contrôlée de la lentille verte du Puy[1] — la plus fine et la plus renommée des lentilles produites en France — traduit d'ailleurs ce changement de statut.

De même, l'intérêt croissant pour la cuisine indienne, où les lentilles roses et blondes, le *dal*, jouent un rôle central, devrait

1. Signalons également la qualité des lentilles vertes du Berry.

permettre à tous d'en apprécier une nouvelle sorte, connue aujourd'hui seulement des familiers du sous-continent.

Les lentilles sèches ne nécessitent généralement pas de trempage. Elles ne doivent pas être trop cuites et s'accommodent particulièrement de la présence d'herbes aromatiques : sarriette, romarin, sauge, et d'ail, piment et gingembre[1].

• *Les pois.* On utilise en cuisine trois sortes de pois — Pisum sativum. Les *pois mangetout*, plats, de couleur vert tendre tendant parfois vers le jaune, dont on retire les fils et les extrémités et que l'on consomme entiers, peu cuits, constituent un légume délicat qui a connu un regain d'intérêt sous le nom de *pois gourmands*.

Les *petits pois*, pois de petite taille, ronds et sucrés, font partie des pois à écosser. On les consomme frais, et même extra-frais. Ils doivent être très peu cuits pour conserver couleur, forme et goût.

Les *pois secs* ou *pois cassés* sont des pois à écosser que l'on consomme à l'état sec. On en fait traditionnellement de la purée ou des soupes.

• *Les pois asperges* — Tetragonolobus purpureus — ont de petites cosses de deux à trois centimètres de long, que l'on fait à peine cuire pour en révéler le goût particulier. De plus, ils produisent de jolies fleurs rouges. Beaux et bons.

• *Le pois chiche* — Cicer arieticum —, qui fut un légume traditionnel en France, a quasiment disparu de la cuisine de notre pays. Le pois chiche est un pois de couleur blanc jaunâtre, qui peut être préparé comme les pois ou les haricots frais. Séché, il faut le faire tremper une dizaine d'heures avant de le cuire.

Les pois chiches sont un élément important de la cuisine de nombreux pays méditerranéens. On en fait des salades, on les ajoute à la soupe, au couscous et à divers plats. La cuisine syro-libanaise en fait de délectables purées froides. Des pois chiches, on fait une farine qui peut être utilisée pour divers gâteaux ou « pains ». Grillés, on s'en sert pour en faire un ersatz de café (ce qui n'est pas son principal titre de gloire).

LES CÉRÉALES

Les céréales sont des graminées. Parmi ces dernières se trouve la majorité des plantes qui constituent l'« herbe » des prairies et des pelouses. On se prend à imaginer le lent travail de

---

1. Signalons d'un point de vue diététique que les lentilles sont à la fois riches en fibres et en sucres lents. Elles ont donc la faveur des nutritionnistes.

déchiffrage fait par nos aïeux, cherchant à identifier ce qui était mangeable, ce qui était agréable, tout en éliminant l'indigeste, le médiocre et le déplaisant, malgré les erreurs, les mélanges avec des herbes indésirables, les contaminations. Une fois que l'homme eut sélectionné et cultivé certaines graminées, il lui a fallu apprendre à moissonner, à battre, à conserver le grain avec, à chaque étape, les risques de souillure, d'erreur. Le plus dangereux fut sans doute de stocker les graines à l'abri de l'humidité, facteur de pourrissement, de moisissures, de parasites, de maladies. Ainsi l'ergotisme, dû au développement d'un champignon — l'ergot sur le seigle —, faisant croire à des possessions démoniaques, a livré au bûcher nombre de malheureux intoxiqués. N'oublions pas les rats, les épidémies, les charançons.

Les progrès de l'agriculture, l'apport de la science, l'apparition d'une recherche agronomique spécifique ont bouleversé le rapport de l'homme aux céréales. Désormais, les gros rendements ont éloigné les disettes, puis la surproduction a éliminé nombre d'agriculteurs et menace en permanence ceux qui restent. Les conditions d'hygiène se sont considérablement améliorées. Imagine-t-on aujourd'hui de trouver des crottes de souris dans son pain ?

Cette amélioration considérable et irréversible s'accompagne des inconvénients du modernisme. Les grains sont sélectionnés pour leur rendement plus que pour leurs qualités gustatives. L'emploi des pesticides, insecticides et composés antipourriture rend dangereuse la consommation de certaines parties de la plante. Au début de ce siècle, les Javanais riches mangeaient le riz blanc alors que les pauvres se contentaient de riz complet, qui contenait de la vitamine B1. Résultat, les riches étaient malades du béribéri alors que les pauvres y échappaient. Aujourd'hui, la consommation de blé complet ne saurait être recommandée que si on a la certitude qu'il s'agit de blé non traité, car les pesticides et les fongicides se concentrent dans l'enveloppe (péricarpe) et dans le germe du grain de blé. De même que le riche Javanais tombait malade de consommer une céréale sélectionnée, l'écologiste moderne risque de détériorer sa santé en consommant des produits « complets » ou « naturels » achetés chez un commerçant indélicat. Preuve que les vérités apparentes doivent être analysées d'un œil critique. Par ailleurs, la culture biologique « pure » peut ne donner que des produits insatisfaisants. Il semble que le meilleur compromis soit aujourd'hui des céréales traitées avec des produits issus de l'agriculture biologique.

Les céréales sont partout dans la cuisine. Elles constituent la base du pain, des gâteaux. Elles font les crêpes et les gaufres. Elles sont légumes et salades, et même desserts.

Les principales céréales utilisées en cuisine sont le *blé*, l'*avoine*, le *seigle*, l'*épeautre*, l'*orge*, le *maïs* et le *riz*. On en rapprochera deux plantes de familles différentes, le *sarrasin* ou *blé noir* et le *soja*. Signalons d'autres graminées utilisées dans certaines régions : le *millet*, la *folle avoine*, etc.

Les céréales se consomment généralement sous forme de farines ou de semoules, de tailles et de textures variées. Toutefois, il existe de nombreuses façons d'utiliser les grains entiers — qu'on songe simplement au maïs en grains fréquent dans les salades.

La composition des diverses céréales est variable, mais elles contiennent principalement un sucre lent, l'amidon, et une protéine, le gluten.

C'est la présence de ce dernier composant qui permet la fabrication du pain, expliquant la supériorité du blé et de l'épeautre — les autres céréales étant utilisées en complément ou considérées comme plus aptes à la fabrication de gâteaux ou de crème. Chaque continent, chaque culture, a sa céréale dominante. Toutefois, le blé, le riz et le maïs sont les plus répandues de par le monde.

• *L'avoine* est une des plus belles graminées ornementales. Certaines avoines[1] peuvent atteindre deux mètres de haut — Stipa gigantea —, et constituent une des gloires des jardins poétiques. L'avoine cultivée — Avena sativa — produit une farine pauvre en gluten, qui en panification ne sert que d'appoint. On en fait des galettes, du gruau ou des flocons. Avec ces derniers on confectionne le célèbre porridge. Toutefois, c'est l'avoine sauvage — Avena fatua — qui était traditionnellement utilisée en Écosse pour ce plat. Quant à l'avoine rouge sauvage — Avena sterilis —, elle semble difficile à se procurer.

• *Le blé*. Est-il utile de le présenter, lui que nous connaissons, que nous voyons pousser, vert doux au printemps, puis doré sombre et presque bleu, doré enfin avant la moisson ? Le blé domine la civilisation de l'Eurasie, il a conquis l'Amérique du Nord. Le marché du blé est une des pommes de discorde entre

1. Avoine cultivée et avoines ornementales sont des plantes différentes.

les États-Unis et l'Europe. Le blé, c'est le pain. C'est le couscous et le boulghour. C'est la farine des pâtes, des crêpes et des gâteaux. Le blé se compose de trois parties : l'enveloppe qui donne le son, le germe et l'amande. Le blé contient environ 10 % de gluten et c'est cette richesse qui lui permet d'être la céréale la mieux adaptée à la fabrication du pain. Il existe de très nombreuses variétés de blés (environ trente mille) provenant de plusieurs genres botaniques : Triticum, Aegilops, Agropyron.

Le *blé dur* — Triticum durum — sert essentiellement à la fabrication des semoules. Les *blés tendres* — Triticum aestivum et autres — comportent d'innombrables variétés qui ont la particularité d'être évolutives, c'est-à-dire que la recherche agronomique met sans arrêt sur le marché de nouveaux cultivars sélectionnés pour leur rendement, leur résistance au vent, à la pluie, aux maladies ou autres fléaux, apparemment jamais pour leurs qualités gustatives. Ce mouvement est si rapide qu'on ne trouve en minoterie à peu près aucun cultivar qui existait il y a dix ans.

La culture du blé est en fait moins simple qu'il y paraît. Il y a les bonnes et les mauvaises années, selon l'ensoleillement, la pluviosité et de multiples autres facteurs. Pour une même variété la qualité peut changer considérablement d'un an sur l'autre. Une autre donnée, peu connue, est l'importance du terroir. Par exemple, les blés de Blois, Orléans et Dreux sont supérieurs à ceux de Laval et du Mans. Et encore n'a-t-on pas dressé la carte des terroirs les plus grands, comme c'est le cas pour la vigne. Il est vrai que ce serait difficile.

Quoi qu'il en soit, la meilleure formule pour fabriquer une farine de bonne qualité consiste à mélanger les variétés On classe les farines en *types* 45, 55, etc. 45 signifie qu'il reste 0,45 g de cendres après calcination de 100 g de farine.

La qualité moyenne des blés permet de fabriquer des pâtes jaunes, type madeleine. La panification requiert des blés ayant des qualités plus éminentes. Pour faire des biscottes, il faut des protéines, une grande régularité (imagine-t-on en trouver de taille variable vendues sous la même marque dans le même emballage ?) et une force boulangère suffisante.

Pour le blé il faut apporter des blés renforcés (glutens qui retiennent les amidonniers).

Pour la pâtisserie, il faut des farines fortes renforcées par des farines à très grande force boulangère, comme celles que produisent le Manitoba (Canada), les États-Unis, l'Allemagne (Monopole), et maintenant le Sud-Ouest et la région d'Avignon.

207

• *L'épeautre* est un oublié qui refait surface. C'est une sorte de blé aux grains petits et très durs, que l'on cultive encore dans certaines régions alpestres et aussi en Italie où le *farro* fait partie de nombreux plats. Il est utilisé pour la fabrication du pain ou de galettes. C'est d'ailleurs une céréale remise à la mode par certains chefs, et ce n'est que justice. Le pain d'épeautre est un des meilleurs qui soient. Un bel avenir, probablement.

Outre l'épeautre proprement dit — Triticum spelta —, ou grand épeautre, on trouve le petit épeautre ou engrain, plus résistant. L'épeautre peut être blanc, barbu blanc et noir. On distingue également l'épeautre d'hiver et de printemps. Selon Frédéric Girard[1] : « La manus s'acquérait et par conséquence le mariage se formait dans l'ancien droit par trois procédés : la confarréation, la coemption et l'usage. La confarréation a pour éléments essentiels l'offrande à Jupiter d'un pain d'épeautre *(farreus panis)* et la prononciation de paroles sacramentelles. » L'épeautre a été l'une des plus anciennes céréales utilisées et jouait donc un rôle symbolique suffisamment important pour donner son nom au plus aristocratique des modes de mariage, la « confarreation », inaccessible aux plébéiens, réservée aux nobles et aux prêtres.

• *La folle avoine* — Avena fatua —, mauvaise herbe s'il en est, fait partie des plantes que l'on arrache. Pourtant, certains l'utilisent comme l'avoine cultivée.

• *Le maïs* — Zea mays. Américain d'origine, il a conservé une grande importance dans la cuisine de ce continent, en particulier dans l'hémisphère Sud. Pauvre en gluten, le maïs n'est pas utilisé pour faire du pain, bien que certaines régions des États-Unis produisent des pains de maïs qui sont en fait des sortes de gâteaux salés. Car le maïs est utilisé pour faire des bouillies — la polenta est la plus connue — ou des gâteaux qu'elle rend très légers. La farine sert également de liant dans les sauces. Les Latino-américains en font des galettes, tortillas, tacos ou tamales, très présents dans la cuisine mexicaine en particulier.

Quant à la céréale elle-même, on peut la consommer en épis cuits à la vapeur ou bouillis, servis avec du beurre fondu. On utilise aussi les grains en salade, ou en flocons, les corn-flakes (maïs extrudé).

• *Le millet* — Panicum miliaceum. Toute petite graine, elle fut

---

1. *Manuel élémentaire de droit romain*, 4ᵉ édition, Arthur Rousseau, 1906.

très consommée autrefois. Le millet peut être tendre ou ferme, et s'emploie dans des soupes ou à la manière du riz.

• *L'orge* — Hordeum vulgare. Elle est par nature humide et froide, disait Hippocrate qui recommandait de la griller avant d'en faire de la farine pour préparer la galette, la *maza*.

De nos jours, l'orge est plus utilisée pour la fabrication de la bière, en particulier avec l'escourgeon, l'orge d'hiver, et celle du whisky, qu'en cuisine — la farine est trop pauvre en gluten pour servir seule à faire du pain. Elle sert de base à une bouillie tibétaine, la farine d'orge grillée étant délayée dans du thé, salée et cuite à la poêle. On peut aussi ajouter des grains d'orge perlé dans la soupe.

• *Le riz*[1] est à la partie méridionale de l'Asie ce qu'est le blé à l'Europe et au nord de l'Asie. Bien que certaines qualités puissent se cultiver sur terre sèche, le riz, c'est avant tout la rizière, une alternance d'assèchements et d'inondations, le travail des femmes courbées dans l'eau, les trous d'eau et leurs crevettes ou au contraire leurs crabes sournois, les canards qui fouillent le fond. Avec la superposition des couleurs signalant les différentes étapes de la production, la rizière asiatique est une affirmation du travail de l'homme, de sa volonté de soumettre la nature, un espace unique de beauté, de poésie et d'émotion.

Il existe de nombreuses sortes de riz et leurs utilisations sont diverses. Néanmoins, le riz est d'abord employé comme légume. Il ne se prête pas à la fabrication de pain et les galettes de riz ne sauraient se comparer à celles de blé. C'est donc tel quel, cuit à la vapeur ou bouilli, qu'il est généralement consommé. Il peut également se cuire d'une manière proche de celle de la bouillabaisse — c'est le risotto milanais — ou être utilisé comme dessert.

Le riz est surtout composé de sucres relativement lents, il est donc recommandé sur le plan nutritionnel.

Les riz cultivés appartiennent au genre Oryza. Ce sont des graminées dont il existe vingt-cinq espèces[2]. Deux seulement sont cultivées : Oryza sativa, le riz que nous connaissons, et

1. L'auteur tient à remercier particulièrement Roger Barralis et Guy Clément pour les informations lui ayant permis de rédiger ce paragraphe.
2. A. Angladette, *Le Riz*, 1966.

Oryza glaberrina, limitée à l'Afrique occidentale, sa région d'origine. Dans la même tribu des Oryzées, on trouve trois autres genres, dont seul Zizania aquatica, le riz sauvage, est utilisé en cuisine. Il ne s'agit donc pas d'un riz au sens strict mais d'un cousin. Le riz sauvage, très fin et long, de couleur noire, pousse dans la région des Grands Lacs en Amérique du Nord, ainsi que dans les marécages et étangs de certaines provinces du centre et de l'ouest du Canada. Il faut le distinguer d'hybrides brunâtres, plus courts, cultivés souvent en Californie et qu'on vend fort cher, mélangés à du riz « normal ». Le riz sauvage gonfle beaucoup à la cuisson. Son goût est typé.

Le riz récolté, encore appelé paddy, comporte le grain, entouré d'une enveloppe très solide, formée de deux glumelles. Le grain proprement dit, ou caryopse, est composé d'une partie extérieure, le péricarpe, et d'un centre, l'endosperme. Le caryopse entier constitue le riz complet ou riz brun. En passant le riz sur des polisseurs, on élimine le péricarpe et on obtient le grain de riz blanc usuellement utilisé. Il en existe deux types selon leur caractère dominant : ceux de type amidonneux (riz ordinaire) sont plus ou moins transparents, translucides, alors que les riz gluants, de type glutineux, sont opaques, crayeux.

Il existe deux principales souches de riz — Oryza sativa — appelées indica et japonica. Le critère distinctif est la forme du grain de riz, caractérisé par le rapport entre longueur et épaisseur. Les riz longs, généralement indica, ont un rapport inférieur à 3. Il y a entre cent vingt mille et cent trente mille variétés recensées par l'IRRI (International Rice Research Institute), localisé à Los Bagnos aux Philippines. Si la conjoncture politique avait été différente, cet office aurait dû se trouver à Saigon, aujourd'hui Hô Chi Minh-Ville au Vietnam.

Cinq pays européens produisent du riz en quantité relativement importante : l'Italie, l'Espagne, la France, la Grèce et le Portugal. Toutefois, l'Italie en produit le double des quatre autres.

La tradition culinaire italienne fait en effet grand usage du riz, presque toujours d'origine japonica. Dès 1931, un Office du riz a été créé, recensant les surfaces et les variétés cultivés. En France, une structure similaire fut mise en place secondairement. Depuis 1986, la classification européenne groupe les riz en quatre groupes, les riz longs B (indica), longs A, demi-longs et courts (japonica).

Parmi les riz d'origine européenne, il faut citer ceux qui servent au risotto et aux préparations sucrées. La cuisson les rend un peu « collants », propriété à bien distinguer de celle des riz gluants asiatiques.

Les meilleurs riz à risotto sont le rare Carnaroli, qui représente environ 1 % de la production italienne ; le Vialone nano, produit traditionnel de la région de Vérone, qui était curieusement classé dans les mi-longs alors qu'il est tout petit ; et, l'Arborio, le plus répandu des riz à risotto de haut de gamme. Certains riz cultivés en Camargue sont également excellents pour cet usage.

Aux États-Unis on cultive également des riz courts *(short)* principalement en Californie, à l'origine d'un scandale commercial dit du Koreagate.

Les riz longs grains qui ne collent pas, souvent d'origine américaine, sont faits de paddy étuvé, ce qui entraîne à la fois une gélification de l'amidon et une migration de certains composés vers le centre du grain. En dehors du fait qu'ils ne collent pas à la cuisson, leur principal avantage est de diminuer le pourcentage de brisures et donc d'améliorer le rendement financier. En revanche, ils sont de goût plat et peu typé. Un indiscutable bas de gamme gustatif.

Les riz les plus élégants, les plus délectables, sont de type indica. Remarquons au passage qu'il s'agit d'un type commercial car sur le plan botanique il y a en fait de nombreux hybrides entre variétés de type indica et japonica.

Les meilleurs riz indica sont : le riz basmati, produit dans le nord de l'Inde ; le riz parfumé de Thaïlande ; le surinam, en fait hybride, très long et très fin, produit dans le seul Surinam (signalons des variétés très proches produites en Guyane française et en Guyana ex-britannique) ; les riz de Madagascar, particulièrement les variétés makalioka et varilava, dont les spécialistes font valoir l'exceptionnelle qualité, et qui ne sont malheureusement pas actuellement disponibles sur les marchés français pour cause de réforme agraire ratée ; le riz de l'Indonésie.

Signalons à titre anecdotique l'expérience plus ou moins réussie de produire une sorte de riz basmati américain (Texmati).

Les riz gluants sont des riz généralement de type indica, cultivés traditionnellement en Indochine et Chine du Sud. Ils sont particulièrement appréciés au Laos et dans le nord de la Thaïlande. Ce riz n'est à vrai dire pas vraiment gluant, mais a tendance à s'agglutiner à la cuisson. Certains riz gluants, dits waxy, consommés dans certaines fêtes, semblent redoutables pour les porteurs de prothèses dentaires.

Les riz rouges comportent en fait deux catégories différentes. D'une part, une espèce parasite, ou adventice, encore appelée riz Crodo. D'autre part, certaines variétés cultivées dont la couleur est rouge. Parmi ces dernières, citons l'excellent riz rouge Griotto, variété INRA (Red Montmajour) qui est surtout vendue en Hollande, mais qui est produite au Mas-de-Nans à Arles.

• *Le sarrasin* — Fagopyrum esculentum. Les graines noirâtres de cette plante donnent une farine de couleur grisâtre avec laquelle on fait des crêpes en Bretagne et des blinis en Russie. On la mélange avec la farine de blé pour en faire du pain noir. On peut également en confectionner des pâtes et des gâteaux. Il entre dans la fabrication des crozets de Savoie, une des rares spécialités françaises originales en matière de pâtes alimentaires.

• *Le seigle* — Secale cereale. Céréale des pauvres, elle est surtout cultivée dans les pays très froids. Longtemps bannie en raison des risques de maladie (ergotisme), elle est progressivement revenue, sans occuper toutefois une place majeure. On utilise le seigle comme farine de complément pour faire du pain dit de seigle — en fait, le seigle ne contient pas assez de gluten pour être utilisé seul de façon satisfaisante — ou certains gâteaux, tel le pain d'épices.

• *Le soja.* Cette glycine — Glycine max — est une légumineuse utilisée comme légume ou salade (jeunes pousses germées). On en fait une farine pauvre en amidon, grasse et riche en protides, qui peut être ajoutée en petites quantités pour fabriquer pains et gâteaux, qu'elle blanchit. On en fait aussi des pâtes en Extrême-Orient et une boisson en Bretagne (le tonyu).

L'AIL ET SA FAMILLE. LES LÉGUMES BULBES.

Les légumes bulbes, c'est le groupe des aulx. Les bulbes comestibles appartiennent en effet à la famille des Liliacées, qui comportent aussi un grand nombre de plantes toxiques ; il faut donc faire attention à ne pas consommer n'importe quoi.

Par contre, il n'existe pas de plante dangereuse dans le groupe Allium (ail). Ce sont des plantes fortement aromatiques dont on consomme non seulement les bulbes souterrains, mais aussi les feuilles et parfois les fleurs. On peut les utiliser comme légume — c'est le cas par exemple de l'oignon et aussi de l'ail — ou comme aromate, et c'est ainsi qu'on les trouve le plus souvent. On peut les confire au vinaigre ou s'en servir comme herbe condimentaire — c'est même la seule utilisation de la ciboulette, qui est présentée dans le chapitre consacré aux herbes condimentaires.

Les légumes bulbes ont en commun une consistance un peu aqueuse, un goût et des arômes forts et spécifiques, parfois même piquants, qui s'adoucissent à la cuisson. On peut en effet les consommer crus ou cuits. On en a recensé environ sept cents variétés.

• *L'ail* — Allium sativum — se présente sous forme de tête, arrondie et couverte de plusieurs enveloppes. Lorsqu'on l'épluche on découvre, agglomérés les uns contre les autres, savamment enveloppés individuellement, les caïeux (ou gousses). On peut utiliser l'ail cru : dans ce cas, il faut en éplucher un à un les caïeux en prenant soin d'ôter la partie centrale, qui devient verte avec le temps et qui se transforme alors en feuilles, car elle est souvent âcre. Cru, l'ail est soit écrasé dans un mortier, soit coupé très finement au couteau. L'ail cru a un goût fort bien spécifique.

L'ail peut également se consommer cuit. Comme aromate, on en dispose un ou deux caïeux entiers ou grossièrement coupés. On peut aussi en faire un légume d'accompagnement; dans ce cas, on le cuit généralement « en chemise », c'est-à-dire sans l'éplucher. On peut également couper transversalement la tête : apparaissent ainsi les gousses tranchées en leur milieu, qui forment une mosaïque de bel aspect. Après cuisson, il est facile d'exprimer la chair de l'ail, douce et dépourvue d'arômes agressifs. On peut en faire des purées, qui constituent des accompagnements de plats divers et délicats.

L'ail se vend généralement sous forme de tresses. Ses variétés sont de couleur différente — la couleur est celle de l'enveloppe car la partie comestible est blanc crème —, rose, blanc ou violet. L'ail nouveau est beaucoup plus doux et subtil que celui qui est conservé depuis plusieurs mois. D'ailleurs, la durée et les conditions de conservation sont très différentes d'une variété à l'autre.

• *L'ail sauvage.* Il existe de très nombreuses variétés d'ail sauvage, de taille et d'aspects divers. Les plus fréquents sont l'ail des ours — Allium ursinum — devenu à la mode récemment; l'ail à trois angles — Allium triquetrum; l'ail tubéreux — Allium tuberosum —, encore appelé ciboulette chinoise; l'ail des cerfs — Allium victoriatis —, l'ail des vignes — Allium vineale. On en rapprochera l'alliaire — Alliaria petiolata —, qui a le même usage et qui n'est pas un ail.

La saveur de l'ail sauvage est plus douce et plus distinguée que celle de l'ail ordinaire, et son emploi est intermédiaire entre celui de l'ail et celui de la ciboulette. On peut utiliser les bulbes, petits et savoureux, mais aussi les tiges et les fleurs — il faut se rappeler que de nombreuses variétés sont utilisées en art floral en raison de leur délicatesse de forme et de couleur.

• *La ciboule* — Allium fistulosum — ressemble à une ciboulette épaisse et charnue. Elle ne comporte pas de bulbe nettement identifiable, mais ses extrémités souterraines sont renflées, épaisses et plaines, alors que les terminaisons aériennes de ses feuilles sont vertes et creuses.

La ciboule peut être utilisée comme aromate, comme herbe culinaire, à la manière de la ciboulette, ou comme légume. Son utilisation est donc la même que celle de l'oignon et de l'échalote. Son goût est intermédiaire entre celui des petits oignons et celui de la ciboulette.

• *La ciboule Saint-Jacques* ressemble à la ciboule commune, avec des bulbes allongés recouverts d'une tunique brunâtre. Son nom latin est discuté, Désiré Bois choisissant l'appellation Allium lusitanicum Lamarck.

• *L'échalote* — Allium ascalonicum —, légume longtemps aristocratique, s'est largement démocratisée. Bien qu'on puisse utiliser ses feuilles — c'est en fait une plante vivace —, c'est essentiellement pour son bulbe qu'on la cultive. Selon les variétés, elle est plus ou moins allongée ou renflée. Les grosses variétés ressemblent beaucoup à l'oignon — les plus typiques, en particulier l'échalote grise à « coque » épaisse, les variétés longues ou la cuisse de poulet, ont un goût bien particulier qui les distingue des autres bulbes de la famille de l'ail.

L'échalote peut se manger crue, coupée en fines rondelles ou hachée : elle agrémente les salades, les huîtres et divers plats. On peut la cuire, et c'est un des aromates les plus recherchés et les plus fins. On peut aussi la préparer comme légume, les échalotes confites faisant partie des accompagnements des plats délicats.

• *Les oignons* — Allium cepa — sont parmi les légumes les plus anciennement cultivés et restent un des piliers de la cuisine. L'oignon doit ce statut à sa taille, à sa facilité de conservation et à sa plasticité d'utilisation. Son seul défaut est de faire pleurer celui qui l'épluche. Il existe de très nombreuses variétés d'oignons. Certains sont de taille monstrueuse, pouvant dépasser cinq kilos ; d'autres tout petits, de la taille d'une noisette.

Selon les cas, on utilise ou non le feuillage, dans des rôles similaires à la ciboule ou à l'échalote. Certaines variétés douces, blanches ou violettes, sont délectables crues, émincées, en salade, en sandwich. Ils se consomment frais et se conservent mal.

D'autres variétés donnent de petits oignons blancs que l'on peut confire au vinaigre, manger crus ou faire doucement confire, l'expression « aux petits oignons » étant restée dans notre langue pour caractériser le soin et la qualité d'une prestation.

Les espèces de garde, à la peau jaune, orange, blanche ou rose, violette ou rouge, s'utilisent cuites, soit comme aromate — et il n'y a guère de plat qui n'en contienne —, soit comme légume. On peut en faire des purées, des soupes — la soupe à l'oignon est un grand classique populaire —, des tartes, on peut aussi les farcir. Ce légume omniprésent est d'utilisation multiple.

Signalons pour finir un récent jugement du très sérieux journal *The Garden*, organe de la Royal Horticultural Society : parmi dix-sept cultivars essayés, seule la variété Hygro était jugée de bonne conservation.

L'oignon de Catawissa présente des bulbilles aériens de goût agréable prisé de certains chefs, Michel Bras par exemple. L'oignon rocambole — Allium cepa proliferum — lui ressemble beaucoup ; pour certains il n'y a guère de différence entre eux.

• *Le poireau* — Allium porrum. Comme son nom latin l'indique, le poireau est de la même famille que l'ail ou l'oignon. Il partage donc avec ces derniers une double nature : légume et aromate. Comme légume, il est presque toujours poché, servi tel quel chaud ou froid, ou recuit, gratiné, etc. Comme aromate, on le cuit d'abord à l'eau, puis on l'effiloche en le cuisant une seconde fois avec du beurre, de la crème, de l'huile, etc.

Le poireau comporte deux parties, le vert et le blanc. Selon les recettes on utilisera plus ou moins de vert. Les petits poireaux nouveaux sont parfaits en salade. Les gros poireaux servent à la soupe, au pot-au-feu, ou sont utilisés en aromate.

Le poireau prend racine en terre et il est souvent très terreux. Il est donc important de le nettoyer avec beaucoup d'attention. Même dans ceux achetés chez un bon légumier, il peut rester du sable ou de la terre, qu'il est particulièrement désagréable de sentir sous la dent.

Le poireau est un légume remarquable et ses capacités d'alliance sont grandes. Il constitue un complément naturel de la crème, mais aussi de l'huile de truffe. Son moelleux un peu fade en fait le légume roi du pot-au-feu. Réduit en purée, il permet la réalisation de mousses délectables. Émietté, il se marie à merveille avec les fumets de poisson, de coquillages ou de crustacés et en affirme le goût et la texture.

Il existe des variétés permettant de récolter des poireaux à peu près toute l'année. Il y a même un type qui, terminé par un bulbe plus prononcé, repousse régulièrement, d'où son nom de poireau perpétuel, bien que son utilisation soit plus proche de celle de l'ail ou de l'oignon.

A l'achat, la qualité des poireaux est très variable. La mode de n'utiliser que le blanc a fait produire des cultivars élancés où le vert est situé très loin de la racine. Ce ne sont certes pas les meilleurs et on préférera les variétés plus trapues et même courtaudes, type Malabar, Monstrueux de Carentan ou Bleu de Solaize. Le blanc est moins long, mais le poireau bien meilleur. Rien n'oblige d'ailleurs à consommer le poireau à maturité. Les plus jeunes sont souvent excellents et les plants que l'on vend en saison par cinquante ou par cent peuvent être détournés des jardins auxquels ils sont destinés pour être apprêtés en délicates préparations, à peine pochés et servis en salade ou en accompagnement de plats recherchés.

• *Le rocambole (et le carambole).* Cette plante étrange a donné son nom à un célèbre personnage de Ponson du Terrail. L'ail rocambole — Allium scorodoprasum — comporte, comme l'ail, une tête souterraine et en plus il porte des bulbilles aériens. On peut consommer ces dernières, mais on s'en sert généralement comme « graines ». La plante est de goût agréable et doux.

Le rocambole s'utilise comme l'ail auquel elle ressemble. On utilise de la même façon le carambole — Allium ampeloprasum —, aux feuilles plus dures.

LES MINILÉGUMES

Il est fréquent de trouver dans son assiette, au restaurant, des minilégumes, petites carottes, tomates de la taille d'une cerise, minipommes de terre, etc. L'engouement pour ces produits de taille réduite appelle quelques remarques. Il apparaît nettement qu'outre des considérations de mode, ces légumes offrent de nombreux avantages : ils sont souvent beaux et apportent une touche esthétique au contenu des assiettes, forme de service devenue hégémonique. Ils apparaissent entiers et pourtant on peut les manger d'une seule bouchée, comme dans une dînette ou un goûter d'enfants.

Que sont donc ces légumes tout droit sortis de quelque Lilliput végétal ? Il faut tout d'abord signaler qu'il ne s'agit pas d'un groupe homogène. Certains sont des adultes de races naines ; d'autres sont des adultes nains de races normales ; il en est enfin qui sont des légumes jeunes, consommables dès leur formation. À la première catégorie appartiennent les tomates poires ou les tomates cerises, si utiles dans certaines salades ou servies en apéritif. Également certaines races d'aubergines — on sait qu'au Moyen-Orient certaines de celles qui sont utilisées en cuisine ont une dizaine de centimètres de long —, de navets, de choux, d'oignons, de salades et même de courges. Pour obtenir des légumes nains, il suffit parfois d'artifices simples, par exemple semer serré et ne pas éclaircir les plants, c'est-à-dire garder l'ensemble de ce qui pousse : on peut ainsi obtenir à la date normale de maturité des minicarottes, des minipanais, des mininavets. Dans le troisième groupe, on cueillera la courgette accolée à sa fleur lorsqu'elle mesure six à dix centimètres, le cornichon avant qu'il ne devienne concombre, la petite feuille du plant de salade. Mettons à part les faux petits légumes : pommes de terre retaillées, carottes amincies, etc.

En fait, la formule « aux petits légumes », fréquemment lue sur les menus, peut tout aussi bien concerner des légumes de taille normale découpés en julienne, en bâtonnets, en miniboules, etc., que des légumes réellement petits.

LES HERBES SAUVAGES ET LES MAUVAISES HERBES

Une mauvaise herbe est, dit la grande jardinière anglaise Beth Chatto, « *a plant in a wrong place* », une plante à la mauvaise place. Le long des chemins de campagne, sur les murs des villes, dans les forêts, dans les potagers poussent d'innombrables espèces sauvages. Les unes sont toxiques et dangereuses. D'autres ne sont pas comestibles, du fait soit de leur consistance dure, ligneuse, éventuellement agressive, soit de leur goût trop prononcé, acide ou amer, ou au contraire neutre, plat ou écœurant.

Il en est aussi qui sont excellentes. Certaines ont d'ailleurs été autrefois cultivées comme légumes ou plantes condimentaires. On constate aujourd'hui un intérêt croissant pour ces plantes, et il existe une littérature abondante à leur propos. Les chefs s'y sont mis, derrière Michel Bras et Marc Veyrat, et on peut prédire un bel avenir à certaines de ces mal-aimées.

Le propos de ce livre n'est pas l'exhaustivité, mais plutôt l'illustration de certains choix, donc la liste proposée est courte. Elle comporte des plantes de bonne qualité gustative qu'on peut cueillir sans craindre d'erreur funeste. Il faut en effet se rappeler que les plantes toxiques sont légion et que dans le doute il faut toujours s'abstenir. Il y a dans la nature d'innombrables composés pharmacologiques tous plus dangereux les uns que les autres, et il n'y a pas d'expérience gustative qui vaille le risque de consommer par erreur une plante toxique, voire mortelle. Le jeu n'en vaut vraiment pas la chandelle.

• *L'achillée mille-feuilles* — Achillea millefolium — est une redoutable envahisseuse, chassant tranquillement les autres espèces. Son feuillage, fin et doux, est à la fois beau et agréable au toucher.

Les achillées mille-feuilles, produisent des fleurs regroupées en gros corymbes terminaux et les jardiniers allemands ont récemment sélectionné des variétés particulièrement spectaculaires.

Ce sont les jeunes feuilles que l'on consomme, crues, entières ou hachées, ou cuites pour en diminuer l'amertume. Elles s'utilisent pour ajouter une nuance amère à un plat, en contrepoint de saveurs plus douces mais, en quantité limitée, cela va de soi.

• *L'alliaire* — Alliaria petiolata — se reconnaît facilement, avec ses feuilles allongées, finement dentelées, se terminant en pointe, et avec ses petites fleurs blanches en bouquets. Elle ressemble un peu à l'ortie et à certains lamiers. Jeune, elle a un goût alliacé doux et agréable; on l'utilise pour agrémenter les salades ou ciselées sur certains plats. Plus âgée, elle devient souvent amère.

• *Les amarantes* — Amaranthus. Il y en a plusieurs sortes, souvent cultivées pour leur floraison : prince's feather, queue-de-renard, appellations imagées. On utilise les amarantes comme l'épinard. Les amarantes furent des plantes alimentaires majeures de l'Amérique précolombienne et le restent dans certaines zones à majorité indienne.

• *L'aspérule odorante* — Gallium odorata — une redoutable envahisseuse des terrains frais et ombragés. Elle étend ses longues tiges garnies à intervalles réguliers de feuilles, petites et allongées, disposées en bouquets, accompagnées au milieu du printemps de petites fleurs terminales.

Contrairement à son nom, l'aspérule odorante ne sent presque rien. Du moins fraîche, car en séchant elle prend une odeur aromatique bienvenue pour parfumer certaines préparations sucrées et, traditionnellement dans les pays germaniques, le vin. Comme elle contient de la coumarine, il faut bien la dessécher, faute de quoi elle peut se transformer en dicoumarol, anti-coagulant connu de certains rongeurs sous le nom de mort-aux-rats.

• *La berce* — Heracleum sphondylium —, grande plante envahissante, dont le contact peut causer des brûlures cutanées, est utilisée traditionnellement comme légume ; on en consomme les jeunes feuilles et les turions.

• *Les bleuets.* Les centaurées — Centaurea cyanus — sont bleues, comme chacun sait. Ou roses, ou blanches, ou même rouges. Voilà une fleur quasi ubiquitaire, qu'on trouve en particulier dans les champs de céréales, qui sait tromper son monde. On utilise ses fleurs pour apporter une note colorée aux salades composées.

• *La bourrache.* La bourrache officinale — Borago officinalis —, plante velue aux belles fleurs bleues, a un goût rappelant celui du concombre. On ajoute jeunes feuilles crues et fleurs aux salades. Les feuilles, parfois un peu piquantes, peuvent également être cuites à la façon des épinards. Les fleurs sont aussi comestibles. Il en existe une variété blanche — Borrago officinalis albus.

• *La bourse de pasteur.* Mauvaise herbe parmi tant d'autres, elle est en plus assez laide avec sa rosette de feuilles collées quasiment sur le sol, sa racine solide et ses petites fleurs sans beauté plantées au bout de tiges garnies de folioles. Très ancienne nourriture humaine, selon Deny Bown [1], ses feuilles peuvent être utilisées en salade.

1. *The Royal Horticultural Society Encyclopedia of Herbs and their Uses*, Dorling Kindersley, 1995.

• *La camomille ou matricaire.* C'est la vraie camomille — Matricaria chamomilla —, à distinguer de diverses « fausses » camomilles, utilisée pour des infusions. En cuisine, sa place est relativement limitée.

• *La cardamine hirsute* — Cardamine hirsuta. Mauvaise herbe parmi les mauvaises herbes, avec ses graines qui « éclatent » sous le doigt, ses petites fleurs blanches et ses feuilles arrondies et de petite taille, la cardamine hirsute est un légume d'une grande finesse, proche du cresson, au goût plus franc et plus distingué. On l'utilise comme ce dernier.

Signalons également la cardamine trifoliée — Cardamine trifoliata — qui ressemble au trèfle, de goût moins fin.

• *La cardamine des prés* — Cardamine pratensis. Les diverses cardamines sont comestibles. Celle qui pousse dans les prés, avec ses jolies fleurs blanc lilas qui annoncent la venue du printemps, peut être ajoutée aux salades, feuilles ou fleurs : elle a un goût rappelant celui du cresson.

• *Les chénopodes.* Deux d'entre eux — Chenopodium albus et bonus henricus — sont passés du potager aux talus et aux fourrés, du statut de légume à celui de mauvaise herbe. Dégradés. Remplacés par leur cousin, l'épinard. Ils y reviennent parfois subrepticement, nés d'une graine portée par le vent ou les oiseaux.

Et on découvre alors toutes leurs qualités qu'on peut préférer à celles de leur successeur. Au Mexique, on utilise le Chenopodium ambrosiocales et dans les Andes le quinoa. Un hybride de ce dernier — Chenopodium Andreas — se trouve dans le catalogue des graines de l'excellente maison Baumaux à Nancy. C'est une plante magnifique, d'un vert argenté très ornemental. Haute d'un bon mètre cinquante, la plante fournit en abondance pendant plusieurs mois des feuilles d'une qualité gustative exceptionnelle. La maison Terre de Semences propose également plusieurs cultivars de quinoa.

L'automne venu, le tronc devient orange, le sommet se couvre de panicules de fleurs vert clair, jaunes ou rouges qui, en séchant, révèlent une odeur légèrement poivrée. Une plante d'élite, tant par sa beauté que par ses qualités gustatives. On l'attend impatiemment sur les étals.

• *Le coquelicot* — Papaver rhocas. Ce symbole de la France bucolique et impressionniste peut être consommé. On utilise les jeunes feuilles du coquelicot et ses belles fleurs rouges en salade. Les graines sont elles aussi comestibles, comme celles du pavot somnifère — papaver somniferum.

• *La criste marine* — Crithmum maritimum. Le perce-pierre, ou criste marine, petite vivace des rochers des bords de mer, peut être utilisée crue en salade, ou cuite comme légume d'accompagnement. On la confit au vinaigre, comme les cornichons ou la salicorne, et c'est ainsi qu'elle est le plus intéressante.

• *Les gentianes.* Les fleurs de gentiane comptent parmi celles qui offrent les bleus les plus vifs et les plus profonds. Cependant, c'est la gentiane jaune — Gentiana lutea — qui est la plus utilisée pour l'amertume de son rhizome. Traditionnellement on en fait des liqueurs et différentes boissons apéritives. Elle est difficile à utiliser en cuisine et il faut en doser très parcimonieusement l'emploi. Michel Bras en fait grand usage.

• *Le houblon* — Humulus lupulus — est une plante utilisée surtout en brasserie. C'est aussi une liane ornementale, et sa variété dorée — Humulus lupulus aureus — est un des grands classiques des jardins britanniques.
Du houblon on utilise en cuisine les jeunes pousses, ou jets, que l'on fait cuire comme des asperges.

• *Le lamier* — Lamium album — est souvent appelé ortie blanche ou fausse ortie, car il n'entraîne pas les désagréments causés par cette dernière quand on la touche. Les lamiers sont comestibles, de même que l'ortie, mais leur goût en est moins agréable et moins prononcé.

• *La mauve.* Les mauves — Malva sylvestris en premier — poussent partout. Elles sont assez grandes, avec des fleurs d'été et d'automne rose mauve veinées d'un violet plus prononcé. On consomme les jeunes feuilles et les fleurs en salade. On peut également cuire les feuilles avant qu'elles ne deviennent larges et solides. Elles ont une consistance mucilagineuse. Elles entrent dans la composition de certains plats traditionnels d'Afrique du Nord.

• *Les monardes*, plantes originaires d'Amérique, sont cultivées pour leurs fleurs. Elles avaient traditionnellement des utilisations proches de la menthe.

On peut les consommer en infusions. Les fleurs de Monarda didyma sont comestibles, de même que les feuilles de Monarda fistulosa.

• *La myrte* — Myrtus communis. La myrte, c'est un symbole ancien, un symbole d'amour. On utilise les feuilles et les fleurs de Myrtus communis pour parfumer diverses préparations traditionnelles, en parfumerie, saurisserie et liquoristerie.

• *Les orpins*. Certains des sedums, ou orpins, furent cultivés comme légumes ou comme épices. Le sedum âcre porte d'ailleurs le surnom de poivre des murailles.

On consomme en salade les jeunes feuilles des orpins, croquantes et un peu acidulées, mais il faut bien dire que leur utilisation est surtout ornementale.

• *L'ortie* — Urtica dioica. Hé oui, même l'ortie brûlante, celle qui laisse de cuisants souvenirs sur la peau — comme l'indique d'ailleurs son nom latin —, est un excellent légume. On en préfère les jeunes feuilles. On les fait cuire à l'eau bouillante, très peu de temps, juste pour qu'elles changent de consistance. On les égoutte immédiatement et on les utilise comme le cresson, la poirée ou les fanes de radis en soupes, purées, sauces, etc. Ainsi préparée, l'ortie est excellente.

• *L'oxalis*. Il y a plusieurs sortes d'oxalis. La variété Oxalis cernua a des feuilles qui ressemblent à celles du trèfle et des tiges « grasses » qui ressemblent à celles du pourpier. On utilise les feuilles en salade, comme celles des Oxalis acetosella, stricta, etc.

On peut aussi consommer fleurs et jeunes fruits. Le goût est acide, à cause de la présence d'acide oxalique. La variété Oxalis crenata est utilisée pour son tubercule (cf. oca, dans les légumes-racines).

• *La patience* — Rumex patientia. Encore appelée oseille épinard, la patience est de la famille de l'oseille et son goût rappelle celui de l'épinard. On cueille les feuilles toute l'année. Jeunes et tendres, elles sont d'un goût agréable et subtil.

• *Le pissenlit* — Taraxacum officinale. La forme dentelée des feuilles allongées de cette salade amère lui a valu son surnom de dents-de-lion, ce qui a donné en anglais cet étrange nom de *dandelion*, qui semble bien mystérieux dans cette langue. Le pissenlit est une « mauvaise herbe » à racine pivotante, dont on consomme les jeunes feuilles. On peut aussi en utiliser les fleurs jaunes et doubles.

Le pissenlit est une salade crue, ferme et de goût fort, qui se marie bien avec une vinaigrette et des petits lardons. On peut aussi le faire cuire, l'amertume étant contrebalancée par le fruité d'une bonne huile d'olive — une recette d'inspiration italienne évidemment.

• *Le pourpier* — Portulaca oleracea — ressemble à une plante grasse, étalée, étendant ses tiges charnues et ses feuilles d'un vert plus ou moins clair, épaisses et arrondies. Il pousse à l'état sauvage. C'est une « mauvaise herbe » assez commune, mais on peut également le cultiver.

Le pourpier peut se faire cuire, mais c'est surtout en salade ou confit au vinaigre qu'on l'utilise. En fait, il s'agit d'une salade craquante sous la dent, mais de goût assez neutre.

• *Les prêles*. Ce sont des survivantes archaïques et étranges, sorties tout droit des temps préhistoriques. Elles doivent peut-être leur longévité à leur caractère invasif — ce sont des mauvaises herbes parmi les plus mauvaises, les plus tenaces. Elles sont d'ailleurs jolies, ou étranges comme la prêle du Kamtchatka — Equisatum Kamchatkensis. Il en est d'aquatiques, ou de rives humides. La plus commune est la prêle des champs — Equisetum arvensis — dont on peut manger en salade, crues ou cuites, les très jeunes pousses. Après, elles deviennent dures et se chargent de silice. Ou d'or.

• *Les primevères* sont comestibles, que ce soient la primevère ordinaire — Primula vulgaris — ou le coucou — Primula veris. On prépare les jeunes feuilles crues en salade, frites en chips ou cuites à l'eau. Les fleurs peuvent être ajoutées aux salades et aux plats.

• *La réglisse* — Glycyrrhiza glabra. Ce sont les rhizomes de cette envahisseuse, de la famille des légumineuses — celle des pois, des haricots et des fèves —, que l'on utilise pour aromatiser certaines liqueurs et boissons diverses. La réglisse contient un produit actif — la glycyrrhyzine — qui peut entraîner de graves hypertensions artérielles si on abuse des préparations qui en contiennent, en particulier les boissons rafraîchissantes. Elle doit donc être consommée avec modération. On la trouve à la base de certaines confiseries traditionnelles. Plus récemment, elle a été utilisée pour certaines préparations sucrées, dans des desserts délicats, ou pour aromatiser certains courts-bouillons.

• *La rue* — Ruta graveolens — est surtout cultivée pour la beauté de son feuillage. Son goût et son odeur sont particuliers, et ses feuilles peuvent être ajoutées, en petites quantités, à certains plats. La rue était utilisée autrefois comme abortif en sorte que sa culture en a parfois été interdite. Il convient en tout cas de l'utiliser avec parcimonie. Une feuille dans l'arboulastre, pas plus, précise *Le Ménagier de Paris*, livre de cuisine du XIVe siècle.

• *La salicorne* — Salicornia europea. On peut récolter toute l'année les très jeunes tiges, cassantes, de cette vivace maritime présente dans la moitié nord du littoral. Traditionnellement, on conserve la salicorne dans le vinaigre comme des cornichons, mais on peut également la cuire à la vapeur en accompagnement de poissons.

• *Les soucis.* Les soucis des champs — Calendula arvensis — ou des jardins — Calendula officinalis — produisent à profusion des fleurs d'un jaune d'or orangé particulièrement spectaculaires. Fleurs et boutons floraux sont comestibles. On ajoute les premières aux salades et aux plats. On conserve les seconds dans le vinaigre. Ils poussent, mi-cultivés, mi-sauvages, dans les jardins, sur les talus et dans les fourrés. De saveur douce-amère un peu salée, on les utilise pour ajouter de la couleur et pour parfumer les gâteaux. Une fleur bon marché et bon enfant.

• *Le sureau* — Sambucus nigra — est ce redoutable envahisseur des jardins, ennemi de nombre de jardiniers. Pourtant, les fleurs du sureau font des desserts inattendus. Pourtant aussi, des fruits on fait un alcool blanc apprécié.

• *La tanaisie.* C'est le chrysanthème vulgaire — Chrysanthemum ou Tanacetum vulgare — aux petites fleurs jaune vif presque doré. La tanaisie est présente dans la nature à l'état sauvage. Son feuillage, qui est dentelé et ressemble vaguement à celui d'une fougère, entrait autrefois dans certaines préparations où il apportait son amertume. C'est ainsi qu'elle fait partie de la recette classique de l'arboulastre, omelette aux herbes et au fromage, où on en limitait la quantité à deux feuilles à cause de son goût très prononcé.

• *La violette* — Viola odorata. Si certains consomment crues ou cuites les feuilles, ce sont surtout les fleurs de violette que l'on utilise pour agrémenter une salade, on confites dans le sucre.

LES ALGUES

On les voit, brunes et vertes, accrochées aux rochers immergés ou sur le fonds caillouteux ou sableux des rivières, des étangs et de la mer. Elles flottent parfois aussi, elles ondulent, dociles et passives, au gré des mouvements de l'eau. Elles cachent les poissons, les mollusques et les crustacés. Elles les nourrissent aussi. Elles servent d'abri. Elles peuvent aussi devenir si denses que la lumière ne pénètre plus. Parfois, d'ailleurs, elles sont si petites, si fines que l'œil ne peut les distinguer. Elles évoluent avec le temps et les saisons. Elles peuvent, soudain, envahir des océans nouveaux et en menacer l'écologie naturelle, comme c'est le cas depuis quelques années en Méditarranée avec Caulerpa taxifolia. Les algues ne font pas partie de l'ordinaire des repas hexagonaux. Il n'en est pas de même partout dans le monde. Les Japonais les utilisent très communément. Parmi les éléments les plus traditionnels on trouve un bouillon, l'*ichiban dashi*, fait à partir de l'algue Konbu et de flocons de bonite séchée ; toute la cuisine sushi comporte du riz vinaigré et des algues nori. De même, les algues wakamé sont-elles fréquemment retrouvées dans la composition de plats nippons. En France même, les algues pénètrent timidement les cuisines. Parfois indirectement, par exemple le bar cuit sur un lit de varech qui fut un des plats emblématiques de Michel Guérard. Et puis, petit à petit, elles gagnent directement l'assiette : spaghetti de mer et laitue de mer se trouvent ainsi occasionnellement sur les cartes des restaurants de poisson. Quant à l'agar-agar, il a depuis longtemps trouvé sa place, mais plutôt dans l'industrie agro-alimentaire qu'en cuisine courante. Clotilde Boisvert et Pierre Aucante ont récemment publié un intéressant ouvrage à ce sujet[1]. On y trouve toute une série de recettes au goût original, utilisant des algues en paillettes, dulse, laitue et porphyre, dont le mélange est joliment baptisé « épices de la mer ». Les auteurs recommandent l'utilisation des *cheveux de mer*

---

1. *Nouvelles saveurs de la mer, la cuisine et les algues*, Albin Michel, 1993.

— Enteromorpha sp —, de la *laitue de mer* — Ulva lactuca —, de la *porphyre* — Porphyra umbilicalis laciniata —, de la *dulse* — Palmaria palmata —, des *spaghetti de mer* — Himanthalia elongata —, du *fouet de sorcier* — Laminaria digitata —, du *baudrier de Neptune* — Laminaria saccharina —, du *wakamé* — Undaria pinnatifida —, qui est maintenant cultivé à Ouessant. Quant au *carrageen* — Chondrus crispus — et à l'*agar-agar* — Gracilaria verrucosa —, ils sont utilisés comme gélifiants.

Les Japonais font également grand cas du *hiziki* — Hizikia fusiformis —, originaire de la presqu'île de Boshu et qu'on trouve occasionnellement en France.

Les fruits

Les fruits constituent les meilleurs desserts. Comportant beaucoup d'eau et en fait peu de sucre, ils sont donc quasiment tous extrêmement diététiques. D'une extraordinaire variété de formes, de couleurs, de consistances, de goûts, d'arômes, ils se trouvent en très grandes quantités sur les marchés et dans les magasins, selon les saisons. L'arrivée depuis plusieurs années de nombreux fruits exotiques a encore élargi la palette disponible.

Il est bon aujourd'hui de dénoncer la banalisation des produits, leur standardisation, leur absence de goût. Il y a certes là une vérité, mais pas toute la vérité. N'oublions pas qu'il y a encore trente ou quarante ans le nombre d'espèces disponibles était minime et la qualité fort aléatoire. Combien de pommes pourries, des poires blettes et de cerises fermentées ont ainsi pu être achetées ? Sans compter le prix, beaucoup plus élevé qu'aujourd'hui. Bien sûr, une bonne Calville blanche faisait de meilleures tartes que la Golden d'abattage. Et la fraise des bois surprise dans un bosquet, et la nèfle cueillie sur l'arbre au soleil levant du petit matin méditerranéen, et la pêche de vigne des soirées d'été, tous ces fruits évoquent une France souriante, le sourire d'une belle, la communauté des voisins amicaux. Mais on oublie la gelée tardive qui tue les fleurs, les parasites, le mildiou, la rouille, les taches noires, les vengeances paysannes, les scènes de ménage et les plats ratés.

Alors, si on veut retrouver ces souvenirs réels ou inventés, eh bien, rien ne s'oppose à rechercher des fruits « comme avant » ou simplement des fruits de grande qualité, des fruits de jardin. On peut en cultiver soi-même si on dispose d'assez de terrain pour y planter un verger. Ou s'en procurer chez quelqu'un qui en a un. C'est généralement assez facile, car les années favorables, la récolte est si abondante que les jardiniers ne savent plus quoi faire de leurs fruits. Il faut ajouter les nombreuses boutiques, plus encore les échoppes de marché, voire les rayons spécialisés de certains grands magasins, qui exposent des produits tous plus attirants et appétissants les uns que les autres.

Alors flânez, rêvez, choisissez. Laissez-vous bercer par les couleurs et les odeurs. Faites votre marché.

Les meilleures variétés de fruits

La revue *Rustica* a récemment consacré plusieurs numéros aux fruits traditionnels, poires, pommes, abricots, pêches (numéros 1344, 1345, 1346 et 1349) Parmi les meilleures variétés, celles dont la qualité gustative est qualifiée de très bonne, elle a retenu :

POMMIERS

Cox's orange pippin, Reinette de Caux, Transparente de Croncels, Belle fleur jaune, Reinette ananas, Reinette rouge étoilée, Calville blanche, Reinette de Landsberg, Akane, Reinette grise de Saintonge, de l'Estre, Reinette dorée, Chailleux, Winter Banana, Reinette blanche du Canada.

Et pour la *cuisson* : Châtaignier, Gros locard, Reinette blanche du Canada, Calville rouge d'Oullins. (Rappelons qu'il existe plus de 2 000 variétés recensées de pommiers.)

POIRIERS

Duchesse d'Angoulême, Triomphe de Vienne, Pierre Corneille, Jeanne d'Arc, Beurré superfin, Grand Champion, Beurré Précoce Morettinii, Beurré Griffard, Joséphine de Malines, Sucrée de Montluçon, Marguerite Marillat, Conférence, Beurré Dumont, Doyenné d'hiver, Beurré Hardy, Doyenné du Comice, Directeur Hardy.

Et pour la *cuisson* : Curé.

PÊCHES, NECTARINIERS, BRUGNONIERS, etc.

Grosse mignonne hâtive, Nectared 6, Belle Impériale, Red Haven, Snowqueen, Indépendance, Andromède, Olympio.

ABRICOTIERS

Royal, Paviot, Commun, Pêche de Nancy, Canino, Rouge tardif de Delbard.

LES FRUITS À PÉPINS

Ce sont les plus usuels des fruits, ceux qui ornent les étals toute l'année, au premier plan desquels les pommes et les poires. Derrière l'apparente banalité de leur présence, se cachent quelques-uns des meilleurs fruits, rares hélas.

• *Le coing.* C'est le géant des fruits à pépins issu de Cydonia vulgaris, un arbuste à la jolie floraison. Les coings ressemblent à de grosses poires très fermes. On ne consomme pas les fruits frais, mais on en fait des gelées et des pâtes. En fait, le coing, à la saveur douce et subtile, profonde de tenace, parfume la maison. Sa place en cuisine mériterait d'être reconsidérée car ses qualités sont manifestement sous-estimées. Signalons que le cognassier à fleurs dont l'éclosion rouge vif, rose ou blanche selon les cultivars, sonne la fin de l'hiver — Chaenomeles japonica —, bien que n'étant pas apparenté au vrai coing, donne lui aussi des fruits à l'automne qui, plus petits, semblables à des pommes moyennes, peuvent être utilisés de la même façon : ils ont à peu près le même goût et le même parfum.

• *Le nashi* — Pyrus pyrifolia. Encore appelé pomme-poire, il s'agit d'un fruit à pépins très répandu au Japon. On le cultive toutefois également chez nous, et plusieurs variétés en sont proposées par les pépiniéristes — treize sont disponibles en France en 1995, le type et des cultivars tous japonais.

Avec les nashis on fait des jus de fruits. On peut aussi les manger crus, comme des poires, ou les faire cuire.

• *La poire* — Pyrus communis. La floraison du poirier d'un blanc éclatant, regroupée en multiples bouquets terminaux, est un des premiers spectacles qui marquent la fin de l'hiver. Les fruits suivent, poussant lentement, en petits paquets.

On les cueille avant leur maturité et on les stocke. Ce n'est qu'après un certain temps qu'elles acquièrent toutes leurs qualités. Bien sûr, les poires cueillies dans ces conditions sont fragiles, mais beaucoup moins que les pêches et que les framboises. On ne peut donc qu'être consterné par la qualité médiocre de la plupart des poires proposées à la vente. Il suffit en effet d'avoir goûté une seule fois des poires, même de variétés communes telles les William Bon-Chrétien, les Louise-Bonne d'Avranches ou les Conférences, produites à bas rendement sur des arbres âgés et non forcés, pour être frappé par l'incroyable subtilité de leurs arômes, à la fois sucrés, un peu vanillés, fruités, complexes, portés par une consistance légère et rafraîchissante. Un fruit d'exception, un des tout premiers par l'ampleur, la distinction, la longueur. Un fruit de plaisir et un fruit d'esthète à la fois.

Alors, pourquoi est-ce si rare ? Il est vraisemblable, sauf découverte technologique inattendue, que les fruits dont la qualité optimale est atteinte sur l'arbre ou l'arbuste qui les portent, ne pourront pas être aussi bons chez le marchand que sur leur lieu de production. Rien de tel avec la poire, avec la pomme. La médiocrité des fruits — ce n'est heureusement pas une règle générale, preuve qu'elle n'est pas obligatoire — est donc le résultat d'une politique condamnable.

La maturité des poires s'étale d'août à mars. Signalons parmi les meilleures variétés — car de l'une à l'autre il y a de grandes différences de goût et de consistance — à l'été la William Bon-Chrétien dorée ou rouge, et la Docteur Guyot; à l'automne les meilleures sont la Louise-Bonne d'Avranches, la Beurré Hardy, la Conférence et la Doyenne du Comice; en hiver la Comtesse de Paris et la Passe-Crassane, cette dernière malheureusement éliminée peu à peu par le feu bactérien. Signalons également certaines espèces plus particulièrement utilisées pour la cuisson, comme les petites poires de curé.

Il existe de nombreuses autres variétés, certaines étant des améliorations du fruit classique. Se dessine aujourd'hui un mouvement pour la conservation des variétés en danger de disparaître.

C'est crue que la poire est la meilleure et qu'elle révèle toutes ses qualités. Mais elle peut aussi se cuire, et faire marmelades, confitures, gelées, glaces, soufflés, entremets, etc. La poire est un des fruits les plus employés en pâtisserie. Elle entre aussi dans la cuisine sucrée-salée, dans la composition de certains chutneys. On fait, particulièrement avec la William Bon-Chrétien, des alcools blancs de grande renommée. Avec certaines autres variétés, on produit le poiré, boisson proche du cidre.

The Garden, dans son numéro d'octobre 1995, décrit les résultats de la comparaison de 128 poires européennes et de 22 asiatiques.

La meilleure est la Doyenné du Comice, introduite à Angers en 1849. Parmi celles que recommande l'organe officiel de la Royal Horticultural Society, citons Dr Jules Guyot, Jargonelle, Beth, William Bon-Chrétien, Onward, Merton Pride, Beurré Hardy, Louise-Bonne of Jersey, Conférence, Concorde, Joséphine de Malines, Glou Marceau, Olivier de Serres, Bergamote Esperen, Nouveau Poiteau, Marie-Louise d'Uccle, et, pour la cuisine, Catillac, une variété girondine de 1665, ainsi que Bellissime d'hiver, elle aussi connue depuis le xviie siècle.

Les meilleures asiatiques étaient Nijisseiki et Siudo, toutes deux japonaises, bien que considérées plus pour leur caractère juteux et rafraîchissant que pour leur complexité aromatique.

Les professionnels classent les poires en fonction de leur date de maturité (été, automne, hiver). Les principales variétés, c'est intéressant, sont quasiment les mêmes que celle de l'amateur :

Dr Jules Guyot et Williams, l'été ; Beurré Hardy, Louise-Bonne d'Avranches, Conférence, Doyenné du Comice avec Alexandrine Douillard et Packhams's Triumph l'automne ; Passe-Crassane l'hiver. Amateurs et professionnels plantent donc en priorité les mêmes variétés. Les importantes différences gustatives sont peut-être à l'image de notre monde contradictoire : la régularité et la standardisation des professionnels réglées par des normes minimales et maximales de qualité contre la variabilité des produits amateurs, minables ou exceptionnels selon les années ; ces fruits lisses et beaux, protégés des attaques de la tavelure, contre ces produits bosselés, imprévisibles, immangeables ou formidables. Au fond, de quoi le consommateur a-t-il besoin ? Probablement des deux : une bonne moyenne pour se rassurer et des exceptions, grandioses ou ridicules. La poire était le symbole, la caricature d'une certaine royauté, celle de Louis-Philippe, premier et dernier du nom. Transition entre l'absolutisme et la république, n'est-elle pas un symbole de tout un chacun ?

• *La pomme* — Malus domestica. La floraison des pommiers usuels c'est l'éclat blanc et rose d'un tableau impressionniste. Là où le zèle technocratique n'a pas pu le détruire, le spectacle des champs de pommiers en fleur, en Normandie et en Bretagne, est d'une beauté explosive, accompagnée d'un parfum doux et suave. On regrette que les Français n'aient pas le sens artistique des Japonais pour qui la floraison printanière des arbustes est une fête rituelle. Quelle plus belle introduction au printemps que ces champs et ces collines couverts de cette neige animée par la brise, resplendissante au soleil, compensation à la grisaille des autres jours ! Par beau temps comme sous l'orage les pommiers en fleur apportent beauté et harmonie.

Il est également des variétés de Malus, sauvages ou hybrides, fort diverses, qui portent des fleurs de couleurs variées, du blanc pur au rouge vif, dotées de subtiles colorations automnales dues aux variations successives de leur feuillage et à l'apparition de multiples petites pommes, les pommes d'amour, *crab apples* en anglais, jaune orange ou rouges.

Toutes les espèces de pommes sont comestibles mais leur utilisation est très variée. Les pommes d'amour, acides, sont à cuire, elles donnent d'excellentes gelées. D'autres variétés, dites pommes à cidre, douces, acides ou amères sont associées en proportions variées pour produire ce breuvage agréable et rustique.

Comme les poires, les pommes se récoltent avant maturité et c'est secondairement qu'elles acquièrent toutes leurs qualités. Les remarques formulées à propos des poires peuvent s'appliquer aux pommes, et l'amateur qui a accès à de « vraies » pommes aura du mal à les retrouver sur les étals, sinon en se fiant aux étiquettes. La maturité s'étend de fin juillet à mars. Parmi les meilleures variétés signalons, l'été, la Transparente de Croncels et la Delbard estivale — les pommes d'été se gardent mal, elles deviennent vite farineuses, mais à maturité elles sont d'un goût vif, sucré, acidulé et rafraîchissant, avec un croquant assez unique ; en automne, la Reine des reinettes, la Belle de Boskoop, l'excellente Calville blanche ; l'hiver les Reinettes du Mans, Clochard et blanche ou grise du Canada. Certaines variétés « internationales » ont imposé un goût standard, douceâtre et neutre, comme Golden Delicious, Starkrimson, Idared, Topred, Erovan, Red Chiet, Jonagold, Cox's orange, et plus récemment Granny Smith qui a perdu le plus souvent son caractère de pomme verte acidulée. Il ne s'agit évidemment pas d'un manque de qualité de ces variétés, mais du processus qui amène des produits abâtardis à la table du consommateur. Qui n'y peut rien.

La pomme c'est d'abord le fruit cru, le compagnon du randonneur et de l'écolier, le dessert toujours prêt, l'en-cas et le goûter frais et doux, avec sa consistance ferme et ses couleurs vives.

C'est aussi un des plus formidables fruits cuits. A-t-on inventé meilleur dessert que la tarte aux pommes ou que le bourdelot normand ? En fruit cuit, en compote, en sorbet, en crème, en pâte de fruit, en beignets, en gelée, en sucre d'orge, la pomme révèle ses formidables qualités. Elle pousse également ses feux en cuisine salée — la pomme verte fait un aromate original — et participe à certains classiques, le boudin aux pommes par exemple. La pomme accompagne particulièrement bien le porc.

Avec la pomme, on fait le cidre, on fait aussi l'eau-de-vie de cidre, dont on tire le calvados, un des meilleurs alcools produits en France.

Il existe plusieurs centaines de variétés de pommiers dont beaucoup ont été sauvés de la disparition par des associations regroupées au sein de l'Association nationale des croqueurs de pommes. Espérons qu'ainsi des variétés de grande qualité, représentatifs de la diversité de ce fruit d'exception seront tout d'abord préservées et ensuite disponibles.

A l'opposé des poires, la majeure partie des variétés de pommes cultivées pour la grande consommation ne correspond

pas aux variétés considérées comme les meilleures : les reinettes, par exemple, « bien que très appréciées ne représentent
qu'un faible tonnage dans la production nationale », selon le
Mémento fruits-légumes édité par le CTIFL[1]. Il y a donc divorce
entre le jardinier amateur et le professionnel. La France produit
de nombreuses variétés originaires d'Amérique du Nord. En
revanche, les Mac Intosh, l'une des meilleures variétés du Nou-
veau-Monde, sont absentes de nos marchés. Preuve qu'il peut
être difficile de concilier qualité et commerce.

LES FRUITS À NOYAU

Les fruits à noyau sont des espèces cultivées en Europe, parmi
les plus populaires. Bien qu'on en importe des antipodes et
qu'on puisse en disposer toute l'année, les difficultés de leur
conditionnement, l'évolution rapide de leur maturité, en font
des fruits essentiellement saisonniers. De plus, c'est sur l'arbre
qu'ils sont les meilleurs et ceux qui ne disposent pas d'un verger
ne connaîtront qu'exceptionnellement le haut de gamme. Certains des fruits à noyaux comptent parmi les plus parfumés et
les plus subtils, à condition qu'on les consomme à leur optimum.

• *L'abricot* — Prunus armeniaca. L'abricot fait partie de ces
fruits qui s'abîment très vite à la manipulation et au transport.
Résultat, on ne trouve sur les étals que les espèces à grand rendement, pas encore mûres, souvent vertes et dures. Même en
patientant quelque temps, on n'obtient guère qu'un fruit légèrement farineux, orangé et de saveur douceâtre peu complexe.
Rien à voir avec l'abricot cueilli à maturité sur les arbres dont
on n'a pas forcé le rendement : c'est alors un fruit juteux à la
chair brillante, aux arômes délicats, puissants et raffinés. La
couleur varie du jaune tacheté de rouge à l'orange foncé. La
taille dépend de la variété, certains atteignant celle d'une petite
pêche. La maturité s'étend sous nos climats de fin juin à fin
août.
L'abricot est un fruit d'exception quand on peut en disposer
dans les conditions décrites. Sinon, il est préférable de le cuire :

1. Centre technique interprofessionnel des fruits et légumes, Paris, 1990.

on en fait des compotes, des salades de fruits cuits, des gâteaux divers — la tarte aux abricots est un des sommets du genre. En Europe de l'Est, on en fait un alcool blanc, spécialité notamment de la Roumanie. L'abricot se prête bien également à la confiserie.

Vert, l'abricot est un excellent aromate, utilisable dans le même registre que la rhubarbe en cuisine salée. Les fruits mûrs peuvent également être utilisés en contraste salé-sucré.

L'abricotier aime le soleil. La qualité de ses fruits dépend aussi, comme pour les autres fruitiers, de l'âge de l'arbre et des rendements.

Il est intéressant de noter le jugement émis par les professionnels (*Mémento fruits-légumes*, CTIFEL) sur la qualité gustative des neuf variétés principales cultivées en France : médiocre (Précoce de Tyrinthe, Hatif Colomer, Rouge de Fournes); moyenne (Rouget de Sernhac, Canino); moyenne à bonne (Bergeron); bonne (Lambertin n° 1, Rouge du Roussillon, Polonais). Où sont les variétés excellentes?

• *Les brugnons et nectarines.* Ce sont en fait des variétés de pêches à chair blanche ou jaune, qui en diffèrent par la peau, à l'aspect lisse et brillant. Août est leur mois de prédilection. On trouve les mêmes réussites admirables et les mêmes médiocrités confondantes. Les nectarines à chair blanche (Snow queen, Silver Gem) sont généralement supérieures à celles à chair jaune.

• *Les cerises.* Ce sont les fruits de deux Prunus : Prunus avium, pour les variétés à fruits doux et Prunus cerasus pour les cerises aigres.

Il existe de très nombreuses variétés de cerises, dont la couleur va du jaune clair légèrement rosi par endroits au rouge noir. Leur maturité s'étend sur les mois de juin et de juillet où l'on consomme ces petits fruits arrondis, aqueux, au goût subtil et varié, plus ou moins doux, plus ou moins aigre selon les cas. Mais on n'évite pas quelquefois les mauvaises surprises, certaines espèces étant la cible de la mouche de la cerise qui introduit dans chaque fruit une larve semblable à un asticot.

Parmi les meilleures variétés on doit signaler : les bigarreaux, ou cerises douces à chair ferme : Burlat, Van, Marmotte, Reverchon, Napoléon et d'Hedelfingen, dont la maturité s'échelonne sur deux mois; les guignes ou cerises douces à chair molle dont la meilleure est l'Early Rivers; la Montmorency, intermédiaire entre guignes et bigarreaux; les griottes et cerises « anglaises » donnent des fruits plus aigres, excellents pour confire au vinaigre ou conserver dans l'alcool. Signalons également deux bonnes variétés récentes, originaires toutes deux du Canada : Summit et Sunburst. Il faut se méfier des fruits ramassés sous la pluie, leur goût en est délavé et ils pourrissent très vite, en particulier les espèces foncées.

• *La pêche.* Parmi les fruits à noyau, la pêche occupe une place éminente, la première de toute évidence. Une bonne pêche, c'est d'abord sa peau, duveteuse et soyeuse, aux couleurs vives et contrastées, où un rouge foncé et profond s'associe au blanc et au vert, ou bien au doré et à l'orange ; parfois elle est uniforme, cramoisie. La peau enlevée, glissant en douceur sur la chair, cette dernière apparaît, blanc crème ou verdâtre ou orangée, brillante, attirante. Sous la dent, elle fond tout en gardant une consistance agréable, le jus et la chair se mélangent dans la bouche, révélant un goût unique, à la fois frais, doucement sucré, aromatique et complexe, rafraîchissant et léger. Une pêche de qualité, mangée à maturité, est un régal absolu ; peu d'autres fruits peuvent atteindre une telle harmonie et une telle qualité.

Point n'est besoin de la cuire ou de la mélanger à d'autres fruits. Elle est en soi un chef-d'œuvre qui se suffit à elle-même.

On trouve aussi sur les étals des sortes de cailloux ronds, durs, aux relents végétaux insipides, ou des produits qui sont passés directement de la prématurité à la sénescence, à peau flétrie, à chair molle, douceâtre, d'un goût plat et légèrement écœurant, avec souvent des arômes de moisi et d'amande amère. Difficile dans ces cas d'y reconnaître des pêches — heureusement que le nom figure sur l'étiquette. De ces tristes produits on peut, en ajoutant sucre, alcool de fruit et d'autres fruits faire des salades. On peut aussi les cuire, les ajouter à divers gâteaux.

La maturité des pêches s'étend de juin à octobre selon les variétés.

Certains en font un alcool blanc, peu répandu mais délicat. Les variétés de pêches Prunus persica s'adaptent aux divers climats. Typiquement on les classe en variétés à chair blanche et à chair jaune, dite encore pêche-abricot.

Dans les jardins d'amateur, des variétés traditionnelles, telles Grosse Mignonne, Téton de Vénus ou Reine des vergers permettent d'obtenir des fruits dont la maturité s'étale tout le long de l'été si on les choisit rationnellement, avec pour résultat des fruits de grande qualité. Sur les étals, le choix affiché se limite généralement à deux sortes : pêches à chair blanche ou pêches à chair jaune. Ces dernières représentent à peu près les trois

quarts d'une production nationale faite de variétés essentiellement d'origine américaine, qualifiées par les professionnels de
bonne à très moyenne, ce dernier jugement étant celui du CTIFL
(*Mémento fruits-légumes*), et s'appliquant à Royal Glory, « fruit
moyen à gros noyau, présentation exceptionnelle tant pour la
forme que la coloration ». Que dire de plus? Tout dans l'apparence, médiocrité dans l'assiette. Aucune variété n'est considérée comme très bonne ou excellente, et on comprend la crise de
confiance qui accompagne cette évolution aberrante.

• *La prune* — Prunus domestica. Les variétés de pruniers produisent des fruits à destinations variées. Certains sont meilleurs
crus, d'autres cuits. D'autres enfin se prêtent à la dessiccation.

Les meilleures prunes à consommer crues sont les diverses
reines-claudes, dorées, de Bavay, d'Oullins, etc., aux fruits vert-
jaune à maturité, très juteux, sucrés et parfumés, qui se classent
parmi les meilleurs fruits européens. Les mirabelles, dont les
plus notables sont celles de Nancy et de Metz, jaune d'or à maturité, donnent de petits fruits à chair jaune, douce et parfumée.
Ces variétés sont également les meilleures à cuire. On en fait des
compotes, des tartes, des confitures, etc. Elles donnent des
alcools blancs de grande qualité.

Les prunes sombres à peau violette, à chair jaunâtre, en particulier les quetsches, font d'excellents desserts cuits.

Certaines de ces dernières espèces, mises à sécher, sont vendues sous le nom de pruneaux, que l'on consomme tels quels ou
qui, après réhydratation — dans l'eau ou mieux dans le thé —
servent en cuisine sucrée ou salée. On en fait aussi des conserves
alcoolisées.

Les variétés considérées comme très bonnes ou excellentes
par les professionnels sont la reine-claude, verte ou dorée,
d'Althan et de Bavay, la Mirabelle de Nancy, la grosse Lorida
rose violacée à chair jaune orangée et la Tardicottes qui semble
supérieure à la classique Prune d'Ente, celle avec laquelle on fait
les pruneaux d'Agen. Progrès ne veut donc pas dire obligatoirement médiocrité. Il convient simplement de préciser si le but
recherché est la productivité exclusive ou la qualité gustative
pour le haut de gamme, ou encore un bon équilibre entre la qualité et la productivité pour ce qui devrait être une gamme
moyenne acceptable.

Petits fruits rouges, fruits de la forêt, sous ces appellations génériques se retrouvent quelques-uns des fruits vedettes venus des jardins, les fraises et framboises en tête, mais aussi des variétés moins connues, souvent d'ailleurs des hybrides aux noms anglo-saxons se terminant par *berry*; également de vrais fruits de la forêt, sauvages, au goût âcre, acide ou doux.

Les petits fruits constituent un ensemble aux arômes et aux goûts variés qui se placent au premier plan des fruits frais, et par leur souplesse d'utilisation en cuisine sucrée et comme accompagnement des gibiers et de certains oiseaux, canard et oie en particulier.

• *Le cassis* — Ribes nigrum. Ce petit arbuste donne à maturité des billes noires, au jus violet foncé, que l'on récolte en juillet. Avec les grains de cassis, on fait des confitures, des crèmes, des glaces et des gâteaux, et on les ajoute à certaines boissons alcoolisées. Le cassis de Bourgogne, dont l'association avec le bourgogne aligoté a immortalisé le nom de Kir, celui du vieux chanoine chenu et jovial qui fut maire de Dijon. Le cassis a un goût puissant et profond. Une des utilisations les plus plaisantes du cassis est l'association avec d'autres fruits estivaux : il aromatise quelques-unes des plus sensationnelles salades de fruits qui soient.

• *La fraise*. Les fruits de cette petite vivace stolonifère et envahissante appartiennent à diverses plantes dont les principales sont Fragaria chiloensis, Fragaria grandiflora, Fragaria vesca et Fragaria officinalis (fraise des bois). Il en existe d'autres, dont certains sont utilisés comme plantes d'ornement. La majorité des fraises consommées sont en fait des hybrides complexes.

La fraise est un des plus extraordinaires et des moins fiables des fruits, car il est difficile de trouver dans une autre catégorie cette juxtaposition de fruits odorants, doux et subtils, aux arômes bien typés, et d'objets qui leur ressemblent en tous points et qui sont absolument dénués de toute qualité. On voit même une certaine hôtellerie internationale présenter des fraises au petit déjeuner, avec les plats de viande, les poissons, les légumes, les desserts, les cocktails, etc., en fait avec tout, tant il est vrai qu'elles n'ont goût de rien.

Il est apparu sur les étals, il y a une vingtaine d'années, des fraises d'une incroyable médiocrité ; aujourd'hui encore, il est difficile d'en trouver de vraiment bonnes, d'autant plus que la fraise résiste mal à l'écrasement, au voyage, à la chaleur, bref, peut « tourner » très rapidement. (Signalons toutefois l'effort des producteurs du Sud-Ouest qui offrent des petites gariguettes annonciatrices du printemps.)

Pourtant elle garde un statut hors du commun, en proportion des espoirs qu'on place en elle car elle ne ressemble à rien d'autre. Alors, malgré les déceptions, on s'accroche. Il est vrai que la fraise est toujours belle et élégante, et puis, avec un peu de sucre, de citron et de crème fraîche, on arrive quand même à faire avouer à certaines muettes qu'elles appartiennent quand même au genre. C'est évidemment crues que les fraises sont les meilleures, même pour la tarte aux fraises on ne les fait pas cuire. On les utilise aussi pour faire des glaces, des coulis, des crèmes et des confitures. Mais la vraie fraise, celle qui a révélé toute sa douceur, sa tendresse et sa subtilité, laisse un souvenir si marquant qu'on la recherche inlassablement, quels que soient les aléas de la quête.

Avec la pêche, la fraise est un exemple du divorce entre le professionnel et l'amateur. La comparaison des produits domestiques et commerciaux montre une très grande inégalité qualitative. Les variétés proposées à la vente pour le jardin d'amateur sont différentes de celles qui sont cultivées pour produire des fruits destinés à être commercialisés. Ainsi non seulement le mode de culture, sous tunnels plastiques dans le cas des fraises, mais aussi la nature des cultivars opposent les deux types de production.

• *Les groseilles* — Ribes rubrum ou sativum. Elles sont rouges, elles sont blanches, petites boules pendues en grappes sur un arbuste de petite taille, l'un des favoris des jardins d'amateur. Les groseilles, acides, parfois astringentes, peuvent nécessiter l'accompagnement de sucre en poudre si on les consomme crues en dessert. On en fait des coulis excellents et surtout des confitures et des gelées remarquables, seules ou en accompagnement d'autres fruits.

La cueillette des groseilles, avec celle des cassis et des framboises, fait partie des plaisirs simples, ceux dont on garde sa vie durant le souvenir, comme ce que l'enfance offre de meilleur.

• *Les groseilles à maquereau* — Ribes uva crispa. Ces arbustes généralement épineux donnent des fruits au goût d'abord acide, qui à maturité deviennent doux, sucrés et juteux. Ils mûrissent en juin ou en juillet selon les variétés, produisant des fruits bien ronds à la peau un peu épaisse, meilleurs quand on les cueille en fin d'après-midi, alors qu'ils sont chauffés par le soleil. Les groseilles à maquereau sont rarement proposées à la vente. Elles sont de couleurs variées, vertes, jaunes ou violettes. On les mange crues et on peut les cuire en accompagnement de diverses viandes et de poissons — dont évidemment le maquereau.

• *Myrtilles, airelles, bleuets et baies apparentées.* Elles sont toutes cousines, ces petites baies dont la couleur varie du bleu au rouge. Les meilleures sont les *myrtilles sauvages* — Vaccinium myrtillus — qui poussent spontanément dans les bois — attention toutefois, elles peuvent être souillées des déjections de divers animaux sauvages et transmettre des maladies inhabituelles et fort désagréables. Elles sont bleu-noir, d'un goût fort, profond et sucré.

Il existe des variétés horticoles apparentées, présentant des arbustes plus grands — Vaccinium corymbosus —, des fruits plus nombreux, mais qui ont perdu au passage l'essentiel de leurs qualités gustatives. Ce sont celles-là qu'on trouve, de juin à septembre, sur les étals. Moins de risque, moins de plaisir.

Les *airelles* — Vaccinium angustifolium et Vaccinium vitis idaea — ont des fruits écarlates, mûrissant à l'automne. Les *canneberges* ou *cranberries* — Vaccinium oxycoccos et Vaccinium macrocarpon —, aux multiples cultivars, sont des fruits rouges de l'automne, populaires en Amérique du Nord. On trouve également dans nos bois les *myrtilles de loup* — Vaccinium uliginosum —, mais elles sont médiocres. Il existe encore de nombreuses autres plantes apparentées, disponibles chez divers producteurs.

Myrtilles, airelles et canneberges sont populaires dans les pays froids où elles accompagnent traditionnellement les plats de gibier. On en fait également confitures et gelées, sirops et sorbets. Elles entrent dans la composition de nombreux gâteaux, tartes en particulier[1].

LES RONCES

Les ronces épineuses — Rubus — donnent des fruits aux parfums subtils. De la même famille, les framboisiers comptent

1. Signalons l'apparition récente de myrtilles séchées qui peuvent s'employer comme de petits raisins secs et qui ont l'intérêt de pouvoir être cuisinées sans s'effriter. On peut donc les utiliser toute l'année, par exemple en accompagnement d'un gibier.

parmi les plus populaires des petits fruits. Des espèces nouvelles, hybrides plus productives et moins épineuses, produisent des fruits de moindre qualité.

• *La framboise.* Elle est généralement rose-rouge, mais il en est de jaunes et, américaines, de noires. Certains framboisiers — Rubus idaeus, c'est un arbuste de la famille des ronces — sont remontants, d'autres non. Les framboises mûres sont douces, s'écrasent facilement sous le doigt et ne se conservent pas. Comme leur maturation est échelonnée sur le même arbuste, la cueillette en est prolongée. En combinant les maturités successives des diverses variétés, on peut trouver des fruits pendant plusieurs mois, de juin à l'automne. Tous ne sont pas de même qualité.

La framboise est un fruit commun, aisé à produire, mais son coût dépend des contraintes de la manipulation (cueillette) et des difficultés de sa conservation. Combien de barquettes révèlent, une fois enlevée la rangée du dessus, des fruits trop mûrs ou moisis !

La framboise, c'est ce goût fort et doux, aromatique et typé qui en fait un des fruits les plus agréables et les plus élégants. La framboise se suffit à elle-même, elle n'a besoin ni de sucre ni de compagnon pour révéler toutes ses qualités. Mais elle accepte aussi d'être utilisée en crèmes, glaces, soufflés, confitures et gelées, gratins, coulis remarquables. Elle occupe de ce fait, malgré sa fragilité, une place éminente dans la cuisine sucrée.

• *Les mûres et les fruits des ronces.* Le long des chemins, dans les plaines et les forêts, les ronces défendent le secret des fourrés de leurs épines acérées. Elles s'humanisent pourtant en fin d'été en offrant au promeneur leurs fruits rouges ou noirs, juteux, doux et parfumés, au jus fortement coloré.

On utilise les fruits des diverses variétés des ronces sauvages — Rubus fruticosus, Rubus caesius, Rubus ulmifolius, etc. — crus, seuls ou en salades. On en fait aussi des gelées, confitures, coulis et marmelades délectables. Le goût de la mûre est doux, aromatique et bien typé.

On a également sélectionné de nombreuses variétés de ronces sans épines, pratiques dans les jardins, et qui ont l'avantage évident d'éviter les pénibles piqûres. Elles ont généralement des noms anglo-saxons : *loganberries*, *tayberries*, *young berries*, *wine-*

berries, etc., leur goût est généralement intermédiaire entre celui des mûres et des framboises, avec des nuances plus ou moins douces ou acides. Aucune en fait n'a le parfum et la profondeur de goût des vraies mûres et des vraies framboises. On les utilise parfois fraîches, mais elles sont de qualité généralement moyenne. Elles trouvent leur place dans des salades de fruits. Leur utilisation principale est de servir à la fabrication de gelées, crèmes glacées, yaourts aux fruits, confitures, etc.

En fait, il est difficile de repérer les meilleures variétés : en 1993, la Société nationale horticole de France en dénombrait à la vente 59 variétés et cultivars, non comprises les 42 sortes de framboisiers, dans les divers catalogues proposés aux amateurs.

LES FRUITS DES BOIS

Il existe de nombreuses variétés de baies et de fruits poussant à l'état sauvage dans les bois ou qui sont domestiqués dans les jardins. Certains sont comestibles, d'autres même excellents. Il faut cependant se rappeler que nombre de fruits sauvages sont toxiques, voire mortels. Il ne saurait donc être question d'essayer au hasard. De plus, les faux amis sont légion. Dans le doute, s'abstenir.

• *Les amelanchiers* — Amelanchier canadensis, Amelanchier rotundifolia, etc. — sont des arbustes de taille variable, renommés, utilisés surtout pour leur floraison blanche printanière. Les fruits estivaux, noirs et sucrés, sont plaisants, parfois même excellents, comme ceux qu'on cueille sur les variétés sauvages du Canada (qui ne sont d'ailleurs pas l'Amelanchier canadensis...) au début du mois d'août.

• *L'arbousier* — Arbutus unedo — donne de petits fruits au goût discret, ressemblant à des fraises, les arbouses, rouges à maturité en fin d'automne.

• *Le merisier*, ou *cerisier sauvage* — Prunus avium — donne des fruits rouges au goût acidulé, qui, comme l'indique leur nom latin, sont appréciés des oiseaux. Des humains aussi d'ailleurs.

• *Le mûrier blanc* — Morus alba — est un arbre utilisé traditionnellement pour l'élevage des vers à soie. Les fruits sont doux, de goût assez peu prononcé.

241

• *Le mûrier noir* — Morus nigra — donne des fruits noirs, de qualité moyenne.

• *Le pommier sauvage* — Malus sylvestris — donne de toutes petites pommes, vertes et acides, dont on fait, après cuisson, des marmelades et des gelées.

• *Le prunellier* — Prunus spinosa —, épineux comme l'indique son nom latin, produit de petits fruits bleu sombre, pruinés, qui, après les premières gelées, perdent quelque peu leur astringence et peuvent être consommés cuits. On en tire un alcool blanc de qualité.

• *Le prunier-cerise* — Prunus cerasifera —, dont il existe plusieurs cultivars disponibles en jardinerie, donne des fruits de couleur assez claire et de goût agréable.

• *Les roses sauvages*. De nombreuses variétés de roses sauvages et pas seulement Rosa canina, l'églantier commun, donnent des fruits, ou *gratte-cul*, dont on fait le poil à gratter et dont l'enveloppe, rouge ou brune, est utilisée pour fabriquer gelées et confitures [1].

• *Le sorbier* — Sorbus domestica — donne des fruits en grappe ressemblant à de petites pommes de couleur rouge et jaune.

TUTTI FRUTTI

• *La figue* — Ficus carica. Vertes ou violettes, les fruits ventrus d'un arbuste qui s'acharne à détruire les murs ensoleillés auxquels il aime s'adosser, sont incomparablement meilleurs cueillis sur l'arbre. S'y exprime toute leur complexité aromatique, d'une incroyable douceur parfumée, rafraîchissante en même temps, accompagnée du craquement sous la dent des petits grains qu'ils contiennent.

La figue est fragile, son transport délicat. Évidemment le pro-

---

1. Les principaux producteurs de roses anciennes (Bernard Boureau, André Ève, Louis Lens...) proposent des rosiers qui peuvent être utilisés à cette fin.

duit acheté est de qualité variable, mais la figue dispose d'une bonne résistance à la médiocrité et on en trouve facilement de très honorables.

Les meilleures figues proviennent de pays tempérés. Des pays chauds nous arrivent des figues sèches qui peuvent être moelleuses et délicates, ou au contraire vraiment sèches et rêches. Les figues sèches sont à la base de nombreuses pâtisseries arabes où elles sont utilisées comme appareil à fourrer. On peut aussi faire des confitures, des compotes, de l'alcool blanc — la *boukha* tunisienne est une vieille spécialité de ce pays. On les utilise en cuisine sucrée et salée. C'est cependant fraîches qu'elles révèlent le mieux leurs qualités.

• *La figue de Barbarie*. C'est le fruit d'un cactus — Opuntia ficus indica — particulièrement agressif, dont on fait des haies défensives dans les régions méditerranéennes. Les figues de Barbarie, recouvertes de fines épines particulièrement traîtresses, révèlent, une fois épluchées, une chair parsemée de pépins, douce et aromatique.

• *La grenade* — Punica granatum. C'est en octobre-novembre que les gros fruits vivement colorés de ce petit arbre sont mûrs. En ôtant leur enveloppe épaisse et dure, on révèle le contenu, fait de « grains » rouges contenant des pépins de grande taille, faiblement sucrés. Accompagnés d'eau de fleur d'oranger ou d'eau de rose, ils constituent un dessert traditionnel en Afrique du Nord. A signaler que la grenadine, sirop utilisé pour fabriquer des boissons pour les enfants, est à base de jus de framboise et non de grenade. La cuisine iranienne utilise le jus de grenade comme liquide de mouillement.

• *Le kiwi*. Le kiwi est le fruit de l'Actinidia sinensis qui, comme ne l'indique pas son nom, est surtout cultivé en Nouvelle-Zélande et en France. Couvert d'une peau épaisse et velue, le kiwi a une chair vert vif, très juteuse, acidulée et assez sucrée. Les Néo-Zélandais mangent la peau, mais il est de règle en France de l'ôter. Le kiwi a été très utilisé par certains adeptes de la nouvelle cuisine. Pourtant, cet agréable fruit, considéré comme un des plus riches en vitamine C, n'atteint pas, même à maturité, la complexité des « grands ». C'est néanmoins un honnête compagnon des desserts et de certains hors-d'œuvre.

• *Le melon* — Cucumis melo. De la même famille que les courges et cornichons, les divers melons gardent de cette parenté une double nature, fruit et légume, plus ou moins prononcée selon les cultivars.

Il en existe de très nombreuses variétés, de formes et de couleurs diverses. Ils poussent sur le sol, demandent eau et soleil. Certains sont arrondis, d'autres ovalaires ou oblongs. Leur peau peut être lisse, rugueuse ou côtelée.

En France, les meilleurs appartiennent aux variétés dites cantaloups, ronds, à peau verte ou jaune-vert légèrement côtelée, dont la chair de couleur saumon ou orangée atteint, lorsqu'elle est mûre, des sommets de douceur et de complexité. Les plus connues d'entre eux sont les variétés charentaises.

Il existe de nombreux autres groupes, dits melons brodés, sucrins, d'hiver, etc. Leurs qualités sont extrêmement variables, du meilleur au plus insipide.

Le melon se mange généralement cru. Un melon bien mûr et de bonne qualité se suffit à lui-même, mais il est des associations classiques, avec du jambon cru comme en Italie, avec du porto ou un vin doux comme en France. On peut le consommer avec du sel. On peut aussi en faire des confitures. A signaler l'amusante et ancienne recette de confiture d'écorces de melon.

• *La pastèque* — Citrullus lanatus. Il faut avoir traversé — mieux encore vécu — dans les pays secs et chauds où l'eau se fait rare l'été pour se rendre compte de la place qu'y occupe la pastèque, cette sorte de gros melon à l'écorce épaisse, d'un vert marbré plus ou moins sombre en surface, bien blanche dessous. A l'intérieur une pulpe rose vif contient dans sa partie la plus centrale de multiples graines. La chair de la pastèque croque et fond sous la dent et sous la langue, où elle devient une sorte d'eau discrètement parfumée et sucrée : c'est la fraîcheur accueillant le voyageur desséché par le soleil, la poussière et le vent. Une sorte d'évocation de contes orientaux. Un goût qui sort tout droit des *Mille et Une Nuits.*

• *Les physalis.* Ce sont les lanternes chinoises — ou vénitiennes —, fruits arrondis jaune orangé contenus dans des sortes d'enveloppes jaunes ou rouges évoquant certains papiers d'Extrême-Orient. Les physalis ou coquerets appartiennent à diverses variétés dont la plus fréquente est celle du Pérou — Physalis peruviana — avec l'alkekenge — Physalis alkekengi. Physalis ixiocarea — tomatillo — est plus gros et doux, Physalis pruinosa (*cerise de terre*) plus petit. Le goût des physalis est doux et sucré. On peut aussi les cuire et les utiliser dans des préparations sucrées ou aigres-douces.

• *Le raisin.* A côté des variétés utilisées en vinification, de nombreuses sortes de raisins offrent une gamme diversifiée de fruits blancs, c'est-à-dire jaune-vert ou dorés, et noirs, en fait bleu-violet.

A côté de certains raisins insipides, il est cependant aisé de s'en procurer de bonne qualité en raison de la conservation relativement facile des grappes ; et puis peut-être aussi parce que les producteurs de raisin sont, plus que d'autres, soucieux de la qualité de leurs produits.

Citons au tout premier plan le chasselas de Fontainebleau dont on regrette que les contraintes du monde moderne aient entraîné la disparition des productions de Thomery, où il mûrissait le long de dizaines de kilomètres de murs. Espérons qu'il revive un jour de ses cendres car les quelques grappes cultivées dans la région de Fontainebleau ont une saveur remarquable. Il est vrai qu'on trouve d'excellents chasselas d'autres provenances, de Moissac par exemple. Le chasselas mûr est vert doré, très sucré et aromatique. C'est un des tout premiers des raisins par la qualité. Ses grains sont de petite taille. Citons également, parmi les raisins blancs, le dattier de Beyrouth et divers muscats dont beaucoup viennent d'Italie, agréables et rafraîchissants.

Parmi les raisins rouges, citons les classiques Cardinal, muscat de Hambourg et Alphonse Lavallée. Toutefois, la France ne produisant que la moitié de sa consommation (!) en importe d'Italie (variété Italia), d'Espagne, d'Afrique du Sud et du Chili, où certains raisins n'ont pas de pépins.

Les raisins s'utilisent crus en dessert. On peut aussi les éplucher, les épépiner et les ajouter à de nombreux plats salés. Ils s'allient particulièrement bien avec les oiseaux, pigeons, faisans, perdreaux, etc. Ils s'intègrent, crus ou cuits, à nombre de pâtisseries et de gâteaux : on en fait des jus de fruits, des sirops, des ratafias.

Avec le jus de raisins verts, avant maturité, on fait le verjus, autrefois très utilisé. Il apporte une nuance douce et un peu acide différente de celle du vinaigre qui lui est souvent substitué. Souhaitons son retour.

LES AGRUMES

La diversité des agrumes sur les étals, sans compter ceux qui servent d'arbres d'ornement, est un signe très net de l'évolution des goûts modernes. De l'acidité des citrons à la douceur de certaines oranges en passant par le doux-amer des pomelos et des divers hybrides, les agrumes sont de toutes les tables : jus, cocktails, confiseries, desserts divers, salades, assaisonnements, sauces, etc. On les retrouve à toute heure, sous une forme ou une autre.

Le consommateur utilise principalement le jus, mais on trouve fréquemment des recettes qui requièrent l'utilisation du zeste, c'est-à-dire que la partie extérieure et colorée de l'écorce, voire de sa totalité. Dans ce dernier cas, il est recommandé de n'utiliser que les fruits non traités après récolte (on les pulvérise souvent avec divers produits pour favoriser le maintien d'une bonne qualité sanitaire pendant le transport et le stockage).

• *La bergamote* — Citrus bergamia. Les fruits de cet agrume ressemblent à de petits pomélos, ou encore à des oranges jaunes. La bergamote est utilisée en parfumerie et pour confectionner des crèmes solaires. On s'en sert aussi pour parfumer le thé (Earl grey). La bergamote peut s'utiliser en cuisine, où elle apporte un arôme délicat. Jus, peau et même feuilles sont des ingrédients classiques de la cuisine thaïlandaise.

• *La bigarade* — Citrus aurantium. C'est l'orange amère, celle des dizaines de milliers d'arbres plantés dans les rues de Séville. Comme sa cousine douce, il s'agit d'un agrume supportant des climats un peu plus rudes.

La bigarade, c'est d'abord la marmelade des Anglais, la traditionnelle confiture douce-amère du petit déjeuner, où sont utilisés l'intérieur et la peau amère du fruit. C'est aussi l'écorce qui parfume certains plats et qui entre dans la composition de certaines boissons alcoolisées. La bigarade participe à certains plats : par exemple le célèbre canard à l'orange est plus racé lors qu'il est fait à la bigarade.

Les fleurs de la bigarade sont extrêmement parfumées, et quand elles apparaissent, l'air est envahi de ses arômes forts, complexes et envoûtants, à tel point qu'on peut en être incommodé. Avec ces fleurs on fait l'eau de fleur d'oranger, très utilisée dans les pays arabes pour parfumer les salades de fruits, les grenades fraîches et de très nombreuses pâtisseries.

• *Le cédrat* — Citrus medica vulgaris. Du cédrat on tire surtout des fruits confits et des liqueurs. C'est un gros fruit jaune dont la chair n'a pas la même distinction que certaines autres agrumes, acide, avec une peau épaisse. Des variétés apparentées — Citrus medica ethrog et Sarcodactylis — jouent un rôle traditionnel en Israël et en Chine.

• *Le citron.* C'est un des fruits les plus importants, à la fois à cause de son jus qui sert de base à des boissons rafraîchissantes et qui constitue surtout un remarquable compagnon des salades, des sauces, des poissons, des légumes, des fruits auxquels il apporte son acidité parfois très forte. Le citron c'est aussi le zeste, c'est-à-dire la partie extérieure colorée et huileuse, prélevé en couche fine et blanchi, éventuellement confit.

Les citrons donnent des confitures. On peut même les « confire » à l'eau salée — une manière très particulière et rapide de les conserver, pour des utilisations bien particulières.

Il existe deux sortes principales de citrons, les jaunes à peau épaisse — Citrus limon — de forme allongée et les limes généralement verts — Citrus aurantiifolia —, qu'on appelle aussi citrons verts —, à peau plus fine, de forme plus arrondie et nettement plus petits, au goût bien particulier. Il existe également une forme douce, la limette — Citrus limetta —, une forme amère ou lime commune et une forme sauvage à peau épaisse — Citrus hystrix.

L'utilisation des citrons verts et des limes est bien différente des jaunes, en cuisine comme pour la préparation des diverses boissons dont ils sont la base traditionnelle.

On veillera, lorsqu'on utilise les citrons entiers ou les zestes, à ne choisir que des citrons non traités après récolte pour éviter l'ingestion de produits dont les effets sur la santé ne sont pas recommandés.

• *Les kumquats* — Fortunella. Comme les oranges, citrons et autres, ils font partie de la famille des rutacées. De tous les agrumes, ce sont les plus petits que l'on consomme couramment. Il est d'usage d'en manger également la peau. Les espèces les plus fréquentes sont Fortunella japonica et margarita, dont l'hybride Nagami, et l'espèce sauvage Fortunella hindsii. L'hybride Fortunella crassifolia est plus doux. Il existe des hybrides avec la mandarine —*calamondin*— et avec la lime —*limequat*. Les kumquats s'emploient souvent confits, voire en chutneys ou en conserve vinaigrée. Ils prennent de plus en plus de place en cuisine, et plusieurs des chefs les plus talentueux les choisissent pour leur saveur acide et un peu amère.

• *La mandarine et les hybrides apparentés.* C'est une agrume de taille relativement réduite, de couleur orangée, de goût douceâtre, de qualité variable — de l'excellent au médiocre —, souvent plein de pépins. A partir de la mandarine — Citrus reticulata —, on a préparé de très nombreux hybrides, qui varient selon les pays. Ce sont principalement ceux-là qu'on trouve à la vente. En France ce sont les *clémentines*, ainsi baptisées en hommage à leur inventeur, le moine Clément, qui ont la faveur, en particulier celles qui viennent de Corse et du Maroc. En fait, l'ensemble des fruits de ce type est de goût et de consistance très variables. Dans certains pays anglo-saxons on préfère les *tangerines* originaires de Tanger, à peau fine. Citons aussi les *satsumas*, à peau vert-jaune cultivées en Espagne, les *tangelos* (hybrides tangerine-pomelos), les *tangos* (hybrides tangerine-orange) et *clemenvilla* (hybrides tangelos-clémentines). Il faut en général préférer les clémentines dont la peau, brillante, est fine et tendue, mais ce n'est pas une règle absolue.

• *Les oranges* — Citrus sinensis. On imagine mal, à voir la profusion des oranges sur les étals, qu'il y a seulement quelques décennies, à la fin de la Deuxième Guerre mondiale, les enfants fortunés recevaient du père Noël l'extraordinaire cadeau que représentait une orange. Une par enfant, parents exclus. Aujourd'hui l'orange est un des fruits les plus consommés en France.

L'orange, c'est le fruit toujours prêt, juteux et rafraîchissant. Cette disponibilité et cette bonne volonté expliquent certainement la faveur dont elle jouit.

Il existe plus de mille variétés d'oranges. Les meilleures, mais non les plus chères, sont les Maltaises de Tunisie, à peau assez épaisse : bien qu'elles soient classées parmi les oranges sanguines, c'est-à-dire à chair rougeâtre, ce n'est pas toujours leur cas. Peu importe. Leur jus est parfumé, sucré, avec une pointe d'acidité particulièrement bien équilibrée. Ce sont aussi d'excellents fruits de dessert. Des autres variétés d'oranges, qui sont souvent meilleures en jus qu'en fruit, les meilleures après les Maltaises, sont les diverses Navel — mot anglais qui veut dire nombril, car elles présentent à leur base une sorte d'ombilic sur lequel s'implantent des miniquartiers — en particulier les Thomson. Les oranges originaires du Maroc sont dans l'ensemble de remarquable qualité.

L'orange, c'est d'abord le jus — tellement meilleur quand il est frais. C'est l'épluchage des quartiers qu'on peut, pour faire plaisir à Bernardin de Saint-Pierre, se partager en famille ou entre amis, et qu'on utilise aussi dans des recettes variées, sucrées ou encore en salade mélangée.

Les principales variétés sont regroupées en quatre catégories :
• Les *Blondes* — Shamouti, Salustiana.
• Les *Navels* à chair blonde (*Navelines, Navels* ordinaires et *Navel-later*) qui constituent la part la plus importante du marché ; elles proviennent d'Espagne, du Maroc et, à contre-saison, d'Afrique du Sud.
• Les *Sanguines* (*Tarocco, Moro*, toutes deux d'Italie, *Maltaise* de Tunisie, *Sanguinelli* et *Sanguinello* d'Italie et d'Espagne).
• Les *Tardives* (Valencia late) qui souvent ouvrent la saison quand elles viennent d'Afrique du Sud. Plus de la moitié des oranges importées vient d'Espagne.

• *Le pamplemousse.* Il ne s'agit pas là du « pamplemousse » vendu sur les étals et dont le vrai nom est pomélo — Citrus paradisii — mais du vrai — Citrus grandis — géant à peau épaisse, au goût amer. On le consomme généralement confit.
Outre les pomélos, il a donné naissance à de nombreux hybrides : orange de la Barbade, Chadèques, etc.

• *Les pomélos* — Citrus paradisii : Les pamplemousses des petits déjeuners de régime n'en sont pas, ce sont des pomélos, hybrides sélectionnés pour leur taille, le volume de leur jus et leur douceur. En effet, les pamplemousses sont amers, les pomélos doux-amers. Il en existe à pulpe jaune-rose ou rouge, ces derniers étant plus doux. Les pomélos donnent des jus particulièrement agréables. Épluchés, les quartiers de « pamplemousse » apportent une note agréable à diverses salades. La moitié des importations vient des États-Unis. Les meilleurs sont à pulpe rouge — Star Ruby. Les variétés à pulpe rose — Thompson, Ruby — et blondes — Marsh Seedless — sont moins recherchées.

LES FRUITS EXOTIQUES

En voyage, on rencontre des fruits multiples et variés, parfois inconnus. Le développement des transports permet de disposer en France de plus en plus de variétés importées. Certains ont une place éminente, comme la banane, ou encore la mangue — les autres restent encore plus ou moins confidentiels mais il est à prévoir qu'ils prendront une place de plus en plus grande. Ils sont fort divers et le choix proposé ici est indicatif.

• *L'ananas* — Ananas comosus. Il existe plusieurs variétés de ce fruit tropical originaire d'Amérique et qui ressemble à une grosse pomme de pin ; 90 % sont de type Cayenne lisse, le reste est de type Queen ou Red spanish.

Les plus recherchés sont l'ananas Victoria, relativement petit, très sucré, et l'ananas Bouteille. Un bon ananas est doté de feuilles aux pointes bien vertes, la surface du fruit est d'un joli brun jaune un peu roux, ferme sous le doigt.

L'ananas occupe une place favorite dans les desserts, sous forme crue, seul, en salade, ou en couverture de gâteaux. On en fait de très délicats beignets et il se cuisine bien dans le registre sucré. Il fait également partie de certains accompagnements classiques de cuisine sucrée-salée. Son association avec le porc, particulièrement le jambon, est classique dans le sud des États-Unis.

L'ananas peut être irritant pour la peau. Il possède par ailleurs des enzymes protéolytiques. Hervé This décrit dans ses *Révélations gastronomiques*[1] les expériences faites par Nicholas Kurti : en injectant du jus d'ananas avec une seringue dans un rôti de porc, ce dernier cuit beaucoup plus vite que normalement. L'intérêt gastronomique, nous dit l'auteur, semble limité, mais il peut y avoir là source à réflexion.

De l'ananas on consomme également le jus, utilisé tel quel, ou en association avec divers alcools pour la fabrication de punchs, batidas, etc.

• *Les anones*
Il existe une quarantaine d'espèces de la famille des anones. Parmi elles, on trouve sur les marchés de France des fruits de cette famille. Ils contiennent de nombreuses graines et la chair doit être consommée à maturité. Citons :

— *Le corossol ou cœur de bœuf* — Anona reticulata — à la pulpe blanc rosé de qualité moyenne.

— *Le corossol épineux* — Anona muricata — qui produit deux fois par an de gros fruits vert jaunâtre hérissés de pointes molles. La pulpe fibreuse est parfumée et légèrement acidulée. On la mange crue ou cuite, en crèmes, compotes ou beignets.

— *Le chérimole* — Anona chérimolia — à la pulpe blanche et parfumée, crémeuse, un peu fade cependant.

1. Belin, 1995.

— *La pomme cannelle* — Anona squamosa — ressemblant de loin à un artichaut, à chair douce, un peu fade, évoquant quelque peu la cannelle.

• *La banane.* Elle a un côté magique. Cette favorite des enfants n'a pas toujours été aussi répandue qu'aujourd'hui. En ces temps où elle était rare, l'arrivée des bananes était saluée comme un événement, comme une fête. Il n'est que de se souvenir du Tunis des années 70 pour se rappeler du frémissement qui traversait la ville quand les marchands apparaissaient, les proposant au kilo, tandis que les petits revendeurs installés sur les trottoirs les vendaient à l'unité, glanant ainsi quelques millimes[1] au passage, au grand plaisir des adultes et surtout des enfants pour qui il n'y avait guère d'événement plus attendu.

C'est que le goût et la consistance de la banane, dépourvue de pépins et de noyaux, onctueuse et parfumée, en font un fruit particulièrement tendre, qui, une fois ôtée son épaisse peau jaune ou tigrée, ne révèle aucun piège, aucun danger. Elle est douce, facile à mâcher et à avaler. Elle n'irrite pas.

La banane se mange crue, c'est un dessert à la fois simple et subtil, et qui a le bon goût de se conserver quelques jours sans précaution particulière. On peut aussi la cuire — les bananes flambées sont un petit chef-d'œuvre de la cuisine simple —, en faire des crèmes, des beignets, des gâteaux. Elle peut accompagner certains plats aigres-doux, en particulier de porc. On en fait aussi des chutneys, des préparations alcoolisées.

Les bananes sont des *Musacées* — Ensete et Musa — dont il existe de très nombreuses variétés. Les bananes « fruits » appartiennent à divers groupes, la plus courante, jaune et longue, est dite *poyo*. On trouve parfois de plus petites variétés dites *bananes figues*, *bananes roses*, etc.

Le voyageur des pays chauds la connaît bien : on la vend par régimes sur le bord des routes. La chair du fruit est évidemment plus complexe, plus parfumée que celle des variétés achetées en France. De plus, si on la pèle soi-même, on ne craint pas la transmission de ces maladies digestives qui rendent aléatoire le plaisir du voyage. La banane, c'est aussi le fruit le plus aisément transportable et utilisable par le randonneur ou l'écolier, qui ne nécessite pas de couteau pour l'éplucher et se mange proprement, puisqu'il suffit de retirer la peau au fur et à mesure qu'on la consomme.

Signalons enfin une variété de ce fruit d'élite, la *banane*

---

1. Le millime est le millième du dinar tunisien.

plantain, très spéciale car c'est un légume utilisé en cuisine antillaise, qui ne se consomme que cuit.

• *La carambole* — Averhoa carambola. Il ne faut pas confondre ce fruit, jaune vif et brillant, cireux, avec l'oignon ou l'ail carambole. En fait, son goût est peu prononcé, mais sa forme est telle qu'en le tranchant transversalement, on en fait des étoiles qui décorent artistement salades de fruits, entremets et même certains plats salés. Signalons une autre espèce du genre, Averhoa bilimbi, très acide.

• *Les chayottes (ou cristophines).* Ce sont des courges de taille relativement petite, de couleur vert clair ou sable blond. Elles ressemblent à des poires plus ou moins allongées et contiennent peu de graines. Leur chair est douce. Elles poussent dans les pays chauds, surtout en Amérique centrale. On consomme principalement la chayotte du Mexique — Sechium edule — et la chayotte française dont le nom scientifique est Sechium americanum. La traduction est parfois étrange...

• *Le duryan* — Durio zibethinus. Le fruit sphérique, de taille moyenne (15 à 30 centimètres), couvert de forts piquants coniques, qui pend d'un grand arbre, est l'objet d'une controverse où se manifeste l'esprit d'intolérance qui oppose les cultures.
En effet, la chair glutineuse des compartiments ovalaires, dont chacun est centré sur une graine de la taille d'une noisette, est crémeuse, colorée, douce et aromatique. On en fait de délicats beignets qu'on vend par exemple sur certaines plages de Penang, cette île malaise dont la population est à dominante chinoise. C'est que les Chinois raffolent de ce fruit que les Occidentaux évitent ostensiblement à cause de son odeur évoquant quelque peu celle d'un fromage fermenté avancé. En parallèle, les Chinois considèrent du même œil réprobateur et condescendant les Barbares de l'Ouest quand ceux-ci se précipitent sur un camembert ou sur un roquefort.

• *Le feijoa* — Acca sekowiana. Ces fruits ovoïdes sont cultivés au Brésil et dans les pays voisins. Ils sont petits, leur chair est acidulée, on les consomme crus. On en produit depuis peu en Corse.

• *La goyave.* C'est un petit fruit arrondi et jaune verdâtre produit par un arbre de taille moyenne. Il existe plus de cent espèces apparentées et seule Psideum goyava est communément cultivée. On mange la chair des goyaves, vaguement crémeuse et plus ou moins acidulée, crue et surtout cuite. On en fait des jus aromatiques.

• *Le jacquier* — Artocarpus heterophyllus. Ce grand arbre produit de très gros fruits pouvant aisément peser plusieurs dizaines de kilos. Crus, leur chair est un peu âcre, on les fait dégorger dans le sel, ou on les fait cuire. Les graines sont comestibles après cuisson. Il existe de grandes variations qualitatives.

Deux fruits lui sont apparentés : le *cempedak* consommé à Penang et en Malaisie — Artocarpus integrifolia — et le *marang* — Artocarpus odoratissima — des Philippines.

• *Le kaki* — Diosporos kaki. Fruit du plaqueminier, il est originaire d'Extrême-Orient, mais se cultive en Europe méridionale. On fait des jus avec les fruits avant maturité et on mange les mûrs crus ou cuits, selon le goût de chacun. Les fruits sont très tanniques et, même mûrs, peuvent être astringents. On peut également les consommer séchés. La variété Fuyu, peu tannique, se cultive en Corse.

• *Le litchi* — Litchi sinensis. Les litchis, ce furent longtemps en France le dessert, sorti d'une boîte de conserve, des restaurants vietnamiens ou chinois. Depuis quelques années, on les trouve frais, souvent en provenance de Madagascar. Les litchis, chinois comme l'indique leur nom latin, sont de petits fruits recouverts d'une enveloppe extérieure rougeâtre, résistante et irrégulière (épicarpe). A l'intérieur, la pulpe blanche opalescente est douce, centrée autour d'une grosse amande brillante, consommée par certains.

• *Le longane*. Ce fruit d'un arbre ornemental — Dimocarpus longan — ressemble à un petit litchi, avec une chair translucide centrée autour d'un gros noyau ; son enveloppe (épicarpe) est lisse. On trouve également des longanes séchés dans les épiceries extrême-orientales, au goût très délicat de thé fumé.

• *Le mangoustan* — Garcinia mangostana. Depuis quelques années, ces petits fruits à coque brune et régulière apparaissent périodiquement sur les étals. Sous une coque résistante, ils sont composés de petits quartiers contenant une amande centrale. Leur chair est rafraîchissante et discrètement acidulée.

• *La mangue* — Mangifera indica. C'est à partir de l'Inde que ce fruit d'assez grande taille fut introduit dans de nombreuses zones tropicales. La mangue est ovalaire, un peu aplatie, lisse et fraîche au toucher. Elle est de couleur verte, orange ou rougeâtre. La membrane extérieure se pèle facilement sur les fruits mûrs. La chair apparaît, jaune orangé ou jaune d'or, vive à l'œil, juteuse, suave sous la langue, avec un goût fin, doux, long et complexe. Il en existe en fait de très nombreuses variétés (plus de 300). La mangue est un des fruits exotiques les plus délicats. Elle contient une grosse amande centrale dont la coquille adhère plus ou moins à la pulpe. Elle est riche en vitamine A.

• *Le néflier du Japon.* Il ne faut pas le confondre avec notre néflier indigène — Mespilus germanica — dont les fruits sont consommables passées les premières gelées. Les fruits d'Eriobotrya japonica peuvent être insipides. Cueillis sur l'arbre à maturité, ils sont délicats et subtils, avec un équilibre remarquable entre douceur et acidité.

• *La papaye* — Carica papaya. C'est le fruit d'un petit arbre semblable à un palmier, à la chair saumon ou orangée, très populaire dans les pays tropicaux. La papaye est douce, plus ou moins aromatique selon l'origine. On la sert fréquemment au petit déjeuner ou dans des salades de fruits. Son goût est cependant, en général, relativement peu prononcé.

• *Les passiflores (fruits de la passion).* Ce sont des lianes ornementales dont les horticulteurs ont sélectionné d'innombrables variétés reconnaissables à leurs fleurs aux couleurs brillantes et variées, de forme surprenante, évoquant parfois certaines fleurs en papier japonaises. Il en existe environ 400 variétés. Le fruit des passiflores — Passiflora coerulea, edulis etc. — est orangé, jaune ou pourpre, il est recouvert d'une peau épaisse. La pulpe, qui contient de nombreuses graines, est à la fois aqueuse, aromatique et souvent astringente — c'est en fait quand ils sont « trop » mûrs que les fruits de la passion sont les meilleurs. Ils sont excellents en salade. On en fait des crèmes, des confitures, etc.

• *La pomme rose.* Les fruits, de couleur variée et dont l'odeur évoque celle de la rose, sont fades mais agréables. Ils proviennent d'un grand arbre ornemental — Syzygium malaccense — et se consomment frais ou cuits. D'autres fruits assez proches proviennent de Syzygium jambos (*jambosier*).

• *Le ramboutan.* En saison, on voit sur les marchés de

Thaïlande et des Philippines ces étranges fruits, à l'apparence évoquant celle des bogues de châtaignes ou des oursins. Heureusement ce ne sont pas de piquants mais de cheveux qu'ils sont recouverts. Le ramboutan — Nephelium lappaceum — révèle à l'ouverture une chair blanche proche de celle du litchi auquel il est apparenté.

• *La sapotille* — Manilkara zapota. C'est un petit fruit arrondi à la chair brune, sucrée et douceâtre, produite par un arbre utilisé par ailleurs pour la production du chewing-gum.

• *Le sharon.* Apparemment, il s'agit d'un hybride entre la mangue et le kaki, dont, s'il lui ressemble, il n'a pas l'astringence. On peut le manger quand il est dur et jaune d'or : sa chair est douce et sucrée, ou quand il se ramollit : il est alors de couleur orangée, curieusement moins sucré. Un fruit agréable à défaut d'être très subtil.

Il y a beaucoup d'autres fruits dans la nature. Certains n'existent qu'à l'état sauvage. D'autres restent de consommation locale ou régionale. Toutefois, l'internationalisation des échanges se fait à une telle vitesse qu'il est vraisemblable que certaines espèces se trouveront proposées aux consommateurs ouest-européens dans un futur proche. Aujourd'hui on se procure aisément des litchis, des mangoustans ou des caramboles, alors que ces fruits étaient il y a peu quasiment introuvables. La liste ci-dessous, provenant pour l'essentiel de l'ouvrage de Marie Pierre Bonnassieux[1] répertorie ceux qu'on pourra sans doute bientôt trouver sur les étals des commerçants et que le voyageur peut occasionnellement rencontrer dans ses périples.

• *Le bael* — Aegle marmelos —, dur et sucré, qui est consommé cuit.
• *Le bilimbi* — Averrhoa bilimbi —, apparenté à la carambole, acide et consommé cuit.
• *L'aki* — Blighia sapida —, dont la chair se mange cuite.
• *La gandaria* — Bouea gandaria —, sorte de prune-mangue.
• *La sapote* — Calocarpum mammosum — dont la chair est assez proche de celle de l'avocat et dont le noyau peut être grillé et ajouté au cacao pour la fabrication du chocolat.
• *Le babaco* — Carica pentagona — apparenté à la papaye.

1. *Tous les fruits comestibles du monde*, Bordas, 1988.

255

• *La caïmite* — Chrysophyllum cainito — ou pomme — étoile consommée crue ou en confitures.

• *Le raisinier bord de mer* — Coccoloba uvifera — aux petits fruits ronds dont on fait des gelées, et son cousin le *Pigeon plum* — Coccoloba floridana.

• *Le kiwano* qu'on trouve déjà sur certains étals et dans les épiceries de luxe. Apparenté au melon comme l'indique son nom Cucumis metuliferus, il ressemble à un petit concombre jaune d'or hérissé de pointes peu agressives. Il contient de nombreux pépins et sa chair est assez fade, avec un arrière goût de concombre.

• *La tomate en arbre* — Cyphomandra betacea — dont la chair se mange crue, débarrassée de sa peau.

• *Le mabolo* — Diospyros discolor — à forme de pêche, à la peau de velours et au parfum de beurre.

• *Le jambose* — Eugenia javanica — apparentée à la pomme rose et de goût assez fade qui ressemble à une poire ou à une petite cloche.

• *Le jamelac* — Eugenia malaccensis — ressemble à une pomme contenant un gros noyau. Sa chair a une odeur de rose.

• *La cerise de Cayenne* — Eugenia uniflora — petit fruit juteux.

• *La lang sat* — Lansium domesticum — petit fruit rond et juteux est consommé pelé, de même que le *duku* qui en est proche.

• *La pomme de bois* — Limonia acidissima — ronde et dure qui est utilisée cuite ou mangée crue.

• *Le canistel* — Lucuma nervosa — à pulpe orange et douce.

• *L'abricot des antilles* — Mamusca americana — à la pulpe compacte mangée crue ou cuite.

• *La knepe* — Melicocca bijuga — sorte de petite boule verte à la chair peu épaisse.

• *Le cérimon* — Monstera deliciosa — qui forme un épi doré juteux et sucré mais riche en acide oxalique.

• *Le pulasan* — Nephelinum mutablie — qui ressemble à un petit ramboutan.

• *La groseille étoile* — Phyllanthus acidus — tout petite, aigrelette et jaune verdâtre, consommée crue ou cuite.

• *L'abi* — Pouteria cainito — proche de la sapotille.

• *Le capulin* — Prunus salicifolia — qui ressemble à une cerise avec un goût de prune.

• *Le capuli* — Ardisia longistaminea — de Colombie et celui de Cuba — Mutingia calabura.

• *Le santol* — Sandoricum indicum — et le *Kecapi* — Sandoricum Koetjape — plus ou moins sucrés et acidulés selon les variétés.

• *La naranrille* — Solanum quitoensis — des Andes dont on tire des jus de fruits.

• *La pomme cythère* — Spondias mombin — aux petits fruits et les espèces apparentées : mombins jaunes

— Spondias lutea — et rouge — Spondias purpurea —
consommées crues ou en confitures.

• *L'amande des Indes* — Terminalia catappa — dont on
consomme la pulpe et l'amande.

• *Le salak* — Zalacca edulis — dont les variétés oscillent du
doux à l'amer.

• *Le jujube* — Zizyphus jujuba — aux multiples variétés de
qualité très variable.

De la Guyane française, on nous promet l'arrivée imminente
de l'*awara*, sucré, orangé, de petite taille (3 cm de diamètre),
ingrédient d'un plat typique de Pâques qui comprend aussi du
poulet, du poisson boucané, du porc, du crabe, des crevettes,
des queues de porc, des légumes... Et aussi le *comon*, bille marron de 1 à 1,5 cm de diamètre, dont on tire jus et sorbets, et qui
se consomme le Vendredi saint avec du *conac* (tiré du manioc)
et du poisson salé ou de la morue grillée. Enfin le *marija*, sucré,
allongé, fusiforme (5 à 6 cm), marron gris-vert, et qui se
consomme frais, épluché.

LES NOIX ET AMANDES

> *Dzz-dzdz, Dzdzzdz, Dzdzzdz, Dzdzz*
> *Souffle le vent et tombent les noix vertes*
> *Et tombent les nèfles acides*
> *Dzz-dzdz, Dzdzzdz, Dzdzzdz, Dzdzz.*
>
> Kenji MIYAZAWA,
> *Matasaburo, le vent,*
> tiré de *Train de nuit dans la voie lactée.*
> Intertextes, 1991.

Les noyaux de certains fruits, souvent d'ailleurs entourés
d'une coquille de consistance ferme, dure ou friable, constituent
les noix et amandes, qui contiennent en général une forte proportion d'huile. Toutes les noix ne sont évidemment pas comestibles. Leur utilisation est d'ailleurs diverse : parfois on les
consomme en desserts, dans d'autres cas ils servent à faire de
l'huile ou à nourrir les animaux, ou ils entrent dans la composition de diverses préparations alimentaires, farines et bouillies.

Parmi les quelque 70 sortes de noix et d'amandes comestibles,
certaines ont une utilisation culinaire usuelle. Le choix proposé
est donc loin d'être exhaustif.

• *Les amandes*. Il existe plusieurs sortes d'amandes. Les *amandes douces* — Prunus amygdalus — sont celles qu'on consomme le plus souvent. Ce produit d'un joli arbuste gelif, chanté par Georges Brassens, est utilisé comme amuse-gueule ou comme dessert.

La belle de Brassens, gourmande, cédait à l'attrait de l'amande douce. Tout comme la fillette des « Trois Fendeurs », chant français de la tradition populaire. Elle refusait celui qui tenait la rose ainsi que celui qui tenait la fende, pour se donner à celui qui tendait la fleur d'amande.

> *Mon amant vous serez, vous qui tenez l'amande,*
> *Mon amant vous serez, on donne à qui demande.*

Les amandes douces ont apparemment un attrait tout particulier auprès des belles. Elles viennent pour l'essentiel des États-Unis et d'Espagne sous forme d'amandons (amandes sèches décortiquées). Elles entrent dans des préparations classiques, la truite aux amandes par exemple, et on les utilise beaucoup en cuisine sucrée-salée, seules ou en association avec d'autres noix. On en fait du « lait », on les incorpore à diverses farces. Réduite en poudre, l'amande douce entre dans la composition de multiples gâteaux, dont les classiques blancs-mangers et des pâtes d'amande. L'huile d'amande douce, utilisée en cosmétologie, participe peu à peu à certaines préparations culinaires.

De l'*amande amère* — Prunus amygdalus amara — on fait des extraits aromatiques et de l'huile.

• *L'arachide* — Arachis hypogea. La noix de l'arachide, ou *cacahuète*, est appréciée des enfants et des perroquets. Elle est très utilisée dans certaines préparations culinaires africaines, américaines et asiatiques. Avec la noix de l'arachide, qui pousse sous la terre comme son nom latin l'indique, on fait une des meilleures huiles alimentaires.

• *La châtaigne d'eau* — Trapa natans. La châtaigne d'eau douce est une plante flottante utilisée comme ornement des bassins. Elle était autrefois employée comme nourriture à la manière des châtaignes et on en faisait de la farine. Il existe une autre châtaigne d'eau — Eleocharis tuberosa — originaire de Chine qu'on trouve dans les épiceries spécialisées.

• *Les noisettes et avelines*. Des noisetiers — Corylus avellana et Corylus maxima —, arbustes vigoureux et résistants dont certaines variétés sont cultivées pour l'aspect spectaculaire de leur floraison et parfois l'aspect tortueux de leur bois, on récolte les fruits et on consomme les graines, riches en huile, présentes à l'intérieur d'une coque ligneuse.

Les noisettes sont, une fois cassée cette coque, recouvertes d'une enveloppe jaunâtre. Fraîches, les noisettes ont une chair d'un blanc brillant, au goût fin et subtil. En séchant, elles deviennent plus astringentes, certaines variétés sont même piquantes.

Les noisettes sont de taille et de forme variées. Les espèces à feuilles pourpres, les *coudres*, donnent en particulier des noisettes allongées à la coque plus sombre, au goût particulièrement agréable.

Des noisettes on tire une huile qui agrémente les salades — il faut éviter de la cuire, et la garder au frais et à l'ombre pour conserver ses qualités aromatiques.

Les noisettes se consomment seules, en en-cas ou en dessert. Elles servent à la fabrication de gâteaux, de liqueurs et entrent dans la composition de certaines farces et terrines, en particulier de poisson et de volaille.

Malgré la diffusion des noisetiers dans toutes les régions, l'essentiel des noisettes commercialisées est importé, surtout de Turquie et d'Italie. La moitié de la production française provient du Sud-Ouest, les meilleures variétés étant, selon le *Mémento fruits-légumes*, Ségorbe et Ennis. Citons, parmi les variétés étrangères, les Gentile delle Langhe qui, en combinaison avec certains chocolats, servent à la fabrication du gianduia, spécialité du nord de l'Italie.

• *La noix de cajou* — Anacardium occidentale. La noix de cajou, ou d'acajou, est de saveur douce et agréable. On la trouve dans les mélanges de noix et d'amandes proposées comme amuse-gueule à l'apéritif. On peut aussi les utiliser en cuisine salée, à la manière des amandes ou des noix du noyer. On la reconnaît aisément à sa forme courbe.

• *La noix de coco.* Du cocotier porteur de noix — Cocos nucifera — tombent les noix de coco, entourées d'une enveloppe fibreuse et d'une coque dure. A l'intérieur, la pulpe très blanche est collée contre la coquille, son bord externe est brun. Au milieu se trouve un liquide opalescent, le lait de coco.

La chair est utilisée dans certaines préparations de pâtisserie. Le lait de coco est rafraîchissant; c'est un élément fondamental de nombre de cuisines des pays chauds, de la Thaïlande ou de l'Inde au Brésil. Il apporte une saveur douce et parfumée qui contraste parfois avec le feu des épices auxquels il est associé.

• *La noix de cola.* Extrêmement amère, elle est utilisée comme stimulant de diverses fonctions intellectuelles et organiques en Afrique noire de l'Ouest. Elle provient de plusieurs arbres, produisant des variétés légèrement différentes : Cola acuminata, Cola nitida, etc. Son action tonifiante a été utilisée pour fabriquer certaines boissons appréciées des enfants.

• *Noix de pécan* — Carya illinoensis. C'est une noix typiquement nord-américaine, qu'on retrouve très fréquemment dans diverses préparations de la cuisine traditionnelle des États-Unis. Censée être originaire de l'Illinois, la noix de pécan est excellente, douce et agréable.

• *La noix du Brésil* — Bertholletia excelsa. De qualité gustative remarquable, elle s'emploie de la même manière que la noix de cajou. Elle est de forme allongée, contenue dans une coquille à curieuse forme polyédrique.

• *Les noix du noyer.* En France, les noix indigènes sont celles de Juglans regia, un arbre de grande taille qui ne donne de fruits qu'après quinze à trente ans de vie. Les noix sont entourées d'une enveloppe verte dont elles se séparent progressivement. Les jeunes fruits n'ont pas encore de coquille et on peut les récolter pour en faire des condiments, par exemple avec du vinaigre ou encore divers « vins ».

A maturité, l'enveloppe se craquelle, libérant ainsi la noix recouverte d'une coquille faite de deux moitiés réunies et qu'il faut briser pour recueillir la partie comestible. Cette dernière est constituée de deux cerneaux, de forme irrégulière et symétrique, recouverts d'une membrane jaunâtre. Épluchées, les noix fraîches sont blanches et brillantes, leur goût est fin et délicat. Avec l'âge le goût devient légèrement plus âcre et moins subtil.

Des noix on tire une huile alimentaire avec laquelle on aromatise les salades. Si on l'utilise en cuisson, il faut éviter qu'elle ne chauffe trop.

Les noix se consomment seules, ou avec du miel. Elles agrémentent les salades, sont largement utilisées pour fabriquer divers gâteaux et participent à la composition de terrines, pâtés fins, farces, etc.

Parmi les diverses variétés, il faut citer la Franquette qui, lorsqu'elle est plantée dans l'Isère, bénéficie de l'appellation noix de Grenoble, renommée comme étant de qualité supérieure. La Franquette est d'ailleurs originaire de ce département. Citons aussi la Parisienne et la Grandjean.

• *Les pignons.* Les petits fruits allongés et blancs du pin pignon — Pinus pinea — comptent parmi les meilleures des graines comestibles. Elles sont très utilisées en pâtisserie orientale. En Tunisie on les ajoute au thé. On en tire également une huile comestible au goût fort et qui a le défaut de s'oxyder facilement.

• *La pistache.* C'est la noix du fruit d'un arbre de taille relativement élevée — Pistacia vera — qu'on consomme sèche. La pistache est, parmi toutes les noix et amandes, une des plus fines et des plus appréciées. On la mange telle quelle, éventuellement salée — il faut en enlever la coque, relativement fine mais résistante.

On en fait aussi des gâteaux, dont certains sont de qualité exceptionnelle, en particulier au Moyen-Orient et en Iran. Les pistaches participent aux farces, terrines, pâtés où elles apportent subtilité, élégance et classe.

Les animaux

L'homme consomme les animaux terrestres et aquatiques. Ayant généralement renoncé à manger ses semblables, il a probablement essayé tour à tour les diverses espèces qui l'entouraient. De ses expériences, influencées par des facteurs vraisemblablement multiples, il a conçu un catalogue de ce qu'il trouvait bon, correct, insipide ou désagréable. Il a identifié ce qu'il considérait comme favorable ou nuisible à sa santé. Il a également établi des interdits, absolus ou relatifs, permanents ou passagers. En définitive, les résultats varient selon les pays, les coutumes et les religions. Avec les modes de préparation spécifiques. Avec la hiérarchie des goûts et des plats à vrai dire définie par la qualité gustative autant que par la rareté ou l'accessibilité des produits.

Avec la fin des temps de subsistance, cette hiérarchie a été bouleversée. L'interpénétration des cultures a entraîné un désir de connaître ce qui se fait ailleurs.

En Occident, les animaux n'ont pas tous le même statut alimentaire. La viande des animaux terrestres était généralement considérée comme rare, chère, souvent réservée à une élite. Celle des animaux aquatiques, les poissons en premier lieu, était regardée comme médiocre : n'était-ce pas l'ordinaire du Carême, cette période où, pour préparer la commémoration de la Passion du Christ, chacun jeûnait et se punissait ? Le poisson et plus tard le gibier d'eau — par une extension quelque peu laxiste — n'étaient donc pas de la vraie viande, celle dont la consommation était punie d'abord de mort, puis du fouet. De même, le pêcheur a-t-il toujours été « pauvre », et même le symbole de la pauvreté.

L'homme a d'abord mangé les animaux sauvages, qu'il

chassait, pêchait ou attrapait dans des pièges. Il en a ensuite domestiqué certains, en sorte qu'aujourd'hui les animaux terrestres qui font son ordinaire sont quasiment tous d'élevage. Ce n'est guère qu'en quelques occasions, limitées dans le temps et en définitive relativement rares, qu'il trouve à sa table certaines espèces sauvages de gibier.

Au contraire, l'essentiel des animaux aquatiques présents sur les marchés est sauvage. Toutefois, là aussi se manifeste une nette évolution vers l'apparition de poissons élevés dans des fermes spécialisées. C'est déjà le cas de la majorité des poissons d'eau douce, truites, saumon, carpes et brochets. C'est, ou ce sera de plus en plus, le cas pour les poissons côtiers, les crustacés, les mollusques. Les éleveurs d'huîtres et de moules ont montré le chemin.

3

Les animaux de la terre et des cieux

Les animaux terrestres comprennent les mammifères, les oiseaux et divers groupes biologiques fort différents (mollusques, batraciens, etc.).

Oiseaux et mammifères, dans leur grande majorité, sont d'élevage. On les a longtemps considérés comme des aliments de fête, puis leur consommation a augmenté considérablement dans la période relativement récente où les populations occidentales se sont enrichies en même temps que les coûts de production ont baissé. Ce qui était réservé aux nantis ou aux repas d'exception s'est trouvé soudain disponible pour tous, quasiment à tous les repas. Il y a cinquante ans encore, un poulet était un plat du dimanche ou de célébration, aujourd'hui il est devenu le symbole même de la banalité.

La viande — et sous ce terme on range la chair des animaux terrestres — n'est plus ce symbole de l'inaccessible ou du rare. C'est une nourriture comme une autre, avec ses propriétés spécifiques, ses qualités et ses défauts. Avec aussi, pour certains, ses interdits, souvent religieux. Et, au cours de ces dernières années, on a vu baisser quelque peu la consommation de bœuf.

Quelles qu'en soient les causes, on peut espérer que ce constat encourage ceux des éleveurs qui font l'effort de présenter des produits de qualité — ce qui peut être en contradiction avec les règles de la rentabilité à tout prix, avec le règne de l'Argent Roi, voire de l'Argent Dieu. Il est évident que cette évolution se fait en rupture avec certaines habitudes de produire la plus grande quantité de viande n'importe comment et à n'importe quel prix.

L'assassinat, en 1994, d'un vétérinaire flamand probablement par une véritable organisation mafieuse du trafic d'hormones, utilisées frauduleusement pour « gonfler » la viande, montre que, pour certains professionnels, le souci de la qualité constitue non seulement un risque, mais parfois un danger.

On souhaite que le consommateur puisse trouver des produits dont la nature et l'origine soient facilement identifiables. Car la qualité de la viande dépend de la race, de l'espèce ou de la variété de l'animal, de son lieu d'élevage et des techniques utilisées. Un agneau avranchin de pré-salé, nourri des herbes baignées parfois d'eau de mer, n'aura pas le même goût qu'un animal de même race élevé dans un enclos désherbé et nourri de tourteaux ; un veau de lait du Limousin élevé sous la mère donnera une viande bien différente du broutard plus âgé.

Peu à peu, une exigence nouvelle apparaît chez le cuisinier, chez le consommateur : connaître les caractéristiques exactes des animaux qu'il a achetés ou qu'il consomme au restaurant. Après tout, en ce domaine comme en d'autres, les grands chefs n'ont-ils pas montré le chemin, qui proposent le charolais ou l'angus, le poulet de Janzé ou le chapon de Loué ? Il ne manque plus — et certains bouchers d'élite ont commencé à le faire — qu'à indiquer le nom du producteur. Comme pour les vins, au fond.

Les mammifères

Les viandes que vend le boucher ou le charcutier, ce sont les muscles des animaux. Au cours de l'histoire, l'homme a sélectionné des races en fonction de diverses utilisations : pour le trait tout d'abord, mais aussi, et de plus en plus, pour la viande et pour la production de corps gras, en particulier lait et beurre ou saindoux.

Aujourd'hui, les conditions macro-économiques dominant la production agricole, les choix privilégiés sont ceux qui produisent la viande et le lait au meilleur coût. Sont donc préférées les races qui produisent, qui se reproduisent et qui grandissent le plus vite.

La qualité de la viande dépend de très nombreux facteurs car rien ne garantit que celle qui revient le moins cher à la production soit la meilleure, compte tenu des conditions de vie et de nutrition des animaux. Alors que le consommateur imagine que l'agneau qu'il mange a suivi un berger sur les contreforts des Alpes, ou que la vache, dont est fait le steak quotidien, rentrait le soir du pré pour dormir à l'étable en suivant les chemins bocagers sous la conduite espiègle du fils du fermier, les animaux qu'il consomme sont bien souvent des produits quasi industriels qui n'ont vu de la nature que quelques paysages défilant à travers les claires-voies des camions qui les emmènent à l'abattoir.

Les bovins sont généralement élevés en stabulation libre, c'est-à-dire dans de grands hangars au sol recouvert de paille, avec éventuellement un enclos adjacent cimenté et en plein air. La salle de traite est attenante. Dans certaines régions, les animaux sont menés dans des pâturages naturels pendant la belle saison. Dans d'autres ils n'y vont jamais. La nourriture est à base de produits d'ensilage, technique de traitement de l'herbe qui consiste à produire une fermentation lactique anaérobie. Quand le processus est imparfait, il se forme d'autres composés, comme l'acide butyrique, dotés de propriétés aromatiques souvent désagréables qu'ils communiquent aux animaux qui les consomment, ce qui est particulièrement important pour le lait.

Pour obscurcir encore le tableau, il faut parler des produits d'importation dont les circuits ne sont pas toujours caractérisés par la clarté qu'ils sont censés observer, bien que le contrôle de l'origine soit souvent efficacement effectué[1].

En effet, les conditions d'hygiène, le sérieux de la vérification sanitaire par le vétérinaire, la durée du ressuage (opération suivant la mort pendant laquelle l'animal est stocké et perd une part de son humidité), l'existence éventuelle d'une stimulation électrique de la carcasse, la température de stockage, etc., influent sensiblement sur la qualité de la viande. Il existe des conditions optimales de consommation, une des premières étant le délai à respecter après l'abattage. Trop tôt, la viande n'est pas prête, elle est trop dure et de goût mal défini. Trop tard, le processus de modification est trop avancé et elle prend progressivement des relents de pourri.

Le consommateur moderne a droit à plus d'informations. Dans les supermarchés, on trouve aujourd'hui la date de l'emballage de la viande vendue en barquettes. Ainsi peut-on éviter certaines mésaventures, par exemple lors de l'achat de « promotions » qui, souvent, ne sont que la vente à bas prix — mais généralement cher pour la qualité fournie — de produits bas de gamme. La mention éventuelle du qualificatif « français » ou VF paraissant sur l'étiquette ne fait que confondre l'acheteur. Car ce que le consommateur souhaite, ce n'est pas acheter du veau ou de l'agneau français, c'est acheter du bon veau et du bon agneau. Comme la France en produit beaucoup, c'est bien au nom de l'excellence que nous devons soutenir l'élevage de qualité, et non pour des raisons chauvines et clochemerlesques. Sachons reconnaître et dire bien haut que l'angus écossais est une des viandes les plus remarquables et qu'il supporte parfaitement la comparaison avec les meilleurs normands et charolais. C'est en soutenant et en reconnaissant les qualités des autres

---

1. Il semblerait cependant que les produits d'origine belge, élevés avec des anabolisants, substances interdites en Europe de l'Ouest mais autorisés aux États-Unis, se retrouvent, au terme de trajectoires complexes, sur les étals de certaines boucheries.

que nous affirmerons les nôtres, pas en les réduisant à l'adoration béate et charbonnière (celle dont parlait Brassens, celle qui rend c... comme un panier) de tout ce qui fait cocorico. Autrement il ne faut boire de whisky que breton, ne manger d'harissa que de Normandie et n'utiliser d'épices que celles qui poussent dans l'Hexagone.

Enfin, *last but not least*, compte la qualité du boucher. On ne dira jamais assez comme ce métier est admirable, comme la justesse de la coupe, la précision de la dissection, l'imagination dans la présentation font de cette corporation une de celles dont peut s'enorgueillir notre pays. Un bon boucher sait choisir ses viandes, sait les couper et les parer. Il sait quand la viande est à son optimum, il connaît les temps et les modes de cuisson. Il sait apprêter artistiquement le carré d'agneau et préparer l'épaule « en melon ». Il possède ce métier difficile et physique, dangereux car sous le risque permanent d'une blessure grave, peu valorisé — cependant que la viande reste un des pivots de notre alimentation.

Mais ce métier est menacé par les conditionnements en provenance de certains pays où la viande est congelée et coupée à la scie circulaire. Le boucher n'est plus un artisan, c'est le serviteur d'un robot. On devine la médiocrité d'une telle présentation, même si elle revient moins cher.

L'évolution des marchés et la circulation des produits agricoles se feront-elles vers l'uniformisation par le bas, comme dans la plupart des supermarchés d'Amérique du Nord? Ou, au contraire, permettront-elles l'émergence dans chaque catégorie de pôles de qualité, offrant ainsi au consommateur des choix authentiques? Nul ne le sait. Les dangers existent, en raison du poids des structures et institutions qui ne voient dans l'alimentation que sources de profit. Il faut, également, considérer que, dans un système multiculturel, le facteur commun peut n'être que le plus petit élément commun, c'est-à-dire en ce domaine la médiocrité la plus grande. Si, au contraire, chaque région, chaque pays, conscient de détenir tel produit ou telle recette uniques et de qualité, entreprend d'en convaincre les autres et leur suggère que cette spécificité doit devenir le lien commun à tous, c'est vers le haut qu'on tirera l'ensemble.

Si les pays et contrées qui souhaitent commercer librement décident de faire l'inventaire de leurs produits hauts de gamme, de leurs techniques spécialisées, si les mêmes entreprennent d'en définir précisément la nature et d'appliquer fermement les réglementations qui découlent de ces données, on pourra former un ensemble de produits et de producteurs ou d'artisans d'élite. Il restera certes des contradictions, des compétitions entre ces derniers, mais l'intérêt commun sera le plus fort, pour le bénéfice du consommateur soucieux de qualité. Mais aussi pour tous, car un pôle d'excellence forte, présent dans chaque domaine de l'alimentation, est un facteur qui garantit la qualité de l'ensemble.

La consommation moyenne de viande était très faible il y a un ou deux siècles, quand l'économie était surtout celle de la subsistance. La viande, symbole même de l'opulence, est devenue l'un des aliments les plus recherchés à partir des années 60. Il fallait avoir sa propre automobile, un poste de télévision, des appareils électroménagers, manger de la viande tous les jours. Aujourd'hui qu'elle s'est banalisée et a perdu le statut d'exception, la consommation de viande recule. Cette évolution entraîne une baisse des prix qui frappe prioritairement les petits producteurs et artisans. Elle risque de balayer des corporations entières si celles-ci ne réagissent pas. Heureusement certains montrent le chemin, encore bien peu nombreux. Pourtant la survie d'un mode de production de viande de qualité et d'une compétence spécifique dans l'achat, la découpe et la préparation, cette survie passe par l'émergence d'un pôle de qualité, par son identification facile par le public, par une politique de promotion et de valorisation. Certains producteurs et marchands de volailles ont montré le chemin en utilisant largement le label rouge que chacun connaît aujourd'hui. L'amateur de bœuf, de veau, de porc ou d'agneau peut disposer du même indice. Une étape supplémentaire s'impose. Il attend de connaître la race de l'animal, son mode de production, le lieu d'origine et d'abattage, le nom de l'éleveur. C'est ainsi qu'il repérera la qualité de son boucher, avec ses qualités de découpeur et de présentateur.

LE GOÛT DE LA VIANDE

A l'exception de ceux qui, par conviction religieuse ou par inclination philosophique, ne consomment pas de chair animale, chacun connaît et apprécie le goût de la viande. Ou plutôt le goût des viandes, tant est diverse la gamme des sensations gustatives et des consistances qu'elles apportent. Chacun déclare ses préférences, le blanc ou la cuisse de poulet, le gigot d'agneau ou le pot-au-feu.

Aujourd'hui les étals présentent des variétés de volailles, de viande de boucherie en nombre et en qualité sans exemple dans aucune période antérieure. Cependant, cette profusion est parfois trompeuse, certains produits étant proposés plutôt à cause de leur faible coût de revient que de leurs qualités gustatives. Il faut également reconnaître l'influence de sociétés dont les traditions culinaires sont peu affirmées, qui tend à promouvoir des produits passe-partout, fades mais tendres.

C'est que la consistance de certaines viandes peut rebuter de prime abord. Les enfants, d'ailleurs, préfèrent le steak haché, la saucisse et le poulet bien tendre, comme ils préfèrent le lait et les bonbons. S'il n'est pas question de leur imposer un autre goût, en revanche régler celui des adultes sur le leur serait une regrettable régression. Car le goût doit être ouvert, à l'affût de sensations nouvelles, inquiet de découvrir le caractère exact de chaque chose.

Tout a le même goût pour l'indifférent, l'inculte ou le déprimé. Tout est différent pour ceux qui s'intéressent au monde dans lequel ils vivent. Il en est ainsi pour la viande, pour les viandes, de même que pour d'autres produits qui ont trouvé leur grille de classement, leurs catégories, leur hiérarchie. Comme pour les fromages et les vins, on souhaite en savoir plus sur ce qu'on consomme.

S'il existe une mesure de la sapidité et de la tendreté des diverses espèces d'animaux et, pour chaque animal, des différents morceaux, il est également une hiérarchie des qualités et, en ce domaine comme en d'autres, on souhaite identifier ceux qui en sont les producteurs, afin de connaître ce qui est le meilleur, pour constituer une gamme de sensations. Pour permettre aussi à ceux qui produisent des animaux d'élite d'être reconnus et d'entraîner les autres dans cette voie. Et par producteurs, il faut entendre non seulement les éleveurs proprement dits, mais aussi ceux qui participent à la phase terminale. En effet, comme le soulignent Roger Boccard et Marcel Bisson, la qualité de la viande dépend de façon critique de l'alimentation reçue les trois derniers mois de la vie de l'animal, mais aussi des conditions de transport et d'abattage puis de conservation des carcasses.

LA TENDRETÉ DE LA VIANDE

Après l'abattage de l'animal, les muscles passent successivement par trois stades : *pantelant*, immédiatement après la mort — le muscle est semblable à ce qu'il est à l'état vivant ;

rigide — rigor mortis — lié à la disparition de l'ATP et à l'acidification, cependant que les protéines contractiles, l'actine et la myosine, forment des liaisons ; et enfin *rassis* : cette dernière phase est celle où la viande se ramollit et change peu à peu de structure, cependant que ses qualités organoleptiques se développent (couleur, tendreté, etc.). La viande atteint alors un optimum au-delà duquel les processus de dégradation chimique et éventuellement la colonisation microbienne vont la rendre impropre à la consommation. L'évolution de la qualité de la viande jusqu'à son optimum dépend de l'âge de l'animal — elle est plus rapide chez le jeune. Elle est liée à la dégradation des protéines contractiles, qui a lieu dans les chambres froides où on entrepose les carcasses. Les modifications observées au cours de la maturation semblent dues à l'action des enzymes musculaires. Un phénomène important semble être la libération d'acides aminés libres qui joueraient un rôle gustatif particulier.

D'un point de vue matériel, la tendreté de la viande dépend de sa structure, et en particulier de la nature et de l'arrangement de son « squelette », c'est-à-dire de sa partie fibreuse et aponévrotique riche essentiellement en divers collagènes.

La tendreté est une qualité recherchée, qui explique le succès de morceaux tels que le filet ou le merlan. Il est évident que personne n'a envie de consommer une carne dure et fibreuse. Toutefois, seuls les enfants et les édentés se satisfont de viandes sans structure, dont l'idéal serait le steak haché. La viande doit avoir une certaine élasticité et présenter un équilibre entre le goût et la consistance.

La tendreté dépend du morceau, de la race, de l'élevage et des conditions dans lesquelles la carcasse a été traitée. En effet, les conditions d'abattage, puis de traitement des animaux après leur mort, la température, l'humidité et les conditions hygiéniques des abattoirs, l'utilisation de certaines techniques, telle la stimulation électrique des carcasses, vont intervenir de façon importante sur les propriétés mécaniques de la viande, donc sur sa tendreté. De même le mûrissement, délai entre l'abattage et la consommation, joue-t-il un rôle essentiel.

Pour des raisons de stockage on tend à vendre les viandes avant leur maturation complète. De même y a-t-il tendance à vendre des animaux plus jeunes car leur chair mûrit plus vite[1].

---

1. Aujourd'hui le bœuf proprement dit ne correspond qu'à moins de 10 % de la viande vendue sous ce nom. L'essentiel provient de génisses, de taurillons et de vaches de réforme, c'est-à-dire ayant déjà vêlé : une vache ayant fait trois ou quatre veaux est ainsi sacrifiée ; idem pour les laitières dont la productivité baisse.

Par contre, elle a moins de persillé et de goût. Cette tendance à raccourcir le processus s'accompagne d'une habitude à débiter trop vite. D'autant plus que le boucher a beaucoup moins qu'autrefois la possibilité de choisir l'animal aux abattoirs : il ne peut plus y toucher la viande et refuser une carcasse qui ne lui agrée pas. Il peut cependant acheter une bête dont la « traçabilité » est connue. De tels animaux sont abattus à part. En pratique le Label Rouge est aujourd'hui l'indication la plus sûre pour le consommateur.

Un dernier élément est l'adaptation de la viande à son mode de préparation. Selon la manière dont elle est découpée et selon la façon dont elle est cuite, une même viande aura une tendreté fort différente. Il convient donc de s'assurer de la compétence du boucher dans le choix de ses animaux comme dans la qualité de sa coupe. Il convient aussi d'appliquer à chaque morceau la cuisson appropriée.

Bien entendu, la qualité de la viande dépend aussi du type de morceau et de l'adéquation à la cuisson. Les protéines coagulent entre 38 °C et 70 °C, et forment une association plus dense au-dessus de 80 °C, alors que le collagène, responsable de la dureté, commence à se dissoudre à 60 °C, le phénomène étant plus rapide au-dessus de 90 °C. La tendreté dépend donc de l'équilibre entre ces phénomènes, ainsi que de la libération de l'eau liée aux protéines.

SAVOIR ACHETER LA VIANDE DE BOUCHERIE

Il faut distinguer trois catégories d'informations.

1. *La qualité Europa.* C'est un classement réservé aux professionnels. (E = supérieur, U = très bon, R = bon, O = assez bon, P = passable, A = médiocre.) C'est une indication relative à la carcasse, pas à la qualité gustative proprement dite. Une classe supérieure S a été ajoutée. De plus, on ajoute un chiffre caractérisant le gras, allant de 1, maigre, à 5, trop gras. On conçoit que la meilleure qualité gustative de la viande se retrouve dans des zones « médianes ». Nombre de carcasses françaises sont R3. Pour le veau, on tient compte de la couleur (blanc, rose, rouge) de la viande.

2. *La catégorie.* Elle est indicative de la destination culinaire du morceau, de son goût et de sa tendreté. Il existe trois catégories :

1re catégorie : pièces à rôtir et à griller.

2e catégorie : pièces à sauter et à braiser.

3e catégorie : pièces à bouillir, pour ragoûts.

3. *La qualité*. Elle indique la qualité générale de l'animal : extra (qualité exceptionnelle); 1re qualité; 2e qualité; 3e qualité.

Au toucher, on reconnaît le *grain* de la viande, dont la *finesse* est une des caractéristiques qualitatives parmi les plus importantes.

LES QUATRE GRANDS

Les quatre grands de la boucherie, ce sont le bœuf, le veau, l'agneau et le porc. Comme indiqué dans les différents paragraphes qui leur sont consacrés, la sélection et l'élevage des animaux jouent un rôle très important dans la qualité de la viande. L'évolution des dernières trente ou quarante années, marquées par le culte de la rentabilité, a entraîné la disparition de nombreuses races traditionnelles dont rien n'indique qu'elles étaient de qualité inférieure —, elles rapportaient moins d'argent, c'est tout. Souhaitons qu'un inventaire des variétés en danger et qu'un programme de conservation se mettent en place de façon pragmatique et efficace.

DE PROFUNDIS

Elles ont été sélectionnées savamment, patiemment. Elles ont été les compagnes les plus intimes des hommes, partageant souvent le même toit. Parfois la même pièce. Elles ont été nourricières, fournissant la chair, la graisse, le cuir, la laine, la fourrure, le lait. Elles ont, pour certaines, tiré les attelages. Et puis le progrès est arrivé, amenant en même temps ses avantages et ses inconvénients, avec aveuglement et indifférence. Les modes de vie traditionnels se sont effrités, les campagnes ont été désertées. A la place, les technocrates et les financiers ont pris le contrôle. Ils ont apporté la rationalisation. Ils ont amélioré l'hygiène, ils ont, aveugles comme le progrès qu'ils apportent, éliminé de très nombreuses races, non parce qu'ils le voulaient, mais parce qu'elles n'étaient pas incluses dans les schémas proposés. C'est que leur propos est réducteur : il s'agit d'uniformiser.

Adieu donc aux races mortes, aux races disparues à jamais. Adieu aux vaches morvandelles, Mézenc ou Femeline-Bressane, adieu à la quasi-totalité des races porcines locales. D'autres espèces sont menacées, certaines quasiment disparues. L'effort des institutions telles que l'INRA et des producteurs qui veulent sauvegarder ce patrimoine semble suivi par les pouvoirs publics. On ne peut que les encourager et souhaiter qu'il en soit de même dans les autres pays. Progrès et échanges n'ont de sens que si subsistent des produits différents, comparables et améliorables.

LES RACES FRANÇAISES MENACÉES

(D'après Annick Audiot : *Races d'hier pour l'élevage de demain*, INRA, Paris, 1995.) Les effectifs sont entre parenthèses.

BOVINS

Casta (101) Lourdaise (55) Béarnaise (81) Mirandaise (177) Bazadaise (2000) Bordelaise (12) Maraichine (75) Nantaise (71) Bretonne Pie Noire (548) Armoricaine (21) Froment du Léon (69) Flamande (3 500) Bleue du Nord (5 000) Vosgienne (5 000) Ferrandaise (243) Villars-de-Lans (144) Camargue (4 000) Auroise et Saint-Girons.

OVINS

Mérinos de Rambouillet (140) Cotentin (5 000) Avranchin (4 000) Landes de Bretagne (120) Ouessant (700)[1] Belle-Ile (70) Berrichon de l'Indre (3 000) Landaise (120) Barégeoise (4 000) Castillonnaise (1 000) Rouge du Roussillon (50) Boulonnaise (1 500) Mérinos précoce (1 000) Solognote (1 500) Thones et Marthod (2 500) Mourérous (5 000) Raïole (1 500) Caussenarde des garrigues (3 000).

CAPRINS

Chèvre pyrénéenne (800) Chèvre du Rove (800) Chèvre poitevine (2 000)[2].

PORCINS

Gasconne (311) Corse (2 500) Basque (105) Limousine (76) Blanc de l'Ouest (114) Bayeux (86).

1. 2 600 selon d'autres sources.
2. On peut y adjoindre la chèvre commune de l'Ouest ou chèvre des fossés à longues cornes, la Blanche des Cévennes, la Catalane ou chèvre des Albères, la Cou clair du Berry, la Royale Vésubie, la chèvre du Massif central.

Symbole paisible et bucolique d'une société en train de disparaître, les troupeaux de vaches rentrant au soir à l'étable après le pâturage. Comme le cheval, le bœuf a perdu de son importance, remplacé qu'il est par les engins mécaniques dans les travaux de force. Aujourd'hui, on n'élève plus les bovins que pour la chair ou pour le lait. Certaines races, parfois menacées dans leur existence même, ont connu un regain d'intérêt en raison de leur adaptation à certains environnements difficiles, en particulier montagnards.

Les races[1] les plus réputées sont celles dites à viande — Charolaise, Limousine, Blonde d'Aquitaine — mais aussi celles d'espèces dites mixtes, c'est-à-dire élevées à la fois pour la viande et pour le lait, telles la Normande, la Salers, la Simmental française. De façon curieuse, la principale espèce élevée aux États-Unis pour la viande, la Hereford, est peu répandue en France (petite taille, forte teneur en graisse). On trouve, en outre, des races locales qui peuvent, dans certains cas, produire des viandes excellentes : Parthenaise, Bazadaise, etc. En fait, si on trouve dans ces races des viandes remarquables, ce n'est pas toujours le cas non plus. Le terroir, le mode d'élevage et d'abattage sont des éléments tout aussi importants. Un élevage de qualité produit des bêtes tendres et peu grasses, mais elles sont plus tardives.

Un autre facteur doit être pris en considération. Si la viande est consommée sous forme de haché ou si ce que l'on souhaite est, par exemple, la tendreté, à l'exclusion de tout critère gustatif, on se satisfera de certaines espèces car on ne consommera que certains morceaux. Il s'agit donc de savoir exactement ce qu'on veut, ce qu'on attend d'un morceau de bœuf.

En France, on ne se contente généralement pas d'utiliser les morceaux à griller et à rôtir. L'intérêt pour les ragoûts, le pot-au-feu et pour les abats amène à considérer que l'ensemble de l'animal est digne d'estime. Ce n'est pas le cas dans tous les pays. Si l'on ne considère que la viande proprement dite, autrement dit les muscles striés de l'animal, la taille du bœuf oblige à le

---

1. Le Comité interprofessionnel des viandes identifie les races suivantes : Normande, Prim Holstein, Bretonne Pie Noire, Flamande, Pie Rouge des Plaines, Maine-Anjou, Jersey, Simmental Française, Vosgienne, Parthenaise, Charolaise, Brune, Montbéliarde, Bazardaise, Limousine, Salers, Villars-de-Lans, Abondance, Aubrac, Tarentaise, Gasconne, Blonde d'Aquitaine, Camargue, Corse. Le label rouge est réservé aux seules races à viande, pas aux mixtes.

découper en morceaux. Les modes de découpe sont extrêmement variés et diffèrent grandement selon les pays. Dans certains cas, la découpe est grossière, tous les morceaux étant considérés comme équivalents. Dans d'autres cas, les carcasses étant congelées, le boucher apparaît comme le bras armé de la scie circulaire, qui découpe l'animal en rondelles avec autant de subtilité que s'il s'agissait d'un tronc d'arbre. En règle générale, la découpe est d'autant plus élaborée qu'elle respecte l'anatomie, car le goût et la tendreté de chaque muscle sont différents, en raison des différences de composition et de fonction. Les muscles peuvent être présentés seuls, par exemple les psoas (filet) ou le diaphragme (onglet ou hampe) ou en combinaisons variées. En France même, il existe différentes méthodes pour découper la viande, la coupe dite parisienne servant désormais de référence.

Les divers morceaux de viande de bœuf ne sont pas préparés tous de la même manière et il importe de bien les différencier. Une pièce à griller fera un ragoût insatisfaisant et un morceau à bouillir un steak exécrable.

On sépare les morceaux à griller ou à sauter, à rôtir, à braiser et à bouillir. On traitera à part les abats qui nécessitent des préparations particulières. Étant donné les variations retrouvées dans divers ouvrages, la classification ci-après est conforme à celle du Centre d'information des viandes (1996).

Les pièces de première catégorie sont situées dans la moitié supérieure et postérieure de l'animal (dos et haut de cuisse). Le haut du membre antérieur et la partie moyenne de la paroi abdominale constituent les pièces de seconde catégorie. La troisième comprend la queue, partie basse des membres et de la paroi abdominale et la partie antérieure de l'animal (collier).

Les coupes et découpes du bœuf sont souvent plus complexes et il est difficile au profane de s'aventurer dans les méandres des diverses appellations. Veut-il faire son marché hors de France qu'il est encore plus désorienté. Qu'il s'agisse du « rôti de côtes croisées » (*cross rib joint*), de la « surlonge » (*sirloin*), qui n'est pas la même surlonge que dans certains manuels français ou plus banalement de la définition du « filet mignon », le voyageur a de quoi perdre son latin. Et, de même que les promenades les plus ésotériques se font parfois en chambre, le déchiffrage des appellations domestiques peut le plonger également dans des interrogations dont les réponses semblent varier selon les auteurs. C'est que la découpe bouchère n'est pas le résultat d'une étude anatomique mais d'une tradition, ou plutôt de traditions

LES PIÈCES À GRILLER ET À RÔTIR

(1re catégorie)

Elles comprennent

Le filet	Le tende de tranche, merlan, poire
Le faux-filet	La tranche grasse (mouvant, plat et
Le rumsteak	rond de tranche grasse)
L'entrecôte	Le train de côtes
La bavette d'aloyau	Le rond de gîte
L'onglet et la hampe	Le gîte à la noix
L'araignée	

LES PIÈCES À SAUTER ET À BRAISER

(2e catégorie)

Elles comprennent

L'aiguillette baronne	Le jumeau[1]
Le plat-de-côtes	La macreuse[1]
La bavette de flanchet	La pièce parée
Les basses côtes	Le derrière de paleron

LES PIÈCES À BOUILLIR

(3e catégorie)

Elles comprennent

Le gîte	La queue
Le flanchet	Le gros bout de poitrine
Le tendron	Le milieu de poitrine
Le collier	

multiples. Il en résulte une complexité que seul le praticien expérimenté et avisé peut reconnaître. Pour l'amateur, même intéressé par le sujet, grand est le risque de se méprendre. Après tout, on n'apprend que de ses erreurs.

Les meilleures races de bœuf

Les principales races de bovins donnant une bonne ou une excellente viande de bœuf sont :
• L'*Angus* écossais à robe brun clair, à longs poils.

---

1. La macreuse comprend la macreuse à beefsteack qui, sur certaines bêtes peut être clasée en 1re catégorie, et la macreuse à pot-au-feu, située en avant du paleron. De même pour le jumeau, séparé en jumeau à beefsteack et jumeau à pot-au-feu.

- La *Normande*, « caille, blond, bringée » (R. Boccard) c'est-à-dire mélangée blanc, blond et brun.
- La *Charolaise*, blanche uniforme, dont la chair, claire et manquant de gras, au grain plus grossier, est de qualité un peu inférieure aux autres.
- La *Maine-Anjou*, à robe rouge ou pie rouge.
- La *Gasconne*, gris clair.
- La *Blonde d'Aquitaine*.
- La *Limousine*, brun clair ou foncé.
- La *Simmental française*, pie rouge.
- La *Salers*, rouge acajou.

Par ailleurs, certaines races locales sont également renommées pour la qualité de leur viande :
- La *Bazadaise*, grise ou charbonnée.
- La *Parthenaise*, fauve.
- L'*Aubrac*, fauve ou grise, uniforme.
- La *Blanc-Bleu* (vendue sous le nom de viande Belle Bleue, à différencier de la Bleue du Nord, race mixte issue de la Tirlemont bruxelloise).
- La *Villars-de-Lans*, blonde.

De plus, on trouve beaucoup d'excellents *hybrides* (par exemple Maine-Anjou croisée).

En fait, il y a également parmi les autres races de nombreuses bêtes dotées d'excellentes qualités gustatives. De ce point de vue, le mouvement technocratique et uniformisateur qui a, depuis les années 50, poussé à moderniser, mais aussi à supprimer les caractéristiques de la production de certaines régions, a entraîné la disparition de nombreuses races. Outre la désolation de voir en quelques dizaines d'années disparaître des animaux qui, depuis de nombreux siècles, marquaient les cultures régionales de leur spécificité, cette attitude est aberrante par son manque de perspicacité. Qui peut juger, aujourd'hui, de ce qui sera considéré comme préférable dans seulement un ou deux siècles ?

N'y a-t-il pas une incurie invraisemblable à ne pas garder, ne serait-ce que dans un conservatoire, les races qui semblent moins intéressantes selon les critères de rentabilité à court terme qui sont ceux d'aujourd'hui ? Heureusement une réaction récente a mis à l'ordre du jour la sauvegarde de certaines races en voie d'extinction, voire considérées comme déjà éteintes. C'est ainsi que la Bordelaise dont Denis, en 1975, signalait qu'elle produisait d'excellents veaux, vient d'être « retrouvée » sous la forme d'un petit troupeau d'une douzaine d'animaux. La Villars-de-Lans, dont le même Denis vantait les qualités bouchères — c'est surtout une race laitière —, compte officiellement moins de deux cents animaux.

Par contre, la Prim Holstein, la Normande et la Charolaise représentent les deux tiers des vingt-deux millions de bovins qui constituent le cheptel français, les deux premières, associées à la Montbéliarde, représentant 90 % des vaches laitières. Et si les deux dernières ont d'excellentes qualités, la Prim Holstein est un animal dont la seule qualité est sa capacité à produire de grandes quantités d'un lait de gamme résolument moyenne, voire pire.

Ce déséquilibre, est-il raisonnable, est-il fondé sur des considérations gustatives ou sanitaires? On peut en douter, car on sait que ce sont les quotas laitiers européens qui en sont la cause directe[1]. Heureusement quelques chercheurs, généticiens et éleveurs, sont maintenant engagés dans une série de programmes de conservation d'un patrimoine génétique dont la richesse potentielle n'échappe plus à personne.

Plus simplement, l'amateur aimerait bien connaître les qualités respectives, morceau par morceau et catégorie par catégorie, des diverses races de grande diffusion, comme de localisation réduite. Dans l'immédiat, il doit se débattre devant des indications sommaires. Alors, sauf lorsqu'il a des informations plus précises, il choisira un aspect vif et rouge, pas trop brillant mais mat à la coupe, sans douteuse partie grisâtre. La graisse doit être blanche et brillante. Le « persillé » (infiltration visible du gras dans la viande) provoque des commentaires contradictoires entre son intérêt gustatif et la réserve qu'elle suscite sur le plan diététique. Tous les morceaux ne sont pas de même couleur : par exemple, l'onglet, la hampe et fréquemment la bavette d'aloyau peuvent avoir des reflets plus sombres. Cependant on ne peut limiter les critères du choix à la seule vue du morceau. D'où l'importance de disposer des conseils d'un professionnel fiable.

Le rôtissage et les morceaux à rôtir

Le rôti de bœuf est une des présentations festives ou dominicales de la bourgeoisie traditionnelle. Connaît-on un plat plus emblématique d'une certaine société, d'un certain type de

1. Notons cependant que les quotas laitiers ont également freiné la croissance de la productivité à tout prix. Il convient donc d'avoir en la matière une attitude raisonnée et raisonnable.

famille que le rôti de bœuf, servi en compagnie de pommes de terre sautées et de haricots verts ? On le retrouve également dans les repas conventionnels ou d'affaires. Par contre, il est rare au restaurant, tout au moins chez les chefs les plus prestigieux.

On le trouve souvent chez les charcutiers — le rôtissage est une des activités les plus traditionnelles de ceux qui furent des chair-cuitiers. C'est que le rôti de bœuf peut également se servir froid, et dans ce rôle il ne déroge pas, avec son allure un peu austère, accompagné d'une salade, de cornichons ou de mayonnaise.

De nombreuses pièces peuvent être rôties. Les meilleures sont le filet, le contre-filet, le rumsteak, l'entrecôte, la tranche grasse, l'aiguillette, la tende de tranche.

Ces diverses viandes se cuisent sans os. On y adjoint la côte de bœuf qui se cuit à l'os. Le filet est le plus tendre des morceaux mais ce n'est pas toujours le plus goûteux. A signaler, d'ailleurs, qu'on peut le cuire et le servir en croûte ou en feuilletage. Dans ce cas, la cuisson se fera, en partie sans et en partie avec cette couverture.

Ainsi que l'indique la classification en catégories, la destination des différents morceaux n'est pas la même et si certains peuvent s'apprêter de plusieurs manières, on s'exposerait à de graves déconvenues en ne respectant pas certaines règles.

Les pièces à rôtir peuvent également se débiter en steaks, en pavés (steaks épais), en tournedos (terme réservé au filet). Par contre, la réciproque n'est pas toujours exacte pour des raisons de taille — par exemple, l'araignée et la hampe[1] sont trop petites — ou de sapidité, mais il s'agit, évidemment, d'une question de goût. Les viandes de première catégorie peuvent être parfois utilisées en sauté ou en ragoût, mais ce choix est évidemment discutable. Plus discutables encore ces recettes de filet de bœuf haché qu'on trouve dans certains ouvrages.

Le rôtissage peut concerner l'animal entier ou une part importante : il ne s'agit là, évidemment, que d'occasions exceptionnelles, souvent folkloriques ou propres à certains pays, tels l'Argentine et le sud du Brésil. Ainsi, Paul Bocuse préconise de cuire huit heures dans une grande cheminée une cuisse de charolais de quarante à cinquante kilos.

Dans les conditions usuelles, le rôtissage se fait dans un four.

---

1. Signalons toutefois qu'on peut « fabriquer » un rôti en ficelant étroitement ensemble plusieurs pièces identiques et de petite taille ; certains apprécient ainsi des rôtis d'onglet, de merlan, etc.

Plus rarement devant le feu de la cheminée. Comme indiqué au chapitre des fours, le rôti se saisit à chaleur forte, se cuit relativement peu longtemps et se garde au chaud pendant quinze à trente minutes avant de le servir, afin de permettre à la chaleur de se répartir de façon homogène et de donner ainsi une coloration et une consistance uniformes. Le temps total de cuisson dépend du résultat désiré : bleu, saignant ou à point.

Une façon amusante, tout aussi fiable et même plus facile consiste à cuire les rôtis à la vapeur : en effet la température d'ébullition de l'eau étant de cent degrés, on obtient une cuisson très régulière, sans dessèchement. Le seul inconvénient de cette méthode est l'aspect grisâtre de la viande, mais il suffit de la badigeonner d'une très fine couche d'huile et de la passer au four à température maximum pendant cinq à dix minutes, après cuisson, pour lui donner la belle couleur caramélisée que chacun attend d'un rôti appétissant.

Le temps de cuisson des rôtis varie en fonction de leur poids, mais aussi de leur diamètre. On devine que, pour un même poids, une pièce très fine et allongée ne nécessite pas le même temps qu'une autre de forme cubique. De plus, il faut se rappeler que les fours ne développent pas tous la même puissance et que, pour apparemment de mêmes indications, les températures réelles ne sont pas toujours identiques.

Les temps indiqués sont donc indicatifs et la cuisson doit être surveillée, en particulier la première fois qu'on fait cuire un rôti dans un four inconnu.

Dans tous les cas, on fera chauffer le four suffisamment longtemps à l'avance afin de réduire la baisse de température provoquée par l'introduction de la viande froide. On conçoit aussi que la taille du four joue un rôle non négligeable : une grosse pièce cuira moins bien dans un petit four que dans un grand. Si la puissance de chauffe est insuffisante, même si la température choisie est élevée, la cuisson ne sera pas réussie.

Le four doit être chauffé à puissance maximale. Les temps de cuisson sont de dix à quinze minutes au kilo pour les pièces sans os, de dix-huit à vingt minutes au kilo pour les côtes de bœuf. Cependant, encore une fois, le temps de cuisson peut être prolongé de près de dix minutes au kilo si la puissance du four est insuffisante. Dans tous les cas on laisse reposer la pièce pendant vingt à trente minutes au chaud avant de servir. Les temps indiqués sont ceux de la cuisson saignante. Ils seront augmentés de quelques minutes pour obtenir une viande à point. Si le rôti cuit à la broche, devant un bon feu de cheminée, on augmente de cinq minutes les temps de cuisson.

Étant donné que le gradient de température est moins fort dans le cas de la cuisson à la vapeur, et que la chaleur se transfère également par le contact des minuscules gouttes d'eau, le temps de cuisson dépend au moins autant de l'épaisseur que du poids de la pièce. On compte, généralement, quinze à vingt minutes pour une cuisson bleue, vingt-cinq à trente minutes pour un rôti saignant, et trente à trente-cinq minutes pour qu'il soit à point. Plus, bien entendu, les cinq à dix minutes de four très chaud pour colorer la pièce, quel que soit le poids.

La cuisson de la viande s'accompagne d'un changement de couleur. La myoglobine musculaire est un indicateur intéressant puisqu'elle bascule du rose-rouge vers les teintes marron entre 50 et 55°; au-delà de 58° le cœur du rôti perd la belle couleur vive qu'apprécient les amateurs de viande pas trop cuite[1].

Concrètement le *rôti saignant* a une température à cœur inférieure à 60°, la *viande à point* aux alentours de 70° et *bien cuite* un peu au-dessous de 80°. L'utilisation d'un thermomètre implanté dans la pièce à rôtir permet de vérifier la température atteinte et donc le type de cuisson souhaitée.

Les steaks et pièces à griller et à poêler

On peut utiliser comme portions individuelles certaines pièces de petite taille, à côté des morceaux cités au chapitre des rôtis. Il n'est pas surprenant qu'ils soient classés ensemble puisqu'ils ont en commun ce ou plutôt ces modes de cuisson. En effet, tous les steaks, tous les pavés, tous les chateaubriands —, dénominations caractérisant des pièces de 100 à 400 grammes environ —, ne doivent pas être cuits de la même manière. On doit différencier ceux qui sont meilleurs grillés et ceux qui sont meilleurs poêlés.

Les viandes à fibres longues, en particulier la bavette d'aloyau, l'onglet, la hampe, sont bien supérieures lorsqu'elles sont poêlées. Elles se classent parmi les meilleures pour la force et la finesse du goût. L'entrecôte, le faux-filet et le rumsteak sont meilleurs grillés. Ce sont des viandes goûteuses, dont certaines sont un peu grasses. Le filet, l'araignée, la tranche grasse, le

---

1. Harold McGee (*On Food and Cooking*, Scribner's Son, 1984) rapporte que jusqu'à 60° la myoglobine reste stable, qu'elle se dégrade à partir de 71°, et devient brun clair à 79°. De rouge, la viande devient rose entre 60° et 71°, gris-brun au-dessus.

tende de tranche dont on tire divers morceaux tendres mais souvent assez peu sapides, comme le merlan et la poire, peuvent se préparer d'une manière ou de l'autre. Mis à part l'araignée qui est délectable et le filet dont le manque, relatif, de spécificité, est compensé par une tendreté exemplaire, ces divers morceaux, bien que souvent qualifiés « de boucher » ont un goût un peu neutre, agréable mais de qualité gustative moindre que celle des deux premiers groupes cités. Ils sont souvent utilisés comme viande à frire, dans une fondue bourguignonne, par exemple. Signalons, à propos du filet de bœuf, dont on sait qu'il est fait des seuls muscles psoas, qu'on le présente classiquement, selon Escoffier, le maître de la Belle Époque, soit entier (c'est le filet proprement dit), soit découpé, la tête servant pour les steaks, le milieu pour les chateaubriands et filets de détail, l'extrémité inférieure découpée en tournedos. Le filet mignon est un autre muscle (longus colli). La dénomination est différente de celle du porc : chez ce dernier, le filet constitue le filet mignon à lui tout seul.

La cuisson au gril peut se faire à l'aide d'une grille située au-dessus d'un feu de bois. C'est le principe du barbecue — mais il faut veiller à ce que le jus qui coule, qui est alors perdu, ne refroidisse par les braises, ou au contraire que, chargé de graisse, il n'enflamme la pièce, ce qui est à la fois désagréable au goût et peu recommandé par les médecins.

Plus souvent on se sert d'un gril épais en fonte qu'on place sur le gaz ou l'électricité. On enduit très légèrement la pièce d'huile, au pinceau. Lorsque le gril est bien chaud, on y place la viande. Après une minute, on lui fait décrire un mouvement de rotation de 90°. On obtient ainsi un quadrillage de belle apparence. On retourne la viande, et on recommence. Selon l'épaisseur de la viande et le type de cuisson souhaité, la durée est variable. On recommande plutôt de vérifier la cuisson avec le doigt, la résistance étant plus ou moins forte selon qu'on la souhaite bleue, saignante ou à point. On voit qu'il est difficile de donner des indications plus précises sur la durée totale de cuisson. Elle peut aller de une à deux minutes pour un steak assez épais, cuit bleu, jusqu'à vingt-cinq à trente minutes (douze à quinze de chaque côté) pour une côte de bœuf de un kilo à un kilo et demi. On comprend qu'il faut une bonne expérience pour réussir le steak au gril, même s'il s'agit d'un plat relativement banal. Et pour les raisons expliquées au chapitre précédent, la manière la plus pratique et la plus simple de cuire le steak grillé est de le faire... à la vapeur. Selon qu'on le veut bleu, saignant ou à point, on cuit un beau steak de deux cents grammes six, huit ou dix minutes. Puis on le quadrille, au gril une minute sur chaque face, pour la présentation.

La cuisson poêlée se fait, comme son nom l'indique, dans une poêle. On y passe un peu de corps gras, beurre clarifié ou mélange de beurre et d'huile. Il ne s'agit cependant pas d'une friture, même s'il y a des aspects communs à ce mode de cuisson. Le gras doit être chaud afin de saisir et de caraméliser légèrement la viande. On retourne celle-ci au bout d'une minute et on cuit encore une minute à feu vif. On règle alors la température de façon à obtenir le type de cuisson souhaitée —, bleue, saignante ou à point. Le temps total varie de huit à quinze minutes selon la taille de la pièce (les grosses côtes de bœuf nécessitent environ quinze minutes par face).

Les petites pièces grillées ou poêlées gagnent à rester au chaud quelques minutes avant d'être servies. Comme dans le cas des rôtis, ce délai permet de détendre les chairs et d'obtenir une viande de couleur et de consistance homogènes. Il est généralement préférable de ne pas saler avant cuisson mais soit en cours, soit après.

Compte tenu des réserves énoncées plus haut sur les divers temps de cuisson, nous donnerons cependant quelques indications, les chiffres extrêmes s'appliquant à des steaks de un à trois centimètres d'épaisseur.

— Cuisson bleue : 1 à 2 minutes par face.
— Cuisson saignante : 1 à 3 minutes par face.
— Cuisson à point : 2 à 4 minutes par face.

• *Le filet.* C'est un muscle allongé, tendu entre la colonne vertébrale et le fémur —, l'os de la cuisse. Le filet est la viande la plus tendre parmi les pièces à griller, c'est là l'origine de sa renommée.

Il n'est pas dépourvu de goût, mais c'est sa consistance qui est recherchée en premier. Le filet de bœuf se prépare en steaks, la forme la plus commune étant celle des tournedos, c'est-à-dire de tranches coupées transversalement à son grand axe (il a la forme d'un cylindre de diamètre irrégulier). On peut aussi le servir entier en rôti.

• *Le T-bone.* C'est une coupe typiquement nord-américaine

qui contient une partie du filet et du faux-filet, séparés par un morceau de côte. En fait, il s'agit surtout d'un mode de présentation où l'art du boucher laisse la place à la vigueur du bûcheron, le tronc d'arbre traditionnel étant remplacé par la pièce de bœuf congelée. Le T-bone est folklorique en Europe, qui y voit un des symboles de l'Amérique du Nord, pas forcément celui qui rend le mieux hommage à ces grands pays que sont les États-Unis et le Canada. Il est néanmoins de qualité honorable.

• *Les morceaux du boucher*. Il s'agit d'un mélange hétérogène de morceaux à griller ou à poêler. Ils comprennent des pièces de taille relativement réduite. Certaines valent surtout pour leur tendreté, par exemple la poire, le rond de tende et le merlan qui font partie de la tende de tranche, et le mouvant de tranche grasse. Plus intéressants sont l'onglet, la hampe et l'araignée.

• *L'araignée*. Elle doit être soigneusement parée, débarrassée de toutes les aponévroses qui la rendraient désagréable à consommer. Ainsi préparée, elle n'est pas très grosse — il y en a deux par carcasse. Et c'est une des plus délectables pièces à griller et à poêler. C'est le muscle obturateur externe, à différencier de la fausse araignée (obturateur interne).

• *L'onglet et la hampe*. Ce sont les parties supérieures et inférieures du diaphragme. La viande est sombre. Les fibres de l'onglet sont longues, le muscle est charnu. La hampe est moins épaisse. Ces morceaux ne se trouvent pas toujours en boucherie car ils étaient enlevés en même temps que les organes de la cavité abdominale et faisaient partie des articles vendus traditionnellement par les tripiers.
Onglet et hampe peuvent être grillés, mais sont meilleurs poêlés, servis avec des échalotes cuites au beurre ou au vin. Ils comptent parmi les meilleurs steaks, malgré leur consistance parfois un peu ferme. C'est également le cas de la *bavette d'aloyau*, dont le goût est proche et l'utilisation semblable.

Les ragoûts, les daubes et les sautés

Les meilleures viandes pour ces délicates préparations, pas si difficiles à préparer que subtiles de goût quand elles sont réussies, sont les viandes de deuxième et parfois de troisième catégorie. Estouffades, daubes et diverses préparations au vin ou au bouillon permettent d'obtenir des viandes tendres et sapides.

288

Les meilleurs morceaux dans ce rôle sont l'aiguillette baronne, le gîte à la noix, le paleron, la macreuse, les basses côtes, mais aussi la joue qui n'est pas classée dans les viandes de boucherie car elle se vend plutôt chez les tripiers. Le gîte à la noix est, quant à lui, classé en première catégorie. A vrai dire, toutes les viandes de première catégorie peuvent être utilisées dans ce type de cuisson, mais ce n'est pas leur fonction principale.

La préparation de ces plats s'effectue avec des viandes soit coupées en morceaux de taille variable, généralement des cubes de deux à trois centimètres de côté, soit gardées entières; dans ce cas il est classique de les larder, c'est-à-dire d'y enfoncer des lardons gras avec un instrument spécial appelé lardoire[1]. Pour certaines recettes, on peut effectuer cette opération avec des olives, des anchois, etc.

La viande est souvent marinée, plus ou moins selon les cas, dans du vin, du vinaigre ou du jus de citron, accompagnés d'huile, d'aromates, d'herbes et d'épices.

La cuisson proprement dite comporte plusieurs phases. Tout d'abord, on fait revenir, parfois à sec, plus souvent à l'huile, au beurre, à la graisse d'oie ou de canard, ou à diverses autres graisses, les légumes de la garniture aromatique, en particulier oignons ou échalotes, que l'on réserve; puis la viande bien égouttée est rissolée, et non brûlée. On élimine la graisse, on ajoute le liquide de cuisson qui peut être la marinade ou bien de l'eau, du vin, du bouillon, etc., en grattant pour récupérer les sucs de cuisson, on remet la viande et la garniture, on ajoute éventuellement quelques légumes, herbes ou épices, et on cuit à feu doux, généralement à couvert. Le réglage du feu est particulièrement important pour obtenir une viande tendre et onctueuse. Parfois, la cuisson se fait en cocotte glissée dans le four. Dans certaines régions, des plats tels que les daubes se cuisent en plusieurs jours devant l'âtre. Le plus souvent, ils cuisent sur un feu ou sur une plaque de la cuisinière. L'important est de ne pas leur imposer une température de chauffe trop importante. Ce n'est pas toujours facile car on maîtrise mal les feux à gaz à faible intensité. Il est préférable d'interposer un diffuseur entre le feu et le récipient, ou de cuire sur une plaque électrique, plus aisée à régler et qui ne risque pas de s'éteindre en cas de courant d'air imprévu.

1. Les lardons gras sont faciles à utiliser à cette fin, après avoir été entreposés au congélateur. Leur rigidité permet de les enfoncer sans difficulté dans la viande.

Dans tous les cas, les sautés, daubes et ragoûts cuisent mieux dans des récipients épais en fonte de fer ou d'aluminium, éventuellement recouverts d'émail, de pierre ou de substance anti-adhésive. On obtient également de bons résultats avec des ustensiles constitués de plusieurs épaisseurs de métaux différents. Certaines cocottes sont dotées d'un réservoir situé sur le couvercle où l'on verse de l'eau, ce qui le rafraîchit et entraîne la condensation de la buée de cuisson qui va ruisseler sur la viande en train de cuire, limitant ainsi l'éventuel dessèchement de la surface.

Nombre de ces plats sont meilleurs le lendemain, ou encore lorsqu'ils sont cuits en plusieurs fois; s'ils sont correctement stockés, ils peuvent se garder quelques jours, ce qui est pratique quand on est pressé. Paradoxalement la durée de la cuisson permet soit de les cuire pendant toute une nuit (plat de la nuitée), soit de les chauffer plusieurs soirs de suite, de les laisser refroidir pendant la nuit et de les ranger au frais pendant le jour. Ce dernier mode de préparation permet également d'en ôter la graisse qui remonte se figer en surface et qui devient aisée à séparer du reste du plat. En outre, cette préparation sur plusieurs jours permet de rectifier l'assaisonnement et de régler la consistance de la sauce ou du jus.

Le bouilli

Bouillir la viande est évidemment une des façons les plus anciennes de la cuire. Dans les familles paysannes, souvent le plat unique était fait d'eau, de légumes et d'un peu de viande — pas toujours d'ailleurs —, cuisant quasiment sans arrêt devant la cheminée. De plus, les animaux consommés n'étaient pas toujours d'une tendreté exemplaire, soit qu'ils fussent trop vieux, soit que la viande au contraire dût être utilisée trop peu de temps après l'abattage, avant mûrissement.

D'où l'importance du bouilli, qui à la fois aromatise le liquide de cuisson et donne son goût à la soupe, et qui permet de manger des morceaux autrement trop durs. Une hiérarchie des viandes s'est instituée, et dans la troisième catégorie on trouve justement les viandes du bouilli. Ce qui ne veut évidemment pas dire qu'elles soient moins goûteuses ni moins plaisantes.

D'emblée il faut faire un choix, selon qu'on recherche d'abord la qualité du bouillon ou celle de la viande. Cette distinction est fondamentale. Les explications scientifiques, traditionnellement données pour expliquer cette différence, sont probablement plus complexes qu'on ne le croyait : commencer la cuisson à l'eau froide donne un meilleur bouillon, mettre la viande dans l'eau bouillante privilégie la qualité gustative des morceaux ainsi préparés.

Il y a une autre façon d'utiliser le bouillon, très différente, c'est de s'en servir comme de liquide de pochage, à feu vif, de pièces à rôtir ou de steaks, comme dans la fondue « bourguignonne » au bouillon de Michel Guérard, ou comme dans le bœuf à la ficelle. La cuisson, en ce cas, est courte et le feu poussé à grande puissance.

Au contraire, le bouilli à proprement parler se cuit à feu doux, à frémissement et à découvert. Dans tous les cas on écumera soigneusement, dès la première ébullition quand on choisit de commencer à l'eau froide, ou dès la reprise lorsqu'on plonge la viande dans l'eau bouillante. Il est généralement recommandé de n'ajouter épices et aromates qu'après cette phase initiale, car on risque d'en enlever une partie en écumant. De même est-il préférable de ne saler qu'après avoir écumé — ce qui reste discuté.

Pour cuire le bouilli, c'est-à-dire lorsqu'on recherche prioritairement la qualité de la viande, on peut utiliser non seulement l'eau mais aussi le bouillon de légumes ou de viandes diverses, ou des mélanges dans lesquels entrent du vin, du cidre et différents autres liquides.

Dans de nombreuses préparations, en particulier le pot-au-feu, on peut cuire des viandes différentes, non seulement de bœuf mais aussi de veau, de volaille et même d'agneau.

Le bouilli est aussi une façon de préparer certaines viandes vendues en triperie, comme la langue.

La qualité gustative de la viande bouillie dépend donc, très précisément, du mode, de la température et de la durée de la cuisson, mais aussi du volume et de la nature du liquide utilisé. Une viande tendre doit être recouverte, ce qui implique un grand volume et un risque de déperdition des éléments de sapidité, ce qui explique pourquoi certaines recettes utilisent des bouillons déjà fortement aromatisés. Si, au contraire, le volume liquide est faible et si la viande n'est pas immergée complètement, elle a souvent tendance à sécher en surface, elle est moins agréable et perd l'uniformité de sa consistance.

• *La queue de bœuf.* C'est un morceau souvent dédaigné car la viande est entremêlée de parties osseuses et cartilagineuses. Elle est souvent entourée d'une graisse peu appétissante et nécessite une longue cuisson. La queue de bœuf doit donc être soigneusement parée, dégraissée. La chair doit être d'un beau rouge brillant. La cuisson de la queue de bœuf, sans être d'une difficulté particulière, nécessite quelque attention, car, mal préparée, la chair peut rester dure, même après plusieurs heures. Toutefois, le jeu en vaut la chandelle car la queue de bœuf donne à la fois un potage classique encore populaire hors de nos frontières dans les pays anglo-saxons *(oxtail soup)*, et offre une viande goûteuse et tendre après préparation en ragoût et en pot-au-feu.

Le haché

La viande de bœuf est parfois dure à mastiquer. Elle peut être également de qualité moyenne, riche en fibres et en graisses. On peut alors la hacher, c'est-à-dire la diviser en très petits morceaux. Cette opération se pratique au couteau, en tout cas pour les morceaux les plus recherchés. Généralement, on se sert d'un hachoir mécanique ou électrique qui donne des morceaux beaucoup plus petits et sans consistance. On peut consommer la viande hachée crue — en ce cas, il faut qu'elle soit de bonne origine et de qualité sanitaire indiscutable ; les malades la mettent dans le bouillon, ou bien on en fait des *steaks tartares*, c'est-à-dire qu'on l'assaisonne avec des câpres, de l'oignon finement haché, un jaune d'œuf et diverses sauces industrielles (Worcestershire, Ketchup, Tabasco, etc.).

On peut aussi en faire des steaks hachés — les hamburgers, dont les meilleurs producteurs américains tiennent à spécifier qu'ils sont faits de pure viande. Cette dernière présentation a la faveur des enfants et des édentés. Elle est également appréciée des Nord-Américains. La viande hachée vendue telle quelle est soumise à des règles précises de préparation et de conservation.

Enfin, la viande de bœuf hachée entre dans la composition de multiples sortes de boulettes, de keftas, de légumes farcis, seule ou en association avec celle du mouton.

Quelles que soient les raisons du succès et de la popularité des diverses formes de présentation de la viande hachée, il faut faire deux remarques, d'ordre médical et sanitaire. Tout d'abord, elle constitue un excellent milieu de culture pour toutes sortes de microbes dont la prolifération est facilitée par la destruction de la structure des fibres musculaires : il faut donc être extrêmement rigoureux dans son utilisation et ne jamais en consommer quand il y a doute, c'est-à-dire en règle générale au cours des voyages dans certains pays où l'hygiène est approximative. De plus, il faut la faire hacher devant soi et la manger très rapidement. D'autre part, le contenu en graisses est, en ce cas, un facteur très important en raison de la forte teneur en lipides saturés. Certaines viandes hachées en contiennent jusqu'à 15 %, ce qui les rend fortement déconseillées pour une consommation répétée ; on se souvient de tel milliardaire américain qui, ayant mangé quasi quotidiennement, toute sa vie, les hamburgers d'une certaine marque, l'a rendue responsable de ses déboires cardio-vasculaires et l'a fait savoir en publiant pendant des mois des placards dans les journaux.

Cela dit, une viande maigre, hachée dans des conditions d'hygiène satisfaisantes, n'est évidemment ni meilleure ni pire pour la santé que la même présentée dans sa forme naturelle. La viande de bœuf hachée peut se consommer agréablement en steaks reconstitués, grillés ou poêlés, et en diverses préparations.

Un autre mode de préparation consiste à hacher des restes de viande cuite : c'est ainsi qu'on fabrique le hachis parmentier.

LE VEAU

Comme on le sait, le veau est le jeune de la vache. On vend, sous ce nom, des animaux d'origine, de goût et de consistance variés. Souvent, on trouve des broutards, c'est-à-dire de jeunes bœufs ayant brouté de l'herbe, ce qui permet d'obtenir rapidement des animaux plus lourds mais dont la viande va se colorer et changer d'apparence et de qualité, se rapprochant de celle du bœuf — leur vente n'est pas autorisée sous l'appellation veau de France.

Le veau que recherche l'amateur doit être élevé exclusivement au lait maternel — le veau élevé sous la mère. C'est entre trois et cinq mois qu'il est le meilleur.

La chair doit être rosée et brillante, la graisse blanche et ferme. La viande de veau est veloutée et tendre. Cependant, celle de certains animaux est à la fois « humide » avant cuisson et sèche après.

L'élevage du veau est un de ceux qui ont subi le plus directement les conséquences de la politique agricole et des quotas laitiers qu'ils impliquent. La priorité, donnée aux circuits de la filière du lait, a rompu le rythme d'élevage traditionnel de nombreuses régions, et certaines races, mixtes « veau + lait » éventuellement utilisées également pour le trait, ont été soit reconverties, dans le meilleur des cas, dans la filière viande, soit menacées dans leur existence. Certaines races sont renommées pour la qualité de leurs veaux, comme la Limousine, la Blonde d'Aquitaine, mais aussi la Normande, l'Aubrac et la Bazadaise. Les méthodes d'élevage jouent, évidemment, un rôle majeur dans la qualité de la viande. Les veaux préférés sont souvent ceux qui proviennent du Massif central (Limousin, Quercy entre autres). Toutefois, on trouve également d'excellentes viandes en provenance d'autres régions.

La race, l'alimentation, le morceau et la coupe jouent un rôle important dans la qualité du produit consommé. Le label « veau élevé sous la mère » caractérise les meilleurs produits.

Cependant, suite aux quotas laitiers, le prix du veau a augmenté. Comme par ailleurs le contrôle des maladies est plus efficace, et que ces dernières ne bloquent plus la croissance, les veaux abattus ont un poids plus élevé, d'autant plus qu'ils sont souvent sacrifiés vers quatre ou cinq mois au lieu de trois à trois et demi comme traditionnellement. Une spécialité de l'Aveyron est ainsi de produire des veaux lourds abattus entre 6 et 10 mois, souvent hybrides Charolais × Aubrac, et généralement exportés. En France les veaux de boucherie doivent être nourris exclusivement de produits laitiers. Ce n'est pas le cas des broutards à l'alimentation mixte (lait + herbe ou granulés) qui peuvent être abattus à huit ou neuf mois. On se doute que ces différents types d'animaux ne réagissent pas de la même manière à la cuisson et le consommateur aimerait ne pas avoir à déchiffrer les méandres des complexes subtilités réglementaires, mais à disposer d'informations évidentes et simples, c'est-à-dire qu'on précise clairement ce qu'on lui vend : âge, taille, type de nourriture, race et origine. Comme par ailleurs la viande de bœuf proposée à la vente provient d'animaux de plus en plus jeunes, le consommateur risque un jour de se retrouver comme le spectateur d'une bande dessinée du début du siècle, qui, dans un cirque spécialisé dans l'exhibition de phénomènes, se voyait présenter le même personnage introduit successivement comme le plus grand nain du monde, puis comme le plus petit géant de l'univers. Rentabilité fait loi.

Rappelons également les réserves émises récemment (début 1996) par l'Académie de médecine à propos de l'innocuité de certaines parties de veaux importés d'Angleterre à l'âge de huit à quinze jours[1] et élevés intensivement en batterie dans des conditions semi-industrielles et, de plus, l'interdiction complète de bovins britanniques (mars 1996).

1. *La Science du Maître d'Hôtel cuisinier* (1776) recommande d'abattre les veaux entre 2 mois et 10 semaines. *Le Parfait Cuisinier* (1814) constate : « Le veau est meilleur à Paris... parce que l'on y observe plus strictement les règlements qui défendent de les mettre à mort avant 6 semaines ».

Le veau est plus difficile à cuire qu'on ne le dit généralement, car il se transforme souvent en une matière filandreuse et sèche. Il convient donc de rester prudent : ne pas le faire trop cuire et s'assurer qu'il reste humidifié en permanence car il se dessèche très facilement.

Le veau aime la crème. Il se marie aussi très bien avec l'huile d'olive et la tomate — c'est l'animal préféré de la cuisine italienne —, et avec les légumes nouveaux. De toute façon, le veau n'aime pas le grand feu, sauf s'il est protégé.

La découpe du veau

Comme celle du bœuf, la découpe du veau est variable selon les régions et, selon les animaux, certains morceaux peuvent passer d'une catégorie à l'autre en fonction de leur qualité. On note ainsi une certaine confusion entre divers ouvrages, tel célèbre chef définissant, par exemple, la sous-noix comme la somme du quasi et de la noix pâtissière, alors que la plupart des ouvrages professionnels distinguent ces trois morceaux. La classification ci-dessous est conforme à celle du Centre d'information des viandes (1996).

MORCEAUX À GRILLER ET À RÔTIR

(1re catégorie)

Noix	Côtes filet
Sous-noix	Quasi
Noix pâtissière	Côtes premières
Longe	Côtes secondes
Filet	

MORCEAUX À SAUTER ET À BRAISER

Épaule
Côtes découvertes

MORCEAUX À BOUILLIR ET POUR RAGOÛTS

Jarret	Poitrine
Tendron	Collier
Flanchet	

Les pièces à rôtir

Le veau, qui a une viande blanche et délicate, peut se rôtir, mais il est rare qu'on obtienne un résultat exceptionnel. Non que le rôti de veau soit négligeable, il est au contraire agréable, mais il est préférable de braiser les mêmes pièces qui, lorsque l'opération est réussie, sont ainsi plus tendres et goûteuses. Une autre façon de les préparer est de les cuire à la vapeur comme expliqué au chapitre du bœuf et les finir au four pour les colorer.

Le veau se rôtit au four chaud. Le temps moyen est de trente minutes à la livre, mais, comme on l'a dit au chapitre du bœuf, cette durée est relative. Le rôti de veau doit être cuit à point, c'est-à-dire légèrement rosé à l'intérieur. Après cuisson, il est recommandé, comme pour les autres rôtis, de le laisser au chaud pendant vingt à trente minutes. La cuisson à la vapeur est une solution simple. On compte environ cinquante minutes pour un rôti d'un kilo. On termine la cuisson au four à température maximum pendant cinq à dix minutes pour le colorer.

Les pièces à griller et à poêler

Le veau fournit quelques-uns des plus délectables morceaux grillés ou poêlés. La cuisson devra en être conduite prudemment, jamais au grand feu, sauf au début pour saisir et colorer la viande pendant une ou deux minutes. Les différentes pièces sont les escalopes, les grenadins et les côtes, les médaillons et les noisettes[1]. Les deux dernières catégories sont des tranches découpées transversalement dans le filet. Les escalopes sont coupées dans la noix, la sous-noix, la noix pâtissière et la longe. Les grenadins sont des escalopes épaisses et de taille relativement réduite. Les côtes sont dites premières (cinq dernières côtes) ou secondes (huit premières).

Plus que toute autre part du veau, escalopes et côtelettes ne supportent pas la surcuisson. Il faut donc rester attentif. On peut les préparer avec un corps gras noble, principalement beurre ou huile d'olive pour les poêler; on peut, également, les paner ou les braiser — comme la fameuse côte de veau Foyot.

Les pièces à braiser

Le veau est particulièrement adapté à ce mode de cuisson. On peut obtenir avec les pièces les plus nobles, noix, filet, sous-noix, quasi et noix pâtissière, un meilleur résultat que par le rôtissage.

---

1. On peut y joindre les *piccata*, toutes petites escalopes généralement servies par trois.

De plus, certains morceaux, tels les côtes découvertes, l'épaule, le jarret et le tendron, permettent de préparer de délectables recettes.

La viande peut être piquée et lardée de lard gras et entourée d'une barde fine. On appelle *fricandeau* un morceau « noble » ainsi préparé.

Le braisage consiste en plusieurs opérations successives. On fait d'abord revenir la viande avec un corps gras à feu modéré dans une cocotte. On mouille ensuite, en général à mi-hauteur, avec de l'eau, du vin blanc, du cidre, du bouillon, etc., on couvre la cocotte et on la met au four, dont la chaleur doit être réglée de telle façon que le liquide frémisse. La durée de cuisson est assez longue : par exemple un fricandeau fait d'un kilo de quasi ou un jarret de veau d'un kilo et demi cuisent entre une et deux heures.

Les pièces à ragoût et à pot-au-feu

Le veau a ceci de remarquable qu'il n'y a pas réellement de bas morceaux. Qu'on en juge : l'épaule, le tendron et le flanchet permettent d'obtenir des plats traditionnels qui comptent parmi les plus goûteux et subtils de la cuisine française, dont la blanquette de veau est une illustration célèbre. Quant au jarret, découpé en tranches transversales, il donne l'admirable osso bucco, un des chefs-d'œuvre de la cuisine italienne. Bien entendu, ces deux plats, le français et le transalpin, ne souffrent ni la médiocrité ni l'erreur de cuisson. C'est pourquoi ils risquent aussi d'être décevants.

Entier, le jarret peut se braiser. Il donne également la viande la plus goûteuse et la plus douce du pot-au-feu, ainsi que le meilleur bouillon.

Les ragoûts de veau doivent se conduire à tout petit feu, suffisamment longtemps. On doit veiller à ce que la viande reste bien humidifiée et ne sèche pas.

Les pièces farcies

Certains morceaux de veau, particulièrement la poitrine (le flanchet), peuvent être farcis. On demande au boucher d'ôter les os et les cartilages et de creuser une poche entre les parties musculaires. Il faut une pièce d'assez grande taille pour réussir le plat, qui doit être réservé aux occasions où un certain nombre de convives se réunissent pour célébrer l'amitié ou une fête.

Diverses farces peuvent être utilisées. On doit soigneusement recoudre la poitrine afin d'éviter que la farce ne s'échappe en cours de cuisson. On peut ensuite la cuire en cocotte (il en faut une très grande) ou au four, ou combiner les deux.

On peut aussi farcir l'épaule — ou tout au moins une partie de ce volumineux morceau, et la cuire comme la poitrine.

LE MOUTON ET L'AGNEAU

Bien que le mouton ait ses partisans — nombre de plats traditionnels requièrent son goût et ses arômes particuliers —, c'est l'agneau qui se vend en général en boucherie.

Dans un agneau de belle origine, tout est bon, les pièces à rôtir — l'agneau fournit certains des rôts les plus exquis —, celles à poêler ou à griller, celles à braiser ou celles qui font ragoûts, courts-bouillons et soupes. S'il est de qualité médiocre, au contraire, tout est déplaisant, notamment ce goût de graisse qui lui est particulier, lourd, désagréable, écœurant.

L'agneau est donc une viande à risque. Une côtelette peut être admirable ou immangeable, un ragoût subtil et goûteux, ou au contraire insipide ou détestable.

L'élevage ovin a subi, comme celui des autres animaux de boucherie, les conséquences de l'évolution des marchés mondiaux de l'alimentation, mais il a mieux résisté que le bœuf et que le porc. Il y a actuellement encore plus de dix millions d'ovins en France. Heureusement, certaines races ont été reconnues pour leur fonction écologique d'entretien de surfaces anciennement cultivées et réduites en jachère, ou de zones qui, traditionnellement, leur servaient de pâturages. Cependant, l'évolution néfaste, qui a fait disparaître de vieilles races de porcs et de bovins, s'est également fait sentir sur les ovins, menaçant à court terme de nombreuses races dont la qualité est pourtant reconnue. Ne citons, pour nous limiter à deux races du seul département de la Manche, que l'Avranchin ou le Cotentin.

Parmi les races qui sont considérées comme les meilleures productrices d'agneaux de bonne ou grande qualité, il faut citer, outre l'Avranchin, le Roussin de la Hague, la Charmoise, la Rouge de l'Ouest, l'Ile-de-France, sans compter la Texel, la Suffolk et la Charolaise.

De façon amusante, le mouton nain d'Ouessant — il n'y en a

plus depuis bien longtemps sur cette île plate battue par le vent qui, après Molène, se place à l'extrémité occidentale de la Bretagne finistérienne — a une chair dont on dit qu'elle a plus goût de gibier que de mammifère apprivoisé. Espérons que les quelques centaines de têtes que comporte encore cette race en France se multiplient, ne serait-ce que pour sa réputation de tondeuse à gazon biologique.

Trois types d'agneaux se distinguent dans le haut de gamme. Sans ordre de préférence, il faut citer l'agneau de Pauillac qui est un agneau de lait, c'est-à-dire un très jeune animal ; l'agneau de Sisteron, ou des Alpilles, peut-être un des meilleurs, concurrencé, toutefois, par l'agneau de pré-salé cher à Olivier Rollinger, et dont la zone de pacage est essentiellement faite de ces prés de l'Avranchin régulièrement recouverts par la mer ; elle y amène non seulement le sel de son eau et les diverses autres molécules dissoutes, mais aussi les algues et les micro-organismes qu'elle abrite. Quel est le meilleur, celui dont la mère broute les herbes aromatiques de la demi-montagne ou celui dont la brebis se nourrit de ce que l'eau marine a laissé de traces, ou a créé de vie ? Il est difficile de répondre, tant sont grandes leurs qualités à tous deux.

Bien que la consommation de viande d'agneau soit moins importante par habitant en France que chez certains de ses voisins, la production nationale ne représente que la moitié environ des besoins. Les importations proviennent principalement de Grande-Bretagne en raison de critères de qualité similaires à ceux requis par le marché français. R. J. Bansback, dans le chapitre consacré aux exportations d'agneau de la huitième édition de *British Sheep*, note : « La France est le marché principal pour la viande d'agneau et, en 1990, elle a représenté les deux tiers des exportations. Le marché de la France du Nord requiert des agneaux de grande qualité dont les spécificités sont similaires à celles du commerce de détail britannique. Les agneaux adaptés au marché français doivent avoir une bonne conformation (U, E, R), de classe de gras 2 et 3 L, avec des carcasses de 16 à 20 kilos [...]. La France méridionale recherche des animaux plus légers. »

Puisque le consommateur français a de grandes chances de se voir proposer des agneaux britanniques, pourquoi ne lui précise-t-on pas la race, l'origine, les conditions d'élevage de ce qu'il achète ? Après tout le British Charolais, le British Texel ou l'Ile-de-France britannique sont-ils différents des mêmes races élevées dans l'Hexagone ? Sans compter la qualité reconnue de très nombreuses races élevées dans le Royaume-Uni, qu'elles soient autochtones ou qu'elles aient été introduites : soixante-quatre races pures, onze hybrides et sept rares sont reconnues et suivies. La lecture du *Suffolk Sheep Society Yearbook* (1995), qui décrit l'activité des éleveurs de cet animal gracieux, blanc à tête et pattes noirs (le Suffolk), considéré chez nous comme un des meilleurs, donne envie d'en savoir plus sur les autres races dont les carcasses peuvent se retrouver sur les étals de nos bouchers.

Conventionnellement on distingue plusieurs sortes d'animaux[1].

• *L'agneau de lait*, l'agneau de Pâques, âgé de 3 à 5 semaines, pèse une dizaine de kilos.

• *L'agneau de Nîmes*, pèse de 25 à 30 kilos.

• *L'agneau blanc*, ou *agneau de 100 jours*, pèse entre 30 et 45 kilos ; il est produit en bergerie.

• *L'agneau gris*, âgé de 4 à 6 mois, produit à l'herbe, pèse 35 à 40 kilos.

• Le *hoggett*, animal d'âge intermédiaire entre le sevrage et la première tonte[2]. Cette viande est saisonnière — bien sûr, on peut la congeler. D'où la recherche biologique menée par les chercheurs qui ont mis au point des animaux dont les rythmes sont différents, par exemple la race INRA 401, nom bien peu poétique, dont les trente mille exemplaires ont comme qualité première de produire, à contretemps, des agneaux de qualité bouchère acceptable. Certaines races sont d'ailleurs aptes au *désaisonnement*, c'est-à-dire à la production d'agneaux à contresaison : Bizet, Causses du Lot, Corse, Charmoise, Noire du Velay et Péalpes du Sud[3].

Ces remarques amènent toutefois quelques questions : jusqu'ici, les choix ont été définis principalement sur des critères de rentabilité économique, ce qui en soi est louable ; secondairement, sur des critères d'intérêt écologique ou présumés tel ; rarement ou jamais, sur des critères gustatifs. Le jour viendra-t-il où sera pris en compte l'ensemble de ces facteurs, comme on traite par exemple pour le vin ? Où est l'irresponsable qui prônerait de se limiter à un ou deux types de raisins, même si la vogue mondiale du chardonnay, du cabernet sauvignon ou de merlot fait pression sur la production ? N'y a-t-il pas urgence à élaborer — et seuls peuvent le faire les collectivités de produc-

---

1. Daniel Peyraud, *Le Mouton*, Rustica, 1995.
2. *British Sheep*, The National Sheep Association, 8th edition, 1992.
3. Daniel Peyraud, *Le Mouton*, op. cit.

teurs et les pouvoirs publics — un plan de sauvegarde des espèces menacées ? Au moins constaterait-on lesquelles sont vraiment les meilleures à consommer dans des conditions d'élevage adaptées.

La découpe de l'agneau

La classification ci-dessous se conforme à celle du Centre d'information des viandes, 1996.

1re catégorie

Gigot
Filet
Selle
Côtes premières
et secondes
Côtes découvertes

2e catégorie
Épaule

3e catégorie
Poitrine
Haut-de-côtes
Collier

On appelle *culotte* deux gigots entiers ; *selle double* deux selles de gigot ; *selle anglaise* deux filets entiers ; *carré double* carré et filet ; *coffre* deux poitrines ; *baron* deux gigots et la selle avec les rognons.

On appelle *carré* une série de côtes. Généralement on demande au boucher de ne garder que la partie allongée des os, c'est-à-dire les côtes proprement dites, ce qui facilite la découpe en côtelettes individuelles après cuisson. Peuvent être servies en carré les cinq premières côtes ou côtes découvertes *(carré découvert)*, les trois côtes secondes qui leur succèdent et les cinq côtes premières qui constituent le *carré couvert*.

Les pièces à rôtir

L'agneau fournit certains des rôtis les plus subtils : le méchoui des Arabes, le gigot des dimanches ne rendent-ils pas hommage à ces qualités éminentes ? Y a-t-il mieux, y a-t-il plus doux, agréable et subtil qu'un gigot de belle origine, cuit et aromatisé avec talent ? Y a-t-il plus léger, plus délicat qu'une selle à la Condé, ou qu'un carré de pré-salé ?

L'agneau de grande origine garantit au rôtisseur talentueux la certitude d'un succès. Que ce soit sous forme de *gigot*, de *selle*, d'*épaule* ou de *carré*, le rôti d'agneau est de toutes les fêtes. Il a sa place dans les repas d'affaires, comme dans les célébrations amoureuses, les anniversaires et les retrouvailles amicales.

301

Roi de la simplicité, aussi, on peut le piquer d'ail, mettre un peu de moutarde ou de poivre et quelques herbes aromatiques, à son choix. On peut même le consommer tel quel.

Et il cuit vite : vingt minutes au kilo pour un rôti. Plus le temps nécessaire à se reposer au chaud, pour que sa belle couleur rosée se répartisse de façon uniforme. Le rôti d'agneau se met à cuire avant l'arrivée des invités et la fin de la cuisson doit intervenir avant le service des hors-d'œuvre. Voilà donc un plat à la fois beau, spectaculaire, de grande classe gustative et d'une simplicité exemplaire.

Attention, toutefois, à la chaleur du four qui doit être assez élevée : 230-250° (thermostat 8). Il faut arroser régulièrement la viande en cours de cuisson. La selle et le carré cuisent à four plus chaud encore, pour être bien saisis, et à poids égal la cuisson est un peu plus longue. On peut encore rôtir l'épaule, soit intacte, soit désossée. Une des préparations traditionnelles est l'épaule farcie que les bouchers experts cousent en lui donnant des formes inhabituelles et esthétiques, telle l'épaule en melon. Le temps de cuisson est plus long : de l'ordre de trente minutes au kilo.

Il faut veiller, quel que soit le morceau que l'on rôtit, que le four soit à la température voulue : on recommande de le préchauffer pendant plusieurs dizaines de minutes afin de limiter la baisse thermique causée par l'introduction de la viande.

Le rôtissage se faisait autrefois — c'est encore le cas parfois — devant la cheminée, ou dehors dans le jardin. Après avoir creusé un trou pour y faire un grand feu, on cuit l'animal entier — c'est le fameux méchoui cher aux nomades. (En fait, le mot méchoui s'applique généralement à ce qui est rôti aussi bien qu'à ce qui est grillé.)

Le gigot d'agneau peut encore se cuire à l'eau, ou au bouillon, à l'anglaise. Le temps de cuisson est de trente minutes au kilo.

A la vapeur, comme indiqué pour les autres « rôtis », on compte vingt minutes pour le carré, une heure à une heure vingt pour un gigot et une quarantaine de minutes pour une épaule.

Enfin, on trouve des recettes régionales de très longue cuisson (gigot brayaude, gigot à la 7 heures) qui s'opèrent dans des récipients bien clos, avec un bouillon ou du vin, donnant une viande fondante qu'on mange traditionnellement à la cuillère. C'est évidemment un concept bien différent du rôtissage.

Les pièces à griller et à poêler

Comme il est indiqué au chapitre précédent, le mot méchoui s'applique à ce qui est grillé aussi bien qu'à ce qui est rôti. C'est que les *côtelettes* d'agneau, premières ou secondes, délicatement marinées avec un peu d'huile d'olive de belle origine, discrètement aromatisées par quelques épices ou herbes — pitié, pas d'herbes de Provence ! —, éventuellement agrémentées de quelques gouttes de citron, peuvent constituer un des meilleurs moments d'un barbecue ; on peut aussi les cuire sur un gril, en fonte, placé sur le feu ou sur la plaque de cuisson. Attention : elles peuvent être fades si elles sont trop cuites ou écœurantes si elles ne le sont pas assez.

La cuisson des côtelettes d'agneau n'est pas toujours chose facile. Certaines personnes, curieusement, semblent incapables d'un résultat convenable. Il faut conduire la cuisson à feu moyen quand on utilise un gril, ou au-dessus de braises pas trop chaudes. Si on souhaite, on peut passer légèrement les viandes dans un peu d'huile d'olive avec du sel et des aromates — attention, toutefois, à ne pas avoir la main trop lourde. Le temps de cuisson dépend de l'épaisseur de la viande et varie entre deux et cinq minutes par face. On peut aussi commencer la cuisson à la vapeur pendant cinq à six minutes, et la terminer en quadrillant la viande sur le gril bien chaud.

Si les côtelettes d'agneau sont cuites au beurre, il faut conduire cette opération doucement et compter trois à cinq minutes par face.

Les meilleurs morceaux à griller et à poêler sont les *côtes premières* et *secondes*. Les côtes dites *gigot* et la *selle* sont également agréables mais, en général, ces morceaux sont meilleurs rôtis.

Les pièces à sauter, à braiser et les ragoûts

L'agneau et le mouton ont leurs partisans parmi les amateurs des innombrables ragoûts, sautés et préparations, doucement et longuement cuits, qui caractérisent les cuisines des peuples pastoraux — nomades ou sédentaires. L'agneau apporte la douceur, le mouton un goût plus prononcé. Certains morceaux sont particulièrement adaptés au braisage, c'est-à-dire à la cuisson longue de la pièce entière dans un bouillon, comme l'épaule et la poitrine. On peut d'ailleurs cuire une seconde fois cette dernière, panée et sautée ou grillée.

Tous les morceaux de l'agneau peuvent être cuits en sauté ou en ragoût, mais on réserve plutôt à cette destination les viandes de deuxième et troisième catégorie : *épaule* et *collier* en particulier. Généralement, on coupe la viande en cubes, qu'on fait revenir au beurre ou à l'huile (d'olive, le plus souvent), puis on les met à cuire doucement avec des légumes, des aromates, des épices et un peu de liquide. La cuisson est assez longue, entre une heure et demie et trois heures selon les cas. Les ragoûts d'agneau étant souvent gras, il est judicieux de les préparer à l'avance, de les laisser refroidir, ce qui permet d'éliminer aisément la graisse figée en surface. Cette méthode permet également de mieux ajuster les sauces car certains principes aromatiques se fixent sur les graisses.

Le bouilli

On peut cuire à l'eau ou au bouillon les diverses parties de l'agneau. D'ailleurs, les Anglais préfèrent à toute autre forme de présentation le *gigot* bouilli, servi avec une sauce à la menthe. Il n'y a aucune critique à apporter à ce choix, tout dépend de la technique de cuisson : le filet de bœuf cuit à la ficelle, c'est-à-dire dans le court-bouillon, n'est-il pas un des meilleurs exemples de ce qu'une viande peut exprimer de qualités éminentes ? Le gigot bouilli appartient également à certaines traditions paysannes françaises.

Le bouilli, dans le cas de l'agneau, concerne également certains des morceaux les moins renommés, le *collier* et surtout le *haut-de-côtes*. Avec ces viandes, on fait quelques-uns des bouillons les plus délectables. Pour cela, il n'y a pas de secret ni de difficultés : on fait revenir quelques aromates, puis la viande, coupée en morceaux de petite taille, à sec ou avec un peu d'huile d'olive, on mouille avec de l'eau, on ajoute des tomates, du céleri, du piment si on le souhaite, on cuit à gros bouillons pendant vingt ou trente minutes. Il ne reste plus qu'à ajouter du citron, du persil, du poivre et du sel. C'est prêt. Simple, rustique, goûteux, ce plat qui peut se préparer à l'avance est facile à dégraisser une fois refroidi. Il ne reste plus qu'à le réchauffer. C'est la chorba bil allouche.

Le *flanchet* et le *collier* forment, avec l'*épaule*, la viande et le bouillon du couscous : on les fait revenir, on mouille et on cuit trente à soixante minutes avec les épices et les légumes qu'on a choisis. Attention toutefois : contrairement à ce que nombre de restaurants médiocres offrent en guise de bouillon, celui du couscous doit être de viande, non de légumes.

Une fois toutes les opérations terminées, c'est avec la vapeur de bouillon qu'on cuit le couscous proprement dit ; les viandes seront servies avec la semoule et les légumes. La soupe d'agneau (*chorba bil allouche*) et le couscous à l'agneau comptent parmi les plats les plus intéressants de l'Afrique du Nord, les plus typiques et les plus agréables.

De conception assez similaire, la cuisine française compte un de ses plats les plus subtils et les plus méconnus : les côtes de mouton ou d'agneau à la Champvallon, qu'on pourrait définir comme des côtes grillées d'abord, puis cuites doucement dans une soupe à l'oignon réduite. A vrai dire, il s'agit d'une forme intermédiaire entre la grillade et le ragoût, à la fois proche et différente de l'internationalement célèbre *irish stew*.

L'agneau de lait

Évidemment on peut critiquer l'usage de manger un animal aussi jeune. Mais cette remarque ne s'applique-t-elle pas à tous les animaux, et même à tous les êtres vivants ? L'homme qui a besoin de se nourrir d'autres structures organiques n'a guère le choix. Peut-être d'ailleurs les réserves qu'il éprouve à sacrifier les poissons et les animaux terrestres sont-elles liées à son inter-rogation sur sa propre existence.

L'homme est le seul maître de ses choix et des limites qu'il s'impose. Il sélectionne les animaux pour le goût qu'il trouve à leur chair, et du même coup, assure la pérennité de leurs diverses races. N'est-ce pas un paradoxe que soient conservées les espèces destinées au sacrifice pour servir à la nourriture de l'homme, tandis que toutes les autres sont pour la plupart forte-ment en danger, sauf si elles acceptent l'allégeance et deviennent les compagnes asservies de l'humanité, ou si le prix de leur éradication est trop cher par rapport non à ce qu'elles sont, mais à l'attention que l'homme leur porte. Personne ne se soucie de la fourmi ni de la cigale.

Pour en revenir à l'agneau de lait, disons que c'est la qualité la plus subtile de la chair d'agneau. Ce n'est pas le plus goûteux, mais c'est le plus fondant. Il revient chaque année à Pâques, vendu souvent par les volaillers et non par les bouchers, en com-pagnie du chevreau. La viande est plus pâle que celle de l'agneau plus vieux. Elle est tendre et douce. C'est, entre toutes les autres, un symbole de fête.

LE PORC

Le porc, espèce en danger ? On peut en douter : il y en a plus de dix millions en France. Mais la quasi-totalité vit, aujourd'hui, dans des porcheries industrielles, nourrie de façon standardisée.

Les quatre races survivantes, la Large White, les Landrace belge et française et la Piétrain, ont été choisies pour des raisons de pure rentabilité à court terme, indépendamment de leurs qualités culinaires. C'est pourquoi la plupart des races traditionnelles ont disparu en quelques années. Comment prétendre vendre des produits « régionaux », alors qu'il s'agit d'un bout à l'autre de l'Hexagone des mêmes porcs industriels ? Une seule et notable exception : le cochon corse, petit et sombre, qui vit en semi-liberté parmi les châtaigniers réchappés des incendies. Il en reste quelques milliers, qui permettent la confection de charcuterie de haute qualité. Les cinq autres races survivantes, la Blanche normande, la Limousine, la Basque, la Bayeux et la Noire gasconne sont menacées, leurs effectifs réduits à quelques dizaines ou centaines de têtes. S'il ne s'agit évidemment pas de priver les producteurs de produits de consommation de masse de leurs moyens d'existence, n'est-il pas invraisemblable que dans le cas d'un animal aussi prolifique que le porc, on en soit arrivé là ?

On a parfois la chance de trouver des porcs fermiers, mais, à moins d'élever soi-même son ou ses cochons ou d'avoir des amis qui le font, il s'agit d'une exception. Généralement, la viande de porc est standard, de qualité honorable, sans plus. Saluons toutefois les efforts faits pour ressusciter la race gasconne et fournir des produits de grande qualité. Mais le nombre de têtes est encore bien faible.

On sait que dans le cochon, tout est bon. On peut l'utiliser frais ; par ailleurs, certains morceaux sont conservés après séchage, tels les jambons de pays, le lonzo et la coppa corses, éventuellement précédés de préparations diverses — saucisses sèches, saucisson, jésus... On peut conserver certains morceaux en salaison simple — vendue sous le nom de demi-sel.

La viande de porc ainsi que les abats sont un des constituants principaux de la charcuterie et il n'est guère de pâtés ou de terrines qui n'en contiennent.

Avantage de l'industrialisation, les conditions sanitaires sont plus contrôlées et il est devenu exceptionnel de rencontrer des cas de botulisme, de taenia solium ou de trichinose, maladies redoutables et fréquemment mortelles encore présentes il y a quelques dizaines d'années. L'alimentation des bêtes est plus rationnelle et la viande moins grasse. Peut-être a-t-on compris que, si le porc est omnivore, il ne s'agit pas de le considérer comme une poubelle biologique, et qu'une alimentation saine et équilibrée donne une viande meilleure pour la santé du consommateur ?

La raison de l'homogénéisation des races de porc devenues hégémoniques est double. D'une part, on peut parler d'une modification du goût des consommateurs, désireux d'éviter l'excès calorique et soucieux de leur ligne. Les animaux trop gras ont donc perdu leur faveur. D'autre part, leur croissance était lente. Dès lors, pour les « améliorer », on a choisi un certain nombre de races, en fait surtout la Large White anglaise. Aujourd'hui le standard est à la mixité Landrace française × Large White, afin d'obtenir à six mois un animal à chair maigre pesant son quintal. Comparé à ce canon, le malheureux porc corse ne doit qu'à l'irrédentisme insulaire de survivre, lui qui met quatorze mois à parvenir à ce poids. Le Blanc de l'Ouest conjugue toutes les tares : il est gras, il aime la liberté, il ne se plaît pas en élevage industriel et il est peu prolifique. Quant au Cul noir du Limousin, les habitants de Saint-Yrieix-la-Perche n'ont-ils pas commis un crime de lèse-technocratie en évitant l'extinction d'un animal qui cumule une prolificité moyenne, une croissance lente (huit à dix mois pour atteindre les cent kilos fatidiques) et une surabondance de gras : à peu près la moitié de son poids. Oui, mais son gras est excellent, sa sobriété et sa rusticité intéressantes. Comme est remarquable la charcuterie obtenue avec le porc corse ou le Blanc de l'Ouest, de même qu'avec le porc basque, le porc de Bayeux et le Noir gascon. L'exemple de ce dernier est exemplaire : cent fois moins fréquent qu'il y a trente ans, il a failli disparaître. Pourtant, il a la réputation d'être à la fois vigoureux et rustique. On le classe parmi les premiers, sinon le premier, pour la qualité de sa viande. Mais il est lent à grandir et aime la vie libre.

Autres races étrangères : à côté des principales races élevées en France, toutes d'origine étrangère, d'autres ont été introduites pour améliorer les performances bouchères des animaux proposés à la vente ou pour être élevées en races pures. En plus de la Landrace belge, actuellement en régression (elle se caractérise par son aspect culard, c'est-à-dire par l'hypertrophie de son arrière-train), il faut signaler la Duroc, vieille race américaine de couleur rousse, la Hampshire noir et blanc, elle aussi américaine, et la Meishan chinoise, petite et noire, très prolifique, à croissance rapide mais à chair très grasse.

Les pièces à rôtir

Le rôti de porc, c'est un des plats de famille, facile à cuire, bon marché et goûteux. Attention toutefois : il sèche facilement et la belle viande rose peut finir sous forme de bûche grisâtre et cartonneuse. Il faut donc surveiller la cuisson et humidifier le rôti en permanence. Une autre façon simple est de l'enduire d'une couche protectrice, par exemple un mélange de crème et de moutarde, ou de l'enfouir sous des légumes riches en eau, tels qu'oignons, tomates, etc. On peut aussi le cuire à la vapeur. Le temps de cuisson à la vapeur est d'une heure au kilo environ, à quoi il faut ajouter une dizaine de minutes au four chaud pour colorer la pièce.

Le temps de cuisson au four varie de quarante à cinquante minutes au kilo en fonction de la structure de la viande, à four moyen, vers 200° (thermostat 6/7). Certains préfèrent le cuire à four très chaud — 250° à 300° (thermostat 9/10) : le temps de cuisson est de trente à quarante minutes au kilo, et il faut laisser reposer la viande vingt à trente minutes avant de servir.

Les meilleures pièces à rôtir sont les différentes parties de la *longe*, dont le *carré*, qui est le plus recherché, mais qui donne une viande un peu sèche ; l'*échine* qui est grasse et gagne à être bien rôtie ; la *pointe* et la *palette*, plus maigres ; éventuellement le *jambon avec l'os*.

Une des manières traditionnelles consiste à mettre le rôti à cuire dans un plat, accompagné de pommes de terre. Ces dernières rissolent dans le gras qui fond de la viande, le résultat est excellent, mais la composition de cette graisse animale est ce qu'elle est, c'est-à-dire riche en lipides saturés. Sans surestimer leur nocivité, il ne faut donc pas en abuser.

Les pièces à griller et à poêler

Le porc donne d'excellentes grillades. Il faut, cependant, prévoir que la graisse s'écoule, ce qui rend difficile son emploi en pique-nique : lorsqu'on cuit les viandes au barbecue, elles risquent de s'enflammer et de carboniser la viande, ce qui est à la fois désagréable au goût et déconseillé médicalement.

La cuisson au gril doit se conduire à feu moyen afin de laisser le temps à la chaleur de bien pénétrer la viande. On peut commencer au gril très chaud pour la quadriller, puis diminuer l'intensité de chauffe. Si le porc ne doit, en général, pas se cuire de trop, il ne se sert pas non plus bleu ni saignant. La cuisson à point est la meilleure. Pour une côtelette d'un centimètre et demi d'épaisseur, on compte de cinq à dix minutes de chaque côté.

Les *côtes du carré* ou du *filet* donnent les *côtes premières* : elles sont assez maigres et leur viande peut même sécher à la cuisson.

L'*échine* donne des côtelettes plus goûteuses, plus moelleuses, mais plus grasses.

Avec le *filet mignon*, qui est l'équivalent du filet de bœuf, c'est-à-dire le psoas, on peut fabriquer des grillades en le coupant transversalement en tranches. C'est un morceau très tendre, dont on peut ôter facilement la graisse, mais son goût est un peu fade. Le filet mignon cuit beaucoup plus vite que les autres grillades de porc et on peut le servir rosé.

On peut aussi cuire les grillades de porc à la vapeur. Il faut compter environ un quart d'heure, puis les quadriller sur le gril chaud. La cuisson à la vapeur a l'inconvénient, par rapport aux autres méthodes, de laisser intacte l'intégralité, ou presque, du gras de l'animal.

Les pièces à ragoût et à braiser

Tous les morceaux du porc peuvent être coupés en cubes et utilisés en ragoût. Il en existe de nombreuses recettes car le porc est le principal animal de boucherie dans un grand nombre de pays[1], sauf ceux où sa chair est considérée comme impure par les adeptes de certaines des grandes religions.

Le porc est particulièrement apprécié des cuisines chinoise et indochinoise, de même qu'aux Antilles, à la Réunion et à l'île Maurice ; il entre dans de nombreuses préparations brésiliennes. Sautés, colombos, ragoûts, civets, charbonnées, préparations diverses en sauces innombrables, aux cuissons généralement lentes, permettant la pénétration des arômes et des flaveurs dans la viande, se retrouvent parmi les plats les plus caractéristiques de très nombreuses cultures.

Une mention particulière pour les pièces braisées. On peut cuire ainsi à tout petit feu, dans un bouillon ou un liquide, les pièces à rôtir (compter une demi-heure à une heure pour un kilo de viande). Certains jambons de conserve sont, après avoir été

1. C'est, de loin, l'animal le plus consommé sur la planète.

dessalés, cuits ainsi. On se rappelle le jambon au foin, qui fut une des trouvailles de Paul Bocuse il y a une trentaine d'années. Le temps de pochage recommandé par le maître était de trente minutes par kilo pour une viande rosée.

Le travers de porc

Le travers de porc, c'est l'équivalent du haut-de-côtes chez l'agneau, c'est-à-dire un bas morceau. En fait, le travers, le *spare ribs* des Américains, est un des morceaux les plus appréciés par les Chinois. On trouve de très nombreuses recettes à partir de petits morceaux de deux à quatre centimètres, que l'on fait d'abord bouillir pendant quelques minutes, puis frire ou sauter et enfin assaisonner à chaud au cours d'une troisième cuisson, le temps total de ces trois opérations variant de vingt à trente minutes.

On peut traiter le travers en ragoûts, qui nécessitent environ une heure et demie de cuisson et prennent place parmi les meilleurs.

La viande hachée

La viande de porc peut être hachée et intégrée à différentes farces. C'est l'ingrédient le plus traditionnel pour farcir la dinde de Noël et des tomates. Assaisonnée, elle devient chair à saucisse et sert de base à de très nombreuses variantes de saucisses différant selon la taille des morceaux et le type d'utilisation ; fraîche, la chair hachée donne saucisses, crépinettes, chipolatas, etc. Salée et séchée, elle constitue saucissons, rosettes, salami, jésus, saucisses sèches, etc.

Une utilisation simple et amusante, très courante dans la cuisine chinoise, consiste à mélanger le porc haché avec des ingrédients divers, d'en faire de petites boulettes et de les cuire à la vapeur comme des dim sum. On peut aussi en farcir des ravioli et les cuire au bouillon ou à la vapeur. La cuisson à la vapeur des boulettes de porc haché prend de dix à quinze minutes selon la taille.

Les jambons crus et les viandes demi-sel

Les viandes crues salées et fumées, jambon, lonzo ou coppa, et la charcuterie demi-sel sont un des modes préférés de conservation et de présentation de la viande de porc. Il existe de nombreuses variantes, applicables à l'industriel, à l'artisan ou à l'amateur. On laisse les viandes, soigneusement nettoyées, dans une saumure, mélange d'eau et de sel. Le poids du sel varie, selon les recettes, de 20 à 35 % du poids de l'eau, additionnée d'un peu de salpêtre et, selon les cas[1], de sucre, poivre, genièvre, thym, laurier, romarin, girofle, cumin, macis, etc. Dans certaines saumures, on ajoute du vin rouge ou blanc, du carbonate de soude, etc. Les morceaux restent dans la saumure pendant des temps qui varient en fonction de leur taille, de leur destination et du mode de préparation, les industriels cherchant, évidemment, un gain de temps maximum. La macération peut donc varier de deux à quinze jours, selon les cas[1].

Après séjour dans la saumure, la viande peut être séchée et fumée : c'est ainsi qu'on prépare les jambons secs dont les meilleurs comptent parmi les produits les plus agréables de la « charcuterie », terme paradoxal puisqu'il s'agit de viande crue. On trouve de remarquables jambons en Corse, en Espagne (Serrano[2]), en Italie — San Daniele et Parme produisant les meilleurs — et certaines provinces ont chacune le sien. On aimerait bien que ces produits soient faits de porcs élevés en liberté, de races régionales, mais on sait qu'elles ont, en France en tout cas, quasiment toutes disparu.

A côté du jambon, il faut mentionner la grande qualité du lonzo (filet) et de la coppa (échine) en provenance de Corse. Il en est aussi d'excellents en Italie.

Espérons que les producteurs de charcuterie faite avec le porc Noir gascon, auront le même succès.

Un des morceaux les plus utilisés est la *poitrine de porc* salée et fumée qui constitue le lard fumé, dont on fait grand usage en cuisine. Signalons que le mot anglais *bacon*, qui s'applique à la poitrine de porc salée et éventuellement fumée, est le mot qui, en moyen français, désignait la viande de porc et le jambon.

Les viandes de porc en saumure peuvent être, également, vendues telles quelles — ce sont les viandes demi-sel, très utilisées pour accompagner la choucroute, les potées. On les fait tout d'abord dessaler, puis on les cuit à l'eau. On peut les servir chaudes en accompagnement, mais elles sont, également, excellentes froides. Le jambonneau demi-sel, dessalé, cuit, refroidi et

---

1. On connaît les conseils de Joseph Delteil à propos du jambon : 40 jours au sel, 40 jours séché, 40 jours pour le consommer. Le résultat reste à juger.
2. Celui de Jabugo est le plus renommé. Il est fait avec le porc ibérique à pattes noires.

servi entouré de chapelure est une entrée classique. La cuisine d'inspiration germanique utilise assez fréquemment les viandes fumées et salées, qui sont cuites de la même manière que les viandes demi-sel : par exemple le *schieffala*, palette fumée, préparation traditionnelle du Haut-Rhin.

La charcuterie vraie

Il ne s'agit évidemment pas de faire ici une description des différentes techniques et spécialités réalisables en charcuterie — au sens précis du terme : cuire la chair. Mais certaines charcuteries peuvent se faire facilement à la maison.

Parmi celles-ci, il faut signaler :

— *Le fromage de tête*, c'est-à-dire une tête de porc cuite, en même temps qu'une langue de veau, dans un bouillon additionné de vin blanc et d'aromates pendant cinq à huit heures. Les viandes refroidies sont ensuite découpées en lanières et mises en terrine avec le bouillon qui fait gelée en refroidissant.

— *Le jambon persillé* à la bourguignonne. Cette merveille est tout simplement du jambon coupé en gros cubes, cuit dans un court-bouillon au vin blanc puis refroidi en terrine, aromatisé d'herbes fraîches.

— *Les pieds de porc*. On les fait cuire quatre à six heures au court-bouillon. On les désosse et on les cuit une deuxième fois.

— *L'enchaud* ou confit de porc. Ce sont des morceaux de porc désossés, macérés dans le sel avec un peu de salpêtre et d'herbes, cuits ensuite pendant deux heures dans le saindoux.

— *Les rillettes*. Ce sont de petits morceaux de porc cuits avec un poids équivalent de panne ou de saindoux pendant trois ou quatre heures à petit feu en remuant souvent. On peut varier les proportions, en ajoutant de l'oie, du canard, de la dinde, du lapin, etc.

— *Les rillons*. Ce sont des morceaux de poitrine de porc dite maigre, coupés en cubes de quatre à cinq centimètres de côté, confits dans un poids équivalent de panne fraîche, trois à quatre heures à feu doux.

— *Les pâtés et terrines*. Ce sont des mélanges, soit d'une seule masse, soit en couches alternées, de porc haché et de diverses viandes, d'oiseaux divers, de lapin, de lièvre ou de gibier, aromatisés et cuits en terrine lutée (c'est-à-dire couverte, le couvercle étant soudé à la terrine par une pâte faite de farine et d'eau) au four doux et au bain-marie pendant deux à trois heures. On peut aussi les cuire à l'intérieur d'une pâte feuilletée ou brisée (pâté en croûte).

Le cochon de lait est un jeune porc que l'on achète entier — il pèse moins d'une dizaine de kilos : cinq à sept en général. On peut le découper et en faire une daube. On peut aussi le couper en quartiers, cinq en tout en comptant la tête, et le pocher une heure et demie dans du bon bouillon additionné de vin blanc.

La meilleure méthode consiste à le farcir et à le rôtir — le moyen le plus spectaculaire est évidemment à la broche devant une grande cheminée et un bon feu, mais le four d'une cuisinière de qualité, électrique ou à gaz, est suffisant. Il faut s'assurer, toutefois, que sa taille est adaptée à celle de l'animal, car c'est parfois juste. On enduit régulièrement l'animal de gras pour lui donner plus bel aspect. La cuisson est longue, parce que la paroi thoraco-abdominale présente une résistance à la pénétration de la chaleur. Il faut compter deux à trois heures dans un four chauffé modérément, 150 à 180° (thermostat 5-6). Les meilleures farces sont végétales, comportant des fruits qui évitent le dessèchement de la viande et la rendent tendre et goûteuse.

Signalons une « blanquette » de restes de cochon de lait décrite par Menon, un très grand cuisinier du XVIIIe siècle : ce sont simplement des morceaux froids de cochon de lait rôti, réchauffés, sans bouillir, dans une sauce faite de bouillon et de vin blanc, réduite avec des herbes et des épices, le tout étant épaissi au jaune d'œuf et aromatisé au vinaigre (ou au verjus, ou au citron) au dernier moment.

AUTRES VIANDES DE BOUCHERIE ET GROS GIBIER

Mis à part les quatre « grands » de la boucherie, d'autres animaux de grande taille sont utilisés. Dans certains pays, les gazelles, antilopes et autres grands mammifères constituent la viande la plus fréquente. En France et en Occident, ce n'est évidemment pas le cas et les essais d'introduction par Paul Corcellet de plats cuisinés d'éléphant, de buffle ou d'hippopotame, comme ceux faits de python, d'iguane, de tortue ou de caïman, n'ont pas survécu à la disparition de leur initiateur et de la dynastie d'épiciers dont il fut le dernier grand représentant.

En France existe une tradition bouchère originale, celle qui consiste à servir de la viande de cheval. L'âne et le mulet sont parfois utilisés en saurisserie (saucisson d'âne). Le chevreau est, comme l'agneau de lait, une viande de haut de gamme. Quant au gibier, parfois élevé dans des fermes spéciales, il est saisonnier. Le gros gibier se distingue par le goût un peu fort de sa viande qui a ses amateurs, mais qui ne plaît pas à tout le monde. Les animaux jeunes sont les meilleurs et, dans certains cas, ne nécessitent pas de marinade : c'est le cas des jeunes chevreuils et des marcassins. Cependant, les meilleurs morceaux risquent de se dessécher à la cuisson et il convient de les piquer de lardons gras. Quant aux bas morceaux et à la chair des animaux plus âgés, on en fait des ragoûts et des civets après les avoir longuement fait mariner dans le vin avec des aromates.

Certains gibiers sont utilisés comme base de charcuteries réputées.

Aurochs, bison, zébu et hybrides divers

La viande de bison d'Amérique ressemble, en plus goûteux, à celle du bœuf. L'aurochs européen a disparu à peu près totalement.

Les méthodes et les recettes applicables à ces animaux sont identiques à celles du bœuf, les grillades épaisses étant particulièrement agréables et goûteuses.

Le zébu asiatique est consommé à la manière du bœuf. Au Brésil, des hybrides zébu × charolais fournissent une viande estimée.

Cerf, renne, orignal, wapiti, caribou, etc.

Ces gros mammifères sauvages ou domestiques sont de qualité variable. Le cerf, présent en France, n'est bon que jeune. Par contre, le renne, qui peuple l'Extrême-Nord européen et l'orignal, l'animal le plus recherché des chasseurs canadiens, sont très renommés pour la qualité de leur chair, de même que le wapiti et le caribou.

Les recettes applicables à ces gros animaux varient en fonction de leur taille et de l'âge de l'animal. On peut les traiter comme le chevreuil ou le bœuf. C'est ainsi qu'on trouve des hamburgers d'orignal.

Le chevreau

Les chèvres sont principalement élevées pour le lait (race Alpine et Saanen) et pour la toison (l'angora qui donne le mohair).

Le chevreau est le petit de la chèvre. C'est un animal de petite taille, dont la chair est blanche et tendre, doucement parfumée. Délicate, elle s'accommode d'ail nouveau, de moutarde et d'herbes fraîches. L'animal est abattu entre 8 et 12 kilos. (Il existe aussi des chevreaux lourds de 16 à 25 kilos, de goût plus prononcé.)

L'utilisation en cuisine du chevreau est identique à celle de l'agneau de lait. Le meilleur est le cabri du Poitou. La chèvre du Rove et les cabris corses sont également renommés [1].

Le chevreuil

C'est, avec le sanglier, le plus fréquent des gros gibiers, du moins sous nos latitudes. C'est aussi le plus convoité par les chasseurs et le plus apprécié des cuisiniers. Il peut être d'élevage, comme le constate le voyageur traversant les îles de la Nouvelle-Zélande.

Les meilleurs chevreuils sont jeunes, autour d'un an d'âge. On ne doit pas les faire trop mariner, mais il faut les parer, soigneusement.

Les morceaux les plus appréciés sont la gigue, c'est-à-dire les cuisses (cuissots), la selle et les côtelettes : traditionnellement, la gigue est rôtie rosée, les deux autres généralement poêlés au beurre ou grillés. Les autres morceaux sont marinés et cuits en ragoûts, civets et daubes. Signalons enfin son utilisation en saurisserie (saucissons mixtes chevreuil et porc), de qualité moyenne à vrai dire.

L'ours

L'ours étant devenu rare en Europe occidentale, il ne s'agit pas d'aller braconner les derniers ours des Pyrénées. Pourtant, au début du siècle, on pouvait en trouver occasionnellement. Mme Lestienne, célèbre femme à barbe, proposait du saucisson d'ours.

Il est plus fréquent en Amérique du Nord. S'il est jeune, on peut en faire des rôtis et des grillades, sinon on en fait des saucisses ou du saucisson. A noter l'amusante et traditionnelle recette des pattes d'ours farcies.

1. Michel de Simiane, *La Chèvre*, Rustica, 1995.

Le sanglier

De la même famille que le cochon domestique, le sanglier est fréquent dans les zones boisées, proches de ruisseaux et d'étangs. Il ne dédaigne pas de venir visiter les cultures avoisinantes qu'il saccage en retournant la terre avec ses défenses.

C'est la chair du jeune sanglier, qui est la plus recherchée. On le traite comme le porc, et son goût en est proche, en plus typé. Les animaux plus âgés sont réservés à des ragoûts et civets après longue marinade. On en fait aussi une charcuterie de très bonne qualité, fromage de tête et terrines en particulier, en utilisant des recettes identiques à celles du porc.

LES ABATS

Sur la bête abattue, on sépare ce qui relève de la boucherie, c'est-à-dire la carcasse sans la tête, et la charcuterie ou la triperie. Dans ce dernier groupe, on retrouve donc un fourre-tout comportant des muscles, la joue, la langue et le cœur, ainsi parfois que le diaphragme (c'est-à-dire l'onglet et la hampe), les reins, le foie et la rate, le pancréas, le thymus, le tube digestif, les testicules ou rognons blancs, les mamelles, la cervelle et la moelle épinière. On y joint le reste de la tête et les pieds, et parfois la queue.

On conçoit qu'il existe une grande hétérogénéité de méthodes culinaires. Étant donné les habitudes traditionnelles, le porc est plutôt vendu chez les charcutiers. On distingue les *abats rouges* et les *abats blancs* — non en raison de leur couleur, mais de leur conditionnement. Les *abats rouges* sont vendus crus (par exemple le foie ou la cervelle); les *abats blancs* sont vendus échaudés et blanchis (tête de veau, tripes).

Les muscles

Les muscles, classés parmi les abats, ont une destination différente. Bien que n'en faisant pas partie strictement parlant, rappelons que l'onglet, c'est-à-dire la partie postérieure (supérieure) et épaisse du diaphragme, et la hampe qui en est la partie antérieure (inférieure), se trouvent fréquemment chez les tripiers. La raison en est simple : pour éviscérer l'animal, il faut enlever le diaphragme qui est transversal et traditionnellement ce dernier partait avec les intérieurs.

Les *muscles diaphragmatiques*, à fibres longues, sont traités dans le chapitre des steaks de bœuf : c'est, en effet, le seul animal assez gros pour que ces muscles soient individualisés, encore qu'on trouve parfois de l'onglet de veau.

Le *cœur* est un muscle de composition chimique différente de celle des autres. Son goût est donc particulier. Selon la taille de l'animal, on peut en faire des pièces à rôtir ou à griller, ou bien à braiser, entier ou découpé. Le plus fin est le cœur d'agneau qui donne de très délicates grillades. Les cœurs doivent être dégraissés et débarrassés des cordages et des valves qui sont fibreuses.

La *langue* est constituée principalement de plusieurs muscles. Les langues, qu'elles soient de bœuf, de veau, d'agneau ou de porc, se cuisent au court-bouillon, généralement dans un blanc[1]. Elles sont ensuite dépouillées des peaux et résidus graisseux et des glandes adjacentes. On obtient ainsi des viandes goûteuses, particulièrement douces et tendres, qu'on apprête par une seconde cuisson ou qu'on assaisonne pour en faire des salades froides ou tièdes.

Les *joues* sont constituées, elles aussi, de muscles épais. Les joues de bœuf, de veau, de porc, comptent parmi les meilleures et les plus tendres des viandes à braiser. Il convient cependant qu'elles soient convenablement parées. De plus, comme la joue se corrompt aisément, il faut être rigoureux à l'achat. Ces conditions respectées, on fait avec la joue des ragoûts de toute première qualité.

Les reins ou rognons

Les reins, qu'on appelle rognons chez les animaux comestibles, sont les organes qui produisent l'urine. On imagine les relents désagréables qu'ils peuvent dégager lorsqu'ils sont de qualité douteuse.

Le rognon ne souffre aucune médiocrité. Les qualités gustatives sont très différentes et inégales selon la catégorie. Le meilleur est le *rognon de veau*. Il se présente entouré d'une coque de graisse très blanche. Certaines recettes l'utilisent ainsi, cuit dans

1. Eau additionnée de farine et de citron.

sa graisse. Cette dernière est d'ailleurs classiquement recherchée en raison de sa finesse et de sa résistance aux fortes températures, donc utilisée pour diverses fritures.

Lorsqu'on enlève sa carapace graisseuse, on découvre le rognon, de couleur chocolat au lait, brillant, bien humide, polylobé. On peut le préparer en le coupant en morceaux de deux centimètres de côté environ, ou en le tranchant en « escalopes » de cinq à dix millimètres d'épaisseur. Dans les deux cas, on veillera à bien le débarrasser des caneaux excréteurs, c'est-à-dire des parties membraneuses qui rayonnent à partir du hile.

Le rognon de veau ne supporte pas la surcuisson et ses qualités gustatives associent une consistance où persiste en partie l'élasticité du cru et l'élégance particulière de son goût. Trop cuit, le rognon de veau perd beaucoup de son charme et de sa classe. Pas assez cuit, il n'est pas agréable.

La qualité du rognon de veau est considérée comme une des meilleures, et il n'est guère de grand restaurant qui n'en offre à sa carte.

Le *rognon d'agneau* est petit, d'un brun beaucoup plus foncé. On enlève, pour le préparer, la membrane qui l'enveloppe et on le fend en deux pour ôter les parties blanches intérieures. Le rognon d'agneau est remarquable cuit au gril. Coupé en fins morceaux, et parfois entier, il fait de remarquables farces ou rognonnades.

Le *rognon de porc* est de qualité moindre que celle du veau, de même que le *rognon de bœuf*. Leur utilisation est identique, mais le résultat est moins fin et moins délicat.

Ris de veau, ris d'agneau

Le *ris de veau*[1] est constitué par le thymus, glande située dans la partie antéro-supérieure du thorax. C'est un organe qui joue un rôle de premier plan dans le contrôle des défenses de l'organisme et la fabrication de certaines lignées de cellules immunitaires, et diminue considérablement de volume à l'âge adulte.

---

1. Début 1996, l'Académie de médecine a vivement déconseillé la consommation de ris de veau, en raison du risque — à vrai dire encore hypothétique — de transmission à l'homme de la maladie de la vache folle.

Les ris de veau se présentent sous forme de morceaux de consistance non homogène, bien blancs quand ils sont de belle origine, recouverts d'une épaisse membrane. La méthode classique consiste tout d'abord à les faire dégorger sous l'eau courante afin de leur faire rendre tout leur sang. Ensuite, on les blanchit, c'est-à-dire qu'on les met trois à quatre minutes dans l'eau bouillante, puis on les rafraîchit afin de tendre leur enveloppe et on les épluche minutieusement pour n'en garder que les « noix ». Il est recommandé de les mettre sous presse pendant une ou deux heures. On les apprête ensuite, soit entiers, soit escalopés, ou encore découpés en petits cubes.

La chair des ris de veau est particulièrement délicate et fine. Comme pour tous les produits de haut de gamme ou de luxe, il ne faut acheter que des pièces de qualité, de fraîcheur et d'origine indiscutables. Sans justifier les prix redoutables pratiqués par certains, il faut se rappeler que le meilleur se paye et qu'il vaut mieux un produit de réputation modeste mais de qualité indiscutable qu'un plus luxueux mais douteux, sinon pire.

Le *ris d'agneau* est de taille beaucoup plus réduite. C'est un produit relativement saisonnier. Sa qualité est équivalente à celle du ris de veau, on peut même le lui préférer.

Les ris sont les plus fins et les plus recherchés des abats blancs.

Le foie et la rate

Le *foie* est un organe de grande taille qui joue un rôle très important dans l'équilibre de l'organisme. C'est le plus important des abats rouges.

Le foie a une chair assez riche en sucre et en graisse. Pour le préparer, on doit éliminer les traces de bile (le fiel) éventuellement présentes sous forme de taches vertes, faute de quoi elles rendraient amères les parties adjacentes.

Le foie se prépare, usuellement, en tranches d'un demi-centimètre à un centimètre et demi d'épaisseur. On peut les griller ou les poêler. Dans les deux cas, il faut éviter de trop les cuire, car la chair du foie y perd de sa finesse, cependant que sa consistance devient ferme et sèche. On peut aussi cuire le foie entier. Cette préparation sied mieux à celui de l'agneau, voire du veau. On peut, enfin, en faire des brochettes.

La qualité gustative du foie est très différente selon l'animal dont il provient. Le meilleur est le foie de veau, brun clair et brillant. Le foie d'agneau est également délectable. Les foies de porc et de bœuf sont de qualité plus commune, mais appréciée de certains.

Le foie peut être utilisé en saurisserie. Le *figatellu* corse en est un exemple.

La *rate* est un organe hématopoïétique peu utilisé en cuisine humaine, dont on ne trouve donc que peu de recettes.

Les tripes

Les tripes, ce sont les diverses parties du tube digestif, généralement l'estomac, l'intestin grêle et le gros intestin. Elles doivent être nettoyées, avec soin et minutie, dès la mort de l'animal pour des raisons aisées à comprendre. Ovins et bovins sont des ruminants, leur estomac comprend quatre poches : le *feuillet*, la *panse*, la *caillette* et le *bonnet*. Ce dernier morceau est le plus renommé. Avec la panse, on fait le traditionnel *tablier de sapeur* lyonnais (cuisson 4 heures dans un blanc, puis macération 4 heures avec vin blanc, huile et moutarde, et enfin panage à l'anglaise et friture).

Avec les tripes, on fabrique diverses préparations de charcuterie ou, évidemment, de triperie. Parmi ces dernières, citons le gras-double, les tripes à la mode de Caen, l'andouillette, l'andouille, le tablier de sapeur.

Les tripes peuvent regrouper des éléments provenant de divers animaux. Avec l'estomac de l'agneau et du mouton, on fabrique les tripoux de l'Aveyron, l'osbane en Afrique du Nord et le *haggis* écossais (la panse de brebis farcie). De plus, les boyaux longs, c'est-à-dire l'intestin grêle et le gros intestin, servent à envelopper les diverses sortes de saucissons, saucisses, merguez, andouillettes, jésus, etc. ; rôle dans lequel ils sont concurrencés par des produits industriels. Ils sont même les constituants exclusifs de l'andouille de Guéméné.

Cervelle et amourettes

La *cervelle* est constituée de deux parties, la substance grise et la substance blanche. La cervelle doit être soigneusement préparée : il faut enlever non seulement les membranes (pie-mère et dure-mère) qui l'entourent, ce qui est assez aisé, mais aussi tous les petits vaisseaux et, éventuellement, les hématomes qui peuvent exister. Pour ce faire, il est recommandé de la faire tremper dans l'eau avant de la cuire.

En cuisine française, les cervelles sont souvent cuites à l'eau salée, éventuellement additionnée de citron ou de vinaigre. Soit on les cuit complètement et on les sert avec les assaisonnements prévus, soit on stoppe la cuisson à mi-parcours et on passe à une seconde cuisson : par exemple, meunière ou frite. C'est de cette façon que, découpées en gros cubes, la cervelle de mouton est incorporée à certains tajines tunisiens, et celle de veau à la *minnina*.

La cervelle du veau est considérée comme meilleure que celle du bœuf. Signalons qu'existent actuellement certains doutes sur leur innocuité en raison de la maladie des vaches folles qui frappe certains troupeaux. En tout état de cause, la qualité gustative des différentes cervelles est finalement assez proche.

Les *amourettes*, ce sont les moelles épinières du veau et du bœuf. Elles se préparent comme les cervelles — leur goût est assez proche —, mais elles sont parfois plus délicates à nettoyer. Les remarques faites à propos des cervelles s'appliquent également aux amourettes.

Tétines et rognons blancs

La *tétine* de vache, c'est la glande mammaire. De consistance grumeleuse et grasse, elle entre dans la composition de certaines farces traditionnelles.

Les *rognons blancs*, c'est-à-dire les testicules, ont une consistance relativement douce. Ils doivent être cuits avec discernement car ils ne supportent pas la surcuisson. De goût relativement neutre, ils sont très recherchés dans certaines cultures pour des raisons aussi évidentes qu'illusoires.

La tête, le museau et le palais

La *tête*, c'est en cuisine la tête de veau. On trouve cette dernière, sans les os du crâne ni la cervelle, souvent associée à la langue. Le tout ficelé, prêt à cuire. Cette opération se fait dans un blanc, c'est-à-dire de l'eau, de la farine et un peu de jus de citron. Elle se sert tiède, coupée en tranches, avec une sauce.

La tête de bœuf, une fois enlevées les joues — on les écarte aussi de la tête de veau et du porc —, est généralement découpée en morceaux divers et se présente en charcuterie sous différentes formes : fromage de tête, salade de museau, etc., qui sont des sortes de pâtés.

Le *palais de bœuf*, cuit longuement dans un blanc, peut être apprêté de diverses manières.

La tête d'agneau est un plat traditionnel d'Afrique du Nord, le *ras mosli*, assez rare, à vrai dire, rustique et authentique. Elle se fait cuire au four, coupée en deux, non désossée, avec du beurre et de la chapelure; on la sert avec du citron.

Les oreilles, la queue et les pieds

Les *oreilles* et la *queue*, l'expression évoque la fin d'une corrida réussie. A propos qu'en fait donc le toréador vainqueur et récompensé? Peu importe, la cuisine ne s'intéresse guère aux oreilles du taureau, elle préfère celles du veau et du porc. Elle traite aussi leurs pieds, ainsi que ceux de l'agneau et du mouton. On les blanchit tout d'abord, ils sont ensuite cuits de la façon appropriée, souvent dans un blanc. Pour la présentation finale, on désosse les os des pieds, bien que certains prétendent qu'il est bon de les manger après cuisson.

Les oreilles se servent braisées ou panées, grillées ou frites. Tous ces morceaux peuvent également se servir en blanquette ou en salade rustique.

Le *pied de veau* s'ajoute à diverses cuissons longues auxquelles il apporte longueur et consistance. Il permet également la gélification de l'ensemble lorsque le plat refroidit.

LE LAPIN DOMESTIQUE

Des quarante-neuf races recensées officiellement, sans compter les quatre races naines [1], on ne sait trop celles qui se présentent à l'étal des volaillers — puisque le lapin est vendu avec les oiseaux — et encore moins dans les rayons des supermarchés.

Comme pour beaucoup d'autres animaux de consommation, la race d'origine, le type d'alimentation et le mode d'élevage

1. Standard officiel des lapins de race, Société française de cuniculiculture, 1993.

jouent un rôle décisif dans la qualité de la viande. L'âge aussi : un lapin n'est bon que jeune, à l'état de lapereau — l'animal favori des enfants pour sa douceur. Plus vieux, il faut en faire du pâté.

On recherchera la tendreté et le goût légèrement parfumé d'herbes sauvages, si on lui en a donné à consommer, une des meilleures saveurs. Certains préfèrent une tonalité plus sauvage, proche de l'espèce originelle, le lapin de garenne. On évitera les animaux trop gras, qui ont été mal nourris. Un bon lapin présente une graisse fine et très blanche dans la région des reins. Sa chair doit être rosée, ferme et douce à la fois.

Si le lapin peut être délectable, fondant et suave, il peut aussi se révéler fibreux, sec et dur. Il faut savoir le choisir. Les meilleures races — pour ceux qui en élèvent en clapier — sont le Fauve de Bourgogne et diverses espèces de couleur blanche : russes, californiens ou néo-zélandais. Ce sont tous des lapins relativement gros, pesant deux à trois kilos à l'abattage, le double à l'âge adulte.

La viande du lapin est très pauvre en graisse et relativement riche en protéines. Signalons au passage que le lait de la lapine contient beaucoup plus de graisses et de protéines que celui qu'on utilise pour fabriquer beurre et fromage. Aura-t-il un jour sa place en gastronomie ?

LE LIÈVRE ET LE LAPIN DE GARENNE

Le lièvre court derrière les tortues et couche à même le sol. Le petit lapin de garenne se cache dans les terriers, il est polygame.

L'un et l'autre ont des habitudes bien différentes et, s'ils se ressemblent, c'est parce qu'on les trouve sur les étals des mêmes marchands. Comme la plupart des gibiers, ils ne sont bons que jeunes. Il faut se méfier en particulier de certains produits d'importation qui peuvent se révéler de redoutables carnes.

Le lièvre et le lapin de garenne se cuisinent comme le lapin domestique, mais ils ont un goût plus sauvage. La cuisine classique faisait grand cas du lièvre, mets de luxe et de prestige, souvent apprêté de façon complexe et longue (par exemple le lièvre à la royale). Une question au passage : pourquoi cet animal épris de liberté est-il devenu le symbole de la lâcheté ?

323

Aujourd'hui, la liste des animaux que nous consommons usuellement est à la fois plus vaste et plus restrictive qu'autrefois. Des espèces d'origine lointaine sont disponibles. D'autres sont disparues ou ne sont guère prisées. Dans son *Régime de santé pour les pauvres, facile à tenir* écrit en 1545[1] le grand Sylvius, une des plus grandes gloires médicales dont peut s'enorgueillir la France, recommande : « Petits et jeunes chiens, chats, rats, renards, ânons, blaireaux, furetons, outre les bêtes accoutumées, s'ils sont charnus et gras, sont bons. Volatiles ou volailles, outre les accoutumées comme corneilles, choucas ou chouettes, pies, milans, étourneaux, piverts et piennars et quasi tous. » Les autres oiseaux se peuvent manger jeunes et gras : « ou s'ils sont durs ou ont quelques goûts non plaisants comme les bisets, il les faut pourbouillir et jeter l'eau, et puis les faire cuire avec fines et bonnes herbes devant dites : ou bien faut cuire les bisets en choux ». De plus, Sylvius recommande de consommer grenouilles, escargots, vers de terre et couleuvres « bien vidées et écorchées, après en avoir coupé et jeté environ quatre doigts de la tête et autant si vous voulez de la queue, bien lavées et nettoyées en lessive ».

N'est-il pas intéressant de constater que seuls grenouilles et escargots soient demeurés des denrées comestibles usuelles ? Usuelles en France, car on sait le dédain outragé que suscite chez nos amis d'outre-Manche la consommation de grenouilles. Dans le grand dictionnaire de l'incompréhension, de l'aveuglement et de l'ignorance des peuples, ils ont ajouté le mot « froggie », de *frog*, la grenouille, pour stigmatiser les condamnables agissements grenouillophages des habitants de l'Hexagone.

Lesquels habitants regardent de la même manière les Ougandais manger des termites — pourtant délectables — et les peuples riverains du Sahara consommer des criquets pèlerins[2].

---

1. Cité par Jean Dupèbe : « La diététique et l'alimentation des pauvres selon Sylvius », in *Pratiques et Discours alimentaires à la Renaissance*, par J.-C. Margolin et R. Sauzet, Maisonneuve et Larose, 1982.
2. On lira avec intérêt et surprise les propositions de Jean-Marie Bourre (*De l'animal à l'assiette*, Odile Jacob, 1993). Pour ces auteurs, la consommation des insectes, larves, œufs ou nymphes représente une des voies d'avenir de la nutrition humaine.

SERPENTS, SAURIENS, LÉZARDS, ETC.

« Qu'es-tu toi, sinon l'aveugle que les serpents ne font pas fuir ? »

Junichiro TANIZAKI.
Un amour insensé.

Les lézards suscitent souvent la répulsion, les serpents inspirent la peur et les sauriens une crainte justifiée. Ces animaux ne se mangent pas couramment — du moins dans les pays occidentaux, car les serpents par exemple sont très prisés dans certaines contrées d'Afrique ou d'Asie où leur chair est considérée avec faveur. C'est d'ailleurs ce qu'avait écrit Art Norlan, le vieux pionnier originaire de Suède qui, avant la dernière guerre, se nourrissait de serpents à sonnette dans le nord de l'Idaho. Il en compare la chair à celle du poulet. Au Viêt-nam, le cobra est un mets d'exception et d'apparat.

De même certains lézards sont-ils recherchés dans diverses contrées. Quant aux crocodiles, à côté de leur utilisation en maroquinerie, on en propose dans certains restaurants — généralement annexes des fermes où on les élève.

Le livre des oiseaux

Les oiseaux occupent une grande part en cuisine. Ils peuvent être sauvages, mais on les trouve surtout d'élevage. Cette distinction n'est pas toujours nette : comment classer le faisan élevé en basse-cour et relâché quelques semaines avant d'être abattu comme gibier ?

Étant de tailles et de mœurs fort variables, les oiseaux sont de goûts très différents, et cette diversité est encore accusée par les conditions nutritionnelles. On se doute bien que les poulets nourris à la farine de poisson, dans des cages où ils ne bougent pas, n'auront pas la même qualité que ceux, de race, sexe et taille identiques, qui auront vécu en basse-cour, nourris au grain.

Les oiseaux se préparent de multiples façons et tous les modes culinaires leur sont adaptés. Toutefois, c'est probablement rôtis à la broche ou au four que nombre d'entre eux donnent les meilleurs résultats. C'est vrai de presque tous les oiseaux sauvages, mais aussi du canard et du poulet. Attention, cependant : rôtir un oiseau n'est pas si facile qu'il y paraît, car les blancs, ou suprêmes, ne cuisent pas comme les ailes et surtout pas comme les cuisses. Résultat, on a le choix entre des blancs trop cuits et secs, ou des cuisses encore crues. Une solution : cuire le poulet, la dinde ou le canard de telle façon que blancs et suprêmes restent moelleux. Découper l'animal en commençant par les cuisses. Mettre ces dernières à griller pendant la préparation du reste de l'animal. Ainsi l'ensemble sera-t-il cuit de façon homogène. La séparation des morceaux peut également se faire pour le coq au vin : le blanc peut être ajouté après que les autres morceaux auront déjà cuit un certain temps.

Les volailles, le poulet et principalement la poule font d'excellents bouillons et fonds de sauce. Certains morceaux, par exemple les ailerons, peuvent être utilisés pour confectionner des « jus » courts, servant de base à des sauces fines qui s'harmonisent bien avec les viandes, mais aussi avec poissons, crustacés et mollusques.

Les autruches et émeus

Les derniers arrivés sur les étals. Ces grands oiseaux qui évoquent la chaleur du désert survivent très bien en zone tempérée et même, selon certains éleveurs, supportent mieux le froid que le chaud. Depuis peu, la vente de leur viande est autorisée et quelques abattoirs spécialisés ont ouvert leurs portes. La chair est sombre, rouge, tendre et parfumée. Elle ne supporte pas la surcuisson, mais se prête à des cuissons courtes : on peut la griller ou la sauter.

La caille

C'est un oiseau sauvage devenu d'élevage. Il y a perdu de son caractère, mais il reste très agréable, peu cher de surcroît. Il se cuit rôti ou poêlé. Les cailles aux raisins sont un plat traditionnel, mais d'autres préparations apportent des satisfactions gustatives tout aussi grandes.

La caille se cuit comme les pigeons, en diminuant évidemment les temps de cuisson en fonction de la taille.

Le canard

Le canard est soit d'élevage, soit sauvage. C'est un oiseau paisible, à la marche un peu pataude, mais à l'allure amicale et émouvante. Ce caractère bonhomme, parfois soupe au lait, a été largement utilisé dans la bande dessinée, et dans le dessin animé depuis le Gédéon de Benjamin Rabier, jusqu'à Howard the Duck en passant bien sûr par Donald, Onc'Picsou et toute leur famille, sans oublier Canardo, le détective de Benoît Sokal et Daffy Duck.

Engraissé, le canard donne un foie gras de goût plus rustique, plus fort, plus ample aussi que celui de l'oie. Le canard gras fournit aussi le magret, c'est-à-dire l'équivalent du blanc chez le poulet. C'est une viande rouge de grande classe, que l'on fait généralement griller. Les autres morceaux sont cuits dans leur graisse et constituent le confit. La graisse, utilisée en cuisine, magnifie en particulier les pommes de terre. Les gésiers confits sont délectables en salade. Même la peau du cou peut être farcie et donner des sortes de petits saucissons. On le voit, tout est bon dans le canard gras.

Le canard non engraissé est également excellent. Il se prépare surtout rôti et se cuit rosé, pour éviter à la chair de brunir et de se dessécher. Il est parfois nécessaire, pendant qu'on le découpe, de remettre à griller les cuisses quelques minutes, car elles demandent un peu plus de cuisson que le reste de l'animal. Selon la race et l'âge, les canards seront de taille variable. Il est recommandé de choisir des pièces de l'ordre de 1,2 à 1,5 kilo, généralement vendues sous le nom de canettes ou de canetons. Parmi les trente races officiellement recensées[1], les meilleures sont les canards rouennais, nantais dits de Challans, Duclair, et ceux dits de Barbarie[2], et encore les hybrides, mulards ou canards croisés. Il faut faire très attention à l'élevage d'origine, la qualité de la chair variant beaucoup avec l'alimentation et l'espace disponible.

Le canard sauvage, du moins celui qui est généralement disponible en France, le colvert, le mallard anglo-saxon, est plus petit. Sa chair est plus parfumée que celle de ses cousins d'élevage. C'est un des meilleurs oiseaux, qui lui aussi se cuit au four et se sert rosé.

Les temps de cuisson varient selon la taille. Dans le cas d'une canette de 1,2 à 1,5 kilo, on commence par faire chauffer sur le feu un plat à four en fonte épaisse. Quand il est chaud, on saisit le canard, deux minutes sur chaque face et sur le dos. On peut auparavant piquer la peau, ce qui favorise l'écoulement de la graisse. On cuit ensuite l'animal au four à température maximum, dix minutes sur chacun des trois côtés, en enlevant la graisse entre chaque phase, puis on le laisse reposer au chaud pendant dix à quinze minutes avant de le servir.

On peut le cuire à la vapeur — environ quarante à soixante minutes selon le poids — et le colorer dix minutes au four à température maximum.

---

1. Jean-Claude Périquet, *Standards officiels, volailles grandes races, oies, canards, pintades et dindons*, SCAF, 1994.
2. Parmi les races moins connues ou communes mais réputées, citons les canards Aylesbury, Blanc de l'Allier, de Bourbourg, de Huttegem, de Merchtem, Pie.

La dinde

Malgré son nom, elle ne vient pas d'Inde, mais d'Amérique. Il est vrai que Christophe Colomb croyait avoir découvert non une terre nouvelle, mais une voie nouvelle pour atteindre l'Inde, en raison de quoi il défendit l'idée selon laquelle la terre avait la forme d'une poire et non d'une sphère, pour expliquer pourquoi il n'y trouvait pas les hommes et les coutumes qu'il comptait rencontrer. Malentendu. C'est un peu aussi le statut de la dinde, le malentendu. Elle est de Noël, entière et rôtie, souvent farcie et accompagnée de marrons — et généralement sèche et difficile à ingérer. Si on veut qu'elle soit excellente, il faut en cuire séparément les morceaux : les cuisses font d'excellents rôtis, les ailes peuvent se farcir et se griller, les blancs constituent des escalopes qui peuvent se préparer comme du veau. La dinde est assez grosse pour se prêter à la division de ses morceaux et à des cuissons sélectives. Il en existe quinze races en France[1].

Le faisan

Au sein des seize genres et des cinquante espèces de faisans, il existe de très nombreuses variétés, essentiellement réservées au petit monde des éleveurs-collectionneurs[2]. Le profane a peu de chances de goûter les Tragopans Cabot, le Temmink ou Satyre, le Koklass, le Lophophore, l'Éperonnier de Chinquis ou l'Oreillard bleu. Ceux qu'on peut acheter sont rarement sauvages, plus souvent remis en liberté quelques semaines, voire quelques jours avant d'être chassés. Un vrai faisan est un animal magnifique, à la chair de goût fort et franc. Avec l'âge, la viande durcit et les tendons ossifiés finissent par larder certaines parties, en particulier les cuisses. Cependant grand est le risque d'acheter un produit pas vraiment sauvage, et la présence de quelques plombs, pour folklorique qu'elle soit, n'ajoute évidemment rien à la valeur culinaire.

Le faisan se fait rôtir ou se cuit en cocotte. Il se marie particulièrement bien avec la crème fraîche et les pommes, ou avec la choucroute. Rôti, il est meilleur lorsque la chair reste rosée, comme le canard. Les faisanes sont plus renommées que les mâles.

---

1. Jean-Claude Périquet, *Standards officiels. Volailles : grandes races, oies, canards, pintades et dindons, op. cit.*
2. Pour plus de détails, on pourra consulter l'ouvrage de Jean-Claude Périquet, *Faisans et Paons*, Rustica, 1996.

La grouse

La grouse est un oiseau sauvage de taille moyenne, commune en Amérique du Nord et localisée en Europe du Nord. On n'a pas vraiment réussi à l'acclimater en France ; celles qu'on trouve viennent souvent d'Écosse.

C'est un oiseau remarquable, un des meilleurs pour l'amateur. On ne la trouve qu'en saison, en automne. Elle est chère, mais vu ses qualités, elle vaut son prix.

La grouse se fait rôtir et on la sert avec les accompagnements classiques des oiseaux sauvages de l'automne, des baies rouges par exemple.

L'oie

L'oie est un oiseau de grande taille, de couleur blanche ou grisée avec un bec jaune orangé. Elle est agressive, réagit bruyamment à la moindre anomalie. C'est un excellent animal de garde, capable de sonner l'alarme : ainsi firent les fameuses oies du Capitole qui réveillèrent les soldats endormis alors que l'ennemi montait silencieusement à l'assaut.

Fréquente à table autrefois, l'oie a quasiment disparu aujourd'hui. Du moins l'oie rôtie ou en daube, car le foie gras de la bête engraissée reste un mets toujours très populaire, même s'il est de plus en plus concurrencé par celui du canard. Avec la chair plus ou moins mélangée à celle du porc, on fait des rillettes dont la consistance varie selon l'origine : très fine à Alençon, fine au Mans, plus grossière à Tours.

La chair de l'oie est grasse et c'est probablement l'origine de la désaffection dont elle souffre. La graisse d'oie est très subtile, excellente en cuisine. Les espèces les plus réputées sont celles d'Alsace, de Guinée, de Toulouse et la Normande. On vante également les oies Emporda et Tchèque huppée [1].

Le perdreau

Un des meilleurs parmi les oiseaux sauvages les plus courants sous nos climats. Hôte traditionnel des champs de céréales, il a subi la pression de la chasse, des engins motorisés qui abîment

---

1. Jean-Claude Périquet, *Standards Officiels. Volailles...*, *op. cit.*

son nid et de la raréfaction des insectes due aux insecticides. Il est donc moins fréquent. Il en existe plusieurs variétés, le perdreau rouge étant en France le plus réputé.

Le perdreau se fait rôtir. Une exception : la perdrix aux choux, sorte de potée où la viande est celle de l'oiseau. Même pour ce plat, il vaut mieux utiliser la chair de la perdrix pour parfumer le chou et servir des perdreaux rôtis comme viande principale. En effet, c'est la chair de l'oiseau jeune (moins d'une année) qui est la plus réputée, celle des oisillons et des animaux plus âgés n'étant guère appréciée.

Le pigeon

Le pigeon fut l'un des premiers oiseaux domestiqués par l'homme, responsable de la sélection et de la stabilisation des races qui existent aujourd'hui. Certaines sont utilisées pour leur aspect décoratif, d'autres pour la puissance de leur vol : les pigeons voyageurs, capables de s'orienter et de parcourir plusieurs centaines de kilomètres, sont des messagers classiques, auxquels s'attache un relent d'espionnage archaïque, mais les colombophiles s'intéressent aussi aux espèces capables d'exécuter des culbutes en vol ou d'atteindre de hautes altitudes.

En cuisine on utilise certaines races, particulièrement les Carneau, King et Texan, choisies en raison de leurs capacités de reproduction. Signalons également l'existence d'hybrides sélectionnés pour leur hypertrophie musculaire. Leur supériorité gustative reste à établir. Quoi qu'il en soit, les pigeons sont un des oiseaux domestiques les plus délectables, particulièrement lorsqu'ils sont jeunes.

Pierre Corcelle[1] mentionne les races Mondain, Cauchois, Strasser, Sottobanca, Maltais, Homer, Lynx de Pologne, Romain, Montauban et surtout King Blanc, King autosexable et Texan, Carneau Blanc, Hubbel et les hybrides Texan × King autosexable, King Blanc × Mondain Suisse, et Texan × Homer, parmi celles qu'on élève pour la chair. Il ajoute : « L'accent a été mis uniquement sur les facteurs de productivité. » Comme on recense environ trois cents races de pigeons actuellement, il reste de l'ouvrage pour ceux qui souhaiteraient en comparer les qualités gastronomiques.

Le pigeon domestique, excellent jeune, devient dur et peu

1. *Les Pigeons*, Rustica, 1992.

agréable avec l'âge. Il faut faire attention en l'achetant; seuls les pigeonneaux doivent retenir le consommateur. Car le pigeon de bonne qualité est relativement cher et comme pour tout achat d'exception, il ne faut choisir que des pièces irréprochables; sinon il vaut mieux acheter plus commun, mais bon, un poulet de grain par exemple.

Le pigeon se cuit au four, et parfois se rôtit à la broche. Cette dernière méthode est belle et spectaculaire, mais le four reste préférable car les temps de cuisson des filets et des cuisses sont très différents. Le pigeon se sert rosé. On le cuira donc à four très chaud et on laissera reposer les chairs pour les détendre avant de les consommer. Les cuisses, découpées les premières, seront remises au gril quelques minutes pendant la préparation des filets. Un pigeon de bonne origine est une viande superbe.

Le pigeon a une chair fine, appréciée des gourmets, des gourmands et des chefs. Il n'est donc pas surprenant d'en trouver de multiples préparations sur leurs cartes. Il s'agit bien sûr de pigeonneaux, car seuls les jeunes animaux combinent qualité du goût et de la consistance. A titre indicatif, voici quelques modes de cuisson recommandés par les maîtres.

Alain Senderens[1]**.** Cuire le pigeon à la poêle dans un mélange beurre-huile deux minutes sur chaque suprême, quatre minutes sur chaque cuisse et cinq minutes sur le dos.

Pierre Perret[2]**.** Six à sept minutes au four thermostat 8, couvert d'un film aluminium, puis huit à vingt minutes, selon la taille, thermostat 6. Enlever le papier aluminium cinq minutes avant la fin.

Georges Blanc[3]**.** Trente minutes en cocotte à four doux ou quinze à vingt minutes « à bonne température ».

Marc Meneau.[4] Découper les filets et les cuisses, les enrober de crème et les faire cuire au gril du four de chaque côté trois à quatre minutes et six à sept minutes respectivement.

Freddy Girardet[5]**.** Colorer l'animal, posé du côté des filets, au beurre à feu moyen, puis le placer au four à 270°, trois minutes sur chaque cuisse, une minute sur le dos, le découper et le laisser au chaud.

Joël Robuchon.[6] Les cuire quatre minutes de chaque côté au four chauffé à 280°, puis les laisser reposer dans le four ouvert.

1. *La Grande Cuisine à petits prix*, Robert Laffont, 1984.
2. *Le Petit Perret gourmand*, J.-C. Lattès, 1987.
3. *Ma Cuisine des saisons*, Robert Laffont, 1984.
4. *La Cuisine en fêtes*, Robert Laffont, 1986.
5. *La Cuisine Spontanée*, Robert Laffont, 1982.
6. *Ma Cuisine pour vous*, Robert Laffont, 1986.

Alain Chapel[1]. Cuire doucement en cocotte quinze minutes dans un mélange de beurre frais et de beurre d'écrevisse.

Il semble que le résultat soit en définitive assez proche, avec les filets saignants et les cuisses un peu plus cuites. Une façon simple, peut-être plus facile à retenir, est la suivante :
Faire revenir sur la cuisinière le pigeon une minute sur chaque cuisse et sur le dos dans un plat allant au four. Le cuire au four à 250° trois minutes sur chaque cuisse et sur le dos. Ouvrir le four et laisser reposer cinq à dix minutes.
Autre méthode :
Le cuire quinze à vingt-cinq minutes à la vapeur. Si le pigeon se sert découpé, il n'est pas besoin de le colorer à la poêle ou au four.

La pintade

La pintade, ou poule de Guinée, habillée de son vivant d'une robe grise à pois blancs[2], est généralement d'élevage, alors qu'elle fut gibier. De la chasse elle garde un goût assez fort et marqué, en tout cas très personnel. La pintade est de taille assez modeste, du poids d'un petit poulet. Elle peut se rôtir ou se cuire en casserole. Elle se marie particulièrement bien avec la crème et les pommes, ou encore avec la choucroute, comme le faisan d'ailleurs. Excellente et sous-estimée. Signalons la diffusion récente des pintades fermières Label rouge, qui offrent une qualité supérieure (20 % des 7,1 millions d'animaux consommés en 1994) de cette viande maigre. Il faut également noter l'apparition de pintades chaponnées.

Le poulet et sa famille

« Mais existe-t-il de par le monde un honnête poulet de grain, j'entends vraiment nourri au grain toute sa vie (et non comme les meilleurs font, quinze jours avant le sacrifice), de race charnelle et non pas pondeuse, saigné de main de maître et non cou coupé, plumé à doigt de fée et non à l'eau bouillante (laisse la mouille-molle au pedzouille) Si oui, donnez-moi l'adresse. »

Joseph DELTEIL, *La Cuisine paléolithique*,
Robert Morel, 1964.

1. *La Cuisine c'est beaucoup plus que des recettes*, en collaboration avec Jean-François Abert, Laffont, 1980.
2. Il n'existe qu'une pintade, mais cinq variétés : grise, lavande, blanche, gris perle et chamois.

Plus des deux tiers des poulets vendus en France sont des volailles industrielles élevées en batteries nourries de manière artificielle, entassées dans de longs hangars. La viande en est évidemment tendre, mais le goût peu marqué et sans caractère.

Les meilleurs sont élevés en plein air pendant quatre-vingts à cent vingt jours. Le ministère de l'Agriculture délivre le « Label Rouge » à certaines espèces et catégories de volaille, qui garantit des conditions d'alimentation — avec au moins de 65 % à 75 % de céréales — et d'élevage — selon des normes d'espace disponible par animal. (Rappelons que le Label rouge peut être attribué à d'autres produits.)

Il existe quarante-quatre races de poules françaises de grande taille. De plus, quatre-vingt-dix-huit races étrangères font l'objet d'élevage, avec des standards officiels définis par la Société centrale avicole de France (SCAF). A ces grandes races, il faut ajouter les naines, qui ont la faveur de nombreux amateurs en raison de leur moindre taille et de leur usage, à la jonction de l'utilitaire et de l'esthétique. Au sein de ces races, il n'existe pas moins de vingt-deux caractères distinguant d'éventuelles variétés. On voit que le choix est grand et qu'il peut être délicat d'identifier précisément les animaux.

Les volailles les plus réputées sont celles de Bresse, de Loué, de Challans, du Maine, de Janzé, des Landes et du Gers. De plus, on doit noter la résurrection de la Houdan, qui a été près de disparaître, et un dérivé de la Faverolles, vendue sous le nom de Malvoisine, produite dans diverses régions françaises.

On cuit les meilleurs poulets au four, rôtis, ou pochés, ou encore, dans le cas du coq, en cuisson au vin, sans compter les innombrables recettes de volailles en fricassée, sautées, grillées, etc. On peut aussi les cuire à la vapeur, surtout les volailles bien grasses.

Jean-Claude Périquet[1] recommande parmi les meilleures races de poules à chair les espèces françaises : Ardennaise, Bourbonnaise, Caumont, Cou nu, Crève-cœur, Faverolles, Gâtinaise, Gauloise dorée, Gauloise de Bresse, Houdan, La Flèche, Noire du Berry, aux côtés de la Langshan chinoise, de la Hollan-

---

1. On pourra se référer au *Standard des volailles naines*, édité par le Bantam-Club français, et aux ouvrages de Jean-Claude Périquet, *Les volailles naines*, Rustica, 1993 ; *Les poules, Oies et Canards*, Rustica, 1992.

daise à huppe blanche, de la Java, peut-être originaire de l'île du même nom, de l'Allemande Lakenfelder, des Britanniques Orpington et Sussex, de la Phénix nippone et des Américaines Rhode Island et Wyandotte. Combien peuvent se flatter de les avoir toutes goûtées ?

• **Le chapon.** — Un bon chapon du Maine, comme dans Racine[1]. Le chapon, coq châtré, a failli disparaître. Depuis son retour en force, il est en passe de détrôner la dinde dans sa fonction de plat emblématique de Noël, bien qu'il ne soit pas des plus facile à cuire : les temps et les conditions de cuisson sont très importants, car s'il peut être excellent, il a également une remarquable tendance à se présenter comme une sorte de poulet raté : trop gras, trop sec, etc. Méfiance, donc. L'origine, la façon dont il a été nourri et la façon dont vous le cuisez feront de votre chapon un chef-d'œuvre ou une catastrophe. Les plus réputés proviennent de Bresse, bien sûr, mais aussi de Janzé, de Loué, des Landes et du Gers.

• **Le coq.** — Juché sur ses ergots, cet individu fier, passablement irascible et d'intelligence médiocre, dont nous avons fait (on se demande bien pourquoi) notre emblème national, règne sur la basse-cour.

Il a un statut spécial en cuisine, car on ne le trouve que marié avec le vin, surtout le blanc d'ailleurs, le cidre ou la bière. Sa chair peut être délectable ou sèche. En effet, les blancs et le reste de l'animal — carcasse, cuisses et ailes — ne cuisent ni à la même vitesse ni à la même température. Attention donc au temps pour chaque partie du coq, car il vaut mieux ne pas cuire en même temps tous les morceaux, et surtout n'ajouter les blancs que peu de temps avant la fin.

• **La poularde.** — A côté de la poule, la poule mère, voici la poularde, la vieille demoiselle. Enfin, pas si vieille que ça, mais engraissée pour lui donner cette apparence bien nourrie qui caractérisait les bons partis du siècle dernier. La poularde est considérée comme l'élite, statut qu'elle partage avec le chapon, de la famille du coq et de la poule. Elle peut être cuite en morceaux, en fricassée, en préparation de blancs ou de cuisses, ou entière, au four, en vessie, pochée. La poularde demi-deuil, où les lames de truffe généreusement disposées sous la peau forment des taches grises et marbrées, est un classique indétrônable.

---

1. Inutile de le rechercher. La race en est éteinte.

Les meilleures proviennent de Houdan, de Bresse, de Loué et des Landes.

• **La poule.** — Elle est mère et, comme elle a tout donné, on ne lui attribue plus que des rôles subalternes : faire le bouillon par exemple. Une exception, la poule au pot, pour faire plaisir à notre bon roi Henri IV. Un seul plat, certes, mais que de variantes : à la crème, au safran, avec des champignons, une farce, etc.

• **Le poulet.** — Évidemment, je ne vais pas vous le présenter. Simplement, pour mémoire, disons que sous ce label on trouve de tout, de la volaille préfabriquée et qui semble avoir été inventée par le colonel Sanders dans un trou du Kentucky, à la subtilité rectiligne et éclatante de certaines. Difficile en outre de s'y retrouver entre les pattes noires, les pattes jaunes, les diverses appellations d'origine. Le Bresse est le plus renommé, mais il est cher. Un bon poulet doit avoir couru. Il a la chair ferme, ce n'est pas de la nourriture pour édentés. Les enfants risquent même de lui préférer des animaux plus tendres. Que cela vous rassure : s'ils étaient capables d'apprécier d'emblée ce qui est meilleur, que leur resterait-il à découvrir avec l'âge ?

• **Poussins et coquelets.** — Les poussins peuvent être de petits poulets, pesant entre trois cents et six cents grammes environ. Ce peuvent être également des animaux issus de races de petite taille, dont le plus classique fut le fameux poussin de Hambourg, détrôné au début du siècle, nous dit Escoffier, parce que nourri de poisson, avec le goût désagréable que cela implique.

Les coquelets sont de jeunes coqs, de poids légèrement plus élevé, mais toujours nettement inférieur au kilo. Du point de vue formel, il n'y a guère de différence entre les deux : un coquelet peut être poussin et un poussin peut être coquelet, à condition d'être de sexe mâle.

Poussins et coquelets sont des mets délicats à la chair tendre. Ils peuvent être grillés ou rôtis, ou encore cuits en sauce. Ils se prêtent particulièrement bien à être farcis, soit désossés, soit — si vous n'avez pas le temps — intacts. A vrai dire, les recettes traditionnelles et celles des restaurants présentent souvent un poussin ou un coquelet pour deux. Mais si vous voulez vraiment honorer vos invités et leur servir un plat dont la munificence évoque les agapes princières des temps médiévaux, comptez un animal par personne. Dorés, entourés de légumes choisis pour leur goût et pour l'harmonie de leurs couleurs, servis à l'assiette, ils seront la marque de la générosité avec laquelle vous accueillerez vos convives.

4

Les animaux des eaux douces et marines

La vie aquatique est riche en végétaux et animaux. Certaines cultures font un grand usage des premiers, les Japonais en particulier. En France, on mange quelques plantes des bords de mer, telles la salicorne ou la criste marine, mais il s'agit là de cas marginaux. Depuis une bonne vingtaine d'années, le varech accompagne les poissons entiers (ou des cuissons à la vapeur), mais les abandonne lorsqu'ils passent à table. Peu à peu quelques algues pénètrent dans les assiettes avec timidité et souvent en petites quantités, ou les consomme comme légumes ou aromates. L'industrie, à vrai dire, a précédé l'amateur et le cuisinier, en utilisant les propriétés physiques de certaines d'entre elles dans la préparation de produits de grande consommation. En pratique, les produits aquatiques et marins sont essentiellement des animaux. Poissons bien sûr, mais aussi crustacés et invertébrés divers : oursins, mollusques, céphalopodes. La multiplicité des espèces, des variétés, est immense et il ne saurait être question ici d'en faire un catalogue complet[1]. On trouvera plutôt une liste des principales catégories, de celles qu'on trouve à la vente, au restaurant et au cours de ces voyages que l'homme moderne multiplie ; qu'ils fassent partie de ses obligations ou de ses loisirs.

1. 600 espèces dont 70 présentant un intérêt culinaire dans le seul Atlantique canadien et du Nord-Est des États-Unis (B. W Coad - *Guide des poissons marins de pêche sportive de l'Atlantique canadien et de la Nouvelle-Angleterre*, Broquet, 1993). Environ 130 espèces d'eau douce en Europe (Jiri Char, *Guide des poissons d'eau douce en Europe*, Hatier, 1993 et Bent J. Muus et Preben Dahlström, *Guide des poissons d'eau douce et pêche*, Delachaux et Niestlé, 1981) et 200, en Méditerranée (Alan Davidson, *Poissons de la Méditerranée*, Solar, 1983). C'est à cause de cette complexité zoologique, qui contraste avec la mode grandissante du poisson vendu et consommé en filets, que l'auteur n'a pas indiqué le nom latin des poissons cités.

Le livre des poissons

En France, au Moyen Age, en Carême, on mangeait du poisson. On en mangeait aussi le vendredi. Et celui dont le métier était de le pêcher était toujours affublé de l'adjectif pauvre. Aujourd'hui, d'ailleurs, le pêcheur tunisien est toujours *mesquina*, pauvre. Pénitence et pauvreté sont les attributs historiques du poisson.

D'ailleurs maint pêcheur amateur dédaigne de manger ses prises, les plus délicatement snobs et britanniques étant ces carpistes qui, après avoir guetté l'animal pendant des jours, satisfaits de la lutte même, se contentent de le peser et le remettent précautionneusement à l'eau dans l'espoir de le capturer de nouveau une prochaine fois. Et puis il y a les enfants. Montrez-leur un poisson entier, quelle grimace! A la limite, ils accepteront des sticks congelés, entourés d'une chapelure industrielle, servis frits.

Aujourd'hui, le poisson est cher. Il est même souvent encore plus cher qu'il ne paraît car, à la différence du beefsteak, il comporte beaucoup de pertes, souvent de l'ordre de 35 % à 50 % du poids total. C'est dire que le prix réel de la chair que l'on mange est généralement égal ou supérieur à celui de la viande de boucherie.

Il y a cependant des poissons bon marché, mais ils souffrent peut-être pour cette raison même, d'un certain dédain; ils sont d'ailleurs généralement absents des menus de restaurant (pour des raisons peut-être peu avouables à vrai dire). Pourtant, le merlan, l'équille, l'anchois, le hareng ou la sardine, tous poissons bon marché, sont dotés de qualités personnelles, remarquables et fort estimables.

Et puis, il y a les croquants, les méprisés, les indignes : les poissons de rivière. A la rigueur, on acceptera une truite ou un saumon, un brochet ou un sandre — à la limite une perche, mais en filets. La grimace répond à l'évocation de la tanche et de la carpe, et le dégoût à celle de l'ablette, du gardon, de la brème et du hotu. Eh bien, il serait bon de les réhabiliter, ces malaimés de la cuisine. Pour cela, condition préalable, il faut que leur origine soit claire, c'est-à-dire qu'on ne risque plus de consommer des relents vaseux en guise de barbillon ou du pétrole déguisé en anguille. Mais le poisson d'eau douce a un charme particulier avec cette odeur un peu fade des rivières lentes que l'on retrouve dans certains vins blancs de Savennières. Quelle meilleure friture que le goujon? Et l'escabèche, plutôt que d'anchois ou de sardine, magnifie gardons et grosses ablettes. Quant aux grosses pièces, je dois dire que l'un des poissons les plus unanimement méprisés — la brème — a été pour moi un des meilleurs que j'aie jamais mangés; c'était une pièce de deux kilos et demi que j'avais pêchée dans la Seine, puis simplement vidée, farcie de deux brins d'estragon, non écaillée, entourée de trois épaisseurs de papier d'aluminium et grillée quinze minutes sur chaque face sur un barbecue. Une merveille, une viande épaisse d'une blancheur émouvante et d'une pureté de goût exceptionnelle. Cette brème vivait sur fonds sableux, en eau courante et non polluée.

Il faut avant tout vider les poissons. Et les vider bien, sauf peut-être les petits rougets-barbets de roche. Deux organes doivent impérativement disparaître lorsqu'on prépare un poisson. D'une part le péritoine, c'est-à-dire la pellicule grise ou noire qui tapisse la cavité abdominale, qui n'a aucun intérêt gastronomique. C'est souvent par elle que commencent les processus de putréfaction, du moins elle est la première à prendre un goût peu franc et désagréable, de plus elle est laide. Et puis, il faut très consciencieusement vider tout le sang du poisson : ce dernier est généralement stocké dans le gros vaisseau situé entre le péritoine et l'arête dorsale. Il faut nettoyer sous l'eau courante du robinet en passant le doigt et un couteau pointu le long de cette arête, en pressant au besoin sur les flancs de l'animal. En effet, le sang est amer et peut dénaturer gravement le goût du poisson.

Quand on achète un poisson, il faut demander au poissonnier de le vider. Il fera le plus gros, mais il restera du travail de finition. Ne rechignez pas, il en va de la qualité du produit. Et si on a peur que les doigts gardent l'odeur, il suffit de mettre des gants.

Beaucoup de poissons sont couverts d'écailles, immangeables

et désagréables. Certains petits poissons, les ablettes, les gardons, les jeunes brèmes, etc., utilisées pour la friture, doivent être soigneusement écaillées avant cuisson — de même les darnes de gros poissons. Mais la plupart du temps, cette opération est inutile avant cuisson. Au contraire, l'organisation spatiale des écailles en fait de véritables armures qui s'interposent entre la source de chaleur extérieure et la chair du poisson, qui cuira de façon mieux contrôlée, et la chaleur se distribuera de façon plus homogène à l'intérieur. De plus, la perte d'eau sera moindre et le poisson restera plus moelleux. On comprend que dans le cas d'un poisson poché, on pourra ou non l'écailler, car la surface de contact entre eau et poisson sera très grande. Par contre, dans le cas d'un poisson cuit à la vapeur, par exemple avec des algues, ou encore en croûte de gros sel, il faudra absolument laisser le poisson intact et ne pas l'écailler. Dans le cas de la cuisson dans le gros sel, il est impératif de conserver les écailles ; elles empêchent la pénétration du sel dans la chair.

Le poisson peut être cuit entier, en tranches ou darnes, ou en filets. La cuisson de l'animal entier offre des avantages : la non-homogénéité de la structure crée des distributions de chaleur différentes à l'intérieur de l'animal, la peau et les écailles jouent le rôle d'une carapace, les arêtes apportent une nuance gustative. Les inconvénients sont évidents : tous les morceaux n'ont pas le même goût, les arêtes sont autant de désagréments, voire de repoussoirs, car elles sont nombreuses et effilées, les plus traîtresses étant généralement les plus fines. Il faut donc réfléchir, avant de servir un poisson, à qui il est destiné. S'il y a des enfants, il convient de choisir ceux qui ne risquent pas de les blesser. S'il s'agit d'un repas conventionnel, s'assurer également qu'il n'y aura pas trop d'arêtes. Par contre, pour un repas en solitaire ou avec quelques amis bien choisis, il ne faut pas hésiter à servir des poissons entiers. Chacun y mettra les doigts — après tout un rince-doigts permettra, à la fin du plat, de se débarrasser des dépôts laissés par le poisson. Mais sucer les tout petits bouts de chair situés entre les petites arêtes latérales d'une sole meunière est un plaisir simple et subtil qui vaut bien de se salir un peu.

Le poisson peut être coupé en tranches épaisses dans le sens transversal — on les appelle des darnes — se servent généralement grillées, parfois pochées.

La chair du poisson peut être découpée en tranches, en escalopes, en goujonnettes, etc. Parfois la découpe suit l'ordre anatomique. Un saint-pierre donne ainsi trois filets distincts sur chacune de ses faces, six en tout pour l'animal, une sole deux de chaque côté, quatre au total. Dans le cas des plus grosses pièces, la découpe ne suivra pas obligatoirement le même ordre. Respecter la direction des muscles qui constituent la chair permet d'éviter la désagréable surprise de retrouver le pavé ou l'escalope effilochés par la cuisson, la chaleur ayant suivi les plans de clivage intermusculaires et les ayant dissociés — c'est un risque qui menace particulièrement les gadidés : merlan, morue, etc.

Le gros avantage de la découpe en filets est la facilité et la rapidité de cuisson. Au restaurant, d'ailleurs, elle est devenue la seule, ou presque, forme de cuisson et de présentation. En effet, elle permet le service à l'assiette, avec son décorum individualisé.

Le poisson se mange cru ou cuit, chaud ou froid. Tous les poissons ou presque peuvent se manger crus, à condition d'être suffisamment gros. Le poisson doit toujours être très frais, mais pour le servir cru, cette exigence est encore plus contraignante. La chair du poisson cru est légèrement parfumée et se marie avec l'huile d'olive, le citron, l'aneth, le poivre, la ciboulette, la crème battue, etc. Le poisson cru ne se sert pas entier, mais coupé en très fines tranches, ou en petits cubes, ou émincé comme pour un steak tartare.

Les modes de cuisson sont multiples : à la vapeur, au four, poché, grillé, frit, poêlé. Chacun a ses qualités et ses indications. Il vaut mieux pocher un poisson qu'on mangera froid. En le laissant refroidir dans son jus de cuisson, il prendra une consistance ferme qui facilitera sa découpe. S'il doit être mangé chaud, il vaut mieux frire les petits poissons, griller ou poêler les escalopes et goujonnettes, et pocher ou cuire à la vapeur les plus gros. Bien entendu, il s'agit là d'indications générales et non de règles absolues.

Le poisson ne doit pas être trop cuit. Voilà trente ans, il avait souvent la consistance du carton mouillé tellement les temps de cuisson étaient longs. Est venue la mode du « rose à l'arête » et du mi-cru, mi-cuit. Certains poissons sont bien meilleurs ainsi, le saumon par exemple, qu'il soit cuit à l'unilatérale ou en escalopes à la façon des frères Troisgros. Ce n'est pas toujours le cas. De plus, si malencontreusement il n'était pas parfaitement vidé, le sang serait repoussé par la chaleur vers la grosse arête, arrosant la chair attenante, froide et crue, et lui communiquant une amertume qui ne constitue pas le sommet de l'art gastronomique! On comprend que la cuisson des grosses pièces n'est pas toujours aisée. C'est pourquoi on préférera cuire les gros poissons au court-bouillon, à couvercle entrouvert, ou à la vapeur — surtout pas à la cocotte-minute. Il sera plus facile d'ajuster le temps de cuisson et d'éviter de fâcheuses erreurs.

Je terminerai par ce qui est en réalité le commencement : le choix du poisson. Il y a trois façons de s'en procurer : le pêcher soi-même, disposer d'un vivier, en acheter au poissonnier.

Il est évident qu'on ne choisit pas les poissons qu'on pêche. On ne choisit pas non plus l'heure à laquelle on les attrape. Une grande bourriche en mailles textiles, profondément enfoncée dans l'eau de la rivière, assurera la survie des poissons non gravement blessés lors de la capture. Mais dans certains cas — par exemple les truites prises à la mouche, ou les mulets pêchés au bord de la mer — il est impossible de garder ses prises vivantes. Il faut alors les vider bien proprement en enlevant tout le sang et le péritoine, et les garder autant que possible à l'abri de la chaleur et des mouches, par exemple en les enveloppant de foin dans un sac en toile. Sinon, on risque fort de rapporter à la maison, le soir d'une belle journée d'été, un assortiment de chairs décomposées et nauséabondes.

Si on dispose d'un vivier d'eau douce ou de mer, ou si on y a accès, on peut y choisir poissons et crustacés vivants. C'est souvent ainsi que l'on trouve des homards ou des truites chez le poissonnier ; à la maison certains conservent des ablettes, des gardons ou des goujons, soit pour la consommation familiale, soit pour la pêche au vif. Les animaux du vivier sont forcément d'une fraîcheur exemplaire, mais leur qualité gustative dépend de leur régime alimentaire. Ce n'est pas parce qu'une truite est cuite « vivante » que sa chair est bonne.

La plupart du temps, on achète des animaux morts chez le poissonnier. Le choix doit être fait après inspection de l'étalage — cette recommandation est encore plus importante quand il s'agit de poisson. Il faut absolument n'acheter que du poisson extra-frais, en éliminant systématiquement tout ce qui paraît douteux ; et par exemple ne jamais acheter du poisson à midi sur un marché d'été lorsqu'il fait très chaud. Le bon poisson est brillant, il a l'œil vif, les couleurs claires et franches, les ouïes rosées, aucun relent âcre. Frais pêché, il est souple, puis il raidit — c'est la rigidité cadavérique —, enfin il se ramollit. Sauf exception — si on achète son poisson à un pêcheur qui rapporte sa marée —, le poisson frais est celui qui est rigide. Il est plus difficile d'apprécier la fraîcheur d'un poisson coupé en filets ou en gros morceaux. Mais là encore, il faut faire confiance à l'apparence — couleurs claires et vives, aspect brillant — et à l'odorat — odeurs fines, sans relents ammoniacaux ou nauséabonds — pour faire son choix. Dans le doute, une fois de plus, s'abstenir. Et si le poissonnier ne vous autorise pas à sentir son poisson (il est normal en revanche qu'il ne vous laisse pas le triturer car cette manipulation l'abîmerait), c'est un indice significatif : il faut aller acheter ailleurs.

Dans l'ensemble, mieux vaut éviter les poissons surgelés, car certains sont très abîmés par cette préparation. De plus, on ne sait pas à quoi ressemble l'animal décongelé. Souvent l'origine lointaine de certains produits cache des espèces sensiblement différentes, ou nourries différemment, avec des qualités gustatives bien inférieures. Il y a une part de loterie dans l'achat d'un poisson ou d'un crustacé surgelé : peu de gagnants et beaucoup de perdants. Bien sûr, on peut surgeler les poissons pêchés soi-même, mais il est aisé de constater qu'ils perdent souvent — quoique pas toujours — à ce traitement.

Le poisson est généralement pêché, et de plus en plus souvent, élevé. Après la truite et le saumon, l'élevage s'intéresse aux poissons de mer. Ainsi voit-on apparaître des bars bien calibrés, bien frais, rigides et brillants à souhait. Sont-ils moins bons que les poissons sauvages ? Peut-être un peu, mais ils gardent dans l'ensemble de grandes qualités ; de plus, compte tenu de la raréfaction de certaines espèces dans la nature, il y a là une manière de préserver l'équilibre naturel tout en offrant au consommateur des produits de qualité.

Car le poisson est un aliment qui convient particulièrement à l'homme moderne. Il est léger, peu calorique, de goût subtil, différencié selon chaque espèce. Il se cuisine de multiples façons, s'allie avec les sauces fines et donne les meilleures des fritures. Il aime le doux et la crème comme le piquant et le citron. Il peut être rigoureux et austère, ou bien sensuel et opulent. Il est de l'été comme de l'hiver. Il se fait soupe ou entrée, ou bien plat principal.

Mais en tout cas, en toutes circonstances, réalisons-le, il ne supporte que l'excellence.

Les poissons ont des arêtes, mais aussi des nageoires, des ouïes, des dents. Une manipulation sans précautions peut occasionner des blessures, coupures et piqûres qui peuvent être douloureuses et qui ont tendance, surtout au bord de la mer, à persister longtemps, voire à s'infecter. Il faut donc faire très attention en nettoyant le poisson, même le plus inoffensif en apparence, à fortiori ceux qui ont des nageoires empoisonnées (vive), dont le sang est censé être toxique (anguille) ou dont les arêtes dorsales sont particulièrement agressives (bar, perche, poisson-chat, etc.). Une solution simple : mettre des gants solides. Non seulement on protège ses mains, mais, mieux, elles ne garderont pas cette odeur tenace du poisson qui n'est peut-être pas ce qu'il a de plus agréable.

LES CUISSONS DU POISSON

La vapeur

La cuisson à la vapeur peut se faire avec ou sans pression. La cuisson avec pression présente l'avantage, en augmentant la température au-dessus de l'ébullition de l'eau, de diminuer les temps de cuisson. En ce qui concerne le poisson, ce gain est généralement faible et de peu d'intérêt, d'autant que la chair du poisson étant très sensible à la chaleur, une très faible variation du temps de cuisson peut entraîner des différences importantes de qualité.

Pas assez ou trop cuit, tel est souvent le poisson traité à la cocotte à vapeur sous pression. Mieux vaut l'éviter. De plus, les ustensiles conçus selon ce principe sont opaques et on ne peut donc vérifier l'état de l'aliment au cours de l'opération.

Par contre, la cuisson à la vapeur sans pression trouve là une de ses meilleures utilisations. C'est même un des modes de cuisson les plus faciles car l'eau qui s'évapore à 100° lorsqu'elle peut s'échapper librement, reste à cette température et environne l'aliment d'un brouillard humide — il n'y a donc ni perte d'eau ni dessèchement —, homogène et stable. Le temps de cuisson devient précis, fonction des caractéristiques du poisson : entier, en darnes, en filets, avec ou sans arêtes.

La cuisson à la vapeur permet d'aromatiser soit avec des éléments volatiles, comme le vin blanc, soit par adjonction de produits qui communiquent leurs arômes ou senteurs. Un exemple classique est la cuisson au varech : on place le poisson sur un lit d'algues, qui communiquent à la chair un goût de mer vif et discret.

Pour ce type de cuisson, on utilise un couscoussier ou un récipient spécial. Il faut régulièrement soulever le couvercle pour s'assurer de l'état de l'aliment. En effet, le poisson ne doit pas être trop cuit, car il perdrait sa légèreté et sa sapidité, cependant que sa consistance deviendrait de plus en plus désagréable.

Le pochage

Traditionnellement, on ne cuit pas le poisson au grand feu. C'est exact pour les longues cuissons des gros poissons qui doivent être conduites lentement. C'est également vrai pour ceux dont la chair est fragile. Mais il existe de nombreuses espèces, par exemple celles à chair ferme, qui sont excellents lorsqu'on les poche à feu vif, ce qui oblige à surveiller très précisément le temps et le mode de cuisson.

Les gros poissons cuits dans la poissonnière et destinés à être servis froids gagneront à y refroidir dans leur liquide. Un des problèmes posés par le pochage est le risque de voir le poisson s'effriter et s'émietter quand on le sort de l'eau. Ce risque est limité quand on emploie un instrument adapté à la taille et à la forme de l'animal ; mieux encore, si la poissonnière contient une grille intérieure, sur laquelle on l'a placé, il suffit d'enlever la grille contenant le poisson intact.

Les poissons pochés entiers doivent être méticuleusement vidés, mais pas obligatoirement écaillés. une fois cuits, il est préférable de les préparer avant de les servir en enlevant écailles, arêtes, petites nageoires, etc., ce qui peut se faire en partie sur la grille de la poissonnière et, en retournant l'animal, sur le plat de service. On peut ainsi présenter saumons, brochets, sandres, etc., délicatement disposés, beaux et appétissants.

Le gril de plein air

C'est un des modes les plus populaires en vacances. Pour que ce soit réussi, plusieurs conditions doivent être remplies. Le gril doit être très propre. Un ustensile encrassé de débris charbonneux laisse un goût d'amertume très désagréable. Il doit être fait d'un métal lourd permettant une diffusion homogène de la chaleur. Dans le cas des petits barbecues domestiques, les grilles souvent fines peuvent se déformer. De plus, le liquide (et éventuellement la graisse de la marinade) coule dans les braises et risque de faire flamber les aliments, ce qui est dangereux, et qui entraîne la formation de composés nuisibles pour la santé — outre qu'on a vite fait de transformer ce qui cuit en une masse charbonneuse et amère.

La cuisson au gril n'est donc pas si simple qu'il y paraît. L'idéal serait de disposer d'une source de chaleur située non pas au-dessous, mais à côté de l'aliment, afin de permettre l'écoulement des sucs de cuisson et leur récupération. Le feu doit être de température homogène — les braises et non le feu vif permettent de l'obtenir —, mais pour une durée limitée. Il est donc délicat de cuire une grosse pièce. Par contre, petits poissons et darnes se comportent très bien. On peut les placer directement sur le gril, de préférence après les avoir huilés, très légèrement au pinceau. On peut aussi les envelopper dans du papier aluminium, mais on perd le contrôle visuel. Un dernier mot : il faut limiter l'usage des herbes aromatiques, tout particulièrement des redoutables « herbes de Provence ».

Le four

Le four à micro-ondes garde ses adeptes. Il est possible de l'utiliser pour la cuisson de certains filets, mais le réglage du temps et de la puissance est délicat et cette méthode comporte plus de risques d'échec qu'une autre.

Le plus utilisé est le four dit à convection. S'il n'y a pas de ventilation intérieure, du côté de la source de chaleur il fait plus chaud. L'aliment cuit donc de manière non homogène (à moins qu'on ajoute un liquide, pour atténuer ce phénomène). Par ailleurs, l'évaporation va dessécher le poisson, cependant que la concentration progressive du liquide va s'accompagner de l'imprégnation de divers arômes, notamment des sucs du poisson en train de cuire.

On voit cependant que, même en ce cas, persiste une différence entre la partie du poisson humidifiée en permanence, puisqu'en contact direct avec du liquide, et la partie qui ne l'est pas. Il faut donc soit ouvrir régulièrement le four pour arroser, soit cuire l'animal sans l'écailler, ce qui le protège de l'évaporation. Une autre solution consiste à envelopper le poisson dans une seconde enceinte qui fait office de four dans le four : ce peut être du papier aluminium ou une croûte de gros sel. En ce cas, il faut être sûr du temps de cuisson puisqu'on perd le contrôle de la vue.

Si le four dispose d'une soufflerie (chaleur tournante) la chaleur distribuée est la même partout. Cependant, les risques de dessèchement demeurent importants.

On peut enfin se servir du gril du four : on cuit ainsi par convection et radiation avec un fort gradient de température. C'est le haut qui cuit, cependant que le bas reste à peu près froid, sauf s'il s'agit d'un gril ventilé. Ce mode de cuisson est réservé à certains cas précis, généralement à des poissons coupés en tranches fines et dont on veut s'assurer que la cuisson sera très précise, voire incomplète, si on recherche un effet mixte : un côté cuit et chaud, l'autre cru.

La cuisson meunière

C'est un mode de cuisson remarquable, apparenté à la friture, mais cependant différent. On utilise un corps gras : beurre, beurre clarifié ou mélange beurre et huile. Le poisson entier, nettoyé et écaillé, ou découpé en filets, goujonnettes ou darnes, trempé dans le lait puis la farine, est plongé dans le corps gras chaud. La cuisson est conduite entre feu doux et feu moyen. Le poisson est retourné à mi-cuisson.

Un bon poisson meunière, servi avec du citron et une herbe fraîche ciselée, généralement du persil, peut être un chef-d'œuvre.

Braisage et sauté

Le poisson peut se cuire à la poêle et en cocotte à petit feu ou à feu vif. Dans le premier cas, on l'accompagne d'aromates, d'épices, d'herbes et de fumet, éventuellement additionné de légumes. Le temps de cuisson dépend de la taille du poisson : on calcule le volume de fumet en fonction du volume de l'animal. Dans le cas de grosses pièces, on cuit en les recouvrant d'un couvercle. Une surveillance régulière s'impose évidemment.

A feu plus vif, les temps de cuisson sont évidemment réduits, et ce mode, fort efficace et aisé à contrôler, ne s'applique qu'à des poissons de taille petite ou moyenne, ou à des animaux découpés en darnes, en filets ou en goujonnettes. Le feu vif nécessite une surveillance continuelle.

La friture

C'est le poisson qui donne les meilleures fritures. Si on peut frire n'importe quel poisson, ce sont les petits, voire les tout petits, qui sont le mieux adaptés à cette méthode.

Dans tous les cas, et même s'il s'agit de tout petits — équilles, sprats, goujons —, il convient de les vider. Il existe des recettes illusoires pour enlever l'amertume des fritures de vairons, car le goût désagréable est celui du contenu abdominal. Un vairon vidé n'est jamais amer.

Plus petit est le poisson, meilleure est la friture. Un poisson de quatre ou cinq centimètres est idéal, car on peut manger la tête, les nageoires et les arrêts sans désagrément. Le poisson nettoyé et lavé doit être séché soigneusement, roulé dans la farine, tapoté pour en enlever l'excès et cuit dans l'huile très chaude. On le retire lorsqu'il est bien roux, croquant. On le sale et on le sert avec du citron. Dans certains cas, particulièrement lorsqu'il s'agit de filets de poissons de plus grande taille, on peut les paner : on les passe d'abord dans la farine, puis dans le jaune d'œuf battu, puis dans la chapelure. On cuit ensuite au beurre ou à l'huile chaude. C'est excellent pour le merlan ou la morue par exemple, mais il faut se rappeler que le corps gras va se fixer beaucoup plus sur le revêtement, ce qui en augmente considérablement le contenu calorique et, dans le cas du beurre, le cholestérol. Il existe encore d'autres modes de fritures, où le poisson ou le crustacé est entouré d'une pâte à beignets, comme le tempura japonais. La fixation d'huile y est importante.

LES ARISTOCRATES MARINS

La barbue et le turbot

La sole est l'aristocrate, le carrelet le prolétaire. Voici les bourgeois, arrondis, ventrus, de forme déjà étudiée pour le plat rond dans lequel on les sert. Chers, cuisinés avec du vin, de la crème, enrichis d'épices, de safran, flanqués d'échalotes et de petits caïeux d'ail, ils forment le plat principal des repas nantis.

Leur bonne chair épaisse, ferme, ronde, dissimule le muscle, bien blanc et tendre à condition qu'il ne soit pas trop cuit. Ce sont de très beaux poissons, faciles à nettoyer, faciles à cuire, faciles à éplucher et à servir.

Plus jeunes, on peut faire griller les petits turbots, ou turbotins.

Le bar

Le bar — loup en Méditerranée, *sea bass* en Amérique — est un poisson brillant et vif, carnassier redoutable qui vit en petites bandes le long des côtes. Il aime l'écume et on le pêche du bord, là où les vagues se brisent. De taille variable, on trouve des pièces de deux cents grammes à quelques kilos. Il peut être aussi d'élevage (corse, par exemple).

Servi entier, le bar flambé au fenouil était un plat quasi inévitable il y a une vingtaine d'années. On le trouve aujourd'hui plus fréquemment sous la forme de filets, de minutes, voire de tartare au restaurant. Plus que tout autre poisson, c'est en effet le favori des chefs et il n'est d'établissement de classe qui n'en propose à sa carte. C'est que sa chair très blanche, très fine, facile à lever en filets et à désarêter, se prête à toutes les cuissons classiques et à d'innombrables accompagnements. De plus, il est très populaire et demandé. Tout cela a un inconvénient : le prix, mais il le vaut bien.

Les daurades : daurade royale, sar, saupe, pageot, marbré, denté, red snapper, daurade grise, etc.

C'est toute une famille de poissons, de mœurs et de goût fort divers. Le goût dépend tout particulièrement de ce qu'ils mangent. Certains, la saupe par exemple, vivent en troupeaux qui broutent les champs d'algues vertes et présentent fréquemment un fort goût végétal peu agréable. A l'opposé, le denté ou la daurade royale sont des poissons très fins et recherchés. C'est également le cas du red snapper, très apprécié outre-Atlantique.

Les daurades sont des poissons plats qui se tiennent dans l'eau verticalement. Ils vivent près des rochers ou sur le sable. Certains recherchent particulièrement les fonds vaseux et la proximité des égouts, ce qui n'est pas sans influer sur la qualité de leur chair. Certaines daurades sont d'élevage (Corse).

On utilise ces poissons grillés ou frits, au four lorsqu'ils sont gros. Il faut faire attention au temps de cuisson, car ils ont tendance à sécher.

Les grenadier, béryx (empereur), maigre (courbine), etc.

Tous ces poissons de mer, fort divers à vrai dire et de goûts et consistance variés, ont en commun d'être vendus en filets. On trouve parfois le maigre vendu entier, ressemblant d'ailleurs à un gros bar.

Ils peuvent être cuits meunière, à la vapeur, rôtis, au court-bouillon, etc. Leur chair est fine et on les trouve fréquemment au menu des restaurants. Cependant, et c'est d'ailleurs aussi le cas du mahi mahi comme de tous les poissons vendus en filets, ils laissent insatisfait car cette présentation a souvent comme résultat de gommer les goûts spécifiques. Bien sûr, les filets sont plus faciles à cuire et à manger que les poissons entiers — pas ou peu d'arêtes, temps de cuisson standard —, mais ils tendent à se ressembler tous. Les arêtes, surtout l'arête dorsale, apportent un goût et une consistance que le meilleur des filets ne saurait avoir.

La lotte

La lotte de mer — celle de rivière, pour laquelle « femme vendrait sa cotte », est devenue trop rare pour en parler ici — est la version commerciale d'un poisson monstrueux, la baudroie. Dotée d'une énorme gueule, la tête est celle d'une créature digne des personnages infernaux de Jérôme Bosch. La peau épaisse et visqueuse ne fait qu'ajouter à l'aspect répugnant de l'ensemble. Eh bien, comme le fumier de Job était l'enveloppe d'un cœur pur, la carapace hideuse et repoussante renferme une chair ferme et souple, noble et blanche, de plus totalement dépourvue de ces arêtes traîtresses qui truffent la chair des autres poissons. On ne trouve qu'une arête centrale cartilagineuse et bonasse, qui ne menace aucune gorge, aucun estomac. La lotte, chair de la monstrueuse baudroie, est la pureté faite poisson.

La lotte, en France, est un poisson cher. Dans un gros animal vendu pelé, les déchets ne représentent que 10 %. Ils atteignent 50 % chez les petits non pelés. Il faut donc faire attention en achetant, les bonnes affaires ne sont pas forcément celles qu'on croit. En définitive, le prix payé est celui de la chair que l'on mange, pas de ce qui va à la poubelle !

La lotte peut se cuire entière, comme un rôti ou un gigot, ou en morceaux. Les meilleures recettes se font avec des cubes de deux à trois centimètres de côté ; des cubes plus petits, de l'ordre de un centimètre, peuvent entrer dans certaines salades.

La lotte est bien meilleure ferme, c'est-à-dire soit crue — mais il y a d'autres poissons plus intéressants —, soit mi-cuite. En cuisant, elle rend de l'eau. Il faut donc procéder en deux fois : on la fait sauter rapidement à grand feu et on la réserve dans un saladier pendant quelques minutes. Le liquide rendu à la fois dans le récipient de cuisson et dans le saladier peut être utilisé à la place d'un fumet pour servir de base à la sauce d'accompagnement. La cuisson définitive se fait au dernier moment.

On comprend que la lotte soit un élément sûr et prestigieux des dîners de qualité, particulièrement quand on a peu de temps. La première partie de la préparation se fait avant l'arrivée des invités. La finition a lieu au moment où ils s'installent à table, ou après les hors-d'œuvre, et ne prend que quelques minutes. Finalement, elle vaut son prix, tant elle est tendre, fine et goûteuse. Et quel bon caractère !

Le mahi mahi, ou dauphin

Du dauphin, il n'a que le nom et l'autre appellation est de consonance Pacifique. C'est un poisson très populaire aux États-Unis. Il offre en effet tous les avantages : il a peu d'arêtes, il peut être congelé et découpé à la scie circulaire en tranches à peu près égales dans toutes les dimensions. Le poisson rêvé pour les amateurs de McDonald ou de Kentucky Fried Chicken.

Il risque de débarquer en France, alors autant le signaler. Est-il vraiment aussi bon que le disent les Américains ou aussi quelconque qu'il apparaît ? A chacun d'en décider. Cependant, même apprêté ainsi, il faut dire qu'il possède un intéressant potentiel gustatif.

Le mahi mahi est un coryphène allongé et pesant une vingtaine de kilogrammes, dont le mâle présente une crête osseuse sur le front lui donnant une allure particulière.

« La splendeur du coryphène expirant restera toujours à décrire. Comment à l'aide de mots, montrer la féerie colorée qu'offre la robe de ce poisson dans les soubresauts de l'agonie ? Plus vite que l'œil ne peut les suivre, les changements de teinte se succèdent, l'or étincelant élimine le bleu électrique, le vert émeraude et l'argent supplantent l'or... Ce chatoiement dure quelques minutes. Dans le calme de la mort, voici le coryphène terni, habillé en poisson pélagique, bleu-gris sombre sur le dos et blanchâtre sur le ventre. Des traînées jaunes et vertes maculent la tête [1]. »

Le mérou

Comme on le sait, le mérou est un gros poisson qui vit dans des trous rocheux à des profondeurs variant de quelques mètres à plusieurs dizaines de mètres. Il s'apprivoise facilement.

1. Raymond Bagnis, Philippe Mazelier, Jack Bennett et Erwin Christian, *Poissons de Polynésie*, Éditions du Pacifique, 1972.

Bien qu'il soit en voie de disparition à cause de la pêche intensive dont il est l'objet, on le trouve régulièrement proposé par certains poissonniers. L'explication ? Très simple : ce n'est pas le même mérou. Celui qu'on achète est le mérou de sable, souvent pêché au chalut dans le golfe de Gabès. Il est moins délicat, mais reste cependant très agréable.

Car le mérou est un des meilleurs poissons. On le découpe en darnes ou en filets que l'on fait griller, frire ou pocher. Ou bien on le poche et on le sert entier. Servi froid, c'est un des poissons les plus spectaculaires et goûteux.

La rascasse ou chapon

Parmi les poissons relativement communs sur les étals hexagonaux, la rascasse dispute à la baudroie la place de poisson le plus hideux. A ce concours c'est probablement elle la perdante car on la vend avec sa tête, ce qui n'est pas le cas de sa concurrente, devenue lotte pour la circonstance. Et comme cette dernière, mais dans un registre différent, sa chair est blanche et délicate. On la présente en filets, cuits meunière ou pochés. Ou encore entière, vidée par le dos, farcie et rôtie : c'est le chapon farci, grand classique de la cuisine franco-méditerranéenne.

Le rouget-barbet

Le rouget, dit barbet par opposition au grondin, est un petit poisson de forme très reconnaissable avec son dos arrondi et ses couleurs inhabituelles, aux nuances variant d'un élégant orangé à un rose bonbon presque artificiel.

Le rouget est de roche ou de sable. De roche, il est particulièrement recherché, celui de Méditerranée surtout. On le sert grillé ou poêlé ; les chefs adorent en proposer des petites salades, où il se présente en filets désarêtés à la pince à épiler, disposés en étoile ou toute autre forme géométrique, en tout cas en petite quantité. Car le rouget est cher. Très demandé au restaurant où avec le loup (bar), le saumon qualifié de sauvage pour la circonstance — si tant est qu'il le soit — et quelques poissons plats, il représente le haut de gamme de la qualité et du prix. En tout cas, son goût est unique, musqué, très particulier, et peut surprendre celui qui ne le connaît pas.

Exceptionnellement, le rouget ne se vide pas, mais il doit être très frais. Ses intérieurs peuvent également être écrasés pour servir à la sauce. Il aime l'huile d'olive, mais aussi la crème, les légumes du Midi comme ceux du nord de la Loire. Il s'allie volontiers à l'anchois de conserve, dont le goût s'harmonise avec la sauce qui l'accompagne.

Mais le rouget est aussi de sable, souvent beaucoup plus gros, même s'il reste de dimension modeste : deux cent cinquante grammes maximum. On le trouve aussi dans la Manche et dans l'océan Atlantique. S'il provient de fonds sableux et propres, sa chair en est fine, peut être moins personnelle et caractéristique que celle du rouget de roche. Néanmoins, il reste un poisson de race, excellent grillé ou simplement sauté dans un peu de beurre.

Le saint-pierre

Ce poisson plat, à posture verticale, marqué d'une grosse tache noire, est un aristocrate de la table. On le sert en filets, qui se lèvent très bien. Curieusement, on en individualise aisément trois de chaque côté. Sa chair, ferme et très blanche, racée, se tient bien à la cuisson et s'harmonise avec beaucoup de sauces fines.

C'est un poisson cher et même, comme il y a beaucoup de pertes, vraiment très cher.

Il se prépare poché, à la vapeur ou grillé.

La sole [1]

La sole est un poisson plat qui vit au fond de la mer, sur le sable ou sur la vase. Selon son origine, son goût est commun ou excellent. Une sole vivante est très vigoureuse et se débat en se tortillant.

La sole doit être vidée. On enlève également la peau grise de la face supérieure.

Selon la taille, la sole se mange entière ou en filets. Sa chair est très blanche, très dense. Elle se prête à de multiples préparations. Elle est l'espèce reine des cuisiniers classiques, qui ont inventé une multitude de façons de l'accommoder. Pourtant, elle n'est jamais meilleure que meunière, simplement cuite dans un

---

1. On vend sous le nom de sole d'autres poissons de la même famille (plie canadienne, plie grise, plie rouge) au Canada.

beurre pas trop chaud. Ah si, une exception : la sole à la normande — celle dont La Reynière donne la recette dans ses *100 merveilles de la cuisine française* — merveille en effet, mais quel travail !

Le thon

Enfant, je détestais le thon. Chair épaisse et trop cuite, sèche au milieu, entouré de tomates délitées, noyées dans des liquides aux goûts peu nets, et en tout cas désagréables. Pendant longtemps cette aversion a persisté, malgré l'intérêt du thon à l'huile de Sidi Daoud fourré dans un casse-croûte tunisien — un bon — ou ajouté à une salade niçoise.

C'est que le thon se laisse volontiers séduire par la médiocrité. Il résiste mal à une trop longue cuisson ou à un assaisonnement mal considéré. Malgré son apparence solide, épaisse, il est très sensible aux conditions de préparation et aux aromates, épices et ingrédients qui l'accompagnent.

Le thon est un poisson bleu, un scombridé, de la même famille que le maquereau, donc riche en graisse. N'en surestimons toutefois pas l'importance. Même « gras », les poissons, tous les poissons, restent essentiellement composés d'eau ; ils sont donc peu caloriques, les gras juste un peu plus riches que les maigres.

Il existe plusieurs sortes de thons. En pratique, on trouve parfois le thon blanc ou germon, ou la bonite, petite espèce apparentée qui ne dépasse guère deux ou trois kilos, et surtout le thon rouge, souvent très gros, et servi en tranches ou en pavés.

C'est celui-là le meilleur. Il faut le choisir clair et tirant plus sur le rose que sur le noir. Il doit être brillant, avec une chair ferme et élastique.

Le thon se mange cru ou cuit. Il peut être conservé dans l'huile ou au naturel. Comme la lotte, il faut le cuire peu, et donc surveiller très précisément sa cuisson.

LES HUMBLES DE LA MER

L'anchois

L'anchois est un petit poisson de mer qui ressemble un peu à une sardine. C'est d'ailleurs lui aussi un poisson bleu, qui se prête aux mêmes cuissons qu'elle : grillé, doucement sauté au beurre, en croûte de sel ou en escabèche, et pourquoi pas, cru.

C'est aussi, et peut-être surtout, l'anchois conservé dans le gros sel ou dans l'huile, que l'on peut utiliser tel quel (dessalé bien sûr) sur un sandwich ou sur un canapé — ou écrasé et mélangé avec du beurre pour faire de la pâte d'anchois, elle aussi fort utile pour la confection de petits en-cas.

Mais l'anchois, c'est beaucoup plus. C'est une sorte de philosophie de la cuisine qui se distribue de façon sporadique tout autour de la Méditerranée. Il s'y marie avec l'huile d'olive, dans le cru comme dans le cuit. Combien de recettes commencent par « Faites fondre deux anchois dessalés et désarêtés dans deux cuillerées d'huile d'olive »! C'est un ton, un goût ou un arrière-goût selon l'utilisation. Une marque en tout cas.

L'athérine

En bancs serrés, les athérines étincellent au soleil, rangées côte à côte en disposition parallèle et régulière, fragmentée par l'arrivée brutale d'un prédateur, bar, orphie ou autre maquereau, venu prélever son tribut. Les athérines, ou faux éperlans, se prennent à la ligne dans les ports ou au bord des rochers. Elles sont très vigoureuses. Leur chair est très particulière, avec un arrière-goût de violette. Elles font une excellente friture.

Le barracuda

Une gueule toute en dents. Une taille relativement petite, mais une férocité légendaire. Le barracuda se trouve à Montréal dans les poissonneries, surgelé. Bien qu'il ressemble vaguement à un brochet, son goût est plus proche de celui des poissons bleus. Peut-être est-ce l'effet du froid, mais ses qualités gustatives semblent bien limitées. A regoûter, peut-être.

Le carrelet, la plie et la limande

Ce sont les prolétaires des poissons plats, surtout le carrelet, avec ses petits pois orangés parsemés sur son dos comme sur une jupe. Comme ils ne coûtent pas cher, on considère qu'ils sont de qualité médiocre. Il faut bien dire que le carrelet frit des restaurants pour étudiants et pour bidasses, celui du *fish and chips* anglais, n'a pas de quoi bouleverser l'âme du gastronome.

En fait la qualité de ces poissons, comme de tous les poissons du fond des mers, dépend justement de la nature de ces fonds. S'ils vivent sur du sable, à l'embouchure d'une rivière d'eau claire, leur chair est très fine, dans un genre différent pas vraiment inférieure à celle de la sole. Sur fonds vaseux, à l'embouchure d'un fleuve pollué, au débouché des égouts municipaux, riches d'ailleurs en substances nutritives, on obtient ces poissons qui semblent avoir été inventés pour des restaurants d'abattage. S'ils étaient à la mode, on les croirait faits pour certains de ces fast-foods, lieux reproducteurs de faux goûts dont la qualité principale est la constance dans la médiocrité.

Les poissons plats sont des êtres résistants et solides. Ils ne meurent pas immédiatement sortis de l'eau. Plusieurs heures après qu'ils ont été pêchés, ils sont toujours vivants pour peu qu'on les ait conservés dans un milieu humide, par exemple en les recouvrant d'algues vertes ou de goémon. Il est donc regrettable qu'on ne les trouve pas encore vivants sur les marchés et chez les poissonniers.

Car le carrelet de bonne origine, tué et nettoyé immédiatement, n'est pas ce médiocre, ce mal-aimé, mais un poisson magnifique, qui se marie à merveille avec le beurre lorsqu'il est petit et avec le cidre ou le vin blanc lorsque, gros ventru, on le cuit au four.

Le congre et la murène

Ressemblant à des anguilles de mer, mais dotés de dents acérées et dangereuses, congre et murène vivent dans des trous, dans les sols rocheux.

Agressifs et carnivores, ce ne sont pas des voisins très commodes. On les pêche à la ligne ou au fusil-harpon. Capturés, ils se défendent avec vigueur. Une murène blessée peut devenir dangereuse. Certes, il ne faut rien exagérer, mais ses morsures ne sont pas inoffensives.

Le congre et la murène ont une chair blanche et épaisse, un peu élastique, agréable sans atteindre la qualité de la lotte ou de la sole. La chair de la murène est plus « grasse » que celle du congre.

La partie située près de la queue est pleine d'arrêtes, c'est pourquoi on l'utilise pour faire le bouillon de la bouillabaisse ou de diverses autres soupes, cotriade par exemple. Par contre, le haut et le milieu de l'animal peuvent être grillés au feu de bois ou pochés et servis en sauce.

L'espadon

L'espadon a-t-il un secret, comme le pensait feu E.P. Jacobs ? Nul ne le sait. Mais la silhouette si particulière de cette sorte de spadassin des mers, apparemment prêt à en découdre avec tous, n'est pas du genre à se faire oublier. Ses mœurs semblent bien éloignés pourtant du rôle que lui attribuent les dessins animés et bandes dessinées, celui du pourfendeur et du naufrageur.

L'espadon est un gros poisson qu'on trouve sous forme de grosses darnes. On les frit, on les cuit meunière ou à la vapeur. La chair est ferme et agréable, mais on sent chez lui la même tendance que chez le mahi mahi : on dirait qu'il a été conçu spécialement pour que, congelé, on le découpe à la scie circulaire en tranches strictement égales — pas de jaloux au restaurant. Une sorte de poisson préfabriqué.

Le flétan

C'est le poids lourd des poissons plats, de la même famille que la sole, le turbot ou le carrelet. Il peut atteindre des dizaines de kilos, mais ceux qui sont proposés dans le commerce sont souvent moins gros. Le flétan, *halibut* en anglais, est très prisé outre-Manche alors qu'il reste presque inconnu chez nous. C'est pourtant un bon poisson qu'on peut préparer de multiples façons : grillé, poché, poêlé ou frit.

Le haddock

Le haddock, mieux connu pour avoir donné son nom à un célèbre capitaine que pour son utilisation culinaire, est la forme commerciale sous laquelle sont vendus des filets fumés frais d'un poisson de la famille de la morue, l'églefin, et qui, trop pêché, devient rare de nos jours. En effet, il est à juste titre beaucoup plus populaire outre-Manche.

Classiquement, il se fait adoucir pendant une ou deux heures dans du lait. Il est ensuite poché ou cuit à la vapeur et servi avec des pommes de terre à l'eau. Il peut aussi être poché dans le lait, bien sûr.

C'est une préparation agréable, qui s'accommode d'autres garnitures — sauce crémée ou beurre fondu —, facile et rapide à réaliser et qui, sans atteindre des sommets prestigieux, est de goût honorable.

Le hareng

Le hareng est un timide. On le trouve parfois frais. C'est peut-être ainsi qu'il est le meilleur, frais pêché en saison, nettoyé, émincé et servi cru avec des rondelles d'oignon, comme à Amsterdam, où l'arrivée des *maatjes* est guettée chaque année par les amateurs de cette chair douce et délicate, que l'on mange souvent en plein air. Le hareng, poisson d'eau froide, est particulièrement apprécié des Scandinaves qui le préparent de multiples façons : à l'aigre-doux, à la crème, à l'aneth, etc. Manifestement, le hareng frais n'est pas apprécié à sa juste valeur sous nos climats.

On le trouve en effet souvent salé et séché, et plus souvent encore conservé salé en petits paquets. On les fait dessaler, au lait de préférence, puis on les assaisonne avec des aromates, oignons, échalotes, rouelles de carottes, et on les sert traditionnellement avec des pommes de terre à l'huile. Le hareng peut également faire de délicates mousses, en particulier en association avec le poireau. On en fait aussi des *rollmops*, filets frais enroulés autour d'un condiment, maintenus par une cheville de bois et conservés dans du vinaigre d'alcool. Ou encore des *kippers*, des *bouffis*, etc.

Le lieu noir et le colin

De statut plus ou moins prestigieux, ce sont des poissons de la famille des gadidés — famille fragile, chez qui la putréfaction abdominale se fait rapidement. Le lieu est donc souvent vendu en filets levés sur le lieu de pêche et les colins sont vendus vidés.

Le lieu noir est bon marché, le colin cher. On comprend mal que ce dernier ait eu — ait toujours — le statut considéré dont il jouit. Ce sont les moins intéressants des poissons de cette famille, même s'ils sont de qualité honorable. Le lieu noir se prépare frit ou meunière. Le colin se cuit traditionnellement au court-bouillon et fait l'entrée des repas du dimanche ou des invitations conventionnelles de la bonne bourgeoisie.

Le maquereau

De la famille des scombridés — celle du thon —, c'est un poisson bleu, donc gras. Attention toutefois, un maquereau dont la couleur est franchement bleue est trop vieux — il faut l'éviter.

Sorti de l'eau, ce zèbre ou ce petit tigre — car ses mœurs l'apparentent plutôt à ce dernier—, rayé de noir, est d'un vert presque jaune. Mort, il se raidit et prend une belle couleur vive, verte, bien claire et brillante. Il bleuit lorsque la rigidité fait place au ramollissement de la chair.

La chair du maquereau est épaisse, compacte, de couleur brun très clair avec quelques zones plus foncées sur les flancs. Elle a relativement peu d'arêtes, du reste faciles à enlever.

Le maquereau se mange frais, mais il peut également se conserver, les très petits ou *lisettes* à l'huile, les autres au naturel ou encore au vin blanc.

On trouve depuis quelques années des filets de maquereaux salés, poivrés et fumés qu'on peut utiliser à l'apéritif ou en entrée.

Le maquereau est un des poissons les moins chers, un des plus abondants sur les étals. Les plus appréciés sont les lisettes qui autrefois approchaient les ports de l'Ouest au tout début de l'automne et qui se consomment grillés, servis avec une noisette de beurre.

La chair du maquereau devient facilement sèche. Elle est plus consistante et calorique que fine. Le maquereau se cuisine au vin blanc, se fait griller ou poêler. Il aime l'accompagnement d'aromates ou de fruits acidulés, dont celui de ces grosses groseilles vertes ou rouge-brun appelées à cause de cette affinité groseilles à maquereau. Une association à ne pas manquer à la saison de ces fruits, au tout début de l'été.

Le merlan

Que voici un mal-aimé! Le merlan, parce qu'il n'est pas cher, est à peu près absent des cartes de restaurant. Et pourtant, c'est un poisson particulièrement fin. Comme tous les gadidés, il ne supporte ni la chaleur ni le très grand froid. Il n'est donc bon que frais, excellent que très frais. Il convient de le nettoyer avec minutie, en enlevant le péritoine, c'est-à-dire la membrane noire qui couvre la cavité abdominale, et bien sûr, de gratter la partie située contre la colonne vertébrale pour enlever tout le sang qui à la cuisson le rendrait amer.

Le merlan se cuit entier ou en filets. Il peut être écrasé pour faire des farces. Seul point noir : attention aux arêtes.

La morue fraîche (ou cabillaud) et le lieu jaune

La morue était commune. Trop pêchée, elle se fait plus rare, et à cause de cette relative rareté son prix a quelque peu augmenté. Du coup, on la trouve beaucoup plus fréquemment sur la carte des restaurants où elle fait office de poisson mi-cher, mi-bon marché : bonne occasion dans un grand restaurant, plat de prestige d'un petit. La renommée gastronomique d'un poisson semble souvent liée à son prix.

La morue et le lieu jaune comptent parmi les meilleurs des gadidés — la famille du merlan. Leur chair est fine et légère, bien blanche, et se marie parfaitement avec les sauces crémées, avec le cidre et le vin blanc. Un très bon plat : le lieu jaune à l'ébouriffée de poireaux.

Les revues *La Bonne Cuisine* et *Cuisine gourmande* annoncent l'arrivée du *skrei*, haut de gamme du cabillaud, pêché en février et mars dans les îles Lofoten en Norvège, dont les femelles seraient les plus délicates.

Le mulet

Le muge ou mulet est un poisson vivant tout près de la côte, surtout rocheuse, mais c'est principalement dans les estuaires, dans les ports qu'il se rencontre, tournant et retournant en petits bancs dont tous les individus sont de même taille. Les différents groupes se croisent mais ne se mélangent pas.

On peut trouver des mulets de taille extrêmement diverse, la majorité se situant entre cent cinquante et cinq cents grammes. Il en existe de plus gros pouvant atteindre deux ou trois kilos.

La chair du mulet peut être sèche ou se déliter, elle peut aussi être tendre et fine. Selon l'origine, elle sentira les égouts ou aura la saveur iodée et vivifiante de la mer. Poisson à haut risque donc. Encore une fois, il faut en connaître l'origine.

Avec ses œufs salés et séchés, on fait la poutargue, fort prisée en Afrique du Nord. Cette préparation peut se couper en fines tranches et se servir à l'apéritif avec du citron ou se malaxer et se mélanger à d'autres ingrédients pour donner le tarama. Aujourd'hui le tarama est surtout fait à partir des œufs de cabillaud, mais on peut s'étonner que ce poisson d'eau froide soit à la base d'une recette de la Méditerranée orientale.

L'orphie

On la trouve parfois sur les marchés, ou chez les pêcheurs de retour de la pêche au maquereau qui les prennent à leurs « mitraillettes ». De section ronde, avec une tête en pointe, très allongée, l'orphie se signale en plus par une étrange arête centrale verte et hexapointe. De qualité gustative moyenne, on peut la frire ou la griller.

Les requins

De la grande famille des requins, on trouve régulièrement deux spécimens sur les étals : la roussette d'abord, généralement vendue pelée et qui se présente sous la forme d'une sorte de rôti de mer allongé de couleur rosée ; moins fréquemment le chien de mer, ou ha, plus gros et à chair blanche. Ce sont des poissons fermes, très agréables à manger, et de goût plaisant à défaut d'être très complexe. Ils font partie de certains plats rustiques traditionnels des bords de mer.

Les plus grands requins sont exceptionnellement proposés à la vente. Ainsi que le déclare le professeur Tournesol dans *Le Trésor de Rackham le Rouge*, on considère que les ailerons sont excellents, les Chinois en font un potage célèbre. Le plus souvent on présente les requins sans tête, comme c'est le cas de l'ange de mer ou du veau de mer. Le foie a la réputation d'être toxique.

Les requins, préparés au court-bouillon, sont dépouillés et servis avec une sauce relevée.

En dehors d'une grosse arête centrale d'ailleurs relativement peu agressive, ils sont dépourvus de ces épines fines et traîtresses qui rendent périlleuse la dégustation de poissons plus estimés parce que dotés d'une chair plus appréciée.

Le rouget-grondin

C'est un poisson étrange : il a une section quadrangulaire, une tête à nulle autre pareille, une couleur rose-rouge inhabituelle et de plus son nom, le rouget, prête à confusion avec celui du rouget-barbet auquel à vrai dire il ne ressemble guère.

Il n'est jamais très gros et ne coûte pas très cher. Attention cependant, car il y a plus de 50 % de pertes. De goût agréable, il est utilisé en soupe, en filets ou entier au four.

Le sabre

Beaucoup plus apprécié en Italie où on le retrouve fréquemment dans le *fritto misto di pesce*, le sabre est apparu timidement sur les étals hexagonaux il y a quelques années. Sa forme est particulière : c'est un long ruban plat et argenté épais de deux centimètres, large d'une dizaine, long de plus d'un mètre — un vrai sabre, mais souple.

Le sabre se coupe en tronçons et peut se préparer grillé ou meunière. Sa chair est ferme et fine. Attention : à la cuisson, il répand souvent une odeur bien peu plaisante.

La sardine et le sprat

Elle sent mauvais quand on la cuit, plus encore que le hareng ou le maquereau, et cette odeur désagréable est persistante, insidieuse, rémanente. En prime, la sardine est pleine d'arêtes. Lorsqu'on la prépare, elle laisse un dépôt gras et poisseux qui couvre les mains, le couteau, les ciseaux et l'évier. Finalement, son goût n'est pas d'une finesse extrême. En plus, c'est un poisson bleu, donc gras. Qu'ont donc la sardine, et son petit frère le sprat, pour se justifier, pour plaire ?

D'abord son prix. C'est vrai qu'elle n'est pas chère. Et puis elle se marie très bien avec l'huile lorsqu'elle est en conserve, dotée de la propriété inhabituelle de se bonifier avec l'âge.

Autrement, il faut ruser. C'est-à-dire la prendre à rebrousse-poil. On peut, fraîche, la vider, l'écailler, la couper en deux pour enlever l'arête principale et les nageoires et la cuire simplement en filets — mais la préparation en est longue. Ou bien la couvrir de gros sel, en sorte que les odeurs soient absorbées.

On peut aussi la griller bien fraîche sur un barbecue d'été. Ou la préparer en escabèche, qui a l'avantage de se garder au réfrigérateur pendant plusieurs semaines.

Les serran, vieille, girelle, etc.

Petits poissons de roche, méditerranéens pour la plupart, colorés, brillants, compagnons amusés et peu farouches du plongeur sous-marin, prises fréquentes du pêcheur à la palangrotte dans la lumière vague de l'aube, ils font la soupe. Leur chair est fine, mais fragile et pour le cuisinier patient et le mangeur précautionneux, gare aux arêtes. Ils peuvent être cuits meunière ou frits.

Il existe des vieilles dans l'Atlantique et la Manche. Parfois, on en prend de taille plus importante qui peuvent se préparer comme les daurades.

Le tacaud

La gode de la Manche, poisson méprisé s'il en est, ressemble à un merlan nain et nabot. Gourmand, le tacaud se prend aisément à la ligne et constitue souvent le lot de consolation du pêcheur bredouille. Pire, il a l'habitude désastreuse de se gâter très rapidement, au point qu'il est fréquent de ne rapporter en fin d'une belle journée d'été que quelques restes malodorants, déjà décomposés.

En fait, il suffit de le vider aussitôt pêché, en prenant bien soin d'enlever le péritoine, cette membrane noirâtre qui recouvre l'abdomen, pour détruire cette réputation.

Quant à la chair, elle ressemble beaucoup à celle du merlan. Elle est très agréable, même si elle ne compte pas parmi les plus fines. Il se cuit, bien sûr, comme le merlan. Encore un poisson sous-estimé. Pas cher sur le marché, d'accord, mais gare à la fraîcheur.

La vive

Elle a vraiment une tête peu sympathique, avec un regard féroce et sa mâchoire inférieure repliée sur la supérieure qui, lorsqu'elle s'ouvre, révèle une gueule grande et vorace. Surtout, invisible au repos, se déploie au moindre contact une sorte de nageoire surnuméraire, à la noirceur emblématique, arrimée à des arêtes épineuses et empoisonnées. Ajoutons que sur les ouïes se trouve également une sorte d'épine dont la piqûre est douloureuse. Malheur donc à l'étourdi qui veut la prendre à pleines mains, au pêcheur d'équilles ou à l'enfant qui marchant pieds nus appuient par mégarde sur son dos, car elle se cache dans le sable humide à marée basse. La piqûre est douloureuse, peut s'accompagner de fièvre et de malaise, s'infecte facilement, est lente à guérir. De quoi gâcher une bonne partie des grandes vacances. Signalons toutefois que son venin est thermosensible : il se dégrade à la chaleur. Il faut donc tremper très vite le pied ou la main blessée dans de l'eau très chaude pendant une vingtaine de minutes. La guérison peut ainsi se faire plus vite.

Sa chair est fine, tendre et légère. Elle cuit très vite, on peut la griller ou la cuire meunière. Il en existe des variétés de tailles diverses.

Les alevins

A côté des civelles et pibales, jeunes anguilles translucides, on consomme çà et là des alevins de poissons de mer. A Nice, ils constituent la *poutine*, qui est à la base de plats traditionnels.

Le surimi

Signalons enfin cette préparation traditionnelle japonaise, à base de poissons — souvent des gadidés —, aromatisée de diverses façons.

LES SEIGNEURS D'EAU DOUCE

Le black bass

Ce nom anglo-américain indique que ce poisson fait partie de la catégorie des « bass » à laquelle appartient aussi le bar *(sea bass)*, avec en supplément une indication chromatique : black, qui ne correspond à rien, car ce n'est pas un poisson noir. C'est un poisson d'origine nord-américaine introduit dans certaines eaux hexagonales, souvent un poisson d'étang. Ses mœurs particulièrement agressives l'apparentent à la perche. Il se prépare d'ailleurs comme elle.

Le brochet

Qui ne le connaît, ce « requin d'eau douce » de forme si particulière, avec sa tête en bec de canard, ses dents acérées disposées en rangs successifs, et ses couleurs vives et brillantes où les tons jaunes et verts composent un ensemble particulièrement spectaculaire? Ce requin est plutôt un grand paresseux, se chauffant au soleil et ne se mettant en chasse que par intermittence. Il ne va jamais loin et se contente de la proie la plus proche, éliminant ainsi les faibles et les malades. L'inverse d'un médecin, en quelque sorte.

Il peut atteindre un poids assez considérable, mais les étals en proposent qui pèsent généralement entre un et trois kilos. Plus petits, il ne faut pas les acheter, ils sont d'ailleurs protégés dans les zones de pêche. En effet le brochet a beaucoup d'arêtes particulièrement offensives. Chez les gros animaux, elles sont faciles à trouver et à enlever, par contre celles des brochetons sont autant de pièges redoutables.

Curieusement, la chair du brochet est peu appréciée outre-Atlantique alors qu'il constitue une prise très recherchée des pêcheurs. En France, le brochet est un poisson de classe, avec un goût à nul autre pareil. Il faut d'ailleurs, à l'achat, faire attention à la fraîcheur, car il fait partie de ces poissons qui peuvent devenir très désagréables en un temps relativement court.

Le brochet se cuit à la vapeur ou au court-bouillon, son mariage avec le beurre blanc étant de règle. On peut aussi en faire des quenelles, comme à Lyon.

Les corégones (féra, bondelle, palée, lavaret, pollan, powan, etc.)

Il s'agit de poissons rares, vivants en eau profonde et pure — car ils fuient la pollution — des lacs froids, lacs Léman ou du Bourget en France, lacs de Finlande ou du nord du Canada. Rares et délicats, ils voyagent mal et il est préférable de les consommer dans leur région de production.

Ce sont les aristocrates de ces rivages et il n'est restaurant de qualité qui ne serve une ou plusieurs recettes, souvent compliquées d'ailleurs, de féra ou d'autres corégones.

La lamproie

Survivante de temps extrêmement reculés, la lamproie ressemble à une anguille dont la gueule serait remplacée par une ventouse oblongue. De couleur brun blanchâtre et gluante au contact, elle est d'aspect particulièrement peu engageant. Et pourtant, c'est une rareté fort convoitée car sa chair est délectable (c'est la lamproie marine qui est généralement consommée).

Elle coûte d'ailleurs cher, et ne se trouve pas facilement. Avantage supplémentaire : ses arêtes cartilagineuses sont peu agressives. Un poisson hors du commun qu'il convient d'avoir goûté au moins une fois dans sa vie.

La lamproie à la bordelaise est un des grands classiques de la cuisine régionale française.

L'omble chevalier

Ce salmonidé rare vit en profondeur dans les lacs de montagne. C'est un très grand poisson pour le cuisinier, difficile à se procurer en dehors des zones où on le pêche (Savoie et Pyrénées). Il faut toutefois signaler que certains sont d'élevage. Il est de taille moyenne et on trouve généralement des sujets mesurant une trentaine de centimètres. On élève également l'*omble du Canada*, ou *crucivomer*, qui peut atteindre une grande taille.

Le sandre

Le sandre est un poisson introduit en France il y a quelques décennies, qui ressemble un peu à une grande perche. C'est un carnassier fort recherché des pêcheurs au vif ou au lancer. Sa chair est fine et agréable et on le prépare comme le brochet.

Le saumon

C'est le poisson au statut accordéon. Autrefois ordinaire des travailleurs les plus pauvres de certains départements riverains de la Loire, devenu rare, recherché, mets d'apparat s'il en fut, il est de nouveau démocratisé, disponible sur tous les étals, frais, entier, en darnes, en escalopes, mariné ou mieux encore fumé. C'est que, de sauvage, il est devenu d'élevage, sans compter les importations en provenance d'Amérique du Nord.

Il y a plusieurs sortes de saumons, de taille et de goût différents. On ne trouve guère en France le saumon du Pacifique, frais tout au moins — par contre, il est fréquent fumé. Mais ce n'est pas ainsi qu'il est le meilleur et sa chair supporte moins bien cette présentation que le saumon de l'Atlantique. La plupart des pièces proposées viennent de fermes françaises ou d'Europe du Nord. Parfois, on peut trouver des animaux sauvages pêchés dans la Loire ou dans d'autres rivières ou fleuves côtiers. Ils sont de qualité supérieure, du moins de façon assez théorique, car les éleveurs de saumon ont réussi à produire des poissons de très grande qualité, pour des circuits de distribution bien organisés, ce qui permet au consommateur de disposer de produits très frais et d'un prix relativement bas. En effet, le saumon n'est plus très cher, même si — mais c'est le cas pour la plupart des poissons — le coût en est plus élevé que celui de la plupart des viandes de boucherie.

Le saumon se mange cru, en fines tranches bien froides, assaisonnées de poivre, d'aneth, de citron ou d'huile d'olive. Quand il est cuit, sa consistance varie beaucoup avec la cuisson. Le goût moderne préfère de plus en plus un dégradé de sensations, avec un extérieur saisi et un intérieur resté tendre, chaud certes, mais peu ou pas cuit, comme la célèbre escalope des frères Troisgros, ou encore selon la cuisson d'un seul côté (à l'unilatérale).

Lorsque le saumon cuit doit être servi froid, on préfère le cuire un peu plus, afin que la couleur et la consistance en soient uniformes.

Une version particulièrement populaire, autrefois luxe confidentiel, aujourd'hui très courant, est le saumon fumé. C'est un poisson cru, salé, fumé très frais. Les meilleurs viennent souvent d'Écosse et d'Irlande. On reconnaît la qualité à la consistance onctueuse, à la couleur rose tendre ou jaune, claire, délicate, aux tonalités pastel. En vieillissant, les couleurs deviennent plus vives, comme laquées, et virent à l'orange ou au brun, la chair devient plus sèche. Bien sûr, il faut éviter de tels produits.

Avec un mélange de saumon frais et fumé, on peut préparer de délectables rillettes. Le saumon se mange en entrée, en plat principal, en canapé, en encas. Fumé, il est excellent avec une tartine. Il est, bien que gras, recommandé dans les régimes de ceux qui craignent le cholestérol. Un vrai ami.

Les truite, saumon de fontaine, ombre

Ce sont des poissons de la famille des salmonidés qui évoquent la pêche en torrent ou en petite rivière normande, le geste rythmé des moucheurs et la précision des lanceurs de cuillère. Ce sont aussi, tous trois, des poissons d'élevage et, comme tels, leur qualité gustative dépend de leur alimentation. Sauvages, ils sont excellents, avec une chair de couleur variable selon ce qu'ils mangent, rosée parfois par l'ingestion répétée de gammares et autres petites crustacés d'eau douce. D'élevage, ils déclinent toutes les qualités, du médiocre au très bon.

La truite est l'un des rares poissons de rivière dont le standing n'ait pas souffert de désaffection. L'ombre est un poisson rare, présent surtout dans l'est de la France, difficile à attraper, délicat et recherché. Le saumon de fontaine est généralement d'élevage, avec les restrictions que cela comporte.

Il existe plusieurs variétés de truites. Les truites sauvages (fario[1]) sont plus considérées que les arcs-en-ciel d'élevage. En Amérique du Nord, au contraire, ces dernières jouissent d'une considération admirative. Signalons également l'existence de grosses truites, vivant dans les lacs et bassins de retenue des barrages, de qualité assez moyenne semble-t-il.

Pochées ou cuites à la vapeur, les truites frais pêchées se

---

1. On peut aussi les élever.

couvrent d'une couleur azurée, d'où le nom de cuisson au bleu. C'est la meilleure façon de les préparer, qui met en valeur la simplicité élégante de leur goût. On peut aussi les poêler, les frire, les griller ou les cuire au four.

La truite de mer

C'est une grosse truite atteignant aisément un ou deux kilos qui ne vit pas tant dans la mer que dans les fleuves côtiers d'eau douce ou saumâtre. On dit que le rose de sa chair est dû à la consommation de petites crevettes d'eau douce et de bouquets. Bien qu'il en existe toujours de sauvages, que les pêcheurs au lancer de Basse-Normandie essaient de séduire avec des leurres qu'ils font tournoyer dans les eaux glauques de ces petits cours d'eau sillonnant les plaines maritimes, celles que l'on achète chez le poissonnier sont d'élevage.

La chair de la truite de mer est agréable, assez proche de celle du saumon, d'un rose plus pâle que ce dernier. Elle est excellente, pochée et servie chaude. Refroidie et présentée dans un plat adapté à sa taille et à sa forme, c'est une entrée spectaculaire et fort plaisante. Signalons la qualité de la truite fario élevée en mer à Camaret.

LES MANANTS DE LA RIVIÈRE

L'alose

De la famille du hareng, elle ressemble à une sardine géante, qui peut atteindre soixante à quatre-vingts centimètres de long et peser plusieurs kilos. Il en existe trois sortes principales (alose vulgaire, finte et du Rhône). Elles remontent les fleuves côtiers au printemps et au début de l'été. Ce sont des poissons très vigoureux. La chair est fine et de bonne qualité, malheureusement pleine d'arêtes. Nombre de préparations culinaires locales utilisent l'oseille pour tenter de les amollir.

L'anguille

Comme chacun sait, cet étrange animal qui ressemble plus à un serpent qu'à un poisson naît dans la mer des Sargasses, en Amérique centrale, et migre ensuite dans les mers et les cours d'eau connectés avec l'océan Atlantique. Sur le tard, elle refait le même chemin en sens inverse pour y pondre et y mourir. L'anguille que nous mangeons, mâle ou femelle, ne comporte donc ni laitance ni œufs, comme les autres poissons.

L'anguille est omnivore. Elle peut s'installer dans les eaux portuaires ou au bord de la mer, ou s'enfoncer dans les rivières d'eau douce, les torrents, mais aussi les mares, les étangs et les lacs. Prise en mer, elle est délicieuse. Sortie de la vase, elle peut être répugnante. L'anguille est donc un poisson à risque élevé car il est souvent difficile de connaître son origine.

Si on en pêche dans une eau polluée, on peut la placer en vivier. Il faut plusieurs semaines, voire plusieurs mois, pour qu'elle perde son goût de vase et, plus encore, celui de pétrole qu'elle capte — et garde — avec une obstination toute particulière.

L'anguille est enveloppée d'une peau dure et épaisse couverte d'une substance lisse et translucide, le limon. Attraper une anguille vivante avec les mains est quasiment impossible, car elle se tortille et glisse entre les doigts. Il faut la prendre avec un linge ou, mieux, avec du papier journal qui a la curieuse propriété de la coller et de l'immobiliser.

Avant de cuire une aiguille, il est d'usage de la dépiauter. Pour cela on l'attache par la tête à un crochet, on fait une incision circulaire autour du cou avec un couteau bien affûté et on tire sur les bords de la peau vers le bas en s'aidant d'un linge. On retire ainsi la peau en la retournant comme un doigt de gant.

Le sang de l'anguille, qui a la réputation d'être toxique, est particulièrement amer. Plus que tout autre poisson, l'anguille doit donc être nettoyée très minutieusement, en faisant bien attention à éliminer toute trace de sang.

Les toutes petites anguilles, transparentes ou laiteuses d'apparence, encore appelées *piballes* ou *civelles*, sont utilisées en fritures, très appréciées dans le sud-ouest. Les plus grosses se préparent en matelote, en pâté ou se font griller. L'anguille peut se fumer et être utilisée comme les autres poissons ainsi préparés.

La carpe

Poisson de la famille des cyprinidés, la même que les poissons rouges et que le gardon, la carpe est d'origine asiatique. Son introduction en Europe est relativement récente. La carpe, ou plutôt les carpes : carpes cuir et carpes miroirs de nos étangs, carpes Koï, ces poissons brillamment colorés qui habitent les bassins et les grands aquariums, et dont les nuances passent du blanc ou noir, du rouge au bleu, de l'orange au jaune d'or.

La carpe est la reine des poissons d'eau douce. Sereine et puissante, elle est devenue la proie la plus convoitée des pêcheurs, proie spéciale car sa combativité, son habileté, sa ruse et sa vivacité lui permettent fréquemment de se décrocher de la ligne de ses ennemis les carpistes. Ils lui pardonnent volontiers car, dès qu'ils la capturent, ils se contentent souvent de la peser avant de la remettre aussitôt à l'eau. Ce n'est donc pas sur eux qu'il faut compter pour en goûter les qualités culinaires.

Les Japonais n'ont pas ces réserves, eux qui sont capables de payer les plus beaux spécimens des prix exorbitants. Il leur arrive de les décapiter d'un coup de sabre pour en débiter crue la chair.

Chez nous, les carpes viennent généralement de la mise à sec périodique des étangs. La qualité dépend bien sûr de la nature, de la profondeur et du fond de ce dernier. En eau courante et sur fond de sable, la carpe est un poisson de grande classe. En eau croupie et vaseuse, elle est médiocre. La carpe « royale » est élevée dans les étangs de la Dombe, du Forez et du Saulnois.

La carpe peut, selon sa taille et le nombre de convives, se tronçonner ou se cuire entière. Les meilleures préparations sont la friture pour les petites pièces, les darnes ou le braisage pour les plus grosses. La carpe peut se farcir, comme dans la recette dite à la juive.

Le chevesne et la vandoise

Poissons de surface des eaux douces, méfiants, on les voit croiser sous les arbres ou dans les courants en aval des pierres qui détournent l'eau et leur amènent directement les proies qu'ils convoitent. Ils apprécient particulièrement les insectes tombés sur l'eau et qui se débattent à la surface. C'est d'ailleurs ainsi qu'on les pêche : à la volante ou à la mouche. Les gros chevesnes peuvent également se prendre en eaux profondes avec des fruits, des asticots ou même avec des leurres, comme les prédateurs. Ce sont des poissons agréables à pêcher, la vandoise surtout, plus rare.

Par contre, leur chair est assez moyenne, molle, avec beaucoup d'arêtes. Les petits se mangent frits ou meunière, ou encore en escabèche. Les plus gros peuvent être cuits au four ou grillés au barbecue.

370

Les mal-aimés : barbeau, brème, gardon, hotu, ide, aubour,
soffie, blageon, rotengle

Ce sont les plus représentatifs des poissons d'eau douce, les *minnows* méprisés des Anglais pour leur chair comme pour leur pêche. Ils ont en commun d'être fréquents, pleins d'arêtes et pas chers. C'est dire qu'ils finissent plus souvent dans l'assiette du chat que dans celle des invités.

Pourtant, ils ne manquent pas de qualités. Tout d'abord, si leur chair est fade, elle n'est pas neutre. C'est une fadeur poétique, qui évoque le lever du soleil sur l'eau des étangs, alors que la brume en couvre encore l'étendue, et que l'on n'entend que quelques cris de canards sauvages ou de poules d'eau.

Et puis, petits, ils permettent la réalisation de fritures ; surtout ce sont les meilleurs pour l'escabèche, cette recette géniale qui se garde fraîche et apéritive au réfrigérateur pendant des semaines.

Les plus gros d'entre eux peuvent être magnifiques ou misérables, question d'origine. On peut les griller au barbecue, enveloppés d'aluminium et farcis d'herbes aromatiques — si on ne les écaille pas avant de les cuire, ils restent plus moelleux.

La perche

Nous ne parlerons pas ici de la perche américaine, magnifique poisson aux couleurs vives, petit, plat, se tenant verticalement, et dont la voracité féroce n'a d'égale que la quantité de petites arêtes dont il est doté, mais de la perche ordinaire, poisson carnassier, grégaire et agressif, à la tête de rapace, rayé de noir comme un tigre, fonçant sur sa proie, l'attaquant, la lâchant à la première résistance, aussitôt relayée par une autre, puis une autre, avec la précision et la détermination des pilotes de Stukas de la Deuxième Guerre mondiale.

La perche est un poisson de taille assez modeste. Elle atteint rarement le kilo et les pièces proposées pèsent en général de cent à trois cents grammes. Elle présente une nageoire noire et épineuse située sur le dos, qui peut occasionner des blessures désagréables si on n'y prend garde. Elle est particulièrement difficile à écailler. Méthode simple : il suffit de l'ébouillanter quelques secondes et l'ensemble des écailles part avec la peau, sans aucune difficulté. Sinon, gare aux projections.

La perche se prépare surtout en filets que l'on fait poêler, frire, ou cuire à la vapeur. Les grosses pièces peuvent être cuites au four ou grillées au barbecue. Dans ce cas, bien évidemment, il ne faut pas les écailler. La perche est excellente, sa chair est fine et plaisante. Un des meilleurs poissons de rivière assurément.

Les petits poissons de rivière rares et recherchés

Dans les rivières françaises il existe, en petit nombre, de petits poissons qu'on ne trouve jamais sur les étals et qui généralement ne mordent pas à la ligne. Leur capture est donc rare et occasionnelle. Parmi les plus estimés citons : l'*apron*, sorte de petite perche ; la *blennie*, au corps allongé et tacheté ; le *chabot* qui est fort laid ; les *loches* (franches, d'étang ou de rivière) ; la *lote* très rare et très renommée (elle peut devenir relativement grosse) ; la *perche goujonnière* plus petite que la perche commune, tachetée de noir. On en rapprochera l'*éperlan* qui peut être pélagique ou de lac et qu'on trouve rarement frais sur les étals.

Le poisson-chat

Encore un qui n'a pas bonne réputation. D'abord les pêcheurs ne l'aiment pas. Il faut dire que depuis son introduction — car ce n'est pas un poisson originaire de nos climats —, il s'est insidieusement répandu, avalant voracement œufs et alevins, au point qu'il a chassé nombre d'autres espèces, particulièrement en étang et en eaux dormantes. De plus, il se défend peu au bout de la ligne. Il est doté de quelques arêtes bien offensives et, pour finir, il est laid. Rien pour plaire.

Rien sauf sa chair, blanche et dense, dont les arêtes sont plutôt moins gênantes que chez beaucoup d'autres. En fait, c'est un excellent poisson et sous d'autres climats, en Grèce, à Janina, au pied du château d'Ali Pacha, ou en Thaïlande, on sait lui rendre l'hommage qu'il mérite. On peut le griller, le cuire au four, à la vapeur, le frire : il a bon caractère.

Le silure

Un presque nouveau venu dans les eaux hexagonales, déjà précédé d'une réputation de voracité et de férocité sans rivale. Beaucoup plus gros que les autres prédateurs (il pèse communément plusieurs dizaines de kilos), il est en passe de détrôner le brochet dans l'imaginaire des riverains. De là à en faire l'équivalent d'un crocodile, il n'y a qu'un pas. Bientôt, les enfants n'oseront plus se baigner dans la Saône ou dans la Loire de peur de rencontrer ce poisson-chat qui semble sorti des *Dents de la mer*. Il est usuel de consommer la chair blanche et « grasse » du silure en Hongrie et, dans les pays riverains du Danube, il y est implanté depuis fort longtemps. On ne le sert évidemment qu'en darnes ou en tronçons. D'élevage, on le trouve sous le nom de *tagle* et de *merval*, cette dernière appellation étant la plus estimée.

La tanche

La tanche est un poisson d'eau douce qui aime musarder sur le fond, principalement lorsque celui-ci est vaseux. On la repère, en bancs, à ces « fouilles » où des bulles remontent à la surface d'une manière particulière, reconnaissable par les pêcheurs expérimentés.

C'est un poisson méfiant, difficile à prendre et très vigoureux. Ses habitudes alimentaires en font une prise peu estimée sur le plan gustatif car elle a souvent un fort goût de vase. Par contre, lorsqu'elle vit en fond sableux et en eaux courantes, la tanche est excellente. Sa chair un peu « grasse », blanche et ferme, en fait un des composants obligés de la pochouse, plat-soupe constitué de poissons de rivière et dont la plus célèbre, celle de Verdun-sur-le-Doubs, comporte en parts égales tanche, anguille, perche et brochet. Comme dit La Reynière, pas un de moins, pas un de plus.

Le vairon, le goujon, l'ablette, le petit gardon

... Et tous les autres petits poissons. On leur connaît deux utilisations. Comme « base » de soupe ou de fumet. On jette la chair après avoir récupéré le liquide. Et surtout en friture : ce sont les rois de cette préparation. Dans tous les cas, il ne faut jamais oublier de les vider. S'ils sont petits (moins de cinq centimètre de long), on peut les manger entiers. Sinon, il faut ne manger que la chair et éliminer arête principale, tête et nageoires.

Les poissons pondent des œufs. Du moins les femelles. Le pêcheur retrouve les œufs sur ses prises. Les laitances (sperme) sont appréciées dans certaines espèces — les œufs également, et la cuisine médiévale et de la Renaissance abonde de préparations les utilisant, chargés qu'ils étaient d'une symbolique de force et de puissance. Pierre de Lune, au XVIIe siècle, préconisait les laitances de carpes pour contrefaire des soles frites.

Aujourd'hui les œufs des poissons ont perdu de leur prestige, sauf quelques rescapés, unanimement servis après salage et conditionnement.

On les présente secs — poutargue de mulet ou œufs de cabillaud — ou chargés de leur humidité originelle. A cette dernière catégorie appartient le plus renommé, symbole du luxe et de l'inaccessible : le caviar. Y appartiennent aussi les œufs de saumon et de lompe.

Les œufs séchés se consomment tels quels ou servent à préparer divers plats dont le tarama est le plus connu. Les œufs « humides », avec leurs arômes forts et iodés, se servent sur des canapés (ce sont les moins intéressants), mais les meilleurs se mangent à la cuillère ou peuvent accompagner certaines préparations délicates.

La boutargue (ou poutargue)

Ce sont les œufs du mulet de mer, salés et séchés au soleil, puis entourés de cire. Ils ont la forme de deux cylindres allongés et accolés. La boutargue, coupée en petites tranches, comme un saucisson, accompagne l'apéritif. Elle est de goût fort et on peut en faire du tarama en la mélangeant à divers ingrédients.

Le caviar

S'il est un symbole du luxe princier qui a longtemps résisté aux atteintes démocratiques, c'est bien le caviar, ces œufs noirs et salés d'esturgeons de la Caspienne, originaires d'Iran et de Russie. Soudain la chute du communisme a paradoxalement, par le jeu de multiples circuits parallèles, mis ce symbole de l'aristocratie à portée de tout le monde. Pas en quantités énormes, certes, car il reste cher, mais pour des sommes raisonnables tout un chacun peut en effet en acheter trente ou cinquante grammes et en connaître le goût.

Il existe quatre variétés proposées à la vente : le *sevruga* à petits grains, à goût relativement marqué ; l'*oscietre*, également à petits grains ; le *beluga*, le plus renommé, à grains plus gros ; le *caviar pressé*, le moins cher.

Les grains du caviar sont de couleur sombre, en fait plus gris que noirs. Ils doivent être brillants, avec une consistance légèrement élastique.

Le goût du caviar est iodé, fin. On le déguste seul, frais, sans citron, sans toast, sans beurre — il faut réserver ces accompagnements à d'autres œufs d'autres poissons, moins fins et dont le goût parfois violent et peu subtil nécessite d'être adouci. Il ne faut pas le servir avec des toasts. Le caviar se consomme à la petite cuillère, une seule vaut mieux que quelques grains éparpillés sur des bouts de pain industriel, noyés dans du beurre d'intervention.

Le caviar peut aussi être utilisé comme aromate, ou épice pourrait-on dire, dans certaines préparations de cuisine fine. Les œufs brouillés au caviar de Michel Guérard ont ouvert la voie.

Les œufs de cabillaud

De la morue, ou cabillaud, on extrait les œufs, on les sale et on les fait sécher. Leur goût fort, parfois même un peu âcre lorsque la dessiccation est très poussée, peut être adouci si on les sert sur des canapés ou des sandwichs, en les mélangeant à divers corps gras. Ils ont également supplanté la poutargue dans la plupart des cas de préparation du tarama.

Les œufs de lompe

Autrefois on les appelait œufs de lumps. Les œufs de lompe, poisson d'eau froide encore appelé poule de mer, c'est le caviar du pauvre, colorés en gris-noir ou en rouge, à la demande, utilisables comme lui. Ils sont agréables, mais ne jouent pas dans le même groupe.

Les œufs de saumon

Ils sont orangés, légèrement collants, très goûteux et aromatiques. Ils sont parmi les préférés pour la confection des canapés. On peut aussi les manger comme le caviar, à la petite cuillère ; mais s'ils ont plus de force, ils manquent un peu de finesse.

Les crustacés, reconnaissables à leur carapace calcaire, vivent essentiellement dans l'eau. On sait que cette règle n'est pas absolue — en Polynésie française et en Chine, il existe des crabes de terre vivant dans des trous. On trouve parmi eux des aristocrates, au goût très fin, fort appréciés des gourmets en repas de fête : au premier rang langoustes, cigales et homards, mais aussi gambas, grosses crevettes, langoustines et écrevisses à pattes rouges. Moins connue, l'araignée de mer a une chair très fine, suivie de peu par le tourteau, le crabe de l'Arctique et la petite étrille. Les petites crevettes grises et roses sont également très appréciées. Le pêcheur à pied ou à la crevette et, involontairement, le pêcheur au lancer de fond (surf casting) connaissent également toute une série de crabes plus ou moins gros et agressifs, verts ou rouges, dont certains sont d'honnête qualité.

Des crustacés on mange la chair, souvent fort délicate, dont l'extraction est parfois laborieuse chez les animaux de petite taille et dans certaines espèces. On fait aussi des soupes ou des bisques avec les carapaces.

Les crustacés doivent être choisis vivants, lourds et de couleur vive et brillante. On leur applique de très nombreuses recettes et méthodes. Outre la fraîcheur, la chair des crustacés exige des cuissons courtes, il est même devenu usuel d'en présenter certains à peine cuits, comme les langoustines.

L'araignée de mer

Elle ressemble à une grosse araignée cuirassée, un peu pataude et ventrue, pas bien agressive. L'araignée de mer se choisit avec soin ; elle doit être lourde.

On la cuit au court-bouillon. Elle révèle une chair particulièrement fine, mais peu abondante une fois la carapace enlevée. Le contenu de ses pattes longilignes est également délectable. L'araignée ne paraît pas très chère à l'achat, mais finalement, les déchets enlevés, elle n'est pas si bon marché. Et comme elle prend du temps à éplucher, elle n'est pas très populaire, ce qui est regrettable.

La cigale

La cigale de mer était fort commune en Méditerranée et certaines recettes de bouillabaisse en faisaient une compagne obligée. Elle est devenue très rare. Elle n'a ni les pinces du homard ni le rostre de la langouste, mais une curieuse tête aplatie et pacifique.

La chair de la cigale, ferme et blanche à la cuisson, ressemble à celle de la langouste, et certains la préfèrent à cette dernière. C'est en tout cas un des meilleurs crustacés. On en trouve parfois sur les marchés des exemplaires de petite taille, vendus sous le nom de langoustines cigales.

Le crabe de l'Arctique

C'est un crabe d'eau très froide, dont la chair, traitée par les bateaux industriels, est particulièrement fine et goûteuse. Elle se mange froide. Il est regrettable que l'animal ne soit pas disponible entier et vivant ou, à tout le moins, frais.

Les écrevisses

Ce sont les principaux crustacés d'eau douce — il en est d'autres, gammares et chevrettes entre autres, qui ressemblent aux plus petites des crevettes marines mais ne sont guère consommées. La plupart des écrevisses de nos rivières, dites américaines, sont vert-brun, de qualité gustative modeste. Les meilleures, dites à pattes rouges, ont une carapace plus solide.

Les écrevisses ressemblent à de tout petits homards de rivière. Elles contiennent un boyau qui doit être enlevé avant cuisson. Pour ce faire, on les « châtre », c'est-à-dire qu'on tord la partie médiane de la queue, et on l'arrache brusquement : le boyau suit. On peut aussi pratiquer la même opération après avoir ébouillanté les animaux.

Les écrevisses se font très peu cuire. Dès changement de couleur, on les retire du feu. On peut les faire bouillir, sauter ou griller. Elles peuvent être servies telles quelles — le buisson d'écrevisses fut très prisé — ou épluchées, après extraction de la chair de la queue. Avec les pattes, la tête et la carapace, on peut préparer sauces ou bisques.

Les étrilles

Ce sont de petits crabes à pattes plates finement ornées. Dans l'eau, les étrilles sont particulièrement vives ; le pêcheur à pied les recherche dans les trous et sous les rochers découverts lors des seules grandes marées. Elles servent principalement à faire des soupes ou à aromatiser certains courts-bouillons. On peut également en déguster la chair, très agréable, mais répartie avec parcimonie. Les étrilles ne peuvent se manger qu'avec les doigts. Pour peu qu'on les présente avec une sauce, elles sont la garantie d'une longue et inévitable série de « bavures ». De la cuisine « sale », à réserver pour les longues soirées amicales et à la bonne franquette.

Les grosses crevettes, gambas, etc.

Il existe de très nombreuses sortes de crevettes de grande taille, de couleur et de forme assez variées. Parfois on en trouve des fraîches ; le plus souvent elles sont vendues surgelées, ou décongelées, en provenance des mers chaudes, surtout d'Extrême-Orient. Les grosses crevettes sont les vedettes des repas de vacances, grillées, sautées ou cuites en sauce. Dans certains pays, ce sont de véritables institutions, en Thaïlande ou au Brésil par exemple, présentes dans une multitude de recettes. La chair des grosses crevettes est ferme, et d'un goût particulier, plus aromatique et moins fin que celle des langoustines ou du homard par exemple. De plus, il faut les éplucher, ce qui les range dans la cuisine « sale », c'est-à-dire qu'il faut se salir les mains. En revanche, elles sont de ces plats « à se lécher les doigts », qui plaisent et qu'on mange et remange sans jamais s'en lasser.

Le homard

Puissamment protégé par une épaisse carapace calcaire, doté d'une grande puissance de propulsion grâce aux muscles de sa queue, armé de deux pinces à la force redoutable, ce crustacé blindé et cuirassé apparaît comme un seigneur qui serait invulnérable — si on fait l'exception des périodes de mue. S'il n'y avait l'homme, aussi. L'homme qui, ayant goûté à sa chair, le pourchasse à tel point que son existence est en danger dans certaines régions du globe. Le homard vit en eaux froides et les méthodes de pêche extensive des pays industrialisés, après avoir longtemps respecté sa reproduction, la menacent maintenant, en particulier en Amérique du Nord.

On trouve à la vente deux principales variétés.

La moins chère est celle qui vient de loin : c'est le homard canadien, à la carapace presque noire, à la chair de qualité honorable lorsqu'il est frais.

La meilleure, et de beaucoup, qui provient de Bretagne et de Normandie, est dite bretonne : sa carapace est bleu foncé, se dégradant progressivement sur les flancs, sous forme de taches plus ou moins arrondies entourées d'un halo plus clair, parfois rosé. Signalons certaines variétés d'un bleu porcelaine beaucoup plus clair, au ventre rose, aux flancs ponctués de bleu, de saveur incroyablement fine et qu'on trouve, rarement malheureusement, en Normandie. Après cuisson, la carapace devient rouge du fait de la libération d'un piment rouge, l'astraxanthine.

Il est traditionnel de préférer les femelles d'assez petite taille, les demoiselles de Cherbourg étant les plus renommées.

Le homard se mange cuit. Il existe d'innombrables façons de le préparer, simples et goûteuses, comme le homard grillé ou cuit au court-bouillon, jusqu'à de multiples préparations plus ou moins complexes. Le homard à l'américaine est un de ces grands classiques incontournables, qui a suscité bien des imitations baptisées de noms plus ou moins exotiques. On le sert parfois froid, mais plus généralement chaud, en entrée ou en plat principal. Le homard est un des symboles du repas de fête et d'apparat.

Signalons la controverse entre « civilisés » et « barbares », ainsi qualifiés selon leur façon de le tuer. Acheté bien vivant, les premiers le jettent dans l'eau bouillante, les autres le décapitent.

La chair du homard est blanche, brillante et fine. Elle ne supporte pas la surcuisson. Il faut donc surveiller sa préparation avec attention.

La langouste

Il existe de très nombreuses variétés de langouste, ce crustacé à carapace épaisse, dépourvu de pinces et doté d'« antennes » qui n'en sont pas. Toutes plus belles les unes que les autres, de couleurs fort diverses, à dominance rose, brune, et même bleue, elles sont de qualité assez inégale. La chair des variétés les meilleures, très blanche et compacte, est fine et ferme. Elle est utilisée, après cuisson, dans des préparations chaudes et surtout froides, en raison de sa belle apparence et de son maintien.

La langouste est un aliment de luxe, et il convient de respecter cette fonction, c'est-à-dire, pour le consommateur moyen, d'en réserver la présence au menu d'une fête ou d'une célébration. Il ne faut donc acheter que des animaux vivants, de bonne origine, vifs, aux couleurs brillantes, et fuir les préparations surgelées qui sont certes meilleur marché, mais de goût médiocre et de consistance peu agréable; et qui en définitive reviennent très cher pour ce qu'elles sont : des aliments insipides, mous et fibreux. Il y a beaucoup plus goûteux, à prix bien inférieurs. Une bonne langouste est un aliment cher, de grande classe.

Les langoustines

Finement élancées, avec leurs longues et étroites pinces peu inquiétantes, elles sont d'un rose doux et brillant. Les langoustines ne supportent particulièrement pas la surcuisson, et exigent d'être d'une extrême fraîcheur. Ces crustacés d'eau des mers froides arrivent en saison et se classent parmi les plus fins. On comprend dès lors pourquoi elles sont si populaires chez les grands chefs.

On peut les servir grillées ou sautées, agrémentées de sauces finement relevées qui mettent en valeur leur chair douce et racée. On peut aussi les cuire au court-bouillon et les présenter froides, par exemple avec une mayonnaise. Dans ce cas il faut veiller très précisément à ne pas trop les cuire.

Le perce-pierre

Cet étrange animal vit collé sur certains rochers d'abord dangereux. La collecte en fut longtemps réservée aux plus pauvres des marins. On le trouve en France dans certaines îles de l'Ouest et il est très apprécié dans certaines contrées, en particulier en Espagne. Une rareté.

Les petites crevettes

Le voyageur autour du monde retrouve presque partout ces petits crustacés d'eau douce ou marine. Présentes en eaux froides, tempérées ou tropicales, elles sont universelles. La plupart sont des crevettes « roses », c'est-à-dire claires et translucides vivantes, rose clair et homogène lorsqu'elles sont cuites, ressemblant un peu à une mini- ou plutôt à une micro-langouste.

La plupart de celles qu'on voit sur les étals sont d'importation, cuites et fraîches, mais plus souvent surgelées. Résultat, elles sont souvent molles et caoutchouteuses, de qualité fort médiocre. Alors que des bouquets cuits vivants dans un court-bouillon fait d'eau de mer agrémentée de varech sont un de ces grands chefs-d'œuvre de la cuisson simple. Comme sont remarquables les crevettes grises pêchées avec de petits filets poussés devant lui par l'amateur ou recueillis par les petits bateaux de pêche, juste sautées à sec à la poêle avec du gros sel ou cuites comme les précédentes. On en trouve parfois de « vivantes » à l'achat, mais il est rare qu'elles le soient vraiment, le plus souvent on les trouve déjà cuites, souvent très salées. Il faut vérifier leur fraîcheur et leur fermeté.

Les petits crabes

Petits, mais agressifs, on les dit même enragés, rose clair, verts ou rouges, ils colonisent les jetées, les rochers et les plages. Omniprésents, ce sont les charognards de la mer. En plus, la majorité d'entre eux est immangeable. Seuls peuvent être consommés les plus gros des crabes rouges, qui sont cependant de taille modeste. On les cuit comme les étrilles, mais ils sont moins fins.

Le tourteau

Ce gros ventru et calme — on l'appelle aussi dormeur — possède deux pinces puissantes qu'il est lent à mettre en action, mais à distance desquelles il vaut mieux rester.

Le tourteau doit être choisi lourd et luisant. Il se cuit comme l'araignée. Sa chair est presque aussi fine, mais comme dans le cas de l'araignée, il faut du temps pour l'extraire. Le tourteau nécessite aussi un casse-noix ou un marteau à crustacés pour en casser les pinces, et de la force.

LES COQUILLAGES ET LES INVERTÉBRÉS

Les coquillages

Les mollusques consommés en cuisine viennent de la mer. Il en existe d'eau douce, mais on ne les sert pas à table. Les mollusques sont de consistance variable, généralement un peu ferme, ou bien molle et onctueuse. Ils sont dépourvus d'os ou d'arêtes, mais dotés d'une coquille. Le plus souvent, cette dernière les couvre complètement; dans ce cas, elle est faite de deux moitiés symétriques ou asymétriques tenues entre elles par un muscle puissant : ce sont les coquillages bivalves. On les ouvre en glissant un couteau entre les deux et on détache l'insertion du muscle, ou bien on les place sur le feu.

Dans le cas des univalves, l'animal se plaque sur un rocher, un poteau ou la coque d'un navire et il ne possède qu'une seule moitié de coquille. La cueillette se fait en glissant un couteau entre la coquille et le point d'attache pour lui faire lâcher prise. Seuls les ormeaux font partie des univalves appréciés en cuisine, bien qu'existent des recettes applicables aux arapèdes, ces « chapeaux chinois » adhérant aux épaves.

Les plus fins des coquillages peuvent se manger crus : c'est le cas des huîtres, mais aussi des clams, de certaines moules et quelques autres. Avec les coquilles saint-jacques, les huîtres sont les meilleures dans ce rôle, avec leurs diverses variétés, avec leurs gradations de consistance, de couleur, de douceur ou de force. Les huîtres vivent sauvages, en pleine mer, mais en général on les élève dans des parcs, ce qui permet d'en vérifier la qualité gustative et sanitaire. La littérature comporte des exemples différents d'huîtres transmettant des maladies plus ou moins graves, typhoïde ou gastro-entérites.

C'est que les mollusques sont des animaux exposés à la pollution. On les utilise pour leurs propriétés « filtrantes » dans de nombreux endroits : l'eau s'en améliore, mais pas leur chair qui devient ainsi impropre à la consommation. C'est pourquoi l'origine des mollusques marins, et surtout de ceux qu'on mange crus, est un point à considérer avant de les préparer ou de les ordonner au restaurant.

Tout particulièrement vulnérables sont les moules qu'on évitera de ramasser soi-même. Il vaut mieux les choisir d'élevage. C'est plus sûr, mais jamais absolument sûr.

Les coquillages crus peuvent s'accompagner de citron, de vinaigre et d'échalote, de pain et de beurre. Plus simplement, les meilleurs se servent tels quels, sans rien d'autre que leurs effluves marins et la complexité de leur goût. On fait avec les coquilles saint-jacques et les pétoncles des carpaccios délicats qui se suffisent d'un peu d'huile d'olive, de citron et de sel.

Les coquillages se font également cuire. La règle est de les faire ouvrir à sec dans une casserole ou sur un gril, et de les retirer au fur et à mesure qu'ils s'ouvrent. On les mange immédiatement ou on les laisse refroidir. On peut les préparer avec diverses sauces, en faire des soupes, des sauces, des gratins, etc. On peut aussi les cuire d'emblée avec du vin blanc, particulièrement les moules : ce sont les classiques moules marinières.

Certains, en particulier les coquilles saint-jacques et les pétoncles, doivent être ouverts avant cuisson, vidés, nettoyés et peuvent ainsi être grillés, sautés, revenus ou pochés selon le goût.

Les coquillages ne doivent pas être trop cuits, car ils deviennent fibreux, secs et désagréables. Les coquilles saint-jacques, les pétoncles et les huîtres peuvent être servies crues ou cuites. Dans ce dernier cas, on tendra plutôt à une demi-cuisson qu'à une surcuisson.

Bien sûr, les coquillages doivent être non seulement de bonne origine, mais encore d'extrême fraîcheur. On doit éviter ceux qui bâillent ostensiblement — les seuls chez lesquels ce comportement est toléré sont les coquilles saint-jacques et les pétoncles — et ceux qui révèlent une odeur douteuse, voire nauséabonde, ainsi que ceux qui sont remplis de vase.

Moyennant quoi une huître de grande origine, une coquille saint-jacques fraîche, des moules adéquatement préparées comptent parmi les expériences gustatives les plus fortes, les plus délicates et les plus intéressantes.

Les amandes de mer

Ce sont des bivalves de taille assez grande, qu'on présente généralement crus sur les plateaux de fruits de mer. On les arrose de citron. Les amandes de mer ont un goût de mer fort et iodé.

Les bulots

Ce sont des escargots de mer à la coquille claire et épaisse, à la chair claire et ferme. Les bulots n'ont pas très grande réputation. Pourtant, cuits dans un court-bouillon aux algues marines, bien épicés et poivrés, ils révèlent une saveur douce aux relents marins du meilleur aloi.

Alors, servis tièdes avec une mayonnaise ou une sauce de même type, ils procurent un plaisir rustique et simple. Simple, mais net, franc et intense.

Les clams

Ce sont des bivalves de taille relativement grande, qu'on trouve en grande quantité au nord de la côte est des États-Unis. En France, on les mange plutôt crus. En Nouvelle-Angleterre, ils sont la base d'une des meilleures, des plus délectables des soupes marines, le *clam chowder*, dont il existe plusieurs variantes. Une des plus intéressantes et authentiques recettes des États-Unis.

Les clovisses, flions, palourdes, praires, etc.

Il existe de nombreux bivalves vivants dans le sable, ou la vase, des mers tempérées. On les recueille à pied à marée basse, assez facilement à marée montante. Ou bien on les ramasse avec des râteaux traînés par des bateaux. Les plus gros peuvent se consommer crus. Tous peuvent être cuits et se préparent comme les moules ou les coques.

Les coques

Ce sont des hôtes fréquents des sables et des vases de nos côtes. Elles ont une coquille bivalve renflée et cannelée, de couleur claire, parfois tachetée d'orange ou de noir. Les coques se cuisent comme les moules. Ce sont souvent de redoutables pièges à sable, qui nécessitent de nombreux lavages avant et après cuisson, et, même après plusieurs passages, elles craquent encore souvent sous la dent. On les ramasse sur les plages et parfois elles sont, moins que les moules certes, impropres à la consommation.

La chair des coques est agréable, quoique assez rustique. On peut les consommer froides en salade, ou chaudes, simplement ouvertes à cru sur le feu, ou en marinière, ou encore gratinées ; comme dans le cas des mollusques marins, il ne faut pas prolonger la cuisson après qu'elles se sont ouvertes et on doit éliminer celles qui ne s'ouvrent pas, celles d'odeur douteuse ou simplement celles remplies de vase.

Les coquilles saint-jacques

Ce sont les voyageuses de la mer, ces étranges coquilles bivalves à la forme caractéristique, évoquant la disposition d'un jeu de cartes dans la main d'un joueur de bridge, avec une face plate et l'autre arrondie, pansue, cannelées toutes deux.

Pour les ouvrir on passe un couteau plat le long de la face plane et on détache le mollusque. Il apparaît avec sa noix, musculaire et blanche, et éventuellement son corail rouge orangé. Le reste de l'animal doit être éliminé. On peut toutefois conserver les barbes, c'est-à-dire la parte frangée brun clair à bord interne blanc, avec lesquelles on fait des courts-bouillons très fins et délicats, et qui peuvent également aromatiser élégamment les sauces d'où on les retire au moment de servir. Il convient cependant de laver finement ces barbes car elles sont de très efficaces pièges à sable.

La qualité gustative de la coquille saint-jacques provient de la noix, le corail ayant comme intérêt sa belle couleur vive — certains proposent même de l'éliminer.

Selon ses goûts on préférera les coquilles normandes ou bretonnes. Il faut avoir goûté, en saison, les mollusques juste sortis de la mer, d'une douceur presque laiteuse, d'une incroyable onctuosité et subtilité. Car la coquille saint-jacques est d'une qualité sans commune mesure quand elle est fraîche, et elle est d'autant meilleure qu'elle est consommée plus rapidement après la pêche. Les coquilles surgelées sont de qualité incomparablement moindre.

Les coquilles saint-jacques, crues, font des carpaccios dont la simplicité peut être grandiose. En cas de cuisson, celle-ci doit être courte, afin que la noix garde sa consistance ferme et douce, faute de quoi elle devient dure et filandreuse.

Les coquilles saint-jacques comptent parmi les plus fins des coquillages et sont largement utilisées pour les entrées et plats de fête, où elles apportent simplicité, beauté, classe et plaisir.

Les couteaux

Ils ne ressemblent à aucun autre mollusque. Ce sont des bivalves allongés, sortes de cylindres de dix à vingt centimètres de long, d'un diamètre de l'ordre du centimètre. Ils sont enfoncés dans le sable ou bien reposent à plat sur le fond de la mer. Leurs muscles puissants sont fermes, parfois durs, ils ont un goût fin iodé et marin. On peut les manger crus — mais ils sont un peu fermes —, ou cuits, comme les moules.

Les huîtres

C'est crues que les Français préfèrent les huîtres. Pourtant la cuisine du Moyen Age et de la Renaissance utilisait largement les huîtres en tortes, soupes et diverses préparations cuites.

C'est encore le cas dans les pays anglo-saxons, *oyster pies* et *oyster soups* y ayant gardé un statut populaire qu'elles ont perdu chez nous.

L'huître crue possède des qualités gustatives exceptionnelles. Nul fruit de mer n'allie en effet une telle fraîcheur, une tendreté sous la dent, une tendresse sur la langue, avec un goût marin, iodé, qui procure des sensations longues et poétiques, avec des variantes, plus ou moins sauvages et violentes, douces ou au contraire presque piquantes.

Les huîtres doivent être lourdes à l'achat, leurs coquilles doivent être grises et luisantes. A l'ouverture, apparaît l'animal, de couleur verte ou grise, avec des nuances variées, finement bordé d'un liséré sombre. La coquille doit contenir de l'eau, l'odeur doit être fraîche et marine. Il convient de rejeter les huîtres à l'odeur douteuse, celles qui contiennent de la vase, celles qui sont sèches. Ouvrir les huîtres n'est pas une sinécure. Il convient donc de se munir d'un instrument spécial (couteau à huîtres robuste et doté d'une virole de protection). Se protéger les mains est indispensable car parfois le couteau glisse et peut transpercer la main qui tient l'huître tandis que le coquillage peut blesser la main qui tient le couteau. L'huître fait partie des repas de fête; il vaut mieux éviter que celle-ci se termine à l'hôpital avant même d'avoir commencé. Donc, protéger ses deux mains avec des gants solides ou des linges en couches épaisses.

Il existe en France deux principales sortes d'huîtres, les plates et les creuses. Les plates, les plus rares, ont été fort touchées par certaines épidémies. Elles sont de goût très fort qui a ses amateurs, mais aussi ses détracteurs. On en trouve dans deux régions fort éloignées : près de la Méditerranée (huîtres de Bouzigues) et en Bretagne — ce sont les belons, dont les plus renommés viennent de Prat-Ar-Coum.

Les huîtres creuses proviennent de tout le littoral occidental, de la Normandie jusqu'aux confins de l'Aquitaine. Chaque région a ses spécialités et ses amateurs passionnés, en particulier celles de Basse-Normandie, de Bretagne, de la région de La Rochelle et de Marennes-Oléron[1]. La plupart des huîtres sont cultivées dans des parcs marins et portent des noms différents — claires, fines de claires et spéciales — suivant la procédure

1. En 1995, la production relative d'huîtres a été la suivante : Marennes : 43 %, Normandie : 23 %, Ré-Centre-Ouest : 11 %, Arcachon : 10 %, Méditérranée : 7 %.

utilisée pour les produire. Il en existe aussi des sauvages, dites de pleine mer.

L'huître se consomme crue, seule, ou, selon le goût de chacun, avec du citron, du vinaigre à l'échalote, de petites saucisses grillées, du pain beurré, du poivre, etc. Il convient tout d'abord d'en goûter une sans accompagnement et ensuite, à sa guise, de choisir l'accompagnement que l'on préfère.

L'huître est un aliment contenant peu de calories (à moins d'abuser du pain beurré). Elle contient un peu plus de sel que les autres aliments, mais pas énormément cependant — par contre l'eau qui la baigne est, elle, très salée.

Les huîtres peuvent aussi se cuire. Dans ce cas, on recueille l'eau des coquillages au fur et à mesure qu'on les ouvre, en la filtrant pour éliminer les petits bouts de calcaire. Bien qu'on puisse la cuire assez longtemps comme dans les traditionnelles tourtes, l'huître est meilleure mi-cuite, en fait presque simplement réchauffée, elle garde ainsi son goût de fraîcheur marine et son moelleux. Traditionnellement, on utilisait surtout les huîtres plates pour la cuisson. En fait, les creuses sont tout aussi adaptées à ce mode d'utilisation.

Les moules

Ce sont les plus populaires des coquillages, bivalves noirs à chair colorée, brun jaunâtre. Elles peuvent être sauvages, accrochées aux rochers et aux épaves en colonies denses, et les pêcheurs à pied les recueillent en grande quantité à marée basse. Il faut toutefois se montrer prudent car elles prolifèrent en zone polluée où elles sont d'ailleurs utilisées pour assainir l'eau. Résultat : si l'eau s'améliore, les moules deviennent impropres à la consommation. Parfois, l'été, des proliférations de petites algues les rendent également dangereuses et la collecte est ainsi frappée d'interdictions sanitaires temporaires.

C'est dire qu'il ne faut consommer de moules que d'origine et de qualité sanitaire indiscutables, à savoir des moules élevées dans des parcs selon des techniques variables selon les régions, mais surveillées, et dont on peut garantir raisonnablement les qualités non seulement gustatives, mais surtout sanitaires. Comme pour tous les coquillages, la coque doit être fermée, de couleur brillante, la moule doit être lourde. Les plus renommées sont celles de bouchot — c'est-à-dire cultivées sur des bouchots, piliers de bois plantés dans les parcs — et les moules de grande taille, provenant d'Espagne ou de la Méditerranée française, qu'on peut consommer crues.

A cette exception près, les moules se mangent cuites. On les fait d'abord ouvrir, à sec ou avec du vin blanc, et on les retire au fur et à mesure car en cuisant trop, elles deviennent dures et caoutchouteuses.

On les sert alors soit telles quelles, soit après une deuxième préparation, par exemple en soupe fine, ou encore farcies et passées rapidement au gril du four. On peut aussi les décortiquer et les servir froides en salade.

Le goût des moules est bien personnel, fort et plaisant. Elles trouvent leur place aussi bien dans les guinguettes du nord de la France et de Belgique que sur les tables les plus huppées.

Les ormeaux

Ces grands coquillages univalves, dont la coquille présente sur sa face interne des tonalités brillantes et irisées, sont parmi les plus recherchés des mollusques. Devenus rares, ils sont chers.

On les bat pour les attendrir, comme on le fait avec les poulpes. On peut les cuire sautés — comme des sortes de steaks de mer — ou les faire pocher. Ils sont de goût fin et iodé.

Les oursins

Ce sont les ennemis naturels des nageurs qui, tentant de mettre pied à terre, croyant trouver appui sur les rochers de la Méditerranée, font ainsi connaissance avec leurs piquants acérés et cassants : une bonne séance d'extraction en perspective.

Il y en a plusieurs variétés, de couleur et de rigidité variable. Sous leurs piquants, les oursins comportent une coquille calcaire. On les ouvre avec des ciseaux en les tenant dans une main bien protégée par un gant épais. On découvre ainsi cinq petites languettes orangées, qu'on appelle encore corail. On peut les manger telles quelles, avec du citron si on le veut. Ou les prélever et les ajouter à diverses préparations, où elles apportent leurs arômes particuliers, fins et iodés, bien reconnaissables.

Ce produit de grande qualité ne supporte, bien sûr, que l'extrême fraîcheur.

Les pétoncles

Elles ressemblent à des coquilles saint-jacques miniatures. De prix souvent moins élevé, elles sont aisément disponibles. Leur goût est proche de celui de leurs grandes sœurs, parfois même meilleur. En fait, la principale restriction à leur emploi est le temps de préparation. On peut en acheter les noix décoquillées, mais elles sont généralement moins bonnes que les entières.

On leur applique les mêmes préparations qu'aux saint-jacques. La réglementation nouvelle les assimile d'ailleurs à ces dernières.

Les violets

Ils n'ont pas l'air bien engageants sur les étals marseillais : on dirait les restes oubliés dans le fond d'une cave de quelque nourriture non identifiable. On s'attend à ce qu'en sorte une odeur nauséabonde. Non, c'est au contraire une forte odeur de mer, bien sympathique. Quand on les ouvre, la chair jaune orangée est de goût fort, très iodé, un goût de grand large, franc et net. Preuve que l'apparence peut être trompeuse.

LA TÊTE ET LES JAMBES (LES CÉPHALOPODES)

La tête et les jambes, c'est la famille des céphalopodes, ce qui signifie en fait la tête et les pieds.

C'est une famille étrange, caractérisée par un corps arrondi ou ovalaire, de consistance élastique, contenant le tube digestif, et un « os » dont la consistance est très variable, souvent réduit à quelques cartilages relativement mous comme chez les calamars, parfois imposant comme chez la seiche. Les animaux de ce groupe ne sont généralement pas particulièrement appréciés, ce qui est bien injuste. La pieuvre fait de belles et bonnes salades estivales, calamars et seiches permettent de remarquables préparations farcies ou des sautés simples et goûteux.

Ils doivent être soigneusement nettoyés et vidés, la pieuvre doit en plus être pelée. Ils contiennent une poche pleine d'un liquide noirâtre, l'encre, dont ils se servent quand ils fuient un ennemi pour troubler l'eau et protéger leur retraite. Nombre de recettes l'utilisent (recettes « à l'encre » ou « *in su tinta* ») ce qui apporte couleur et note aromatique particulières.

Les calamars, encornets, supions, etc.

Ils sont de taille variable, de forme équilibrée, corps et tentacules étant d'importance à peu près équivalente. Il faut bien sûr les vider et ôter leur bec. Selon la taille, on les sert sautés ou farcis. Ce sont les plus estimés de la famille et il n'y a guère de région qui n'en ait une recette. Ils sont de goût particulier, plus marqué que la pieuvre, s'accommodant particulièrement de la tradition culinaire du Midi et du sud de la côte Atlantique.

Le poulpe et la pieuvre

Voir une pieuvre nager dans l'eau est un spectacle d'une beauté particulière : le corps arrondi se propulse vers l'avant par la contraction rythmique de ses huit tentacules, pas inquiétant ni agressif comme le décrivait Victor Hugo, mais délicat avec ses couleurs vives et subtiles, véritable sculpture animée. Au centre des tentacules se trouve une sorte de bec corné qu'il faut enlever avant de préparer l'animal ; c'est la seule partie quelque peu offensive qui peut pincer la main de l'imprudent. Les ventouses dont est tapissée la face inférieure (ou intérieure) des bras sont, elles, parfaitement inoffensives.

Pour préparer une pieuvre, il faut la vider. On en retourne le corps comme un doigt de gant. C'est facile : on passe ses doigts dans le repli qui est situé à l'opposé des yeux et on tire. Il faut ensuite peler les bras. Certains battent la chair avec un instrument contondant pour l'assouplir.

On cuit la pieuvre au court-bouillon et on obtient une chair fine, blanche, ferme. On la sert souvent en salade, elle est délectable.

En Tunisie, on la fait sécher au soleil et on la conserve ainsi. Le poulpe séché fait partie de certaines recettes de ce pays et d'autres régions de la Méditerranée.

La seiche

Elle est bien connue des oiseaux enfermés dans les volières d'appartement. Son os, sorte de palet ovalaire aux bords fins, est une concrétion calcaire, qu'on trouve souvent sur les plages à marée basse dans certaines régions. La seiche a un corps grand et long, toutes proportions gardées, prolongé de petits tentacules.

On la trouve soit pelée, soit entière. On peut la découper et la servir comme les calamars ou la pocher, comme le font les Chinois, dans des potages ou dans diverses préparations plus ou moins épicées.

On peut aussi la farcir. C'est même sa destination principale car on croirait qu'elle a été conçue pour cela : une fois épluchée, elle apparaît comme une grande poche. Il existe de nombreuses recettes de seiche farcie, particulièrement sur les bords de la Méditerranée.

5

Le lait, la crème, le beurre et le fromage

LE LAIT

Depuis sa naissance l'homme a le goût du lait. C'est au sein de sa mère ou à la tétine du biberon que le nouveau-né fait une première expérience vitale : satisfaire sa faim. Le lait constitue l'introduction au monde alimentaire puisque avant sa naissance le fœtus ne se nourrit pas par la bouche. Aussi est-il à la fois le nutriment initial du bébé et la source de ses premières expériences et satisfactions gustatives.

Avec le temps le lait perd d'abord son monopole, puis sa suprématie. Rares sont les adultes qui en consomment beaucoup.

Le petit déjeuner — cette première prise alimentaire de la journée est-elle une réminiscence des premières tétées ? — reste généralement la principale occasion d'en consommer. D'ailleurs, en faire son seul aliment ou en abuser présente pour la santé beaucoup plus de dangers que d'avantages.

Si le goût évolue avec l'âge, les produits lactés ne disparaissent jamais vraiment de l'alimentation, qu'ils se présentent sous forme de crème, de beurre ou de fromages.

Le lait c'est avant tout de l'eau, plus des sels minéraux, des protéines et des graisses émulsionnées en fines gouttelettes invisibles. On peut en enlever plus ou moins de gras avec lequel on fabrique la crème et le beurre. On trouve sur le marché des laits entiers, demi-écrémés ou écrémés, dont l'utilisation varie en fonction des goûts et parfois des régimes.

Lorsqu'il est acidifié, il se produit une coagulation et le lait se sépare en deux parties : le caillé solide et le petit lait, liquide opalescent et légèrement aigre. C'est avec le caillé que l'on fabrique généralement le fromage. Parfois, c'est avec le lactosérum[1]. Le lait qu'on achète est généralement de vache, mais on peut occasionnellement trouver du lait de chèvre ou de brebis, voire de bufflonne.

Le lait peut se consommer frais, et c'est ainsi que son goût est le meilleur. Attention toutefois à s'assurer de sa qualité sanitaire. Chez les commerçants, il est généralement vendu pasteurisé ou stérilisé, cette dernière préparation permettant une longue conservation, de même que le procédé à Ultra Haute Température (UHT) associé à l'emballage Tetrapack.

Plus encore que la viande, le lait dépend de la qualité de la nourriture. C'est de mai à l'automne, chez les animaux nourris dans les pâturages naturels, qu'il est le meilleur : les prairies à fleurs variées comprenant des légumineuses, trèfle et lotier à petites fleurs jaunes, des composées comme des bleuets et des graminées, telles que les ray grass ou la flouve odorante, donnent des laits aromatiques. En contraste, la pulpe de betterave et le colza, ainsi que certains composés parfois présents dans les produits d'ensilage, communique des arômes désagréables. Dans certaines régions, les vaches ne vont plus jamais à l'herbe...

En cuisine le lait est employé pour préparer certains ragoûts ; on en met dans la pâte à nans, ces petits pains indiens, parfois dans des gratins ou des quiches si on souhaite une consistance plus légère ; également dans toutes sortes de desserts et d'entremets. Avec le lait, on confectionne aussi les milk shakes, si prisés dans certains pays par les enfants.

LA CRÈME

En sélectionnant la partie épaisse, crémeuse, plus grasse donc plus légère, qui remonte spontanément à la surface du lait, on obtient la crème, c'est-à-dire une émulsion contenant 30 à 35 % de corps gras. On peut l'utiliser telle quelle ou allégée : certains procédés industriels permettent de réduire les corps gras à 10 ou

1. Il y a aussi de nouveaux procédés de séparation des protéines (le cracking du lait). Le pavé d'Affinois est fabriqué à partir de lait ultrafiltré.

15 % sans altérer excessivement le goût et la consistance de la crème.

La crème peut être épaisse ou fluide (fleurette). Lorsqu'on la bat vivement, on obtient une sorte de mousse — la crème fouettée. Si on la bat plus fort, on sépare le gras du reste et c'est ainsi que traditionnellement se fabriquait le beurre (beurre de baratte). La crème utilisée en cuisine par l'amateur provient exclusivement du lait de vache.

La crème — particulièrement la crème allégée et celle que l'on trouve en France actuellement à 15 % de matières grasses — est de bonne qualité et représente un élément de choix en cuisine. Il y a à cela plusieurs raisons.

Employée crue ou cuite, elle apporte sa consistance douce qui arrondit les aspérités et allonge le goût : combien de fraises ne retrouvent leurs arômes qu'en sa compagnie, agrémentée éventuellement de citron, combien de sauces seraient agressives sans sa présence ?

Comme elle supporte la cuisson, douce ou à grand feu, elle permet des réductions rapides.

Elle se garde relativement longtemps au réfrigérateur. Elle est bon marché. Enfin, elle contient relativement peu de calories. Quand on compare aux 9 calories qu'apporte un gramme d'huile et aux 8 calories d'un gramme de beurre, le gramme de crème à 15 %, avec 1,7 calorie, apparaît bien faible. La crème allégée est donc un excellent moyen de combiner la sensation gustative du gras avec un contenu calorique réduit — même si elle n'égale pas la « vraie » crème épaisse venue de certaines fermes d'exceptionnelle qualité.

Qu'on n'en déduise pas que la crème est la solution absolue pour toutes les occasions. D'ailleurs, l'une des orientations initiales du renouveau de la cuisine française a été justement de limiter l'emploi excessif qui en était fait dans les années 50 et 60. En toute chose, il faut raison garder et, rappelons-le, l'idéal, tant pour le goût que pour la santé, est une nourriture équilibrée. Il ne s'agit donc pas de mettre systématiquement de la crème dans tous les plats mais de noter que, contrairement aux apparences, elle est relativement peu grasse. Néanmoins, comme elle ne contient pas les acides gras nécessaires à la santé, elle ne dispense pas de consommer les autres sources que sont l'huile d'olive, certains poissons, etc.

Le beurre contient près de 90 % de graisse. On le sait, il provient du lait, et généralement du lait de la vache, à l'exception de certains pays, comme le Tibet, où le fameux beurre de yak sert à émulsionner le thé.

Le beurre peut s'utiliser de diverses manières. Toutefois, il supporte mal les fortes températures de cuisson. Dans ce cas, il y a plusieurs solutions. Soit on mélange huile et beurre, soit on « clarifie » ce dernier, c'est-à-dire qu'on le fait cuire à petit feu pour éliminer à la fois la mousse qui surnage et les résidus qui restent au fond de la casserole. On obtient un composé qui supporte des températures élevées : le beurre clarifié — c'est le *ghee* de la cuisine indienne. Une dernière méthode consiste à n'employer qu'une toute petite quantité de beurre judicieusement interposée entre le fond du récipient de cuisson et l'aliment qui cuit.

Le beurre peut se présenter doux ou demi-sel. Il s'agit dans ce dernier cas d'une survivance ancienne. En effet, le beurre se conserve mal à température ordinaire, il a tendance à s'oxyder, à rancir. Le salage était utilisé autrefois pour éviter ce phénomène.

Aujourd'hui, le beurre se congèle et l'on sait que les grosses quantités stockées sous cette forme en Europe occidentale ont longtemps fait partie du paysage politique agricole.

La couleur du beurre varie beaucoup selon son origine — sans compter les colorants qu'il était usuel d'ajouter. Il n'y a pas de rapport entre la qualité du beurre et sa couleur. Car la qualité du beurre varie beaucoup en fonction des races productrices, de l'alimentation et de la région d'origine. En France, les meilleurs proviennent de la région Poitou-Charentes — en particulier le fameux beurre d'Échiré — ou de Normandie — celui d'Isigny étant le plus réputé. La grande distribution permet à tous de se procurer des beurres d'excellente origine et de bonne qualité de conservation.

Le beurre est par excellence le corps gras de la grande cuisine française et italienne du Nord. On l'utilise non seulement pour faire sauter ou revenir les aliments, pour garnir tartines et canapés, mais aussi comme agent de liaison des sauces — peu de chefs résistent à l'adjonction de quelques dizaines de grammes, fouettés à feu doux et aromatisés, pour terminer un plat.

C'est que le beurre a un goût délicat et qu'il se prête bien à l'émulsion. La légèreté mousseuse de l'ensemble n'est pas concurrencée par les autres éléments épaississants, sauf peut-être le jaune d'œuf.

Toute médaille a son revers. Le beurre, c'est à la fois un corps riche — 8 calories par gramme — ainsi qu'une combinaison chimique qui favorise les maladies vasculaires. Il faut donc, particulièrement chez ceux qui craignent les effets du cholestérol sur leurs artères, savoir en limiter la consommation.

LE FROMAGE

Il existe plusieurs techniques pour faire cailler le lait, c'est-à-dire pour séparer la partie solide, le caillé, du reste liquide ou petit-lait. Égoutté, le caillé peut être consommé frais, tel quel, parfois additionné de crème — c'est le fromage blanc —, ou subir une série d'opérations dont la nature et la durée conditionnent l'extrême variété des formes, des poids, des couleurs, des consistances et des goûts du produit fini : le fromage.

L'ensemble de ces opérations peut se faire en petites quantités à la maison ou à la ferme. Bien sûr, lorsque ce sont les laits frais provenant d'animaux en liberté mangeant les herbes grasses des prairies normandes ou les délicats aromates des pacages de montagne qui sont utilisés, le résultat sera supérieur. D'autant que point ne sera besoin de pasteuriser le lait puis de le réensemencer. Le point faible de cette production fermière, qui a peu à peu entraîné son interdiction dans certains pays — les États-Unis par exemple — et qui menace en permanence sa survie dans la Communauté européenne, tient aux conditions d'hygiène dans lesquelles elle est encore souvent préparée.

En effet, les produits lactés sont d'excellents milieux de culture pour une armada de germes et de microbes plus ou moins méchants. On se souvient de l'épidémie de listériose, maladie sévère et potentiellement mortelle, dont la responsabilité avait été attribuée à la consommation de vacherin. Depuis, ce germe a été retrouvé dans la croûte d'autres fromages. Il vaut donc mieux éviter de la manger. Après tout, le meilleur des fromages ne justifie pas qu'on risque une maladie grave.

Si donc le fromage dit fermier, garanti souvent par une étiquette spéciale, est sans conteste ce qui se fait de mieux du point de vue gustatif, une vigilance toute particulière s'impose car, qu'on le veuille ou non, une parfaite hygiène n'est manifestement pas observée par tous les producteurs.

C'est une des raisons pour lesquelles l'essentiel du fromage se fait en laiteries. Certaines sont artisanales, reproduisant à l'échelon de quelques unités les mêmes techniques que celles des fermiers. D'autres sont plutôt des usines. La production artisanale est assez proche de la production fermière — en qualité mais aussi en risques. Lesquels sont à peu près inexistants dans les laiteries industrielles. Par contre, les produits qui en sortent ont souvent un goût peu net, peu prononcé, généralement mou et plat. Pas de surprise, pas de maladie, pas de poésie — un plaisir stéréotypé et contrôlé.

On distingue les fromages stables et les fromages évolutifs. Les fromages stables, c'est-à-dire ceux qui peuvent se conserver sans changer significativement de caractère à condition d'être entreposés de façon appropriée, sont des produits industriels ou appartiennent à certaines catégories, tels les fromages secs ou ceux dits à pâte cuite pressée (parmesan, emmenthal, gruyère, etc.). On conçoit qu'ils aient la faveur de nombre de détaillants et de supermarchés car ils se traitent comme des semi-conserves.

Les fromages évolutifs, qui changent de consistance et de goût selon l'élevage et l'affinage, constituent un groupe fort différent. Ils ne gardent souvent leurs qualités optimales que pendant un petit nombre de jours. Il n'y a donc que chez de rares professionnels que l'amateur peut avoir la chance d'acquérir un produit à la fois de grande qualité et immédiatement consommable. En général, il aura droit à un produit trop jeune, ou pire, trop vieux. Trop souvent, il en achètera plusieurs sortes pour préparer une de ces redoutables épreuves qu'il fera subir à ses invités : le plateau de fromages. Comme si la médiocrité multipliée par cinq ou par dix était synonyme de qualité. Pas plus que l'addition de dix pauvres ne fera un riche, la juxtaposition de produits de basse classe ne pourra rien créer d'autre qu'une illusion.

Au restaurant le plateau de fromages n'est qu'exceptionnellement de qualité, même chez les grands. Il faut se contenter d'un nombre restreint de fromages : trois est un maximum, choisis avec soin et servis à l'optimum de leurs qualités.

Le fromage a surtout pour vocation de servir de base au goûter, aux en-cas, ou d'être servi au cours du repas. Il peut également être combiné, dans un sandwich par exemple, participer à la cuisson — soufflés ou tartes — ou agrémenter certains plats

— le râpé ajouté aux pâtes, aux soupes ou au risotto en étant l'exemple le plus classique.

Le fromage est essentiellement fait de trois constituants : des protéines — ce sont elles qui sont responsables de sa structure solide —, des graisses et de l'eau. Le pourcentage de matières grasses indiqué sur les emballages fait référence au poids sec. Un fromage frais, qui contient beaucoup d'eau, est en fait peu gras, même s'il n'a pas été écrémé. Par contre, plus le produit est sec, par exemple certains chèvres, le parmesan, etc., plus grande est la proportion réelle de gras. En général, les fromages contiennent 30 à 50 % d'eau, ce qui réduit les 40 ou 45 % de matières grasses annoncées à seulement 20 ou 30 % environ.

Néanmoins, à l'exception des fromages frais, ils restent relativement caloriques. Quant aux pâtes dont la proportion de graisse a été artificiellement diminuée, leur qualité gustative actuelle est trop médiocre pour qu'on y ait recours agréablement.

Enfin, il ne faut pas oublier que les fromages sont très salés, ce qui doit être pris en compte par certaines personnes.

Grosso modo, du point de vue calorique, on peut séparer les fromages en trois catégories : les frais qui, selon les catégories et ajouts, contiennent de 0,5 à 2 calories par gramme ; ceux à pâte molle qui contiennent 3 à 4 calories par gramme ; enfin, les secs qui atteignent 5 à 7 calories par gramme. Plus un fromage est sec, plus riche il est. Inversement, on a tendance à consommer une plus grande quantité de produits crémeux ou mous que de fromages durs. L'un peut donc compenser l'autre.

Le fromage peut être fait à partir du lait de vache, de brebis ou de chèvre. La mozzarella la plus renommée provient du lait de bufflonne. Signalons pour le folklore que certains farceurs ont fabriqué du fromage avec du lait de femme.

La qualité sanitaire des animaux est évidemment primordiale : on peut contracter une brucellose (fièvre de Malte) en consommant du lait de chèvre, le lait de vache peut contenir le germe de la tuberculose.

Toutefois, ce que recherche d'abord le consommateur, c'est la qualité du fromage.

Parmi les raisons qui expliquent la supériorité qualitative des fromages fermiers, il faut mentionner le tri et l'origine des laits. Qu'on réfléchisse par exemple à ce que mange une vache. Il est évident que selon la saison, elle aura droit aux alpages et à la prairie, ou au foin sec et aux nourritures industrielles, tourteaux et autres. Certains fromages ne provenant que du lait recueilli pendant une période déterminée de l'année, on comprend qu'ils ne soient disponibles, temps de fabrication oblige, que pendant quelques mois, généralement d'hiver.

Évidemment ce parti pris ne fait pas très mode, particulièrement dans un environnement économique qui ne connaît que les rendements et les cours de la Bourse. Alors à chacun de choisir. Mais, en ce domaine comme en d'autres, ne trouve-t-on pas, à côté des produits de haut de gamme, certains fromages de qualité moyenne mais acceptable? Le vrai amateur ne recherchera que le premier choix, l'indifférent le second. Nombre de consommateurs feront un panachage qui dépendra des opportunités, de leurs obligations et de leurs moyens.

Les fromages peuvent se classer en diverses catégories selon la façon dont ils sont préparés. Chacun sait qu'il en existe plusieurs centaines en France, plusieurs milliers de par le monde. La liste qui suit correspond à un choix. Cet ouvrage n'a pas la prétention de se substituer aux monographies spécialisées, mais vise à donner des pistes, des orientations au cuisinier amateur. Celui-ci doit prévoir l'organisation du repas, c'est-à-dire l'association des plats cuisinés et des constituants qui, sans nécessiter généralement de transformation, y ont un rôle traditionnel, tels les fruits, le pain, le fromage.

Ce choix est le mien, donc partial et arbitraire, mais probablement proche du goût général. En tout cas il présente des produits qui méritent tous attention et considération.

Les fromages à pâte fraîche

Ce sont des produits intermédiaires entre d'une part le lait et la crème, d'autre part les fromages affinés. En effet, le caractère le plus personnel des fromages dépend du mode de traitement qu'ils subissent et de leur vieillissement. Les produits frais non affinés manquant d'âge, ils sont donc doux, voire un peu fades. Ils ont en commun leur couleur d'un beau blanc — à moins qu'un colorant alimentaire ne leur ait été incorporé — et leur consistance qui peut être fluide ou solide mais jamais ferme, encore moins dure. Comme le goût du lait est encore présent, ils sont très appréciés des enfants, et l'industrie laitière a fortement investi dans ce domaine pour présenter régulièrement des produits nouveaux. Il ne saurait être question ici d'en dresser un tableau exhaustif.

S'ils sont aimés des petits, ils ont également la faveur des plus grands, particulièrement de ceux qui veulent surveiller leur poids. En effet, du fait de leur humidité, ils sont peu caloriques. Et même ceux qui sont perçus comme « gras » ne le sont en fait pas car la plupart contiennent au moins 82 à 85 % d'humidité. De ce fait, la différence par exemple entre ceux affichant 0 % de matière grasse — mais qui en contiennent quelques traces — et ceux à 20 % n'est que de 2 à 3 %, car il s'agit de 20 % du poids sec, c'est-à-dire 20 % de 15 %. Résultat : la différence n'est que de 0,2 calorie par gramme, environ pour des produits apportant 0,5 à 0,8 calorie par gramme c'est-à-dire, dans tous les cas, très peu.

On sait qu'il existe, à côté des produits à taux réduit, des produits au contraire enrichis en graisse, puisque certains fromages atteignent 75 % de matières grasses (triple crème type Fontainebleau). Là encore, il faut se garder de tirer des conclusions abusives. Ces fromages contiennent beaucoup d'eau et le poids de matières grasses est plus faible qu'il ne semblerait au premier abord. Bien sûr, ils en contiennent de façon significative.

Les fromages à pâte fraîche peuvent être de vache — ce sont les plus nombreux —, de chèvre, de brebis ou de bufflonne.

Ils se consomment en en-cas, en fromage, en entrée, en dessert. Ils s'utilisent en cuisine, en particulier dans la fabrication de certains gâteaux (cheese cake, tourteau fromager), ou encore dans le registre salé, à l'ail, au poivre, aux épices, aux fines herbes, etc.

Les plus importants sont :

• **Le fromage blanc ou cottage cheese**. — C'est un caillé frais, égoutté, éventuellement battu et lissé ou mélangé à la crème. La faisselle est un moule percé de trous permettant au caillé de continuer son égouttage, devenant ainsi plus ferme que le fromage blanc ordinaire.

• **Le brocciu**. — Fait de lait de chèvre ou de brebis, utilisé tel quel ou en cuisine, c'est un des produits emblématiques de la Corse, un fromage de fin de printemps, d'été et de début d'automne. On le trouve plus fréquemment à Paris grâce aux efforts de la section INRA de Corte.

• **La brousse**. — Fromage frais de brebis provençal, il est surtout bon au printemps.

• **La feta**. — Fromage légèrement chauffé et salé, ferme, c'est une compagne de la tomate mûre et de l'huile d'olive dans une salade d'été. Originellement grecque et de brebis, la feta se fait un peu partout, avec du lait de vache le plus souvent, en France, au Danemark, etc.

• **La mozzarella.** — Italienne d'origine et utilisée quasi exclusivement salée, elle est fabriquée de la même façon que certaines pâtes filées; c'est un fromage un peu ferme. On la consomme fraîche, soit crue, soit après cuisson. La meilleure est faite de lait de bufflonne, la plus courante de lait de vache. Il existe diverses autres appellations italiennes qui correspondent à des produits assez proches.

• **La ricotta.** — Produit d'origine italienne mais qu'on trouve aussi en Corse et en Tunisie. Elle est fabriquée à partir de sérum réchauffé.

• **Le petit-suisse.** — C'est un produit gras (60 à 75 % de matière grasse) résultant de la coagulation lente de lait pasteurisé. Certains le consomment salé et poivré, mais il est plus souvent utilisé avec du sucre, de la confiture ou des fruits.

• **Le yaourt.** — Ce produit d'origine balkanique ou turque est fabriqué à partir de lait chauffé, enrichi de ferments lactiques. S'y apparentent les produits obtenus avec des ferments récemment introduits (Bifidus). Le yaourt peut être fabriqué à la maison. Il sert en cuisine, entre dans la composition de desserts, de pâtes à pain, de ragoûts, de salades. Il se présente sous forme traditionnelle, solide ou, selon le type bulgare, plus onctueux. Le yaourt est un produit d'utilisation multiple avec une action bénéfique sur le tube digestif. Notons que certains produits d'apparence similaire n'ont pas le droit à l'appellation yaourt car ils ne sont pas le résultat de ferments actifs, ceux-ci ayant été détruits par ultrafiltration.

Les fromages enrichis en crème

Ce sont des produits très riches quasiment tous industriels, contenant jusqu'à 75 % de matière grasse — pourcentage calculé sur l'extrait sec, bien sûr, ce qui relativise le chiffre. Ils sont intermédiaires entre les fromages et les desserts et on peut les manger salés ou sucrés. Les plus prisés sont le Fontainebleau, le Brillat-Savarin, le Lucullus, le Tartare, le Boursin et le Boursault. Certains sont additionnés d'huiles ou d'épices.

Le mascarpone est une petite merveille issue de l'hiver lombard, utilisé dans le sucré, le salé, en contrepoint de mets relevés — par exemple avec du bresaola — ou seul, en entrée comme en dessert. C'est la base du tiramisu, standard du dessert italien s'il en est. Ne pas le confondre avec le mascarpone de Gorgonzola qui est un fromage d'assemblage.

Les pâtes crues pressées

Le caillé est brassé et fragmenté, puis pressé dans des moules sans que le lait ait été chauffé. Le fromage est ensuite salé, séché et affiné. La croûte est, généralement mais pas toujours, lavée régulièrement en cours d'élevage. Il existe de nombreux fromages dans cette catégorie, dont la consistance varie du presque mou au presque dur selon la durée de l'affinage.

• **Les cantals.** — Il existe plusieurs appellations, Cantal, Laguiole, Salers de haute montagne, qui proviennent de zones délimitées du Massif central. Le fromage jeune, appelé tomme, peut être utilisé en cuisine — le plus renommé est la tomme de Laguiole chère à Michel Bras — et sert de base à l'aligot et à d'autres préparations fromagères. Le Laguiole et le Salers sont des fromages faits avec des laits d'altitude recueillis dans des zones limitées et dont la préparation respecte les modes traditionnels de fabrication. Ils se différencient donc du cantal proprement dit, fabriqué avec des laits collectés toute l'année, et produit en laiteries.

Ce sont des fromages fruités et parfumés, plus subtils s'ils vieillissent mais leur goût a une certaine force qui ne plaît pas à tous.

• **Le saint-nectaire.** — Ce très ancien fromage, fait de lait de vache, est produit dans certaines parties du Puy-de-Dôme et du Cantal. Il n'est pas toujours aisé de s'en procurer dont la qualité soit conforme à ce qu'on en attend.

• **Les brebis des Pyrénées.** — Nombre d'entre eux sont fabriqués avec des laits de montagne. Bien qu'assez mal connus, les meilleurs comptent parmi l'élite des fromages français. Ils sont plus ou moins doux selon l'âge, de goût fin et long. Leur renouveau est à vrai dire récent, la production de lait de brebis étant auparavant destinée à la fabrication du roquefort.

Les plus connus sont le Laruns ou Oloron et l'Ossau-Iraty, fait de lait de brebis Manech à tête rousse et noire, et basco-béarnaise, au goût de noisette. Ceux de l'Ariège, par exemple l'Orrys, sont également excellents.

• **Les fromages hollandais.** — Ce sont des fromages industriels et standardisés, de qualité variable. Les plus connus sont le gouda, à pâte colorée en jaune, l'édam coloré en rouge, le maastricht, sorte de gouda à trous. La mimolette est produite en France. Ils sont parfois assaisonnés d'herbes aromatiques[1] (!).

1. En particulier de cumin.

Le « vieux » gouda est apprécié de certains. Bien qu'issu certainement de laits de bonne origine, ces fromages sont à l'avant-garde d'un certain goût international stéréotypé, uniformisé et, additionnés de carvi ou d'autres graines apparentées, ils représentent une des tendances les plus artificielles des produits d'aujourd'hui.

• **Le cheshire**. — De ce fromage anglais il existe une variante persillée, laquelle est, avec le stilton, l'un des plus renommés des fromages d'outre-Manche. C'est lui que l'on utilise pour le célèbre welsh rarebit.

• **Le cheddar**. — Originellement anglais et fermier, le cheddar est, dans les pays anglo-saxons, devenu le symbole du fromage passe-partout sans autre caractère que d'être invariant et invariable.

Les pâtes cuites pressées

Il s'agit de fromages faits avec du lait chauffé — pas vraiment cuit — puis ensemencé. Lorsque le caillé apparaît, il est séparé du petit lait, coupé, travaillé et mis sous presse. Il est ensuite salé et mis à mûrir. Selon la taille des fromages — ce sont de grosses pièces pesant généralement plusieurs dizaines de kilos —, les modes de presse et d'élevage, on obtient des consistances et des goûts variés, d'autant plus différenciés que l'origine des laits est diverse.

• **Le parmesan**. — Le plus intéressant — *il re dei formagi*, pour Edgardo d'Angelo — est le parmesan généralement connu sous le nom de *grana* —, le plus fameux est le parmigiano reggiano fabriqué dans la région de Reggio Emilia (c'est celui qui aujourd'hui a droit à l'appellation *parmigiano*). Le meilleur serait le Lodigiano ou Grana de Lodi, ville au pont célèbre par la victoire qu'y remporta le jeune Napoléon Bonaparte. Ceux qui ne connaissent du parmesan que les sinistres paquets préemballés, à la consistance et au goût de sciure, que l'on vend dans les supermarchés et qui contiennent un râpé d'origine douteuse, ne savent pas toute l'excellence de ce produit d'élite. Avec ses variantes, plus ou moins vieux, plus ou moins doux (le *dolce*), le parmesan est fruité, doux et fort sans être jamais agressif. Il est relativement dur de consistance, car c'est un fromage vieilli. Il est donc riche en graisses et en sel. Il a parfois tendance à s'effriter à la coupe, ce qui n'est pas un défaut.

Le parmesan peut être râpé et, servi frais, il est sans rival pour

403

agrémenter les pâtes ou le risotto. Additionné de farine, Alain Ducasse en fabrique des « dentelles » dont la cuisson doit être surveillée avec attention.

Mais le parmesan c'est aussi un fromage à part entière, on le mange seul, en en-cas ou en hors-d'œuvre — le carpaccio de bresaola avec parmesan et roquette est un plat agréable en entrée. Il se sert aussi bien sûr comme fromage, avant le dessert, et dans cette fonction, il ne craint personne.

• **Le pecorino romano.** — Très ancien fromage, fait de lait de brebis. Pâte blanche au goût parfois piquant, il a suscité de nombreux émules locaux : pecorino sardo, toscano, etc.

• **Les fromages des alpes.** — Ce sont des fromages à trous, du moins dans la plupart des cas car certains n'en ont pas. Le plus connu est le gruyère, originaire du village suisse du même nom. Victime de son succès, le gruyère est devenu en France le nom commun de toute une série de pâtes cuites pressées, fabriquées en grosses meules de plusieurs dizaines de kilos et dont les laits d'origine et le mode de fabrication permettent d'expliquer les différentes appellations, formes et goûts, bien qu'ils aient tous un air de famille.

Certains, les plus connus, gruyère et emmental, sont d'origine suisse. D'autres ont des appellations protégées, par exemple les AOC beaufort, et comté en France. Gruyère est aujourd'hui un terme réservé au seul fromage suisse.

Beaucoup sont fabriqués dans des pays variés, avec des résultats à la fois acceptables et mous, sans grand caractère. Ainsi l'emmental peut provenir d'à peu près tous les pays, car il n'est pas protégé par une appellation. C'est un produit industriel fabriqué essentiellement en Bretagne (pour la France). Dans certains pays anglo-saxons, on le vend sous le nom de *swiss cheese* (!) — produit standard s'il en est. Il n'y a de pire que le cheddar de supermarché.

Les fromages des Alpes se conservent bien et, si les produits standard sont identiques toute l'année, ce n'est pas le cas de ceux qu'on fabrique avec des laits sélectionnés, par exemple recueillis lorsque les troupeaux séjournent dans les alpages de haute altitude (le beaufort d'alpage par exemple).

Ce sont des produits très utilisés qui peuvent être mangés tels quels ou servir d'auxiliaires dans la cuisson de certains plats. C'est ainsi que le fromage râpé, emmental ou autre, est le compagnon fréquent des pâtes, quoique nettement inférieur au parmesan ; saupoudré sur de nombreux plats, il est quasiment indispensable aux gratins. Il est également à la base de soufflés, de nombre de préparations apéritives, des croque-monsieur, etc.

Le *gruyère*, originaire de suisse romande, est à son optimum au bout d'une année. Le « vrai » est reconnaissable à la mention « Switzerland » imprimée en rouge sur la croûte. C'est un des meilleurs fromages alpestres.

Le *fribourg* est un petit frère du gruyère, sans trous.

L'*appenzell*, encore un fromage suisse, a le plus de goût.

L'*emmental* provient de la vallée de l'Emme, en Suisse bernoise. Il doit porter la mention « Switzerland » quand il est d'origine, mais il n'y a guère de différence avec ceux fabriqués ailleurs, particulièrement en France. C'est le fromage à gros trous, le bien connu, celui avec lequel on fait le râpé ou les croque-monsieur. Un incontournable, surtout pour les enfants. L'*emmental grand cru* français provient des Alpes, des Vosges et de Franche-Comté. Son affinage est d'au moins huit semaines.

La *fontina* est la version italienne, typiquement du val d'Aoste, de consistance variable selon l'âge et de goût assez doux.

Le *comté*, fait exclusivement de vaches des races pie rouge de l'Est et Montbéliard, provient d'une région comprise entre le Jura, la Doubs et la Haute-Saône, donc du Jura et non des Alpes, c'est un fromage à trous petits et peu nombreux, qui est meilleur acheté sur place.

Le meilleur *beaufort* est fait à partir de lait cru des alpages d'altitude de Savoie (beaufort de haute montagne). Ce fromage de la Maurienne et de la Tarentaise n'a pas de trous ; c'est le plus fin et le plus estimé des « gruyères », fait de lait de vaches de races Tarentaise et Abondance.

Les *fromages à raclette* sont des fromages à chair grasse et parfumée provenant du Valais, en Suisse, que l'on utilise généralement assez jeunes, et qui sont consommés en raclette et non nature. Signalons cependant le Label Rouge attribué à un fromage à raclette originaire de... Bretagne.

Les fromages à pâte molle

On compte parmi eux nombre de poids lourds parmi les appellations prestigieuses des fromages français. On les différencie selon l'aspect de leur croûte en deux catégories : les croûtes fleuries, c'est-à-dire colonisées par un mycélium blanc, et les croûtes lavées, généralement de couleur rouge orangé. Les fromages décrits ci-dessous sont tous à base de lait de vache.

• **Les pâtes molles à croûte fleurie.** — Comme la barbe de Charlemagne, la croûte est bien blanche. Ce sont des fromages faits à partir de caillé de lait de vache lentement égoutté dans des moules dont la taille varie selon l'aire d'origine, puis ensemencé avec un champignon de la famille de celui qui donne la pénicilline, salé à sec puis affiné en haloirs. Les fromages à pâte molle fleuries évoluent avec le temps, d'où la tentation des industriels de raccourcir ce dernier au maximum. Résultat : le produit servi au consommateur est devenu de goût généralement médiocre, triste rançon de la renommée et de l'excellence à laquelle certains de ces produits étaient parvenus.

405

Car il n'y a guère d'autre fromage qui puisse atteindre cet équilibre où l'onctuosité de la pâte, qui doit avoir perdu la quasi-totalité de son « plâtre », s'allie à la douceur subtile et profonde du goût. Un tel équilibre est fugitif — quelques jours à peine. Mais, quand il est réussi, quel chef-d'œuvre !

On conçoit qu'un produit de ce type soit un casse-tête pour les marchands. D'une part, il faut s'assurer que la production provienne d'un fermier ou d'une laiterie utilisant des laits de qualité et observant des règles hygiéniques strictes — il y a d'ailleurs débat sur les obligations en ce domaine. D'autre part, il faut un lieu de stockage et d'affinage. Enfin, il faut vendre le produit « à point » le ou les jours où il est bon. On voit que les conditions sont bien différentes de celles du parmesan ou du gouda, et que la plupart du temps, par paresse ou âpreté au gain, elles ne sont pas respectées. Combien de gondoles sont ainsi colonisées soit par des produits insipides à consistance de plâtre ou de matière plastique, soit par des fromages ridés, d'odeur ammoniacale et de goût déplaisant. C'est que le fromage continue son affinage, même lorsqu'il a quitté son haloir. Seuls de rares bons professionnels assurent le continuum du processus, et donc de la qualité. Au fond, ces fromages devraient bénéficier d'un régime de conservation spécial, proche, par certains aspects, de celui des produits frais.

Le *brie* est un des fromages les plus extraordinaires, laissé malheureusement à l'abandon, à telle enseigne qu'on en fabrique n'importe où. Sa zone d'origine s'est déplacée vers l'est. Cependant le brie est de Seine-et-Marne, évidemment. Sa consistance doit être douce, son goût fin et long doux également, presque de noisette.

La plupart des bries sont malheureusement originaires de laiteries industrielles et la production fermière a disparu, particulièrement dans les meilleures appellations. En effet, le brie, qui est d'assez grande taille, varie selon les appellations. Le plus renommé fut le brie de Nangis, patrie de Pierre Perret. On le trouve rarement aujourd'hui.

Le plus connu est le brie de Meaux[1]. Les bries de Melun et de Montereau sont plus petits, mais plus épais. Félicitons à ce propos les deux courageux agriculteurs qui viennent de se reconvertir en réintroduisant le brie de Melun fermier[2]. Ceux de Provins et de Coulommiers sont plus proches du brie de Meaux.

Faut-il présenter le *camembert*, ce symbole, cet emblème de la qualité France, créé, on le sait, par une femme, modeste fermière du village normand qui lui a laissé son nom ? L'invention attribuée à Marie Harel est devenu tellement répandue, tellement universelle que les camemberts se fabriquent n'importe où dans le monde. Et puis, comme le nom fait recette, pourquoi ne pas vendre n'importe quoi sous cette étiquette, le camembert suisse

1. Seuls les bries de Meaux et de Melun sont des AOC.
2. Il ne restera plus qu'à remplacer les Prim Holstein par des Normandes, et tout sera parfait.

en tube par exemple ? On a ainsi les camemberts et le « véritable camembert de Normandie » (AOC). Celui-ci doit être fait au lait cru, moulé à la louche et, évidemment, d'origine.

Alors, faut-il condamner les vils imitateurs, étrangers ou même français ? Certes. Faut-il leur demander de rendre des comptes, de justifier le nom qu'ils exhibent avec une arrogance et une prétention qui imposent une justification ? Certes. Est-il normal que des modes de fabrication, que des laits d'origine différente, que des laits écrémés entrent dans sa composition ? Certes non. Est-il normal que ce soient de bons paysans normands, de bons industriels normands qui se prêtent à ces manœuvres, que ces mêmes bons Normands raccourcissent au nom de la rentabilité les temps de macération et d'élevage au point que, même de bonne extraction, le produit fin finisse médiocre ? Certes non encore.

Eh bien, nous sommes dans une impasse. Car, tant que les producteurs de ce produit remarquable n'auront pas décidé que, rentabilité ou pas rentabilité, il devait correspondre à sa propre exigence d'excellence, le camembert restera un produit à haut risque. Symbole, oui, emblème, oui, mais de quelle France, de quelle qualité ? De ces margoulins prêts à tout pour gagner un peu plus d'argent. De ces indifférents qui se contentent de manger des étiquettes, satisfaits qu'ils sont de pouvoir invoquer le seul nom de ce petit village de Basse-Normandie, et qui acceptent également le plâtre insipide ou la rondelle fermentée et nauséabonde. Ou bien symbole de cette France de l'âge classique, du siècle des lumières et des grands Capétiens, de la Révolution et de Victor Hugo, avec ses exigences, son enthousiasme et sa foi, sa rigueur et son goût de l'excellence. Le camembert, c'est un peu l'image de la France, admirable et lamentable à la fois. Peut-être au fond le symbole de l'humanité.

Le camembert peut aussi bien — c'est la majorité — être un produit industriel ou semi-industriel qu'un de ces rares fromages qui, comme le brie, combinent une consistance suave et onctueuse avec un goût à la fois frais, simple, doux et long, une sorte de synthèse de paix et de sérénité que peu de fromages peuvent offrir.

On sait qu'existe, ou existait, un brie de Coulommiers. Nous disons « existait » non parce qu'il a disparu, mais parce qu'on ne voit pas clairement aujourd'hui ce qui justifie une appellation spécifique. Le *coulommiers*, sans appellation brie, est plus petit. Il eut, dit-on, des qualités particulières et, selon R.J. Courtine, une « saveur douce d'amande qui faisait sa gloire ». Qu'est-elle devenue ?

• Les pâtes molles à croûte lavée. — Leur fabrication ressemble à celle des pâtes molles fleuries, mais comporte des lavages répétés afin d'éviter la colonisation par les moisissures. Le frottage avec eau salée et alcool vise à favoriser le ferment rouge, qui donne goût et couleur. De ce fait, la croûte nue révèle sa couleur, variant entre le jaune foncé et le rouge brique. Selon l'origine et le savoir-faire, ils peuvent être médiocres ou extraordinaires, c'est pourquoi il faut préférer les fromages dits

« fermiers ». Ce sont des fromages à l'odeur souvent forte, au goût intense, mais subtil. Cette catégorie contient certains des plus grands fromages français.

LES FROMAGES NORMANDS DU PAYS D'AUGE

Le *pont-l'évêque*, originaire du pays d'Auge en Basse-Normandie, autour de la petite ville de Pont-l'Évêque, est un produit à haut risque. En effet, un bon, un vrai pont-l'évêque est peut-être le plus grand des fromages français, à la fois tendre et peu coulant, à chair claire et au goût extraordinairement fin, long et doux. Malheureusement, il s'agit là d'un produit d'exception, tant l'immense majorité est décevante : consistance plastique, goût industriel ou au contraire ammoniacal. Saluons le renouveau actuel de la production fermière qui permet, depuis très peu d'années, de retrouver des produits dignes de leur potentiel.

Le *livarot*, un peu plus épais que le pont-l'évêque, est également un grand fromage. Sa croûte est rouge orangé. Son goût est plus prononcé que celui du pont-l'évêque.

Le *carré d'Auge* est une sorte de gros pont-l'évêque, assez proche de ce dernier.

LES FROMAGES BOURGUIGNONS

L'*époisses* et l'*ami du chambertin*, proches de saveur, sont eux aussi des très grands. Comme tous les fromages à croûte lavée, l'époisses est fabriqué par fermentation lactique. Il a été près de disparaître. Grâce au soutien de certains bactériologistes, et de l'ENSBANA de Dijon, le dynamisme d'un étudiant en médecine qui allait devenir un grand de l'industrie pharmaceutique française, le Dr Étienne Jacob, et la famille Berthaut, il a non seulement survécu, mais comme il peut maintenant « voyager », il est en expansion. Et c'est tant mieux car, lavé au vin blanc ou au marc, c'est un des fromages les plus subtils dans un registre fort, avec à maturité une pâte d'une extrême douceur. Tout cela grâce à la maîtrise du Brevibacterium linneus qui donne la couleur orangée caractéristique de sa croûte.

LES FROMAGES DU NORD ET DE L'EST

Les plus grands sont deux fromages forts, mais qui, lorsqu'ils sont bien faits et affinés, savent allier une consistance douce et tendre, avec un goût fin, long et complexe, contrastant avec une odeur puissante.

Le *maroilles* est originaire de la Thiérache, cette partie de l'Aisne qui reste, aujourd'hui encore, bien particulière. Il est souvent industriel.

Le *munster*, originaire des Vosges, à croûte rouge orange clair, est un de ceux dont l'odeur est la plus forte. Signalons l'étrange habitude de certains qui l'aromatisent au cumin. Le plus traditionnel, et le meilleur, est celui de Géromé (Gérardmer), plus grand et plus clair, jaune crème.

LES FROMAGES DES ALPES ET DU JURA

Bien qu'ils ne fassent pas à proprement parler de cette catégorie, nous les avons classés ici. On y trouve deux très grands, qui ne jouent que dans la douceur et l'onctuosité.

Le *vacherin* est crémeux, coulant, il peut même se déguster à la petite cuillère. Il est toutefois recommandé de ne pas manger la croûte. C'est un fromage d'hiver, produit dans le Haut-Jura français et suisse.

Le *reblochon* est encore un candidat au titre de meilleur fromage français, tant est subtile l'alliance de sa consistance presque crémeuse et de son goût fin, long et légèrement fruité. Il peut également s'utiliser en cuisine, comme le recommande Marc Veyrat.

Les fromages à pâte persillée

Ce sont les « bleus », ces fromages de vache ou de brebis, avec leurs veines colorées bleues ou vertes qui en parsèment la chair.

La fabrication en est classique au début — coagulation, égouttage —, puis le caillé est ensemencé avec des moisissures dont la nature détermine le type de fromage. Certains d'ailleurs prennent spontanément le bleu, présent dans les caves. L'affinage est plus ou moins long et se fait en cave.

• **Le roquefort.** — Fait de lait de brebis, c'est de loin le meilleur et le plus original des bleus. Les laits, initialement originaires de l'Aveyron, proviennent également d'autres régions — on en faisait venir de Corse. En fait la spécificité vient moins du lait que de l'affinage (la qualité des caves). La moisissure utilisée est particulière à ce fromage, c'est le Penicillium roqueforti, qui donne une couleur particulière, verte, aux veines. Le roquefort est dit à croûte grattée, car on en enlève l'essentiel avant le conditionnement définitif.

Le roquefort a une couleur blanc crème, veinée de vert. Il est de saveur forte, légèrement piquante. On le consomme seul, mais on peut également l'utiliser pour garnir des canapés ou pour agrémenter certaines sauces.

• **Les bleus à croûte naturelle.** — Les plus connus sont les fourmes d'Ambert et de Montbrison, et le bleu de Bresse, qui sont faits de lait de vache. Ce sont des fromages « gras » veinés de bleu, de bonne qualité, un peu rustiques. Citons également les bleus de Gex et d'Auvergne.

Le *bleu des Causses* est un fromage de vaches élevées dans les Causses, fait avec du lait entier, qui se trouve toute l'année. Lorsqu'il est bien affiné, il se situe au tout premier rang des fromages persillés, suave et moelleux, avec un bon équilibre gustatif et des arômes francs et plaisants.

• **Le danablu.** — C'est un fromage danois, sorte de roquefort de vache, assez fort et piquant, finalement moyen.

- **Le stilton.** — C'est un remarquable fromage, le meilleur que fabrique l'Angleterre, et l'un des meilleurs, sinon le meilleur avec le roquefort, des fromages à pâtes persillées. Il est plus doux que ce dernier, fait de lait de vaches sélectionnées. L'association du stilton et d'un vieux porto vintage est un grand classique.

- **Le gorgonzola.** — C'est le bleu de la Lombardie, lui aussi fait de lait de vache. Il est gras et doux. De bonne origine, c'est un produit de qualité remarquable.

Les fromages de chèvre

On les traite un peu à part, comme s'ils étaient vraiment différents des autres. La chèvre était le symbole de la pauvreté paysanne; par un retour de l'histoire dont on saura plus tard s'il était l'expression d'une voie nouvelle ou le simple refus de la modification irréversible que l'évolution impose, elle est devenue, il y a une vingtaine d'années, symbole d'un retour à la terre dont les caractéristiques sont bien différentes de celles prônées par feu l'ex-maréchal Pétain. Élever des chèvres, éventuellement en phalanstère ou en communauté, devint le mode de vie — marjolaine et sabots, longs cheveux et fleur au corsage — d'une génération tentée par la campagne et l'artisanat, peu soucieuse de rentabilité. Beaucoup, évidemment, en sont revenus. Mais, bien que leur participation en ce domaine soit aujourd'hui marginale, ceux qui proposaient dans les Pyrénées, les Cévennes ou ailleurs leur fromage de chèvre, pas toujours réussi il est vrai, ont largement contribué à la promotion de ce produit. Ils n'étaient et ne sont d'ailleurs pas les seuls et c'est à une génération audacieuse de jeunes paysans que nous devons la qualité et la diversité de ses fromages.

Les fromages de chèvre sont en règle générale faits avec du lait cru et fabriqués selon les règles des pâtes molles. La saison de consommation varie selon la nature, plus ou moins humide, du produit et s'étend d'avril à novembre.

Les plus connus sont les fromages à pâte ferme en provenance du Centre et de Poitou-Charentes : le *chabichou* du Poitou, le *pouligny saint-pierre*, le *selles-sur-cher*, le *valençay* et le *sainte-maure* de Touraine.

Le *crottin de Chavignol* et les divers *cabécous* du Quercy sont petits et secs. Signalons également le *niolo* de Haute-Corse, de goût plus fort, les *picodons* de la vallée du Rhône et les *persillés savoyards* (Aravis, Thones, Grand-Bornand, etc.). Les plus fins sont peut-être ceux de Haute-Provence, des Cévennes et de Rocamadour.

Les fromages de chèvre sont généralement de petite taille, arrondis, en forme de rondelle ou tronculaires. Ils se consomment seuls ou agrémentent les salades. On peut aussi en conserver certains dans l'huile d'olive ou les faire rôtir pour les consommer chauds. Leur goût est marqué, mais peu agressif, bien que rarement complexe. Il convient de s'assurer des conditions sanitaires de fabrication car le lait de chèvre peut transmettre la brucellose (fièvre de Malte).

Les pâtes filées

Ces fromages italiens dits à *pasta filata*, ou caillé plastique, constituent un groupe de chair claire, de consistance compacte mais douce, même s'ils durcissent avec le temps — on peut alors les utiliser râpés. Le caillé est immergé dans de l'eau ou du sérum chaud et étiré avant d'être moulé. Il s'agit d'un mode antique décrit par Columelle (*De re rustica*) au 1er siècle.

Les plus connus sont le *caciocavallo* de l'Italie du Sud — il aurait été initialement fait de lait de jument — et le *provolone*, fabriqué selon des formes et des volumes variés. Le *scamorza* et le *provatura* sont des fromages de même type qui se consomment frais, comme la mozzarella.

Les fromages forts

Il s'agit d'un groupe de préparations « maison », principalement originaires de la région lyonnaise et de la vallée du Rhône. On les fabrique avec divers fromages écroûtés (chèvre, bleu, etc.), malaxés avec vin blanc, épices, herbes diverses, additionnés éventuellement au fil des jours d'autres fromages, de beurre, de vin, etc. jusqu'à ce que se constitue une pâte « forte » dont les spécialistes se régalent. Et quand nous disons forte, nous disons forte...

Le fromage et le vin

Voici un des chapitres les plus étranges de l'histoire culinaire française. Comment imaginer manger du fromage sans vin, rouge bien entendu? A vrai dire, on reste confondu par la constance et l'insistance avec laquelle nombre de nos concitoyens associent un vague plâtre baptisé camembert avec un breuvage dont les qualités se mesurent en degré alcoolique et en intensité colorique. L'addition d'un produit où on ne discerne plus le fruit, noyé qu'il est dans la contribution alcoolique du sucre de betterave utilisé pour le doser et des raisins teinturiers qui en revigorent les teintes pâlichonnes, est-ce vraiment cela la démonstration de la supériorité du goût français ? Pourtant avec quelle suffisance sommes-nous prêts à en faire la démonstration aux malheureux visiteurs qui croient trouver chez nous des expériences sensorielles nouvelles !

A quoi cela est dû, on aimerait le savoir. Car honnêtement, l'alliance du vin et du fromage reste à étudier sérieusement. On connaît les trucs utilisés par certains marchands ou producteurs de produits moyens ou médiocres : la dégustation de fromage, de gougères ou autres préparations apparentées permet dans certains cas de masquer l'acidité, les arrière-goûts végétaux, l'absence de longueur de leurs produits. Cependant on peut supposer que l'amateur souhaite non pas trouver un moyen d'avaler ce qui est à peine consommable, mais réaliser une synthèse entre des produits de qualité, développer les qualités de l'un et de l'autre en les confrontant.

De ce point de vue, on se rendra compte de la difficulté en compulsant les numéros de l'ancienne formule de la revue *Cuisine et Vins de France*, où une douzaine de spécialistes, journalistes, œnologues, grands cuisiniers, goûtaient divers vins en association avec des plats, d'ailleurs le plus souvent classiques. Il en résultait une belle cacophonie, l'un portant au pinacle ce que l'autre clouait au pilori. On aboutissait à un goût « moyen », résultant du choix fait par le plus grand nombre de dégustateurs — mais a-t-il force de loi ? —, souvent surprenant et atypique.

En ce qui concerne le fromage, on voit peu à peu apparaître des tendances nouvelles, beaucoup plus modestes, prudentes, craintives qu'elles sont de paraître trop en rupture avec la tradition. Il ne saurait donc être question ici de donner des règles — elles restent à établir — mais d'indiquer des pistes, des idées d'association.

Disons d'abord qu'il existe, semble-t-il, un consensus pour deux types de fromages.

Les pâtes *persillées* (bleus, roquefort) se marient le mieux avec les *vins liquoreux*, en particulier sauternes et vendanges tardives, ou sélection de grains nobles alsaciens. Par ailleurs, l'alliance du stilton avec un vieux porto (un vrai vieux porto, pas un produit au rabais baptisé dix ans d'âge) est un classique d'outre-Manche.

Les *fromages de chèvre* s'allient avec les *vins blancs secs*.

Pour le reste, il n'est guère d'entente et chacun pourra essayer non seulement les vins rouges, blancs secs ou liquoreux, sans oublier les vins mutés, mais aussi le cidre, le poiré, et encore des alcools forts, tels le marc ou le calvados qui sont parfois les meilleurs compagnons de certains fromages.

6

Les porteurs d'arômes

Dans les légumes, les fruits, les viandes, etc., il convient de rechercher en premier lieu l'expression des qualités propres et des spécificités gustatives. Les choses doivent avoir le goût de ce qu'elles sont. Cette franchise d'expression est la première règle de la cuisine. Si elle souffre comme d'habitude quelques exceptions, le rôle du cuisinier n'est pas de masquer ce qu'il présente, mais de le révéler, avec son talent, son savoir, sa culture et sa sensibilité.

Exprimer les qualités d'un produit ne signifie pas que ce produit se suffise toujours à lui-même. En fait, il n'y a que les animaux qui se contentent de ce qu'il trouvent tel quel.

Une fois nettoyés, épluchés et découpés, les aliments doivent s'intégrer dans un projet, c'est-à-dire s'apprêter à devenir un plat. Parfois, ils peuvent être présentés nature. Plus souvent, ils sont assaisonnés, salés, poivrés, additionnés d'aromates, d'épices ou d'herbes aromatiques ; on leur ajoute du vinaigre, de l'huile, de la crème ou de la moutarde. Et pour finir, après que tout est terminé — cuisson, découpe et service —, chaque convive va souvent corriger à son goût ce qu'il mange en salant, poivrant, etc. D'ailleurs, salière et moulin à poivre sont des pivots du service à table.

Pour moduler arômes et saveurs, il y a le sel, le chlorure de sodium tout d'abord, un des rares produits de consommation d'origine minérale — en cuisine chinoise on utilise fréquemment un autre sel, le glutamate. Le sel, qui contient du sodium, joue un rôle fondamental pour l'équilibre de l'eau dans l'organisme. Le sel renforce le goût des aliments, mais on constate des différences importantes entre les individus : certains salent systématiquement ce qu'ils vont manger avant même d'avoir goûté,

414

d'autres n'apprécient le sel que modérément, sans compter ceux, particulièrement les hypertendus, à qui il est interdit en tout ou partie.

Une autre catégorie d'aliments associés au mets de base est celle des aromates, ingrédients utilisés pour les modifications et modulations d'odeurs et de saveurs qu'ils apportent. A peu près tout peut servir d'aromate. C'est le cas de tous les légumes — on n'en met alors qu'une quantité limitée —, de certaines viandes, par exemple l'os à moelle, le talon de jambon, les petits lardons, etc. Lorsque cuisent ensemble plusieurs ingrédients, chacun peut jouer vis-à-vis de l'autre le rôle d'aromate : dans le bœuf aux carottes, ces dernières s'imprègnent du goût de la viande qui, de son côté, voit sa saveur modifiée par les légumes.

La principale source de goûts et d'arômes se trouve dans les herbes aromatiques et les épices, qu'on distingue de façon plutôt arbitraire. Certaines épices sont d'origine animale — de petits poissons séchés par exemple. Mais l'immense majorité est végétale, comme les herbes. La différence est plutôt liée à l'origine géographique et à la rareté. Il y a dans l'épice une connotation mystérieuse et exotique. Même si on peut la produire près de son lieu de consommation, l'épice fait rêver, elle a un goût d'ailleurs. Alors que l'herbe aromatique fait figure de voisine, de bien connue.

La première qualité d'une épice est sa garantie d'être ce qu'elle est censée être. Il faut donc systématiquement préférer le bâtonnet de cannelle ou le rhizome de curcuma à la poudre déjà faite : au moins on sait ce qu'on achète. Malheureusement, comme ce n'est pas toujours possible, il faut souvent faire confiance au marchand, avec les risques gustatifs et sanitaires que cela comporte.

La plus connue de toutes les épices est le poivre, ou plutôt les poivres car on en trouve au moins cinq différents à peu près partout, et une bonne dizaine en cherchant un peu. Poivre et sel, l'expression est tellement banale et familière qu'elle s'applique même aux premières marques du vieillissement capillaire, évoquant le mélange de blanc et de sombre.

On sait qu'il ne faut pas abuser du poivre car, autant il apporte saveur et piquant à dose adéquate, autant en cas d'excès il peut rendre désagréable un plat. Il en est de même des autres épices. Combien de tartes rendues immangeables par le trop-plein de cannelle, de currys étouffés sous le curcuma, de bouillons fusillés par un peloton de clous de girofle. Il est souvent difficile de déterminer la dose exacte, car la qualité des produits proposés est très variable. Dans le doute, par exemple quand on expérimente une nouvelle marque ou un produit inconnu, il faut être prudent. L'insuffisance peut toujours se rattraper, se corriger, l'excès jamais.

Outre leur goût et leur odeur, certaines épices se caractérisent par la couleur, et sont ou étaient utilisées comme colorants des étoffes. La carcade apporte le rouge, le curcuma le jaune, le safran ce jaune particulier auquel il a donné son nom — à signaler que le mot « jaune » en arabe est aussi celui qui désigne le safran.

Certaines épices s'emploient telles quelles, d'autres voient leurs propriétés aromatiques amplifiées par la chaleur, chauffées à sec ou revenues par exemple dans le ghee, le beurre clarifié des hindous. Chauffées ne veut pas dire brûlées. Une épice carbonisée n'apporte qu'amertume et désagrément. Certaines épices doivent être ajoutées au plat avant cuisson. Elles vont se fondre peu à peu et, par cette disparition, simplement imprégner et discrètement parfumer l'aliment. D'autres doivent être ajoutées au dernier moment, qu'elles soient thermolabiles, c'est-à-dire détruites ou détériorées par la chaleur, ou qu'on veuille que leur caractère marque le plat de façon déterminante.

Il existe certains mélanges traditionnels : en France le quatre-épices, en Chine le cinq-épices, etc. Nombre de ces mélanges varient dans les proportions de leurs constituants élémentaires. De plus, ils ne contiennent pas toujours les mêmes. Le bharat, le tabil et le ras el hanout sont souvent de composition changeante. Quant aux divers currys et masalas, et aux appellations de fantaisie, type spécial ceci ou spécial cela, leur contenu est extrêmement varié et souvent imprévisible, ce qui rend délicate la réalisation des recettes.

Une solution simple consiste à faire soi-même ses mélanges. C'est en fait très facile, il suffit d'une balance et d'un moulin à café. A noter que ce dernier, chassé peu à peu par la mode du café moulu, garde une place inexpugnable pour pulvériser les épices.

Les épices craignent l'humidité et certains la lumière. Il est regrettable que la plupart des conditionnements soient peu pratiques, occupent beaucoup de place pour ce qu'ils contiennent, et soient aussi peu esthétiques ; un récipient beau à regarder ne coûte pas plus cher à fabriquer qu'un laid.

Les herbes aromatiques étant généralement autochtones, le jardinier amateur pourra donc les cultiver lui-même et le cuisinier se les procurer fraîches dans de nombreux cas. Certaines doivent être utilisées ainsi : le cerfeuil, le persil ou le basilic n'ont d'intérêt que frais. Dans certains cas, on peut les congeler, mais, lors de l'utilisation, les herbes prennent un aspect mouillé, elles sont moins fines, moins franches de goût et moins belles. D'autres perdent toute qualité en séchant, par exemple les fleurs de romarin. Curieusement, il en est qui ne les révèlent pleinement qu'après séchage — l'aspérule odorante est de celles-là. D'autres enfin peuvent être utilisées indifféremment sèches ou fraîches : la feuille de laurier, la brindille de thym ou de romarin conservent bien leurs propriétés.

Il en est des herbes comme des épices, point trop n'en faut. Certaines s'utilisent dès le début de la préparation, d'autres au dernier moment.

Un dernier point, important : épices et herbes aromatiques sont fréquemment également herbes médicinales. Par nature un produit qui entraîne un effet sur une fonction de l'organisme, si tant est que cet effet soit positif, verra l'amplitude de ce phénomène varier avec la dose. Certaines herbes et épices contiennent des produits actifs en quantités tellement faibles qu'une intoxication est improbable. Ce n'est pas le cas de toutes, ce qui explique certains désagréments, digestifs entre autres, qu'entraîne leur abus. Parfois, et ce peut être le cas si on achète une poudre chez un vendeur indélicat, il peut y avoir, mélangés avec les épices, des minéraux (des pierres), des insectes séchés et divers excréments, qui peuvent apporter des toxines et des agents pathogènes d'autant plus sournois qu'on ne songera pas à incriminer l'épice. Méfiance donc à domicile, mais plus encore au restaurant, particulièrement lors des voyages.

LE SEL

Il n'y a pas de source naturelle de sel chez les êtres vivants. La plupart n'en consomment pas, car il n'y en a ni dans les plantes ni dans la chair des animaux — du moins pas dans des quantités qui apportent le goût du salé. De plus, mis à part quelques rares cas de maladies inhabituelles, l'organisme subsiste très bien sans sel, ou presque. Il n'est que dans des conditions peu usuelles, par exemple dans certains pays très chauds, que l'ingestion importante de sel peut être considérée comme nécessaire. Par contre, l'excès en est fortement dangereux, avec des conséquences qui peuvent être graves sur le système vasculaire.

Alors, faut-il saler, et pourquoi le faire? C'est simplement affaire de goût. Il y a ceux qui avant la première bouchée salent les aliments sans retenue et ceux qui préfèrent un goût plus naturel. A chacun de décider. Il faut faire tout de même attention à l'éventualité que certains de vos invités suivent un régime désodé (le principe actif étant le sodium, le problème peut être identique avec des eaux minérales alcalines, telle l'eau de Vichy, riche en bicarbonate de sodium).

Il faut saler le plus tard possible. En effet, les mouvements d'eau suivent la concentration de sodium. Plus un aliment est salé en surface, plus il va rendre d'eau et se dessécher à la cuisson. Ça peut être utile dans certains cas. Dans le cas des grillades, il ne faut jamais saler avec la cuisson, car cela ferait bouillir la viande, mais après que la pièce a été saisie et caramélisée en surface, donc en fin de cuisson ou au moment de servir.

Quel sel utiliser? N'importe quel sel (marin ou de mine) peut saler de l'eau bouillante. Par contre, les sels marins humides et gris, telle la fleur de Guérande, sont beaucoup plus agréables que le sel sec, fin et blanc, pour saler les aliments. Ils comportent d'autres sels minéraux et sont finalement relativement peu riches en sodium.

LES ÉPICES

L'ajowan — Carum ajowan

C'est un cousin du carvi dont on utilise les graines, entières ou moulues, dans le même registre. Son goût, amer, évoque celui du cumin et du thym, et il faut l'utiliser avec précaution.

Certains l'ajoutent, comme l'asa foetida, la sarriette ou la sauge, à la cuisson des féculents pour en limiter les effets digestifs indésirables (flatulences entre autres).

L'asa foetida — Ferula assa foetida

Malgré son nom peu engageant, la poudre tirée des tiges et des racines de cette ombellifère qui ressemble un peu au fenouil est largement utilisée en cuisine indienne, dans les mélanges d'épices, en raison de ses vertus supposées favoriser la digestion.

Elle entre également dans la composition de sauces commerciales dont le goût est inspiré de certaines recettes aigres-douces du sous-continent indien.

La badiane — Illicium verum

La badiane ou anis étoilé est un fruit séché en forme d'étoile que l'on utilise pointe par pointe ou en poudre. Elle fait partie du cinq-épices, mélange chinois traditionnel.

La badiane est employée en cuisine chinoise ou indochinoise, et son parfum intermédiaire entre celui de l'anis vrai et de la réglisse trouve peu à peu sa place dans diverses préparations de la cuisine occidentale.

La cannelle — Cinnamonum verum

C'est son écorce séchée qui est utilisée en cuisine. On la casse ensuite en petits morceaux ou on la réduit en une poudre brune qui peut s'utiliser dans une multitude d'indications, dans le sucré comme dans le salé, seule ou en accompagnement d'autres épices. L'arôme et la saveur de la cannelle, doux et puissants à la fois, sont aisément reconnaissables et typés, avec une nuance de terre brûlée.

La cannelle est une épice de première importance, mais qui doit être utilisée avec modération, faute de quoi elle écrase tout et rend pénible la consommation du plat ainsi déséquilibré.

Les câpres — Capparis spinosa

Ce sont les boutons floraux du câprier, vivace épineuse répandue dans les climats doux, qui sont utilisés confits dans le sel et le vinaigre. Les câpres ainsi préparés ont un goût piquant, bien particulier, et font classiquement partie de certaines sauces.

Le fruit du câprier, le *câpron*, de la taille d'une petite olive, se prépare à l'aigre-doux et accompagne viandes, poissons et salades.

La carcade — Hibiscus sabdariffa

Les calices séchés de cet hibiscus — plante comportant de nombreuses variétés utilisées en général pour la durée et l'éclat de leur floraison — sont utilisées pour faire des tisanes. Mais on peut aussi employer la carcade pour aromatiser diverses préparations sucrées et salées, où elle apporte une tonalité « acide » et une couleur rouge sombre.

La cardamone — Elettaria cardamonum

On présente les fruits de la cardamone sous leur forme naturelle, verts ou blanchis. Typiquement, les premiers sont utilisés en cuisine sucrée, les autres dans le salé. En fait, ce sont les graines qu'on utilise soit entières, soit pilées. La préparation demande donc un certain temps. La cardamone a un goût fort et chaud, très utilisé en pâtisserie. Le café à la cardamone est une boisson traditionnelle arabe. La poudre de cardamone entre dans la fabrication de nombreux mélanges traditionnels indiens, en particulier le garam masala et le curry.

Le carvi — Carum carvi

Le carvi est une plante connue très anciennement, dont on utilise les graines pour la cuisson des poissons et la préparation du pain. En Hollande, on les ajoute à certains fromages. En Europe centrale elles sont également utilisées en saurisserie.

Le goût du carvi est intermédiaire entre celui de la coriandre et celui du fenouil et de l'aneth, proche de celui du cumin. C'est un des constituants de l'harissa tunisienne.

La citronnelle — Cymbopogon citratus

Il s'agit ici de la citronnelle de Thaïlande, le *lemon grass*. On la trouve aisément, fraîche, dans les boutiques extrême-orientales. Elle ressemble vaguement à la ciboule à laquelle elle n'est pas apparentée. Les tiges séchées sont rose clair, dures et moins aromatiques que les tiges fraîches qui s'utilisent finement ciselées dans la cuisine thaïlandaise, en particulier dans le célèbre *tom yam kung*, la soupe de crevettes épicée. Elles entrent également dans l'assaisonnement de ragoûts et plats en sauces divers.

Le goût de la citronnelle, comme son nom l'indique, rappelle celui du citron, mais avec une tonalité personnelle bien typée.

Le clou de girofle — Eugenia caryophyllus

Un des symboles les plus traditionnels des épices, les boutons non éclos du giroflier sont séchés au soleil et prennent une couleur brune caractéristique. Les clous de girofle, traditionnellement plantés dans un oignon, font partie des indispensables ingrédients du pot-au-feu et des ragoûts. Le goût du clou de girofle est complexe, un peu piquant.

Il a des propriétés anesthésiantes locales utilisées autrefois pour combattre le mal de dents. Réduit en poudre, il participe à divers mélanges d'épices.

Le cumin — Cuminum cyminum

Ce sont les graines grisâtres du cumin qui sont utilisées en cuisine, soit entières, soit réduites en poudre. Le cumin, seul ou en association avec d'autres épices, est très courant en cuisine nord-africaine (c'est le kamoun) et turque, et aussi en Inde et en Amérique du Nord.

Le curcuma — Curcuma longa

Ce rhizome du curcuma, ou turmeric, est séché et pulvérisé pour donner une poudre jaune orangé dont les propriétés aromatiques, un peu piquantes, évoquant le gingembre et le safran, sont utilisées traditionnellement en Inde. Le curcuma colore vivement les plats en jaune. Il est un des ingrédients principaux du curry. On s'en sert également pour teindre les étoffes.

Le fénugrec — Trigonella foenum graecum

Cette herbe culinaire et médicinale, connue depuis l'Antiquité, a un parfum puissant, apparenté à celui du céleri. On utilise ses graines, brun clair, qui ressemblent à de petits cailloux — on recommande généralement de les griller légèrement, l'arôme est plus distingué. Il entre dans la composition de nombreux mélanges traditionnels, dont le curry, et peut, comme le sésame, participer à la halva, cette sorte de nougat arabe. On peut l'ajouter à la pâte à pain, aux gâteaux et à diverses préparations salées. Le fénugrec, de bonne origine, moulu soi-même au moulin à café, est en fait une épice particulièrement subtile et agréable. On peut aussi consommer le feuillage comme légume.

Le genièvre — Juniperus communis

Les baies du genévrier commun, arbuste très répandu dans nos forêts, sont rondes et sombres, presque noires. Leur goût rappelle un peu celui des jeunes pousses des conifères. Elles sont employées en saurisserie et dans les préparations de gibier. On en met traditionnellement dans la choucroute. Dans les pays du nord de l'Europe, on en tire également des alcools blancs, genièvre et gin en particulier.

Le gingembre — Zingiber officinale — et le galanga

Le rhizome du gingembre, brun clair, à la consistance ferme et élastique, irrégulier, plein de petites excroissances, est l'une des plus anciennes épices de notre monde. On le cultive dans les régions chaudes et récemment on s'est aperçu qu'on pouvait également en produire chez nous. Le gingembre est une substance mythique, chargée de significations multiples. On l'emploie confit : c'est une sucrerie, ou un dessert original, à la fois doux et piquant. Ou bien frais, râpé ou coupé en petits morceaux, dans d'innombrables préparations salées ou sucrées. On en fait des boissons à la fois désaltérantes et toniques. Il participe aux « pains d'épices » et, séché et réduit en poudre, entre dans de nombreux mélanges utilisés en pâtisserie, en confiserie et aussi en cuisine salée. Il fait partie du curry de Madras, de divers masalas et du quatre-épices.

Il existe plusieurs *galangas* — Longuas galanga et Alpinia galanga —, rhizomes apparentés au gingembre, ressemblant à ce dernier, avec des nuances de poivre et de citron. On les utilise en Thaïlande, d'où leur nom de gingembre thaïlandais, et dans les pays de culture malaise dans les mêmes rôles que le gingembre. Le galanga fait partie de la pâte de curry thaïlandaise.

Le jasmin — Jasminum officinale et Jasminum grandiflorum

Le jasmin, plante grimpante, portant de petites fleurs blanches, c'est le symbole de la Tunisie. Le parfum du jasmin — signalons que le jasmin d'hiver, plus rustique, à fleurs jaunes (Jasminum nudiflorum), en est dépourvu — est un des plus forts et des plus complexes qui soient. Le jasmin est surtout employé en parfumerie, mais on peut également utiliser la délicatesse de ses arômes — les fleurs sont petites et il n'est pas besoin d'en mettre beaucoup — avec des viandes blanches et des poissons.

La moutarde — Brassica hirta, nigra, juncea

De la moutarde, plante commune, dont le nom change avec la couleur des graines — hirta : blanche, nigra : noire, juncea : brune —, ce sont surtout ces dernières qu'on utilise en cuisine.

Elles sont piquantes et un peu amères, et ce sont ces propriétés qui sont à l'origine de son rôle principal : la préparation de la moutarde à base de graines (moutarde à l'ancienne) ou de farines conditionnées à l'eau comme l'*english mustard*, au vinaigre, au vin blanc, etc. On lui adjoint toute une variété d'herbes aromatiques complémentaires, fenouil, piment, estragon, etc. On peut en préparer des formes douces, voire sucrées, additionnées de miel, de mélasse, de sucre d'érable, etc., ou au contraire fortes, souvent à base de moutarde blanche.

Ces conditionnements sont très utilisés et font partie intégrante de certaines préparations communes, telle la mayonnaise, ou de certains classiques, comme le lapin à la moutarde.

Quant aux graines elles-mêmes, elles agrémentent les courts-bouillons de poissons et certaines saumures. On peut les ajouter à la choucroute et à divers plats de l'Est européen.

La muscade — Myristica fragrans — *et le macis*

De la muscade, dont le nom latin indique qu'elle embaume, on tire plusieurs parties. Ou plutôt on utilise la fleur, le fruit et la noix de cet arbre originaire des Moluques, qui ressemble à un poirier.

La noix est la plus connue, séchée, dure et oblongue, d'un joli brun clair, nichée dans une coquille plus sombre. On la râpe ou on la pulvérise pour en faire une poudre utilisée dans de très nombreuses préparations salées où elle apporte cette présence aromatique fine, distinguée et bien typée qui la caractérise.

L'enveloppe charnue (arille) qui recouvre la noix constitue le *macis* ou « fleur » de muscade. On la sèche, elle devient orangée. Son goût et son arôme sont plus fins et raffinés que ceux de la noix, son utilisation est similaire.

On trouve en Extrême-Orient des confiseries faites avec le fruit — qui ressemble extérieurement à un abricot — très fines, aromatiques et agréables.

La nigelle — Nigella sativa

La nigelle de Damas est une plante ornementale aux fleurs bleues et aux petites graines noires. Ce sont celles-ci qui sont utilisées en raison de leur goût de noix dans les gâteaux et la pâte à pain. On peut également les moudre et les ajouter à divers mélanges d'épices en cuisine salée.

Le paprika — Capsicum tetragonum

C'est un piment doux qui, comme tous les autres piments, est originaire d'Amérique. C'est dans certains pays d'Europe centrale, en particulier en Hongrie, que ce fruit rouge orangé, creux, et de forme grossièrement pyramidale est cultivé de façon intensive. On le sèche et on le réduit en poudre avec laquelle on aromatise de nombreux plats (paprika de Hongrie). La poudre de paprika est généralement douce, mais il existe quelques variantes un peu plus fortes sans que le goût ne soit généralement trop piquant.

Le pavot — Papaver somniferum

On tire du pavot (littéralement le « pavot qui fait dormir ») divers alcaloïdes constituant l'essentiel des substances narcotiques.

Les graines du pavot, qui ont un goût d'amande subtil et profond, sont également des ingrédients traditionnels utilisés pour agrémenter pains et gâteaux. Selon les variétés, elles sont brunes ou noires, douces et sucrées, et on peut également les utiliser dans la cuisine salée.

Les piments — Capsicum annuum et Capsicum frutescens

Parmi les divers piments certains (cf. le chapitre sur les légumes) sont consommés comme légumes. D'autres sont utilisés en raison de leurs plus ou moins grandes qualités de piquant. Ils appartiennent principalement à deux groupes, Capsicum annuum et Capsicum frutescens, et sont de taille de couleur et de forme très variées. De nombreux cultivars ont été produits, parfois par croisement avec Capsicum baccatum. Ils ont en commun la présence d'un neuromédiateur, la capsaïcine, qui stimule certaines terminaisons nerveuses. D'une façon générale, les plus gros et les plus grands piments sont relativement plus doux; ou, si l'on préfère le dire ainsi, les plus petits sont généralement les plus agressifs.

Le parfum des piments dépend de leur contenu en sucres et de leur couleur, ce qui explique que les piments rouges sont plus doux que les verts. Certains sont meilleurs mûrs, c'est-à-dire bien rouges, alors que d'autres sont préférables verts.

Certaines espèces doivent être consommées fraîches et

424

d'autres se conservent, après séchage au soleil, pendant de longs mois.

Les piments (*chillies* en anglais de Grande-Bretagne) sont classés en groupes : Cayenne, petits et allongés, généralement très piquants ; Jalapano et Serrano, larges et épais, souvent striés longitudinalement, très ou moyennement piquants ; Anaheim et Hongrois, relativement longs et larges, plutôt doux ; Habernero, très piquants, de couleur variée, arrondis et spectaculaires ; les piments espagnols assez grands et moyennement piquants, etc. Rien qu'au Mexique on en recense plus de cent. En France, le piment d'Espelette est renommé et recherché.

Les piments s'utilisent entiers, en poudre (le cayenne, très piquant, le paprika rouge-orange doux et parfumé), en pâtes de couleur et de force variée.

Signalons également le Tabasco, marque commerciale, qui associe vinaigre, sel et piment.

Le poivre — Piper nigrum

C'est le plus connu, le plus commun de toutes les épices. Il s'est même tellement banalisé qu'on le remarque à peine. C'est que le poivre est ajouté à la quasi-totalité des plats salés. Il n'est de farce, de salade, de sauté ou de rôti qu'on ne poivre.

Le poivre apporte arôme et piquant. L'arôme varie selon sa couleur, qui correspond à des maturités différentes des fruits cueillis. Jeunes, ils sont verts et peuvent être conservés lyophilisés ou en saumure — à Madagascar on en fait des sortes de « confitures » qui accompagnent admirablement le gigot d'agneau rôti. Cueillis verts et séchés au soleil, ils deviennent noirs — c'est le poivre noir —, à moins que, trempés dans l'eau et débarrassés de leur peau, on n'en fabrique le poivre blanc. Le poivre vert est moins piquant, le poivre blanc plus fin.

Le poivre peut s'employer en grains entiers pour aromatiser les bouillons ou relever la cuisson de certains plats en sauce. Écrasé grossièrement, c'est le poivre mignonnette, compagnon attitré de la viande de bœuf dans la recette du steak au poivre. Le poivre moulu accompagne tous les mets. Il est bien meilleur lorsqu'il sort directement du moulin que préparé à l'avance. Évidemment, il faut un engin qui ne s'enraie pas et qui soit de maniement aisé, ce qui n'est pas si facile qu'on croit à trouver.

Il existe également d'autres poivres. Le *poivre rose* (Schinus molle) est peu piquant, ce n'est à vrai dire pas réellement un poivre.

425

On vend sous le nom de cinq-poivres des associations de poivre vert, noir, blanc, rose et de poivre de la Jamaïque, qui sont souvent bien équilibrées, agréables et qui se marient particulièrement bien avec les viandes grillées.

Le poivre à queue — Piper cubeba

Encore un autre poivre, un vrai, comme le poivre long; ses baies sont semblables à celles du poivre noir, avec une petite queue qui les fait ressembler à de jeunes têtards. Le poivre à queue, ou cubèbe — le *nabbaba* des Arabes —, est légèrement amer, aromatique et subtil. Il fait partie des ingrédients traditionnels du ras el hanout et de ce fait il est largement utilisé en Afrique du Nord pour agrémenter les plats de viande.

Le poivre de la Jamaïque — Pimenta dioica

On reconnaît aisément dans le mélange dit des cinq-poivres ce faux poivre, qui est en fait un piment. Ses baies brunes sont plus grosses que celles du poivre, plus douces de goût et très aromatiques, subtiles, longues et non agressives. On peut les utiliser dans de très nombreuses préparations où il apporte élégance, personnalité et légèreté.

Le poivre du Setchouan — Wanthoxylum piperitum

Il s'agit d'un faux poivre, dont les baies rouge foncé presque brunes ont un goût puissant et rafraîchissant. Elles font partie des cinq-épices chinois et assaisonnent les viandes. On utilise la partie extérieure de la baie, pas la graine intérieure. Le poivre du Setchouan n'a pas belle allure à l'achat, on dirait une série d'enveloppes déchirées et séchées.

Le poivre du Setchouan n'est guère utilisé que par certains chefs qui en expérimentent la place en cuisine française, mais l'originalité de son goût mérite l'attention.

Le poivre long — Piper longum

Les recettes du Moyen Age et de la Renaissance comportent beaucoup plus souvent le poivre long que notre poivre actuel, Piper nigrum. Le poivre long est un cylindre de deux centimètres de long à la surface irrégulière. On l'emploie comme le poivre commun; il est moins piquant et plus aromatique, plus subtil, plus doux.

Les roses

Des roses on peut utiliser les fleurs fraîches pour décorer un plat, ou pour fabriquer certaines spécialités, comme la confiture de pétales de roses, spécialité de Provins, haut lieu historique des roses en France et en Europe. On peut aussi faire de la confiture avec les fruits (gratte-cul) de certaines variétés.

Plus généralement, les boutons de roses séchés — principalement des roses parfumées dites de Damas (Rosa damascena) — sont utilisés dans diverses compositions traditionnelles d'épices d'Afrique du Nord, le bharat et le ras el hanout.

Bien sûr, il ne faut utiliser que des roses non traitées si on veut éviter de consommer des produits plus ou moins toxiques.

Le safran — Crocus sativus

C'est le roi des épices par la puissance, la distinction et la complexité de son goût, par son coût également. Le safran, c'est le stigmate d'un crocus. Comme il faut environ 150 à 200 fleurs pour obtenir un gramme de safran, on comprend le travail nécessaire pour le récolter — la terre est basse — et donc son prix. D'où la tentation de frauder, les malhonnêtes utilisant les pétales de souci, d'arnica et de carthame dont les prix de revient sont sans commune mesure, pas plus d'ailleurs que le goût. Puisqu'il s'agit d'un produit cher, on préférera se procurer le meilleur, qui se présente sous forme de stigmates longs et d'un beau rouge sombre.

En dehors de son rôle culinaire, le safran est utilisé pour colorer les étoffes. Le safran présente des qualités aromatiques intenses et il convient d'en user avec discernement. Une dizaine de filaments sont généralement suffisants pour un plat entier — ce qui relativise finalement son prix d'achat.

Le safran est le compagnon obligé de grands classiques, la paella espagnole, le risotto du nord de l'Italie, la bouillabaisse provençale. Il trouve une place croissante dans le sucré comme dans le salé, où il apporte couleur, arôme et saveur.

Le sésame — Sesamum indicum

Du sésame on utilise les graines, petites et rondes, blanches ou brunes, parfois noires, riches en huile. Leur goût est doux et elles sont très utilisées en pâtisserie, en particulier dans les pays orientaux, mais aussi dans de très nombreuses préparations salées. On en fait également des pâtes sucrées ou salées.

Des graines on tire une huile, elle aussi très utilisée car elle supporte très bien la cuisson.

Le sumac — Rhus corioria

On connaît les sumacs, arbustes dont le feuillage prend des teintes automnales éclatantes.

Les baies, d'un rouge foncé, sont réduites en poudre et utilisées au Moyen-Orient et dans les pays anciennement colonisés par les Turcs pour agrémenter viandes, poissons et salades.

Le tamarin — Tamarindu indica

Originaire des Indes, on en utilise les gousses brunes, d'une saveur acidulée, dans divers plats typiques des Indes et de Thaïlande. On peut aussi les confire dans le sucre et les servir comme confiseries.

La vanille — Vanilla planifolia

Ses gousses longues, brun-noir, ressemblent à des haricots. La vanille possède un arôme et une saveur bien particuliers, doux, sucrés, poétiques et rémanents. Cette plante originaire du Mexique a imposé son goût typé comme une des pierres angulaires de l'univers gustatif. A tel point qu'on vend généralement des produits synthétiques de substitution en son lieu et place. Pourtant la vanille, tel le phénix, renaît après utilisation si on la lave et la sèche soigneusement.

Bien qu'il existe quelques recettes salées, la vanille est une des épices du sucré, et ses utilisations sont innombrables : glaces, crèmes, entremets, gâteaux, etc. Elle leur apporte une note aromatique à la fois agréable, plaisante et si nécessaire qu'on se demande comme il se fait qu'elle ne soit apparue dans notre monde qu'au XVIe siècle.

Il en existe plusieurs variétés. Signalons l'exceptionnelle et exquise vanille de Tahiti, au goût profond et fruité, et la bonne qualité de celle dite Bourbon.

Le vétiver — Vestiveria zizanioides

Ce sont les rhizomes de cette herbe qui sont utilisées principalement en parfumerie, et que certains chefs, Olivier Roellinger par exemple, ont introduits dans quelques prépara-

tions culinaires, dans son « huile au goût d'ailleurs » en particulier.

Autres épices

A côté des épices les plus classiques, il en existe d'autres utilisées localement. On ne les connaît pas toutes et certaines sont
intermédiaires avec les herbes aromatiques. En fait, la limite
entre épice et aromate est floue, elle dépend surtout du type
d'utilisation. Prenons par exemple les champignons. Certains
peuvent se manger crus, d'autres cuits comme légumes. On peut
aussi les utiliser comme aromates : quelques champignons dans
une sauce ou une cuisson en modifient le goût. Séchés, certains
apparaissent comme de véritables épices, au goût profond et
musqué — c'est le cas par exemple des marasmes d'oréade ou
faux mousserons, ou encore des fameux funghi porcini italiens.
Après tout, la truffe ne joue-t-elle pas le même rôle ?

Il est d'autres ingrédients qui ne font pas partie traditionnellement des épices et qui, séchés et pulvérisés, trouvent leur place,
en particulier dans les mélanges ; d'ailleurs certains assortiments traditionnels tel que le ras el hanout contiennent certains
d'entre eux. Une liste exhaustive serait à entreprendre. Nous
citerons seulement quelques exemples :

> • L'*écorce des agrumes*, en particulier des oranges amères
> séchées.
> • L'*ail dégermé*, coupé en copeaux et séché au four ou au soleil.
> • Les tubercules des *orchidées* — Orchis mascula, morio, mili-
> taris etc. — séchés et réduits en poudre (le sahlep turc).
> • Les tout petits *poissons* d'eau douce ou marine (trois ou
> quatre centimètres de long) séchés au soleil.
> • Certains poissons coupés en copeaux et séchés, comme la
> bonite : la *hana katsuo*, élément de base de certains des bouillons
> utilisés en cuisine japonaise (ichiban dashi et niban dashi).

On peut rapprocher de ces préparations les macérations de
poissons en saumure qui étaient à la base du *garum*, le principal
assaisonnement des anciens Romains, le *nuoc-mam* vietnamien,
le *nam-pla* thaïlandais et le *pissala* niçois.

LES MÉLANGES D'ÉPICES

Chaque cuisine comporte des assortiments d'épices diverses
dont l'assemblage est souvent mystérieux. Parfois, il s'agit d'un
mélange élémentaire, par exemple l'association de sel et de

sésame utilisé par les Japonais pour assaisonner le riz. Parfois, la composition est évidente — les cinq-poivres, c'est-à-dire poivres blanc, vert, noir, rose et de la Jamaïque — ou classique et connue, comme le quatre-épices français — mais sait-on réellement qu'il s'agit de poivre noir, de girofle, de muscade et de gingembre pulvérisés ?

Enfin, il en est dont le nom exotique se suffit à lui-même, par exemple le tabel d'Afrique du Nord, le curry dit de Madras, l'harissa, le colombo, les divers masalas du sous-continent indien et tant d'autres. Il est évident que d'une place à l'autre la composition n'est pas la même. De plus, certains indélicats y ajoutent subrepticement divers détritus en sorte qu'il faut être particulièrement vigilant lorsqu'on achète de tels composés. En particulier, il convient de s'abstenir d'acheter sur les marchés exotiques, la beauté apparente des poudres aux teintes éclatantes et variées cachant souvent des proportions importantes de déjections et de produits toxiques. Les mélanges ne doivent être achetés que chez des commerçants de confiance, faits avec des produits de qualité et d'origine indiscutable.

On peut aussi faire ses propres mélanges. Il faut savoir qu'il y a des épices qui « passent » avec le temps. De plus, certaines épices gagnent à être cuites ou revenues, alors que d'autres y perdent leur personnalité.

La liste qui est proposée est évidemment limitée et n'est donnée qu'à titre d'exemple.

Le bharat

On en trouve de multiples versions. La plus simple, tunisienne, associe en parts égales *boutons de roses séchés* et *cannelle*; on l'utilise pour relever les plats de viande. D'autres recettes, plus diverses, y associent *poivre, muscade, coriandre, cumin, cardamone*, etc.

Le cinq-épices

C'est un mélange traditionnel du Viêt-nam et du sud de la Chine. Il associe *badiane, cannelle, girofle, fenouil* et *poivre du Setchouan*.

Le colombo

C'est un mélange des Antilles françaises. Il associe *coriandre, curcuma, ail séché, piments* et *moutarde*. C'est un produit frais ou sec.

Le curry de Madras

Le terme de curry recouvre une série de mélanges différents — les Indiens parlent de masala — et il est difficile de citer une composition « de base », quoi qu'on y trouve généralement du *curcuma*, du *fénugrec* et du *gingembre*. On y ajoute aussi du *poivre*, un peu de petits *piments*, éventuellement de la *cannelle*, des *clous de girofle*, du *cumin*, de la *coriandre*, etc. Le tout est réduit en poudre. Il est préférable, si on le peut, de préparer son propre curry à partir d'épices en grains ou en fruits. Il faut enlever les graines des piments. Dans ce cas, on les fait chauffer rapidement, sans les faire brûler, avant de les moudre.

Le garam masala

C'est un mélange traditionnel de l'Inde du Nord dans lequel entrent de multiples composants, variant d'une région à l'autre. On y trouve, en proportions diverses, la *cannelle*, le *poivre*, la *cardamone*, la *girofle*, la *muscade*, le *cumin*, les *fleurs de roses*. On peut y ajouter du *curcuma*, des feuilles de *laurier*, du *fénugrec*, des *piments* forts, du *fenouil*, du *sésame*, etc.

En fait, il est impossible de définir une recette type de garam masala. On l'utilise avec les viandes, les poissons, les plats végétariens, bref, il est ubiquitaire.

Il existe par ailleurs d'innombrables autres masalas, mélanges qui diffèrent selon les régions, les villages et même les familles.

L'harissa

L'harissa est une préparation tunisienne faite à partir de *piments* forts pilés. Il en existe diverses variétés qui ont en commun d'associer des piments épépinés et écrasés secs ou frais avec du *sel*, éventuellement additionnées de *carvi* et d'*ail*. Certains ajoutent un peu d'*huile d'olive*.

Le quatre-épices

C'est un mélange, en proportions variables, de *poivre noir*, de *gingembre*, de *muscade* et de *clous de girofle* pulvérisés.

Le ras el hanout

C'est un mélange de *boutons de roses de Damas* séchés, de *cannelle*, de *poivre* et parfois de *poivre à queue* (cubèbe), utilisé pour parfumer diverses préparations de viandes.

A côté des préparations usuelles qui ne comportent qu'une quantité limitée d'ingrédients, Mme Z. Guinaudeau, dans son remarquable *Fès vu par sa cuisine*[1], cite une liste très longue : *cardamome, macis, galanga, maniguette, muscade, piment de la Jamaïque, cantharide, cannelle, tara soudania, noix de muscade, clou de girofle, curcuma, gingembre, iris germanica, poivre noir, lavande, boutons de roses de Damas, cannelle de Chine,* fruits du *frêne, nigelle,* baies de *belladone,* graines cultivées (*gouza el asnab*), fruit du *hil* et *abachi, poivre à queue, poivre des moines* (kherouâ).

On conçoit que le nombre de spécialistes soit limité. Signalons que l'iris, la cantharide et la belladone sont toxiques.

Le tabel

C'est un mélange de *piments* secs, d'*ail* séché, de graines de *coriandre* et de *carvi*, très utilisé en cuisine algéro-tunisienne.

Mélanges d'épices du Moyen Age

La *poudre fine* (*Le Ménagier de Paris*, 1393) associe *gingembre, cannelle, girofle, cardamone, sucre candi* broyé.

La *poudre du duc* (*Le Ménagier de Paris*, 1393) associe *cannelle, macis, gingembre, graine de paradis, garingal, noix muguette* (de coco) et *sucre.*

LA CHAPELURE

La chapelure est indispensable, tout d'abord pour certaines fritures, et pour les gratins, voire, dans certains cas, pour épaissir une sauce ou un plat.

Il en existe du commerce, de blé ou de maïs. La meilleure chapelure est faite avec du pain, du bon pain. On peut soit utiliser le pain entier, soit n'utiliser que la mie. Couper le pain — de campagne, ou complet, ou multicéréale — en tranches. Les laisser sécher quelques jours. Les pulvériser au mixer ou, mieux, les écraser au pilon dans un mortier.

1. J.-E. Laurent, Rabat, 1966.

La chapelure se garde très bien dans un pot en verre, genre pot à confiture, à l'abri de l'humidité.

LES HERBES AROMATIQUES

Avant que les épices, souvent importées de loin, ne deviennent les compagnes obligées des plats cuisinés et des grillades, l'homme disposait déjà de certaines herbes dont le goût et le parfum lui inspiraient des alliances, des modes de cuisson. On peut imaginer que l'odeur pénétrante du thym et du serpolet, ou celle, plus étrange, de la sauge, ou encore le brillant et la tendreté des jeunes feuilles de romarin avec ses effluves forts et légèrement brûlés aient été immédiatement associés à la cuisine.

Il en est d'autres, multiples, dont l'aspect n'évoquait rien de précis, n'annonçait rien. Qui furent-ils, ceux qui ont dressé peu à peu la liste des espèces et des variétés utilisables — bien peu nombreuse en vérité si on la compare à la quantité de celles qui déclinent, de l'amer à l'insipide, les qualités de l'immangeable ? Sans compter les victimes obscures, tombées malades ou mortes, dans cette vaste investigation, dans l'établissement de ce dictionnaire encyclopédique de l'édibilité des espèces végétales. Médecine et cuisine ont ainsi délimité peu à peu leurs domaines et on devine, à la simple lecture d'un catalogue de plantes vivaces par exemple, ce que fut l'expérience, accumulée probablement sur des millénaires, de ceux qui permettent aujourd'hui de classer les fleurs de thym ou de romarin parmi les espèces subtiles que le cuisinier utilise communément, et celles de la digitale ou de la belladone parmi les poisons, mortels lorsque ingérés inconsidérément, thérapeutiques majeures lorsque administrés en conformité avec les règles ésotériques et précises de la médecine.

Les herbes aromatiques sont donc des compagnes anciennes, et comme telles on a tendance à ne plus leur prêter attention, à les négliger. On reste étonné devant le peu d'intérêt qu'elles suscitent et le peu de considération qu'on leur porte. Promenons-nous dans un supermarché et regardons le rayon des épices et des herbes aromatiques. Une chose frappe tout d'abord : on y trouve rarement des herbes surgelées, parfois des herbes fraîches, toujours les mêmes d'ailleurs : persil, estragon, ciboulette, cerfeuil et basilic en saison. Et toujours une seule variété, sauf peut-être dans le cas du persil où on a le choix entre le plat et le frisé. Mais l'essentiel se trouve ailleurs, dans des petits pots de verre, bien alignés, ceux de deux ou trois marques dont les produits passe-partout se ressemblent étrangement. Et par espèce, évidemment, une seule variété : thym, sarriette, origan ou marjolaine, etc. A la rigueur, et pour donner l'impression d'authenticité, on ajoutera un lieu d'origine. Avec en prime d'invraisemblables mixtures appelées herbes de Provence, spécial ceci ou spécial cela. Qu'achète-t-on ainsi, nul ne le sait. En effet, une plante est définie internationalement par un nom latin plus, éventuellement, un nom propre additionnel. Alors qu'est-ce que le thym que l'on achète ? Cette interrogation n'est pas vaine. Interrogeons les catalogues des producteurs de plantes pour jardins d'agrément. Par exemple, l'édition 1995-1996 du *Plant Finder*, édité par la RHS, ce répertoire de ce qu'on peut acheter en Grande-Bretagne, ne liste pas moins de 123 sortes de thyms, 13 sarriettes, 24 menthes, 6 hysopes, 55 origans et marjolaines, 70 helichrysum et 33 romarins, pour ne citer que quelques-unes des plantes les plus communes. Il est très vraisemblable que toutes n'ont pas de caractère très original en cuisine mais, pour reprendre l'exemple du thym, il est clair que le thym citron n'a pas la même odeur ni le même goût que le thym Herba barona de Corse, que le vert bordé de crème du Silver Queen ne fait pas le même effet visuel que le rose du Doerfleri Bressingham Pink et que le toucher du thym laineux, le bien nommé, n'est pas celui du thym hirsute. Et encore ne sommes-nous là que dans le cadre des grands, des communs. Mais que dire des diverses armoises dont les parfums si pénétrants et si étranges sont autant d'espaces fragrants dans les jardins de senteurs ? Là encore nous n'en utilisons guère qu'une variété, l'estragon, l'absinthe s'étant éloignée pour cause d'interdit. Que dire alors des moins connus, racine d'Acorus calamus, fleurs de Calamintha nepeta, graines de capucine, etc. ?

Que faut-il utiliser d'ailleurs dans ces plantes ? Les feuilles larges ou les tiges de l'ache des montagnes, les fleurs ou les folioles du romarin, faut-il les pulvériser, les garder en petites tiges, les conserver après cuisson ou les retirer comme on le fait de l'assemblage appelé bouquet garni ? Autant de pistes mystérieuses. S'il est évident qu'on ne saurait consommer les aiguilles sèches du romarin ou le bois du thym, par contre, les feuilles fraîches de la sauge ou de l'ache peuvent être mangées, crues ou cuites, au même titre que le persil, la ciboulette ou le cerfeuil ciselé qui semblent à eux trois résumer ce dont il est convention-nel de parsemer les plats que l'on sert à table.

A chacun donc de faire son expérience. Avec curiosité, mais aussi avec prudence car les plantes peuvent être traîtresses et les fleurs venimeuses. Certaines sont utilisées en herboristerie médicale. Il est donc aisé de se renseigner sur leurs éventuels effets. En tout cas, les thés, les verveines, les menthes, le tilleul, etc., ne présentent pas de danger et permettent d'imaginer des jus, des bouillons, des accords subtils.

Utilisation des herbes aromatiques

On peut dire qu'elles ne sont généralement pas utilisées à bon escient. Elles sont tellement communes, on a tellement oublié leurs qualités spécifiques, leur identité, qu'elles sont reléguées en fin de recette. Bien peu mentionnent la quantité exacte de chacune d'elles, si tant est que leur place ait été pensée autre-ment que par conformisme ou habitude. Et puis quelle dif-férence si au lieu de thym, on met de la sarriette, et du persil frisé par manque de cerfeuil?

Eh bien, il serait bon de repenser cette place, d'écouter les rares chefs qui mentionnent, qui un petit fragment d'anis étoilé, qui un quart de feuille de laurier ou une seule feuille de roma-rin. Cette remarque s'applique, bien sûr, également aux épices. Le fait de déterminer une quantité précise ne signifie d'ailleurs pas qu'il faille suivre aveuglément la consigne. En effet, pour les herbes comme pour les épices, l'origine, les conditions de recueil, la manipulation, l'âge, modifient largement les goûts et senteurs. C'est pourquoi il n'est généralement pas recommandé de les conserver indéfiniment. Il s'agit plutôt d'attirer l'attention sur l'effet exact que l'on cherche, sur sa nature, visuelle, olfac-tive ou gustative, sur son intensité, sur sa spécificité.

Notre culture souffre d'un déficit profond de sensualité. Par sensualité, nous entendons l'utilisation des sens comme moyen de connaissance, comme moyen de construction d'un univers personnel et intérieur unique et intransmissible à d'autres qu'à ceux qui en partagent l'essentiel. Nous ne savons pas utiliser nos mains, notre palais, notre langue. Quant aux sens les plus consi-dérés, la vue et l'ouïe, ils sont l'objet de tels assauts, de telles criailleries, de telles stridences dissonantes, qu'il est difficile de les éduquer, de leur donner ainsi le moyen de nous offrir en échange le sens de l'harmonie, du silence et du beau.

Il y a grande souffrance, grand manque de sensualité dans

notre monde. Car le mouvement accéléré des connaissances et des techniques, car la pulvérisation des certitudes ancestrales, l'intrusion de cultures extérieures, la confrontation à des religions ou à des philosophies auparavant rassurantes parce qu'éloignées, maintenant inquiétantes ou attirantes car présentes parmi nous, avec nous, en nous, tout cet éclatement ne peut se révéler créatif et bon que si nous sommes capables de l'intégrer à un corpus plus stable, plus intemporel. Sens de l'histoire, spiritualité (ou philosophie si on préfère un terme plus neutre) y participent. L'appréhension physique, sensuelle, sensible, affective, et affectueuse aussi, en est le complément nécessaire. Car sans cette connaissance sensuelle du monde, notre corps s'éloignera de plus en plus de lui-même, victime des modes et des contraintes de la vie moderne, qu'elles s'expriment à travers l'aliénation du travail et de ce qui l'accompagne, transports sardinesques, logements déprimants et loisirs de commande, ou du chômage avec ses corollaires dépressifs et autodépréciateurs.

La cuisine ne peut être, certes, la réponse à l'ensemble de ces aliénations ; elle ne peut pas non plus être le loisir préféré de tout le monde. Cependant, elle constitue, avec quelques autres fonctions sociales — l'habillement, la parfumerie, etc. — l'une des activités obligées et incontournables. Que l'on subisse ou agisse est donc choix d'individu.

> *Et libre à chacun de se taire*
> *Ou de crever*

était la conclusion d'une chanson ancienne qui racontait le choix et le malheur d'un soldat déserteur.

Il ne s'agit évidemment pas de crever, mais de déterminer ce qui plaît à chacun, comment éduquer son palais, comment créer ses propres espaces, ses propres plaisirs, sa propre place.

Les herbes aromatiques sont de forme, de volume, de couleur, de consistance extrêmement variés. Leur utilisation en cuisine est à la fois omniprésente, diverse et multiforme.

Elles peuvent être crues ou cuites. Crues, elles parfument une préparation, une sauce, font partie de la décoration de l'aliment principal. Cuites, elles impriment leur caractère aux sauces et aux bouillons, ou s'intègrent aux aliments eux-mêmes, sous forme de farce par exemple.

Le choix de chacune, la détermination de leur nombre et de leur quantité, la présentation (entière ou coupée plus ou moins finement) modulent leurs effets.

Disposer d'une source d'herbes fraîches, utilisable à loisir en temps et en heure, est simple pour qui a un jardin. Petit ou grand, il y a en effet toujours place pour ces auxiliaires de la cuisine qui occupent rarement un grand espace. La chose est plus délicate en appartement, mais, même en ce cas, il est presque toujours possible de trouver un coin pour y installer un petit pied de thym, de l'estragon, de la ciboulette, ou de la marjolaine, et, en saison, du basilic à petites ou à grandes feuilles. Elles demandent un peu de soleil — la fenêtre est leur amie —, de l'eau, elles prennent peu de place — en vacances on peut les emporter, elles sont moins encombrantes que le chat, ou les confier à un voisin obligeant. Elles ont bon caractère, elles repoussent après avoir été coupées, et même la ciboulette n'apprécie pas de ne pas être utilisée. Elles apportent à la cuisine, à la maison, un petit plus, un petit peu de nature et de vie.

PRINCIPALES HERBES AROMATIQUES

L'absinthe — Artemisia absinthium — *et les armoises*

L'absinthe c'est une famille, celle des armoises, des artémises. L'absinthe commune est bien connue pour avoir servi à fabriquer la liqueur du même nom — interdite au début du siècle pour cause de toxicité. On dit que Verlaine lui doit la perte de sa santé.

Les *armoises* sont reines des jardins, avec leurs feuillages souvent gris argent, tous fortement aromatiques. Les unes sont rhizomateuses et envahissantes, véritables pestes ; d'autres, arbustives, restent bien en place.

Certaines armoises sont encore utilisées pour fabriquer des liqueurs locales, tels l'arquebuse à base d'Artemisia abrotanum ou encore le génépi (Artemisia genepi).

En cuisine l'armoise est difficile à utiliser car elle dénature les réductions. Toutefois, on peut en émincer finement le feuillage et l'ajouter en petites quantités au moment de servir. L'Artemisia Powis castle peut ainsi agrémenter certaines salades — c'est avantageux car c'est l'une des seules de cette famille à conserver son feuillage gris argent toute l'année. L'Artemisia Hausserman, moins connue, d'un vert plus foncé, est un rare et remarquable complément des gibiers, mais au goût sauvage.

Signalons également l'*armoise camphrée* (Artemisia camphorata) l'*armoise des frères Verlot* (Artemisia verlotanum) et l'*armoise vulgaire* (Artemisia vulgaris) dont les odeurs fortes peuvent être difficiles à utiliser en cuisine. Elles sont cependant présentes dans des préparations diverses. Le parfumeur Yves Rocher présente à La Gacilly une collection d'armoises intéressantes par la diversité de leurs arômes.

L'acore — Acorus calamus

L'acore est une plante aquatique, de couleur verte, ou panachée vert et crème, avec une discrète pointe de rosé (Acorus calamus variegatus) qui repousse au printemps et se dresse droite, ressemblant au feuillage de certains iris.

Le rhizome de l'acore est envahissant. On le coupe et on l'épluche. Il a une odeur forte un peu camphrée, douce et parfumée, mais ne plaît pas à tous. On peut l'utiliser comme le gingembre ou le faire sécher et le moudre pour en faire une poudre ou en aromatiser le vinaigre.

L'agastache — Agastache foeniculum

L'agastache, encore appelée hysope géante, — dont il existe une forme à fleurs blanches — est en général pourprée, sent bon la menthe et la réglisse avec des nuances anisées. On peut en faire des infusions ou ciseler les feuilles pour les ajouter aux salades. Les fleurs sont également comestibles. On utilise de la même manière l'Agastache rugosa, ou *menthe de Corée*.

L'aneth — Anethum graveolens

L'aneth est une ombellifère dont on utilise les feuilles, fines et artistiquement découpées. C'est le *dill* des Anglo-Saxons. Chacun connaît aussi ce classique de la cuisine scandinave qu'est le saumon cru mariné à l'aneth. Il a un goût discrètement anisé, léger et subtil.

Les graines parfument les courts-bouillons et peuvent être ajoutées au pain ou à diverses préparations sucrées.

Il existe une variété — Anethum graveolens sowa — qui fait partie des ingrédients de certains currys.

L'anis — Pimpinella anisum

De l'anis, on utilise les graines entières ou moulues. Leur goût bien particulier accompagne certaines pâtisseries, mais sert parfois à aromatiser certaines préparations salées. L'anis est aussi utilisé pour fabriquer liqueurs et apéritifs, qui forment un ensemble caractéristique du Bassin méditerranéen (arak, ouzo, anisette, pastis).

Les basilics — Ocimum basilicum

Il existe de nombreuses variétés de cette plante annuelle, de taille très différente et de goût plus ou moins fort, de couleur verte ou violette. Les plus renommées sont les variétés Genovese et Crispum, ou Napolitaine, ainsi que le basilic à petites feuilles (Ocimum basilicum minimum).

Le basilic, c'est l'élément de base du pesto, sorte de purée faite d'huile d'olive, d'ail écrasé et parfois, comme dans sa variété génoise — la plus célèbre —, de noix. Les pâtes au pesto sont un des grands classiques de la cuisine italienne. Comme l'est en Provence la soupe au pistou. Le pesto, le pistou, c'est le basilic haché et écrasé ajouté au plat.

C'est dire que le basilic est un des symboles de la cuisine de cette zone située à cheval sur la France et l'Italie, dont la partie maritime constitue la Riviera. La cuisine niçoise en fait grand usage. Le basilic peut être utilisé avec l'ensemble des aliments salés. Il perd beaucoup de sa saveur lorsqu'il sèche, mais on peut le surgeler. On utilise les feuilles ou les fleurs et on les ajoute au plat au dernier moment.

Signalons les variétés Anise, Cinnamon, Citriodorum, aux arômes d'anis, de cannelle et de citron.

Les basilics asiatiques

Le ou plutôt les basilics sont souvent utilisés dans la cuisine thaï et malaise. On en distingue plusieurs variétés qu'on peut se procurer dans certaines boutiques spécialisées, et qu'on peut aussi cultiver sous abri. Le plus fameux est le basilic sacré de Thaïlande; on trouve parfois le basilic indonésien et le basilic doux de Thaïlande. Ce sont des plantes dont l'utilisation est bien différente de notre basilic. La variété la plus proche des nôtres est dite Horapa. Le basilic Kaprao, à la différence des cultivars européens, ne révèle ses propriétés aromatiques qu'après cuisson. Le basilic citronné (Minglack) a un goût poivré mais ses graines trempées servent à faire des desserts[1].

Les calaments — Calamintha

Ce sont des plantes vivaces de taille réduite, couvertes de fleurs pendant l'été. Elles sentent la menthe fraîche, elles en ont le goût, avec des nuances délicates et poivrées. Leurs petites fleurs sont roses (Calamintha grandiflora[2] ou thé d'Aubrac) ou bleues (Calamintha nepeta). Signalons que malgré son nom cette dernière n'a pas l'odeur désagréable des nepetas.

Le cerfeuil — Anthriscus cerefolium

Le cerfeuil est une plante condimentaire aromatique au feuillage fin et découpé, dont le goût à la fois franc, doux et long en fait un des favoris des chefs. Combien de plats sont ornés — beauté, élégance, en même temps qu'arôme discret et subtil — d'un ou de plusieurs petits bouquets terminaux de cette reine de la table. Le cerfeuil s'utilise cru et frais ; il perd beaucoup en séchant, encore plus en cuisant.

Le cerfeuil agrémente les plats en sauce et en ragoût, les potages et les légumes, les viandes, les poissons ou les œufs.

Dans les salades, il peut être utilisé en quantité plus importante — mais non dominante — et il est, avec la roquette, un des éléments clés de ce délicat mélange de salades que peut être le mesclun.

Le cerfeuil musqué — Myrrhis odorata

C'est une plante beaucoup plus grande que le cerfeuil, et qui n'est d'ailleurs pas apparentée à ce dernier. Ses feuilles sont finement découpées et ressemblent, toutes proportions gardées, à une fougère. Elles sont utilisées fraîches comme aromate, finement émincées.

1. Selon A. D'Hont et Mali, *250 Recettes de cuisine thaïlandaise*, Jacques Grancher, 1995.
2. La forme panachée (Calamintha grandiflora variegata) est plus jolie.

Elles apportent une note anisée aux salades, soupes, fruits, etc. On peut aussi consommer les fleurs blanches, en ombelles (c'est une ombellifère), et même les racines et les fruits. Une belle vivace, bonne de surcroît.

La ciboulette — Allium schoenoprasum

Elle se range dans la catégorie des aromatiques, cette belle plante aux longues feuilles curieuses, en forme de cylindre creux, longues et fines, qui se couvre de fleurs en pompons roses. Bien qu'elle soit en fait un ail, ce n'est pas le bulbe mais les feuilles que l'on utilise. On les coupe et on les hache pour les ajouter en fin de cuisson. Elles relèvent le goût de leur saveur aliacée, fine et vive. On peut également les utiliser pour cuire rapidement certains plats, par exemple l'omelette aux fines herbes.

La coriandre — Coriandrum sativum

La coriandre, c'est à la fois une plante herbacée, proche du persil par la forme et le goût — bien que ce dernier soit très différent, chacun étant typé dans son genre —, et aussi une graine que l'on utilise entière ou moulue.

La coriandre, c'est le persil arabe, c'est le goût fin et subtil qui transforme nombre de plats d'Afrique du Nord et du Proche-Orient. Les feuilles s'utilisent fraîches et s'ajoutent aux plats en fin de cuisson, ou agrémentent les salades. Cette annuelle se trouve toute l'année sur les marchés.

Les graines s'utilisent entières dans les courts-bouillons et les ragoûts. Elles trouvent également leur place dans certains plats sucrés. Les racines font partie des aromates de la cuisine thaï.

Le cresson de Para — Spilanthes oleracea

C'est une plante annuelle à la saveur brûlante, originaire d'Amérique, et qui est cultivée dans de nombreux pays. De la famille des astéracées, ce cresson particulier sert d'herbe aromatique dans les salades estivales.

L'estragon — Artemisia dracunculus

L'estragon est une armoise, mais il occupe une place à part. L'utilisation culinaire des artémises est rare et délicate, celle de l'estragon est bien évidemment commune. C'est une plante vivace assez capricieuse qui disparaît en hiver et réapparaît à la belle saison. On consomme ses feuilles, allongées, d'un vert agréable. L'estragon est odorant. Il est surtout sapide, avec ce goût si caractéristique et typé qui ne plaît pas à tout le monde. Bien qu'on puisse le sécher, c'est frais qu'il est le meilleur.

L'estragon perd beaucoup à la cuisson et, bien que présent dans certaines farces, généralement on l'utilise au dernier moment, coupé en petits fragments dont on parsème le plat ou qu'on mélange à la sauce. Il agrémente potages, salades et sauces à la crème : le poulet, ou plutôt, comme le démontrait magistralement Denis, les poulets à l'estragon sont des classiques de la cuisine facile, simple, goûteuse et talentueuse. L'estragon agrémente le vinaigre avec ou sans cornichons et diverses préparations à base de vinaigre.

Le fenouil — Foeniculum vulgare

La variété de fenouil utilisée comme herbe aromatique est cette plante ornementale qui se trouve dans la plupart des jardins d'ornement — souvent d'ailleurs dans sa variété Purpureum.

Du fenouil on consomme, ou plutôt on utilise, les branches : la nouvelle cuisine a exécuté ce qui était le plat inévitable des restaurants de poisson de la Côte d'Azur et d'ailleurs : le loup flambé au fenouil.

On utilise également les feuilles pour agrémenter les courts-bouillons et les préparations des poissons et crustacés; on les hache pour les ajouter à certaines salades.

Les graines de fenouil au goût anisé s'utilisent avec les viandes, mais aussi dans certaines pâtisseries.

Une autre variété, le fenouil de Florence (Foeniculum vulgare dulce) est utilisé comme légume.

Les géraniums — Pelargonium

Les géraniums sont rois des jardins. Ce sont des plantes vivaces, non comestibles, et si certains, en particulier les Catabrigiense et Macrorhizum, sont particulièrement odorants, on ne les utilise pas en cuisine.

Ce sont certains des faux géraniums, ceux qui ornent les fenêtres et les potées l'été, qui sont en fait des pélargoniums qu'on peut ajouter aux sauces et à certaines pâtisseries, en petites quantités. On peut aussi les utiliser en infusions.

Deny Bown recommande particulièrement le pélargonium à odeur de citron (Pelargonium crispum), le pélargonium rose (Pelargonium graveolens) et celui à odeur de pomme (Pelargonium odoratissimus).

L'hélichrysum — Helichrysum

Cette famille de vivaces à feuillage fin et gris argent, souvent semi-rustique, est celle dont le parfum puissant et un peu épicé évoque le plus l'odeur du maquis ou des terrains secs et brûlés par le soleil d'Afrique du Nord. On l'appelle en anglais *curry plant*, car c'est du curry de Madras, mélange d'épices qui ne contient pas d'hélichrysum, que son parfum et son goût se rapprochent le plus. Froisser une feuille d'hélichrysum entre ses doigts laisse une odeur forte et rémanente, fine et plaisante. Il en existe plusieurs variétés, la plus fréquente est l'italienne : Helichrysum italicum serotinum, mais la variété Schneefellicht (Sulfur light) est au moins aussi odorante.

L'hysope — Hyssopus officinalis

L'hysope officinale est surtout connue dans l'histoire pour son utilisation médicinale. Son fort parfum, intermédiaire entre le thym et la sauge, et son goût agréable agrémentent les viandes grasses, les salades et les soupes.

On recommande toutefois de ne pas en abuser. On la dit épileptogène. Comme chez la plupart des plantes aromatiques, les fleurs sont supérieures aux feuilles ; elles sont bleues, blanches, roses ou violettes selon la variété. Les feuilles de la variété Aristatus ont un goût proche de certains thyms.

Le laurier — Laurus nobilis

De la famille ornementale des lauriers, dont la plupart sont utilisés pour former des haies hautes et sombres, seule la feuille du lauriers-sauce peut être utilisée en cuisine.

Elles sont très aromatiques et, comme elles ne coûtent pas cher, on peut être tenté d'en abuser. En fait, il faut être pingre avec le laurier, faute de quoi il risque de neutraliser toutes les autres nuances aromatiques. Et comme il est de tous les courts-bouillons et de nombre de ragoûts, attention.

Il existe plusieurs variétés de lauriers-sauce, différant par la forme et la taille de leurs feuilles. Celles-ci, séchées, se conservent bien.

La lavande — Lavendula

Hé oui, même la lavande peut être utilisée en cuisine. On connaît une recette de glace à la lavande — recette classique de crème aux œufs glacée, agrémentée de fleurs de lavande finement pilées. En fait, la difficulté de la cuisine à la lavande est la tendance de celle-ci à devenir envahissante. On en fait du vinaigre. On peut également en parsemer quelques pétales sur les boissons glacées, les cocktails et les gelées. Dans la lavande, ce sont les fleurs que l'on utilise, qu'il s'agisse de celles de la *lavande française* qui ressemblent à des papillons violets (Lavendula stoechas), la *lavande vraie* (Lavendula angustifolia) aux multiples variétés ou de la *lavande intermédiaire* (Lavendula x intermedia Dutch) aux longs épis bleu clair.

La livèche — Levisticum officinale

La livèche, c'est l'ache des montagnes, cette magnifique plante vivace qui disparaît en hiver et réapparaît au printemps, tout d'abord vert relativement clair, puis prenant une tonalité sombre et bleue qui en fait une des plus belles plantes d'ornement. Elle se couvre de sommités fleuries jaunes, odorantes et sapides. Et puis elle décline et il faut la raser.
Dans la livèche on peut utiliser les tiges, les feuilles et les fleurs. Elles sont de goût fort et profond, et ressemblent en plus fort au céleri — on l'appelle d'ailleurs parfois céleri sauvage. La livèche, c'est un peu le secret des bonnes soupes et des marinades, que certaines cuisinières se transmettent confidentiellement. On l'utilise également dans les salades. C'est une herbe devenue à la mode et certains des chefs les plus aventureux ont entrepris d'en recenser diverses utilisations, dans le sucré comme dans le salé.

Le mélilot — Melilotus officinalis

Le mélilot officinal, comme l'aspésule odorante, contient de la coumarine, composé aromatique doux et parfumé, plus sensible lorsque la plante est desséchée.

Ces deux plantes doivent être séchées soigneusement, car leur fermentation produit le dicoumarol, anticoagulant utilisé parcimonieusement en médecine et massivement dans la mort-aux-rats.

Le mélilot est très répandu dans la nature. On l'utilise en Suisse avec le fromage et comme plante aromatique en cuisine.

La mélisse — Melissa officinalis

La mélisse, c'est cette boule de feuilles au parfum citronné — on l'appelle souvent, à tort d'ailleurs, citronnelle — utilisée pour chasser mauvaises odeurs et moustiques. C'est aussi une plante employée en infusions toniques. Son feuillage vert, doré dans sa variété All Gold, ou panaché (Melissa officinalis variegata) perd de son goût et de son parfum en séchant. C'est donc fraîche qu'elle est la meilleure.

La mélisse peut être utilisée dans les salades, avec les fruits frais. Elle est intéressante dans les marinades et dans les courts-bouillons, car elle se marie bien avec les poissons et les viandes blanches. Dans la mélisse, ce sont les feuilles qui sont les plus intéressantes. A dire vrai, la floraison en est peu spectaculaire.

Les menthes — Mentha

Symboles de fraîcheur, les menthes sont également de redoutables envahisseuses. Elles sont de taille et de forme variées. Même leur parfum change. La menthe, c'est bien sûr le goût « de menthe » qui dans l'idéal est rafraîchissant, agréable et reposant — elle se marie très bien avec le mouton, la salade de fruits et bizarrement avec le chocolat amer. Dans sa version grunge, c'est le désinfectant, le chewing-gum, le dentifrice. L'impression de fraîcheur qu'elle apporte n'est pas due à une propriété qu'elle aurait de baisser la température de la bouche ; non, en fait, elle stimule les récepteurs au froid présents dans la cavité buccale, ce qui entraîne cette sensation agréable. Il est difficile de s'y retrouver dans la nébuleuse des menthes tant sont nombreux les hybrides et les cultivars. Signalons les plus notables :

• *La menthe aquatique* (Mentha aquatica), au parfum et au goût profond, probablement la meilleure.

• *La menthe bergamote* (Mentha piperita citrata), au parfum d'eau de Cologne, mais d'emploi délicat en cuisine.

• *La menthe pouliot* (Mentha pulegium), une des plus typées, dont il existe une intéressante variété prostrée (Mentha pulegium prostratum).

• *La menthe verte* (Mentha spicata), utilisée en Grande-Bretagne, en particulier dans les sauces. La variété Nanah est la vraie menthe marocaine. La variété Crispa a des feuilles ourlées.

• *La menthe poivrée* (Mentha piperita), celle qui s'allie le mieux au chocolat. A signaler l'intéressante variété Rouge-Maine-et-Loir, de M. Bureau à Savennières.

• *La menthe des champs* (Mentha arvensis).

• *La menthe naine* ou *menthe corse* (Mentha requienii) n'a que deux ou trois centimètres de haut, plus amusante que bonne, pas très subtile.

Parmi les autres menthes dignes d'intérêt, citons :

• *Mentha suaveolens* et *Mentha suaveolens variegata*, excellentes mais dont les petits poils présents sur les feuilles nécessitent de hacher ces dernières pour les utiliser. C'est la menthe à feuilles rondes.

• *Mentha longifolia*, la menthe à longues feuilles, assez proche de la menthe poivrée.

• *Mentha gracilis*, dont il existe une variété tachetée crème (Mentha gracilis variegata).

• *Mentha smithiana*, *Mentha cervinia*, *Mentha buddleiana* et *Mentha villosa alopecuroides*.

Citons enfin deux variétés amusantes, *Mentha citrata eau de Cologne* et *Mentha citrata lavander*, qui, comme leurs noms l'indiquent, associent des nuances de citron, eau de Cologne et lavande, et deux excellents cultivars : *Mitcham*, bien connu, et *Krasno*, qui lui est supérieur. Avec les classiques *Ancienne de Milly, Douce de Milly, Mitcham Milly*, toutes de Milly-la-Forêt.

Il y a enfin des raretés aux arômes de gingembre (Mentha gracilis) et de chocolat.

Les fausses menthes sont la *menthe coq*, très vieille plante condimentaire, qui est un chrysanthème (Tanacetum balsamita) — elle faisait partie des salades de Louis XIV ; les *menthes de montagne*, originaires d'Amérique du Nord, dont les Indiens faisaient usage. Parmi ces dernières citons Pycnanthemum virginianum et pilosum.

L'origan — Origanum vulgare — *et la marjolaine* —Origanum majorana

L'origan vulgaire et la marjolaine sont des plantes aromatiques fort communes. Fréquemment elles se ressèment et on en voit surgir un peu partout dans un jardin. Ce sont des plantes vivaces, peu élevées, qui fleurissent rose-mauve. Les origans sont des herbes aromatiques ubiquitaires, dont l'utilisation culinaire est multiple, bien qu'elles aient une sorte d'affinité pour la pizza dont l'origan vulgaire est le compagnon obligé. Mais on les utilise aussi en ragoût, sauce, potage, etc.

Dans l'origan, ce sont les feuilles, fraîches surtout, et les fleurs que l'on utilise en les ajoutant en fin de cuisson.

Il en existe de nombreuses variétés, de goût assez divers et inégal. La meilleure est l'*origan compact* (Origanum vulgare compactum) ainsi que les variétés Thumble's Variety, doré, et Polyphant, plus discret mais subtil.

Les variétés Herrenhausen, Heideturn et Dingle Fairy sont également agréables. Plus joli, mais moins bon, le Hopley's illustre le dicton selon lequel on ne peut tout avoir.

L'*origan herachleoticum* (Origanum vulgare hirtum) est le vrai origan à pizza. En pratique, nombre d'échantillons d'origans commerciaux seraient en fait des verveines mexicaines (Lippia graveolens et Lippia palmeri).

L'oseille — Rumex acetosa hortensis

L'oseille, qu'elle soit à petites ou à grandes feuilles, est une espèce vivace dont le feuillage disparaît en hiver. La feuille de l'oseille, de goût acidulé, peut être utilisée crue en petites quantités pour relever le goût des salades. Émincée, on l'ajoute aux œufs battus pour en faire des omelettes.

L'oseille, c'est surtout l'élément de base de nombreuses préparations, potages, sauces — l'escalope de saumon à l'oseille des frères Troisgros a fait le tour du monde. L'oseille, très riche en acide oxalique — on la déconseille à ceux qui souffrent de calculs rénaux —, a également la propriété de rendre molles les arêtes et c'est pourquoi nombre de poissons dotés de ces petits dards redoutables deviennent plus ou moins inoffensifs après avoir mariné et avoir été cuits en sa compagnie.

Son goût fort et typé a ses amateurs, mais ne plaît pas à tous. Certains préfèrent la *petite oseille* (Rumex acetosella) ou celle que les Anglais appellent *French Sorrel*, l'*oseille française* (Rumex scutatus).

Le persil — Petroselinum crispum

Lequel, du persil plat ou du persil frisé, est le meilleur suscite de grandes controverses. Longtemps hégémonique, le persil frisé laisse peu à peu la place au persil plat, encensé ces dernières années. Mouvement de mode ou de fond, il est impossible de prédire. Quoi qu'il en soit, le persil, c'est bien sûr un aromate incontournable, qu'on utilise de façon ubiquitaire. On l'emploie cru ou cuit. Il est des courts-bouillons, des sauces, des ragoûts, des salades ; haché, il est des persillades, des omelettes, du beurre d'escargot, des farces ; on l'ajoute au dernier moment sur la viande et le poisson cuits.

Bref, il n'y a guère d'aromate qui trouve sa place plus facilement. Pour parfaire ce tableau, c'est également un excellent légume. On fait frire ses feuilles ; on peut également le cuire à l'eau ou au bouillon et en faire de la purée. Qui dit mieux ?

La variété Petroselinum crispum tuberosum est moins intéressante comme aromate : on la cultive pour sa racine (cf. les légumes racines).

Le romarin — Rosmarinus officinalis

Un des rois du jardin, gardant en hiver son feuillage gris si parfumé, fleurissant bleu à la fin de l'hiver. En cuisine, attention, ce super-parfumé peut vite détruire un plat si on a la main lourde — ce qui explique probablement pourquoi nombre de préparations « aux herbes de Provence » peuvent être si redoutables. Par contre, en petites quantités dans une marinade, dans un court-bouillon, il apporte subtilité et longueur. Au fond, le défaut principal de ce généreux est son abondance. Préférons donc celui à fleurs bleues, ou ses cultivars aux noms britanniques, Miss Jessop's Upright, Sissinghurst, Tuscan Blue et autres, ou encore germaniques comme le joli Bozen.

La fleur de romarin se conjugue au salé, avec l'agneau de Sisteron bien sûr, avec les soupes et les ragoûts, mais aussi au sucré. D'ailleurs, les abeilles n'en tirent-elles pas un miel réputé ?

La sarriette — Satureja

Il y a plusieurs espèces de sarriettes, toutes utilisables en cuisine. L'espèce herbacée annuelle (Satureja hortensis) est moins utilisée que la *sarriette commune* ou de *montagne* (Satureja montana) au goût plus prononcé, dont les variétés Pisidica et Illyrica sont probablement les meilleures. La plus racée est cependant la sarriette Satureja alternipilosa (spicigera).

La sarriette peut s'utiliser comme le thym, auquel elle ressemble un peu. Elle entre surtout dans la composition des farces et des marinades. Elle est particulièrement utile pour la préparation des légumineuses, surtout séchés : elle rend fèves, pois et haricots beaucoup plus digestes et diminue les flatulences qu'ils causent à certains.

Les sauges — Salvia

On utilise communément certaines sauges en cuisine. La *sauge officinale* (Salvia officinalis) est un sous-arbrisseau dont les feuilles, relativement grandes, sont utilisées en charcuterie et dans la cuisson de certaines viandes. Comme la sarriette, elle a la réputation de rendre digestes les légumineuses sèches (pois, haricots, fèves). Il en existe de nombreux cultivars, aux goûts et parfums parfois différents de l'espèce type.

La *sauge sclarée* (Salvia sclarea), la toute bonne des grands-mères, est une autre vivace, à l'odeur forte et musquée qui ne plaît pas à tout le monde, qui est utilisée pour fabriquer liqueurs et spiritueux.

En fait, la famille des sauges est immense et comporte beaucoup de plantes ornementales souvent semi-rustiques, qu'on cultive pour leur longue floraison. Leurs parfums sont variables, parfois inexistants, parfois semblables à l'espèce type, parfois musqués, plus ou moins sucrés; il en est même une qui sent l'ananas (Salvia rutilans).

Les fleurs de sauge sont de qualité bien supérieure aux feuilles. Bien que le nom de la sauge vienne du mot latin *salvere*, sauver, il est recommandé d'éviter d'en consommer de trop grandes quantités.

Les thyms — Thymus

Il n'y a pas un thym, mais des centaines de variétés de cette plante aromatique qui est peut-être la plus populaire de toutes. Le *thym commun* (Thymus vulgaris) est un arbrisseau de quelques dizaines de centimètres dont chacun connaît le parfum doux et poétique, évocateur des collines odorantes de la Haute-Provence.

Nous devons à l'enthousiasme, au professionnalisme et à la gentillesse de Thierry Denis d'avoir pu goûter une série de thyms qu'il cultive, observe et sélectionne dans son Jardin du Morvan, situé dans le village au nom imprévu et poétique de Savigny-Poil-Fol, dans la Nièvre. Merci aussi à Mme Sainte-Beuve (Planbessin à Castillon-la-Bataille).

Parmi les thyms ordinaires (Thymus vulgaris) citons, outre le type, bien connu de tous, les variétés :
• *Compactus*, le thym compact venu d'Allemagne, bien dense et de goût assez proche.
• *Feuilles fines*, français celui-là et très odorant.
• *Lavande-citron*, hybride spontané dont la dénomination officielle n'est pas définitive mais qui annonce clairement son registre.

Un groupe très remarquable est celui du *thym citron* (Thymus citriodorus) que l'on trouve parfois sur les marchés. Le goût et le parfum citronné en font le compagnon des poissons. Dans ce groupe on peut également retenir les variétés suivantes :
• Golden King, doré à fort parfum de citron.
• Silver King ressemble au précédent du point de vue aromatique, mais il est argenté.
• Silver Queen, un des meilleurs pour la cuisine, d'odeur franche et puissante, de plus il est beau avec ses feuilles panachées vert et crème.
• Bertram Anderson, doré et qui sent le serpolet.
Le *thym parfumé* (Thymus fragrantissimus) est un des plus complexes et des plus puissants, un peu camphré, un des meilleurs en utilisation culinaire. Une place unique et très typée.
Les lapins connaissent bien le *serpolet* (Thymus serpyllum) aux fleurs roses. Il en existe aussi une variété à fleurs blanches (Thymus serpyllum albus) et une autre de très grande taille (Thymus serpyllum coccineus major). Le serpolet a des caractéristiques aromatiques assez proches de celles du thym commun, en plus discret et moins complexes. La multiplicité des fleurs est toutefois bien utile en cuisine.
• Le thym *Herba barona*, originaire de Corse est, lui aussi, un des plus remarquables avec ses arômes rappelant le cumin. Un autre irremplaçable.
• Le thym *Nitidus Richardii* est plus fruité que le thym commun.
• Le thym *Doerfleri Doone Valley*, moitié vert, moitié or, court et étalé, a un éclatant parfum citronné d'une force et d'une netteté surprenante rappelant celles de certaines eaux de Cologne — les distinguées.
• Le thym *Longicaulis* au parfum intermédiaire entre le serpolet et le citron est également remarquable.
• Le thym *Polytrichus praecox* tend, lui, vers la lavande, avec, là encore, une pointe citronnée. Sont excellents ses cultivars, Porlock et le petit Minor.
• Le thym *Pulegioides* ressemble à un serpolet plus puissant.
• Le thym *Broad Leaves* à grandes feuilles, d'apparence assez

originale, a des fleurs en épis, au parfum se rapprochant de celui de certains origans.

Certaines variétés sont de moindre intérêt culinaire, citons parmi elles le *thym laineux* (Thymus lanuginosus) bien doux au toucher pourtant, le thym *Doerfleri Bressingham Pink*, le petit et doré *Thymus citriodorus* Golden Dwarf, le thym *Palasianus*.
Thierry Denis nous annonce pour bientôt le *thym à odeur de thé* (Thymus capitatus).

Du thym, des thyms, on utilise les feuilles fraîches ou séchées. On recherchera surtout les fleurs, souvent plus fines d'odeur comme de goût.

Les thyms s'utilisent pour cuire ragoûts et fricassées. Ils parfument les courts-bouillons. On en parsème la surface des rôtis, des grillades. Ils s'accordent particulièrement avec l'agneau de lait et avec les viandes et poissons marinés et cuits au gril. En fait, ils sont ubiquitaires en cuisine.

Les verveines — Lippia citriodora

C'est la verveine odorante, ou commune, qui est utilisée en cuisine. Il existe de nombreuses verveines décoratives, en particulier les *verveines du Pérou*. Ce sont les feuilles qu'on utilise pour des infusions et des décoctions diverses. De plus en plus, elles trouvent leur place en cuisine salée et sucrée où leur saveur douce et un peu citronnée ajoute une note gaie et rafraîchissante.

On trouve parmi ces plantes une série de substituts : *Lippia graveolens* et *Lippia palmeri* ressemblent à l'origan, *Lippia micromera* au thym et *Lippia alba* a un goût citronné. *Lippia pseudothea* s'emploie à la place du thé. Elles sont originaires des pays chauds ou tempérés et on peut occasionnellement s'en procurer dans certains magasins spécialisés. Elles sont parfois mélangées à d'autres.

LES INFUSIONS ET LES DÉCOCTIONS

Le cacao — Theobroma cacao

D'un petit arbre atteignant difficilement huit à dix mètres, on recueille les fruits jaunes ou rouges assez proches d'aspect de concombres cannelés, longs de vingt à trente centimètres. On les appelle les cabosses. A l'intérieur se trouvent une pulpe blanche et mucilagineuse, et les fèves, plus ou moins âcres et amères. C'est avec elles que l'on fabrique ce qui en fin de chaîne sera le chocolat.

Le chocolat est donc d'abord un produit âcre et amer, pas un produit doux. Il prouve comment l'homme est amené à transformer peu à peu un produit, à le sélectionner, à le manipuler pour l'intégrer à sa nourriture. Sans vrai besoin alimentaire, car cette fève n'apporte pas de constituant énergétique qui ne soit présent ailleurs, mais par pur esthétisme, pour son plaisir, pour élargir le champ de son univers sensoriel et sensuel.

Le cacaoyer pousse en zone tropicale, légèrement en altitude. Deux variétés classiques, le Criollo (créole) de culture délicate, mais de qualité supérieure et le Rocastero, plus répandu, mais donnant un chocolat moins fin, se partagent la production avec un hybride, le Trinitario.

A côté de l'origine botanique, il faut également signaler l'existence de « crus », autrement dit du lieu d'origine. Robert Linxe, chocolatier reconnu comme l'un des plus grands, recommande dans sa *Maison de chocolat*[1] ceux du Venezuela (Chuao Chouni, Ocumare, San Felipe, Macaraïbo, Carupana), du Brésil (Para, Maragnan, Bahia), de Sinnamary, de Cayenne, de Madagascar, de Trinidad (Arriba), de Sumatra, le cacao Bourbon. Les cacaos d'Afrique de l'Ouest (Côte-d'Ivoire, Ghana, Togo), de Ceylan et d'Indonésie sont des compléments aux meilleurs. Parmi les chocolats les plus chers, il faut citer certains Trinitarios des îles, Criollos vénézuéliens et le Nacional d'Équateur.

Les fèves fermentées, séchées, torréfiées, sont broyées. On obtient ainsi une pâte de cacao d'où on extrait par pression le beurre de cacao. Le reste (tourteaux) est transformé en poudre fine, le cacao, dont le Batave C. J. Van Houten a, jusqu'à maintenant, assuré le succès (poudre de chocolat non sucrée).

Le chocolat proprement dit est fait de pâte de cacao, de sucre et de beurre de cacao. On peut y ajouter d'autres produits. Le chocolat blanc est fait de sucre, de lait et de beurre de cacao — lequel sert également à fabriquer les suppositoires.

Un chocolat amer contient plus de 50 % de cacao, un extra-bitter plus de 60 %.

1. Robert Laffont, 1992.

Émile Dubois, dans son ouvrage *Produit naturels commerçables — les produits végétaux alimentaires* publié à Paris en 1892 et cité dans l'Encyclopédie Roret (*Nouveau manuel complet du confiseur et du chocolatier*), classe les meilleurs cacaos d'une façon assez proche : ceux du Venezuela sont les meilleurs — caracas ou caraque (Guyara, Porta Cabello provenant de Chuao Chouni, Ocumare et San Felipe), Macaraïbo, petit caraque (Rio Chica, Rio Caribe, Carupane, Guira). Les autres proviennent de Trinidad, Équateur (Guyaquil, Cerriba, Balao Machala), Guatemala (Soconuzco), Brésil (Maragnan, Para, Bahia), Cayenne (Berbice, Exquibe), Cacaos des îles (Martinique, Guadeloupe, Haïti, Saint-Domingue, Cuba, Bourbon).

Parmi les qualités moins intéressantes, il cite les cacaos Jamaïque, San Thomé, Sainte-Lucie, Sainte-Croix, de la Madeleine, de la Côte ferme, d'Océana, de Sinnamari, de Demerari, d'Arawari, de Macapa, Varinas, Bravo, Lagarto et Carmacaco.

Parmi ces derniers l'Encyclopédie Roret cite les fèves provenant d'autres variétés de cacaoyers : Theobroma angustifolium, ovalifolium, bicolor, guyanensis, speciosum, subincunum, sylvestre et microcarpum.

Le café — Coffea

On dit que les bergers éthiopiens découvrirent les propriétés du café en constatant que leurs chèvres étaient particulièrement énervées après avoir mangé les baies. Légende ou réalité? Ce sont en tout cas les Arabes qui en ont assuré la diffusion et la popularité. Le café provient du genre Coffea qui comprend deux espèces : Arabica et Canephora (Robusta). Quatre variétés d'Arabica sont intéressantes : l'Arabica courant, le Moka, le Bourbon et le Maragogype géant. Le caféier est un arbuste qui produit de nombreuses fleurs au parfum apparenté à ceux du jasmin et de l'oranger. Les fruits qui leur succèdent contiennent généralement deux graines (il existe également une variété qui n'en contient qu'une seule, arrondie) que l'on extrait par méthode sèche ou humide. Les meilleurs proviennent d'Amérique centrale et des Antilles. Parmi les plus remarquables il faut citer ceux du Costa Rica (Windmill, La Eva, Santiago, Tres Volcanos) du Guatemala (Tres Marias), du Salvador (Pacarama), du Mexique (Vera Cruz, Orizba, Oaxaca, Tapachula) et du Nicaragua. Sont également excellents, parmi les cafés brésiliens, ceux de Santos, São Paulo, Parana, Bahia et Pernambuco, tout comme le Galapagos d'Équateur et le Medellin de Colombie. Sont considérés comme très bons ceux de Panama et du Honduras. Porto Rico, Saint-Domingue et Haïti produisent des produits de haut de gamme, ainsi que la Jamaïque dont le fameux Blue Mountain est particulièrement renommé. Parmi les Maragogypes, il faut citer ceux du Mexique et du Nicaragua. Les cafés Moka proviennent surtout d'Arabie et d'Éthiopie (Harrar Yirgachef et Sidamo). Les cafés Bourbon du Kenya ont bonne renommée, les cafés du Cameroun sont de qualité inégale. Les Robusta proviennent de zones tropicales et équatoriales, les plus appréciés de Côte-d'Ivoire, d'Indonésie (WIB), du Cameroun et de Centrafrique.

L'Inde produit des cafés « moussonnés », corsés et agréables (Malabar, Mysore). Java produit quelques-uns des meilleurs cafés du monde, de même que Hawaï (Kealakekua) et surtout le délicieux Kona.

Les qualités des cafés sont définies par le corps (puissance, plénitude : café plus ou moins corsé), l'acidité qui dépend de l'altitude d'où provient le café (piquant, suret) et l'arôme.

La plupart des cafés consommés sont des mélanges dont la qualité dépend des ingrédients utilisés et du talent de celui qui les fait. Certains cafés se boivent sans être mélangés : Blue Mountain, Java Menado.

Le café est torréfié en six étapes, passant du vert au jaune clair, puis au brun plus ou moins foncé. Il est ensuite moulu (sous cette forme il perd très rapidement son arôme) en passant à travers des meules ou en étant pulvérisé par des pales rotatives. Ce dernier processus est moins recommandé.

On prépare les diverses sortes de café avec de l'eau chaude qui passe à travers la poudre de café, comme chez les Occidentaux, ou en faisant cuire ensemble l'eau et le café (café turc ou grec). Chaque pays a sa culture du café : les Italiens l'aiment court (*ristretto*), très concentré et parfumé ; même lorsqu'ils le choisissent allongé (*lungo*), il reste fort et noir — alors que les Anglo-Saxons le préfèrent très dilué et clair ; il perd alors l'essentiel de ses qualités aromatiques et gustatives. Le goût du café est fort, typé et amer. On peut l'adoucir en ajoutant du sucre, du lait et surtout de la crème : le capuccino italien est le meilleur exemple d'un tel mélange.

Le café est également un arôme, utilisé rarement en cuisine salée, l'un des principaux ingrédients des crèmes, gâteaux, glaces, liqueurs, etc.

Le café est produit dans des climats d'altitude, tempérés, aux saisons sèches et humides. Il est riche en caféine, qui est un excitant du système nerveux central et dont l'abus entraîne des troubles et des malaises.

Le maté — Ilex paraguensis

Originaire du Paraguay, les feuilles de ce houx sont utilisées séchées en infusion ou en macération. C'est la boisson nationale d'Argentine que l'on consomme lors des rencontres amicales. Le maté, stimulant et parfumé, sans trop d'astringence, y est une véritable institution bienveillante.

Le thé — Camellia sinesis

> « C'était du thé de printemps issu des jardins les plus hauts de l'Himalaya. »
>
> Christophe DONNER.
> *Mes débuts dans l'espionnage*, Fayard, 1995.

Ce qui est vendu sous le nom de thé est la feuille d'un Camellia C. sinensis. Le thé est donc de Chine comme son nom l'indique. La cueillette des feuilles de thé demande doigté et dextérité. La qualité dépend du type de feuille prélevé. On appelle Pekoe le bourgeon terminal qui est constitué d'une toute petite feuille duveteuse. On peut cueillir le Pekoe avec la première feuille, c'était la cueillette impériale généralement disparue, sauf pour le thé blanc, le Gyokuro et quelques autres. Le plus souvent on cueille en plus la deuxième feuille (cueillette fine) ou la troisième (cueillette grossière). Pour les thés les plus grossiers, la quatrième, voire la cinquième feuille sont également prélevées. On appelle Golden Tips les pointes dorées de certaines feuilles, elles sont très recherchées.

Il existe plusieurs sortes de thés :

• *Le thé noir*. Sa fabrication comporte cinq étapes : flétrissage, roulage, criblage, fermentation et dessiccation. Il peut être à feuilles entières ou brisées. Ou en feuilles broyées (fannings et dusts).

Les thés noirs sont caractérisés par des catégories qualitatives (cf. tableau).

Les meilleurs thés noirs proviennent de diverses localisations ; les plus nobles et les plus précieux sont récoltés dans le nord-est de l'Inde sur les flancs de l'Himalaya, autour de Darjeeling, petite ville d'altitude étalée sur six cents mètres de dénivellation. Les thés sont produits dans des dizaines de jardins dont les plus célèbres, Castleton, Jungpana, Namring, Puttagong, Margaret's Hope et autres produisent des thés recherchés et rares. Ils sont récoltés au printemps (*first flush*) et en été (*second flush*). Certains pratiquent une récolte intermédiaire (*in between*). La récolte d'automne est moins prisée. Chaque jardin est différent et, au sein d'une même récolte, les produits vendus varient en qualité dans un même jardin. En général les thés de printemps sont plus légers et floraux, ceux d'été plus fruités et corsés.

D'Inde, il faut aussi signaler la qualité des thés d'Assam, province troublée du Nord-Est, où ils poussent à faible altitude. Ils sont plus corsés que les thés de Darjeeling; assez proches sont ceux de Dooars et de Tekai. Les meilleurs jardins d'Assam — par ailleurs la plus grande région productrice du monde — s'approchent en qualité des bons Darjeeling. L'Inde du Sud produit également de bons thés (Travancore, Nilgiri).

Le Sri-Lanka est un autre producteur de thés de qualité qui gardent l'ancienne dénomination de l'île (Ceylan). Les meilleures productions, situées en basse, moyenne et haute altitude proviennent des régions de Nuwara Eliya, Uva, Dimbula et Galle. Les thés de Ceylan supportent un nuage de lait.

La Chine, terre d'origine, produit des thés de grande classe. Les différents niveaux qualitatifs sont garantis par les autorités. Les plus grands proviennent des provinces d'Anhui, du Yunnan et du Setchouan. La Chine produit aussi des thés noirs fumés.

On trouve également des thés noirs de qualité en provenance de pays situés au nord de l'Inde (Népal, Sikkim, Bhoutan), d'Amérique du Sud (Argentine, Brésil), de pays africains de culture anglo-saxonne (Kenya, Malawi, Cameroun) et d'Asie Mineure (Géorgie, Turquie).

• *Les thés semi-fermentés*. Ils diffèrent des thés noirs par la rapidité de la fermentation. Les deux principaux producteurs sont la Chine, dans les provinces de Fujian et de Guangdong (Canton), et surtout Taiwan (Formose) célèbre pour ses Oolong dont certains comptent parmi les plus recherchés.

• *Les thés verts*. Ce sont des thés non fermentés préparés de diverses manières (chinoise ou japonaise).

Les thés verts étaient les plus répandus et utilisés largement hors de l'empire du Milieu (c'est avec un thé vert de type « Gunpowder » qu'on fabrique le traditionnel thé à la menthe des civilisations du Sud de la Méditerranée). Les plus grands proviennent de Chine particulièrement des provinces d'Anhui, du Hunnan, du Zhejiang, du Jiangsu, du Jiangxi et du Japon, avec le célèbre Gyokuro, cueilli une seule fois par an : sa préparation est particulière.

Le thé vert, introduit au Japon par des moines zen, joue un rôle social considérable, en particulier au cours de la Cérémonie du thé (*Cha no yu*) rendue célèbre en Occident par diverses œuvres, dont *La Mort d'un maître de thé*. On utilise pour cette cérémonie du thé vert en poudre, le Macha, dont on dépose une petite quantité dans une tasse, on le recouvre d'eau chaude mais non brûlante et on le bat avec un fouet de bambou avant de le boire. Les meilleurs thés japonais proviennent des provinces de Shizuoka et d'Uji.

• *Les thés blancs.* Rares thés chinois, leur préparation ne comporte que flétrissage et séchage. Le plus célèbre et le plus rare est le Yin Zhen. Un peu plus commun est le Pai-mu-tan dont il existe plusieurs qualités. Ce sont des produits d'exception, aux arômes bien différents des thés plus connus et usuels.

• *Les thés parfumés.* Le thé prend facilement les arômes. Cette propriété a été utilisée depuis longtemps par les Chinois. Le thé parfumé à la bergamote fut transmis à un diplomate britannique. Et c'est ainsi que le négoce a popularisé le nom d'Earl Grey. A côté des traditionnels thés au jasmin, au lotus, aux chrysanthèmes, etc., sont venus s'ajouter d'innombrables parfums à base de fleurs, de fruits, de caramel, d'épices, etc.

• *Les thés déthéinés.* Spécialité de Ceylan, ils sont débarrassés des bases xanthiques contenues dans le thé sans perdre trop de leurs qualités gustatives.

• *Les thés compressés.* Ce sont des briques ou des galets de thé broyés et pressés fabriqués traditionnellement en Chine.

• *Le thé rouge.* C'est un « thé » d'Afrique du Sud provenant d'un autre arbuste et dépourvu de théine. Il peut être agréable, mais est-ce un thé au sens français du terme ?

• *Les mélanges.* La plupart des thés vendus dans le commerce sont en fait des mélanges, éventuellement variables. Même sous une même appellation, pour prestigieuse qu'elle soit, Darjeeling par exemple, on se doute que les variations puissent être grandes quand on considère les différences au sein d'une même récolte d'un jardin donné.

Il existe par ailleurs des grands classiques (Breakfast, 5 o'clock, Chine Caravane, etc.) avec, chez chacun des grands négociants français, britanniques et autres, des mélanges particuliers et souvent de qualité.

Le thé, boisson millénaire, boisson religieuse et rituelle, est, comme le vin, un univers complexe et ésotérique. Pas plus que le « gros rouge » ou le « petit blanc » ne peuvent définir cet autre grand breuvage qu'est le vin, les étiquettes, même en apparence attirantes, peuvent n'être que des caricatures de la richesse de l'ampleur et de la subtilité de ce breuvage magique.

Pour en apprécier les nuances, l'amateur doit s'assurer de la nature et de l'origine du thé, ainsi que de la qualité et de la température de l'eau. Il doit aussi se munir des instruments nécessaires. Un « vrai » amateur de thé dispose ainsi de plusieurs théières (une pour chaque catégorie) et de filtres en coton non chloré adaptés et réservés à chaque usage.

Thés à feuilles entières

Special Finest Tippy Golden Flowery Orange Pekoe : SFTGFOP, le meilleur de l'exceptionnel.

Finest Tippy Golden Flowery Orange Pekoe : FTGFOP, exceptionnel.

Tippy Golden Flowery Orange Pekoe : TGFOP, contient beaucoup de Golden Tips.

Golden Flowery Orange Pekoe : GFOP, contient des Golden Tips.

Flowery Orange Pekoe : FOP, feuilles jeunes et fines.

Orange Pekoe : OP, feuilles roulées.

Pekoe Souchong : PS, feuilles plus grosses.

Souchong : S, grosses feuilles roulées.

De plus on peut, pour désigner le meilleur de chaque catégorie, ajouter le chiffre 1 après la dénomination en lettres (exemple : SFTGFOP 1).

Thés à feuilles brisées

Tippy Golden Broken Orange Pekoe : TGBOP.
Golden Flowery Broken Orange Pekoe : GFBOP.
Golden Broken Orange Pekoe : GBOP.
Flowery Broken Orange Pekoe : FBOP.
Broken Orange Pekoe : BOP.

Broken Pekoe (BP) et Broken Pekoe Souchong (BPS) sont moins considérés. Le Broken Tea (BT) est de qualité inférieure.

Thés à feuilles broyées (Fannings)

Broken Orange Pekoe Fannings : BOPF.
Orange Fannings : OF.
Pekoe Fannings : PF.
Fannings : F.

Thés en poudre

Ce sont les Dusts, les plus finement broyés.

Le tilleul — Tilia cordata

Il est des variétés de tilleuls utilisés pour leurs qualités ornementales — certains sont plantés le long des routes et des avenues. De Tilia cordata on utilise les fleurs que l'on fait sécher et

1. Classification tirée de *L'Art du thé*, Mariage Frères, 1994.

dont on fait des infusions. On peut aussi les utiliser pour parfumer les courts-bouillons et certaines préparations braisées.

Autres infusions

A côté du thé, du café et du cacao, nombre de feuilles, de fleurs ou d'écorces peuvent être prises en tisane ou en infusion. Avec un glissement lent vers la thérapeutique. Nombre de ces végétaux sont des plantes officinales, faisant partie de la pharmacopée traditionnelle, avec des effets dont certains sont réels, bien prouvés et d'autres simplement le legs d'une tradition. Il ne saurait être question d'établir une liste des possibilités offertes tant elles sont grandes. Les Anglo-Saxons en font usage sous le nom de *teas*, thés, ce terme n'ayant pas la signification restrictive qu'il a en France.

Citons toutefois :

L'hysope (attention, elle peut être épileptogène)	La camomille romaine
	Le gingembre
La mélisse	L'anis
La menthe	L'anis étoilé
Le romarin	La cardamome (ajoutée au café)
La sauge	La verveine
Le thym	L'agastache

LES GRAISSES

« Du beurre ! Donnez-moi du beurre ! Toujours du beurre ! »

Fernand POINT.
Ma Gastronomie.

Parmi les produits utilisés pour agrémenter la nourriture figurent divers corps gras. Selon la région et ses productions, ils peuvent être d'origine animale ou végétale. Certaines cuisines traditionnelles utilisent non seulement le beurre et la crème, mais aussi le gras de bœuf, l'« huile de cheval », le saindoux, voire l'huile de phoque, la graisse de caribou, de bison ou d'orignal, ou le beurre de yak. Dans ces produits animaux, riches en général en graisses saturées, il y a des exceptions, comme la graisse d'oie ou de canard. Bref, ces produits apparaissent en opposition aux canons de la diététique moderne, car riches en

« mauvais » cholestérol, celui qui cause l'athérome et l'artériosclérose.

Dans d'autres lieux, sous d'autres climats, ce sont les graisses végétales qui dominent. Parmi ces dernières, les huiles occupent une place éminente, tirées souvent, mais pas toujours, de graines ou de fruits. Certaines de ces huiles ont des propriétés gustatives relativement neutres, c'est-à-dire qu'elles n'ont guère de goût, par exemple l'huile de pépins de raisins. D'autres, au contraire, sont très aromatiques et utilisées principalement pour agrémenter les plats, presque comme des aromates ou des épices, telles l'huile de noix ou celle de noisette. Il en est qui supportent aisément de fortes températures, d'autres qui sont dénaturées par la chaleur. Les huiles végétales diffèrent encore par leur richesse en acides gras nécessaires.

Les huiles sont très variées dans leurs constituants et dans leurs propriétés. Certaines sont meilleures crues, d'autres font des fritures et des sautés. Parmi les huiles disponibles en France, l'huile d'olive semble celle qui a le plus de qualités, même si elle ne peut être utilisée dans toutes les recettes.

Les graisses, les corps gras — ou lipides — forment un ensemble dont les effets peuvent être bénéfiques ou nuisibles pour la santé. Les effets néfastes se manifestent principalement par formation de l'athérome dont l'évolution est responsable d'un grand nombre de maladies. Toutefois, ce n'est guère que dans le cas d'une maladie des graisses sanguines, dite encore hyperlipoprotéinémie de type I — affection peu répandue —, que l'apport alimentaire en graisses doit être diminuée. Dans les autres cas, disons simplement qu'il faut apporter à l'organisme suffisamment de graisses, pas trop bien sûr, et privilégier celles dites poly- ou mono-insaturées, en évitant les saturées.

Les principales sources de graisses poly- et mono-insaturées sont les huiles d'olive, de tournesol, de maïs, de noix, de pépins de raisin, de soja, de colza, etc. De plus, certains acides gras, considérés comme bénéfiques, se trouvent dans les poissons gras, l'huile d'olive, de tournesol, de maïs, de noix et de pépins de raisin.

Par contre, l'huile de palme, le beurre, le lard, le saindoux, le gras de poulet, ainsi que certaines margarines, sont riches en graisses saturées. Quant au gras de canard ou d'oie, son rôle réel sur la santé reste à confirmer (il semblerait qu'il exerce une action protectrice).

Ces considérations diététiques, qui reprennent en partie et développent celles mentionnées dans le chapitre sur la diététique, doivent être connues du cuisinier. L'utilisation des graisses est en effet importante pour le goût et l'agrément. Indépendamment de l'influence sur le poids, il importe de ne pas transformer l'activité culinaire en entreprise d'induction expérimentale de maladies. Qu'on se rappelle également que ces remarques s'appliquent au consommateur moyen. Les maladies doivent être prises en charge par des régimes spécifiques, qui ne sont pas le sujet de ce livre.

Généralement, pour des raisons gustatives et pour maintenir un bon état de santé, il est raisonnable de ne pas se limiter à une seule source de graisses. On privilégiera les huiles végétales mentionnées plus haut. On se rappellera, cependant, qu'elles sont riches en calories et que la crème allégée permet, au contraire, de diminuer considérablement cet apport, bien qu'elle ne contienne pas les mêmes corps gras bénéfiques que l'huile d'olive. On peut donc utiliser les deux. Et puis, pour finir, il ne faut pas diaboliser le beurre : simplement il convient de ne pas en abuser.

Les graisses animales

Elles sont aujourd'hui mal aimées, non pas tant à cause de leurs qualités culinaires que de leurs effets sur la santé. A vrai dire ces derniers restent relativement mal connus. Il s'agit en effet de liaisons statistiques car, en dehors de quelques maladies rares où la chaîne des événements biologiques est connue et permet d'affirmer la relation directe entre la consommation d'un produit et la génération d'une maladie, le niveau actuel des connaissances scientifiques se borne généralement à mesurer des risques, avec la possibilité de se tromper sur l'ordre des responsabilités. Il faut donc rester circonspect et éviter de tomber victime des adeptes de la *pensée essuie-glace* : un jour c'est bon, un jour c'est mauvais, un jour c'est bon, etc.

C'est ainsi que les graisses d'oie et de canard, bannies de la liste des corps gras, dignes de figurer aux menus recommandés par les diététiciens se trouvent aujourd'hui parées de tous les avantages, du moins au dire de certains. Il en est ainsi parce que les Nord-Américains ont trouvé une fréquence anormalement basse de maladies cardiovasculaires dans le sud-ouest de la France. Est-ce l'effet du vin rouge, de l'acide tartrique contenu dans ce dernier, des graisses d'oie ou de canard, bien malin qui peut répondre. Néanmoins, certains ont tranché : c'est bien la graisse d'oie ou de canard qui est bénéfique. Peut être ont-ils raison, d'ailleurs. Cependant, il vaut mieux rester prudent.

461

Les graisses animales, riches pour certaines en cholestérol et en graisses saturées, doivent être utilisées sans excès. Indépendamment de leurs effets sur la santé, elles apportent une gamme aromatique particulière. La graisse de rôti de porc peut être fine et légère, le saindoux délicat. Le beurre est un des corps gras les plus subtils.

• **La graisse de foie gras.** — Le foie gras, en cuisant, libère une partie de sa graisse. On la recueille, bien jaune, en ouvrant le bocal ou la boîte de conserve. C'est une des graisses les plus parfumées, les plus fines et les plus agréables. Elle est souveraine pour la préparation des pommes de terre sautées et pour les ragoûts auxquels elle apporte un arôme et une saveur uniques. Son utilisation est la même que celle des graisses d'oie ou de canard.

• **La graisse d'oie et de canard.** — Il s'agit généralement de la graisse d'animaux gras, c'est-à-dire gavés, qu'on fait fondre, qu'on filtre et qu'on stocke. Parfois, c'est la graisse d'animaux non gavés. Il faut faire attention à ne pas la faire brûler en la préparant, elle serait non seulement désagréable au goût, mais peu recommandable.

Doit-on penser que la graisse d'oie et de canard est bonne pour la santé, qu'à l'instar de certaines huiles végétales et de la graisse de certains poissons, elle a un effet positif sur les artères ? Il est probablement un peu tôt pour le dire. Quoi qu'il en soit, il semble bien en tout cas qu'elle n'ait pas d'effet nocif majeur, du moins en utilisation raisonnable.

C'est une graisse qui supporte des températures assez élevées ; elle est remarquable pour la préparation des pommes de terre sautées, pour faire revenir viandes et légumes, elle apporte onctuosité et rapidité. On l'utilise pour confire certaines viandes — enchaud, confits, etc. Elle se conserve relativement bien et a peu tendance à s'oxyder à l'air ; néanmoins, il est préférable de la conserver au réfrigérateur. C'est en définitive un produit de très grande qualité qui peut être utilisé dans de très nombreuses recettes.

• **La graisse de rognon.** — La graisse de rognon de bœuf était pour les classiques (Escoffier par exemple) la graisse de friture par excellence en raison de sa bonne tenue au grand feu. Elle a beaucoup perdu de renommée et s'utilise rarement chez le non-professionnel.

Le rognon de veau est entouré d'une carapace faite d'une

graisse très blanche et luisante. On la fait fondre et on la filtre. C'est un corps gras qui supporte des températures très élevées et qui a la réputation de faire les meilleures frites. Il est vrai qu'elle supporte le grand feu, qu'elle ne fume pas et qu'on peut également l'utiliser pour faire revenir les ragoûts.

La graisse de rognon d'agneau trouve également parfois sa place dans certaines recettes, les petits pâtés de Pézenas, par exemple.

• **Le saindoux.** — On en faisait des sculptures au beau temps des charcutiers : donjons fortifiés et animaux divers accueillaient les acheteurs, et on les débitait au fur et à mesure des besoins. Le saindoux, qui est fait de graisse de porc fondue et filtrée (panne), se retrouve dans certaines préparations, par exemple les rillettes. Ce fut dans certaines régions le corps gras de référence. Il faut dire que le saindoux, bien blanc, devient légèrement doré en fondant, qu'il supporte des températures élevées et permet ainsi la cuisson de certaines fritures ou la préparation initiale de certains ragoûts. Une association classique : le saindoux aime l'oignon qui le lui rend bien.

On en rapprochera la graisse écoulée des rôtis de porc bien aromatisés, parfumée et légère au goût, dont on peut même faire des tartines. Malheureusement le saindoux n'est pas diététique, il ne faut donc pas en abuser.

Les graisses végétales et les margarines

Il existe de nombreuses huiles végétales souvent tirées des graines, des noix et des amandes. Certaines ont en commun de ne pas contenir de cholestérol et d'être pauvres en graisses saturées. Certaines contiennent en outre des corps gras utiles, voire protecteurs contre les maladies vasculaires.

Les huiles végétales peuvent s'utiliser crues pour assaisonner les salades. Il y en a qui ne s'emploient guère qu'ainsi. D'autres résistent bien à la chaleur et peuvent être considérées comme mixtes ; crues, elles agrémentent aussi les crudités.

• **L'huile d'amande douce.** — Curieusement, l'amande douce, qui est une des « noix » favorites des pâtissiers et des cuisiniers, qui accompagne si fréquemment l'apéritif et qui, comme toutes les autres noix, contient un fort pourcentage de corps gras, voit son huile utilisée quasi exclusivement en parfumerie et en cosmétique. Sa douceur onctueuse a des effets bénéfiques pour la peau. Cependant, elle a également du goût. Quelques chefs l'utilisent dans certains assaisonnements. Sa place reste encore à définir plus précisément.

• **L'huile de pignons de pin.** — Les pignons de pin, ce sont les petites graines claires semi-cylindriques qui proviennent, comme leur nom l'indique, d'un conifère, le pin pignon. Les pignons sont utilisés en pâtisserie, où ils entrent dans la confection de certaines farces. On les met dans le thé en Afrique du Nord et particulièrement en Tunisie.

L'huile de pignons de pin est douce et parfumée, elle agrémente certaines préparations.

• **L'huile de noix.** — Elle est produite avec l'amande, la noix de ce que nous appelons la noix (Juglans regia), dont la plus renommée est la noix de Grenoble. L'huile de noix est utilisée traditionnellement dans certaines régions à la manière des huiles mixtes (d'assaisonnement ou de cuisson). Bien que supportant une certaine chaleur, l'huile de noix n'est probablement pas la meilleure pour la cuisson, sauf en certaines occasions. Sa place est plutôt en assaisonnements, mélangée en quantité relativement réduite avec une autre huile végétale, car beaucoup de gens trouvent son goût trop marqué. L'huile de noix est fine et délicate, elle rancit également vite et ne peut donc se garder très longtemps. Il faut, de plus, la conserver à l'abri de la lumière.

• **L'huile de noisette.** — Cette huile, extraite des noisettes vertes ou rouges (coudres), est utilisée pour assaisonner les salades et certaines préparations délicates et fines. Comme l'huile de noix, on la mélange souvent avec une autre huile. Elle s'oxyde aisément et doit être conservée à l'ombre.

Les huiles d'usage mixte (cru et cuit)

• **L'huile d'olive.** — Elle a eu longtemps droit à un regard condescendant, voire méprisant, comme symbole de la nourriture populaire des Méditerranéens pauvres. Et puis on s'est rendu compte peu à peu de la subtilité aérienne de ses meilleures variétés, qui lui ont assuré le soutien et l'adhésion des plus grands chefs, d'autant plus que la longévité surprenante des habitants de certains pays de la Méditerranée lui ont été, en grande partie, attribuée, en particulier du fait de sa richesse en acides gras nécessaires et de sa propriété de lutte contre l'athérome.

Comme il existe plusieurs centaines de variétés d'olives, et comme elles sont produites sur des sols de composition variée et de climats divers, il y a de très nombreuses sortes d'huile d'olive, de qualité fort inégale. Le mode de fabrication joue aussi un rôle important. Les meilleures huiles proviennent d'olives broyées, par petites quantités, à froid. Seule, l'huile de première pression est de grande qualité. Les dénominations européennes, huile d'olive extravierge, vierge ou huile d'olive simple, définissent divers niveaux qualitatifs. Elles sont insuffisantes. L'amateur n'utilisera que de l'huile extravierge ; comme dans le cas du vin, il lui faudra en plus s'intéresser à l'origine et au producteur. On trouve en Provence et dans le sud-est de la France d'excellentes huiles ; les meilleures, qui sont Appellation d'Origine Contrôlée, proviennent de Nyons dans la Drôme. Il en est également d'autres origines, en particulier d'Espagne, mais il faut bien dire que les meilleures viennent d'Italie, en particulier de Toscane et d'Ombrie. Il y en a aussi de surprenantes produites dans les Pouilles.

La couleur de l'huile d'olive varie du jaune au vert bronze, comme en Espagne et en Toscane. Elle peut être sombre ou claire, trouble ou transparente.

L'huile d'olive, c'est le plus noble et le plus élégant des corps gras. On peut l'utiliser froide et crue, c'est la reine des assaisonnements des salades vertes et des légumes cuits. Elle s'utilise aussi dans les ragoûts, les sauces ; elle est sans rivale dans les réductions aromatiques fines. Elle colore la croûte du pain et entre dans la composition de certains gâteaux. Digeste, protectrice des vaisseaux, l'huile d'olive est cependant, comme les autres huiles, de la graisse pure. C'est donc une source de calories considérable. En fait, il n'y a rien de plus calorique que l'huile. Il faut donc ne pas s'en servir inconsidérément. D'ailleurs, son goût particulier et puissant peut être gênant, par exemple dans certaines fritures. *Primum inter pares*, l'huile d'olive affirme sa primauté mais ne saurait se substituer aux autres graisses nobles, animales comme le beurre et la crème, végétales telles que les autres huiles à friture (sésame, tournesol, arachide) ou d'accompagnement aromatique (noix, noisette, etc.).

• **L'huile d'arachide.** — L'arachide, c'est la cacahuète, cette sorte de graine de terre. L'huile d'arachide est une des plus utilisées en France, cuite ou servie crue. Elle a peu de goût et s'utilise seule ou en association, par exemple avec le beurre pour préparer pommes de terre sautées ou poissons meunière, ou avec des huiles plus fruitées et parfumées pour assaisonner les salades.

• **L'huile de colza.** — Qui ne connaît les champs de colza, ces carrés et ces rectangles d'un jaune vif visibles au début du printemps ? Sous le soleil, un parfum sucré et doux, bien particulier, en imprègne le voisinage. Avec le colza on fait une huile. Elle fut d'abord utilisée pour la métallurgie comme lubrifiant. Puis on l'a employée comme huile de table. Elle a été immédiatement accusée de créer des lésions vasculaires graves. Accusation dont elle est aujourd'hui lavée. C'est une huile mixte, qu'on peut cuire ou consommer crue. Elle a peu de goût.

• **L'huile de maïs.** — Les huiles de céréales sont rares. L'huile de maïs échappe à cette règle. De goût neutre, elle peut être utilisée pour les fritures ou pour assaisonner les salades.

• **L'huile de pépins de raisin.** — Cette huile peu aromatique, de couleur claire, présente l'avantage de résister à des températures élevées. On l'utilise donc pour saisir les aliments à grand feu ou pour frire. C'est également une bonne base pour préparer des huiles aromatisées grâce à l'adjonction d'herbes ou d'épices, qu'on peut employer, par exemple, pour la fondue bourguignonne ou pour agrémenter certains plats quand on recherche une certaine complexité gustative.

• **L'huile de sésame.** — Elle est très utilisée par certaines cuisines orientales en Syrie, au Liban mais aussi en Extrême-Orient. Il existe deux sortes d'huiles de sésame. La première résiste à de fortes températures et permet ainsi de réaliser des fritures excellentes. La seconde, utilisée crue, assaisonne des plats auxquels elle apporte le parfum particulier du sésame : les délicates purées de légumes de la cuisine syro-libanaise (pois chiches, aubergines, etc.) lui doivent beaucoup.

• **L'huile de soja.** — Le soja est une légumineuse utilisée comme légume par l'homme et qui sert, par ailleurs, à la nourriture du bétail. L'huile de soja résiste à la chaleur. Elle est utilisée en Extrême-Orient pour faire sauter et frire. Son goût est discret.

• **L'huile de tournesol.** — Qui ne connaît les tournesols, ces énormes soleils des champs cultivés, dont les fleurs bougent en fonction de la lumière, immortalisés par Van Gogh ? Qui ne connaît, en Afrique du Nord, les glibettes, ces petites graines allongées à la coque grise que les enfants se disputent ? Leur petite amande est douce, de goût peu marqué. C'est que le centre des tournesols est fait de centaines de ces graines. On en extrait une huile dont les qualités principales sont la richesse en certains corps gras bénéfiques et la bonne résistance à la chaleur. Elle a relativement peu de goût et s'emploie pour la friture comme pour assaisonner la salade.

• **Autres huiles.** — Il existe de nombreuses autres huiles comestibles. Elles sont souvent d'utilisation locale et certaines, malgré leur goût intéressant (huile de coco ou de palme), sont riches en graisses saturées et doivent être consommées avec modération. Parmi les plus notables on peut citer : *l'huile d'avocat* (Amérique), *l'huile de noix de coco* (Indes), *l'huile de graines de coton* (Égypte), *l'huile de palme* (Brésil, Afrique noire), *l'huile de pépins de citrouille* (Europe de l'Est), *l'huile de carthame* (États-Unis d'Amérique).

Les margarines

Les graisses animales, et en particulier le beurre, contiennent du cholestérol et des graisses saturées. Pour des raisons à la fois de recherche d'un meilleur équilibre sanitaire, et aussi dans le but de proposer des produits moins chers, des graisses de remplacement ont été créés. Il en existe un très grand nombre et, sous le vocable de margarine ou de graisse végétale, se cachent des produits très divers. Il faut savoir que certaines ne contiennent quasiment que des graisses saturées (telle marque classique en renferme près de 99 %) alors que le beurre n'en contient qu'environ 50 %. De plus, on a montré que la disposition spatiale de certains composants jouait un rôle considérable dans la fabrication de l'athérome, cette plaque tournante des maladies cardiovasculaires. Les graisses dites *trans* favorisent l'athérome, les graisses dites *cis* protègent. Par malchance, un très grand nombre de margarines comprennent surtout, voire exclusivement, des graisses trans. Résultat : là où le consommateur croyait protéger ses artères, en fait, il les agressait soigneusement. Ce n'est pas le cas de toutes les margarines, mais cette constatation impose la prudence. Par ailleurs, le goût de la margarine est souvent bien fade. En Amérique du Nord où le beurre a une qualité gustative fort moyenne, il n'y a à vrai dire guère de différence entre beurre et margarine : ils ont la même couleur, sont vendus sous des formes similaires, sont peu agréables et, crus, graissent la bouche.

En France, où la qualité du beurre est dans l'ensemble meilleure, les margarines sont nettement inférieures en matière de goût. De plus, elles figent plus rapidement en refroidissant, ce qui les rend à peu près inaptes à la fabrication des sauces.

Sans rejoindre ceux qui, dans les examens, mettent systématiquement un zéro aux élèves utilisant les margarines, on peut dire qu'aujourd'hui elles sont nettement inférieures aux bonnes huiles végétales. Rien ne prouve qu'il en sera toujours ainsi : le monde évolue, les connaissances et les technologies de l'agro-alimentaire également.

LES SAUCES ASIATIQUES

On les retrouve dans les pays d'Asie du Sud-Est et dans les restaurants. Il en existe un très grand nombre, les plus connues sont :

• *La sauce d'huître*, brun noirâtre, qui comporte généralement du caramel, du sel et divers additifs.

• *Le nuoc-mam*, à base de fermentation de poissons dans le sel. Il y a des équivalents de cette sauce vietnamienne aux Philippines et en Thaïlande (*nam pla*).

• *La sauce soja*, dont il existe en fait un grand nombre de variétés, chinoises ou japonaises. Parmi ces dernières, mentionnons *la sauce tamari* qu'on sert avec la cuisine sushi. Mais il y en a aussi d'indonésiennes, de philippines, de vietnamiennes, etc.

• *La sauce aux crevettes* et *la pâte de crevettes* de Thaïlande.

• Les diverses *purées de piments* au sel, plus ou moins piquantes.

• *La sauce satay* indonésienne, souvent de très bonne qualité.

• *La pâte de piment* grillée.

• *La pâte de soja*.

LES SAUCES INDUSTRIELLES

Toujours présentes dans les fast-foods et dans la restauration standardisée internationale, elles peuvent trouver une utilisation dans certaines préparations. Parmi les plus connues citons :

• *La sauce Worcestershire*, dont la formule reste « secrète », subtile et équilibrée.

• *Le Ketchup*, sorte de sauce tomate sucrée et acide, inévitable partenaire des hamburgers, frites et autres graillons des fast-foods.

• *La sauce Tabasco*, piquante et acide, utile en cuisine et pour la confection de cocktails (*bloody mary*).

• *Les sauces* plus spécifiques, généralement *aigres-douces* (type A1, HP, etc.) souvent peu distinguées, auxquelles on peut adjoindre la batterie de celles qui peuvent être préparées à la maison (*vinaigrette, mayonnaise,* sauces à réchauffer, etc.).

LES SAUCES PIMENTÉES

Depuis qu'ils ont été importés des Amériques, les piments ont envahi la cuisine d'un grand nombre de pays. Parmi les plus intéressantes des préparations qui les utilisent citons :

• *L'harissa* tunisienne.

• *Les sauces mexicaines (salsas)* rouges ou vertes qui associent tomates, piments forts, sel et divers autres éléments aromatiques (oignon, ail, coriandre).

• *Les sauces antillaises* (sauce enragée, piments confits, etc.).

• *La sauce créole*, proche des salsas mexicaines.

• *La sauce aux crevettes* brésilienne.

• *Certains rougails* de Maurice et de la Réunion.

LE SUCRE

Pendant longtemps le goût du sucré fut en Europe celui du miel et des fruits. Puis vint la découverte — bien longtemps après les Asiatiques — du sucre de canne, qui s'est développé au xviiᵉ siècle, après son introduction massive aux Antilles où il était produit grâce au système de la traite des esclaves noirs. Et plus récemment, le sucre de betterave, production adaptée à des terres beaucoup plus septentrionales.

Le sucre est généralement la saccharose, mais on emploie également des sucres plus simples, fructose ou glucose, ce dernier étant utilisé en pâtisserie et confiserie. Ce sont tous de petites molécules, rapidement absorbées et métabolisées, d'où leur nom de sucres rapides.

Le sucre se présente en cuisine sous de multiples formes. Il peut être blanc (raffiné) ou brun (non raffiné, du moins en théorie).

Le sucre se présente en poudres plus ou moins fines ou en morceaux de consistance différente.

• *La cassonade* est faite de cristaux de sucre de canne.

• *Le sucre cristallisé* est fait de petits cristaux, il peut être blanc ou brun.

• *Le sucre semoule* est fait de poudre fine, c'est le plus utilisé.

• *Le sucre glace* est une poudre blanche très fine utilisée principalement pour la décoration, mais aussi pour certaines préparations (crème fouettée par exemple).

• *Le sucre candi* est fait de cristaux plus ou moins translucides de taille inégale.

• *Le sucre en morceaux*, blanc ou brun, est fait de cubes ou de rectangles plus ou moins réguliers (il peut être moulé ou cassé).

• *La mélasse* est un sirop sucré, sous-produit de l'extraction du sucre, utilisée en cuisine sucrée, en particulier en Amérique.

• *La vergeoise*, blonde ou brune, est un autre sous-produit de la raffinerie du sucre.

• *Le sucre non raffiné* (type Muscovado de l'île Maurice) a un goût typé, fort et épicé, évoquant la muscade et la cannelle.

• *Le miel* fut longtemps le seul sucre dont disposait l'homme occidental. Malgré l'arrivée des sucres de canne et de betterave, le miel a bien résisté à l'usure du temps et aux atteintes du modernisme.

Le miel, c'est d'abord le miel toutes fleurs, produit par les abeilles au hasard de leurs rencontres. Et puis, ce sont des miels plus spécifiques provenant d'un seul type de fleurs. On a ainsi des miels d'oranger, d'acacia, de châtaignier, d'eucalyptus, de sapin, de trèfle, de tournesol, de lavande, de bruyère, etc. Chaque arôme rappelle les saveurs des fleurs dont il provient. La couleur va du jaune clair au brun, la consistance, fluide, crémeuse, pâteuse ou solide, dépend du mode de préparation et des conditions de stockage. Encore faut-il s'interroger là encore sur l'origine réelle du miel consommé, en particulier sur la nature et la quantité de produits chimiques pulvérisés sur les fleurs dont ils proviennent.

Le miel, c'est avant tout des sucres, essentiellement des sucres rapides. Il s'emploie donc en premier lieu pour les desserts, les tartines du petit déjeuner et du goûter. C'est aussi le plus traditionnel des ingrédients doux de la cuisine sucrée-salée, particulièrement à l'aise en compagnie des épices.

• *Le sirop d'érable.* Les érables du nord-est des États-Unis et du Québec sont responsables de deux fêtes : la première a lieu en octobre, à la fin de l'automne de ces contrées au climat froid, quand les feuillages prennent des tonalités orange et pourpres, transformant les forêts en gigantesques incendies colorés et pacifiques ; la seconde, à la fin de l'hiver, marque la collecte du sirop d'érable. Dans les cabanes à sucre, c'est la ruée et on arrose les haricots (les *binnes*), le jambon, le porc, les œufs au plat, de ce liquide sucré à peine coloré. Dans le froid vif, ce mélange surprenant constitue un repas traditionnel et festif dont la solide rusticité réchauffe les sens. En dehors de cet épisode particulier, le sirop d'érable est utilisé à la manière du miel : il accompagne les plats sucrés-salés, on le tartine sur les pancakes, ces petites crêpes à pâte levée, traditionnelles au petit déjeuner et au goûter, on en fait aussi des desserts et des gâteaux. Le sirop d'érable mérite d'être travaillé par les pâtissiers, Alain Passard en donne un exemple remarquable.

• *Le sucre de palme.* A partir de la noix de coco, les Thaïlandais fabriquent un sucre qui a la consistance des miels solides, avec des tonalités gustatives douces, évoquant certains produits laitiers.

LES VINAIGRES

> « On aurait dit un pauvre fruit tristement confit dans le vinaigre du chagrin. »
>
> Yukio MISHIMA.
> *Le Temple de l'aube.*

Le vinaigre est-il synonyme de tristesse ? N'évoque-t-il pas quelque chose de négatif, de désagréable ? Après tout l'expression populaire fait d'un pisse-vinaigre quelqu'un de déplaisant, toujours enclin à se plaindre et à ne voir dans la complexité des choses que leur face sombre. Vinaigre = grincheux. Il est vrai que certains vinaigres industriels faits à partir d'alcools d'origine mystérieuse ne sont guère engageants et qu'ils évoquent les tristes salades des cantines scolaires et des fast-foods.

Le vinaigre est un mélange d'eau et d'acide (acétique). Comme son nom l'indique, on en trouve dans les vins oxydés, les vins aigres. Pourtant, on peut tirer l'acide acétique de multiples autres origines. En tout cas, le vinaigre est acide. C'est pour cela qu'on l'utilise. L'acidité, comme l'amertume, est un des principaux éléments de la sapidité des aliments. Elle n'est toutefois pas obligatoire : il y a des aliments alcalins, rares il est vrai.

Le vinaigre est indispensable à certains accompagnements, la vinaigrette, par exemple. Mais on peut aussi le remplacer par le jus de citron ou d'autres liquides acides comme le vin blanc. De même, le court-bouillon peut-il se faire avec chacun de ces trois liquides.

Le choix dépend donc du goût de chacun, ainsi que de la qualité du vinaigre. En France, il est surtout fait à partir du vin rouge. Les meilleurs sont fabriqués à partir de vins de qualité correcte. Certains sont « vieillis en fûts de chêne ». En pratique, trouver un bon vinaigre de vin rouge n'est pas toujours aisé.

On peut le faire soi-même, ce qui est facile. On utilise un conteneur spécial (vinaigrier) doté à sa base d'un robinet. Le sommet est amovible, ce qui permet de le remplir. Pour « démarrer », on y place deux bouteilles de vinaigre du commerce pendant un ou deux mois. Il se forme à la surface une fine pellicule. On remplit le vinaigrier avec le vin qu'on a choisi (c'est une bonne façon d'utiliser les fonds de bouteille). Au bout de deux mois environ on obtient un vinaigre « maison » dont la qualité dépend de ce qu'on a employé pour le fabriquer. Avec un vin sélectionné, on peut obtenir des produits exceptionnels, de façon indéfinie. Il suffit d'ajouter du vin au fur et à mesure qu'on tire le vinaigre (c'est la raison d'être du robinet). Il faut simplement éviter la formation d'une « mère », sorte de membrane épaisse qui consomme le vinaigre au lieu de le fabriquer.

On peut fabriquer d'autres vinaigres, par exemple de vin blanc.

Les principaux vinaigres

Les meilleurs vinaigres sont faits avec du vin. Les plus renommés sont à base de xérès, et surtout de certains vins faits à partir du *Trebbiano*, cépage blanc et sucré, qu'on trouve dans la région de Modène en Italie. Après vieillissement en fût, on obtient le *balsamico*, qui est le tout haut de gamme des vinaigres — lorsqu'il s'agit d'un produit âgé et sélectionné, bien sûr. C'est-à-dire qu'il a été transféré de fût à fût, chacun fait d'un bois différent, de taille de plus en plus petite pour tenir compte de la perte de volume liée à l'évaporation. Au terme de ces opérations longues et contrôlées par le savoir-faire de traditions familiales tenues confidentielles depuis des siècles, on obtient le véritable *Aceto balsamico tradizionale di Modena*, âgé d'au moins quinze ans. Dans ce cas il coûte cher, et même très cher. Rien à voir avec les vinaigres balsamiques des supermarchés européens et des drugstores nord-américains, vendus à prix moyens et de qualité médiocre, avec un rapport qualité-prix particulièrement bas. Le vinaigre balsamique est un authentique produit de luxe. Il en a le prix et il est rare.

On peut ajouter au vinaigre divers agents, des herbes aromatiques (estragon, acore), des jus ou sirops de fruits (mûre, framboise, fraise), des bulbes (ail, échalote), des noix, etc.

On trouve également d'autres sortes de vinaigres tirés de produits différents.

• *Le vinaigre de cidre* peut être remarquable.

• *Le vinaigre de malt*, utilisé en Grande-Bretagne, est particulièrement adapté à la fabrication des chutneys.

• *Le vinaigre de riz* est un ingrédient majeur de la cuisine japonaise, thaï, vietnamienne et de certaines régions de Chine.

LE VERJUS

Le jus du raisin vert (vert jus ou verjus) était très employé dans la cuisine du Moyen Age. On le trouve fréquemment dans *Le Viandier* de Taillevent ou *Le Ménagier de Paris*, tous deux du xive siècle. Et puis, il a peu à peu disparu. Est-ce parce qu'il est sans qualité? Bien au contraire. Mais, c'est un fait, on n'en trouve plus. On se demande comment on pouvait le conserver dans ces temps où ni le réfrigérateur (où il conserve ses qualités pendant une semaine), ni le congélateur n'existaient. Certaines recettes considèrent que le vrai verjus se mêle à l'alcool quasi pur. Peut-être est-ce ainsi qu'on l'utilisait en dehors des quelques semaines où le raisin est suffisamment gros pour être gonflé de jus et suffisamment vert pour garder son goût, avec une acidité particulière bien différente du vinaigre.

Espérons que les grappes de raisins verts réapparaîtront sur les marchés ou que les marchands de produits surgelés auront l'idée de réintroduire ce grand produit qui s'allie si bien avec certaines graisses animales, celles du cochon ou du canard par exemple.

Peut-être existe-t-il même des différences de saveur, des « crus » de verjus caractérisés par les types de raisins, le lieu d'origine et le mode d'élevage et de conservation. Rêvons.

Les recettes de cet ouvrage ont été réalisées avec du verjus de chasselas de Fontainebleau âgés de six ans, plantés contre un mur orienté au sud, dans une commune toute proche de leur lieu d'origine.

LES BOISSONS

L'eau

L'eau est, en poids et en volume, la partie la plus importante des aliments à l'exception de la graisse, de l'huile et du beurre. Selon les cas, elle représente de 60 % à 95 % du poids total. Signalons cet amusant paradoxe : certaines méduses contiennent plus d'eau que l'eau de la mer dans laquelle elles vivent. La proportion et la disposition de l'eau dans l'aliment en conditionnent grandement le mode d'utilisation et de préparation. Les êtres vivants ont besoin de boire, et dans les boissons, l'essentiel est l'eau. Les boissons usuelles contiennent entre 85 % et 100 % d'eau. La quantité totale d'eau ingérée est la somme de l'eau contenue dans ce qui est mangé et dans ce qui est bu. Il existe un équilibre de l'eau. Les apports devant être égaux aux éliminations et excrétions. On le sait, ces apports dépendent de la température extérieure, de l'habillement, de l'activité physique, des coutumes.

L'eau, c'est aussi le milieu dans lequel poussent certains végétaux et vivent poissons, crustacés, coquillages, etc. Le milieu aquatique ne fait pas de choix, et côte à côte pousse le cresson de fontaine et prolifère la douve du foie, ce redoutable parasite ; dans la rizière il y a le riz et l'amibe qui donne l'amibiase ; dans la rivière africaine, le bon poisson en même temps que les filaires et les bilharzies, autres parasites dangereux. L'imprudent peut être piqué par une vive ou mangé par un crocodile. L'eau, source de vie, peut transmettre la douleur et la maladie, elle peut donner la mort. On peut aussi s'y noyer, ce qui est étrange puisque notre corps est fait aux deux tiers d'eau et que les gaz, oxygène, azote et gaz carbonique, n'en représentent que le millième.

C'est également avec l'eau qu'on lave les instruments de cuisine, les plats, les assiettes et les fourchettes. Et qu'on nettoie les légumes. Selon sa qualité sanitaire, on supprime ou on accroît, au contraire, le risque de contracter telle ou telle maladie, on améliore ou on aggrave sa santé. Dans certains pays, et dans certains endroits de ces pays, l'on peut boire l'eau qui coule du robinet ou de la source, et d'autres où il ne le faut pas.

Il y a à cela plusieurs raisons. La plus importante est la qualité bactériologique ou parasitologique. L'eau alimentaire, utilisée pour nettoyer les légumes, pour cuire la soupe ou pour allonger un citron pressé doit être pure et dépourvue de ces redoutables microorganismes.

Certaines eaux ne sont pas comestibles pour d'autres raisons : elles peuvent contenir des substances toxiques ou désagréables. Certaines nappes phréatiques ont été ainsi polluées par les produits de traitements agricoles. Plus grave, le déversement de plomb, dans certains lacs d'Amérique du Nord, a entraîné la fixation de ce métal dans les poissons que consomment traditionnellement les Indiens qui y vivent. L'eau apparaît alors non pas tant comme toxique par elle-même que par ce qu'elle transmet.

Parfois, l'eau ne peut être consommée en grande quantité à cause de sa trop grande concentration en produits qui ne sont pourtant pas toxiques : par exemple l'eau de mer, qui contient une série de sels minéraux dont le plus important est le chlorure de sodium, le sel de cuisine.

On le voit, la qualité, la propreté, la pureté de l'eau sont des éléments d'autant plus importants qu'elle est de tous les apports alimentaires l'élément le plus important, le plus nécessaire, le plus urgent, irremplaçable.

Les eaux minérales

L'engouement, particulièrement net chez les Français, pour les eaux minérales reflète le souci de préserver leur état de santé et de l'améliorer. Les eaux minérales apportent une marque de sérieux et de qualité. Le contenu en substances dissoutes est indiqué sur les étiquettes. Il y a un large choix d'origines diverses ; les unes sont plates, les autres gazeuses. Les eaux minérales sont la providence des voyageurs qui parcourent la plupart des pays chauds, elles seules offrent quelque garantie contre les diverses maladies qui les menacent. Attention, toutefois, à ne pas en surestimer les qualités, attention aussi à l'eau de lavage qui reste sur les verres et plus encore aux traîtres glaçons.

Les eaux minérales françaises sont en majorité faites d'eau quasi pure, ne contenant que peu de sels dissous et à peu près pas de sodium. Il y a cependant quelques exceptions, les plus notables étant les diverses eaux de Vichy qui en contiennent des quantités assez importantes. Les eaux pétillantes ou gazeuses sont des eaux naturelles qui sont soit regazéifiées avec leur gaz naturel, soit artificiellement enrichies. Le gaz utilisé est le gaz carbonique, le même que celui produit par notre respiration.

On trouve aujourd'hui de nombreuses eaux minérales d'origine étrangère. Elles sont souvent pétillantes et certaines, en particulier d'origine italienne ou galloise, se placent parmi les meilleures.

Avec l'eau minérale plate et pure, on fait les biberons des bébés ou le bon café des grands. On peut, bien sûr, la cuisiner mais, la plupart du temps, l'eau du robinet suffit. L'eau minérale, plate ou pétillante, c'est surtout une des boissons les plus simples et les plus agréables. On la consomme quelles que soient l'heure et les circonstances, seul ou en compagnie, au café comme à la maison. L'eau gazeuse, par son piquant, stimule la langue et le palais, le léger goût métallique ou aliacé de certaines s'allie bien avec certains plats. Elle peut également faire office de « trou normand » ; après une préparation culinaire aux arômes et à la saveur marqués, elle « refait » la bouche, la rend apte à goûter autre chose, en quelque sorte elle lave. L'eau pétillante est aussi utilisée comme intermédiaire entre des vins de natures très différentes. Dans ce rôle, on peut utiliser l'eau plate, mais l'effet de rupture et de transition est plus doux, moins marqué, moins anguleux. Chacun choisira selon son goût et son caractère.

Les jus de fruits

Fruits et légumes frais contiennent environ 90 % d'eau. Certains renferment un liquide qui peut être recueilli en ouvrant la membrane qui l'entoure, comme la noix de coco ; d'autres, à chair molle ou à structure particulière, laissent couler leur jus sous la langue ou sous la dent : c'est le cas des framboises, des mangues mûres, du raisin, des oranges, etc.

On peut préférer la consommation du fruit ou du légume proprement dit, avec sa structure, sa texture et son goût propre, ou celle du jus qu'on peut en extraire.

Les plus populaires sont les jus de fruits, qu'on prépare frais ou qu'on achète sous divers conditionnements. Bien que certains produits commerciaux soient honorables — signalons et saluons à ce propos l'avancée qualitative que représente la gamme de jus d'agrumes vendus comme produits frais, incomparablement meilleurs que les jus classiques, les jus frais sont d'une autre qualité. Le pomélo de Floride et l'orange maltaise de Tunisie donnent à la maison des jus d'une qualité sans commune mesure avec les produits du commerce. Et encore le jus de « pamplemousse » est probablement ce qui se fait de mieux chez les industriels du jus de fruits.

Faire ses jus de fruits apporte pour un travail minime — ne pas oublier de nettoyer aussitôt le presse-agrumes, les restes de pulpe y sèchent vite — des satisfactions gustatives répétées et sans risque. On peut ainsi comparer le goût des diverses oranges et suivre dans le temps l'évolution d'une même sorte. On peut mélanger à sa guise, compléter avec d'autres jus, des agents aromatiques, de l'alcool, du sucre, etc. Si on dispose d'une centrifugeuse, on peut également extraire le jus de fruits que n'offre pas le commerce, à commencer par les fruits exotiques. On peut faire des jus avec les pommes, les poires et les abricots bien mûrs, etc.

La supériorité écrasante du produit frais s'explique par deux raisons essentielles. Tout d'abord, ce qui a été écrit à propos des fruits trouve ici sa confirmation. A la limite, la consistance de deux pommes, l'une de grande production standardisée et l'autre de jardin, est vraisemblablement la même. Ce qui diffère, c'est l'intensité, la complexité et la longueur aromatique. Ce sont ces qualités qui vont différencier le produit moyen ou médiocre du haut de gamme. Le jus de fruit apporte la démonstration éclatante de la différence. Sauf pour certains produits, la qualité industrielle est limitée par les conditions de production, en particulier la productivité. Le deuxième facteur est lié à la nature même du jus de fruits, qui contient beaucoup d'eau et un peu de sucre, c'est-à-dire un excellent milieu de cultures pour une infinité de microbes et de moisissures. Sans compter les composés qui peuvent s'oxyder. La conservation implique des méthodes qui diminuent fortement les qualités gustatives des jus, du moins actuellement.

Les jus de fruits se consomment comme boisson, au petit-déjeuner et à quatre heures. Ils peuvent être bus seuls ou en mélanges, constituant des cocktails sans alcool. Ajoutés à divers spiritueux, ils constituent la base de boissons aussi connues que le punch ou la caïpirinha.

On en fait aussi des soupes froides, souvent servies en dessert. On peut encore les mélanger avec des fruits en morceaux, ce qui est particulièrement agréable l'été.

Les jus de fruits peuvent être utilisés dans la cuisine salée. Dans certains pays, ils occupent une place éminente. Le jus de la noix de coco est un ingrédient de première importance au Brésil, en Indonésie ou en Thaïlande. Le jus de citron est de toutes les cuisines et de toutes les cultures. Le jus de l'orange ou de la bigarade se marie traditionnellement au canard. Le jus de grenade est très utilisé en cuisine iranienne.

Plus généralement, les jus de fruits peuvent servir de liquide de braisage ou d'élément aromatique ajouté à la fin pour apporter une saveur particulière aux sauces. Ils n'ont pas tous la même richesse en sucre et leur puissance aromatique est variable. Comme ils sont essentiellement faits d'eau, le résultat dépendra du volume utilisé et du type de jus. Selon les cas, ils pourront donc participer à des plats sucrés, sucrés-salés, aigres-doux ou salés. Les jus de fruits frais n'ont, de ce point de vue, pas été explorés de façon systématique. Ils pourraient trouver leur place dans de nombreuses recettes.

Les jus de légumes

Il n'y en a qu'un qui connaisse vraiment le succès, celui de la tomate, qui est d'ailleurs un fruit. On trouve également des mélanges de jus de légumes, mais ceux qu'on voit communément proposés apparaissent plus comme des jus de tomates aromatisés avec d'autres légumes que comme des vrais mélanges. Il est vrai que certaines boutiques ou rayons de produits diététiques vendent quelques autres produits, mais leur diffusion est limitée.

Avec les centrifugeuses modernes, chacun peut faire ses jus à la maison, de carotte, de céleri, de concombre, etc., qui peuvent être utilisés comme boissons, éventuellement en les assaisonnant. Le jus de tomate se sert traditionnellement avec divers aromates. Il est également à la base d'un célèbre cocktail, le *bloody mary*, ainsi nommé en souvenir d'une sanglante reine d'Angleterre. Pour le confectionner, on lui ajoute gin ou vodka, sel et piment ou sauce pimentée. C'est un des rares mélanges alcoolisés de goût « légumier » et non sucré, de réputation internationale.

On peut considérer les jus de légumes d'un autre point de vue. Il est évident que la pomme de terre n'étant pas comestible crue, son jus ne l'est pas non plus. Quant aux légumes qu'on ne mange que cuits, il est vraisemblable que leur jus n'offre pas un intérêt majeur lorsqu'il est extrait cru. Cependant, un bouillon de légumes n'est rien d'autre qu'un mélange de divers jus cuits et d'eau. Les jus de légumes cuits donnent non seulement des bouillons, mais des soupes et des sauces et réductions dans lesquelles un ou plusieurs légumes ont longuement cuit, laissant échapper peu à peu leur contenu aromatique et recevant d'ailleurs celui des autres aliments — une sorte d'échange de « jus ».

Certains grands chefs se servent du bouillon de légumes, qu'ils font plus ou moins réduire selon les cas, comme élément de base de certaines de leurs sauces, remplaçant ainsi les classiques fonds blancs ou bruns d'origine principalement animale. Cette tendance à utiliser des produits végétaux se développera vraisemblablement. Leur principal inconvénient reste leur temps de préparation. En contraste, les jus de légumes crus sont aisés à fabriquer ; il est probable aussi qu'ils seront de plus en plus utilisés comme base de pochage, pour lier les purées, pour aromatiser les sauces, etc. En ce domaine, l'essentiel de l'exploration des saveurs, des mélanges, des combinaisons reste à faire, peu de grands chefs ayant investi leur temps et leur talent dans ce sens. Il n'y a guère que certains sorbets et ces curieux thés de légumes qu'a décrits Jacques Maximin pour faire exception (n'oublions pas que le mot jus est souvent utilisé dans les recettes et sur les cartes des restaurants pour désigner une réduction aromatique : un jus de pigeon n'est pas un pigeon pressé dont on aurait recueilli le jus, c'est en fait une sauce courte faite avec les parties de l'animal qu'on ne sert pas à table).

Aux imaginatifs d'innover.

Les boissons industrielles

Certaines sont à base de fruits, ou plus généralement de produits chimiques au goût rappelant celui des fruits. D'autres ont des goûts plus ou moins synthétiques. Beaucoup sont pétillantes. Aucune n'a de distinction gustative remarquée. Elles peuvent être consommées comme boissons, en particulier quand il fait froid. Quelques-unes sont classiquement associées à des alcools pour la confection de cocktails (gin tonic, par exemple). Leur utilisation culinaire est nulle.

Le cidre

Un convalescent. Boisson traditionnelle de Normandie, de Bretagne, et d'autres provinces, il a reculé progressivement devant l'avance du vin, plus alcoolisé, et ensuite de la bière, plus amère et mieux commercialisée. Enfin, on a vendu sous le nom de cidre des produits d'une médiocrité consternante, pour ne pas dire proprement imbuvables, comme certains produits canadiens. Pourtant un carré de producteurs a maintenu la qualité, en particulier dans le pays d'Auge, aussi en Bretagne.

Un vrai cidre se reconnaît immédiatement au fait qu'il est trouble. Un cidre translucide est un cidre bas de gamme et sans intérêt. Plusieurs dizaines de sortes de pommes entrent dans la composition de cette boisson désaltérante, fruitée et légèrement pétillante ou au contraire « bouchée », c'est-à-dire traitée de telle manière qu'une forte pression de gaz la fasse mousser — gare à l'ouverture de la bouteille ! Certains apportent l'acidité, d'autres l'amertume, d'autres la douceur sucrée. Avec la nature des sols, l'âge des pommiers, les conditions sanitaires et le savoir-faire du fabricant, on comprend que le recensement des bons produits nécessitera quelque temps.

Sans prétendre rivaliser avec les grands vins, le cidre apporte une gamme aromatique complexe qui en fait une des boissons les mieux adaptées aux goûts modernes : il est vif, acidulé mais pas trop, peu alcoolisé, beau à regarder.

On en fait un vinaigre remarquable et, en le distillant, l'eau-de-vie de cidre dont une deuxième distillation produit le calvados, un des plus grands alcools français.

Le cidre est enfin un remarquable ingrédient en cuisine, au moins égal au vin blanc dans nombre de recettes et supérieur à la bière. Il apporte cet arrière-goût de pomme, délicat et subtil, qui se marie à merveille avec les poissons, les tripes — celles à la mode de Caen sont faites avec du cidre —, les volailles, certains légumes, etc. Il faut se rappeler que le cidre utilisé en cuisine doit être brut, sauf si on veut en faire une réduction sucrée. Un grand produit dont on espère le retour dans la consommation courante.

Le poiré

C'est une sorte de cidre fait avec des poires, traditionnellement considéré comme de qualité inférieure. Il est devenu rare. C'est dommage car, en fait, un bon poiré n'est pas très différent d'un bon cidre, avec un cachet particulier.

La bière

La bière ou cervoise est une des plus anciennes boissons occidentales. Elle est traditionnellement faite avec diverses céréales, mais c'est principalement à base de malt, c'est-à-dire d'orge germé et de houblon — qui n'est pas une céréale —, qu'on la prépare en y ajoutant de l'eau et des levures. Il existe de nombreuses variétés de bières, correspondant à des modes de fermentation différents, allant du jaune vert clair au brun foncé en passant par toutes les nuances de jaune, d'or et de vieil or, d'orange et d'ambre sombre. Les meilleures bières sont non pasteurisées, avec une mousse épaisse. Dans certains pays, en particulier germaniques, la bière est le prétexte à de grandes fêtes d'automne. La bière nouvelle, ou bière de mars, offre en contraste l'occasion d'une célébration printanière. Les bières commerciales de grande consommation ont imposé un style de plus en plus léger, contenant relativement peu d'alcool. On sait que le goût des bières *light* a bouleversé le marché nord-américain. Chaque pays a développé un « goût » national, avec ses appellations, *pale ale* et *brown ale* anglaises, *stout* irlandaise, *pils* tchèque, etc. Toutefois, les marques les plus connues internationalement, la Carlsberg danoise, la Heineken hollandaise, sont des bières au goût léger et relativement peu typé. Le monde de la bière est l'occasion de découvertes au gré des voyages et des essais. Rien que la Belgique, avec ses centaines de variétés, de la Blanche de Bruges aux diverses trappistes et gueuzes, avec ses Kwak et ses Orval, est le lieu de découvertes répétées et multiples.

Le goût de la bière est piquant et un peu amer. On les divise généralement en blondes, rousses et brunes, ces dernières ayant un arôme de caramel. En fait, les goûts sont innombrables. Il existe, par ailleurs, des bières diversement aromatisées avec des céréales, des fruits, etc. En France, les productions proviennent d'Alsace, aux bières souvent de grande qualité, blondes en général et du Nord-Pas-de-Calais. A côté des grandes marques existent quelques bières « artisanales », dont les qualités sont comparables aux meilleures d'outre-Quiévrain.

La bière, quoique moyennement alcoolisée, provoque en cas de consommation importante alcoolisme et obésité. Le *beer belly*, ventre de bière, est la caractéristique physique de ceux qui en abusent. C'est pourquoi se sont développées les bières légères et les bières sans alcool. La qualité de celles-ci n'est pas très éloignée de celle des bières de grande consommation, et c'est un breuvage rafraîchissant et léger.

La bière est une boisson. C'est aussi un liquide de cuisson dont l'utilisation est proche de celle du cidre. On peut l'employer dans des ragoûts — la carbonade est un plat classique —, elle agrémente les soupes, la pâte à crêpes ou à gaufres, diverses préparations sucrées.

Le vin

Le vin est incontestablement la plus noble boisson. Par l'ampleur et la complexité de sa gamme aromatique, il surclasse les autres. A condition, bien sûr, qu'il s'agisse d'un vin de qualité. Et c'est là que paraît la première des difficultés. Le vin est tellement répandu, tellement multiple qu'il est quasiment impossible à l'amateur de s'y retrouver. Il lui faut d'abord définir ce qu'il désire. Il y a quelques décennies, certains cherchaient la concentration (le degré) alcoolique. Plus il y avait d'alcool, meilleur était le vin. Meilleur il était, plus on en buvait. On devine les résultats. Non pas tant l'ivresse, passagère, que l'ivrognerie qui en est la répétition. Ou en termes modernes, si on préfère, l'alcoolisme, qui est une maladie, avec ses conséquences professionnelles, familiales et affectives, et ses complications qui sont d'autres maladies.

Aujourd'hui, la consommation de vin a fortement baissé en même temps que la qualité a augmenté. Le vin au litre a quasiment disparu, les marques commerciales faites de l'assemblage de basses extractions n'ont plus guère de fidèles, en dépit de leurs appellations imagées. Le public recherche de plus en plus des vins d'origine contrôlée. On ne veut plus des « petits blancs », mais on réclame un gros plant, un sylvaner ou un bourgogne aligoté. On recherche le goût de pierre à fusil du pouilly fumé ou les arômes d'acacia ou d'agrumes des vins de plus grande extraction. Il y a une soif de découverte, d'exploration. On craint l'ivresse, même si une légère sensation d'euphorie n'est pas malvenue, et on redoute les conséquences de l'excès de consommation.

En parallèle, la qualité des produits offerts a également progressé. Toutefois, cette amélioration a créé une situation qui est, paradoxalement, beaucoup plus confuse qu'avant. On trouve en effet, même dans des appellations relativement peu prestigieuses, d'honnêtes, voire d'excellents produits à côté d'autres fort médiocres. De plus, les prix sont peu indicatifs. Il n'y a pas de grands vins qui soient bon marché. Mais payer un vin cher ou même très cher n'est pas une garantie de qualité. Il y en a de bons et d'honnêtes au même prix à côté d'autres qui sont exécrables.

A moins de consacrer sa vie à l'œnologie, l'amateur doit donc disposer de conseils. De plus, le vin est un produit qui varie dans le temps : telle année est bonne et prometteuse, telle autre réputée médiocre. A quoi s'ajoute l'épineux et difficile problème du vieillissement. Doit-on boire les vins jeunes ou vieux, cette question reste objet de controverses acharnées. Notre propos ici n'est pas de prendre parti — ce n'est pas l'objet de ce livre —, mais plutôt d'indiquer des pistes. Disons simplement qu'il y a bien peu de vins qui soient bons après vieillissement quand on les a trouvés mauvais dans leur jeunesse. Le reste est question de goût et, probablement plus encore, d'habitude et de tradition. Les conseilleurs sont ici évidemment beaucoup plus importants que dans le cas de produits frais, car il peut s'écouler un temps important entre l'achat et la consommation. On attend du conseilleur qu'il soit compétent, qu'il soit doué, qu'il soit travailleur et qu'il soit indépendant, car les intérêts financiers en cause peuvent être considérables. Espérons donc que ce soit toujours le cas. La lecture assidue d'un grand nombre de revues, de livres et de dossiers plus ou moins confidentiels laisse une impression d'insatisfaction. On ne peut que regretter la disparition de Jacques Luxey, ce grand amateur qui avait créé Les Dégustations du Grand Jury, premier essai pour mettre de l'ordre dans la hiérarchie des connaissances, fondé à la fois sur la compétence, l'indépendance et une méthodologie scientifique. Souhaitons que quelqu'un reprenne le flambeau.

Car il y a une hiérarchie dans le vin, comme il y en a dans l'art. De même qu'on n'éduque pas son regard par la contemplation du calendrier des PTT, on ne développe pas son goût par la dégustation de la piquette. Il serait souhaitable que des catégories de prix et de dénomination permettent à l'amateur de s'y retrouver, de choisir la gamme aromatique qu'il souhaite. C'est son intérêt, c'est sûrement aussi celui de la viticulture française. Autrement, elle se fera chasser de ses marchés les plus traditionnels par des produits moins chers et plus constants. C'est malheureusement ce qui est en train de se faire.

Le vin est une boisson. Une boisson qui appelle la fête et la communication. Le vin ne se boit pas seul mais en famille, en amoureux, entre amis. Il rapproche les convives à table, il appelle le commentaire, on le regarde, on le scrute, on le hume, on le déguste. On étudie son évolution entre le début et la fin de la bouteille. On en cause et on s'en souvient... Le vin fait parler, et il fait parler de lui. Au fond de lui, le vin est gai. Il apporte la joie, il annonce le bonheur. A condition bien sûr qu'il soit bon et ne devienne pas le triste prétexte à l'excès.

Le vin, c'est aussi la base de toute une série d'utilisations culinaires. Vins blancs et rouges sont partie intégrante de très nombreuses recettes, des modestes moules marinières au dispendieux coq au chambertin. Le vin est des soupes — faire chabrot, c'est-à-dire verser un verre de vin rouge dans son assiette, est une coutume traditionnelle dans certaines campagnes —, des fumets, des courts-bouillons, des plats en sauce. Il est des desserts comme des hors-d'œuvre. On peut même en faire des sorbets cristallins qui servent de trou normand.

La multiplicité des vins est telle qu'elle sort du cadre de cet ouvrage. Comme il est indiqué dans le chapitre sur le fromage, un domaine fort controversé est celui de l'accord des mets et des vins. On ne constate presque pas de concordance entre les avis divers émis par des personnes considérées comme des références, les points communs étant souvent fort différents des opinions classiques, par exemple l'alliance entre les vins liquoreux et les fromages à pâte persillée. Quelques règles générales semblent se dégager. On ne fait pas de bonne cuisine avec du mauvais vin. D'un autre côté, il n'est pas non plus nécessaire d'utiliser le meilleur vin pour faire la sauce de la blanquette de veau ou pour cuire la choucroute. La règle qui consiste à servir le même vin que celui utilisé à la confection du plat est donc très souvent prise en défaut. Il n'est pas certain non plus qu'il faille boire un vin de même type. La blanquette de veau est faite avec du vin blanc. Il n'est pas scandaleux de boire un bon vin rouge pour l'accompagner, mais un grand blanc fera un accord bien meilleur. Généralement, les viandes blanches s'accordent mieux avec les vins blancs, en particulier ceux qui sont naturellement moelleux, ou au moins ronds. Les viandes rouges s'allient mieux avec les vins rouges, et il y a toute une série d'accords plus ou moins consensuels sur le choix des meilleurs compagnons des viandes « fortes » ou en sauce — généralement des vins rouges corsés — et des viandes rôties qui réclament des vins plus légers. Par contre, quoi boire avec une viande grillée ou frite, un steak ou une fondue bourguignonne, la question demeure. Avec les légumes, il y a à peu près autant d'avis que d'experts. Quant aux plats vinaigrés et aux artichauts, ils se marient difficilement avec les grands vins. Les desserts s'accordent avec des vins doux ou mutés — il s'agit de vins additionnés d'alcool en cours de fabrication, dont les plus connus sont le porto et le banyuls. Ce dernier vin a le privilège de se marier avec le chocolat, accord délicat s'il en est.

On retiendra de ces données, d'une part qu'elles ne sont qu'indicatives et qu'elles admettent beaucoup d'exceptions ; d'autre part, qu'il ne faut pas craindre les essais, qu'il faut savoir oser, les accords recommandés dans certains ouvrages n'étant souvent que la réplication d'avis anciens, pas toujours fondés, provenant, en particulier, d'une époque où seul le vin rouge était admis comme réellement digne d'accompagner les plats. Aujourd'hui, on explore la gamme des blancs, l'utilisation des alcools et des vins mutés.

Un autre élément dont il faut tenir compte est la place qu'on accorde au vin par rapport à la nourriture. Soit on le boit seul, en apéritif par exemple, et les mets consommés ne sont que des amuse-gueule destinés à éviter les effets de l'ingestion isolée d'une boisson alcoolisée ; ou bien on les boit à table et il faut choisir : ou le vin accompagne le plat, ou c'est l'inverse. Un très grand vin ne demande pas obligatoirement un très grand plat, il cherche surtout un faire-valoir, un deuxième couteau, qui lui donne le beau rôle. Certains plats très typés, comme nombre de préparations indiennes et nord- ou proche-orientales, par la richesse et l'ampleur des épices, par le contraste des saveurs et des consistances, se contentent généralement de vins modestes. L'un a généralement le pas sur l'autre.

A chacun de le savoir et de choisir en conséquence.

Troisième Partie

Au travail

Le cru et le cuit

Certains aliments se consomment crus et d'autres après cuisson.

Cette dernière façon de les préparer caractérise l'espèce humaine, car les animaux ne transforment pas ce qu'ils mangent. On peut voir là une des façons les plus radicales de modifier le monde pour le transformer à sa guise, qui différencie notre espèce de toutes les autres. Avec la pensée religieuse et scientifique, avec ses idées étranges et si peu animales de droit et d'égalité, avec ce désir de représentation de l'environnement et de la connaissance regroupé sous le terme général d'art, la cuisson des aliments apparaît comme un élément particulièrement fort et représentatif de ce qui transcende l'homme et le sépare tout à la fois des autres êtres vivants et de sa propre animalité.

Pourquoi ne consomme-t-on pas tous les aliments après cuisson? C'est que, par un détour dont on ne sait s'il a suivi ou précédé la maîtrise du feu, il en est de même des aliments crus: l'homme ne peut tolérer de les consommer sans les avoir jugés et jaugés: à ma droite ceux que l'on peut manger tels quels, au centre ceux qu'il faut nettoyer, laver; à ma gauche ceux qui doivent être épluchés, désossés, épépinés, éviscérés, coupés en petits ou gros morceaux, etc. D'autres choix en découlent: la fleur de courgette sera probablement meilleure frite ou farcie, la jeune carotte lavée pourra être utilisée crue ou cuite, avec ou sans sauce, la pomme pourra être mangée crue, telle quelle, ou cuite de multiples façons.

Existe-t-il une règle universelle indiquant ce qui doit être consommé cru ou cuit, ce qui doit être émincé ou découpé en petits ou gros morceaux, ce qui doit être gardé entier, comment la cuisson doit être adaptée, quelles sauces, quels accompagnements doivent être servis ? Évidemment non. Seule la tradition culinaire de chaque culture sert à la fois de guide et de loi. L'avantage c'est la possibilité pour chacun de suivre une voie de préparation qui lui permet d'obtenir un résultat satisfaisant et reconnaissable : c'est généralement la cuisine traditionnelle préparée par les épouses et les mères, transmise précieusement de génération en génération. L'inconvénient, c'est le risque de conformisme, de chauvinisme borné, de manque de goût et de curiosité. Les aliments réprouvés ne sont pas tant ceux dont la religion interdit l'usage que ceux dont l'usage interdit l'emploi. A l'idée de manger des cuisses de grenouilles, des mollusques, terrestres ou marins, de la viande ou du poisson cru, de consommer salé ce qu'on a l'habitude de voir servir sucré, de faire cuire des huîtres ou au contraire de ne pas le faire, etc., combien de poils se hérissent, de palais se révulsent, de nausées ou de hoquets apparaissent ? Dégoûts confirmés bien sûr après avoir, pour prouver sa bonne foi, goûté. Comme si la meilleure manière de montrer sa malhonnêteté n'était pas de faire semblant d'avoir l'esprit ouvert. Tant pis pour les obtus, tant pis pour les conformistes, tant pis pour les hypocrites.

Car, en fait, la majorité des aliments peut se présenter sous l'une ou l'autre forme. Ce n'est pas le cas de certains végétaux qui doivent impérativement être cuits — par exemple les morilles, car elles contiennent des poisons détruits par la chaleur ou ceux dont les constituants ne sont digestes qu'après cuisson. Inversement certains aliments perdent tout intérêt à la cuisson, les éléments de sapidité étant détruits au-delà de certaines températures.

Reste la prudence. Dans certains pays, mieux vaut ne consommer que ce qui a été cuit, et même très cuit, en raison des risques sanitaires liés à une hygiène souvent douteuse ou rudimentaire.

Ces précautions ne concernent généralement pas les cuisiniers d'Europe, d'Amérique du Nord et de quelques pays d'Extrême-Orient, tels le Japon et Singapour. C'est pourquoi ils pourront innover à leur guise, présenter des pâtes sucrées — après tout c'est de la farine, de l'eau et parfois des œufs, c'est-à-dire les mêmes constituants que ceux des gâteaux —, le poisson émincé cru, les huîtres pochées, les jeunes épinards en salade et le coq au vin blanc.

490

Loin de s'éloigner de la tradition, ils en retrouveront au contraire tout l'esprit d'origine. Car, au fond, la tradition provient de quelque part. Les pâtes sont venues de Chine, apportées par Marco Polo au Moyen Age. Tomates, poivrons, piments, haricots sont d'origine américaine, introduits entre les xve et xvie siècles. A quoi ressemblait la cuisine d'Afrique du Nord auparavant? L'esprit de tradition consiste à incorporer de nouveaux ingrédients, de nouvelles technologies à son propre fonds historique. Ce n'est ni la négation du neuf ni celle de l'ancien, mais une tentative de synthèse, d'enrichissement.

On voit la faiblesse d'une culture insuffisante. Ce n'est que sur un fonds culinaire précis et limité, mais maîtrisé, que chacun peut incorporer des éléments issus de traditions autres en nature et en esprit. Faute de quoi on n'obtiendrait qu'un méli-mélo sans grâce et sans goût, plate réduction de concepts mal compris et piteusement exécutés.

En fait, pour se familiariser avec le neuf, le cuisinier dispose de deux méthodes, d'ailleurs complémentaires. La première consiste à aller manger dans un restaurant ou chez un particulier ce qu'il veut connaître, mais il doit s'assurer que ce qu'il commande est bien représentatif de ce qu'il veut découvrir; par exemple, l'énorme majorité des restaurants italiens hors de leur pays d'origine présentent une cuisine dont l'uniformité et la médiocrité ne sont guère dans la grande tradition de ce pays. La seconde est plus active : préparer soi-même le ou les plats auxquels il s'intéresse. Là encore, attention : combien de recettes ne sont que des adaptations pour cerveaux ignares et indifférents transformant le précis, le subtil en une tambouille passe-partout et sans caractère.

C'est que la nature tend vers la paresse et l'entropie, et que faire bon et beau est acte d'autorité.

1

Le cru

Qui dit cru ne dit pas obligatoirement froid. On peut manger froid un plat cuit et, inversement, certains ingrédients crus peuvent être servis tièdes, c'est le cas par exemple des huîtres et de certains coquillages, ou bien de fruits tels qu'ils sont présentés dans certains des plus grands restaurants. Tous les intermédiaires existent entre cru et cuit, particulièrement prisés dans la cuisson des poissons — où la mode du « rose à l'arête » ou de l'« unitérale » a supplanté la plupart des autres concepts —, celle des crustacés — aujourd'hui les langoustines sont servies à peine cuites —, mais aussi celle de certaines viandes : au fond, qu'est-ce qu'un steak bleu, sinon une viande crue et tiède, juste saisie sur les bords ? Quant aux légumes, des méthodes et des concepts très répandus en cuisine extrême-orientale les traitent « al dente », c'est-à-dire à peine cuits.

Le cru proprement dit ne comporte pas l'intervention de la chaleur. On peut distinguer trois notions différentes : le cru frais, le vieux cru, le cru conservé.

Le cru frais pose aujourd'hui un problème inédit. L'exigence de fraîcheur est d'autant plus rigoureuse qu'on désire consommer un produit sans le cuire. De nos jours, le consommateur dispose de deux sortes de produits crus et frais : les vrais, ceux qu'il achète au marché et chez le boucher ; et les faux, les surgelés. Leur utilisation en cuisine crue est identique en apparence. En fait, elle varie avec l'aliment considéré. Deux viandes de bœuf, l'une fraîche — c'est-à-dire rassise —, l'autre surgelée, donneront des carpaccios et des tartares assez semblables, alors que ce n'est pas le cas, évidemment, ni de la lotte ni des coquilles saint-jacques. Par ailleurs, il y a ceux que le froid altère — on n'imagine pas par exemple de manger une salade de laitue

493

congelée. Bien entendu, la consommation d'aliments crus au restaurant suppose une confiance absolue à l'égard du chef.

La distribution des rôles entre ce qui est mangé cru ou cuit est essentiellement affaire de conventions, de traditions, qui, d'ailleurs, évoluent à la faveur des échanges culturels. Passée la surprise initiale de la découverte, on peut adopter de nouveaux modes d'alimentation. Les cuisiniers aussi innovent. Il faut rendre hommage à ceux qui ont osé présenter des poissons, des épinards, ou des choux-fleurs crus. Même s'ils n'ont pas « inventé » ces concepts, ce sont eux qui les ont imposés — en prenant le risque de ne pas être compris et donc de perdre leur clientèle. Saluons aussi les guides et les revues qui les ont soutenus.

Certains aliments — et c'est la majorité — que l'on consomme crus seront d'autant plus recherchés qu'ils sont très frais : c'est le cas de certains légumes, des fruits à noyau, des œufs, des poissons et des fruits de mer, meilleurs quand ils sont « vivants ». Dans d'autres cas, la fraîcheur a un autre sens : une orange, une pomme de terre ne sont guère différentes après quelques jours, et peuvent même se garder quelques semaines.

Certains aliments nécessitent un délai pour devenir consommables ou pour atteindre leurs qualités optimales. La viande doit être rassise, ce qui prend un certain nombre de jours ; le gibier peut être faisandé et les poires sont meilleures quand on les cueille un peu avant maturité, et qu'on les laisse mûrir quelques jours ou quelques semaines, jusqu'à leur optimum.

On consomme crus aussi des aliments conservés : c'est le cas des fruits secs, qu'on peut classer dans les aliments crus et « vieux ». On peut également y classer le pemmican des Indiens d'Amérique, c'est-à-dire un mélange de viande crue séchée et pulvérisée, et de graisse animale. C'était la manière la plus efficace de stocker une quantité suffisante de lipides et de protides afin d'éviter les famines.

Dans les sociétés occidentales on a depuis longtemps l'habitude de conserver après salaison et séchage diverses sortes de poissons et de viandes. Celles-ci sont très recherchées, qu'elles soient présentées sous forme de saucisson, de jambon, de lonzo, de coppa, de saucisse sèche, de viande des Grisons, de bresaola, etc. De même, les poissons et leurs œufs séchés et salés font partie de l'alimentation traditionnelle ; ce sont même parfois les produits de haut de gamme, tels la poutargue et plus encore le caviar.

L'emploi du sel et du vinaigre a longtemps constitué le seul moyen efficace de conservation, supplantée aujourd'hui par d'autres méthodes, en particulier celles qui utilisent le froid. De ce fait, certaines conserves sont tombées en désuétude ou n'ont plus qu'une présence folklorique. Par contre, d'autres ont gardé et même amélioré la position et le statut qu'elles avaient dans l'alimentation. Le citron confit au sel ou à l'huile, la salicorne au vinaigre ou les griottes à l'eau-de-vie ont peu à peu trouvé un espace autonome, indépendant de celui qu'ils avaient dans les temps de subsistance. Car la conserve crue desséchée, salée puis dessalée et réhydratée n'a pas le goût du frais, elle révèle une personnalité singulière. L'aliment mariné longtemps dans l'huile, dans le vin, le vinaigre ou l'alcool prend une tonalité spécifique étrangère à celle du frais.

Le cru, on le voit, se décline d'une manière complexe et précise, où la notion de fraîcheur, comme celle de conserve, ne se révèle pas univoque, mais contrastée. L'utilisation de cette diversité est source d'inspiration et permet la découverte de saveurs et d'associations qui surviennent au gré des méandres de l'imaginaire et de la créativité du cuisinier.

On peut manger crus poissons, viandes et œufs. Il faut séparer les méthodes traditionnelles où les aliments étaient salés et séchés, parfois fumés, puis consommés cuits ou crus — par exemple le jambon ou le saucisson sec — et les méthodes d'apparition récente où on consomme frais des produits qui autrefois étaient toujours cuits. Cette nouvelle façon de représenter les viandes et les poissons doit beaucoup à la Nouvelle Cuisine, et à l'influence japonaise et polynésienne. Elle a l'avantage de la simplicité, mais nécessite des produits d'une extrême fraîcheur et un sens sûr des accompagnements et des assaisonnements.

LES POISSONS CRUS

Ils sont très appréciés au Japon où ils font même l'objet d'un véritable culte : pour préparer correctement un *sushi* ou un *sashimi*, il faut de nombreuses années de pratique. A Tahiti il est traditionnel de consommer le poisson cru « cuit » dans le citron. Cru, le poisson peut être consommé frais ou fumé. On peut fumer soi-même le poisson, il existe des appareils d'origine scandinave, que l'on peut se procurer. Le plus souvent on achète les poissons crus fumés dans un supermarché ou chez un traiteur spécialisé. Le poisson cru fumé peut être servi seul, avec des toasts, des blinis, de la crème, de la vodka ou du vin blanc sec. Il peut faire partie d'une salade et il entre dans la composition de certains plats, les rillettes de saumon par exemple[1].

Les poissons crus non fumés peuvent se conserver dans le sel, par exemple les harengs. Avant de les utiliser, il faut les dessaler. On les mange tels quels, ou avec de l'huile, ou encore dans une salade.

Les poissons crus frais sont coupés en fines lanières, assaisonnés et servis tels quels. Une méthode pour les découper consiste à les placer une heure ou deux dans le compartiment à viande du réfrigérateur ou quelques minutes au congélateur : le froid les durcit, et ils sont plus faciles à couper en tranches très fines. Bien sûr, on ne peut manger ainsi que des poissons d'une grande fraîcheur. A Tahiti et en Polynésie, on ne peut pas consommer tous les poissons, ni les poissons de toutes origines, en raison de maladies imprévisibles et sévères. Dans nos climats, il faut être prudent et ne consommer que des poissons dont l'origine est clairement identifiée et, répétons-le, frais — jamais surgelés.

Carpaccio de thon rouge

Pour 2 personnes
100 g de thon rouge bien frais
(pavé de 4 cm × 4 cm)
huile d'olive de première pression de Toscane
fleur de sel de Guérande
poivre blanc
1 citron

> Mettre le thon dans le compartiment à viandes du réfrigérateur pour le durcir pendant 2 heures, ou au congélateur pendant 15 minutes.

---

1. Les *rillettes de saumon* se fabriquent en écrasant à la fourchette du saumon cuit, du saumon cru et fumé, et divers agents aromatiques : huile, épices, herbes diverses.

Le couper en tranches très minces (moins d'un millimètre d'épaisseur).

Déposer artistiquement ces tranches sur deux assiettes.

Les badigeonner d'huile avec un pinceau.

Saler, poivrer.

Servir avec un demi-citron par personne.

Cette entrée peut se préparer quelques minutes à l'avance et se garder au réfrigérateur.

Carpaccio de coquilles saint-jacques aux 3 poivres

Pour 4 personnes
6 noix de coquilles saint-jacques
huile d'olive de première pression de Toscane
poivre blanc, rose et vert
fleur de sel de Guérande
ciboulette hachée

Mettre les noix dans le compartiment à viande du réfrigérateur pour les durcir pendant 1 ou 2 heures ou au congélateur pendant 15 minutes.

Les émincer en tranches le plus fines possible et les disposer dans le fond des assiettes froides.

Passer l'huile avec un pinceau sur les tranches de coquilles. Poivrer, disposer un petit cristal de sel sur chaque tranche. Parsemer de ciboulette.

Damier de poissons crus aux deux olives

Pour 4 personnes
100 g de thon cru
100 g de turbot
huile d'olive de première pression de Toscane
8 olives vertes farcies
8 olives noires dénoyautées
poivre blanc

Mettre le poisson dans le compartiment à viande du réfrigérateur pour le durcir pendant 1 ou 2 heures ou au congélateur pendant 15 minutes.

Le découper en tranches très fines.

Couper ces tranches en carrés de taille égale.

Répartir les carrés sur les assiettes en les intercalant comme dans un damier.

Passer l'huile d'olive au pinceau sur toute la surface des poissons.

Couper les olives en petites rondelles. Les disposer sur l'échiquier (sur chaque damier les olives vertes et noires tiennent la place des blancs et des noirs au jeu de dames).

Poivrer.

Saumon cru au citron vert et à l'aneth

Pour 4 personnes
250 g de saumon frais (sans peau et sans l'arête)
4 citrons verts
poivre blanc
fine fleur de sel de Guérande
quelques pluches d'aneth frais

Mettre le saumon dans le compartiment à viandes du réfrigérateur pour le durcir pendant 1 ou 2 heures, ou 15 minutes au congélateur.

Le couper en tranches le plus fines possible.

Placer les tranches sur les assiettes froides.

Presser un citron vert sur chaque assiette. Bien répartir le jus sur la totalité de la surface des tranches de saumon.

Poivrer, saler, répartir quelques pluches d'aneth sur chaque assiette.

Servir aussitôt.

Sashimi

Pour 4 personnes
1 filet de turbot de 200 g
1 filet de truite saumonée de 100 g
1 filet de thon rouge de 100 g
100 g de blanc de seiche
400 g de daikon (gros radis blanc qu'on trouve aisément dans les épiceries asiatiques)
sauce soja

Mettre les poissons dans le compartiment à viande du réfrigérateur pour les durcir pendant 1 ou 2 heures ou au congélateur pendant 15 minutes.

Couper le blanc de seiche en bâtonnets de 3-4 mm de section.

Émincer en tranches très fines le thon et le turbot.

Couper la truite en bâtonnets de 5 mm de section.

Éplucher et râper finement le radis.

Disposer sur chaque assiette de petits tas des différents ingrédients. Ajouter une coupelle avec la sauce soja. (On peut ajouter de la pâte de raifort japonaise[1], si on en trouve.)

Chacun se sert et trempe les aliments dans la sauce.

LES VIANDES CRUES FRAÎCHES

Les Huns, dit-on, mangeaient la viande crue après l'avoir placée sous la selle de leur cheval pour l'attendrir. Cette méthode manque un peu de finesse et on peut croire que le plat devait être fortement assaisonné de sueur de cheval.

La mode de la viande crue est relativement récente, marquée par l'apparition des steaks tartares et autres carpaccios. La méfiance vis-à-vis de la viande crue tient à plusieurs facteurs : la fraîcheur de la viande, son origine, le risque de parasitoses, en particulier la trichinose, rare et redoutable, ou les diverses sortes de ténias. C'est pourquoi on n'a longtemps consommé ainsi que du cheval (ce qui n'éliminait que le risque du ténia).

Aujourd'hui on peut manger du bœuf ou de la volaille crus à condition, encore une fois, d'être sûr de l'origine et des conditions sanitaires de la viande.

Le carpaccio — ainsi nommé car la couleur de la viande de bœuf ressemble à certains rouges des tableaux du peintre italien Carpaccio — est fait avec de très fines tranches de bœuf assaisonnées. Pour obtenir un carpaccio digne de ce nom, on place la viande 1 ou 2 heures dans le compartiment viandes du réfrigérateur ou 15 minutes au congélateur pour la durcir. Elle se coupe alors facilement en très fines lamelles.

1. Le wasabi, ou raifort japonais, est un condiment classique de la cuisine nippone.

499

Carpaccio à l'italienne

Pour 4 personnes
160 g de filet de bœuf
huile d'olive de première pression de Toscane
poivre
fine fleur de Guérande
quelques pluches de cerfeuil

> Mettre la viande dans le compartiment à viande du réfrigérateur pour la durcir pendant 1 ou 2 heures, ou 15 minutes au congélateur.
> La découper en très fines tranches et en couvrir les assiettes froides.
> Passer l'huile au pinceau sur la viande
> Poivrer, ajouter quelques grains de sel
> Ajouter quelques pluches de cerfeuil.
> (On peut ajouter un peu de parmesan gratté grossièrement.)

NB — *Le « vrai » Carpaccio à l'italienne utilise de la roquette et non du cerfeuil.*

BOUCANAGE ET SÉCHAGE

Le boucanage est une manière de préparer la viande des animaux terrestres et marins en les plaçant au-dessus d'un feu de bois aromatique. Les principes volatils vont se fixer sur l'aliment et l'assécher en même temps. Il ne s'agit pas d'une méthode de cuisson (ce n'est pas un gril). On peut boucaner directement l'aliment, il existe même des procédés pour fumer instantanément le poisson, ce qui permet de présenter des poissons frais fumés. Parfois on fait boucaner des viandes non salées pour les conserver. Plus généralement, on les place tout d'abord dans une saumure aromatisée et on les suspend ensuite au-dessus d'un feu de bois. On peut d'ailleurs se contenter de les laisser sécher dans un endroit aéré et sec. Elles n'ont pas alors le goût fumé.

LES VIANDES CRUES DE CONSERVE

On conserve au sel, fumées ou non fumées, de nombreuses viandes. Elles constituent une des catégories les plus appréciées en charcuterie sous forme de divers jambons, de lonzo, de coppa, de viande séchée des Grisons, de magrets fumés, etc. La plupart du temps, on les mange en tranches fines avec du pain, du beurre, des cornichons, etc. Elles sont la base de nombreux en-cas ou sandwiches. On les sert aussi en hors-d'œuvre, seules ou avec d'autres charcuteries, voire avec des fruits.

Parmi les plus notables on retiendra :

• Le *jambon de San Daniele* et le *jambon de Parme* qui, coupés en très fines tranches, sont particulièrement fins. Ils se marient très bien avec le melon ou les figues fraîches. Un bon jambon doit avoir une graisse très blanche. La couleur de la viande doit être claire, d'un rouge tirant vers le brun clair, presque orangé. La texture doit en être souple, ne résistant pas au doigt. Éviter ceux qui sont brunâtres, secs et durs : ils sont trop vieux. Le *jambon de Bayonne* peut être, lui aussi, excellent, de même que certains *serrano* espagnols — dont le plus estimé vient de Jabugo —, et allemands.

• Le *lonzo* (filet de porc) et la *coppa* (échine de porc) de Corse, rouge sombre, dont le gras doit être bien blanc, sont fortement poivrés.

• La *viande séchée des Grisons* est faite avec du bœuf, coupée en tranches transparentes.

• Le *magret séché* a le goût bien particulier du canard.

• Le *saucisson sec* et toutes ses variétés régionales (saucisses sèches, jésus, etc.)

Andouille de Vire

« C'est une très sainte chose que l'andouille. »
Roman de Renart.

1 estomac de porc
1 gros intestin de porc
1 intestin grêle de porc
sel
poivre blanc
boyau de porc

Laver soigneusement les tripes. Les couper en lanières. Les mettre à mariner avec sel et poivre blanc pendant une semaine. Les enfiler dans des boyaux de porc et les faire sécher dans

501

l'âtre (il faut qu'il y ait du feu, évidemment) pendant une semaine.

Pour les consommer, on les fait dessaler sous l'eau courante pendant 1 ou 2 jours et on les fait pocher à l'eau frémissante. On laisse refroidir et on coupe en rondelles.

NB — *L'andouille de Vire devrait se faire avec des porcs normands, Blanc de l'Ouest ou Bayeux. Elle perd beaucoup de poids en séchant, ce qui explique son prix. La qualité du bois de boucanage est importante (ne pas utiliser de résineux).*
L'andouille de Guéméné se fait traditionnellement en enfilant successivement des boyaux de taille croissante.

Viande des Grisons

Une grande tradition du Valais et des Grisons en Suisse.
C'est de la viande de bœuf mise en saumure, aromatisée avec des herbes, puis pressée et enfin séchée en montagne.
Elle se consomme en très fines tranches.

LES TARTARES

Ainsi nommé, ils évoquent une Asie mystérieuse, des cavaliers coiffés aux yeux bridés, montés sur des chevaux petits et agiles, archers habiles — Barbares se nourrissant de chair crue. Rêve ou mythe, ces Tartares-là se fondent dans la mythologie avec les Mongols ou les Huns, groupes nomades devenus symboles de terreur, disparus dans les méandres de l'histoire.

Le tartare est fait de viande crue émincée, servie avec des légumes et une ou plusieurs sauces. On peut passer la viande au hachoir, ce qui donne des morceaux petits et réguliers, mais qui écrase les chairs entre le mouvement de la vis sans fin, le jeu du couteau et la taille de la grille. Le goût en est donc atténué, la langue ne retrouve pas de structure particulière et la consistance est proche d'une purée épaisse. En écrasant les fibres musculaires, le hachoir rend l'ensemble très sensible à l'action de diverses bactéries et leur fournit une sorte de milieu de culture quasi idéal. La viande ainsi hachée se corrompt donc très rapidement et doit être consommée sur-le-champ. Si on l'achète chez le boucher, il faut la faire préparer devant soi et surtout ne pas attendre pour la manger.

Il existe d'autres méthodes pour préparer le tartare, mais la meilleure est de couper la chair avec un couteau très affûté sur un billot. Cette opération demande du temps et de l'attention : il ne faut pas se couper, il faut éviter d'appuyer sur la viande et réussir à faire des morceaux de taille identique.

Le tartare peut être fait de bœuf, de cheval, de volaille ou de poisson. En fait, tous les animaux peuvent être utilisés, mais en pratique deux éléments doivent absolument être pris en compte. D'une part, la chair doit être fraîche (en tenant compte bien sûr de son nécessaire mûrissement). D'autre part, il faut se rappeler que les animaux vivants, terrestres ou aquatiques, peuvent être porteurs de parasites. Le bœuf et le porc peuvent contenir des ténias, le cheval la trichine ; les poissons sont aussi à la merci de divers parasites. Attention donc à la provenance de ce qui va être mangé.

L'assaisonnement est différent selon qu'on utilise viande de boucherie ou poisson. Traditionnellement, pour la préparation du *steak tartare*, on ajoute à la viande des câpres, des oignons ou des échalotes finement émincés, de la tomate en petits cubes. La sauce comporte de l'huile, du citron, du jaune d'œuf cru, éventuellement des sauces pimentées, Tabasco par exemple, ou simplement épicée, telle la traditionnelle Worcestershire sauce (avec le bœuf ou le cheval les enfants aiment le Ketchup). On ajoute aussi des herbes ciselées, ciboulette surtout. Il s'agit là d'indications générales et chacun pourra, et même devrait, varier les ingrédients à sa guise, par exemple en utilisant d'autres herbes : cerfeuil, roquette, estragon, basilic, etc., en variant les huiles : de noix, de noisette ; en choisissant un vinaigre fin : de xérès, à la framboise ou mieux balsamique ; en introduisant des fruits acidulés : fruits de la passion, kiwis, groseilles ou des fruits doux : mangues, poires, pêches, ou encore neutres, litchees, mangoustans ou autres.

Le tartare est une manière sophistiquée de consommer la chair crue, de jouer sur les couleurs, les nuances des assaisonnements, les consistances. Les variétés en sont donc multiples, quasiment infinies.

Tartare de carpe

Pour 4 personnes
500 g de chair de carpe (il faut une carpe de rivière, courante et de fonds de gravier)
4 jaunes d'œufs
50 g de câpres
1 cuillerée à soupe de ciboulette hachée
1 cuillerée à soupe de persil plat haché
4 petits oignons blancs finement émincés
sauce Tabasco
sauce Worcestershire
12 tranches de pain de campagne grillé
sel de Guérande
poivre

Hacher très finement la chair de carpe, éliminer les petites arêtes.

Dans chaque assiette, mettre le quart du hachis de carpe en forme de volcan, le jaune d'œuf se trouvant logé en son centre. Entourer le poisson d'une couronne de câpres.

Disposer les autres ingrédients dans des bols ou des coupelles. Servir avec une tranche de pain grillé par personne, les autres étant déposées au centre de la table.

Chacun se sert à sa guise.

Tartares de légumes

Les tartares de légumes sont, comme ceux de bœuf ou de poisson, faits de petits morceaux de légumes crus. Leur consistance est variable, du croquant au mou. La présentation et l'assaisonnement amplifie ou atténue ces effets. On peut aussi passer les légumes découpés dans un liquide chaud, soit pour en attendrir la substance, soit pour leur donner un goût particulier, soit encore pour en modifier la substance.

Les tartares de légumes se préparent comme les brunoises, c'est-à-dire qu'on coupe les légumes une première fois en tranches de 2 à 3 mm de côté, puis en allumettes de section carrée et enfin ces dernières en cubes. On peut aussi les hacher de façon plus grossière, les passer au mixer, etc., selon l'effet souhaité.

Salade de radis

Pour 4 personnes
3 bottes de radis
citron
harissa
huile d'olive
sel
poivre
ciboulette

Nettoyer, enlever la pointe de la racine, les fanes et les deux petites membranes situées le long du radis près des fanes.
Couper les radis en petits cubes de 2 à 3 mm de côté.
Mélanger les ingrédients de la sauce. La mettre sur les radis.
Parsemer de ciboulette.

NB — *Style tunisien, meilleur avec l'harissa de mai* (harissat mayou).

Crème de poivrons rouges

Pour 4 personnes
2 poivrons rouges
250 g de crème
poivre
une pointe de curry

Nettoyer les poivrons, enlever la tige et les pépins. Les couper en petits cubes de 2 à 3 mm de côté.
Faire bouillir une casserole d'eau.
Y jeter les poivrons, les retirer dès que l'ébullition reprend. Les égoutter.
Mélanger l'ensemble des ingrédients. Rectifier l'assaisonnement en fonction du goût souhaité.

Thon à l'huile aux variantes

Pour 4 personnes
variantes (légumes conservés dans le vinaigre)
1 boîte de thon à l'huile
1/2 citron

Couper les variantes en petits cubes de 2 à 3 mm de côté.

Les disposer en petits tas sur les pourtours d'un saladier en les groupant par sorte de légumes et en arrangeant chaque tas de façon harmonieuse en jouant sur les couleurs.

Mettre le thon au milieu.

Arroser de jus de citron.

On peut varier indéfiniment les présentations en se servant des formes et des couleurs comme pour un tableau.

Petit tartare tiède d'endive
et poivron rouge à l'anchois

Un plat qui demande de la patience, car il faut du temps et de la minutie pour séparer les divers ingrédients et les préparer. Par contre, la finition est très rapide et doit se faire juste avant de manger. C'est une entrée belle à contempler, très bon marché et pourtant de grande qualité gustative, simple et subtile. Ce n'est pas tout à fait un tartare, car les légumes ne sont pas crus, mais très légèrement cuits et le plat se sert tiède. Les qualités indiquées correspondent à une petite entrée.

Pour 2 personnes
1 belle endive
20 g de poivron rouge
5 brins de ciboulette
2 filets d'anchois au sel
1 cuillerée à café de crème fraîche
1 jaune d'œuf cru
poivre blanc
1 cuillerée à café d'huile d'olive

Préparation initiale. Couper le poivron en petits cubes de 3 mm de côté. Les réserver.

Couper la ciboulette en tout petits bouts. La réserver.

Couper la base de l'endive et la jeter. Séparer le jaune du blanc de l'endive en découpant les feuilles au couteau. Éliminer d'éventuelles parties brunes parfois présentes au centre du légume.

Couper la totalité du blanc (feuilles + centre) en petits cubes de 3 mm de côté. Réserver.

Émincer le jaune en petites lanières de 2 à 3 mm de large. Réserver.

Laver les filets d'anchois à grande eau sous le robinet. Enlever l'arête centrale et couper les filets en petits cubes de 3 mm de côté. Réserver.

On a donc, au terme de la préparation, 5 petits tas de couleur différente : jaune, brun, blanc, rouge et vert.

Terminaison. Dans une petite poêle, mettre à grand feu l'huile et l'anchois, faire fondre ce dernier pendant une petite minute, ajouter le poivron, cuire en remuant pendant 30 secondes.

Dans une deuxième poêle, mettre le blanc d'endive et la crème. Cuire à grand feu pendant 30 secondes.

Mélanger le contenu des deux poêles. Ajouter hors du feu l'œuf cru, le jaune de l'endive, la ciboulette et le poivre blanc (un tour de moulin).

Mettre la moitié du tartare sur chaque assiette et servir aussitôt, ce plat se mangeant tiède.

Tartare tiède d'artichauts et crevettes au vinaigre balsamique

Pour 2 personnes

2 gros artichauts
4 grosses crevettes (30 à 40 g pièce)
1 cuillerée à soupe d'huile d'olive
3 branches de coriandre fraîche
3 branches de persil plat
1 cuillerée à café d'huile de noix
2 cuillerées à soupe de vinaigre balsamique
sel
poivre
1/2 citron pressé
1 jaune d'œuf cru
1/2 citron coupé en quartiers

Enlever les feuilles et le foin des artichauts. Raccourcir les fonds en enlevant la queue. Dès qu'on coupe les artichauts, il faut les frotter avec le citron pour qu'ils ne noircissent pas.

Couper les fonds en tranches de 1 mm d'épaisseur. Couper les

507

tranches en bâtonnets de 1 mm de section et couper les bâtonnets en cubes de 1 mm de côté.

Éplucher les crevettes et couper la chair en cubes de 2 mm de côté.

Faire chauffer l'huile d'olive dans une poêle. Y faire sauter les artichauts une minute en remuant.

Faire chauffer une deuxième poêle et y faire sauter à cru les crevettes pendant 1 minute.

Ciseler finement aux ciseaux la coriandre et le persil en éliminant les branches.

Hors du feu, mélanger le contenu des deux poêles. Ajouter l'huile de noix, le persil et la coriandre, le vinaigre balsamique, le sel, le poivre, le jus de citron. Ajouter en dernier le jaune d'œuf. Bien mélanger.

Servir tiède, accompagné des quartiers de citron.

Tartare tiède de radis à la coriandre fraîche

1 botte de radis
1 citron
20 feuilles de coriandre
2 cuillerées à soupe d'huile d'olive
sel
poivre
poivre de Cayenne
1 jaune d'œuf cru

Nettoyer les radis. Oter les fanes, les racines et les petites membranes situées près de l'origine des fanes.

Couper les radis en tranches de 2 mm d'épaisseur, couper les tranches de 2 mm de section et les bâtonnets en cubes de 2 mm de côté.

Presser le jus du citron.

Couper les feuilles de coriandre en fines lanières de 1 mm de côté.

Faire chauffer l'huile d'olive dans une poêle. Ajouter les radis. Les faire cuire en tournant pendant 30 secondes à 1 minute.

Hors du feu, ajouter le jus de citron, la coriandre, le sel, le poivre, le cayenne, puis le jaune d'œuf. Bien mélanger. Servir tiède.

Tartare tiède de concombre aux noix
et à la roquette

1 concombre
10 cerneaux de noix
15 feuilles de roquette
2 cuillerées à soupe d'huile d'olive
pluches de cerfeuil
sel
poivre
1 jaune d'œuf cru

Laver le concombre. Le couper en tranches de 1 mm d'épaisseur. Couper les tranches en bâtonnets de 1 mm de section et les bâtonnets en cubes de 1 mm de côté.

Couper au couteau les cerneaux de noix en morceaux de la plus petite taille possible. Ne pas les écraser.

Émincer très finement la roquette en lanières de 1 mm de large.

Couper le cerfeuil en tous petits bouts en ne gardant que les petites feuilles et en éliminant les tiges.

Faire chauffer l'huile, faire sauter le concombre pendant 30 secondes à 1 minute en tournant.

Hors du feu, ajouter le sel, le poivre, la roquette, les noix, le cerfeuil. En dernier ajouter le jaune d'œuf.

Bien mélanger.

Servir tiède.

LES ŒUFS CRUS

Pour certains, la façon idéale de manger les œufs est de les gober : on fait un petit trou au fond et un autre sur le sommet de la coquille et on aspire le contenu en faisant bien attention à ne pas en répandre sur ses vêtements. L'odeur et le goût de l'œuf pourri n'ayant rien d'agréable et l'œuf étant un milieu excellent pour la culture des microbes, on ne peut consommer crus que des œufs extra-frais, en fait des œufs du jour. C'est un mets à réserver pour un séjour à la campagne, lorsqu'on peut recueillir l'œuf encore chaud, sous la poule qui vient de le pondre, à condition que la coquille soit propre.

Un grand nombre de légumes et la grande majorité des fruits se mangent crus, tels quels, nature ou découpés en diverses formes, grandes ou petites, artistiques ou grossières. On les présente seuls ou en mélange, avec des accompagnements ou en accompagnement, avec des sauces, du pain ou des gâteaux, en entrée, en dessert; en en-cas, en trompe-la-faim ou simplement en gourmandise.

Guacamole

Pour 4 personnes
1 petit piment fort
gros sel
3 grains de poivre
3 petits oignons blancs avec leur feuillage
3 gros avocats bien mûrs
2 citrons verts

Enlever les pépins du piment, l'écraser au mortier avec le sel et le poivre.

Nettoyer les oignons, les laver, les sécher, les couper en très fines tranches, blanc et vert y compris.

Ouvrir les avocats, en retirer la chair et la mettre dans un saladier. Ajouter immédiatement le jus des citrons et les épices écrasées. Réduire en purée avec une fourchette.

Ajouter les oignons. Couvrir d'un film alimentaire et laisser reposer au frais 1 ou 2 heures avant de servir.

NB — *Cette entrée mexicaine, simple et délectable, se sert souvent avec des tacos.*

Petits légumes crus

Pour 4 personnes
200 g de jeunes feuilles d'épinard
8 petites carottes
24 radis rose et blanc
24 radis rouges
1/2 céleri branche
1 concombre
1 petit chou-fleur
sel de Guérande
beurre d'Isigny ou d'Échiré
sauces diverses à volonté

Passer rapidement les légumes sous l'eau (bien laver les épinards).
Gratter les carottes, couper les fanes à 1 cm
Enlever les racines des radis, couper les fanes à 1 cm (le reste peut être récupéré pour un autre usage).
Couper le céleri et le concombre en bâtonnets de 5 mm de large et de 5 cm de long.
Couper les extrémités du chou-fleur de façon à obtenir de petits bouquets bien blancs.
Répartir l'ensemble artistiquement dans le plat de service.
Chacun se sert à sa guise et utilise sel, beurre, sauces selon son goût.

NB — *Un plat qui trouve sa qualité dans l'extrême fraîcheur des légumes.*

Légumes racines aux sauces mousses

Pour 4 personnes
2 radis noirs ou de Chine
8 navets doux
8 carottes
40 radis
1 bol de mousse de champignons
1 bol de tapenade
1 bol d'anchoïade

Nettoyer les légumes. Peler les radis noirs et les navets. Gratter les carottes.

Couper l'ensemble en bâtonnets de 5 à 6 cm de long, de 1 cm de section.

Servir avec les sauces.

NB — *Ce plat peut se faire également avec certains légumes tiges (céleri branche par exemple), fleurs (bouquets de choux-fleurs) ou fruits (petites tomates poires, petits concombres, jeunes courgettes, poivrons, etc.).*
Le nombre de sauces mousses n'est pas limitatif. On peut aussi servir aïoli, mayonnaise, sauce pistil, rouille ou autre.
La diversité des goûts et l'opposition du craquant du légume avec l'onctuosité des sauces fait de ce type de présentation un plat adapté à l'été, aux buffets, ou encore à l'apéritif.

Sauce de piments de la Réunion

1 gros oignon épluché
1 citron
8 piments équeutés et épépinés

Hacher finement l'oignon.
Couper le citron en fines rondelles.
Écraser les piments au mortier.
Mélanger l'ensemble.

NB — *On règle le piquant de la sauce en modifiant le nombre et la force des piments.* (Recette d'Achille Conflit.)

Harissat mayou (Harissa de mai)

500 g de piments rouges secs de petite taille équeutés et épé-pinés
250 g d'ail épluché (au moins)
100 g de graines de coriandre
50 g de graines de carvi
50 g de feuilles de menthe fraîche
50 g de feuilles de marjolaine fraîche
quelques feuilles de mûrier
sel (50 g environ)

Écraser l'ensemble des ingrédients dans le mortier ou, plus simplement, les mixer à petite vitesse.

On obtient une poudre grossière qu'on met en pots sans huile.

NB — *Cette rare recette, originaire de Nabeul, capitale du Cap-Bon en Tunisie, est celle de Mme Malika Ghrib. L'harissa de mai accompagne particulièrement bien une simple omelette. Il existe d'autres recettes d'harissa, dont celle de Mohamed Kouki[1] qui associe 250 g de piments, 50 g d'ail sec, 100 g de graines de carvi et 25 g de sel. L'harissa se conserve recouverte d'huile d'olive.*

Juliennes de légumes racines en salade

Au choix : carottes, céleris-raves, choux-raves, radis noirs ou de Chine, navets nouveaux, daïkons (gros radis-navets blancs), etc.
Sauce au choix.

Laver les légumes choisis, les éplucher ou les gratter. Les couper en fine julienne avec une mandoline ou un appareil automatique.

Les assaisonner avec la sauce choisie.

NB — *Les sauces qui les accompagnent traditionnellement sont une vinaigrette, un mélange d'huile et de citron pour les carottes, une rémoulade pour le céleri-rave. On peut varier, utiliser la mayonnaise ou un de ses dérivés, la crème fraîche ou sure, ou encore des sauces au goût plus fort : moutarde, raifort, harissa, et autres.*
On peut également blanchir la julienne de racines quelques instants à l'eau bouillante salée, ou encore la laisser macérer 1 ou 2 heures dans le sel fin avant de la consommer, après l'avoir lavée et séchée bien entendu.

Fraises à la crème

Pour 4 personnes
1 kg de fraises
150 g de crème fraîche
1 citron
poivre
sucre éventuellement

---

1. Mohamed Kouki, *La Cuisine tunisienne d'Ommok Sannafa,*, Tunis, 1967.

Passer très rapidement les fraises sous l'eau, les égoutter, puis les équeuter.

Éventuellement, les couper en morceaux.

Mélanger la crème et le jus de citron, avec quelques tours de poivre du moulin. Ne sucrer l'ensemble que si les fraises sont trop fades.

Mélanger les fruits et la crème. Laisser au frais pendant quelques minutes.

NB — *Les bonnes et « vraies » fraises de grande qualité n'ont nul besoin de crème ni de vin. Elles se suffisent à elles-mêmes. Les fraises qu'on achète sont souvent peu goûteuses, sinon fades, et c'est avec crème et citron, voire un peu de poivre, qu'elles prennent une saveur agréable.*

Petits cubes de reinette au cassis et au whisky irlandais

Un dessert simple, à réaliser à la saison du cassis[1]. L'accompagnement peut être préparé à l'avance, mais les pommes doivent être préparées au dernier moment. Comme ce dessert est meilleur frais, il est préférable d'en garder les ingrédients 1 ou 2 heures au réfrigérateur avant de servir.

Pour 4 personnes
2 bonnes cuillerées à soupe de crème fraîche
2 cuillerées à soupe de whisky irlandais
4 cuillerées à soupe de crème de cassis
40 à 60 baies de cassis
2 pommes reinettes (Reines des Reinettes, Reinettes grises du Canada, Reinettes du Mans...)
4 à 6 feuilles de menthe

Mélanger doucement la crème, le whisky, la crème de cassis, les grains de cassis.

Éplucher et couper les pommes en cubes de 0,5 à 2 cm de côté. Les incorporer au fur et à mesure dans le mélange pour éviter qu'elles ne roussissent.

Servir aussitôt en parsemant de feuilles de menthe.

---

1. Mais qui peut être fait avec des grains de cassis surgelés.

Goyaves à la sauce goyave

8 goyaves
1 citron
1 cuillerée à soupe bombée de sucre

Éplucher les goyaves. Séparer la chair extérieure du centre qui contient les pépins.
Couper la chair extérieure en cubes.
Presser le centre contre une passoire fine. Recueillir la chair filtrée et la mélanger avec le jus de citron et le sucre.
Mélanger les cubes de goyave avec la sauce goyave.
Mettre au réfrigérateur deux heures avant de servir.

NB — *On peut, avec la sauce goyave, faire des salades de fruits exotiques : papayes, mangues, litchis, etc.* (Recette de Mohamed Harbi.)

LES ÉMULSIONS FROIDES

Bien que par nature l'eau et la graisse ne se mélangent pas, il existe des formes physiques qui permettent de contourner cette impossibilité. Un des exemples naturels les plus connus est le lait, mélange d'eau où sont dissoutes diverses substances et qui contient en suspension de toutes petites gouttelettes essentiellement graisseuses donnant à l'ensemble sa couleur blanche.

La fabrication d'émulsions de substances grasses dans l'eau, ou de liquide aqueux dans une substance grasse, fait partie du quotidien du cuisinier. La vinaigrette en est un exemple, comme la sauce moutarde. Ces émulsions étant plus ou moins stables, l'industrie présente régulièrement des produits dont la consistance ne se modifie pas grâce à l'adjonction de divers produits. C'est ainsi qu'on trouve les diverses sauces vinaigrettes à contenu lipidique et calorique réduit. La crème fraîche est un autre exemple d'émulsion particulièrement utilisée en cuisine. De plus, sa structure plus riche en graisse que le lait — elle en contient de 30 à 40 % selon la qualité, 15 % pour les crèmes à contenu gras réduit — lui permet d'intégrer aussi bien des éléments dissous dans l'eau, le vinaigre ou la moutarde par exemple, que les produits gras, huiles ou composés conservés dans l'huile.

Dans l'ensemble, à l'exception du lait, les émulsions froides sont plutôt utilisées comme sauces que comme éléments principaux d'un plat.

On trouve parmi elles certains standards bien classiques : mayonnaise, rouille, aïoli, tapenade, etc.

Pour fabriquer une émulsion froide, il faut, comme le rappelle Hervé This, dans ses *Révélations gastronomiques* [1], tout d'abord une certaine quantité de principes tensio-actifs qui vont permettre de disperser les particules d'huile. Il est évident que le nombre de particules lipidiques ainsi modifiées (du point de vue physique et non chimique) dépend du nombre de particules tensio-actives. Ces dernières sont fournies par de nombreux corps : moutarde, citron, vinaigre, ail, sel, calcium, etc. Le jaune d'œuf est un élément important de la mayonnaise, bien que, comme le décrit Hervé This, on puisse la fabriquer avec le blanc, et sans le jaune — mais, dit-il, le résultat gastronomique est minable.

Quoi qu'il en soit, il importe de toujours réaliser les émulsions froides en deux phases : la constitution d'un stock de principes tensio-actifs sous forme de liquide ou de purée, puis l'addition progressive de l'huile en battant l'ensemble avec un fouet ou une fourchette.

La sauce mayonnaise et sa famille

2 jaunes d'œufs
1 cuillerée à café de vinaigre ou de citron
2 cuillerées à café de moutarde
2 g de sel
poivre
250 ml d'huile d'arachide

Mélanger les jaunes d'œufs, le vinaigre, la moutarde, le sel et le poivre avec une fourchette ou un petit fouet.

1. Belin, 1995.

Ajouter l'huile d'abord goutte à goutte en continuant à battre l'ensemble, puis en petit filet lorsque la consistance de l'ensemble commence à être plus ferme.

On peut ajouter quelques gouttes de vinaigre ou de citron en cours de fabrication.

NB — *Il est préférable de fabriquer la sauce au moment de s'en servir. Tous les spécialistes insistent sur la nécessité de préparer la sauce avec des ingrédients tièdes et non froids, les œufs et l'huile ne doivent pas sortir du réfrigérateur.*

Si la sauce tourne, la cause peut être l'insuffisance du volume de jaune d'œuf par rapport à l'huile, ou l'arrivée trop massive de cette dernière, ou l'insuffisance du travail mécanique. Dans ce cas, la meilleure manière consiste à recommencer, c'est-à-dire à placer un autre jaune d'œuf dans un autre récipient, et à utiliser le matériel tourné en le versant peu à peu tout en battant.

Dernière remarque : la mayonnaise, étant composée presque exclusivement d'huile, est particulièrement riche en calories. Du fait de son onctuosité, c'est même une des manières les plus sûres de consommer un maximum de lipides.

La famille de la mayonnaise

Dans sa version puriste, la mayonnaise ne comporte pas de moutarde, mais un peu plus de citron ou de vinaigre.

La sauce tartare est, pour certains, une mayonnaise enrichie de moutarde, de cornichons hachés, de câpres ou de salicorne au vinaigre, d'herbes fraîches hachées également (d'autres réservent le terme de *rémoulade* à ce mélange.

La sauce verte est une mayonnaise enrichie d'herbes vertes : cresson, épinards, cerfeuil, estragon, oseille, etc., blanchies rapidement, écrasées et passées à l'étamine. On mélange le jus vert obtenu avec la mayonnaise. Cette sauce est un accompagnement traditionnel des poissons bouillis, servis froids.

La sauce rouge est une mayonnaise additionnée de coulis de tomates. En lui ajoutant de petits dés de poivron rouge on obtient une *sauce andalouse*.

La sauce chantilly est une mayonnaise mélangée de crème chantilly non sucrée.

On peut obtenir des *mayonnaises aromatisées* en ajoutant à la mayonnaise diverses purées d'anchois, de crustacés, d'œufs de poissons fumés, de fruits, etc.

L'aïoli est une sorte de mayonnaise faite avec jaune d'œuf, ail pilé, citron et sel, à laquelle on ajoute de l'huile d'olive selon la même technique.

Sauce pistil

fleurs mâles de courge ou de courgette
4 gousses d'ail
50 ml d'huile d'olive
100 ml de vin blanc sec
80 g de beurre mou
sel
poivre de Cayenne
poivre blanc
3 brins de ciboulette de Thaïlande

Laver les fleurs, enlever la partie située près de la base. Réserver les pistils. Ciseler finement les fleurs.
Éplucher et dégermer l'ail.
Mettre 2 cuillerées à soupe d'huile dans un poêlon. Ajouter les fleurs ciselées et 3 gousses d'ail grossièrement hachées.
Faire revenir à feu vif pendant 1 ou 2 minutes. Ajouter le reste de l'huile et le vin.
Quand il ne reste plus que l'équivalent de deux cuillerées à soupe de liquide, retirer les fleurs du feu et les mixer avec le jus de cuisson.
Ajouter successivement dans le mixer les pistils, le reste de l'ail, puis le beurre, le sel, le poivre de Cayenne et le poivre blanc.
Mettre dans un bol, rectifier l'assaisonnement, ajouter la ciboulette de Thaïlande finement émincée.

NB — *Cette sauce a la consistance d'une mayonnaise sans en être une puisqu'il n'y a pas d'œuf. Elle accompagne les viandes blanches et les poissons chauds ou froids. Elle a un goût fort. On peut l'adoucir en n'utilisant qu'une partie de la quatrième gousse d'ail — l'ail cru est plus présent que l'ail cuit. On peut l'enrager, au contraire, en ajoutant un ou plusieurs petits piments dont on aura retiré les graines et la base. On peut également lui donner une consistance plus légère en la mélangeant délicatement avec 100 g de crème fouettée.*

Rouille

3 gousses d'ail épluché et dégermé
1 petit piment rouge
gros sel
1 pomme de terre à purée de 50 g cuite à l'eau avec sa peau
et épluchée après cuisson
200 ml d'huile

Écraser au mortier l'ail avec le piment et le sel pour obtenir une purée homogène.
Ajouter la chair de la pomme de terre et écraser finement.
Ajouter l'huile goutte à goutte, puis progressivement en petit filet comme pour une mayonnaise.

La sauce vinaigrette et ses compagnes

La sauce vinaigrette se fait en mélangeant de l'huile avec du vinaigre. Les proportions sont généralement de 3 à 4 parties d'huile pour 1 de vinaigre. On se rappellera toutefois la justesse de l'adage selon lequel il fait être avare de vinaigre et généreux avec l'huile.
Selon le type d'huile et de vinaigre, on obtient une grande diversité de goûts et de saveurs, d'autant plus qu'on ajoute sel et poivre — ou poivres — et herbes hachées diverses qui apportent chacun leur contribution au résultat final.
L'émulsion est éphémère, et doit être battue à la main au dernier moment.

La vinaigrette moutardée est une vinaigrette additionnée de moutarde, elle s'émulsionne plus facilement et peut être préparée un peu plus à l'avance car elle est un peu plus stable que la vinaigrette.
La sauce ravigote est une vinaigrette additionnée d'échalotes hachées, de câpres et d'herbes diverses.
On peut également faire une *vinaigrette sans vinaigre* en remplaçant ce dernier par du jus de citron.

Les mousses de légumes
(purées émulsionnées)

Il s'agit d'une famille particulièrement agréable, bien connue de la cuisine syro-libanaise où hommos, baba ghannouj et plats apparentés font partie des innombrables mézés, ensemble de hors-d'œuvre servis traditionnellement avec un verre de raki.

Les recettes en sont très variées. Par exemple, il existe presque autant de caviars d'aubergine que de cuisiniers. Le principe en est simple : on fait cuire le légume, on en fait une purée plus ou moins fine selon le but recherché et on mélange avec de l'ail, du jus de citron et de l'huile. Cette dernière est souvent de l'huile de sésame en Syrie et au Liban, mais on peut tout aussi bien se servir d'huile d'olive et, pourquoi pas, d'huiles parfumées comme celles de pistache, de noix, d'amandes, de pignon de pin ou de noisette.

On peut, à la purée de légume, ajouter séparément le jus de citron, l'ail écrasé et l'huile. On peut aussi se servir d'une émulsion faite en partant des principes énoncés plus haut : il faut 3 jus de citron, 4 gousses d'ail épluchées et dégermées, et du sel. On les passe au mixer à forte vitesse, puis on ajoute peu à peu 100 ml de l'huile choisie en filet. On obtient ainsi une émulsion stable qui a la consistance d'un lait assez épais et qui peut être mélangée à diverses purées. On obtient ainsi une série de mousses de légumes, c'est pourquoi il sera fait référence à cette émulsion sous le nom de *sauce mousse*.

Elle se prépare avec une extrême facilité et rapidité. On peut y ajouter diverses épices, changer d'huile à volonté. Quant au nombre de légumes susceptibles d'être utilisés, il est très grand : aubergines, courgettes, poivrons, choux-fleurs, pois chiches, haricots de toutes sortes, fèves, châtaignes, etc. On peut aussi remplacer tout ou partie du citron par du vinaigre. La mousse terminée, on peut évidemment lui ajouter des herbes aromatiques. Un dernier avantage, non négligeable, est la durée de conservation de ces mousses. On en couvre la surface d'un peu d'huile — en général huile d'olive — et on les conserve au réfrigérateur deux semaines.

Sauce de piments

40 piments frais type Cayenne
5 gousses d'ail épluchées et dégermées
sel
2 citrons
3 belles tomates épluchées et épépinées
150 ml d'huile d'olive

Laver les piments, enlever les grains et les pédoncules. Mixer l'ail, le sel, le jus de citron et les piments.
Ajouter la chair de la tomate grossièrement concassée. Mixer.
Ajouter peu à peu l'huile d'olive.

NB — *Attention : c'est une émulsion « enragée » !*

Mousse d'olives au poivre vert

1 gousse d'ail
200 g d'olives noires dénoyautées
50 g de filets d'anchois à l'huile
20 g de poivre vert en saumure
100 ml d'huile d'olive

Mixer l'ensemble des ingrédients (sauf l'huile) à grande vitesse.
Ajouter l'huile peu à peu.

NB — *C'est presque une tapenade, mais pas tout à fait puisqu'il n'y a pas de tapènes (câpres). Le poivre vert apporte une note piquante inhabituelle.*

Tapenade

1 gousse d'ail
250 g d'olives noires dénoyautées
50 g de filets d'anchois à l'huile
50 g de câpres au vinaigre (égouttés)
100 ml d'huile d'olive

Couper l'ail en petits morceaux.

Mettre dans le bol du mixer l'ail, les olives, les filets d'anchois avec leur huile, les câpres sans leur vinaigre et mixer.

Ajouter l'huile peu à peu jusqu'à l'obtention d'une émulsion bien homogène.

NB — *La tapenade se conserve au réfrigérateur, si on la recouvre d'un film d'huile d'olive.*

C'est une émulsion bien agréable, à tartiner pour un en-cas ou pour l'apéritif.

Sauce tomate crue

300 g de chair de tomates épluchées et épépinées
1 gousse d'ail épluchée et dégermée
100 g de chair d'oignon doux épluché
12 brins de ciboulette
2 cuillerées à soupe d'huile d'olive
sel
poivre

Couper grossièrement la chair de tomate, l'ail et l'oignon.

Les mixer finement avec l'huile, le sel et le poivre.

Hacher la ciboulette, l'ajouter à la sauce.

NB — *On peut ajouter un petit piment épépiné et très finement haché.*

On peut aussi remplacer la ciboulette par du persil, du cerfeuil, de l'estragon, du basilic ou de la coriandre.

On peut adjoindre du citron ou du vinaigre.

La sauce vierge *dont il existe plusieurs variantes comprend les mêmes éléments non mixés : l'oignon est finement haché, la tomate coupée en dés, l'ail est facultatif.*

522

Sauce de tomates crues au piment oiseau

2 piments oiseaux frais
1 citron
3 petits oignons blancs avec leurs tiges lavés et nettoyés
1 bouquet de ciboulette
sel
poivre
6 belles tomates épluchées, épépinées, coupées en morceaux
200 ml d'huile d'olive

Enlever le pédoncule et les pépins des piments.
Mixer le jus de citron avec les oignons, la ciboulette, le sel, le poivre. Ajouter les tomates. Mixer longuement pour obtenir une purée bien fine.
Ajouter peu à peu d'huile d'olive.

Sauce à l'avocat

4 avocats
2 citrons
8 filets d'anchois au sel dessalés désarêtés
sel
poivre

Éplucher les avocats
Mixer leur chair avec le jus des citrons et les anchois.
Saler et poivrer.

NB — *C'est une version « sauce » du guacamole. On peut en varier les ingrédients : noix de pécan, ail, piment, herbes et épices divers, vinaigre, etc. L'avocat assure le « gras » de la sauce.*

Anchoïade au thym Silver Queen

30 filets d'anchois au sel
3 gousses d'ail épluchées et dégermées
1 cuillerée à soupe de bon vinaigre de vin
4 brins de thym Silver Queen ou, à défaut, de thym vulgaire
sel
4 cuillerées à soupe d'huile d'olive

Rincer les anchois sous le robinet, enlever les arêtes.

Couper l'ail en morceaux, les mettre dans le mixer avec le vinaigre, le thym effeuillé, le sel, l'huile d'olive et les filets d'anchois. Mixer à grande vitesse.

NB — *L'anchoïade se sert sur des canapés ou comme sauce pour tremper de petits légumes crus. Il existe de nombreuses variantes : Roger Vergé[1], par exemple, utilise des anchois à l'huile et ajoute des feuilles de basilic et de la moutarde.*

Mayonnaise de fleurs de courgettes piquantes

30 pistils de fleurs de courgettes
200 ml d'huile d'olive
1 gousse d'ail épluché et dégermé
2 jaunes d'œufs
sel
poivre
poivre de Cayenne

Nettoyer et laver les pistils (attention : il peut y avoir de petits insectes).

Éliminer ceux qui ont bruni. Les couper au ras de leur partie jaune.

Les mettre 24 heures dans l'huile d'olive avec l'ail.

Retirer ail et pistils. Les passer au presse-ail, les mettre dans un mortier et les écraser finement.

Ajouter les jaunes en continuant d'écraser, saler, poivrer, ajouter le poivre de Cayenne et progressivement l'huile d'olive comme pour une mayonnaise.

NB — *On peut simplement mettre l'ensemble des ingrédients dans un mixer. On obtient ainsi une préparation moins belle et plus homogène, mais tout aussi goûteuse. Cette sauce accompagne un poisson grillé ou poché ou une viande blanche braisée ou rôtie.*

Sauce au roquefort

250 g de roquefort
50 g de noix
200 g de crème fraîche
poivre
sel

1. *Ma cuisine du soleil*, Robert Laffont.

Mixer le roquefort avec les noix et la crème. Poivrer. Saler avec modération.

NB — *Cette sauce toute simple peut se faire avec n'importe quel fromage persillé. Elle accompagne des légumes crus ou des plats cuits, par exemple un steak grillé ou une cuisse de dinde rôtie. Dans ce cas on la fait tiédir.*

Les mousses de légumes cuits, œufs de poissons, etc.

Certains légumes se prêtent mieux aux préparations émulsionnées après cuisson. Bien que ne faisant évidemment pas partie des aliments crus, de tels plats en sont proches, de goût comme de consistance.

On peut selon le même principe accommoder certains œufs de poisson (cabillaud, mulet) et même des filets de poisson.

Caviar d'aubergines

2 kg d'aubergines
1 cuillerée à café de grains de coriandre moulus
3 gousses d'ail épluchées, dégermées et finement râpées
0,1 g de safran en filaments
sel
le jus de 3 citrons
300 ml d'huile d'olive

Cuire les aubergines au four à micro-ondes, 10 à 20 minutes selon leur taille, en les piquant au préalable avec un couteau pour éviter qu'elles n'éclatent. Elles doivent être bien cuites.

Les éplucher. Recueillir la chair et l'écraser à la fourchette dans un saladier. Ne pas mixer.

Ajouter l'ensemble des ingrédients. Terminer par l'huile. Bien mélanger. Couvrir. Mettre au réfrigérateur pendant 3 jours avant de consommer. Remuer chaque jour.

NB — *Une des innombrables variantes du baba ghannouj proche-oriental. Ce plat est très rapide à préparer et se garde plusieurs semaines. Il ne faut pas rectifier le goût avant 3 jours, l'osmose des ingrédients aromatiques demandant quelque temps pour s'accomplir. Recouvrir la surface d'un peu d'huile d'olive pour éviter l'oxydation.*

Rougail bringelle

1 grosse aubergine
1 oignon doux
2 piments forts
2 cuillerées à soupe d'huile
sel

Piquer l'aubergine avec une fourchette. La cuire au gril (ou au barbecue).
Éplucher l'aubergine cuite, écraser la pulpe à la fourchette.
Éplucher et émincer finement l'oignon.
Enlever la queue et les pépins des piments. Les écraser au mortier.
Mélanger l'ensemble des ingrédients.

NB — *C'est une version réunionnaise du baba ghannouj.* (Recette d'Achille Conflit.)

Sauce aux poivrons

4 poivrons (rouges, jaunes, verts au choix)
8 gousses d'ail non épluchées
100 g de chair d'oignon doux épluché
2 cuillerées à soupe d'huile d'olive
sel
poivre
1/2 citron pressé

Cuire les poivrons 20 minutes au four à micro-ondes.
Les éplucher et les épépiner. Les couper en morceaux.
Cuire l'ail dans l'eau pendant 15 minutes (il est préférable de

changer l'eau 3 fois). Écraser les gousses et récupérer la pulpe cuite.

Mixer finement l'ensemble des ingrédients.

NB — *On peut ajouter un petit piment frais et fort, équeuté et épé-piné. On peut remplacer le citron par du vinaigre.*

Mousse de poivrons au gingembre

2 jus de citrons
3 gousses d'ail épluchées et dégermées
sel
3 poivrons verts cuits et épluchés
1 cuillerée à café rase de sucre semoule
1 cuillerée à café rase de poudre de gingembre
1/4 de cuillerée à café de Tabasco
100 ml d'huile d'olive

Faire une sauce mousse (jus de citron + ail + sel) au mixer.
Ajouter les poivrons coupés en lanières, le sucre, les épices.
Mixer longuement à grande vitesse.
Ajouter l'huile à petite vitesse ou à la fourchette.

Mousse de pois chiches à l'huile de sésame

500 g de pois chiches cuits
250 ml de sauce mousse à l'huile de sésame

Éplucher les pois chiches un à un (eh oui!).
Mixer les pois épluchés avec la sauce mousse jusqu'à obtention d'une purée homogène.
Passer la purée au tamis car il peut rester quelques récalcitrants parmi les pois chiches.

NB — *Il s'agit d'une variante du hommos syro-libanais.*

Hommos

500 g de pois chiches
3 gousses d'ail
1 citron
sel
6 cuillerées à soupe d'huile de sésame

527

Faire tremper les pois chiches pendant une douzaine d'heures.
Les faire cuire à l'eau salée pendant 1 heure et demie.
Les égoutter, les écraser et les passer au moulin à légumes pour obtenir une purée bien fine.
Écraser l'ail avec le sel dans un mortier.
Ajouter le jus d'un citron.
Bien battre et ajouter peu à peu l'huile qui monte comme une mayonnaise.
Mélanger la purée de pois chiches et la sauce émulsionnée.

Mousse de haricots rouges
à la sarriette alternipilosa

300 g de haricots rouges cuits
100 ml de sauce mousse à l'huile d'olive
6 brins de sarriette alternipilosa (ou à défaut de sarriette de montagne ou des jardins)

Écraser les haricots rouges à travers un tamis fin pour en éliminer la membrane extérieure.
Mélanger la purée ainsi obtenue avec la sauce mousse (puisque les haricots ne sont pas mixés en même temps que les ingrédients de la sauce mousse, on peut ajouter plus ou moins de cette dernière selon la consistance voulue).
Effeuiller la sarriette et la mélanger à la purée.

Mousse de champignons de Paris

300 g de champignons de Paris cuits
150 ml de sauce mousse à l'huile d'olive
150 ml d'huile d'olive

Mixer finement les champignons avec la sauce mousse.
Ajouter l'huile d'olive en battant.

NB — *On obtient ainsi une mousse qui a la consistance d'une mayonnaise peu épaisse ; c'est une des mousses les plus faciles et les plus rapides à préparer.*

Tarama

200 g d'œufs de cabillaud fumé
150 g de mie de pain
huile d'olive ou d'arachide
poivre
1 citron

Mixer les œufs de poisson et le pain.
Ajouter peu à peu l'huile comme pour une mayonnaise jusqu'à obtention d'une consistance crémeuse.
Poivrer et ajouter le jus de citron.

NB — *Le vrai tarama se fait avec des œufs de mulet salés et séchés (poutargue). On se demande en effet pourquoi les Grecs seraient allés chercher l'idée d'utiliser des œufs de poisson des mers froides pour cette préparation traditionnelle, qui est bien agréable et délicate, une des favorites parmi les garnitures de toasts et de canapés. Les recettes en sont très nombreuses, et on peut remplacer le pain par le même poids de pommes de terre cuites.*

Mousse de harengs aux poireaux

300 g de filets de harengs au sel
1 l de lait
1 carotte
1 oignon
3 kg de poireaux (poids avant préparation)
huile d'olive
sel

Dessaler les harengs dans le lait au frais pendant 24 heures.
Éplucher la carotte et l'oignon, les couper en rondelles.
Mettre dans un plat les filets égouttés avec les légumes, les recouvrir d'huile. Laisser 48 heures au frais.
Éplucher les poireaux, les laver, ne garder que 3 cm de vert. Les cuire à l'eau salée pendant 20 minutes (temps à moduler en fonction de leur taille : ils doivent être bien tendres). Les rafraîchir, les presser afin d'éliminer l'eau. Les couper grossièrement en petits morceaux.

Couper les filets de harengs en petits morceaux. Les mixer avec suffisamment d'huile pour les réduire en purée fine.

Mixer les poireaux avec un peu d'huile pour obtenir une purée bien fine.

Passer les deux purées au tamis fin, rectifier l'assaisonnement, au besoin ajouter un peu d'huile en battant avec une fourchette.

NB — *De goût très agréable, cette mousse se tartine ou se sert en hors-d'œuvre ; elle se garde bien au réfrigérateur pendant plusieurs semaines.*

LES ÉMULSIONS SUCRÉES

Pastika

C'est un gâteau à base de fromage blanc cru, traditionnellement servi à Pâques en Russie.

8 jaunes d'œufs
50 g de sucre
100 g de beurre fondu
200 g de crème fraîche
1 kg de fromage blanc égoutté, pressé, ferme
200 g de raisins secs
50 ml de rhum
100 g d'amandes hachées
100 g de fruits confits divers hachés

Travailler les jaunes d'œufs avec le sucre. Ajouter le beurre et la crème.

Incorporer peu à peu le fromage que l'on aura au préalable réduit en une purée fine.

Bien mélanger et travailler jusqu'à obtention d'une crème sans grumeaux.

Ajouter les raisins secs gonflés au rhum, les amandes et les fruits confits.

Mettre dans un moule, sous presse, pendant 24 heures au réfrigérateur.

Les salades sont des plats toujours appréciés. Elles peuvent être simples — quelques feuilles accompagnées d'une excellente huile d'olive et de grains de sel marin sont un régal qui dépend de la qualité de la laitue ou de la mâche. Elles peuvent être complexes, associant de multiples produits. Elles peuvent être chères ou bon marché. Elles peuvent être faites avec des produits crus ou cuits — généralement ces derniers sont présentés froids ou tièdes —, ou associer les deux. Elles peuvent réunir à peu près l'ensemble des ingrédients consommables. Il n'y a donc pas un seul type de salade : la laitue à la crème n'est pas du même ordre qu'une salade de langoustines, foie gras et magret de canard.

Les salades peuvent être servies en hors-d'œuvre ou en « trou normand », avant le fromage, ou constituer la totalité du repas. Elles peuvent aussi accompagner le plat principal, comme c'est souvent le cas en Amérique du Nord. Elles sont salées, douces ou pimentées, mais également sucrées et il n'y a guère de dessert plus plaisant en été qu'une salade de fruits frais sortant de la cave ou du réfrigérateur. La salade peut être mélangée dans un saladier où chacun se sert. Elle peut se servir à l'assiette, selon sa composition.

Les exemples qui sont donnés dans ce chapitre ne sont que quelques-uns parmi une infinité de possibilités.

SALADES CRUES

Laitue de printemps à la crème

Pour 4 personnes
1 belle laitue de printemps (type Reine de Mai)
100 g de crème
2 cuillerées à soupe de vinaigre de cidre
sel
poivre

Éplucher la laitue, ôter les côtes des feuilles extérieures, élimi-
ner les feuilles jaunies ou brunies. La laver et l'essorer.
Préparer la sauce : mettre la crème dans le saladier, la battre au
fouet, ajouter le vinaigre, le sel et le poivre. Battre à nouveau.
Goûter et rectifier l'assaisonnement.
Mélanger la salade au dernier moment, juste avant de la servir.

NB — *Cette recette peut s'appliquer à d'autres salades vertes :
chicorées, laitues d'autres saisons.*
On peut remplacer le vinaigre par du citron.
*Des herbes condimentaires fraîches (estragon, cerfeuil, ciboulette,
persil, livèche, vert d'oignon, etc.) finement émincées donneront une
tonalité particulière. Il est préférable de n'en utiliser qu'une à la fois.*

Chicorée frisée à l'huile d'olive

Pour 4 personnes
1 chicorée frisée (type frisée de Meaux)
huile d'olive extravierge
sel de Guérande ou de Noirmoutier
pain au levain légèrement grillé

Éplucher la chicorée, la laver, la couper en tronçons de 10 cm
de long. L'essorer.
La servir telle quelle.
Chacun l'arrose d'huile d'olive et la parsème de sel.
Manger avec le pain (éventuellement coupé en petits cubes).

NB — *Impossible de faire plus simple, ni meilleur si les produits
sont bons.*
*On peut ajouter du vinaigre ou du jus de citron, on obtient alors une
vinaigrette. Dans ce cas, on peut varier les huiles, et, pourquoi pas,
ajouter encore du poivre, de la moutarde, un trait de vin blanc, etc.
La même recette peut se faire avec d'autres salades vertes, ainsi
qu'avec des légumes crus ou cuits.*

Salade de pourpier à la tunisienne

Pour 4 personnes
40 olives noires
10 filet d'anchois au sel, dessalés et désarêtés
500 g de pourpier (poids avant épluchage)
50 ml d'huile d'olive
1 ou 2 cuillerées à soupe de vinaigre de vin rouge
poivre
sel
2 œufs durs

Dénoyauter les olives, les couper en fines lamelles.
Couper les filets d'anchois en tranches de 1 mm. Les mélanger à l'huile d'olive.
Éplucher le pourpier : enlever les branches et ne garder que les feuilles. Les hacher finement. Les mélanger avec l'huile et les anchois. Ajouter le vinaigre, le poivre, le sel si nécessaire.
Couper en deux les œufs durs. Hacher le blanc.
Mettre un demi-jaune au centre de chaque assiette, entourer d'une couronne de blanc haché et d'un deuxième cercle de salade de pourpier. Répartir artistiquement les rondelles d'olives.

Salade de chicons à la pomme et aux noix

Pour 4 personnes
500 g de chicons (endives)
1 belle pomme (Calville blanche, Reinette du Canada ou du Mans, etc.)
20 cerneaux de noix
1/2 citron
5 cuillerées à soupe d'huile d'arachide
1 cuillerée à soupe d'huile de noix
1 1/2 cuillerée à soupe de vinaigre de cidre
sel
poivre

Nettoyer les chicons, lever les feuilles, les couper transversalement en fines tranches de 2 à 3 mm de large.

Hacher grossièrement les noix.

Éplucher la pomme, la couper en cubes de 5 mm de côté. Les enrober de jus de citron.

Faire une vinaigrette avec le reste des ingrédients.

Dans chaque assiette, répartir le quart des chicons en formant un cercle extérieur. Mettre les cubes de pommes au centre, le hachis de noix autour des pommes. Arroser avec la vinaigrette.

Pour raffiner on peut prélever le jaune des chicons et l'ajouter au-dessus.

Salade d'épinards, avocat et noix

Pour 4 personnes
20 cerneaux de noix hachés grossièrement
1 citron
6 cuillerées à soupe d'huile d'arachide
1 cuillerée à café d'huile de noix
sel
poivre
6 échalotes épluchées et finement émincées
250 g de jeunes feuilles d'épinards lavés et équeutés (poids sec après préparation)
3 belles tomates épluchées et épépinées, coupées en cubes de 5 mm de côté.
1 gros avocat ou deux petits

Faire une vinaigrette avec le jus de citron, les huiles, le sel et le poivre. Ajouter les échalotes.

Dans un grand saladier, mettre la sauce, ajouter les noix, les épinards et les tomates. Remuer.

Éplucher l'avocat, le couper en petits morceaux, les ajouter à la salade. Servir aussitôt.

NB — *C'est la présentation familiale. On peut servir dans trois saladiers : les épinards avec les noix, les tomates, l'avocat, chaque ingrédient enrobé de sauce.*
De façon plus raffinée, on peut servir à l'assiette : on met les épinards au fond. On place l'avocat — dans ce cas on le coupe en 4, on l'épluche et on l'émince très finement — au centre. On l'entoure d'une couronne de tomates. On arrose de sauce et on parsème de noix.

Cette salade est également une excellente « mère ». On peut remplacer les noix par des amandes, des noisettes, des pistaches, etc. De même pourra-t-on varier les huiles d'accompagnement.

On peut remplacer le citron par du vinaigre de cidre, de vin rouge vieux, éventuellement aromatisé à la framboise, à la fraise, à la cerise, etc., ou encore de xérès (en ce cas, il est conseillé d'arroser l'avocat de citron pour qu'il ne noircisse pas).

Quant aux ingrédients principaux, on peut leur ajouter des fruits : bananes, fraises, voire pêches ou abricots ; des crustacés : crevettes roses, langoustines, crabe, voire homard ou langouste ; des viandes séchées : jambon, viande des Grisons, braseola, lardons ou rillons émincés ; des fromages frais ou même secs : mozzarella, chèvre, parmesan ; d'autres légumes aussi : champignons, haricots blancs ou verts, poivrons cuits, etc.

Rougail de tomates

Pour 4 personnes
1 morceau de gingembre frais (20 g) épluché.
2 piments forts, équeutés et épépinés.
2 belles tomates bien mûres, épluchées et épépinées, coupées en tranches fines.
2 grosses échalotes épluchées et finement émincées.
sel

Dans un mortier, écraser finement le gingembre et le piment. Dans un petit saladier, écraser à la fourchette l'ensemble des ingrédients pour bien les mélanger.

NB — *Cette sauce froide et crue, pimentée, sans autres ingrédients que les légumes qui la constituent, est originaire de la Réunion.* (Recette d'Achille Conflit.)

Salade de tomates à la mozzarella

Pour 4 personnes
4 grosses tomates d'été bien mûres
150 g de mozzarella de bufflonne
5 cuillerées à soupe d'huile d'olive extravierge fruitée
sel de Guérande
poivre noir du moulin
10 feuilles de basilic à grandes feuilles finement émincées

Peler les tomates, éventuellement en les trempant 30 secondes dans l'eau bouillante. Les couper en tranches de 6 à 8 mm d'épaisseur.

Émincer finement la mozzarella.

Répartir les tranches de tomate harmonieusement en rosace. Les recouvrir avec l'huile d'olive, poivrer, ajouter le sel (1 ou 2 grains par tranche).

Répartir la mozzarella sur les tomates et le basilic sur le fromage.

NB — *Ce plat vaut par la qualité de l'huile, des tomates et du fromage.*
Avec de grands produits, il se suffit à lui-même. Sinon, on peut ajouter des olives, des filets d'anchois, de l'ail, des piments doux ou forts, etc.

Salade de figues fleurs
et jambon de San Daniele

Pour 4 personnes
16 belles figues fleurs
8 tranches fines de jambon de San Daniele de même dimension
huile d'olive de Toscane extravierge
thym-citron
poivre mignonnette
sel de Guérande ou de Noirmoutier
1 ou 2 citrons

Essuyer les figues. Couper le pédoncule.

Couper chaque figue en 6 tranches d'égale épaisseur.

Étaler une à une les tranches de jambon sur une planche, les humecter au pinceau avec l'huile d'olive.

Les couper en 4 dans chaque dimension, on a ainsi 16 morceaux par tranche.

Disposer régulièrement les morceaux de jambon sur chaque assiette (24 par assiette). Mettre une tranche de figue sur chaque morceau de jambon. Passer légèrement le pinceau d'huile sur chaque tranche de figue.

Ajouter sur chaque morceau une feuille de thym-citron, un grain de poivre mignonnette et un grain de sel. Mettre au frais.

Ajouter une goutte de citron sur chaque morceau au moment de servir.

Ce plat est meilleur avec des figues vertes, mais on peut le faire avec des noires ou des violettes. On peut utiliser des figues d'automne. Le jambon de San Daniele est le meilleur, mais il en est d'excellents de Parme, de Bayonne, etc.

SALADES CUITES ET MIXTES

Salade de haricots verts et de champignons de Paris

Pour 4 personnes
500 g de haricots verts très fins
200 g de champignons de Paris très frais et bien blancs (ne pas les choisir trop gros)
2 belles tomates bien mûres
vinaigrette faite avec de l'huile d'olive et du vinaigre de vin rouge éventuellement parfumé à la framboise
1 ou 2 échalotes épluchées et finement hachées
1 citron

Éplucher les haricots. Les cuire à l'eau salée à grand feu. Ils doivent être « al dente », c'est-à-dire juste cuits, encore un peu croquants. Les sortir aussitôt de l'eau chaude et les mettre dans un saladier rempli d'eau glacée. Les égoutter aussitôt.

Nettoyer les champignons, ne garder les pieds que des petits, enlever d'éventuelles parties noirâtres. Les émincer finement en tranches de 1 mm et les placer aussitôt dans le jus de citron pour éviter qu'ils noircissent.

Éplucher et épépiner les tomates. Les couper en cubes de 5 mm de côté.

Mettre les haricots au centre du plat, les entourer des champignons, puis des cubes de tomates. On forme ainsi un rond central vert cerné de deux couronnes, blanche et rouge.

Faire la sauce, ajouter l'échalote, la mettre sur les ingrédients au moment de servir.

NB — *Cette recette est simple et goûteuse. Elle forme également la base de toute une série de salades plus ou moins sophistiquées. La*

célèbre salade folle *de Michel Guérard comporte en plus des copeaux de foie gras mi-cuit. On peut également ajouter des queues d'écrevisse ou de langoustine, du crabe, des lamelles de magret de canard fumé, des dés de langouste ou de homard, des rognons de coq, des fonds d'artichaut émincés, des filets d'anchois, des fromages type feta ou mozzarella, du jambon type Parme ou Bayonne, etc.*
On peut utiliser tout ou partie d'huiles aromatiques, de noix, de noisette, d'amandes douces, etc. On peut également prendre d'autres vinaigres, soit de vin, par exemple de xérès, ou de cidre, voire de malt. Ou remplacer ces derniers par des jus de citron ou d'orange.

Salade cauchoise

Pour 4 personnes
500 g de pommes de terre à chair ferme
200 g de jambon cuit
1/2 céleri-branche
100 g de crème fraîche
3 cuillerées à soupe de vinaigre de cidre
3 échalotes grises épluchées et coupées en fines rondelles
sel poivre

Éplucher les pommes de terre, les laisser entières, les cuire à l'eau salée pendant 20 à 25 minutes.
Couper le jambon en petits morceaux.
Éplucher le céleri. Ne garder que les côtes. Enlever les fils des bases. Couper le céleri en petites tranches de 5 à 6 mm de hauteur.
Dans le saladier de service, mélanger la crème, le vinaigre, les échalotes, saler, poivrer, rectifier l'assaisonnement.
Égoutter les pommes de terre, les peler, les couper en rondelles de 5 mm d'épaisseur (à chaud).
Mélanger les pommes de terre et la crème, ajouter le jambon et le céleri. Servir aussitôt.

Salade de pommes de terre

Pour 4 personnes
1 kg de pommes de terre à chair ferme, type rattes, de taille moyenne
100 ml de vin blanc sec
100 ml de sauce vinaigrette
herbes aromatiques fraîches au choix

Cuire les pommes de terre lavées et non épluchées à l'eau salée pendant 20 à 25 minutes.
Les peler et les couper encore chaudes en tranches de 1 cm d'épaisseur.
Les arroser chaudes avec le vin blanc, bien mélanger avec une cuillère en bois sans les abîmer.
Quand elles sont refroidies, ajouter la vinaigrette et éventuellement les herbes aromatiques ciselées.

NB — *Le vin doit absolument être versé sur les pommes de terre chaudes.*

Salade du Puy

Pour 4 personnes
300 g de lentilles du Puy
1 bouquet garni (thym, laurier, queues de persil)
1 oignon épluché piqué d'un clou de girofle
1 carotte épluchée coupée en rondelles de 2 mm d'épaisseur.
4 petits oignons blancs avec leur tige
sel
poivre
6 cuillerées à soupe d'huile d'arachide
2 cuillerées à soupe de vinaigre de vin rouge
50 de cervelas

Laver, trier les lentilles. Les mettre à cuire dans l'eau salée avec le bouquet garni, l'oignon piqué et la carotte pendant 30 minutes à petit feu.
Couper le cervelas en petits cubes de 5 mm de côté.
Éplucher les oignons. Couper blanc et vert en fines tranches.

Faire une vinaigrette avec huile, vinaigre, sel et poivre.
Mélanger les lentilles égouttées et refroidies, l'oignon, le cervelas et la vinaigrette.

NB — *Ce plat rustique est simple, bon marché et goûteux.*

Salade de pot-au-feu

Pour 4 personnes
les restes des viandes et des légumes du pot-au-feu
3 œufs durs
cornichons
2 cuillerées à soupe de vinaigre de vin rouge
1 cuillerée à soupe de moutarde
6 cuillerées à soupe d'huile
sel
poivre
6 échalotes grises épluchées et finement émincées

Couper la viande et les légumes en cubes.
Hacher grossièrement le blanc des œufs durs.
Hacher les cornichons.
Mélanger les ingrédients.
Écraser les jaunes d'œufs avec le vinaigre, ajouter la moutarde et l'huile, saler, poivrer, ajouter les échalotes.
Mélanger la sauce et les hachis.

Légumes de pot-au-feu en salade

Pour 12 personnes
2 kg de légumes de pot-au-feu froids (poireaux, carottes, navets, etc.) coupés en cubes de 1 cm de côté
3 citrons
1 cuillerée à soupe de nuoc-mam
2 cuillerées à soupe d'huile d'amande douce
2 cuillerées à soupe de sauce soja
6 cuillerées à soupe d'huile d'olive
6 cuillerées à soupe de vinaigre de cidre
250 g d'olives noires de Nice
100 g de filets d'anchois au sel dessalés et coupés en petits morceaux
50 g de câpres
sel, poivre

Mélanger l'ensemble des ingrédients de la sauce.
Mélanger sauce et légumes. Goûter, rectifier l'assaisonnement.

NB — *Une salade pour le lendemain du pot-au-feu. Le citron et le sel apportent la vivacité, l'huile d'amande, la longueur.*

Salade tiède de foies de volaille à la roquette et à la mâche

Pour 4 personnes
250 g de foies de volaille bien épluchés
200 g de mâche
50 g de roquette
1 cuillerée à soupe d'huile d'arachide
4 cuillerées à soupe d'huile d'olive
1 cuillerée à café d'huile de noisette
1 cuillerée à soupe de vinaigre de vin rouge
sel
poivre

Couper les foies en tranches de 5 à 6 mm.
Nettoyer, laver, essorer la salade (si les feuilles de roquette sont longues, on peut les couper en deux ou trois).
Faire une vinaigrette avec les huiles d'olive et de noisette, saler, poivrer. Mélanger les 2 salades avec la vinaigrette. Répartir sur les assiettes.
Faire fortement chauffer l'huile d'olive, y cuire les foies de volaille pendant 1 à 2 minutes. Mettre les foies sur la salade et servir aussitôt.

NB — *Si la mâche et la roquette sont propres, ce plat est très simple et rapide à faire.*

Salade de moules

Pour 4 personnes
1 piment oiseau frais, épépiné, équeuté et finement émincé
100 ml d'huile d'olive
20 ml de vinaigre de vin blanc
3 gousses d'ail épluchées, dégermées et finement râpées
3 petits oignons blancs avec leurs tiges, épluchés et finement émincés
sel
poivre
2 gosses tomates épluchées, épépinées et coupées en cubes de 5 mm de côté
24 grosses moules

Faire macérer le piment avec l'huile, le vinaigre, l'ail, l'oignon, le sel et le poivre pendant une heure. Ajouter les tomates.
Faire ouvrir à sec les moules. Enlever la partie de la coquille qui n'est pas adhérente ou mollusque. Laisser refroidir.
Placer les moules dans les assiettes. Recouvrir de sauce.

NB — *Ce plat d'origine espagnole est souvent servi en amuse-gueule (tapas).*

SALADES COMPLEXES

Dés de laitue à la pêche en saumure et foies de rougets

Pour 4 personnes
1 pêche
gros sel de mer
10 laitues asperges (celtuces)
1 oignon blanc de petite taille
3 cuillerées à soupe d'huile d'olive
parures et foies de 4 rougets
30 g de beurre
sel
poivre

Peler la pêche, la couper en tranches, les enfouir dans du gros sel marin. Laisser 24 heures au frais.

Éplucher soigneusement les laitues, enlever les feuilles, ne garder que la partie centrale, la peler.

Faire revenir 3 minutes l'oignon dans une cuillerée à soupe d'huile.

Ajouter les parures bien lavées et dont on aura enlevé les branchies et toutes traces de sang, et qu'on aura rincées 3 minutes sous l'eau du robinet.

Mouiller à hauteur avec de l'eau.

Cuire 20 minutes à petit feu.

Cuire les tiges de laitue 5 minutes à l'eau salée.

Les mettre dans l'eau glacée pour conserver une belle couleur verte.

Les couper en dés de 1 cm de côté et les faire cuire 5 minutes à feu doux dans le beurre.

Réduire le fumet de rougets pour qu'il n'en reste que 6 cuillerées à soupe. Incorporer la pêche dessalée et coupée en petits dés, puis 2 cuillerées à soupe d'huile d'olive et enfin, hors du feu, les foies de rouget finement écrasés. Saler, poivrer.

Servir sur un plat les dés de laitue. Recouvrir de la sauce.

NB — *Cette recette de laitues asperges, variété qui est sélectionnée pour la consommation de sa tige, se fait aussi avec n'importe quelle laitue montée. On remplace ainsi l'impression désagréable du jardinier qui constate qu'une partie importante de sa récolte n'est plus bonne par la satisfaction de s'en servir pour préparer une recette très goûteuse.*

Salade de feuilles et fleurs du jardin

Pour 4 personnes
100 g de feuilles d'arroche blonde
100 g de feuilles de chénopodes (quinoas ou autres)
4 tiges de laitue asperge
1 fleur de souci
4 fleurs de capucine
4 fleurs de mauve
4 fleurs d'hosta
1 fleur d'œillet mignardise
12 boutons d'hémérocalle finement émincés
4 fleurs de bleuets
8 fleurs de bourrache bleue
huile d'olive
huile de pignon de pin
sel de Guérande
poivre
vinaigre de vin vieux

Laver les éléments de la salade.

Faire chauffer de l'eau salée. Pocher successivement l'arroche et le chénopode. Le temps de cuisson est très court, les légumes doivent simplement s'assouplir et rester d'un vert bien vif. Les retirer et les mettre dans de l'eau glacée pour conserver la couleur.

Cuire les tiges de laitue asperge 5 minutes à l'eau salée. Puis les couper en petites tranches de 1 mm d'épaisseur. Les arroser d'une cuillerée à café d'huile d'olive et d'une goutte d'huile de pignon de pin et les réserver.

Faire une vinaigrette avec 6 cuillerées à soupe d'huile d'olive, 1 cuillerée à soupe de vinaigre, 4 gouttes d'huile de pignon de pin, sel et poivre.

Sortir l'arroche et le chénopode de l'eau, presser pour expulser l'excès aqueux. Les hacher grossièrement au couteau.

Déposer artistiquement sur 4 assiettes le chénopode surmonté de 2 fleurs de bourrache, l'arroche surmontée de pétales de mauve, les boutons d'hémérocalle.

Mettre au centre les rondelles de laitue asperge avec les pétales d'œillet.

Répartir autour de l'assiette les fleurs d'hosta, de bleuets, de capucine, les pétales de la fleur de souci.

Arroser chacun des ingrédients (sauf l'hémérocalle) d'un peu de vinaigrette. Ajouter quelques cristaux de sel.

NB — *Ce type de salade est à la fois simple et extrêmement goûteux, tant est grande la diversité des sensations apportées par les différents ingrédients.*
On peut la varier à l'infini, y adjoindre des fruits, cerises ou petits copeaux de pêche, fraises des bois, cassis, etc.
On peut également y adjoindre quelques fruits de mer ou crustacés, en petite quantité, par exemple : des lamelles de coquille saint-jacques ou un petit tartare de langoustines.
On peut varier les fleurs, essayer diverses sortes de légumes feuilles, ou de tiges, ou encore de légumes fruits.
On peut varier l'assaisonnement en utilisant des huiles plus ou moins aromatiques.
On cherchera à bien différencier les goûts (ici l'opposition entre chénopode et arroche) et à présenter un tableau harmonieux à l'œil.

Petite assiette de fin d'été

Pour 4 personnes
160 g de feuilles de pourpier (poids sec, sans les tiges)
80 g de jeunes feuilles de bourrache
160 g de feuilles de quinoas ou, à défaut, d'épinards
16 mirabelles de Nancy bien mûres
20 fleurs de bourrache
4 fleurs de souci
1 petite courgette de 80 g
2 belles tomates bien mûres épluchées, épépinées et coupées en cubes de 5 mm de côté
8 cuillerées à soupe d'huile d'olive
2 cuillerées à soupe de vinaigre de xérès
sel
poivre

Laver les légumes et les fruits. Bien les sécher.
Hacher finement la moitié des feuilles de quinoas crues.
Cuire très rapidement — 1 minute maximum — à l'eau salée les feuilles de bourrache, puis le reste de celles de quinoas. Les placer aussitôt dans l'eau glacée. Bien les presser pour enlever l'eau.

Les hacher séparément.

Faire dans chaque assiette 4 petits tas verts, de pourpier, de quinoa cru, de quinoa cuit et de feuilles de bourrache. Intercaler entre chaque tas une mirabelle dénoyautée et coupée en deux.

Couper la courgette en petits bâtonnets de la taille et de la forme d'une allumette. Disposer un tas de courgette au centre de chaque assiette.

Entourer la courgette d'un petit cordon de dés de tomate.

Effeuiller les fleurs de souci, les disposer en couronne entre la tomate et les légumes feuilles. Placer une fleur de bourrache sur ces derniers et sur la courgette.

Faire une vinaigrette avec l'huile et le vinaigre, le sel et le poivre. L'ajouter sur chacun des ingrédients.

NB — *Cette petite salade à la fois belle, goûteuse et bon marché, peut varier selon les ingrédients, au gré de la cueillette. Un mélange de légumes cultivés, de fruits et de mauvaises herbes.*

Vinaigrette de queues d'écrevisse, pignons, jeunes feuilles d'épinards et fleur de souci

Pour 4 personnes
60 jeunes feuilles d'épinards (elles sont d'un vert tendre et brillant)
40 écrevisses pattes rouges
6 cuillerées à soupe d'huile d'olive
1 cuillerée à soupe d'huile de pignons de pin
2 cuillerées à soupe de vinaigre de xérès
sel
poivre
4 fleurs de souci
40 g de pignons de pin

Laver soigneusement les épinards, feuille à feuille. Enlever la queue.

Cuire les écrevisses 3 minutes à l'eau salée bouillante.

Les éplucher (enlever le boyau noir).

Faire une vinaigrette avec les huiles, le vinaigre, le sel et le poivre.

Dans un saladier, mélanger les 2/3 de la sauce avec les épinards.

Répartir les feuilles d'épinard en rosace dans les assiettes.
Mettre la fleur de souci au centre, mettre autour, en couronne,
les queues d'écrevisse. Les recouvrir du reste de la vinaigrette.
Éparpiller les pignons sur les feuilles d'épinards.

NB — *La fleur de souci est comestible.*

Rougets à l'huile d'anchois et quinoa

Pour 4 personnes
80 g de feuilles de quinoa
1 anchois au sel
4 rougets de 250 g
3 cuillerées à soupe d'huile d'olive
1 petit oignon blanc

Cuire les quinoas 1 minute à l'eau bouillante salée.
Les égoutter, presser l'eau de végétation. Les hacher. Les garder
au chaud.
Laver l'anchois sous le robinet. Lever les 2 filets, enlever les
arêtes à la pince à épiler.
Lever les filets des rougets.
Nettoyer très méticuleusement les arêtes et les têtes, il ne doit
plus rester de sang ; jeter également les branchies et toutes les
parties de couleur rouge ou sombre.
Mettre une cuillerée à soupe d'huile dans une cocotte. Faire
revenir l'oignon émincé 3 minutes. Ajouter les parures de poisson. Sauter 3 minutes. Mouiller à hauteur. Cuire 20 minutes.
Faire fondre tout doucement l'anchois dans les 2 cuillerées
d'huile restantes. Laisser refroidir.
Passer le fumet de rougets au chinois en appuyant bien sur les
chairs pour exprimer les sucs. Le faire réduire dans une petite
casserole. Il ne doit en rester que l'équivalent de 6 cuillerées à
soupe. Mettre à feu maximum en ajoutant l'huile à l'anchois en
battant pour l'émulsionner.
Cuire les filets à la poêle très légèrement huilée une minute sur
chaque face en commençant par celle qui est recouverte de peau.
Servir à l'assiette : 2 filets par personne séparés par un petit tas
de quinoas. Arroser poisson et légume avec la sauce.

Salade d'hémérocalles, cœurs de laitue asperge, et côtes de blettes à la mélisse et thym Herba barona

Pour 4 personnes
2 grosses feuilles de blettes
100 g de boutons d'hémérocalles
1 branche de mélisse fraîche
8 cœurs de laitue asperge
3 branches de thym Herba barona
1 cuillerée à soupe d'huile d'olive
1/4 de citron
sel
poivre
sucre

Éplucher les laitues asperges. Cuire les cœurs 5 minutes à l'eau salée bouillante. Les rafraîchir en les plaçant aussitôt dans l'eau glacée.

Détacher les côtes de blettes. Les couper en allumettes de 5 cm de long et de 1 mm de section.

Cuire les blettes 2 minutes à l'eau bouillante salée.

Couper les boutons d'hémérocalles en tranches de 1 mm.

Hacher les feuilles de mélisse et les cœurs de laitue.

Effeuiller de thym.

Mélanger les blettes, les hémérocalles, les feuilles de thym, la mélisse et la laitue.

Arroser avec l'huile, le jus de citron, le sel, un peu de poivre et une petite pincée de sucre. Mélanger.

NB — *L'association de la mélisse et de l'hémérocalle est très agréable, le sucre diminue la pointe d'âcreté. A défaut de thym Herba barona, l'excellent thym corse, on se contentera d'une autre variété.*

LES SALADES DE FRUITS

Existe-t-il dessert plus attirant, plus simple, plus beau, plus délectable qu'une salade de fruits ? Alors que certaines préparations pâtissières peuvent, malgré la subtile harmonie de leur complexité gustative, lasser, voire écœurer, ce n'est jamais le cas des fruits. D'autant que la multitude des consistances, des couleurs, des odeurs et des flaveurs permet de renouveler, au rythme des saisons et au gré des humeurs, des présentations sans cesse changeantes.

Les salades peuvent ne comporter qu'un seul fruit, par exemple des *grenades* épluchées, égrenées et arrosées d'eau de fleur d'oranger — dessert d'automne à Tunis — ou encore des *oranges* épluchées, coupées en rondelles et aromatisées avec de l'eau de rose, du marasquin ou du citron. Elles peuvent associer des fruits d'une même « famille », des petits fruits rouges, des agrumes, des fruits à pépins. Elles peuvent être assemblage d'espèces différentes à la fois par la consistance et la gamme aromatique. Il faut alors se préoccuper de l'harmonie des accords car un mauvais équilibre risque de produire un résultat peu satisfaisant. C'est que si la réalisation d'une salade de fruits ne se traduit qu'exceptionnellement par un désastre, un résultat de grande qualité nécessite apprentissage et sensibilité.

Il y a plusieurs façons de présenter une salade de fruits. La plus simple consiste à répartir des fruits différents sur chaque assiette et à les agrémenter d'une sauce ou d'un coulis. C'est la forme la plus courante au restaurant. Souvent on préfère, tout au moins en cuisine familiale, éplucher et découper les fruits et les mélanger dans un saladier avec, selon les goûts et les occasions, du sucre, des coulis de fruits, des alcools.

Salade de fruits des îles au coulis de framboise

Pour 4 personnes
16 litchis de Madagascar
1 ananas Victoria de la Réunion
4 kiwis de Nouvelle-Zélande (ou de France si besoin est)
2 caramboles des Antilles
100 ml de coulis de framboise

Éplucher les fruits. Les couper en petits morceaux et les disposer artistiquement sur les assiettes ; arroser du coulis de framboise.
Servir frais.

NB — *On peut remplacer le coulis de framboise par un autre coulis de petits fruits ou les associer.*

Salade de pêches

Pour 4 à 6 personnes
2 kg de pêches mûres
1 jus de citron
30 ml d'alcool de pêche, ou à défaut de framboise sauvage
sucre (facultatif)

Peler les pêches, enlever le noyau, les couper en tranches de 1 cm d'épaisseur. Veiller à récupérer le jus qui coule.
Mélanger l'ensemble des ingrédients. Sucrer au goût. Laisser mariner au frais pendant une heure. Servir froid.

LES DÉCOCTIONS ET INFUSIONS FROIDES

Les décoctions sont littéralement des préparations bouillies. Le mot s'applique de plein droit à la fabrication du *café turc* qui consiste à faire bouillir de l'eau avec du sucre et du café moulu.
On peut, par extension peut-être abusive, fabriquer des décoctions non bouillies en mélangeant divers ingrédients à froid et en « extrayant » les principes aromatiques des unes pour les transférer à d'autres, par exemple, pour la préparation du lait de coco. Ce sont plutôt des infusions froides.

Crème de cassis

baies de cassis très mûres sans feuille ni tige
eau de vie de cidre (ou calvados jeune)
sucre en poudre

Remplir des pots à confiture avec les cassis jusqu'à ras bord. Verser l'eau de vie. Fermer. Laisser infuser 9 mois.
Soutirer le liquide. Mélanger avec 200 à 250 g de sucre par litre. Mettre en bouteille.

NB — *Les grains de cassis peuvent être utilisés pour une salade de fruits. Le cassis est, comme beaucoup de fruits, de qualité variable selon les années. Recette de Christophe et Christiane Boby de la Chapelle. (Certaines recettes ajoutent des feuilles de cassis.)*

Miel rose à la peau de pêche

**250 g de miel toutes fleurs crémeux
les peaux de 6 pêches non traitées**

Mélanger le miel et les peaux de pêche en sorte que ces dernières soient bien immergées. Couvrir.
Laisser mariner pendant un mois. Remuer tous les 2 ou 3 jours.
Le miel se liquéfie peu à peu et prend une couleur rosée.
Filtrer.

NB — *Ce miel sent fort la pêche. Il se conserve quelques semaines au réfrigérateur.*

Vinaigre d'acore

**1 litre de vinaigre de vin rouge
1 rhizome d'acore (Acorus calamus ou Acorus calamus variegatus) de 20 cm de long**

Peler l'acore avec soin car la peau extérieure du rhizome peut avoir un goût de vase.
Laisser sécher le rhizome pelé pendant un mois.
Le mettre dans le vinaigre pendant un mois avant de l'utiliser.

NB — *L'odeur et le goût de l'acore, parfois appelé gingembre allemand, ne plaisent pas à tous. C'est à certaines préparations à l'aigre-doux que ce vinaigre est le mieux adapté. Il est réputé aphrodisiaque (?).*

LES COULIS DE FRUITS

Les coulis de fruits crus sont des sauces très utilisées pour accompagner les desserts. Ils sont particulièrement faciles à préparer. Ce sont des purées de fruits mixés et tamisés. On peut à volonté y ajouter du citron, du sucre ou divers sirops ou préparations alcoolisées. (Il existe aussi des coulis faits de fruits cuits, comme la *sauce coulis d'abricots* de Michel Guérard[1] : on cuit à

1. *La Grande Cuisine minceur*, Robert Laffont, 1976.

petit feu pendant 25 minutes un mélange d'abricots, de sucre et d'eau avec une gousse de vanille en fouettant. On retire la vanille, on mixe et on ajoute un peu de rhum.)

Coulis de framboises

250 g de framboises (poids net)
10 g de sucre
1 citron

Trier les framboises. Éliminer celles qui sont douteuses. Les passer rapidement sous l'eau. Les équeuter. Le poids indiqué est le poids net, c'est-à-dire utile.
Écraser grossièrement à la fourchette les framboises avec le sucre. Ajouter le jus de citron.
Mixer à petite vitesse pendant une minute.
Passer la purée ainsi obtenue à travers une passoire fine.
Rectifier l'assaisonnement selon le goût.

NB — *Selon le même principe, on peut utiliser d'autres petits fruits. La quantité de sucre est à adapter en fonction de l'acidité gustative des ingrédients.*
Parmi les plus usuels citrons les coulis : de fraise, de groseilles blanches, de groseilles rouges, de groseilles à maquereau, d'amélanchier, de myrtilles, de mûres, etc. Georges Paineau propose un coulis de kiwis, obtenu en mixant la chair de 6 gros kiwis avec 100 grammes de sucre en poudre[1].

LES MARINADES

Les marinades ne sont pas à proprement parler des modes de cuisson, bien qu'elles ressemblent à certaines cuissons crues.
Ce sont des préparations faites de corps gras liquides (lait, huile, crème), de produits acides (vin, vinaigre, etc.), de légumes et de produits aromatiques, herbes ou épices en mélanges extrêmement variés.

1. *Bouquet de Bretagne*, Solar, 1994.

La fonction des marinades est double. D'une part, elles communiquent leurs arômes à l'aliment. D'autre part, elles l'attendrissent et « font le lit de la cuisson », comme l'écrit joliment Hervé This, dans ses *Révélations gastronomiques*.

Il existe de nombreuses sortes de marinades. Parmi les plus communes citons :

• *Les marinades sèches*, qui associent huile, garniture aromatique (carotte, céleri, échalote, oignon) poivre et herbes aromatiques diverses. On peut y ajouter du jus de citron.

• *Les marinades au citron ou au vinaigre* : l'acidité précuit ou cuit l'aliment (cf. cuissons crues). On utilise du vinaigre chaud dans certaines préparations comme l'escabèche.

• *Les marinades salées-sucrées*, qui associent sel et sucre, poivre et herbes aromatiques diverses, par exemple le fenouil de la cuisine scandinave.

• *Les marinades avec de l'eau infusée à chaud ou à froid* avec des herbes aromatiques : thé, aspérule odorante, thym, etc.

• *Les marinades au vin blanc ou rouge* : on y ajoute une garniture aromatique, des herbes, des épices. On peut les utiliser crues ou cuites.

Marinade crue pour gibier à poil (chevreuil, sanglier, etc.)

2 grosses carottes
1 gros oignon
4 échalotes
2 bouteilles de vin blanc
50 grains de poivre
4 clous de girofle
10 queues de persil
1 branche de thym
2 cuillerées à soupe d'huile

Éplucher les carottes. Ôter la partie centrale, les couper en rondelles de 3 mm d'épaisseur.
Éplucher et émincer finement l'oignon et les échalotes.
Mélanger l'ensemble des éléments.

NB — *On peut utiliser cette marinade cuite. Dans ce cas, on fait d'abord revenir les légumes à petit feu pendant 5 minutes, puis on ajoute les autres ingrédients et on cuit, toujours à petit feu, pendant 30 à 40 minutes. On peut ajouter du vinaigre. Si on préfère, on peut utiliser du vin rouge.*

LES CUISSONS CRUES

La cuisson consiste à dénaturer la structure et la composition des aliments en utilisant la chaleur. Il existe toutefois d'autres manières de procéder.

La première est de laisser se produire les mécanismes naturels de décomposition. Bien entendu, personne ne se sent motivé pour consommer des aliments réduits à l'état de putréfaction, qui est celui vers lequel tendent ces phénomènes. Cependant, les modifications apportées par les microorganismes, bactéries, ou moisissures, ne sont pas toujours délétères. C'est ainsi que le lait fermenté dans certaines conditions donne le yaourt et les divers fromages. Le sémillon et le sauvignon atteints de la pourriture due au Botrytis cinerea, qualifiée de noble, sont la matière des plus grands sauternes, ces liquoreux qui comptent parmi les plus admirables, alors que le même champignon, responsable en ce cas de la pourriture grise, cause des dégâts irréparables aux raisins noirs.

La viande de boucherie doit être rassise, c'est-à-dire que la partie initiale des processus qui conduisent finalement à la destruction de la chair, loin d'être rejetée, fait au contraire partie du processus nécessaire à l'élaboration d'un aliment de qualité (ce processus n'est pas dû à l'action des microorganismes).

Une deuxième manière de modifier l'aliment consiste à le sécher. On obtient ainsi des fruits tels que les raisins de Malaga, de Smyrne, de Corinthe, les figues, les dattes qui prennent des consistances et des saveurs bien particulières. De même peut-on sécher des champignons, de petits poissons, des poulpes, etc. qui tous acquièrent ainsi des saveurs différentes de celles qu'ils avaient dans leur état initial. Même après réhydratation, elles restent autres.

Une troisième possibilité est liée à l'utilisation du sel. Ce dernier peut être un additif ou simplement l'élément de la préparation initiale du séchage, comme dans le cas de nombreuses préparations carnées ou de poissons. Il sert aussi à la fabrication des saumures, de la choucroute, etc. Le sel est aussi un moyen de « cuire » les aliments à cru. Dans ce cas, on laisse ces derniers en contact avec une quantité importante de sel — plutôt du gros sel marin — puis on les lave, éventuellement on les dessale et enfin on les apprête avec les ingrédients choisis pour le plat sélectionné. Cette méthode s'applique bien à certains poissons, à des légumes aqueux et même à certaines viandes, voire à des fruits.

On peut aussi utiliser des produits acides pour modifier fortement le goût et la structure mécanique des aliments ; au premier rang, se trouvent le vin, l'alcool et le vinaigre. On peut aussi y adjoindre le citron.

Certains aliments conservés au vinaigre (câpres, cornichons, poivrons, piments, etc.) ou au vin blanc, voire à l'eau-de-vie, font partie des classiques : en général ce sont des aromates ou des fruits. Mais on peut également « cuire » du poisson dans le citron à la manière des habitants de la Polynésie française, dans le vinaigre ou le vin. Comme dans le cas de la cuisson au sel, les aliments sont ensuite assaisonnés de la manière choisie.

Citrons confits au sel

citrons non traités
sel
1 œuf frais

Enlever les deux extrémités des citrons. Fendre légèrement l'écorce en plusieurs endroits sans la détacher.
Mettre du sel dans de l'eau froide. Le degré de salinité est atteint quand un œuf cru remonte à la surface.
Mettre la saumure dans une jarre. Y placer les citrons. Ces derniers sont bons après 1 mois de macération.

NB — *Méthode traditionnelle d'Afrique du Nord.*

Pêches en saumure

pêches
gros sel marin

Éplucher les pêches. Couper la chair en croissants de lune de 5 mm d'épaisseur maximum.

Mettre dans un récipient une couche de gros sel, puis des couches alternées de pêche et de sel, dont on comble les vides. Laisser mariner une semaine.

Pour utiliser les pêches en saumure, les sortir et les faire dessaler pendant 1 heure dans l'eau.

Sardines crues au sel et au citron

Pour 4 personnes
500 g de filets de sardines fraîches
300 g de gros sel
4 citrons

Passer les sardines sous l'eau courante, enlever les restes d'arêtes et les écailler. Les sécher, les mettre dans un conteneur. Recouvrir chaque couche avec le gros sel. Couvrir. Mettre 24 heures au réfrigérateur.

Placer les poissons pour les dessaler pendant 2 heures sous l'eau courante. Les sécher avec un papier absorbant.

Remettre les filets dans le conteneur. Presser le jus des citrons et en recouvrir les poissons. Laisser mariner 24 heures.

Servir avec de la crème fraîche, du poivre et de l'aneth ciselé.

Escalopes de thon cuites au citron en chantilly piquante

Pour 4 personnes
300 g de thon « rouge » (il faut un thon d'une belle couleur rose clair, éviter ceux qui ont une teinte sombre)
4 citrons, plus 2 pour le service
100 g de crème fraîche
1 cuillerée à soupe d'harissa
1 cuillerée à soupe d'huile d'olive
poivre mignonnette
sel de Guérande

Mettre les assiettes au réfrigérateur.

Émincer le thon en tranches le plus fines possible. Les tremper 3 à 5 minutes dans le jus de citron (elles blanchissent légèrement). Les essuyer et les garder au frais.

Monter la crème en chantilly en la battant sur des glaçons.

Délayer l'harissa dans l'huile. Incorporer peu à peu à la chantilly.

Mettre les escalopes de thon sur les assiettes froides. Présenter avec un demi-citron, la crème chantilly dans un ravier, sel et poivre dans des coupelles séparées.

NB — *Voici une autre manière de présenter du thon cru qui convient aussi aux autres poissons gras : maquereau, saumon en particulier. On peut aussi utiliser la même recette pour des anchois, des sardines, des sprats et même des chinchards. Toutefois, ces poissons étant de plus petite taille, le travail de préparation des escalopes est plus long.*

Daurade cuite au citron

Pour 4 personnes
1 daurade de 1 kg
4 citrons
6 tomates
4 oignons blancs nouveaux
1 petit piment fort épépiné
huile d'olive
sel de Guérande
poivre mignonnette

Lever les filets de la daurade. Les recouper en fines escalopes. Les tremper dans le jus des citrons pendant 10 à 15 minutes.

Éplucher les tomates (au besoin en les trempant 30 secondes dans l'eau bouillante), les épépiner et les couper en petits cubes.

Émincer finement les oignons et le piment.

Égoutter les escalopes de daurade. Les étaler sur les assiettes, les recouvrir d'huile d'olive au pinceau.

Répartir artistiquement les rondelles d'oignon et de piment et les cubes de tomates, ajouter le sel et le poivre.

Saumon cru à l'aneth et au citron
(deuxième recette)

Pour 4 personnes
2 citrons
400 g de saumon frais
poivre
sel de Guérande
1 petit bouquet d'aneth frais

Presser les citrons. Mettre le jus dans les assiettes réservées au froid.

Couper le saumon en tranches le plus fines possible (on peut laisser le poisson dans le réfrigérateur 1 ou 2 heures pour rendre cette opération plus facile).

Étaler les tranches de saumon sur les assiettes très froides, le jus de citron étant entre le poisson et l'assiette.

Poivrer, parsemer de sel de Guérande et d'aneth ciselé.

NB — *Ce grand classique est réalisable avec n'importe quel beau et bon poisson : turbot, bar, thon, maquereau, etc. Le temps de contact entre le citron et le poisson est court, de l'ordre de quelques minutes. La méthode tahitienne traditionnelle est plus longue et donne une chair plus « cuite ».*

Harengs frais au vinaigre et au miel

Pour 8 personnes
12 harengs
2 oignons
1 carotte
2 gousses d'ail épluché, dégermé
1 bouquet garni (queues de persil, laurier, thym)
12 grains de poivre
1 cuillerée à soupe de graines de livèche (ou à défaut de fenouil)
vinaigre
1 cuillerée à soupe de miel
sel

Nettoyer les harengs, lever les filets. S'ils sont très gros, les recouper en deux dans le sens longitudinal.

Éplucher et émincer finement les oignons, la carotte et l'ail.

Placer dans une terrine une couche fine d'aromates, puis une couche de poissons, recommencer jusqu'à épuisement.

Ajouter les épices.

Couvrir d'un mélange à parts égales de vinaigre et d'eau (le volume dépend de la forme et de la taille de la terrine et de la grosseur des poissons). Ajouter le miel et le sel dissous dans un peu d'eau.

Recouvrir avec du papier d'aluminium. Laisser mariner une petite semaine.

NB — *Pour cette version froide de l'escabèche, on peut varier les épices, ajouter diverses herbes aromatiques, etc.*

Citrons confits à l'huile

citrons non traités
sel
huile d'olive

Couper les citrons en tranches. Les recouvrir de sel, les laisser mariner une nuit.

Éliminer le sel.

Mettre les citrons dans un bocal. Les recouvrir d'huile d'olive (le niveau de l'huile doit être de 1 ou 2 cm au-dessus des citrons).

Les citrons sont bons après 1 mois de macération.

LES ALIMENTS FERMENTÉS

La fermentation est une des manières les plus traditionnelles de préparer les aliments. Les boissons alcoolisées en sont un exemple évident, tout comme le fromage. En Extrême-Orient, on fait usage de différents aliments fermentés. Soit comme éléments principaux de certains plats, c'est le cas du *tempeh* d'Indonésie fabriqué avec des céréales ou du soja. Soit encore pour leurs propriétés aromatiques, les plus connus étant le *miso* et le *shoyu*, également produits à partir de céréales et de soja, qui font partie des ingrédients classiques de la cuisine japonaise.

La consommation de produits fermentés est très populaire dans certains milieux végétariens. Le seul aliment lactofermenté de grande distribution est la *choucroute*, mais de nombreux aliments peuvent être ainsi préparés : carottes, oignons, navets, choux-fleurs, concombres, betteraves, etc.

Le cuit

LA CUISSON

Cuire un aliment consiste à lui transmettre de l'énergie, ce qui va modifier sa température, sa structure chimique et sa consistance.

L'énergie de cuisson peut être transmise directement (conduction) ou indirectement, via un fluide (air, eau, corps gras, etc.). Dans ce dernier cas, ou bien ce sont les molécules du fluide qui sont chauffées et qui de ce fait s'échappent vers le haut, créant ainsi un mouvement, une agitation, qui va transmettre la chaleur à l'aliment (convection), ou bien, ils lui transmettent une autre forme d'énergie (radiation). Il faut ajouter qu'il existe une série de phénomènes physiques (spectre électromagnétique) regroupant diverses formes d'énergie transmises par des particules chargées électriquement qui créent des champs électriques et magnétiques, lesquels modifient le mouvement particulaire des milieux qu'ils touchent.

Selon leur fréquence dans le spectre électromagnétique, on distingue les ondes radio (AM, FM et TV), le radar et les micro-ondes, l'infrarouge, la lumière visible, l'ultraviolet, les rayons X et les rayons gamma.

Certaines de ces ondes peuvent servir à cuire : les micro-ondes, mais surtout l'infrarouge. L'émission d'énergie par radiation est proportionnelle à la puissance quatrième de sa température absolue (température usuelle $+273°$). Un four chauffé à 230° (environ 500° absolus) émet deux fois et demie plus d'énergie que le même chauffé à 130°, et 160 fois moins qu'une source de chaleur portée à 1 500°, comme certaines flammes de gaz. On conçoit que l'utilisation des sources d'énergie par radiation nécessite attention et doigté.

La cuisson augmente la température des aliments, mais surtout les dénature. Ce processus s'accompagne d'une perte d'eau et de modifications des sucres, des protéines et des graisses, avec formation d'un grand nombre de composés aromatiques dont la combinaison va être responsable du goût et de l'odeur du plat. Parfois, il faut qu'il refroidisse pour qu'apparaisse l'organisation sensorielle recherchée. C'est un arrangement d'une grande complexité car on a affaire à plusieurs centaines d'intervenants. Un plat est donc une sorte de composition aromatique dont la qualité dépend de la capacité du cuisinier à en ordonner les éléments. Et ce n'est pas la connaissance scientifique en l'état actuel qui peut l'aider réellement. Par exemple, en faisant chauffer un mélange d'eau et de sucre raffiné (saccharose) à 150°, on ne se contente pas de modifier la température et la forme physique du sirop, mais on crée aussi, par le mouvement et l'agitation ainsi produits, environ cent composés aromatiques différents plus ou moins simples. Sans compter ceux produits par les impuretés !

La majorité des qualités gustatives et olfactives des aliments est due à certaines combinaisons, regroupées sous le nom de réaction de Maillard, qu'accompagne la formation de composés bruns. Le brunissement caractérise la combinaison de sucres et d'acides aminés — éléments de base des protéines. Ce n'est que longtemps après la mort de Maillard que la réaction dont il est l'inventeur est apparue capitale pour la création des flaveurs. Selon Harold McGee, il existe actuellement environ 10 000 composés aromatiques identifiés, un plat en comportant entre 300 et 800[1].

Les principaux groupes de composés aromatiques comportent des anneaux de carbone éventuellement liés à des ions azote, oxygène, et soufre. Autour de ce « noyau » s'organise une grande variété d'atomes ou groupements atomiques. Les plus importantes familles sont les pyramines et thiazoles, responsables du goût lié à la réaction de Maillard, les pyrroles, les thiophènes, les oxazoles et pyridines.

Comme l'a montré Harold McGee, lorsqu'on fait revenir des aliments à feu vif, on détériore leur structure plus fortement

1. *On Food and Cooking*, Scribner's, 1984; *The Curious Cook*, Harper & Collins, 1992.

qu'en les faisant doucement étuver. Cette dénaturation accélère la perte d'eau. En contrepartie, les composés aromatiques produits par le brunissement apportent leur complexité gustative. Selon le type d'aliment et selon le but recherché, on pourra utiliser l'un ou l'autre des procédés (c'est la différence entre les blanquettes et les ragoûts ou les daubes).

Par ses interventions spécifiques, le cuisinier choisit une voie, qui dépend de ses objectifs, des ingrédients, des instruments dont il dispose, de sa culture et de son tempérament. La connaissance scientifique de ce qu'il fait ne lui est pas inutile, mais la complexité des réactions produites n'en fait pas un biochimiste sous prétexte que le résultat final peut, au moins en théorie, relever de la biochimie. En pratique, le cuisinier est guidé par ses sens. De leur acuité, de leur éducation et de leur éveil dépend principalement le résultat de son travail.

FORME, TAILLE ET STRUCTURE

Une fois qu'il a lavé, nettoyé, paré, pelé les divers ingrédients qu'il souhaite préparer, le cuisinier se trouve devant une série de choix. L'un des premiers est le suivant : sous quelle forme veut-il apprêter l'aliment ? Prenons le cas d'une carotte. Il peut lui laisser un peu de tiges. Il peut la laver seulement, ou la gratter, ou la peler. Il peut ne garder que la partie extérieure, plus sombre, et enlever la partie centrale — plus dure et moins goûteuse. Il peut décider de la présenter crue, *entière*, ou coupée transversalement en *rondelles* fines, ou longitudinalement en *julienne*. C'est ainsi qu'on présente généralement les carottes râpées — en s'aidant d'une râpe adaptée ou d'une mandoline. Veut-il la faire cuire qu'il a les choix supplémentaires de la couper en bâtonnets ou en cubes plus ou moins gros : les plus petits constituent une *brunoise* (cubes de 2 millimètres de côté); ceux de 3 à 4 millimètres une *mirepoix*. Il peut aussi la peler au couteau économe en une série de grandes *lames fines*.

Tout le monde peut constater que le goût des carottes râpées assaisonnées avec, par exemple, un mélange d'huile d'olive et de jus de citron n'est pas le même que celui du légume entier plongé dans le même assaisonnement. On imagine sans peine que la chaleur, les éléments aromatiques et les liquides de cuisson pénètrent bien différemment la carotte selon qu'elle est entière, en bâtonnets, en brunoise, en mirepoix ou en lamelles. La surface totale du légume augmente au fur et à mesure que la taille des morceaux diminue. Au terme de la cuisson, il y a peu de ressemblance entre la mirepoix et la carotte entière.

De même un steak de 200 grammes n'a ni la même tenue au feu, ni le même goût, ni bien sûr la même consistance selon qu'il est poêlé intact ou haché.

La géométrie joue donc un rôle décisif dans ce que sera le mets servi aux convives. D'autant plus que la structure même de l'aliment peut être ou non homogène. Le poisson cuit entier, à l'arête, et le même en filets n'ont ni même goût ni même consistance. L'arête centrale apporte à la fois saveur et inhomogénéité de cuisson — on sait que la mode récente était le rose à l'arête, c'est-à-dire la chair bien cuite vers l'extérieur et seulement mi-cuite du côté de l'arête. D'ailleurs, c'est parfois difficile de cuire les poissons entiers : l'arête, profonde, est plus lente à s'échauffer. Il vaut mieux, dans ce cas, cuire à tout petit feu pour éviter une trop grande disparité entre les différentes parties de la chair. Par contre, les filets cuisent aussi bien au grand feu qu'à la chaleur douce, de même que les tout petits poissons, pour lesquels il n'existe pas de mode de cuisson mieux adapté que la friture profonde.

Les oiseaux posent un problème lié à la différence de cuisson des blancs, ou suprêmes, et des ailes et cuisses, sans compter la présence éventuelle d'une farce. Dans le cas d'oiseaux de taille relativement petite, il est facile, à condition d'y penser bien sûr, d'y remédier. Soit on cuit l'oiseau au four très chaud le temps que la partie la plus vulnérable soit cuite, on la découpe et on la sert en premier service, cependant qu'on place les cuisses sur le gril pour compléter la cuisson : ce sera le second service. On peut également se servir d'un instrument de cuisson épais qui joue en même temps le rôle de gril, sur lequel on déplace régulièrement l'oiseau pour cuire moins longtemps les filets que les cuisses.

Le rôtissage est mal adapté aux plus grands oiseaux : la dinde de Noël a des blancs toujours secs et peu agréables, ou bien des cuisses et une farce crues. Ces inconvénients se retrouvent dans d'autres modes de cuisson : ainsi les blancs du coq au vin sont souvent peu appétissants car trop cuits.

La taille de l'aliment est donc un élément fondamental. Si on le cuit au four, la température choisie sera d'autant plus faible que le volume à cuire est grand, et bien entendu le temps en sera d'autant prolongé.

2

Le livre de la chaleur douce

La différence entre le grand feu et la chaleur douce n'est pas tant une question de température que de façon de traiter l'aliment en cours de cuisson. Dans le premier cas, on crée une grande différence de chaleur entre le produit et le milieu dans lequel on le cuit tout en injectant un grand débit d'énergie thermique. Dans le second, on maintient la température à un degré voulu tout en limitant la quantité de chaleur apportée.

Prenons un exemple : au niveau de la mer, l'eau bout à 100 degrés quelles que soient la forme et la puissance de chauffe. Si on n'empêche pas la vapeur d'eau de s'échapper, l'évaporation se fait plus ou moins vite selon le mode de chauffe. Plus grande est l'énergie thermique apportée, plus importants sont les mouvements de l'eau, plus grands sont les contacts avec les aliments et la transmission de chaleur à ces derniers. Il se produit un refroidissement lorsqu'on plonge une pièce froide dans l'eau chaude et la différence de température entre l'extérieur et l'intérieur de l'aliment est plus ou moins grande. Le grand feu va « brutaliser » ce dernier, la surface cuira beaucoup plus vite que l'intérieur, opposant par là même une sorte de « résistance » à la progression de la chaleur. Dans le cas de la chaleur douce, la pénétration se fait progressivement, doucement. C'est ainsi que l'on peut fabriquer ragoûts, daubes, blanquettes, etc., qui font partie des plats les plus subtils et les plus agréables de la cuisine française.

Il existe plusieurs méthodes d'utilisation de la chaleur douce. Elle peut se distribuer sur une simple poêle, où l'on a placé un peu d'eau ou de corps gras : c'est ainsi qu'on cuit les œufs au plat. Elle peut aussi se faire par l'intermédiaire d'eau bouillante : c'est le principe du bain-marie. Avec un liquide de mouillement, on réalise des braisés, des pochages à feu doux, des blanquettes, des ragoûts et des daubes, des fondues, des confits et des confitures.

LE BRAISAGE

Braiser vient de braise. Braiser, c'était cuire avec la braise, dessous et dessus le pot ou la cocotte. Le braisage est une opération longue, adaptée à des pièces de viande relativement grosses et grasses. On peut également y recourir dans le cas de certains légumes, ceux qui supportent une cuisson relativement longue.

Le braisage comporte cinq étapes :

1. On fait rissoler la viande dans un corps gras noble.

2. On fait également sauter les légumes de la garniture aromatique.

3. On place la viande, légumes, épices, etc. dans une cocotte avec un liquide de mouillement (bouillon, jus, vin, etc.) et des bardes de lard.

4. On cuit à couvert au four à feu doux jusqu'à ce que la viande soit tellement tendre qu'on puisse la dissocier à la fourchette — ou la servir classiquement à la cuillère.

5. On recueille le jus et on en fait la sauce.

En outre, on peut avant de les cuire faire mariner les viandes pour certaines préparations (daubes, bourguignon, etc.). Le temps total de cuisson est variable, classiquement 5 à 7 heures dans le cas du gigot brayude ou du gigot à la 7 heures, 2 à 3 heures pour le fricandeau, au moins autant pour le bœuf mode.

Il convient de surveiller régulièrement la cuisson, car il va se produire au bout d'un certain temps une diminution progressive de volume du mouillement. On peut utiliser pour le braisage des cocottes spéciales au couvercle concave. On y verse de l'eau froide qui va créer une différence de température entre le bas et le haut, permettant la condensation d'une partie de la vapeur d'eau qui va retomber sur la viande et l'humidifier en permanence.

Remarque : si on désire entourer la pièce de viande avec une barde de lard gras, il faut le faire après rissolage.

Dans le cas des légumes, le principe est le même :

1. On les blanchit rapidement à l'eau chaude, on les sèche.
2. On les fait revenir dans un corps gras noble.
3. On les place dans la braisière avec des bardes et des couennes, on les mouille et on les fait cuire à four doux ou moyen à couvert.

Bœuf à la mode

Pour 8 personnes
un morceau de culotte ou de basses côtes de 2 kg
150 g de lardons gras
poivre
quatre-épices
500 ml de vin rouge
50 ml de cognac
30 g de beurre clarifié
couennes
1 pied de veau coupé en deux
bouillon
sel
30 petits oignons
4 gousses d'ail
400 g de carottes épluchées coupées en rondelles

Larder la viande[1]. La frotter avec le poivre et le quatre-épices.
La mettre à mariner une nuit avec le vin et le cognac.
La sortir de la marinade, l'égoutter et la sécher.
La mettre à rissoler sur toutes ses faces avec le beurre clarifié.
Mettre les couennes dans une cocotte, poser la viande, ajouter la marinade et le pied de veau. Mouiller à hauteur avec du bouillon. Saler.
Cuire à feu doux 120° (thermostat 4) pendant 2 heures en mouillant régulièrement.
Une demi-heure avant la fin, ajouter les oignons, l'ail et les carottes.
Servir la viande entourée des légumes, le jus réduit de moitié étant servi à part.

1. La façon la plus simple consiste à couper des lardons de la taille et de la forme d'une frite, et à les congeler. Devenus durs, ils s'introduisent facilement dans la viande. On les enfonce en suivant l'axe des fibres musculaires.

NB — *On obtient une version épicée (Bœuf à la mode aux épices) en ajoutant 10 roses de Damas séchées, 20 « tranches » d'ail séché, 6 tomates séchées et du poivre du Setchouan. Dans ce cas, on n'utilise pas d'alcool ni de vin, et on fait mariner avec les épices et un peu d'huile d'olive. On mixe la sauce pour servir.*

Cul de veau à l'angevine

Pour 6 personnes
1,5 kg de quasi de veau ficelé
30 g de beurre clarifié
couennes
1 pied de veau fendu en deux
sel
poivre
bouquet garni (thym, queues de persil)
10 gousses d'ail
500 ml de vin blanc sec (savennières par exemple)
bouillon
30 petits oignons blancs
50 g de beurre
2 jaunes d'œuf
100 g de crème
muscade
1 jus de citron

Faire rissoler le veau dans le beurre clarifié.

Le mettre dans une braisière ou une cocotte tapissée de couennes. Ajouter le pied de veau, le sel, le poivre, le bouquet garni, l'ail, le vin blanc. Mouiller de bouillon à hauteur. Couvrir la cocotte.

Cuire 90 minutes à four doux 140° (thermostat 4-5) en arrosant régulièrement.

Cuire à couvert à tout petit feu les petits oignons dans le beurre. Sortir la viande, la garder au chaud. Filtrer le jus, le faire réduire fortement. Mélanger les œufs, la crème et la muscade.

Ajouter peu à peu le jus réduit en fouettant, puis le jus de citron. Rectifier l'assaisonnement.

Mettre la viande, l'ail et les oignons dans la cocotte. Ajouter la sauce. Laisser épaissir 5 minutes sans laisser bouillir.

Noix de veau braisée à la badiane et à l'ail séché

Pour 8 personnes
1 morceau de noix de veau de lait du Limousin de 2 kg
30 g de beurre clarifié
2 os de veau concassés
1 oignon
1/2 l de vin blanc modérément sec (par exemple tokay, pinot gris d'Alsace)
10 grains de poivre long
10 copeaux d'ail sec
3 branches d'une étoile de badiane (anis étoilé)
2 « têtes » de macis
huile d'olive.
chapelure de pain
sel

Faire rissoler la viande dans le beurre clarifié.

Chauffer le four à 110° (thermostat 3-4).

Mettre la viande, les os, l'oignon émincé, le vin et les épices dans une cocotte. Placer cette dernière au four pendant 1 heure.

Sortir la cocotte. Monter la température à 250° (thermostat 8-9). Jeter les os. Mettre la viande sur une plaque, la badigeonner d'huile et parsemer de chapelure. Remettre la viande au four pendant 30 minutes, le temps qu'elle soit blond doré.

Réduire la sauce d'un tiers. La mixer, la passer au chinois. Rectifier, saler. Servir la viande sur un plat, la sauce en saucière.

NB — *C'est en fait une cuisson mixte, mais la partie finale, de rôtissage, est moins importante que le braisage initial et peut être remplacée par le même temps de braisage.*

571

Jarret de veau à l'orange

Pour 6 personnes
1 jarret de veau de lait d'un seul tenant
30 g de beurre clarifié
2 écorces d'oranges amères séchées
couennes de porc
5 oranges
bouillon ou fonds de veau
sel
poivre
50 ml de Grand Marnier
1 cuillerée à soupe rase de miel
50 g de beurre

Faire bien rissoler le jarret dans le beurre clarifié. Mettre les couennes de porc dans le fond d'une cocotte, côté gras vers le haut. Placer le jarret de veau. Ajouter les écorces d'oranges amères, le jus des oranges et le bouillon, le sel et le poivre. Le bouillon doit juste affleurer le bord supérieur de la viande. Couvrir la cocotte.

Cuire au four à 120° (thermostat 4) pendant 2 heures. Arroser la viande au fur et à mesure de la cuisson pour éviter qu'elle ne se dessèche.

Retirer la viande. Réduire le liquide de cuisson. Ajouter le Grand Marnier et le miel.

Remettre le jarret au four, arroser avec le jus réduit. Cuire 30 à 40 minutes en arrosant toutes les 2 ou 3 minutes pour bien glacer la viande.

Mettre la viande dans le plat de service. Garder au chaud.

Réduire le jus de cuisson à la valeur de 5 à 6 cuillerées à soupe. Le filtrer, ajouter le beurre par petits morceaux en fouettant, rectifier l'assaisonnement. Mettre la moitié de la sauce sur le jarret, le reste en saucière.

NB — *La taille et la forme du jarret déterminent le choix de l'ustensile de cuisson : la viande doit être à 2 cm des bords. Si l'ustensile est trop grand, le jus sera dilué.*

Gigot à la 7 heures

Pour 6 personnes
1 petit gigot d'agneau de 1,5 kg
8 gousses d'ail
8 filets d'anchois à l'huile
couennes de lard
bouquet garni (thym, persil, laurier)
sel
poivre en grains
500 ml de vin blanc
1 litre de bouillon

Piquer le gigot avec les gousses d'ail et les filets d'anchois.
Le faire colorer au gril sur toutes ses faces.
Tapisser une braisière ou une cocotte avec les couennes. Poser le gigot sur les couennes. Ajouter le bouquet garni, le poivre et le sel, mouiller avec le vin blanc et le bouillon. Fermer hermétiquement la cocotte en la lutant, c'est-à-dire en plaçant entre le bord supérieur et le couvercle une pâte faite d'eau et de farine, qui va durcir à la chaleur.
Cuire 7 heures au four à 120° (thermostat 4).
Servir dans le plat de cuisson, la viande étant délitée.

NB — *Cette recette, voisine de celle du gigot brayaude, qui se cuit pendant 4 ou 5 heures sans luter la cocotte, n'est pas facile à maîtriser, car un excès d'aromates « étouffe » la viande. D'autre part, si la qualité de celle-ci laisse à désirer, elle s'assèche et l'eau passe dans la sauce qu'elle dilue. Enfin, il semble que 5 heures de cuisson soient suffisantes dans certains cas.*

Rôti de porc enfoui

Pour 6 personnes
500 g d'oignons
huile d'olive : 20 g pour les oignons, 30 g pour les tomates,
50 g pour la liaison finale
2 kg de tomates
1 rôti de porc de 1,5 kg bien ficelé
4 gousses d'ail
2 brins de thym
1 brindille de romarin
1/4 de feuille de laurier
sel
poivre

Éplucher les oignons. Les faire blondir à l'huile d'olive sans colorer.

Peler les tomates (si nécessaire les plonger 30 secondes dans l'eau bouillante). Enlever les pédoncules. Les épépiner au-dessus d'un filtre pour récupérer l'eau de végétation. Les couper grossièrement.

Sauter à feu vif les tomates avec 30 g d'huile d'olive pendant 3 minutes.

Faire colorer le rôti de porc sur toutes ses faces sur le gril bien chaud. Éliminer la graisse.

Dans une cocotte mettre le porc, le jus des tomates, l'ail, les oignons, les herbes aromatiques, saler, poivrer. Ajouter les tomates de telle façon qu'elles entourent et recouvrent la viande. Fermer la cocotte.

Cuire 90 minutes au four à 150° (thermostat 5) en arrosant régulièrement la viande.

Retirer la viande et les légumes, les garder au chaud, réduire le jus de cuisson. Ajouter peu à peu, en fouettant, l'huile d'olive. Rectifier l'assaisonnement. Éliminer les herbes aromatiques.

Servir le rôti entouré des légumes et de la sauce.

NB — *Un rôti tendre qui constitue un plat simple du quotidien. On peut mixer les ingrédients de la sauce et servir avec des pâtes.*

Laitues braisées

Pour 6 personnes
6 laitues
200 g de poitrine de porc demi-sel sans couenne
1 bel oignon épluché et finement émincé
100 g de beurre
3 gousses d'ail épluchées, dégermées et hachées
300 ml de vin blanc sec
500 ml de bouillon de veau
sel
poivre

Laver, équeuter les laitues. Enlever les feuilles abîmées.
Les mettre 3 minutes dans l'eau bouillante salée. Les rafraîchir.
Les égoutter, bien les presser pour enlever l'eau superflue, les
hacher grossièrement.
Couper le lard en morceaux de 5 mm de côté. Les mettre dans
une casserole d'eau froide. Porter à ébullition. Retirer les lardons.
Dans une cocotte, faire blondir l'oignon dans le beurre sans
colorer, à petit feu, pendant 5 minutes. Ajouter l'ail et les lardons. Cuire 3 minutes. Ajouter les laitues, le vin blanc, le bouillon, saler, poivrer. Cuire à feu doux 30 minutes en remuant de
temps en temps, la sauce doit être sirupeuse.

NB — *Ce plat est un bon accompagnement des viandes, qui peut se
faire avec d'autres salades : scarole, frisée, romaine, etc.*

Chicorée frisée braisée aux lardons

Pour 6 personnes
2 ou 3 chicorées frisées selon leur taille (pour obtenir 1 kg de
feuilles)
1 bel oignon épluché et finement émincé
50 g de beurre
200 g de poitrine de porc fraîche
2 gousses d'ail épluchées dégermées et finement râpées
200 ml de vin blanc sec
1 bouquet garni (queues de persil, laurier, thym)
sel
poivre

Éplucher les chicorées. Éliminer les feuilles abîmées. Détacher les feuilles comme pour une salade.

Blanchir les feuilles en les plongeant par petits paquets une minute dans l'eau bouillante salée. Les sortir et les mettre dans l'eau glacée. Les égoutter, les essorer vigoureusement pour les sécher.

Faire fondre l'oignon dans une cocotte avec le beurre sans le colorer, pendant 5 minutes. Couper le lard en tout petits morceaux, les ajouter avec l'ail. Cuire pendant 5 minutes.

Ajouter la salade, le vin blanc, le bouquet garni, le sel, le poivre, bien mélanger. Couvrir la cocotte et la mettre au four à 140° (thermostat 4-5) pendant 1 heure et demie.

Vérifier la cuisson de temps en temps. Si le légume sèche, ajouter de l'eau ou du bouillon.

NB — *La sauce doit être émulsionnée. Ce plat accompagne un gibier, un rôti de veau ou de porc.*

LES BLANQUETTES

La blanquette est de veau, traditionnellement. Pourtant on en trouve aussi de chevreau, de lapin. Chez Allard, vieux temple des traditions s'il en est, on en servait de poulet. Des blanquettes, il en existe tellement de recettes, de variantes que l'on se sent un peu perdu et circonspect avant d'en proposer une.

Blanquette évoque le mot blanc. C'est de fait une préparation pour viande blanche. La viande est blanchie aussi par la cuisson, qui associe vin blanc, beurre, crème, petits oignons et citron, qui lui aussi blanchit. Les viandes doivent être douces, c'est pourquoi il ne faut pas les brusquer par un saisissement trop brutal.

Tout d'abord, on les étuve dans le beurre, pour qu'elles se rassurent, qu'elles ne se recouvrent pas de cette croûte caramélisée que provoque la cuisson à grand feu. La blanquette aime la douceur. Il s'agit d'abord d'amadouer la viande. La Reynière[1] propose, avant de la cuire, de la mettre, coupée en morceaux, dans un plat en terre et de la couvrir d'eau chaude additionnée de vinaigre. Une excellente idée, certes, qu'on peut appliquer au veau, mais aussi aux autres types de viande.

1. *100 Merveilles de la cuissons française*, Seuil, 1967.

Le deuxième temps est la cuisson proprement dite, à feu doux, avec addition de vin blanc, de bouillon et d'épices. Lors de la préparation finale (troisième temps), on ajoute des petits oignons revenus au beurre, des lardons, parfois des champignons, de la crème ou du beurre, des jaunes d'œufs, etc. Sans oublier les herbes vertes ciselées, cerfeuil, persil plat ou frisé, ciboulette, estragon, ou autre, selon le goût. Et pourquoi pas les épices, le safran, le curry...

blanquettes atypiques

Le principe de la blanquette consistant à étuver doucement l'aliment au beurre, puis à le faire cuire avec un liquide de mouillement et à reprendre le liquide de cuisson avec crème et jaune d'œuf, il peut s'étendre à de très nombreux types d'ingrédients.

On peut donc confectionner des blanquettes
• D'animaux (veau, lapin, poulet, chevreau, agneau, dinde, cochon de lait, etc.);
• De poissons — la seule condition est qu'ils soient à chair ferme (lotte, maquereau, thon, flétan, roussette et requins divers, anguille, silure, poisson-chat, etc.);
• De légumes (radis noirs, champignons, topinambours, carottes, aubergines, banane plantin, etc.);
• De fruits (poires, pommes vertes, coings, pêches, abricots, etc.).

On peut également varier le liquide de pochage et, au lieu de vin blanc, utiliser bouillon, cidre, bière. Les blanquettes peuvent être salées, aromatisées avec épices et herbes, ou sucrées, agrémentées de restes d'agrumes, de vanille, d'alcools et crèmes alcoolisées, d'épices.

temps de mijotage

L'extrême variabilité des temps de cuisson est le résultat de nombreux facteurs tenant à la nature des aliments, aux propriétés des fours et des ustensiles de cuisson, à la température initiale des aliments, au type de cuisson souhaitée, aux inter-actions entre les ingrédients qui cuisent. Harold McGee a publié dans son ouvrage *The Curious Cook* une série de tables de cuisson par mijotage prenant en compte l'épaisseur et la forme des aliments appelés steaks ou côtelettes, les températures initiales et finales, et la température de cuisson. Il faut 3 minutes pour atteindre 71 ° au cœur d'un steak de veau ou de porc de 1,2 cm d'épaisseur cuit à 99° (température initiale 10°), alors qu'il en faut 74 pour une pièce de même surface, épaisse de 5 cm, cuite à 82° (température initiale 4°). Entre deux, tous les intermédiaires existent, le facteur le plus important étant la *géométrie* de l'aliment (surface et épaisseur).

Épaule de veau à l'ébouriffée de poireaux

Pour 8 personnes
2 kg de poireaux
2 petites carottes
1 oignon
200 g de beurre
2 kg d'épaule de veau de lait coupés en cubes de 3 cm de côté
2 clous de girofle
1/4 de feuille de laurier
1 branche de thym
1 bouteille de vin blanc sec
sel
poivre
150 g de crème
2 jaunes d'œufs
4 râpures de muscade
1 jus de citron

Peler et nettoyer tous les légumes. Ne garder que 2 cm du vert des poireaux.

Faire fondre la moitié du beurre et y mettre à étuver tout douce-ment la viande, les carottes coupées en rondelles, l'oignon piqué des clous de girofle, le laurier et le thym pendant 20 à 30 minutes en retournant les morceaux de viande pour bien les enrober de beurre.

Ajouter vin, sel et poivre. Cuire à tout petit feu pendant 2 heures (le plat est meilleur s'il est cuit en deux fois).

Faire bouillir de l'eau salée, y pocher les poireaux pendant 10 à 15 minutes. Les égoutter.

Étuver les poireaux avec le reste du beurre. Ils doivent être très cuits. Les émietter à la fourchette.

Lorsque la viande est cuite, l'enlever et la réserver au chaud. Enlever également les légumes, le thym et le laurier.

Faire réduire de moitié le liquide de cuisson de la viande. Ajouter les poireaux et la crème. Cuire encore 8 à 10 minutes.

Éteindre le feu, ajouter les jaunes d'œufs battus avec un peu d'eau tiède, la muscade et le jus de citron. Mélanger.

Ajouter la viande. Couvrir et laisser épaissir 10 minutes toujours hors du feu. Rectifier l'assaisonnement.

Épaule de veau à la tomate et à l'ail

Pour 4 personnes
vinaigre
1 kg d'épaule de veau coupée en cubes de 4 cm de côté
125 g de beurre
1 oignon épluché, piqué d'un clou de girofle
1 bouquet garni (thym, laurier, persil et tout autres herbes)
1,5 kg de tomates
quelques os de veau
1 tête d'ail épluchée, dégermée, coupée en petits morceaux au couteau
sel
poivre
poivre de Cayenne

Faire bouillir 3 litres d'eau avec du vinaigre. Éteindre le feu. Y mettre la viande pendant 10 à 15 minutes.

Fondre doucement le beurre. Ajouter la viande égouttée et séchée, bien l'enrober. Ajouter l'oignon piqué, le bouquet garni et faire étuver à tout petit feu pendant 15 minutes.

Éplucher les tomates, enlever les pépins. Récupérer l'eau de végétation. Couper grossièrement les tomates.

Ajouter les os, les tomates, l'ail, l'eau de végétation. La viande doit être juste recouverte. Saler, poivrer, ajouter le cayenne.

Cuire à tout petit feu pendant 1 heure et demie. Retirer le bouquet garni, l'oignon et les os avant de servir.

NB — *On peut cuire en deux fois et laisser refroidir entre les deux cuissons.*

Pour servir, on peut soit retirer la viande et réduire le jus de cuisson sans autre ajout qu'un peu de sel et de poivre si nécessaire. On peut aussi filtrer une partie du jus pour préparer du riz qui accompagne ce plat (ou des pâtes fraîches). On peut également mixer le jus avec les légumes de cuisson.

Il s'agit d'une recette mère, car elle permet une grande variation des goûts si on ajoute du safran, du curcuma, du curry, du ras el hanout, du gingembre, du galanga, etc. On aura chaque fois une tonalité gustative bien particulière. Si on le souhaite, on peut ajouter de l'harissa ou des piments forts. On peut, à l'inverse, terminer la liaison avec du jaune d'œuf, mélangé à de la crème. On peut également ajouter du jus de citron ou d'orange. On peut encore remplacer le beurre par de la bonne huile d'olive. Il suffit d'ajouter de la sauge pour se croire en Italie.

Pourtant la recette de base est bien française : c'est une vraie blanquette de veau.

Saltimbocca alla romana

Pour 4 personnes
8 fines escalopes de veau de lait du Limousin de 100 g
8 tranches de jambon de San Daniele pas trop fines, de même surface
8 belles feuilles de sauge officinale
50 ml d'huile d'olive
100 ml de vin blanc sec
sel
poivre

Recouvrir chaque escalope d'une tranche de jambon et d'une feuille de sauge.

Dans une poêle assez large pour cuire toutes les escalopes, ou dans deux, cuire à petit feu les escalopes renversées (côté jambon) pendant 5 minutes, dans l'huile.

Les retourner (replacer les tranches de jambon et la sauge). Cuire encore 2 minutes.

Ajouter le vin blanc, saler et poivrer, cuire encore 4 minutes.

Sortir les escalopes, en mettre 2 par assiette.

Monter le feu au maximum, réduire de moitié. Verser la sauce sur les escalopes.

NB — *C'est un plat simple et subtil. On peut ajouter de la crème à la sauce.*

Ris de veau aux légumes

Pour 4 personnes
1 kg de ris de veau
2 carottes
2 oignons moyens
1 petit poireau
6 champignons de taille moyenne
2 panais
100 g de beurre
500 ml de bouillon (ou moitié vin blanc et moitié bouillon)
2 branches de thym
4 branches de persil
1 jaune d'un œuf
6 branches de basilic

Faire dégorger le ris de veau à l'eau froide pendant 3 heures en changeant 2 fois l'eau.
Mettre les noix de ris de veau dans l'eau bouillante salée. Laisser 5 minutes. Sortir et laisser refroidir.
Bien éplucher les ris, enlever aponévroses et parties graisseuses. Mettre les ris sous presse (2 kg) pendant 2 heures.
Éplucher les légumes, les couper en julienne (fines lanières peu épaisses). Les mettre à étuver au beurre, à petit feu. Ajouter les ris de veau. Mouiller avec le bouillon, enfouir le thym et le persil. Saler, poivrer.
Mettre au four à 150° (thermostat 5) pendant 1 heure en arrosant régulièrement. Les ris de veau doivent être dorés.
Sortir les ris de veau, les mettre sur le plat de service. Entourer de légumes. Laisser au chaud.
Réduire le jus de cuisson, ajouter hors du feu le jaune d'œuf battu dans un peu d'eau tiède et le basilic finement émincé. Laisser épaissir au chaud 5 minutes.
Vérifier l'assaisonnement et mettre sur les ris et les légumes.

Blanquette de chevreau à l'oseille

Pour 6 personnes
4 cuillerées à soupe de vinaigre de vin rouge
1,5 kg d'épaule de chevreau coupée en cubes de 3 à 4 cm de côté
110 g de beurre
250 ml de vin blanc sec
250 ml de bouillon
18 petits oignons grelots
300 g d'oseille (poids épluché)
1 jaune d'œuf
100 g de crème
sel
poivre blanc

Faire bouillir 2 litres d'eau avec 4 cuillerées à soupe de vinaigre de vin rouge. Couvrir la viande. La laisser 15 minutes hors du feu. Égoutter et sécher les morceaux.

Poivrer les morceaux de viande. Mettre dans une cocotte 50 grammes de beurre, les faire fondre, ajouter la viande et la faire cuire à très petit feu (étuver) pendant 15 minutes en retournant les morceaux pour bien les imbiber de beurre.

Ajouter le vin blanc et le bouillon. Cuire à tout petit feu pendant 45 minutes.

Faire étuver les petits oignons dans 30 grammes de beurre jusqu'à cuisson.

Fondre l'oseille bien lavée, épluchée (enlever la queue et les nervures) dans 30 grammes de beurre.

Ajouter l'oseille et les oignons à la blanquette. Cuire encore 10 minutes. Bien mélanger l'oseille au bouillon. Délayer le jaune d'œuf et la crème. La mélanger hors du feu avec la sauce de la blanquette. Saler, poivrer, rectifier le goût. Laisser épaissir à chaleur tiède pendant 10 minutes.

NB — *On peut également préparer une* blanquette de chevreau à l'ail nouveau *en remplaçant l'oseille par de l'ail nouveau, dont on utilise les parties vertes. On peut aussi se servir d'ail sauvage.*

Cuisses de lapin à la normande

Pour 4 personnes
4 cuisses de lapin
1 pomme
2 échalotes épluchées et finement émincées
80 g de beurre
150 ml de cidre
1 râpée de muscade
1 branchette de thym
150 ml de crème
sel
poivre

Couper la chair de lapin en cubes de 1 cm de côté.
Éplucher la pomme en cubes de 1 cm de côté.
Faire fondre à feu doux les échalotes dans le beurre pendant 3 minutes. Ajouter le lapin et la pomme. Cuire encore 3 minutes en tournant de temps en temps pour bien enrober.
Débarrasser les échalotes, le lapin et la pomme sur une assiette.
Ajouter le cidre, la muscade et le thym. Faire réduire de moitié.
Saler et poivrer.
Ajouter la crème, faire réduire des deux tiers. Enlever le thym.
Remettre le contenu de l'assiette. Faire réchauffer sans cuire.
Débarrasser sur le plat de service.

Morue bahianaise

Pour 6 personnes
1,5 kg de morue séchée
5 belles tomates mûres
4 cuillerées à soupe d'huile d'olive
2 oignons
6 gousses d'ail
6 petits piments de Cayenne
1 boîte de lait de coco
2 jaunes d'œufs
sel poivre
1 botte de coriandre

Faire dessaler la morue pendant 12 heures en changeant 3 ou 4 fois l'eau. L'éplucher, enlever les arêtes, la couper en cubes de 2 à 3 cm d'épaisseur.

Cuire la morue dans la moitié de l'huile à feu doux pendant 10 minutes.

Éplucher et émincer les oignons. Éplucher et dégermer l'ail, le couper en tout petits morceaux.

Faire étuver le mélange ail-oignons avec les piments coupés en petits tronçons dans la moitié de l'huile à feu doux pendant 10 minutes. Ajouter la morue et son jus de cuisson.

Ajouter le lait de coco. Mijoter 5 minutes.

Battre les jaunes d'œufs avec une partie du jus de cuisson. Hors du feu ajouter les jaunes battus en tournant pour épaissir.

Rectifier le goût. Ajouter la coriandre ciselée.

NB — *Classique plat du nord-est du Brésil, souvent aromatisé à l'huile de palme.*

Lotte au safran du Gâtinais

Pour 4 personnes
8 filaments de safran du Gâtinais
100 g de beurre
800 g de chair de lotte épluchée et coupée en cubes de 3 cm de côté
100 ml de vin blanc sec
1 jaune d'œuf
50 g de crème
sel
poivre

Mettre le safran dans 50 ml d'eau chaude. Le laisser infuser une bonne heure (l'eau doit rester chaude).

Faire fondre le beurre. Ajouter la lotte. Étuver doucement 5 minutes en retournant le poisson pour bien enrober les morceaux.

Ajouter le vin blanc et le safran avec son liquide d'infusion.

Cuire 10 à 15 minutes toujours à petit feu. La lotte doit être tendre sans se dessécher.

Retirer les cubes de lotte et les réserver au chaud (quand la lotte est cuite, elle ne rend plus d'eau).

Réduire le liquide de cuisson qui ne doit plus représenter que l'équivalent de 5 à 6 cuillerées à soupe.

Mélanger le jeune d'œuf et la crème. Saler et poivrer. Filtrer finement le jus de cuisson et l'ajouter peu à peu en fouettant. Rectifier l'assaisonnement.

Remettre le poisson et la sauce dans la casserole, laisser épaissir au chaud sans faire bouillir.

NB — *Le safran du Gâtinais, vieille spécialité française disparue et réintroduite depuis 1984, nécessite un long temps d'infusion. Si on utilise un safran moins fort ou moins pur, on augmentera les quantités en conséquence.*

Soupe de crevettes au cidre du pays d'Auge et à la cardamine hirsute

Pour 4 personnes
4 échalotes grises épluchées et émincées
20 g de beurre
500 g de crevettes grises vivantes
1 petite carotte épluchée et coupée en rondelles
2 feuilles de livèche fraîche (ou à défaut une petite branche de céleri)
2 bouteilles de cidre brut du pays d'Auge
sel
poivre
100 g de crème
20 g de cardamine hirsute hachée (ou à défaut de cerfeuil)

Dans une casserole, faire blondir les échalotes pendant 3 ou 4 minutes avec le beurre.

Ajouter les crevettes, la carotte, la livèche, le cidre, le sel et le poivre. Cuire à feu doux pendant 1 heure.

Passer le bouillon.

Décortiquer les crevettes. Passer les crevettes décortiquées et les légumes au mixer avec un peu de bouillon.

Remettre dans la casserole la purée de crevettes et le bouillon, ajouter la crème. Cuire 1 ou 2 minutes.

Servir en soupière, parsemé de cardamine hirsute.

Coquilles saint-jacques aux légumes safranés

Pour 2 personnes
8 filaments de safran du Gâtinais
1 carotte
1 petit oignon
2 échalotes grises
4 champignons blancs de taille moyenne
100 g de beurre
100 ml de vin blanc
sel
poivre
6 belles coquilles saint-jacques

Mettre le safran à infuser dans 50 ml d'eau chaude pendant 1 heure.

Nettoyer les légumes, les éplucher et les couper en fines lamelles avec le couteau économiseur ou avec le couteau de cuisine.

Étuver les légumes avec les barbes des coquilles dans la moitié du beurre pendant 5 minutes. Mouiller avec le vin blanc et l'eau safranée, saler, poivrer. Cuire doucement pendant 15 minutes. Étuver les coquilles saint-jacques à très petit feu au beurre pendant 5 minutes. Elles doivent être mi-cuites. Servir les coquilles recouvertes du ragoût de légumes safranés, débarrassé des barbes de coquilles.

NB — *On peut épaissir la sauce en ajoutant hors du feu un jaune d'œuf battu avec un peu de sauce, et en laissant l'ensemble 5 minutes au chaud. (Ce sont les légumes qui sont cuits en blanquette.)*

Moules aux poireaux de la Saint-Sylvestre

Pour 4 personnes
2 kg de poireaux (poids non épluché)
100 g de beurre
500 ml de bon vin blanc sec
2 litres de moules de bouchot lavées et grattées
100 g de crème
2 jaunes d'œufs
poivre

Laver, éplucher, nettoyer les poireaux ; garder 3 cm de vert.
Les mettre à cuire tout doucement au beurre. Remuer de temps
en temps. Lorsque les poireaux sont cuits, les effilocher à la
fourchette.
Ajouter le vin blanc. Laisser reprendre l'ébullition.
Ajouter les moules, les laisser s'ouvrir, remuer l'ensemble de
façon à bien mélanger. Éliminer les moules qui ne s'ouvrent pas.
Mélanger la crème et les jaunes d'œufs. Poivrer. Mélanger hors
du feu en remuant. Couvrir et laisser épaissir 5 minutes avant de
servir.

NB — *C'est un plat « sale », c'est-à-dire qu'on prend les coquilles de
moules avec les mains et qu'on se salit. Prévoir des coupelles remplies
d'eau citronnée pour se rincer les doigts.
Il est inutile de saler, puisque l'eau des moules contient suffisamment
de sel.*

Panir palak

Un classique de l'Inde du Nord.

Pour 4 personnes
1/4 de cuillerée à café d'asa foetida
1 cuillerée à café rase de curcuma en poudre
1 cuillerée à café de coriandre en poudre
1 pointe de cayenne
20 g de beurre
1 kg d'épinards bien lavés et ébranchés
200 g de crème
250 g de panir coupé en cubes d'un cm de côté
sel

Faire revenir les épices dans le beurre sans les brûler.
Ajouter les épinards en tournant, avec un peu d'eau.
Les cuire à petit feu pendant 8 à 12 minutes.
Ajouter la crème et le panir, saler, remuer délicatement et lais-
ser à feu doux pendant 3 à 4 minutes.

Chaudrée

Pour 4 personnes

1,5 kg de poissons plats (carrelets, soles, limandes, raies, etc.) et de poissons ronds (bar, mulet, etc.). Les poissons doivent être vidés, étêtés. Les nageoires et la queue doivent être enlevées aux gros ciseaux pour diminuer au maximum le nombre de petites arêtes.
500 g de petites seiches épluchées
2 oignons de taille moyenne
1 bouteille de vin blanc sec
1 bouquet garni (thym, laurier, branches de persil)
100 g de beurre demi-sel
2 gousses d'ail
100 g de crème
1 cuillerée à soupe de persil haché

Étuver l'oignon, le blanc de seiche et l'oignon avec le beurre pendant 20 minutes.

Mouiller avec le vin blanc, le sel, le poivre et le bouquet garni, cuire 40 minutes à feu doux.

Ajouter les poissons tronçonnés. Les cuire 4 à 7 minutes selon le type.

Sortir les poissons au fur et à mesure de leur cuisson, les répartir dans des assiettes creuses.

Ajouter la crème à la chaudrée, la verser à la louche dans les assiettes. Parsemer de persil ciselé.

NB — *La chaudrée, dont le nom vient du mot chaudron dans lequel elle était fabriquée, peut aussi comporter des pommes de terre coupées en cubes. Ainsi faite, elle ressemble tellement au chowder de Nouvelle-Angleterre qu'on se demande s'il ne s'agit pas du même plat.*

Soupe de moules à la bostonnienne

Pour 4 personnes
1,5 litre de moules de bouchot
500 g de pommes de terre à chair ferme épluchées et
coupées en cubes de 1 à 2 cm de côté.
100 g de poitrine de porc fumée
thym, poivre, sel
200 g de crème
500 ml de lait
1 cuillerée à soupe de farine
1 oignon finement émincé
500 ml de bouillon de poule

Nettoyer les moules. Les faire ouvrir à sec dans un faitout. Passer le jus de cuisson. Éliminer les moules non ouvertes. Oter les moules des coquilles et les réserver.

Couper la poitrine en tout petits lardons. Les mettre à l'eau froide. Mener à ébullition 1 ou 2 minutes, rincer sous l'eau froide.

Mettre les lardons à griller sur une poêle à cru jusqu'à ce qu'ils soient bien dorés.

Dans une cocotte, mettre les pommes de terre, le jus des moules, l'oignon, les lardons, le thym, le sel, le poivre et le bouillon. Cuire à feu doux jusqu'à ce que les pommes de terre soient cuites.

Écraser grossièrement les pommes de terre à la fourchette, on doit y sentir les petits morceaux (pas de purée).

Mélanger farine, lait et crème. Ajouter au bouillon.

Cuire encore quelques minutes, le potage doit légèrement épaissir. Ajouter les moules et les réchauffer 1 ou 2 minutes.

Servir en soupière.

NB — *Adaptation de la célèbre New England clam chowder[1], cette soupe peut se faire avec d'autres coquillages, des poissons, des crustacés, etc. Comme ladite chowder ressemble comme une petite sœur à la chaudrée des côtes charentaises, il s'agit peut-être d'un retour aux sources.*

1. Pour retrouver cette célèbre soupe, il suffit de remplacer les moules par des clams.

Rattes en blanquette de coings
sautées dans leur jus

Pour 4 personnes
500 g de rattes[1] épluchées et coupées en petits morceaux de
1 à 1,5 cm de côté
100 g de beurre
1 coing de 500 g épluché
sel

Étuver les morceaux de pommes de terre dans le beurre en les retournant pour bien les enrober pendant 10 minutes.
Passer les morceaux de coing à la centrifugeuse. On recueille environ 100 ml de jus.
Ajouter le jus de coing. Cuire à tout petit feu pendant 40 minutes.
Filtrer la cuisson et faire sauter à feu vif, à sec, les pommes de terre qui doivent être juste dorées. Mettre les pommes de terre dans un plat. Arroser de jus de cuisson.
Servir avec un peu de sel.

NB — *C'est un plat qui sent bon. Les pommes de terre ont un goût un peu acide, le coing y apporte une note astringente et « citronnée » inhabituelle.*

Carottes tandoori à la bière

Pour 4 personnes
500 g de carottes, nouvelles si possible
100 g de beurre
250 ml de bière
100 ml de bouillon de veau
1 jaune d'œuf
50 g de crème
1 cuillerée à café de tandoori (mélange d'épices d'Inde du Nord)
sel
poivre

1. Ou, à défaut, une autre pomme de terre à chair ferme.

Gratter les carottes, les couper en rondelles de 8 mm d'épaisseur, recouper en deux ou en quatre les plus grosses (dans ce cas, enlever le centre des carottes).

Faire fondre le beurre, ajouter les carottes. Étuver doucement 10 minutes en retournant les carottes pour bien les enrober.

Ajouter la bière et le bouillon et cuire 20 minutes toujours à petit feu. Vérifier la cuisson des carottes : elles doivent rester fermes, mais non dures.

Retirer les carottes et les réserver au chaud.

Réduire le liquide de cuisson qui ne doit plus représenter que l'équivalent de 4 à 5 cuillerées à soupe.

Mélanger le jaune d'œuf, la crème et le tandoori.

Ajouter peu à peu le liquide de cuisson en fouettant sans arrêt.

Rectifier l'assaisonnement, saler et poivrer.

Remettre les carottes et la sauce dans la casserole, laisser épaissir au chaud sans faire bouillir.

NB — *La sauce est de la même couleur que les carottes.*

Ragoût de chou aux pommes

Le chou vert, comme la choucroute, aime la pomme.

Pour 4 personnes
1 chou vert de Milan
100 g de beurre
2 grosses pommes
300 ml de cidre sec
sel
poivre

Blanchir le chou coupé en 4 à l'eau bouillante salée pendant 10 minutes. Le sortir, le presser pour enlever l'excès d'eau.

Le couper en fines lanières.

Mettre à fondre le beurre dans une sauteuse assez haute. Ajouter le chou. Tourner pour bien mélanger.

Éplucher les pommes, les couper en petits cubes. Les ajouter au fur et à mesure à la cocotte en tournant pour éviter qu'ils ne s'oxydent. Étuver doucement pendant 10 minutes.

Ajouter le cidre, le sel, le poivre. Couvrir la cocotte.

Cuire à four doux (thermostat 5, 150°) pendant une heure.

Courgettes craquantes à la sauge

Pour 4 personnes
500 g de jeunes courgettes bien fermes
100 g de beurre
200 ml de vin blanc sec
4 feuilles de sauge (Salvia officinalis)
100 ml de bouillon de veau
1 jaune d'œuf
50 g de crème
sel
poivre

Couper les courgettes lavées et essuyées, mais non pelées, en cubes de 1 à 1,5 cm de côté.

Faire fondre le beurre, ajouter les courgettes. Étuver doucement 5 minutes en retournant les courgettes pour bien les enrober.

Ajouter le vin, la sauge et le bouillon et cuire 10 à 15 minutes, toujours à tout petit feu. Vérifier la cuisson des courgettes, elles doivent rester fermes, ni dures ni molles.

Retirer les courgettes et les réserver au chaud.

Réduire le liquide de cuisson qui ne doit plus représenter que l'équivalent de 4 à 5 cuillerées à soupe.

Mélanger le jaune d'œuf et la crème, saler et poivrer. Ajouter peu à peu le liquide de cuisson en fouettant sans arrêt. Rectifier l'assaisonnement.

Remettre les courgettes et la sauce dans la casserole, laisser épaissir au chaud sans faire bouillir.

Blanquette d'asperges en gratin

Pour 4 personnes
1 kg d'asperges moyennes (de la taille d'un doigt)
80 g de beurre
50 ml de vin blanc doux naturel type sauternes
2 jaunes d'œufs
50 g de crème fraîche
1 râpure de noix de muscade
sel
poivre
50 g de parmesan fraîchement râpé

Nettoyer, éplucher les asperges. Éplucher les tiges. Couper la tête à 5 cm de l'extrémité.

Mettre les têtes et les tiges à étuver doucement dans le beurre.

Après 5 minutes, enlever les têtes et les couper en dés de 1 cm. Ajouter le vin blanc, cuire encore 5 minutes.

Mixer les tiges avec leur jus de cuisson, passer à l'étamine pour éliminer les restes de fibres.

Remettre la purée sur le feu pour la sécher si elle est trop liquide.

Hors du feu, ajouter les jaunes d'œufs, la crème et la muscade, saler, poivrer. Ajouter les cubes d'asperges. Mettre dans un plat à gratin, ou dans des plats individuels.

Saupoudrer du parmesan râpé. Passer au gril du four 2 ou 3 minutes, le temps de colorer la surface d'un beau blond.

Mohjettes à l'émincé de frisée et à la morcilla des Asturies

Pour 6 personnes
1 kg de mohjettes de Vendée ou du Poitou (haricots blancs)
1 chicorée frisée
2 morcillas asturianas (ou, à défaut, 300 g de poitrine fumée assez grasse)
2 branches de sarriette
6 feuilles de sauge (Salvia officinalis)
1 pincée d'asa foetida
sel
poivre

Si les mohjettes sont séchées, les faire tremper à l'eau pendant 12 heures.

Laver, éplucher la chicorée frisée. L'émincer très finement.

Couper la morcilla en tranches de 3 à 4 mm. La faire fondre doucement dans une cocotte. Après 5 minutes, ajouter l'émincé de frisée, cuire en remuant pendant 5 minutes.

Ajouter les haricots. Mouiller à hauteur avec de l'eau, ajouter la sarriette, la sauge et l'asa foetida, saler et poivrer. Cuire doucement pendant 1 à 2 heures en s'assurant que les haricots restent humides. Éventuellement, ajouter de l'eau. Le temps de cuisson varie selon la qualité de ces derniers. Ils doivent être tendres mais non éclatés.

NB — *Cette sorte de cassoulet hybride de Vendée et des Asturies est rustique et goûteux. La morcilla est très grasse, elle disparaît quasi complètement à la cuisson. La chicorée apporte une nuance d'amertume. Le jus, bien lié, est très agréable. On peut utiliser d'autres haricots blancs (cocos, soissons, etc.). Ce plat accompagne très bien l'agneau rôti, ou pourquoi pas, un poisson.*

Poireaux au cidre

Pour 6 personnes
3 kg de poireaux
20 g de farine
200 g de beurre salé
poivre
1 bouteille de cidre sec

Nettoyer et laver les poireaux. Garder 3 cm de vert, et les laisser entiers.

Cuire la farine dans le beurre pendant 3 ou 4 minutes, sans faire roussir, dans une grande cocotte.

Ajouter le poivre, les poireaux, mouiller avec le cidre.

Cuire au four à 150° (thermostat 5) à couvert pendant 2 heures.

Potage fin de printemps à la sauge officinale

Pour 6 personnes
1,5 kg de petits pois en cosses
2 kg de fèves fraîches en cosses
100 g de beurre
8 petits oignons nouveaux
1 pincée d'asa foetida
3 feuilles de sauge (Salvia officinalis) fraîche, plus une par assiette
sel
poivre

Nettoyer et laver les cosses des petits pois. En réserver le quart.

Écosser fèves et petits pois. Réserver le quart des fèves.

Enlever la peau qui entoure les fèves réservées.

Dans une marmite, mettre 30 g de beurre, ajouter les oignons (blanc et vert) émincés, les petits pois et fèves non réservées, la sauge ciselée.

Étuver 15 minutes sans colorer à couvert.

Ajouter les cosses et l'asa foetida, mouiller à hauteur, cuire 1 heure à petite ébullition. Saler et poivrer en fin de cuisson.

Dans une casserole, cuire les fèves et les petits pois réservés 15 minutes à feu doux avec 20 g de beurre.

Mixer la soupe aux cosses. Passer au tamis.

Mettre la soupe sur le feu, ajouter la crème et le beurre. Battre au fouet jusqu'à ce que les graisses soient bien mélangées. Rectifier l'assaisonnement. Ajouter les fèves et les petits pois réservés. Servir en soupière l'assiette de chaque convive étant décorée d'une feuille de sauge.

Soupe à l'oignon, à la tomate et au cerfeuil

Pour 6 personnes
500 g d'oignons épluchés et coupés en fines rondelles
30 g de beurre
6 belles tomates épluchées et épépinées, grossièrement coupées (récupérer l'eau de végétation)
1,5 litre de bon bouillon de veau ou de volaille bien relevé
concentré de tomates (facultatif)
sel
poivre
1 cuillerée à soupe de pluches de cerfeuil

Faire revenir à petit feu les oignons dans le beurre. Bien les cuire (20 à 30 minutes). Réserver les oignons.

Ajouter les tomates et le bouillon, éventuellement un peu de concentré de tomates si les tomates sont un peu pâlotes.

Cuire à petit feu pendant 30 minutes. Mixer.

Remettre les oignons, cuire encore 10 minutes. Saler, poivrer.

Servir avec les pluches de cerfeuil.

NB — *C'est une simple et classique soupe à l'oignon familiale avec en plus de la tomate. On peut mixer les oignons, ajouter des herbes, du piment, épaissir avec du beurre manié, du jaune d'œuf ou de la crème. On peut aussi la faire gratiner comme une soupe à l'oignon, ce qu'elle est.*

Soupe de blé et de légumes

Pour 4 personnes
100 g de beurre
400 g de semoule de blé dur
1 carotte
1 branche de céleri
200 g de céleri-boule
3 échalotes
1 poireau
200 g de lard maigre de poitrine découennée
150 ml de vin blanc
2 l de bouillon de poule ou de bœuf
1 bouquet garni (thym, laurier)
sel
poivre

Fondre le beurre dans une grande casserole.
Étuver la semoule pendant 5 à 6 minutes, pour qu'elle s'imprègne bien.
Couper tous les légumes en petits dés de 4 à 5 mm de côté.
Couper la poitrine en tout petits lardons.
Ajouter les lardons et les légumes. Étuver encore 5 à 10 minutes en remuant bien.
Ajouter le vin blanc, le bouillon, le bouquet garni, le sel et le poivre.
Cuire à couvert à petit feu pendant une heure et quart.
Enlever le bouquet garni, rectifier l'assaisonnement. Servir en soupière.

NB — *On peut ajouter de la crème, des fines herbes, des épices au dernier moment ou épaissir avec du jaune d'œuf battu. On peut aussi mixer l'ensemble. A défaut de bouillon, on peut se contenter d'eau.*

Soupe au lard et au millet

Pour 4 personnes
500 g de poitrine non fumée découennée et coupée en lardons de 1 cm de section
3 cuillerées à soupe de saindoux
2 oignons épluchés et finement émincés
500 g de millet
1 bouquet garni (thym, persil, laurier)
sel
poivre

Mettre les lardons dans l'eau froide. Les mener à ébullition. Les enlever et les rincer.
Fondre le saindoux dans un faitout. Ajouter les oignons. Cuire doucement pendant 5 minutes. Ajouter le lard et le millet. Cuire encore 5 minutes en remuant de temps en temps.
Mouiller avec 2 litres d'eau chaude, ajouter bouquet garni, sel et poivre. Cuire 20 minutes à petit feu.
Retirer le bouquet garni. Servir en soupière.

NB — *On peut ajouter du beurre, des herbes aromatiques ou du parmesan râpé dans la soupière.*

Échalotes au vin rouge

10 échalotes grises
50 g de beurre demi-sel
30 cl de vin rouge
50 g de beurre doux.

Éplucher les échalotes, les hacher finement.
Les faire étuver à tout petit feu 10 minutes avec le beurre demi-sel à couvert en remuant de temps en temps.
Ajouter le vin. Découvrir. Cuire encore 15 à 20 minutes (il ne doit rester au maximum que la moitié du volume). Rectifier l'assaisonnement. Ajouter le beurre doux en fouettant.

NB — *Cette sauce accompagne traditionnellement les viandes rouges grillées ou poêlées, l'entrecôte en particulier.*

On peut utiliser du vin blanc, la sauce pourra alors être servie avec d'autres plats.

La qualité finale dépend de celle des ingrédients.

Pêches épicées au sauternes et à la menthe poivrée

Pour 6 personnes
6 belles pêches fermes
100 g de beurre
1 cuillerée à café de gingembre moulu
250 ml de sauternes (ou d'un autre vin blanc doux naturel)
poivre blanc
1 jaune d'œuf
50 g de crème
30 g de sucre
20 feuilles de menthe poivrée

Éplucher les pêches, au besoin les tremper une minute dans une casserole d'eau chaude pour enlever leur peau.

Faire fondre le beurre, ajouter les pêches coupées en 6 morceaux. Étuver doucement 5 minutes en retournant les pêches pour bien les enrober.

Ajouter le gingembre, le sauternes, bien poivrer. Cuire 10 à 15 minutes, toujours à petit feu. Vérifier la cuisson des pêches, elles doivent être tendres, mais ne pas se déliter au contact (la cuisson doit donc être bien surveillée).

Retirer les pêches et les réserver au chaud.

Réduire le liquide de cuisson qui ne doit plus représenter que 4 à 5 cuillerées à soupe.

Mélanger le jaune d'œuf, la crème et le sucre.

Ajouter peu à peu le liquide de cuisson en fouettant sans arrêt.

Recouvrir les pêches avec la sauce. Parsemer la menthe poivrée finement hachée.

Pommes vertes en blanquette à l'orange

Pour 4 personnes
80 g de beurre
500 g de chair de pommes vertes
2 belles oranges
60 g de sucre
1 jaune d'œuf
100 g de crème

598

Faire fondre le beurre. Ajouter les pommes coupées en morceaux de taille moyenne (3 cm de côté).

Étuver les pommes à tout petit feu, en les retournant régulièrement pour les enrober de beurre, pendant 10 minutes.

Ajouter le jus des 2 oranges et la moitié du sucre. Cuire 20 minutes en arrosant régulièrement avec le jus de cuisson. Le feu doit être très doux. (On peut aussi mettre le plat au four à 110°, thermostat 3-4).

Mélanger le jaune d'œuf, la crème et le reste du sucre et les ajouter au plat. Faire épaissir à tout petit feu sans faire bouillir pendant 5 minutes.

NB — *Ce dessert se mange chaud, tiède ou froid. Cette recette permet d'utiliser les pommes vertes tombées des arbres avant maturité.*

LES SAUTÉS À FEU DOUX
ÉTUVÉS AU BEURRE, CUISSON DOUCE À LA MEUNIÈRE

La partie initiale de la préparation des blanquettes consiste à cuire tout doucement, à étuver l'aliment coupé en morceaux avec du beurre. La seconde partie, dans laquelle intervient un élément de liaison, bouillon ou liquide alcoolisé, est justifiée par la nécessité d'un temps de cuisson assez long, dans le cas de la blanquette de veau par exemple, ou par le désir d'aromatiser le plat.

Dans certains cas, cette étape de mijotage n'est pas nécessaire. On se contente alors de la première partie du processus, les éléments aromatiques étant d'emblée joints au beurre. Ce mode de cuisson n'utilise pas la chaleur forte : on ne saisit pas l'aliment, on le flatte, on l'enveloppe d'une douce chaleur qui va le cuire tout doucement, cependant que le beurre le pénètre et amplifie ses arômes naturels. On peut utiliser un autre corps gras, huile d'olive par exemple, mais ce mode convient particulièrement bien au beurre.

C'est ainsi qu'on doit cuire les *œufs au plat*, si faciles à rater autrement. Et toute une série de viandes blanches, de fruits et de légumes, et surtout de poissons. C'est le principe de la cuisson meunière (on peut mélanger beurre et huile), qui est souvent décrite à tort comme une friture. C'est aussi le principe de la *moqueca de peixe* et du *vatapa*, les plats traditionnels de poissons du nord-est du Brésil.

Lotte au curry

Pour 4 personnes
2 belles tomates
1 kg de lotte épluchée et coupée en cubes de 3 cm de côté
2 branches d'estragon
2 cuillerées à soupe d'huile d'olive
4 échalotes grises
20 g de beurre
2 caïeux d'ail
1 cuillerée à café rase de curry en poudre
1 petit piment sec épépiné et écrasé
sel
poivre
20 brins de ciboulette finement hachées

Éplucher les tomates (éventuellement en les plongeant 30 secondes dans l'eau bouillante). Les épépiner en récupérant l'eau de végétation. Hacher la chair.

Mettre le poisson à mariner avec les feuilles d'estragon et l'huile d'olive pendant 1 heure au frais.

Faire revenir les échalotes finement émincées doucement au beurre, sans colorer. Ajouter les tomates et l'ail finement émincé, la lotte, le curry, le piment, saler, poivrer. Laisser doucement compoter à petit feu pendant 30 minutes. Le poisson va rendre du liquide.

Lorsque le poisson est presque prêt, le réserver au chaud. Ajouter le jus de cuisson au ragoût de tomates.

Bien mélanger et faire réduire quelques instants en montant le feu. Rectifier l'assaisonnement.

Servir le poisson recouvert de la sauce orangée et piquante. Parsemer de ciboulette finement coupée.

Filet de merlan meunière

Pour 4 personnes
4 filets de merlan de 100 grammes
50 ml de lait
50 g de farine
50 g de beurre
sel
poivre
persil ciselé

Passer les filets dans le lait puis dans la farine. Les tapoter pour enlever l'excès de farine.

Faire chauffer doucement le beurre qui ne doit pas noircir et y déposer les filets de merlan en les cuisant 3 minutes de chaque côté (attention à ne pas les briser en les retournant). Saler, poivrer.

Servir avec du persil ciselé.

Sole meunière

Pour 4 personnes
4 soles de 250 g épluchées
50 g de farine
50 ml de lait
50 g de beurre
persil frisé

Même recette que pour le merlan.

Filet d'empereur à l'huile de poivron

Pour 4 personnes
6 poivrons rouges
4 gousses d'ail épluchées, dégermées et finement râpées
300 ml d'huile d'olive
4 filets d'empereur de 200 g
1 piment vert fort
sel
poivre

Cuire les poivrons 20 minutes au four à micro-ondes. Les éplucher, enlever la queue et les pépins. Les couper en lanières de 1 cm de large.

Mettre les poivrons et l'ail dans un saladier, recouvrir d'huile d'olive. Mettre au réfrigérateur pendant 3 jours.

Parer les filets d'empereur, les mettre dans un plat creux avec l'huile passée des poivrons. Les laisser mariner 3 heures.

Mettre les poivrons à compoter doucement avec l'ail et le piment épépiné et coupé en fines rondelles pendant 20 à 30 minutes. Saler, poivrer.

Ajouter les filets de poisson. Cuire à couvert pendant 3 à 6 minutes selon l'épaisseur. Servir à l'assiette.

NB — *L'huile d'olive de poivron pourra être utilisée pour aromatiser une salade, une méchouia par exemple.*

Filet de barbeau aux noix fraîches

Pour 4 personnes
2 filets de barbeau de 400 g chacun (cela représente un gros poisson de 1,5 kg)
30 cerneaux de noix fraîches
100 g de crème
sel
poivre

Nettoyer les filets, enlever le maximum d'arêtes. Les essuyer.
Éplucher les cerneaux de noix. En réserver 8 et les hacher grossièrement.
Mixer les autres noix épluchées avec la crème, ajouter le sel et le poivre.
Mettre le mélange de noix et de crème dans une poêle, ajouter les filets, les cuire à petit feu 4 à 5 minutes sur chaque face.
Couper en deux les filets, les placer dans chaque assiette. Garder au chaud.
Faire bouillonner la sauce quelques instants, rectifier l'assaisonnement. Verser la sauce sur le poisson et parsemer les noix hachées. Servir.

NB — *Recette applicable à tout autre poisson en filets.*

Vatapa

Pour 4 personnes
1 kg de cabillaud ou de lieu jaune coupé en tranches de 1 cm
d'épaisseur
3 oignons épluchés et coupés en lamelles
3 belles tomates épluchées et coupées en rondelles
sel
poivre
6 branches de coriandre fraîche hachées
2 citrons verts
8 cuillerées à soupe d'huile de palme (à défaut utiliser de
l'huile d'olive)
80 g de noix de cajou grillées
50 g de cacahuètes grillées
30 g de gingembre frais épluché
50 g de crevettes séchées
300 ml de lait de coco

Disposer la moitié du poisson dans le fond d'une casserole,
recouvrir de la moitié des oignons et des tomates. Saler, poivrer.
Ajouter la coriandre hachée. Placer la seconde moitié du poisson
puis le reste des oignons et des tomates. Saler et poivrer de nouveau, ajouter le jus de citron et l'huile. Couvrir.
Mettre à feu très doux jusqu'à ce que le poisson soit cuit.
Retirer le poisson, l'éplucher, enlever les arêtes. Réserver la
chair au tiède.
Mettre le jus de cuisson, les noix de cajou, les cacahuètes, le gingembre coupé en petits morceaux et les crevettes séchées dans le
mixer. Obtenir une purée épaisse. Délayer avec le lait de coco.
Faire réduire à petit feu pendant 10 minutes (si le vatapa est
trop liquide on peut ajouter un peu de farine ou de la mie de
pain).
Mettre le poisson sur le plat recouvert de la sauce.

NB — *L'huile de palme est assez difficile à se procurer. Sa composition chimique rend son utilisation régulière hasardeuse sur le plan de
la santé. Le cabillaud, poisson d'eau froide, n'est pas celui de la
recette originelle. On peut le remplacer par une autre sorte.*

Queues d'écrevisse à la Nantua

Pour 4 personnes
50 écrevisses à pattes rouges
100 g de beurre d'écrevisse
200 ml de sauce béchamel
100 g de crème
sel
poivre
une pointe de cayenne

Ébouillanter les écrevisses 1 minute à l'eau salée. Les retirer. Châtrer les écrevisses mortes en tordant la nageoire centrale. Décortiquer les queues.

Sauter très rapidement avec 50 g de beurre d'écrevisse (30 à 60 secondes sur chaque face en fonction de la taille des queues) à feu doux.

Ajouter la sauce Béchamel, la crème, le sel, le poivre et le cayenne.

Laisser épaissir 3 à 4 minutes à feu doux.

NB — *On utilise aussi ces queues d'écrevisse pour le gratin d'écrevisse à la Nantua, les pommes de terre Georgette.*
Garder les têtes pour faire un beurre d'écrevisse.

Beurre d'écrevisse

Pour un bol
50 coffres et pinces d'écrevisse à pattes rouges
même poids de beurre
1/2 carotte, 1/2 petit poireau, un petit brin de céleri coupé en fine mirepoix (cubes de 3 mm de côté)
sel
poivre

Hacher grossièrement les écrevisses. Les mettre à cuire à petit feu avec le beurre, les légumes, le sel, et le poivre.

Cuire une dizaine de minutes.

Mixer finement l'ensemble.

Passer au tamis dans une casserole d'eau froide. Le beurre en figeant remonte à la surface. Le récupérer et le garder au frais.

604

Poireaux à la lorraine

Pour 4 personnes
300 g de poitrine de porc fumée
1 kg de poireaux
poivre

Couper la poitrine en lardons. Les faire fondre à feu doux.
Laver, nettoyer les poireaux, les couper en rondelles de 2 cm.
Ajouter les poireaux dans la cocotte, remuer pour les enrober de la graisse de la poitrine. Poivrer.
Cuire à feu doux pendant 1 heure.

Brocolis braisés au gratin

Pour 4 personnes
2 gousses d'ail épluchées, dégermées et coupées en petits cubes
50 g de beurre
1 kg de brocolis
250 ml de vin blanc sec
sel
poivre
100 g de crème
1 cuillerée à soupe de chapelure de pain

Faire cuire l'ail dans 20 g de beurre et 50 g d'eau à grand feu jusqu'à ce qu'il ne reste plus d'eau.
Couper les brocolis en petits cubes de 1 cm de côté et en tout petits bouquets.
Dans une cocotte, mettre le beurre, l'ail et son beurre de cuisson, le vin blanc, les brocolis, saler, poivrer. Cuire 25 à 30 minutes à feu doux. Les brocolis doivent être bien cuits mais pas délités.
Ajouter la crème, rectifier l'assaisonnement.
Mettre dans un plat à gratin, recouvrir de chapelure. Faire gratiner.

NB — *A l'antithèse de la conception italienne des brocolis, c'est un bon accompagnement pour une volaille rôtie.*

Petits oignons braisés au sherry

Pour 4 personnes
60 petits oignons blancs
150 g de beurre
poivre blanc
150 ml de sherry sec

Étuver les oignons avec le beurre à tout petit feu pendant 20 minutes en secouant la casserole de temps en temps pour bien les enrober.

Poivrer, ajouter le sherry, continuer la cuisson pendant 40 à 60 minutes selon le type d'oignons (ils ne cuisent pas tous de la même façon).

Le jus réduit doit être lié et assez court, un peu sirupeux. Il est inutile de saler.

LES RAGOÛTS ET DAUBES

Les ragoûts et daubes ressemblent aux recettes des braisés, appliquées à des viandes coupées en morceaux. Ce sont des préparations qui se conduisent en plusieurs étapes :

1. On fait sauter ou rissoler les viandes à sec ou avec un corps gras.

2. On fait sauter de même les légumes de la garniture aromatique.

3. On fait cuire à feu très doux les viandes, aromates et épices avec un liquide de mouillement dans une cocotte couverte[1].

Peuvent ainsi se cuisiner toutes sortes de viandes rouges et blanches. Les liquides de mouillement peuvent être de l'eau, du bouillon, du cidre, de la bière, du vin blanc ou rouge, etc. Souvent on fait mariner les viandes avec divers liquides ou corps gras. Dans ce cas, il faut bien sécher la viande avant de la faire sauter. Généralement le liquide de la marinade est utilisé ensuite pour la cuisson.

Comme dans le cas des pièces braisées, ont peut utiliser une cocotte avec un couvercle concave qui permet d'y mettre de l'eau

---

1. Pour les temps de cuisson, on pourra se référer au paragraphe « Temps de mijotage », dans le chapitre précédent.

606

ce qui, grâce au refroidissement créé par l'évaporation de cette dernière, crée une condensation à l'intérieur, et les gouttes d'eau humidifient le plat en cours de cuisson.

La cuisson se fait au four ou sur un coin de la cuisinière. Si on ne peut pas réduire suffisamment la flamme des brûleurs, on place entre la flamme et la cocotte un diffuseur qui diminue le débit de chaleur transféré dans les aliments.

Les ragoûts et daubes sont extrêmement nombreux dans les cuisines européennes ou orientales. Ils ont de très nombreux noms, variant en fonction de leur lieu d'origine, de l'aliment et du liquide utilisés. Il convient également, à la lecture du titre donné aux recettes, de s'interroger sur la nature des procédés et des concepts. Dans la catégorie des ragoûts et des daubes se trouvent un grand nombre de sautés — mais pas tous — et aussi les carbonades, les gibelottes, les civets, le navarin, la matelote d'anguilles et nombre de préparation dont les noms peuvent être trompeurs ou ne comporter aucune indication. En font partie le gras-double à la lyonnaise mais pas les tripes à la mode de Caen, les côtes d'agneau ou de mouton à la Champvallon, mais pas l'irish stew, etc.

Carbonade à la flamande

Pour 4 personnes
300 g d'oignons épluchés et coupés en tranches
30 g de saindoux
1 kg de bœuf coupé en tranches épaisses (basses côtes)
500 ml de bière
10 g de sucre
1 bouquet garni (thym, laurier, queues de persil)
sel
poivre
1 tranche de pain de campagne tartinée à la moutarde

Faire fondre doucement les oignons en cocotte dans le saindoux. Ils doivent être transparents, à peine dorés. Les retirer.
Faire rissoler la viande sur chaque face. Jeter le gras.
Mouiller avec la bière. Racler le fond pour récupérer les sucs.
Remettre les oignons, ajouter le sucre et le bouquet garni.
Saler, poivrer. Ajouter le pain et couvrir la cocotte.
Cuire au four à 130° (thermostat 4-5) pendant 2 heures.

Retirer la viande, la réserver au chaud. Réduire le liquide de cuisson. Rectifier l'assaisonnement.

Servir la viande recouverte de sauce.

NB — *Un grand classique de la cuisine flamande. Certains y ajoutent du vinaigre, voire du vin muté, porto ou banyuls, en fin de cuisson.*

Daube de bœuf à l'ancienne

Pour 10 personnes

3 kg d'aiguillette de bœuf coupé en cubes de 4 cm de côté
1 l de vin rouge corsé
2 cuillerées à soupe d'huile d'arachide ou de tournesol
1 tête d'ail coupée en deux transversalement à l'axe des caïeux
6 échalotes épluchées et coupées en fines lamelles
3 pieds de veau coupés en 4
1 bouquet garni (laurier, thym, queues de persil)
poivre en grains
100 g de graisse d'oie ou de canard
2 gros oignons épluchés et coupés en rondelles
2 grosses carottes grattées et coupées en rouelles de 3 mm d'épaisseur
50 g de lard maigre sans couenne coupé en petits morceaux
12 pommes de terre fermes cuites à l'eau (au dernier moment)

Dans une terrine de grande taille, mettre la viande, le vin, l'huile, l'ail, les échalotes, les pieds de veau, le bouquet garni et le poivre. Bien mélanger. Mettre au frais 4 heures en remuant régulièrement.

Égoutter la viande et l'essuyer. La faire revenir en la rissolant bien avec la graisse d'oie dans une cocotte. Retirer la viande.

Ajouter les échalotes, l'oignon et les carottes. Bien rissoler.

Jeter la graisse. Ajouter le vin de marinade, bien gratter avec une cuillère en bois pour récupérer les sucs.

Ajouter le reste de la marinade, les lardons et la viande.

Fermer hermétiquement la cocotte et cuire au four doux à 120° (thermostat 4) pendant 2 heures.

Sortir la cocotte du four et la laisser refroidir pendant 12 heures.

La cuire à nouveau au four à 120° (thermostat 4) pendant 1 heure.

Sortir du four et laisser à nouveau refroidir pendant 12 heures. La cuire pour la troisième fois, au four à 120° (thermostat 4) pendant 1 heure. Laisser refroidir.

Désosser les pieds de veau et les couper en petits morceaux. Égoutter la viande (éventuellement légèrement réchauffée) et faire réduire le jus de cuisson.

Rectifier l'assaisonnement.

Servir la viande entourée des légumes (dont les pommes de terre) et des morceaux de pied de veau (l'ail est comme une pâte qui se diluera dans le liquide de cuisson et lui apportera de la consistance).

NB — *Si on souhaite manger la* daube en gelée, *on la verse dans une terrine après cuisson et on la laisse refroidir pour la découper et la manger avec des cornichons, des câpres, de la salicorne au vinaigre, etc.*

Joue de bœuf à la fleur de basilic

Pour 8 personnes
100 g de petits lardons
2 kg de joue de bœuf parée, dénervée et dégraissée, coupée en cubes de 3 cm de côté.
graisse d'oie ou de canard
500 g d'oignons épluchés et coupés en rondelles
6 gousses d'ail
bouquet garni (thym, persil)
300 ml de vin blanc
300 ml de bouillon
fleurs de basilic
sel
poivre
500 g de petits champignons cuits doucement au beurre

Mettre les lardons dans l'eau froide. Mener à ébullition. Égoutter les lardons.

Rissoler la joue de bœuf dans la graisse d'oie bien chaude. La réserver. Rissoler les oignons sans les colorer. Jeter la graisse. Dans une cocotte mettre la viande, les lardons, les oignons, l'ail, le thym et le persil, le vin blanc et le bouillon. Fermer la cocotte. Cuire à four doux 120° (thermostat 4) pendant 2 heures en arrosant régulièrement ; pour que la viande ne sèche pas, on peut retourner les morceaux de temps en temps. Sortir la viande. La réserver au chaud. Passer le jus de cuisson et le réduire. Ajouter la fleur de basilic. Laisser infuser 5 minutes. Saler et poivrer. Servir la viande avec les champignons, recouverte de sauce.

Jarret de veau à la peau d'orange et au poivre du Setchouan

Pour 4 personnes
1 kilo de jarret de veau coupé en tranches de 3 cm d'épaisseur
2 cuillerées à soupe d'huile d'olive
4 oranges
2 cuillerées à café rases d'un mélange d'épices fait à parts égales de gingembre sec, d'écorce d'orange séchée, de poivre du Setchouan et de macis
50 g de beurre
sel

Faire revenir dans une cocotte les tranches de jarret de veau dans l'huile d'olive. La viande doit être bien dorée. Jeter l'huile. Ajouter le jus de 2 oranges et les épices. Couvrir la cocotte. Faire cuire 2 heures au four à thermostat 4-5 (130°). Réserver la viande.
Presser les 2 autres oranges. Faire réduire le jus de moitié. Ajouter le jus de cuisson et, peu à peu, le beurre en faisant mousser l'ensemble avec un petit fouet. Rectifier le goût en salant.
Servir le jarret dans un plat, recouvert de la moitié de la sauce, le reste en saucière.

Jarret de veau de printemps à la sarriette

Pour 4 personnes
1,5 kg de jarret de veau coupé en tranches de 5 cm
30 g de beurre clarifié
500 ml de vin blanc sec
sel
poivre
1 kg de fèves fraîches (poids non épluché)
1 botte de jeunes carottes nouvelles
18 petits oignons
4 branchettes de sarriette
120 g de beurre

Faire revenir le jarret avec 30 g de beurre clarifié sur toutes ses faces pendant 10 bonnes minutes à feu vif. Jeter la graisse.

Ajouter le vin blanc en raclant bien le fond pour récupérer les sucs, puis le sel et le poivre. Cuire à petit feu pendant 1 heure et demie. Retourner la viande à mi-cuisson.

Étuver chacun des légumes séparément avec une branchette de sarriette et 40 g de beurre pour chacun.

Retirer la viande, la réserver au chaud. Ajouter au jus de cuisson les jus des 3 légumes. Monter le feu et faire réduire.

Ajouter les feuilles de la quatrième branche de sarriette. Rectifier l'assaisonnement.

Mettre la viande dans un plat, entourée des 3 tas de légumes (vert, blanc, rouge, comme le drapeau italien). Recouvrir de sauce.

Osso bucco aux fruits et au gingembre

Pour 4 personnes

4 belles rouelles de jarret de veau de 4 cm d'épaisseur
1 cuillerée à soupe d'huile d'olive
1 pomme épluchée et coupée en fines rondelles
1 petit ananas épluché et coupé en petits dés
1 banane épluchée et coupée en rondelles
100 g de raisins secs
20 g de gingembre épluché et râpé
sel
poivre
poivre de Cayenne
1 citron
2 oranges
150 ml de vin blanc

Faire dorer la viande avec l'huile d'olive dans une cocotte.
Ajouter les fruits, le gingembre, une pointe de cayenne, le sel et
le poivre. Mouiller avec le jus du citron et des oranges puis avec
le vin blanc.
Couvrir et cuire à feu doux pendant 1 heure et demie.
Retirer la viande, la réserver au chaud.
Réduire fortement la sauce. Rectifier l'assaisonnement. La ver-
ser sur le veau. Servir aussitôt.

Jarret de veau au vouvray et poivre long,
tomates séchées et funghi porcini

Pour 4 personnes

1,5 kg de jarret de veau coupé en tranches transversales de
1,5 cm d'épaisseur avec os à moelle
2 cuillerées à soupe de graisse de canard
3 caïeux d'ail
4 échalotes
3 tomates séchées
sel de Guérande
poivre long
40 g de funghi porcini secs
500 ml de vin de vouvray sec
100 g de beurre

Dans une cocotte allant au four, faire revenir à feu vif les tranches de jarret de veau dans la graisse de canard.

Éplucher l'ail et l'échalote et les couper en tout petits morceaux.

Réserver le jarret de veau lorsque la viande est dorée.

Faire revenir rapidement les échalotes.

Couper les tomates en lanières.

Remettre le jarret dans la sauteuse. Salez, poivrer généreusement (le poivre long est moins piquant que le poivre ordinaire), ajouter l'ail, les tomates séchées, les funghi porcini, le vin blanc.

Couvrir la cocotte et la mettre à cuire 1 bonne heure à feu doux. Mettre la viande et les légumes dans le plat de service. Réserver au chaud.

Faire réduire la cuisson d'un tiers. Ajouter le beurre peu à peu en battant au fouet. Mettre la sauce sur la viande et servir.

Épaule de veau au citron

Pour 6 personnes
1,5 kg d'épaule de veau
30 g de beurre
50 g d'huile
3 gousses d'ail épluchées
3 citrons
150 ml de Noilly Prat
3 feuilles de romarin
3 feuilles de sauge officinale (Salvia officinalis)
sel
poivre
fines herbes : mélange de persil, cerfeuil et estragon hachés

Couper la viande en cubes de 4 cm de côté.

Faire fondre le beurre dans l'huile. Y faire revenir à feu vif les cubes de viande. Ajouter l'ail, le jus de 2 citrons, le Noilly, 150 millilitres d'eau, le romarin et la sauge, le sel et le poivre. Couvrir et laisser mijoter à petit feu pendant 1 heure.

Lorsque la viande est cuite, ajouter les fines herbes et le troisième citron coupé en fines lamelles, monter la température à feu maximum : cuire une minute et servir.

NB — *Un plat d'inspiration arabe*[1], *subtil et doux à la fois, à servir avec une purée de choux-fleurs et des pommes de terre sautées.*

1. Les musulmans n'utilisent évidemment pas de Noilly Prat.

Agneau à l'étouffée aux abricots secs

Pour 4 personnes
16 abricots secs
1 kg d'épaule d'agneau coupé en cubes de 4 cm de côté
4 cuillerées à soupe d'huile
2 tomates épluchées, épépinées et concassées
sel
poivre
250 ml de vin blanc
2 oignons épluchés émincés et hachés fins
2 cuillerées à soupe de vinaigre de vin rouge
2 râpées de muscade
1/4 de cuillerée à café de cannelle

Mettre les abricots à tremper dans l'eau pendant 12 heures.
Faire revenir les morceaux d'agneau avec la moitié de l'huile. Jeter cette dernière.

Dans une cocotte, mettre la viande, les tomates, le reste de l'huile, le sel, le poivre, le vin blanc et les oignons. Couvrir à niveau d'eau. Couvrir et cuire à petit feu pendant 1 heure.

Ajouter les abricots, le vinaigre, la muscade et la cannelle. Cuire encore 20 minutes.

Goûter, rectifier l'assaisonnement, servir dans le plat de cuisson.

NB — *L'alliance du sucré et de l'acide doit être équilibrée. Si besoin est ajouter du miel, du sucre ou un peu de vinaigre.*

Collier d'agneau aux blettes et aux pois chiches

Pour 4 personnes
250 g de pois chiches
80 ml d'huile d'olive
2 beaux oignons épluchés et coupés en fines lamelles
1 kg de collier d'agneau coupé en tranches de 1 cm d'épaisseur, bien dégraissé
1 kg de blettes
4 belles tomates bien mûres épluchées et épépinées
6 gousses d'ail épluchées et dégermées, finement râpées
poivre
sel
poivre de Cayenne
2 citrons

Faire tremper les pois chiches pendant 12 heures. Chauffer l'huile dans une cocotte, y faire fondre sans colorer les oignons, les réserver. Ajouter la viande, la faire bien colorer sur chaque face.

Laver les blettes, couper les côtes en petits dés de 1 cm de côté, émincer finement le vert des feuilles.

Dans la cocotte, remettre les oignons, ajouter les blettes, les tomates coupées en petits morceaux, les pois chiches, l'ail, le sel et les deux poivres. Couvrir. Cuire à petit feu pendant 1 heure et demie. Vérifier la cuisson, si besoin, ajouter du bouillon.

Vérifier l'assaisonnement.

Servir dans un plat creux. Arroser du jus de citron.

NB — *Il faut que la sauce soit bien relevée.*

Navarin au thym odoriférant

Pour 6 personnes
2 kg de viande d'agneau ou de mouton (épaule, collier, haut de côtes, etc.) bien dégraissée
2 cuillerées à soupe d'huile d'arachide ou de tournesol
40 g de beurre
2 gros oignons blancs
200 ml de bouillon
3 caïeux d'ail épluchés et dégermés
1 kg de pommes de terre à chair ferme (rattes, roseval, etc.)
3 brins de thym odoriférant (Thymus fragrantissimus) ou, à défaut, de thym ordinaire
sel
poivre

Couper la viande en gros dés. La faire revenir en cocotte avec l'huile. Bien dorer les morceaux. Les retirer, jeter la graisse.
Mettre le beurre avec les oignons émincés. Les faire cuire à feu doux pendant 10 minutes. Ajouter le bouillon. Bien racler le fond de la cocotte pour recueillir les sucs. Remettre la viande et ajouter l'ail et le thym.
Couvrir la cocotte et la mettre au four à 120° (thermostat 4) pendant 1 heure et demie. Ajouter les pommes de terre épluchées et laisser encore 30 minutes.
Retirer le thym. Dégraisser la sauce, saler et poivrer.

Navarin d'agneau de printemps
(autre recette)

Pour 4 personnes
1 kg d'épaule d'agneau désossée et dégraissée, coupée en morceaux de 4 cm de côté
50 g de beurre clarifié
4 tomates
8 caïeux d'ail non épluchés
4 tout petits oignons blancs dont un piqué d'un clou de girofle
2 petites carottes
sel
poivre
bouquet garni (thym, 8 queues de persil, laurier)
1 jaune d'œuf
1 pointe de poivre de Cayenne
les feuilles de 8 branches de persil

Faire rissoler l'agneau dans le beurre clarifié. Il doit être bien doré. Éliminer la graisse.

Déglacer la casserole en raclant bien pour récupérer les sucs avec un peu d'eau. Ajouter les tomates épluchées et épépinées, l'ail, les oignons et les carottes, le sel, le poivre et le bouquet garni.

Cuire à petit feu 1 heure et demie à couvert. Retirer la viande, la garder au chaud, dégraisser le jus de cuisson. Retirer les légumes. Réduire fortement le jus.

Écraser la chair de l'ail avec un jaune d'œuf et le poivre de cayenne. Mouiller du jus réduit en battant. Servir la viande sur un plat, recouverte de sauce, parsemer du persil haché.

NB — *Ce plat traditionnel de printemps se sert avec de jeunes légumes cuits au beurre ou à la vapeur. On peut mixer la sauce avec les légumes de cuisson.*

Côtes d'agneau à la Champvallon

Pour 4 personnes
8 belles côtes d'agneau bien épaisses
30 g de beurre clarifié
500 g d'oignons épluchés et émincés
50 g de beurre frais
300 ml de vin blanc
500 ml de bouillon, ou à défaut, d'eau
sel
poivre
8 belles pommes de terre à chair ferme
8 brins de persil plat

Faire sauter les côtes d'agneau avec le beurre clarifié. Retirer du feu, bien dégraisser.

Faire fondre doucement les oignons avec le beurre pendant 30 minutes, ils doivent être blonds et non brûlés.

Dans une cocotte large, placer côte à côte les côtes d'agneau. Au besoin enlever une partie des os. Recouvrir des oignons, mouiller avec le vin et le bouillon, saler et poivrer. Fermer la cocotte. Mettre au four à 130° (thermostat 4-5) pendant 1 heure.

Peler les pommes de terre, les couper en tranches épaisses, en recouvrir les côtes d'agneau. Le liquide doit les affleurer. Refermer la cocotte. Cuire 30 minutes.

Enlever le couvercle, cuire encore 20 minutes, le liquide doit être presque asséché.

Servir en cocotte parsemé de persil plat finement ciselé.

NB — *Ce plat se fait traditionnellement avec du mouton. Il est plus goûteux et subtil que l'internationalement célèbre irish stew, sorte de pot-au-feu de mouton, d'oignons et de pommes de terre, qui relève d'un principe de cuisson différent.*

Gras-double à la lyonnaise

Pour 4 personnes
1 kg de gras-double cuit au blanc
50 g de saindoux
3 oignons épluchés et émincés finement
300 ml de vin blanc sec
6 gousses d'ail épluchées, dégermées et coupées en petits morceaux
sel
poivre

Couper le gras-double en petits morceaux. Le faire sauter à feu vif dans une cocotte dans le saindoux. Il doit être bien doré. Retirer la viande. Mettre les oignons à blondir doucement. Réserver les oignons, jeter la graisse.
Déglacer avec le vin blanc, bien gratter les sucs. Remettre la viande et les oignons, ajouter l'ail, saler et poivrer.
Couvrir la cocotte. Cuire à feu doux 130° (thermostat 4-5) 45 minutes.
Servir en cocotte.

Tête de veau au cidre et à l'estragon

Pour 4 personnes
1/2 tête de veau désossée
1 oignon
2 carottes
2 gousses d'ail
150 g de beurre
50 ml de calvados
1 bouquet garni (thym, laurier, queues de persil)
sel
poivre
1 bouteille de cidre brut
8 branches d'estragon (feuilles seulement)
12 pommes de terre moyennes à chair ferme cuites à l'eau

Blanchir la tête de veau 5 bonnes minutes à l'eau bouillante. La rafraîchir à l'eau froide.

Faire sauter l'oignon épluché et coupé en rondelles, les carottes grattées coupées en rouelles et l'ail non épluché dans 20 grammes de beurre pendant 5 minutes.

Découper la tête de veau en morceaux, les faire sauter au beurre à feu vif (30 grammes) en colorant la viande. Arroser avec le calvados. Flamber. Ajouter la garniture aromatique, le sel, le poivre, le cidre.

Cuire à petit feu pendant 2 bonnes heures.

Enlever la viande, la réserver au chaud, passer le jus de cuisson et le faire fortement réduire. Ajouter 100 grammes de beurre en petits morceaux en fouettant, rectifier l'assaisonnement, ajouter l'estragon ciselé.

Servir la tête de veau entourée des pommes de terre chaudes, recouvrir de sauce.

Coq au riesling

Pour 8 personnes
1 beau coq fermier
20 g d'huile d'arachide
60 g de beurre
30 lardons de lard maigre fumé de 8 mm de côté
1 bouteille de riesling
3 gousses d'ail épluchées et dégermées
sel
poivre
30 champignons de Paris de taille moyenne
30 petits oignons blancs
2 jaunes d'œufs
2 cuillerées à soupe de persil haché

Découper le coq en morceaux. Réserver les blancs et les laisser entiers.

Mélanger l'huile et 20 grammes de beurre. Faire rissoler les morceaux de coq, sauf les blancs, dans le mélange.

Mettre les lardons à l'eau froide. Les amener à ébullition. Les égoutter, les faire dorer à sec dans une poêle.

Retirer les morceaux de poulet, jeter la graisse, mettre le vin blanc, racler les sucs et remettre la viande avec ail, sel et poivre. Ajouter 6 champignons coupés en tout petits morceaux et les oignons.

Cuire à feu doux, cocotte fermée, pendant 2 heures.

Cuire à petit feu les 24 champignons restants dans 40 grammes de beurre.

Ajouter les lardons et les champignons, cuire encore 20 minutes.

Cuire les blancs de coq 10 minutes à la vapeur.

Escaloper les blancs, les mettre au centre du plat de service, ajouter les morceaux de coq de la cocotte, ajouter lardons, champignons et oignons. Garder au chaud.

Faire fortement réduire le jus de cuisson. Dégraisser. Mettre 2 jaunes d'œufs dans un bol, les battre au fouet en ajoutant peu à peu une partie de la sauce. Hors du feu, ajouter le contenu du bol au reste de la sauce, ajouter le persil. Laisser épaissir 5 minutes hors du feu. Rectifier l'assaisonnement.

Répandre la sauce sur la viande.

NB — *Un coq d'inspiration alsacienne. Les lardons ne cuisent pas avec la viande, mais on peut les mettre d'emblée si on souhaite un goût plus « fumé ».*

Dans le coq au vin traditionnel, le blanc est souvent sec. Cuit ainsi, il garde plus de tendreté.

Certains ajoutent un peu d'alcool blanc d'Alsace (prunelle, par exemple) au moment de servir.

Poulet aux herbes

Pour 4 personnes
1 poulet
20 g de beurre
20 g d'huile d'olive
sel
poivre
2 cuillerées à café de farine
70 ml de vin blanc
150 ml de bouillon de poule
1/2 botte de persil
1/2 botte de ciboulette
1/2 botte d'estragon
2 jaunes d'œufs
1 citron

Découper le poulet, le faire revenir et bien dorer avec le mélange beurre et huile.

Baisser le feu, saler, poivrer, ajouter la farine, tourner les morceaux. Ajouter le vin et le bouillon. Remuer.

Ajouter les herbes hachées (en garder un quart environ)
Cuire doucement 40 minutes
Dans un bol, mettre les jaunes d'œufs et les battre en ajoutant peu à peu la sauce.

Ajouter un jus de citron, le reste des herbes, rectifier l'assaisonnement.

Mettre les morceaux de poulet sur un plat, recouvrir de sauce.

NB — *Une recette de Françoise Chalon.*

Poulet basquaise

Pour 4 personnes
2 gros oignons
2 poivrons rouges
2 poivrons verts
4 tomates moyennes
1 poulet
2 cuillerées à soupe d'huile d'olive
100 ml de vin blanc sec
sel
poivre
1 bouquet garni (thym, queues de persil, laurier)

Éplucher les oignons et les couper en rondelles.
Griller les poivrons, les éplucher et enlever les pépins.
Peler les tomates (au besoin en les plongeant 30 secondes dans l'eau bouillante) et les épépiner, les couper en morceaux.
Découper le poulet en morceaux.
Faire revenir le poulet dans la moitié de l'huile d'olive à feu moyen dans une poêle. Retirer et mettre en casserole avec vin blanc, sel, poivre, bouquet garni et laisser mijoter.
Dans la poêle mettre le reste de l'huile et faire revenir à feu doux les oignons, puis ajouter les poivrons et les tomates. Laisser compoter pendant 20 minutes.
Ajouter la compote au poulet. Laisser mijoter encore 20 minutes.

NB — *Une recette de Françoise Chalon.*

Poulet au lait de coco

Pour 4 personnes

1 poulet coupé en 8 morceaux
2 cuillerées à soupe d'huile
1 oignon épluché et finement émincé
400 ml de lait de coco
2 piments forts épluchés épépinés et coupés en fines rondelles
4 belles tomates épluchées, épépinées et coupées en morceaux
sel
poivre

Faire sauter dans une cocotte le poulet à l'huile.
Réserver les morceaux. Ajouter l'oignon, le faire blondir et légèrement colorer.
Ajouter le lait de coco, bien racler le fond de la cocotte pour récupérer les sucs. Remettre le poulet, ajouter le piment et les tomates, saler et poivrer.
Cuire à petit feu pendant 45 minutes à couvert.
Retirer les morceaux de poulet, les réserver au chaud dans le plat de service.
Faire réduire le jus de cuisson. En napper le poulet.

NB — *Servir avec des bananes plantains frites.*

Poulet aux poires

Pour 4 personnes

1 beau poulet coupé en morceaux
1 cuillerée à soupe d'huile d'olive
20 g de beurre
1 oignon de taille moyenne finement émincé
1 carotte coupée en petits cubes (mirepoix)
300 ml de vin blanc sec
1 bouquet garni (thym, laurier, queues de persil)
2 gousses d'ail épluchées dégermées coupées en petits cubes
sel
poivre
2 grosses poires type passe-crassane ou 4 moyennes
1 cuillerée à soupe de persil ciselé

Faire dorer le poulet avec le mélange d'huile et de beurre. Retirer les morceaux.

Ajouter l'oignon et la carotte, les faire légèrement caraméliser.

Ajouter le vin, bien déglacer les sucs.

Remettre l'ensemble des ingrédients sauf les poires, saler, poivrer.

Cuire à petit feu pendant 40 minutes.

Couper les poires en quartiers sans les éplucher, enlever les pépins. Les envelopper dans du papier aluminium et les mettre à cuire au four à 150° (thermostat 5-6) pendant 30 à 50 minutes, selon leur consistance et leur maturité.

Mettre le poulet sans les aromates dans le plat de service.

Réserver au chaud. Parsemer de persil ciselé.

Réduire de moitié le jus de cuisson.

Rectifier le goût.

Sortir les poires. Oter l'aluminium.

Émincer les poires et les mettre dans un autre plat.

Verser un peu de sauce sur le poulet et sur les poires.

Servir le reste en saucière.

NB — *Un plat de ménage très simple à faire. Le goût des poires cuites au four en papillotes s'allie bien avec celui du poulet.*
Comme pour beaucoup de recettes de ce livre, c'est la plus simple qui est décrite. On peut ajouter des épices, d'autres ingrédients, modifier la sauce en ajoutant beurre, crème, jaune d'œuf, farine, etc.

Poularde au vinaigre de cidre, échalote et persil plat

Pour 4 personnes
4 belles tomates de jardin bien mûres
1 belle poularde
sel
poivre
100 g de beurre
20 ml d'huile d'arachide
12 échalotes grises
100 ml de vinaigre de cidre
3 gousses d'ail
1 cuillerée à soupe de persil plat ciselé

Éplucher les tomates (au besoin en les plongeant 30 secondes dans d'eau bouillante), les épépiner et les couper en petits cubes.

Couper la poularde en morceaux.

L'assaisonner de sel et de poivre.

Faire fondre 20 grammes de beurre avec 20 grammes d'huile.

Faire rissoler à feu vif les morceaux de poularde. Les réserver.

Ajouter les échalotes épluchées et coupées en tranches fines. Faire sauter 2 minutes. Enlever les échalotes.

Ajouter le vinaigre, gratter les sucs, faire réduire d'un bon tiers.

Ajouter 100 millilitres d'eau chaude, les gousses d'ail coupées en petits morceaux, les cubes de tomate et cuire à feu moyen pendant 10 minutes.

Remettre la poularde à cuire 20 à 30 minutes à feu moyen.

Retirer les morceaux de viande, les mettre dans un plat, réduire le jus de cuisson et ajouter par petits morceaux le reste de beurre en fouettant.

Mettre la sauce dans le plat et parsemer de persil ciselé.

Pintadeau aux piments verts et au whisky pur malt des îles

Pour 2 personnes
1 pintadeau fermier de 900 g
3 beaux piments piquants verts
80 g de beurre
30 g d'huile d'arachide
sel
poivre
30 ml de whisky pur malt des îles
20 ml de jus de truffe

Préparer un beau pintadeau, le vider et le flamber pour éliminer toute trace de plumes.

Laver, épépiner les piments, les couper en deux dans le sens de la longueur. Les mettre à l'intérieur du pintadeau.

Dans une cocotte, mettre à fondre 30 grammes de beurre dans l'huile, faire bien colorer le pintadeau de tous côtés.

Saler et poivrer.

Quand elle est bien dorée, ajouter le whisky et le faire flamber.

Baisser le feu et cuire à tout petit feu pendant 1 heure et quart.

Retirer le pintadeau, le découper en 6 morceaux et le réserver au chaud.

Réduire le jus de cuisson et ajouter le reste du beurre et le jus de truffe. Faire bouillonner 4 à 5 minutes, rectifier l'assaisonnement.

Servir les morceaux de pintade sur un plat recouverts de sauce.

NB — *Recette de Marilou et Michel Main.*

Cailles aux raisins

Pour 4 personnes
4 belles cailles, de vigne si possible
24 grains de raisin blanc bien mûr, muscat ou chasselas
80 g de beurre
100 ml de vin de muscat doux type Beaumes de Venise
sel
poivre

Préparer les cailles, brûler les éventuelles plumes à la flamme du gaz.

Éplucher les grains de raisin, les épépiner.

Mettre les cailles dans une sauteuse ou une cocotte avec 30 grammes de beurre. Colorer les cailles à feu moyen pendant 6 minutes (2 sur chaque face). Ajouter le vin, le sel et le poivre. Baisser le feu et faire cuire à couvert pendant 15 à 20 minutes ; 3 minutes avant la fin, ajouter les raisins.

Mettre dans chaque assiette une caille et 6 raisins, garder au tiède.

Réduire à feu vif le jus de cuisson de moitié, ajouter peu à peu le beurre coupé en morceaux en fouettant.

Rectifier l'assaisonnement. Mettre la moitié de la sauce sur les cailles, le reste en saucière.

NB — *Un vieux classique de l'automne. Seule difficulté : l'épluchage fastidieux des raisins (il faut un petit couteau pointu). On peut ajouter un peu de vinaigre ou de citron pour apporter une note aigrelette.*

Civet de lapin de garenne

Pour 4 personnes
1 l de vin rouge
2 cuillerées à soupe d'huile d'arachide
1 jeune lapin de garenne, coupé en morceaux
2 carottes
8 échalotes
30 ml d'armagnac jeune
8 gousses d'ail en chemise
1 bouquet garni (thym, laurier, persil)
sel
poivre
eau ou bouillon
24 petits lardons

Flamber le vin et le faire réduire de moitié.

Faire chauffer fortement dans une cocotte une cuillerée à soupe d'huile et faire rissoler les morceaux de lapin pendant 4 ou 5 minutes.

Enlever la viande, baisser le feu, ajouter une autre cuillerée d'huile, faire sauter à petit feu les carottes épluchées et émincées et les échalotes épluchées et coupées en fines rondelles pendant 5 à 10 minutes.

Mouiller avec le vin rouge, mettre l'armagnac, racler pour récupérer les sucs, remettre la viande, ajouter l'ail en chemise et le bouquet garni, sel et poivre.

Ajouter de l'eau ou du bouillon pour juste recouvrir les morceaux de viande. Couvrir. Mettre au four à 130° (thermostat 4/5) pendant 1 heure et demie.

Mettre les lardons à l'eau froide. Amener à ébullition. Les retirer et les colorer à la poêle à sec.

Sortir la viande et faire fortement réduire le jus de cuisson. Ajouter les lardons et recouvrir de la sauce.

NB — *Pour garder la tendreté de la viande, on peut entourer chaque morceau avec de la crépine. Si on dispose du sang de l'animal, ou à défaut de sang de porc ou de bœuf, on peut après la cuisson faire une liaison en l'ajoutant à la sauce finale, en faisant épaissir à feu très doux, sans faire bouillir (traditionnellement les civets de gibier se font avec une liaison au sang).*
Si le goût est trop acide, on ajoute un sucre dans la sauce.

On sert ce plat avec des pommes de terre cuites à la vapeur, avec des nouilles fraîches, des champignons sauvages sautés et bien relevés, etc.

Lapin au miel et au thym odoriférant

Pour 8 personnes
1 lapin de 1,6 kg coupé en 8 morceaux
20 g de beurre clarifié
1 branche de céleri
1 carotte
350 ml de vin blanc sec
3 échalotes épluchées et finement émincées
3 gousses d'ail
sel
poivre
5 branchettes de thym odoriférant (Thymus fragrantissimus) ou à défaut de thym ordinaire
50 ml de miel
100 ml de crème

Faire revenir le lapin dans le beurre clarifié
Ajouter le céleri et la carotte coupée en petites rondelles, le vin, l'échalote et l'ail en chemise.
Saler, poivrer.
Cuire au four à 150° (thermostat 5-6) pendant 30 minutes.
Enlever les morceaux de viande, les réserver au chaud.
Passer le jus de cuisson. Y ajouter le thym.
Faire réduire fortement. Enlever le thym.
Hors du feu, ajouter le miel et la crème.
Laisser épaissir. Ajouter au lapin.

Ragoût de congre aux rattes

Pour 4 personnes
400 g d'oignons épluchés finement émincés
150 g de beurre salé
2 gousses d'ail
1 bouquet garni (queues de persil, thym, laurier)
sel
poivre en grains
1 bouteille de vin blanc sec
1 morceau de congre d'un kilo coupé en 4 darnes de 2 cm
d'épaisseur (ou en 2 si le congre est très gros)
50 g de beurre clarifié
1 kilo de rattes

Faire fondre à petit feu les oignons avec le beurre salé pendant
10 minutes. Ajouter l'ail, le bouquet garni, le sel, le poivre, le
vin blanc et autant d'eau.
Faire cuire à couvert à petit bouillon pendant 30 minutes.
Faire revenir les morceaux de congre dans le beurre clarifié,
juste pour les colorer.
Laver et peler les rattes. Les couper en tranches de 3 à 4 mm.
Tapisser une cocotte avec les pommes de terre. Recouvrir des
tranches de congre. Mouiller avec la cuisson des oignons. Le
liquide doit recouvrir les poissons. Couvrir la cocotte.
Cuire au four 130° (thermostat 4-5) pendant 1 heure.
Servir dans la cocotte.

NB — *C'est la même recette que les côtes d'agneau à la Champvallon, mais en plus rustique. Le congre est (ou était) un poisson de
gens modestes.*

Anguille à la bière

Pour 4 personnes
1 anguille de 1 kg
1 cuillerée à soupe d'huile d'arachide
20 g de beurre
1 oignon de taille moyenne piqué d'un clou de girofle
3 gousses d'ail non épluché
1 carotte moyenne épluchée, coupée en rondelles
1 bouquet garni (thym, laurier, queues de persil)
sel
poivre
750 ml de bière
1 jaune d'œuf
1 cuillerée à soupe de persil ciselé

Dépouiller l'anguille, la vider en exprimant bien le sang (il faut inciser nettement en arrière de l'anus). Appuyer fortement le long de la colonne vertébrale en remontant depuis la queue vers l'abdomen. Le sang d'anguille, réputé toxique, est très amer.
La couper en tronçons de 6 centimètres.
Faire rissoler les tronçons dans le mélange huile et beurre.
Jeter l'excédent de graisse, ajouter l'oignon, l'ail, la carotte, le bouquet garni, le sel et le poivre et la bière qui doit juste recouvrir l'anguille.
Cuire à petit feu pendant 1 heure.
Sortir les tronçons, passer la cuisson et la réduire pour n'en garder que le quart environ.
Hors du feu, ajouter le jaune d'œuf battu dans un peu de sauce, parsemer de persil ciselé.

Matelote d'anguilles

Pour 4 personnes
1 gros oignon
80 g de beurre
1 kg d'anguilles de bonne taille, dépouillées et coupés en tronçons de 6 cm de long (cf. Recette précédente)
1 bouteille de vin rouge
8 gousses d'ail en chemise
sel
poivre
24 petits lardons maigres
1 bouquet garni (persil, thym, laurier)
24 petits oignons blancs
1 jaune d'œuf
1 cuillerée à soupe de persil ciselé

Faire blondir l'oignon avec 40 grammes de beurre. Le retirer. Placer et faire revenir les tronçons d'anguille (on aura vérifié qu'ils sont exempts de toute trace de sang).
Mouiller avec le vin rouge, remettre l'oignon, ajouter l'ail, le sel, le poivre, les lardons et le bouquet garni. Cuire à couvert à tout petit feu pendant 1 heure.
Étuver les petits oignons épluchés avec le reste du beurre.
Sortir les tronçons d'anguille et les lardons, placer autour les petits oignons.
Réduire fortement la cuisson. Hors du feu, ajouter la pulpe d'ail écrasée avec un jaune d'œuf et la cuisson des oignons. Verser la sauce sur le poisson. Parsemer de persil ciselé.

Lamproie à la bordelaise

Pour 8 personnes
500 g de petits oignons blancs
200 g de blanc de poireau
30 g de beurre
12 échalotes grises
2 gousses d'ail épluchées et dégermées
1 lamproie de 2 kilos
1 cuillerée à soupe de vinaigre
20 g d'huile d'arachide
1 l de vin rouge de Bordeaux
sel
poivre
1 bouquet garni (thym, laurier, queues de persil)
300 g de petits lardons
2 cuillerées à soupe de persil ciselé

Émincer finement les oignons (en garder quatre entiers) et les blancs de poireaux. Les faire fondre doucement au beurre.

Ajouter les échalotes grises épluchées laissées entières et les oignons entiers. Réserver.

Dépouiller la lamproie, récupérer le sang, le mélanger avec le vinaigre. Découper la lamproie en tronçons de 8 cm de long.

Ajouter l'huile dans la casserole, faire rissoler les tronçons de lamproie. Réserver.

Remettre les poireaux, les oignons, les échalotes, l'ail, ajouter le vin, le sel, le poivre, le bouquet garni. Cuire à petit feu pendant 20 minutes à couvert. Écumer si besoin.

Mettre les lardons dans une casserole d'eau froide.

Monter à ébullition. Sortir les lardons et les réserver.

Ajouter le poisson et les lardons dans la réduction de vin. Cuire 10 minutes à feu doux à couvert.

Retirer le poisson, les lardons, les échalotes et les oignons, et les réserver au chaud.

Réduire fortement le liquide de cuisson, le passer et le lier hors du feu avec le sang.

Laisser épaissir au chaud pendant 3 ou 4 minutes.

Rectifier l'assaisonnement.

Verser la sauce sur le poisson, parsemer de persil ciselé.

Pommes de terre en daube

Pour 8 personnes
2 kg de pommes de terre à chair ferme
100 g de beurre
300 g de lard maigre sans couenne
300 ml de vin blanc
sel
poivre
6 branches de thym Silver Queen (ou, à défaut de thym commun)
50 g de crème
quelques brins de cerfeuil

Laver et éplucher les pommes de terre. Les couper en cubes de 3 cm de côté. Ne pas les essuyer.

Les faire sauter dans le beurre chaud (qui doit rester blond et ne pas noircir) pendant 10 minutes.

Couper le lard en petits morceaux. Les mettre dans une casserole d'eau froide. Amener à ébullition pendant 1 minute. Sortir les lardons et les réserver.

Ajouter les lardons et le vin blanc à la cuisson, puis le sel, le poivre et le thym. Cuire à petit feu pendant 1 heure.

Sortir les pommes de terre et les lardons. Les réserver au chaud. Jeter le thym. Réduire le jus de cuisson, ajouter la crème, rectifier l'assaisonnement. Servir la daube de pommes de terre recouverte de la sauce, parsemer de cerfeuil ciselé.

Compote de chou rouge à l'ancienne

Pour 4 personnes
1 chou rouge
3 pommes fruits
100 ml de jus de citron fraîchement pressé
300 g de raisins de Corinthe
100 g de graisse de canard
12 tiges de ciboule épluchées et finement émincées
2 cuillerées à soupe de miel
100 ml de vinaigre
1 cuillerée à café rase de poudre de gingembre
3 clous de girofle réduits en poudre avec 2 cm de bâton de cannelle et 6 morceaux de macis
sel
poivre

Éplucher le chou. Le découper en fines lamelles.
Éplucher les pommes. Les râper finement et les mettre dans le jus de citron.
Laver puis tremper les raisins dans l'eau tiède pour les gonfler.
Faire fondre la graisse dans une cocotte, ajouter la ciboule, la faire revenir quelques minutes, ajouter le miel et le vinaigre. Faire une sorte de caramel en cuisant encore 2 minutes. Ajouter le chou. Bien mélanger. Faire cuire à feu vif 5 minutes en remuant.
Ajouter les pommes, les raisins et le reste des ingrédients. Saler, poivrer. Bien mélanger.
Couvrir et cuire au four à 130° (thermostat 4-5) pendant 3 heures.

NB — *Un arrière-goût du Moyen Age est apporté par l'utilisation des épices et du mélange de sucre et d'acide. Le chou rouge donne une tonalité d'Europe de l'Est à ce plat fait pour accompagner un gibier ou un rôti de porc.*

Daube de carottes au romarin

Pour 6 personnes
1 kg de carottes
50 ml d'huile d'olive
1 bouteille de vin rouge
1 branchette de romarin
6 échalotes épluchées et laissées entières
1/2 cuillerée à café de paprika
sel
poivre

Gratter ou éplucher les carottes, les laver et les couper en rondelles de 2 à 3 mm d'épaisseur.
Les faire revenir à l'huile d'olive à feu vif pendant 4 ou 5 minutes.
Ajouter l'ensemble des ingrédients. Couvrir la cocotte.
Faire cuire à 150° (thermostat 5-6) pendant 3 ou 4 heures.

NB — *Cette daube est en fait un ragoût.*

Boulghour aux carottes

Pour 4 personnes
500 ml d'eau
250 g de boulghour
2 bottes de carottes jeunes et fraîches
20 ml d'huile d'olive
sel
poivre

Faire chauffer l'eau, y verser le boulghour, sortir du feu.
Laver les carottes. Hacher les fanes finement. Couper les carottes en fine julienne.
Faire sauter les fanes dans l'huile, ajouter les carottes et l'eau, puis le boulghour, saler, poivrer, couvrir et cuire à feu doux pendant 30 minutes.

Riz basmati aux épices mélangées

Pour 6 personnes
500 g de riz basmati
1/2 cuillerée à café de graines de cardamome
2 petits piments secs épépinés
1 petit bâton de cannelle
1 cuillerée à café de graines de cumin
1 petit bout (1 ou 2 cm) de gingembre épluché
1 cuillerée à soupe d'huile d'arachide
1 l d'eau
sel

Laver le riz, l'égoutter.
Pulvériser les épices au moulin à café.
Faire chauffer l'huile dans une casserole.
Ajouter une cuillerée à café rase de poudre d'épices, en tournant pour éviter de brûler.
Ajouter le riz et tourner pendant 2 ou 3 minutes.
Ajouter l'eau et le sel. Lorsqu'elle entre en ébullition, couvrir le riz et le laisser étuver à feu doux pendant 18 minutes, le temps que l'eau soit absorbée.
Découvrir et continuer la cuisson pendant 2 minutes.

Pommes acides en ragoût

Pour 4 personnes
400 g de pommes acides, par exemple pommes tombées de l'arbre avant maturité ou espèces utilisées pour faire du cidre (poids épluché)
1 jus de citron
1 oignon de taille moyenne épluché et finement émincé
50 g de graisse d'oie ou de canard
1 cuillerée à soupe de miel
50 ml de vinaigre
sel
poivre
1 clou de girofle
1 petit morceau de cannelle
1/4 cuillerée à soupe de poudre de gingembre

636

Couper les pommes en cubes de 1 à 2 cm de côté. Les enrober au fur et à mesure dans le jus de citron.

Fondre l'oignon dans la graisse pendant 5 minutes.

Ajouter les pommes. Les faire colorer à feu vif pendant 5 minutes.

Baisser le feu, ajouter le miel, le vinaigre, le sel, le poivre, et les épices. Cuire à petit feu pendant 20 minutes.

NB — *Choisir des pommes qui tiennent à la cuisson.*
On peut les servir en accompagnement des oiseaux sauvages, du marcassin ou du porc.
C'est une façon d'utiliser les pommes véreuses dont une partie reste utilisable.
On peut ajouter des raisins secs.

LE POCHAGE À FEU DOUX

La température d'ébullition de l'eau est de 100°, en tenant compte des petites variations de ce nombre causées par l'addition de sel, d'alcool, etc. On ne peut pas chauffer un mélange aqueux au-delà. Cette température est définie au niveau de la mer : elle change avec la pression, plus élevée dans un auto-cuiseur, plus faible en altitude.

Entre 40°, limite que supportent les protéines les plus fragiles et 100°, il y a toute une gamme des températures appropriées à la cuisson des aliments. Le pochage à feu doux est effectué à une température inférieure à 100°. On cuit ainsi les poissons — c'est, avec la vapeur, la méthode qui leur est la mieux adaptée. C'est également ainsi qu'on doit pocher les volailles, le foie gras, les œufs et de nombreux aliments délicats.

La qualité du produit fini dépend à la fois de la régularité et de la bonne adéquation de la chaleur, des propriétés de l'aliment et de celles du liquide de pochage. C'est la raison pour laquelle on prépare à cette fin fumets, fonds, bouillons et courts-bouillons, qui communiquent les principes aromatiques dont ils sont chargés.

En effet, la faible température du liquide favorise les échanges avec ceux des aliments qui ne coagulent pas au contact du liquide. Le pochage permet d'aromatiser la viande blanche des saveurs contenues dans le liquide, d'où l'importance que ce dernier soit concentré afin que le mouvement des éléments de sapidité se fasse vers l'intérieur de l'aliment, faute de quoi ce dernier risquerait au contraire de perdre goûts et parfums qui se dilueraient dans le liquide de pochage.

Pot-au-feu

Pour 10 personnes

2 kg de viandes de bœuf panachées (gîte, plates côtes, queue)
800 g de jarret de veau de lait
1 kg de carottes épluchées, coupées en tronçons de 6 à 8 cm
12 poireaux lavés et épluchés
1 oignon piqué avec un clou de girofle
sel
poivre en grains
1 tête d'ail coupée en deux transversalement
1 bouquet garni (thym, laurier, persil)
1 branche de céleri-branche
1 petit poulet fermier
2 os à moelle
3 choux-raves épluchés
1 kg de navets épluchés
1 céleri-rave épluché et coupé en 8 morceaux

Mettre dans un grand faitout le bœuf et le veau. Mouiller à hauteur avec de l'eau (pour éviter que la viande n'accroche au fond, on peut y poser des os plats ou simplement des cuillères en bois ou en métal). Ne pas couvrir le faitout.

Cuire à grand feu pendant 15 à 20 minutes. Écumer et bien dégraisser. Cuire à petit feu encore 1/2 heure. Écumer de nouveau.

Ajouter 1 carotte et 1 poireau, avec l'oignon, l'ail, le sel, le poivre, le bouquet garni, le céleri-branche, puis la volaille.

Cuire encore pendant 2 heures à petit feu (1 heure seulement pour le jarret de veau).

15 minutes avant la fin, ajouter les os à moelle.

Cuire le reste des légumes à la vapeur 15 à 25 minutes selon la taille des morceaux.

Servir d'abord le bouillon (qu'on mange traditionnellement avec du pain grillé, éventuellement additionné de fromage râpé).

Servir ensuite les viandes entourées des légumes.

NB — *Les légumes du bouillon sont des aromates. Ils ont donné toutes leurs qualités à ce dernier. Les légumes cuits à la vapeur, ou si on préfère, à l'eau ou au bouillon, sont craquants et vifs.*
On peut ajouter, si on le désire, d'autres légumes racines (panais, topinambours, etc.) et, pourquoi pas, d'autres viandes.
On peut aussi combiner la cuisson du pot-au-feu (viandes bouillies) avec la cuisson effectuée au pochage à grand feu. Il est donc possible d'y adjoindre des pièces de bœuf à la ficelle, du gigot d'agneau cuit à l'anglaise (au bouillon) bien saignant, etc. Dans ce cas, le pot-au-feu, devenu véritable plat de fête, sera l'occasion d'associer viandes roses et viandes très cuites.
Le bouillon sera très amélioré si on y ajoute, après avoir écumé, une peau d'orange amère séchée, une cuillerée à soupe de fénugrec, un cuillerée à soupe de poivre du Setchouan et quinze copeaux d'ail séché (Pot-au-feu aux épices).

Jambon persillé

Pour 12 personnes
2 kg de jambon demi-sel
1 bouquet garni (thym, queues de persil, cerfeuil)
3 pieds de veau coupés en deux
20 échalotes épluchées et émincées
sel
poivre en grains
2 bouteilles de vin blanc
2 bouquets de persil
10 gousses d'ail épluchées et dégermées
3 cuillerées à soupe de vinaigre de vin blanc

Dessaler le jambon à l'eau froide en faisant couler l'eau du robinet pendant 12 heures.
Mettre la viande à l'eau froide et la faire cuire 30 minutes à petit feu. Retirer et jeter l'eau.
Remettre le jambon dans la cocotte, ajouter le bouquet garni, les pieds de veau, 4 échalotes, le sel et poivre. Ajouter le vin blanc qui doit recouvrir la viande. Cuire à petit feu pendant 1 heure et quart.

639

Sortir la viande, la couper en gros cubes.

Hacher finement ensemble le reste des échalotes, les feuilles de persil et l'ail, les mélanger avec le vinaigre.

Déposer les cubes dans une terrine carrée ou rectangulaire. Disposer le hachis dans les intervalles entre la viande.

Mettre sous presse.

Réduire la cuisson de moitié. Laisser refroidir. Lorsque la gelée commence à prendre, la verser dans la terrine et laisser prendre au frais.

Le lendemain, démouler, couper en tranches, et consommer bien frais.

NB — *Simple et délectable. Un grand classique bourguignon. Une variante régionale ajoute des œufs durs.*

Poularde demi-deuil aux racines d'autrefois

Pour 4 personnes
1 belle, ou plutôt 1 très belle poularde de belle origine
12 belles lamelles de truffe
gros sel
1 citron
6 beaux poireaux lavés, épluchés, coupés à 2 cm au-dessus du début du vert
3 gousses d'ail épluchées, dégermées et coupées en deux
1 oignon clouté d'un clou de girofle
sel
poivre
3 feuilles de livèche ou, à défaut, une branchette de céleri branche
3 jeunes carottes
3 panais épluchés (de même taille que les carottes)
3 cerfeuils tubéreux épluchés
3 persils tubéreux épluchés

Nettoyer la poularde. La vider, la flamber. Placer entre chair et peau les lamelles de truffe. Frotter la peau avec un mélange de gros sel et de jus de citron. Mettre de l'eau dans une cocotte. Y ajouter les abats de la poularde (gésier, cou, ailerons), les poireaux émincés, l'ail, l'oignon piqué de girofle, le sel et le poivre, la livèche. Faire cuire à petit feu pendant 30 minutes.

640

Ajouter la poularde, les carottes, les panais, les cerfeuils et persils tubéreux.

Cuire à petit feu pendant 50 minutes en retournant la poularde à 2 ou 3 reprises pour assurer une cuisson homogène.

Servir la poularde avec ses légumes, de la fine fleur de Guérande et les divers assaisonnements que l'on souhaite.

Le nombre de racines dépend de leur taille. On doit compter 200 à 300 g de légumes par personne.

NB — *Le bouillon peut se servir en premier service. C'est une sorte de pot-au-feu de luxe fait de volaille, spécialité lyonnaise s'il en est.*

Tripes à la mode de Caen

Pour 8 personnes

3 kilos de tripes (panse, caillette, bonnet et feuillet) bien dégraissées et blanchies, coupées en morceaux de 6 à 7 cm de côté

2 pieds de veau blanchis et coupés en deux dans le sens longitudinal

3 carottes de belle taille, épluchées et coupées en rondelles de 5 mm

3 beaux oignons épluchés et coupés en rondelles

8 gousses d'ail

sel

poivre

quatre-épices

1 bouquet garni (thym, laurier)

persil

cidre sec

Dans une cocotte, mettre en couches successives tripes et pieds de veau.

Ajouter des rouelles de carotte et d'oignon, ail, sel et épices entre chacune d'entre elles.

Enfouir le bouquet garni et le persil.

Luter la cocotte, c'est-à-dire souder son couvercle au bord supérieur avec une pâte faite de farine et d'eau.

Cuire à feu doux 120° (thermostat 4) pendant 12 heures.

Pour servir, désosser les pieds de veau, enlever le persil et le bouquet garni.

NB — *Plat typique de la nuitée, c'est un grand classique de la*

Basse-Normandie. Les vraies tripes à la mode de Caen se font avec du cidre, du vrai. Un vrai cidre est opalescent : fuir avec détermination tous ceux qui sont translucides. A défaut, on peut utiliser du vin blanc. Il faut que l'ensemble soit bien épicé.

La sauce des tripes fige à température ambiante. Les tripes peuvent donc se garder et se faire réchauffer. Signalons que ce plat n'est pas gras, malgré sa consistance apparente.

Cervelas et pommes à l'huile de pistache

Pour 4 personnes

1 beau cervelas (saucisson pistaché et truffé)
8 pommes de terre à chair ferme
2 cuillerées à soupe d'huile d'olive
1 cuillerées à café d'huile de pistache
sel de Guérande

Mettre le cervelas à pocher 30 minutes dans l'eau salée ou, si on le préfère, dans du bouillon de légumes. Le liquide doit frémir, ne pas bouillir.

Cuire les pommes de terre à la vapeur ou à l'eau dans une autre casserole. Les éplucher et les couper en tranches.

Couper le saucisson en 4 morceaux. En mettre un au centre de chaque assiette. Entourer avec les pommes de terre. Mélanger les deux huiles. En mettre quelques gouttes sur chaque morceau de pomme de terre avec un grain de sel.

Œufs en meurette

Pour 4 personnes

1 l de bon vin rouge
2 petites carottes coupées en rondelle
1 oignons de taille moyenne
6 échalotes
thym
persil
sel
poivre en grains
3 gousses d'ail en chemise
24 petits lardons maigres
8 œufs très frais
8 croûtons légèrement grillés

Mettre sur le feu le vin, les carottes épluchées et coupés en rouelles, l'oignon et les échalotes épluchés et finement émincés, le thym, le persil, le sel, le poivre en grains et l'ail. Monter à l'ébullition, cuire 30 minutes à petit feu. Goûter. Si le goût est trop acide, ajouter un morceau de sucre.

Mettre les lardons dans l'eau froide. Monter à l'ébullition, les réserver.

Passer la meurette. La mettre à tout petit feu et pocher les œufs à feu doux.

Tartiner les croûtons avec l'ail réduit en purée. Placer deux croûtons sur chaque assiette, poser un œuf sur chaque croûton et 3 petits lardons sur chaque œuf. Arroser avec la sauce.

NB — *Une remarquable alliance de goûts. On peut ajouter un ou deux jaunes d'œufs battus à la meurette pour l'épaissir, et recouvrir de persil ciselé.*

Haddock à l'anglaise

Pour 4 personnes
800 g de haddock
1 l de lait
poivre blanc
2 cuillerées à soupe de persil
100 g de beurre
1 citron
sel

Nettoyer le haddock. Le couper en 4 morceaux. Enlever les éventuelles arêtes.

Mettre le poisson dans une casserole. Couvrir avec le lait. Ne pas saler. Monter à ébullition. Cuire à petit feu pendant 10 à 12 minutes.

Égoutter le poisson, le poivrer, le recouvrir du persil, le mettre dans les assiettes.

Fondre le beurre, ajouter le jus de citron, saler.

Recouvrir de sauce chaque morceau de haddock.

NB — *On peut l'accompagner de pommes de terre cuites à la vapeur ou de riz. Mille sabords.*

Raie à la moutarde à l'ancienne

Pour 4 personnes
200 ml de vin blanc
sel
poivre en grains
1 carotte de taille moyenne épluchée et émincée
1 oignon de taille moyenne piqué d'un clou de girofle
1 bouquet garni (thym, laurier, queues de persil)
4 ailerons de raie de 400 g (non épluché)
150 g de crème d'Isigny à 40 %
1 cuillerée à soupe de moutarde à l'ancienne (type Meaux)
1 cuillerée à soupe de feuilles de persil ciselé

Faire un court-bouillon avec le vin blanc, 1 litre d'eau, le sel, le poivre, la carotte, l'oignon et le bouquet garni. Cuire à petit feu pendant 20 minutes.

Pocher les ailerons de raie pendant une dizaine de minutes sans faire bouillir.

Sortir la raie, l'éplucher, enlever l'arrête. Réserver les filets au chaud.

Faire fortement réduire le liquide de cuisson.

Mélanger la crème et la moutarde.

Prendre 100 millilitres du fumet réduit, les mettre dans une casserole, ajouter la crème moutardée, faire bouillir 2 ou 3 minutes. Rectifier l'assaisonnement.

Mettre 2 filets de raie dans chaque assiette, verser la sauce et saupoudrer de persil haché.

NB — *On peut aussi cuire la raie à la vapeur ou la faire griller. D'autres assaisonnements sont possibles : avec du beurre blanc, de l'huile d'olive et des câpres, de la roquette hachée mélangée à du blanc d'œuf émincé. On peut simplement la servir tiède avec une vinaigrette et une salade verte.*

Bourride

Pour 6 personnes
2 kg de poissons blancs : loup, mulet, sole, etc. (de 200 à
300 g chacun)
500 ml de vin blanc sec
1 carotte épluchée, coupée en rondelles
1 oignon épluché, émincé
1 bouquet garni (thym, laurier, persil)
sel
poivre
1 tête d'ail coupée en deux transversalement
300 ml d'aïoli fait avec 2 jaunes d'œufs
1 cuillerée à soupe d'huile d'olive
8 tranches de pain de campagne grillé

Nettoyer, vider, laver les poissons. Couper les têtes. Couper les reste en tronçons.

Mettre dans une cocotte profonde les têtes, mais pas les tronçons, et l'ensemble des ingrédients avec 1 litre d'eau. Cuire à petit feu pendant 30 à 40 minutes. Les réserver au chaud.

Enlever les têtes de poisson. Mettre les tronçons et les cuire 8 à 10 minutes. Les réserver au chaud.

Verser la moitié de l'aïoli dans un plat en terre frotté à l'ail.

Verser peu à peu le liquide de cuisson en fouettant.

Couvrir et laisser épaissir au chaud pendant quelques minutes.

Ajouter le poisson.

Récupérer la pulpe d'ail. La mélanger avec l'huile d'olive et un peu de sel.

Servir avec du pain de campagne grillé tartiné avec la purée d'ail et avec le reste d'aïoli en saucière.

NB — *La bourride est d'un esprit très différent de celui de la bouillabaisse, elle aussi provençale.*

Dos de sandre aux épices

Pour 4 personnes
300 ml de vin blanc sec
8 grains de poivre grossièrement écrasés
1 gousse d'ail épluchée, dégermée et coupée en gros morceaux
sel
1 petit poireau épluché et coupé en fines rondelles
une grosse darne de 1 kg prise dans la partie près de la tête d'un beau sandre
1 carotte épluchée, coupée en rondelles
mélange d'épices (1 clou de girofle, 1 g de fénugrec, 1 cm de poivre long, 2 « têtes » de macis, 3 cm de peau de citron séchée pulvérisés)
50 g de beurre demi-sel

Faire un court-bouillon avec le vin, 1/2 litre d'eau, le poivre, l'ail, le sel, le poireau et la carotte. Cuire à petits bouillons pendant 10 minutes.

Mettre le sandre (bien lavé et nettoyé). Le laisser 5 minutes, le retourner et le cuire 5 minutes de l'autre côté sans bouillir.

Sortir le poisson, l'éplucher, enlever la peau et les arêtes. Couper chaque côté en deux (on obtient ainsi 4 pavés d'environ 200 grammes). Les réserver au tiède.

Mettre 200 millilitres de la cuisson dans une casserole, la faire réduire des 2/3, ajouter les épices, faire encore réduire d'un quart.

Ajouter le beurre par petits morceaux en fouettant.

Mettre les pavés de sandre dans chaque assiette, recouvrir de sauce.

Anguille à la gerbe de blé

Pour 4 personnes
4 anguilles de 300 g
1 carotte moyenne épluchée et coupée en rondelles
1 oignon moyen piqué d'un clou de girofle
1 bouquet garni (thym, laurier, queues de persil)
400 ml de vin blanc sec
200 g de blé
100 g de beurre demi-sel
sel
poivre
2 citrons
les feuilles hachées du persil

Dépouiller les anguilles, les vider en pressant bien sur le flanc à partir de la queue pour enlever tout le sang qui est amer.

Faire un court-bouillon avec la carotte, l'oignon, le bouquet garni et le vin blanc. Cuire les anguilles 20 minutes sans faire bouillir. Les sortir.

Faire fortement réduire le liquide de cuisson. Le passer.

Cuire le blé à l'eau salée pendant une dizaine de minutes.

Mettre le blé en tas au centre de chaque assiette.

Lever les filets d'anguille, les couper en 4, les disposer autour du blé.

Dans une petite casserole, mettre le liquide de cuisson réduit, incorporer peu à peu le beurre en fouettant.

Saler, poivrer. Verser la sauce sur le blé et sur les anguilles.

Presser 1/2 citron sur le blé et le poisson. Parsemer de persil.

NB — *Une pointe d'acidité ne nuit pas à ce plat dédié à Marc Robine.*

Truites au bleu

Pour 4 personnes
300 ml de vin blanc
1 oignon épluché, piqué d'un clou de girofle
1 carotte épluchée, coupée en rondelles
2 brins de thym
1/4 feuille de laurier
sel
poivre en grains
4 belles truites très fraîches, vivantes si possible, de 250 g chacune

Mélanger le vin avec le double d'eau, ajouter oignon et carotte, thym, laurier, sel et poivre. Mener à ébullition. Cuire à petit feu à couvert pendant 30 minutes.

Tuer les poissons s'ils sont vivants, les vider soigneusement, enlever les ouïes, bien presser sur le corps pour exprimer tout le sang, couper la queue et les nageoires.

Placer doucement les poissons dans le court-bouillon, cuire 10 à 15 minutes à petit feu, en petit pochage.

NB — *La cuisson au bleu, ainsi appelée car la peau du poisson devient bleue, est réservée au poisson ultra-frais qui acquiert ainsi une tendreté et un goût d'une simplicité exemplaire.*

Les poissons cuits au bleu peuvent être mangés tels quels, avec du beurre, du citron et du persil. On peut également servir une sauce tomate mi-cuite à l'huile d'olive (escargagnasse), éventuellement relevée d'un peu de poivre de Cayenne. Ou encore avec une fondue de poireaux légèrement crémée, ou simplement une sauce froide faite de petits cubes de tomates épluchées et épépinées, additionnées de basilic ciselé, de sel, de poivre et d'huile d'olive.

Dernière remarque : la truite est un poisson, elle a donc des arêtes. Elle ne nage pas dans l'eau sous forme de filet désarêté.

Bulots tièdes rémoulade

Pour 4 personnes
300 ml de vin blanc sec
1 bouquet garni (thym, laurier, queues de persil)
sel marin
poivre concassé
1 kg de bulots bien nettoyés et lavés
1 bol de sauce rémoulade

Dans une casserole haute, mettre le vin, le bouquet garni, le sel, le poivre. Mouiller avec 1 litre d'eau.

Faire cuire à petit feu 5 minutes après le début de l'ébullition.

Ajouter les bulots, cuire à petit feu 15 minutes après reprise de l'ébullition (le liquide doit juste frémir).

Retirer les coquillages, les mettre dans un saladier.

Les servir tièdes avec la sauce rémoulade.

Escargots à la mode de Fès

Ce sont des escargots blancs avec des cercles noirs, appelés *boubbouches*. On les cuit dans un court-bouillon associant graines d'anis vert, carvi, réglisse, thym, thé vert, sauge, absinthe, menthe, marjolaine, orange amère, piment fort, gomme mastic et sel. On cuit (après les avoir fait jeûner et les avoir lavés plusieurs fois) pendant 2 heures à couvert. Selon Mme Guinaudeau[1], le bouillon peut être consommé chaud ou froid.

Salade de poulpes au persil plat

Pour 4 personnes
1 kg de poulpes (l'épaisseur des tentacules doit être de la taille d'un doigt d'homme adulte)
6 cuillerées à soupe d'huile d'olive
1 citron
sel
poivre
3 échalotes épluchées et hachées finement
1 cuillerée à soupe de persil plat haché

Laver les poulpes, enlever la poche à encre, les intestins, le bec.

Couper les tentacules en tronçons de 10 cm environ.

Cuire les tentacules 20 minutes à l'eau salée sans faire bouillir.

Les éplucher, les couper en rondelles de 5 à 10 mm d'épaisseur.

1. Mme Guinaudeau, *Fès vu par sa cuisine*, J.-E. Laurent, Rabat 1966.

Dans le saladier, émulsionner l'huile avec le jus de citron, le sel, le poivre et l'échalote. Y mettre le poulpe et bien l'enrober de sauce.

Parsemer de persil plat.

NB — *On peut préparer les autres céphalopodes de la même façon. Si le poulpe est plus gros, il faut battre vigoureusement les tentacules avec un gourdin pour les attendrir.*

Les choux farcis

Chaque province, ou presque, a sa ou ses recettes. Le principe en est simple, mais varie selon les régions. On fait blanchir le chou 10 minutes à l'eau bouillante, puis on écarte une à une toutes les feuilles et on introduit la farce entre les feuilles en commençant par celles situées au centre. On peut aussi constituer une farce, la mettre en boule, l'entourer de feuilles de chou blanchies et enfermer le tout dans un filet ou une serviette (c'est le principe du ou plutôt des farcis poitevins). Enfin, on peut aussi couper toutes les feuilles du chou blanchies, et le reconstituer à partir des feuilles les plus grandes en les couvrant par couches de farce, jusqu'aux feuilles plus petites. Il faut stabiliser l'ensemble en l'entourant d'une barde comme un rôti ou d'un linge.

Le farci poitevin

C'est un grand classique de cette région. Voici une des recettes — les variantes abondent. Il se mange chaud ou froid.

Pour 6 personnes
1 chou de Milan
100 g d'oseille équeutée
3 brins de persil
4 gousses d'ail épluchées et dégermées
200 g de mie de pain légèrement trempée dans du lait
6 œufs
500 g de poitrine de porc fumée découennée et coupée en tout petits lardons
sel ; poivre

Blanchir le chou à l'eau bouillante salée pendant 10 minutes. Retirer les plus grosses feuilles. Exprimer l'eau du reste. Le hacher.

Hacher tous les légumes, ajouter le chou, le pain, les œufs, le poivre, la poitrine de porc. (Il est inutile de saler, la poitrine apportera le sel nécessaire.)

Faire une boule avec la farce, l'entourer des grosses feuilles de chou puis recouvrir l'ensemble d'un filet ou d'une serviette et bien l'attacher.

Cuire à petit feu pendant 2 heures dans de l'eau salée.

Fabada

Pour 4 personnes
1 jambonneau demi-sel
500 g de haricots blancs secs type cocos
300 g de chorizo coupé en tranches de 3 mm d'épaisseur
3 gousses d'ail épluchées, dégermées et finement râpées
200 g de poitrine de porc fraîche coupée en 8 morceaux
1 oignon épluché, piqué d'un clou de girofle
15 filaments de safran
1 bouquet garni (un petit poireau, thym, queues de persil)
1 carotte épluchée, coupée en rondelles
50 ml d'huile d'olive
sel
poivre

Tremper le jambonneau dans l'eau pendant 8 heures.

Tremper les haricots dans l'eau pendant 12 heures.

Dans une cocotte, mettre les haricots, le jambonneau, le chorizo, l'ail, la poitrine, l'oignon, le safran, le bouquet garni, la carotte, l'huile, mouiller d'eau à hauteur, saler et poivrer. Mener à ébullition, écumer.

Cuire à couvert 45 minutes à feu doux. Vérifier qu'il reste assez d'eau pour que les haricots restent humides. Prélever une louche de haricots, les mixer et les remettre dans le plat.

Enlever le bouquet garni.

Mettre les viandes dans le plat de service. Entourer avec les haricots. Napper du jus de cuisson réduit.

NB — *On peut ajouter du beurre (ou, pourquoi pas, du foie gras) à la cuisson finale ; ce n'est pas dans la tradition de ce plat espagnol des Asturies mais c'est bon. On peut également parsemer de cerfeuil, persil ou coriandre fraîche hachée.*

Salade de haricots au drapeau italien

Non, ce n'est pas de la cuisine italienne. Mais la disposition des haricots en fonction de leurs couleurs — vert, blanc, rouge — rappelle le drapeau national italien. C'est un plat agréable à regarder et très apéritif. Malgré sa simplicité, il est toujours très apprécié. Attention : le temps de cuisson des différents haricots n'est jamais le même. Il ne faut en aucun cas les cuire ensemble.

Pour 8 personnes
250 g de haricots blancs (cocos, soissons, mohjettes)
250 g de flageolets
250 g de haricots rouges
9 échalotes
6 gousses d'ail
poivre
sarriette
sel
300 g de crème fraîche
9 cuillerées à soupe de vinaigre de vin rouge
ciboulette et persil frais ciselés
150 g d'oseille ciselée

La veille, mettre chaque espèce de haricots dans un récipient avec 3 échalotes émincées et 2 gousses d'ail dégermées finement coupées, poivre et sarriette. Couvrir d'eau et laisser mariner au frais pendant 24 heures en ajoutant de l'eau de telle sorte qu'ils soient toujours juste recouverts. Éliminer les haricots trop secs, en particulier ceux qui surnagent.
Le lendemain, mettre chaque sorte de haricots dans une casserole (3 casseroles). Ajouter de l'eau jusqu'à 2 centimètres au-dessus des haricots. Saler et ajouter la sarriette.

Cuire à feu doux environ 1 heure. Toutefois ce temps est approximatif et il convient de goûter les haricots qui doivent être tendres sans éclater.

Mettre dans chaque saladier (3 saladiers) 100 grammes de crème, 3 cuillerées à soupe de vinaigre de vin rouge, saler, poivrer.

Lorsqu'ils sont cuits, sortir les haricots avec une écumoire et les répartir dans les saladiers (une sorte de haricots par saladier) alors qu'ils sont encore chauds. Bien mélanger, laisser refroidir. Ajouter la ciboulette, le persil et l'oseille finement ciselés. Mettre au réfrigérateur pendant 24 à 48 heures.

Servir en présentant les saladiers côte à côte, comme le drapeau italien.

Haricots cocos au foie gras et à la sarriette alternipilosa

Pour 4 personnes
400 g de haricots cocos (poids sec)
sel
poivre
2 branches de sarriette alternipilosa (ou, à défaut, de sarriette des jardins ou de sarriette de montagne)
100 g de foie gras

La veille, faire tremper les haricots dans l'eau froide pendant 12 heures.

Cuire les haricots dans l'eau avec sel, poivre et sarriette, en évitant de mettre trop d'eau. Les haricots doivent cependant être constamment recouverts de liquide, au besoin ajouter un peu d'eau bouillante. Cuire le temps nécessaire pour que les haricots soient tendres, mais non éclatés. Enlever la sarriette.

Passer au tamis 100 grammes de haricots cuits, passer le foie gras au tamis. Mélanger les deux purées. Ajouter un peu de liquide de cuisson pour obtenir une consistance à la fois liquide et épaisse. Rectifier l'assaisonnement. Mettre la sauce dans une casserole, ajouter les haricots, les tourner délicatement avec une cuillère en bois pour ne pas les abîmer. Faire chauffer 5 minutes sans faire bouillir.

Minestrone

Pour 4 personnes
200 g de petits haricots blancs secs
200 g de fèves sèches
2 courgettes de 150 g
2 carottes de 150 g épluchées
3 tomates de 150 g
1 aubergine de 200 g
3 gousses d'ail épluchées, dégermées et coupées en petits cubes
3 branches de céleri
1 bouquet garni (un petit poireau, queues de persil, thym, origan)
50 g de capellini ou de tubetini
8 feuilles de basilic à grandes feuilles
parmesan ou pesto (sur table)
sel
poivre

Faire tremper les haricots et les fèves pendant 12 heures.
Faire cuire haricots et fèves dans 1 litre d'eau salée pendant 30 à 40 minutes à petit feu. Éplucher les fèves.
Couper les courgettes en longues lanières avec un couteau économe. Couper les autres légumes en dés de 5 millimètres de côté.
Dans un faitout, mettre les légumes avec l'eau de cuisson des haricots. Ajouter 2 litres d'eau, le bouquet garni, saler, poivrer. Cuire à petit feu pendant 30 minutes.
Retirer le bouquet garni, ajouter les capellini. Cuire encore 5 minutes.
Hacher le basilic. Verser la soupe dans une soupière. Ajouter le basilic.
Servir avec du parmesan fraîchement râpé ou du pesto.

Asperges vinaigrette

Pour 4 personnes
1 kg d'asperges
6 cuillerées à soupe d'huile d'arachide
2 cuillerées à soupe de vinaigre de vin rouge
sel
poivre

654

Éplucher les asperges. Couper le bout terreux. Ne garder que 15 à 20 centimètres de tige.

Les cuire à l'eau salée 15 à 20 minutes selon la taille, les égoutter.

Faire la vinaigrette en mélangeant huile, vinaigre, sel et poivre.

Servir les asperges tièdes ou froides.

NB — *Une manière sophistiquée de cuire les asperges consiste à les placer verticalement, pointes vers le haut et à les faire descendre peu à peu dans l'eau : ainsi la base, plus dure, cuit plus longtemps que les pointes qui sont plus fragiles.*

Asperges à la Fontenelle

Pour 4 personnes
1 kg d'asperges
8 œufs extrafrais

Faire cuire les asperges selon la recette précédente.

Cuire les œufs à la coque 3 à 4 minutes selon la taille.

Servir les œufs et utiliser les asperges en guise de mouillettes. On peut, au préalable, les tremper dans du beurre fondu.

Asperges au parmesan

Pour 4 personnes
1 kg d'asperges
50 g de parmesan râpé
20 g de beurre

Cuire les asperges comme dans la recette des asperges vinaigrette.

Les égoutter, les disposer dans un plat à gratin.

Parsemer de parmesan râpé. Ajouter le beurre en petits morceaux.

Passer au gril du four (salamandre) pendant 3 ou 4 minutes, juste le temps de colorer.

Petite salade de crosses de fougères aigles

Pour 4 personnes
200 g de petites crosses de fougères aigles de printemps (elles doivent mesurer 10 à 12 cm maximum)
2 cuillerées à soupe d'huile d'olive
1/2 citron
sel
poivre

Pocher doucement les crosses de fougère 1 minute à l'eau bouillante salée.
Les retirer et les mettre dans l'eau froide. Les égoutter.
Les couper en tronçons de 3 à 4 centimètres. Recouvrir d'huile d'olive et du jus de citron. Saler et poivrer.

NB — *N'utiliser que les premières pousses de printemps. Les fougères deviennent amères avec le temps.*

Maïs à l'américaine

Pour 4 personnes
8 beaux épis de maïs jeune et tendre, épluchés
beurre salé

Cuire les épis à l'eau salée pendant 15 minutes environ. Servir bien chaud avec du beurre salé dont on tartine les épis au fur et à mesure qu'on les mange.

NB — *Pour ce plat d'une simplicité exemplaire, très apprécié des enfants, il faut un maïs de bonne qualité.*
Il s'agit d'un plat « sale » : prévoir des rince-doigts.

Riz rouge de Camargue aux épices mélangées

Pour 6 personnes
1 étoile de badiane
12 filaments de citronnelle de Thaïlande
poivre en grains
sel
1/4 de cuillerée à café de cannelle en poudre
1/4 de cuillerée à café de muscade râpée
1 pointe de poivre de Cayenne
1 gousse d'ail épluchée, dégermée, coupée en petits cubes
400 g de riz rouge de Camargue (Red Montmajour)
1 l de bouillon de veau

Mettre la badiane, la citronnelle et le poivre dans une mousseline.
La placer dans le bouillon avec le sel et le reste des épices.
Amener le bouillon à ébullition. Ajouter le riz. Couvrir presque complètement.
Cuire 30 minutes à petit feu. Laisser reposer 30 autres minutes dans la casserole. Ôter la mousseline avant de servir.

NB — *Le Red Montmajour est un riz naturellement rouge apprécié aux Pays-Bas. C'est un riz complet de bonne qualité. Ainsi cuit, il peut être servi avec un plat en sauce.*

LES CONFITS ET CONFITURES

Les confits sont à la friture ce que les braisés sont au pochage à grand feu. Ils sont faits avec un corps gras noble, en particulier graisse d'oie ou de canard, chauffé modérément, bien en dessous des températures utilisées pour la friture. C'est ainsi que sont confectionnés les confits d'oie et de canard, l'enchaud, les rillettes et les rillons. Mais on peut également confire des légumes et des abats. On peut aussi *confire le foie gras* : Marc Meneau[1] recommande de l'enfouir dans la graisse d'oie ou de canard à 92°, d'arrêter le feu et d'attendre le lendemain : le foie est cuit.

1. *La Cuisine en fêtes, op. cit.*

Les confitures se préparent selon le même principe : les fruits sont cuits dans un sirop de sucre dont il faut vérifier qu'il ne chauffe pas trop.

Rillons

Pour 8 personnes
1 kg de poitrine maigre de porc fraîche avec sa couenne
100 g de gros sel marin
1 kg de saindoux
10 g de poivre mignonnette
1 bouquet garni (laurier, thym, persil)
8 gousses d'ail non épluchées

Couper la poitrine en morceaux carrés de 4 centimètres de côté. Les enrober dans le sel et les mettre à macérer au frais pendant 48 heures.

Laver les carrés de porc salés, les laisser 2 heures sous l'eau courante. Les essuyer soigneusement.

Fondre le saindoux (ou un poids équivalent de panne) dans une cocotte. Y ajouter le poivre, le bouquet garni, l'ail et la viande. Cette dernière doit être bien enfouie dans la graisse : si nécessaire, augmenter la quantité de saindoux.

Cuire à petit feu sans bouillir pendant 4 à 5 heures.

Sortir les morceaux de viande encore chaude et les égoutter.

Les couper en tranches de 5 millimètres. Les faire colorer rapidement à la poêle.

NB — *Les rillons ainsi préparés se servent avec une salade. Ce sont des spécialités traditionnelles de la Touraine.*
On peut aussi les laisser refroidir dans leur graisse et les sortir au fur et à mesure des besoins.
On peut les manger froids, finement émincés, à l'apéritif, ou dans une assiette charcutière.

Compote de poulet aux deux olives

Pour 4 personnes
500 g de chair de poulet rôti sans os
8 ciboules épluchées finement émincées
50 g de beurre
100 g d'olives vertes dénoyautées
100 g d'olives noires dénoyautées
200 ml de vin blanc
200 ml de bouillon de poule
une pointe de poivre de Cayenne
poivre
sel

Couper la viande en la dilacérant d'abord et en coupant les fibres tous les 2 centimètres.
Faire blanchir les ciboules dans le beurre pendant 5 minutes.
Ajouter l'ensemble des ingrédients sauf le sel. Cuire doucement pendant 20 minutes à feu doux en tournant de temps en temps. La chair du poulet doit être complètement dissociée, en compote. Goûter, saler si besoin est.

NB — *Une façon goûteuse d'utiliser un reste de poulet rôti. On peut ajouter des anchois, des citrons confits ou remplacer les olives par des câpres et des cornichons, on ajoute alors du vinaigre.*

Rillettes d'oie

Pour 12 personnes
1 épaule de porc (le poids du porc doit être égal à celui de l'oie)
1 carcasse d'oie fendue en deux
1 panne de porc (ou du saindoux)
1 oignon émincé
1 bouquet garni (laurier, thym, persil)
sel
poivre

Désosser les viandes en gros morceaux. Mettre le porc dans une marmite, puis l'oie. Recouvrir les viandes avec la panne fondue (saindoux)

Ajouter l'oignon, les épices, le sel et le poivre et tous les os.
Porter à ébullition. Cuire à feu doux pendant 5 heures à couvert.
Placer les viandes dans une passoire. Récupérer la graisse.
Enlever tous les os et le bouquet garni.
Remettre les viandes dans la marmite. Incorporer la graisse peu à peu en tournant continuellement avec une grande spatule en bois pour assurer la liaison entre la viande et la graisse.
Mouler les rillettes dans les pots.
Laisser refroidir.
Verser le lendemain un centimètre de saindoux dans chaque pot.
Fermer hermétiquement.

NB — *Les rillettes se conservent au réfrigérateur pendant plusieurs semaines. La même recette est applicable au porc (rillettes de porc) et à diverses viandes blanches : lapin, poulet, dinde, ainsi qu'au canard.*
Les rillettes de Tours sont faites de 1/3 de panne hachée, de 1/3 de jambon et de 1/3 de palette. Les viandes sont coupées en lanières. On cuit 5 à 6 heures à petit feu avec les os. On enlève ces derniers, on monte le feu pendant quelques minutes. On récupère les viandes qu'on met en pots. On ajoute le gras à hauteur. Le lendemain, on recouvre de 1 centimètre de saindoux et on ferme hermétiquement.

Confit d'oignons à la 7 heures

Pour 4 personnes
500 g d'oignons
100 g de beurre demi-sel
750 ml de vin rouge
100 g de miel

Éplucher les oignons, les couper en fines rondelles, les disposer dans un plat allant au four. Couper le beurre en longues bandes minces et en recouvrir la surface des oignons.
Mettre au four à 130° (thermostat 4-5) pendant 30 minutes.
Ajouter le vin. Cuire 3 heures et demie.
Ajouter le miel, mélanger et cuire encore 3 heures.

NB — *On peut remuer les oignons toutes les heures pour éviter le dessèchement de ceux qui sont au-dessus.*

660

On peut cuire pendant une nuit de 7 ou 8 heures. Dans ce cas, on met le miel en même temps que le vin. Il est préférable toutefois de conserver la cuisson initiale avec le beurre qui imbibe bien les oignons.

Les oignons ainsi cuits restent croquants, ils sont doux sous la dent et le mélange des ingrédients au four doux donne à la sauce une concentration et une longueur intéressantes.

Compote de poires au cidre

Pour 4 personnes
1 kg de Louises-Bonnes d'Avranches
500 ml de cidre brut
100 g de raisins secs type Corinthe
2 clous de girofle
1 petit morceau de cannelle
100 g de sucre
50 ml de calvados jeune du pays d'Auge

Éplucher les poires, les couper en petits dés de 1 centimètre de côté.
Les mettre au fur et à mesure dans le cidre. Ajouter l'ensemble des ingrédients. Cuire à couvert à feu doux pendant 30 minutes. Laisser refroidir, enlever les épices. Mettre au réfrigérateur. Servir avec de la crème double d'Isigny battue en chantilly légèrement sucrée.

NB — *Une forte tonalité normande. En remplaçant le cidre par de la bière et le calvados par du genièvre, nous voilà en Belgique. Et si au lieu de crème double on utilise de la crème sure, le plat se transporte dans l'Europe centrale. Avec d'autres épices et sans alcool, ce sont les rivages de la Turquie qui apparaissent. L'important, c'est que ce soit bon.*

Confiture d'abricots

Pour 3 pots de 500 g de confiture
1 kg d'abricots
1 citron
1 kg de sucre

661

Dénoyauter les abricots en les coupant en deux oreillons.
Presser le jus du citron.
Mettre l'ensemble des ingrédients dans un saladier au frais pendant 1 à 2 jours.
Égoutter.
Mettre la partie liquide à chauffer dans une bassine à confitures.
Laisser épaissir pendant une dizaine de minutes pour atteindre le soufflé (cf. cuisson du sucre) c'est-à-dire 110° -115°.
Ajouter les abricots. Cuire encore 10 minutes. Écumer à la fin.
Mettre en pots.

NB — *Attention aux projections.*
On peut ajouter une partie des amandes d'abricot en cassant les noyaux et en enlevant la membrane qui les recouvre.
Les autres confitures se cuisent selon le même principe. C'est le cas des cerises, des fraises, des mûres, des framboises, des pêches, des prunes.

Confiture de gratte-cul

1 kg de fruits d'églantier (gratte-cul) ou d'autres rosiers botaniques
300 ml d'armagnac
sucre en poudre

Couper les fruits en deux, ôter les graines. Mettre les peaux à macérer quarante jours avec l'alcool.
Les piler avec le même poids de sucre.
Cuire 30 minutes en écumant. Mettre en pots.

NB — *Une recette « volée » à Joseph Delteil[1].*

Chutney de mangues

Pour 1,5 kg de chutney
1 kg de chair de mangue pelée et dénoyautée
500 g de cassonade
500 ml de vinaigre de cidre
6 gousses d'ail épépinées, dégermées et émincées
8 piments de Cayenne séchés et pulvérisés
25 g de gingembre frais
10 grains de poivre noir

1. *La Cuisine paléolithique*, Robert Morel, 1964.

Couper la chair de la mangue en petits morceaux.

Fondre le sucre dans le vinaigre. Ajouter l'ensemble des ingrédients et laisser compoter à couvert et à feu doux pendant 2 heures.

Quand le chutney est assez épais, le mettre en bocaux et le couvrir.

NB — *Les chutneys se mangent avec divers plats en sauce, comme les currys.*

Écorce de citron confite

1 kg de citrons
500 g de sucre + 100 g pour l'opération finale

Utiliser si possible des fruits non traités. Sinon, les laver à l'eau courante ; les sécher.

Enlever les deux extrémités. Couper les citrons en deux, ôter la pulpe. Réduire l'épaisseur de la partie blanche de l'écorce de telle sorte qu'elle soit de même épaisseur que la partie colorée. Couper l'écorce en longues bandelettes de 2 à 3 millimètres de large.

Les mettre dans une casserole d'eau froide. Porter à ébullition et les égoutter.

Les mettre à cuire avec le sucre et 2 litres d'eau pendant 20 à 30 minutes. Les retirer et les laisser sécher pendant 3 à 4 heures. Les rouler dans le sucre.

NB — *On peut préparer de la même façon les autres agrumes : oranges, pomélos (pamplemousses), cédrats, etc. On peut également ajouter diverses épices au liquide de cuisson.*

LES FONDUES

Voici un terme bien malheureux car on l'a attribué de façon abusive à des plats et des modes de cuisson fort différents, dont certains n'ont rien à voir avec le mot « fondue ». Qui dit fondue dit fondre, et la *fondue* savoyarde, l'originelle, le prouve : c'est du fromage des Alpes fondu à chaud dans du vin avec une pointe d'ail et une larme d'alcool blanc. Sont fondues aussi celles à base d'autres fromages, de vache comme les croûtes lavées de Normandie (pont-l'évêque, livarot), le reblochon ou le camembert, mais aussi de brebis (par exemple le roquefort) ou de chèvre. Sont fondues aussi des plats qui ne portent pas ce nom : l'aligot du Massif central, le welsh rarebit britannique et même les tartiflettes au reblochon chères à Marc Veyrat.

On peut également qualifier de fondues celles qu'on fait avec du chocolat ou différents nappages sucrés.

C'est que dans la fondue, c'est ce qui est fondu que l'on mange : plus que le pain planté au bout d'une fourchette à long manche, c'est le fromage qui compte.

Imagine-t-on de manger ou boire l'huile de la fondue dite bourguignonne ? Ces autres fondues n'ont de commun avec l'authentique que le poêlon dans lequel on les fait chauffer sur la table, et les fourchettes assorties.

Toutes ces fondues sont fort diverses de conception comme de goût. La fondue bourguignonne est une friture. La fondue chinoise s'apparente à une bouillabaisse. La fondue au bouillon de Michel Guérard est un dérivé du bœuf à la ficelle ou du pot-au-feu. Les fondues sucrées « modernes » de fruits dans des jus de fruits aromatisés et sucrés sont des confitures. On peut aussi proposer des fondues avec de la graisse d'oie ou de canard qui, à grand feu, seront des fritures et à feu moyen des confits, des fondues au vin, au vinaigre, au bouillon de légumes, de poule ou de bœuf, au court-bouillon, à la bouillabaisse, à la gelée de fruits, etc., pour lesquelles chacun peut innover comme il l'entend. Néanmoins, il faut bien précisément déterminer ce qu'on veut obtenir, en terme de goût et de consistance, et identifier le mode de cuisson.

Un dernier mot : danger. Un plat qui chauffe sur la table, un plat dans lequel tout le monde se sert — les enfants aussi —, cela signifie risque de se renverser, risque de s'enflammer. La fête peut vite tourner au drame. On ne sert une fondue que si on dispose d'un système stable et d'une sécurité absolue.

Les fondues au fromage

Le principe est simple : il s'agit de faire fondre du fromage avec divers ingrédients pour obtenir une sorte de purée plus ou moins épaisse qui peut se manger de diverses manières.

Fondue savoyarde

Pour 6 personnes
1 gousse d'ail
500 g de beaufort
300 g d'emmental
500 ml de vin blanc très sec
1 petit verre de marc ou de kirsch
sel
poivre
muscade
pain

Couper le fromage en dés.
Frotter un poêlon à fondue avec l'ail, verser dedans le fromage, le vin blanc. Faire fondre le fromage doucement en remuant.
Lorsque la fondue est bien homogène, verser l'alcool, goûter et rajouter éventuellement sel, poivre, voire muscade.
Poser le poêlon sur la table, chauffé en permanence par un petit réchaud.
Traditionnellement on coupe du pain en petits cubes, que chacun pique au bout d'une longue fourchette spéciale, on les plonge dans le plat et on les retire enrobés de fromage fondu. On peut également utiliser des cubes de viande blanche, veau ou volaille, ou des petits légumes, choux-fleurs, petits champignons, fenouils, céleris, etc., voire des fruits.

NB — *Certains ajoutent à la fondue une cuillerée à soupe de farine de maïs (Maïzena) ou un peu de fécule ou d'amidon délayé afin d'épaissir sa consistance. D'autres mettent un peu de beurre dans le poêlon au départ de la cuisson.*

Autres fondues au fromage

Suite au succès de la fondue savoyarde, d'innombrables variantes ont vu le jour, chaque région s'efforçant de démontrer que les fromages alpestres ou autres peuvent être utilisés : cantal, croûtes lavées ou fleuries, gouda, etc.
C'est ainsi qu'on trouve des fondues piémontaises à la fontina ; normandes au camembert, pont-l'évêque ou livarot,

éventuellement additionné de fourme d'Ambert et de tome; auvergnate au cantal; franc-comtoise au beaufort (vieux et jeune en parts égales); fribourgeoise au vacherin de Fribourg, éventuellement additionné de gruyère râpé; gessine au bleu de Gex et au comté; suisse au gruyère; neufchâteloise à l'association de gruyère frais et rassis; alsacienne au munster mélangé à l'emmental ou au gruyère; hollandaise où se mélangent divers fromages bataves, etc.

On peut utiliser soit le vin blanc — en général on compte un poids deux fois plus important de fromage que de vin — mais aussi le cidre, et pourquoi pas la bière. L'ail peut être remplacé par d'autres herbes de la même famille, ciboulette, échalote, aulx sauvages divers. On peut aussi y ajouter des fines herbes, des olives, des anchois, etc.

On le voit, les fondues au fromage sont innombrables et chacun peut varier les recettes à son goût, les servir avec des pommes de terre cuites à l'eau, avec de jeunes légumes frais, et même des pâtes fraîchement cuites.

Aligot

C'est une fondue de l'Auvergne, traditionnelle.

Pour 6 personnes
500 g de tome fraîche de Laguiole
1 kg de pommes de terre à purée
1/2 l de lait
50 g de beurre
1 gousse d'ail finement haché
sel
poivre

Couper le fromage en morceaux.
Faire cuire les pommes de terre épluchées 20 à 25 minutes dans l'eau bouillante salée.
Égoutter. Écraser à la fourchette ou passer au moulin à légumes.
Mettre dans un poêlon à feu doux la purée, le lait, le beurre, l'ail et le fromage. Tourner sur feu doux comme pour une fondue jusqu'à obtention d'une pâte homogène.
Goûter, ajouter sel et poivre. Servir aussitôt.

Truffarde

Il existe plusieurs variantes, de nom comme de cuisson, de cette alliance de la pomme de terre et du fromage. La recette ci-dessous ressemble à un aligot poêlé ou rôti.

Pour 6 personnes
500 g de tome de Laguiole fraîche
500 g de pommes de terre à purée épluchées
sel
poivre

Couper le fromage en morceaux très petits (lamelles).
Faire cuire les pommes de terre à l'eau salée pendant 20 à 25 minutes.
Les égoutter, les écraser à la fourchette ou au moulin à légumes.
Ajouter le fromage.
Bien écraser à la fourchette, saler, poivrer.
Cuire à feu doux dans des poêles à blinis de petites galettes que l'on retourne lorsqu'elles sont bien dorées. Les placer sur du papier absorbant avant de servir très chaud.

NB — *On peut aussi cuire la truffarde en bloc dans une grande poêle, mais il est plus difficile de la retourner sans la briser.*
On peut utiliser d'autres fromages que la tome fraîche, en évitant les fromages trop forts ou âgés qui donneraient un goût âcre et peu agréable.

Welsh rarebit

Ou fondue galloise, un classique britannique.

Pour 4 personnes
500 g de cheddar (chester) britannique, pas de cheddar américain de supermarché
250 ml de bière blonde
1 g de fécule ou d'amidon
moutarde anglaise, Worcestershire sauce, etc.
pain de mie

Couper le fromage en morceaux.

Faire fondre dans un poêlon le fromage avec la bière, ajouter la fécule et, au choix, moutarde ou Worcestershire sauce. Remuer jusqu'à obtention d'une consistance homogène.

Griller les toasts, les tartiner de fondue.

Les passer au four très chaud ou à la salamandre pour les colorer.

NB — *En cas d'excès, consulter les œuvres de Winsor Mc Kay.*

Raclette

Pour 4 personnes
1 kg de pommes de terre
200 g de viande des Grisons
1 kg de fromage à raclette
cornichons
sel
poivre

Cuire les pommes de terre à l'eau salée.

Émincer très finement la viande des Grisons.

Placer le fromage devant le feu de la cheminée, ou devant une résistance chauffante. Racler le fromage fondu et le manger au fur et à mesure avec les autres ingrédients.

NB — *Un plat suisse traditionnel. La raclette, outil particulier de fumisterie, apparaît dans les chansons populaires savoyardes avec une connotation graveleuse.*
Il existe des ustensiles spéciaux pour faire fondre individuellement le fromage car la raclette est en définitive une fondue.

LE BAIN-MARIE

Le principe du bain-marie est simple : on chauffe la préparation à cuire dans un récipient lui-même placé à l'intérieur d'un second, qui contient un liquide, la paroi de chacun des conteneurs étant généralement séparée d'environ 2 centimètres.

La cuisson au bain-marie dépend de plusieurs facteurs. Si le premier récipient, qui contient l'aliment, est fermé, la seule source de chaleur est celle qui est transmise par le liquide contenu dans le second. La température du liquide est limitée par le point d'ébullition. Autrement dit, si on utilise, ce qui est généralement le cas, de l'eau, la température maximum est de 100° puisque au-delà l'eau se transforme en vapeur. La cuisson au bain-marie d'eau est donc une cuisson à une température relativement basse puisque au maximum égale à 100°. Bien entendu, on peut régler la source d'énergie de telle manière que la température soit inférieure à 100°.

On trouve des exemples de chefs utilisant diverses huiles. La température d'ébullition de ces dernières est variable, mais située aux alentours de 180°-190°. On constate qu'on atteint ainsi des températures beaucoup plus élevées qu'avec l'eau. Toutefois, l'emploi de l'huile a l'inconvénient que les gouttelettes se dispersent, salissent l'atmosphère et, de plus, risquent de s'enflammer. C'est d'ailleurs pourquoi on n'emploie pas de bains-marie d'alcool, qui permettraient de cuire à plus basse température (ébullition 78° pour l'éthanol, l'alcool éthylique), car les risques sont évidents.

On peut cuire au bain-marie sur une plaque de cuisson ou dans un four à convection (le four à micro-ondes est incompatible avec cette cuisson, en raison de son principe même). Dans ce cas, il convient de s'interroger sur les effets de la chaleur lorsque le four est au-dessus de 100°, c'est-à-dire au thermostat réglé au-dessus de 3-4. Si le conteneur alimentaire n'est pas fermé, la préparation qui cuit reçoit la chaleur par le bas, par l'intermédiaire de l'eau, c'est-à-dire à peu près à 100°, alors que la partie supérieure, découverte, est exposée à la température qui règne dans le reste du four. Cette disparité des sources de chaleur a des effets sur la cuisson de l'aliment qui risque le dessèchement de la partie supérieure, ou la formation d'une croûte.

Ces remarques s'appliquent à des conteneurs qui ne sont pas fermés hermétiquement, car en ce cas la température des liquides peut excéder celle de l'ébullition — on sait que dans un autocuiseur fermé, l'eau atteint généralement une température de 130°.

Enfin, il faut se rappeler qu'un liquide qui bout est agité de mouvements : il peut donc déborder à l'extérieur ou à l'intérieur du plat en train de cuire. Il faut donc remplir modérément le conteneur extérieur et garder le niveau du liquide à 3 ou 4 centimètres du haut. Il faut également vérifier régulièrement le niveau en raison de l'évaporation et éventuellement remettre du liquide chaud dans le bain-marie.

On doit aussi s'assurer que c'est bien par l'intermédiaire du liquide que la chaleur est transmise. Le fond du récipient qui contient l'aliment ne doit jamais toucher le fond de celui qui contient le bain-marie.

On le voit, le bain-marie est une cuisson qui offre l'avantage d'une relative constance thermique, évite les températures élevées, mais demande un peu d'attention.

Potjevleisch

Un « pâté » traditionnel flamand.

Pour 6 personnes
200 g de lard gras coupé en fines bardes
1 lapin coupé en morceaux
400 g de veau coupé en cubes de 3 cm de côté
2 blancs de poulet coupés en 2 dans le sens des fibres
sel
poivre
12 échalotes épluchées et finement émincées
1 bouquet garni (thym, laurier, queues de persil)
100 ml de vin blanc
50 ml d'alcool de genièvre

Chemiser une terrine avec le lard gras.

Disposer les viandes en les tassant bien. Saler et poivrer, mettre l'échalote entre les viandes. Disposer le bouquet garni par-dessus, ajouter le vin et l'alcool. Recouvrir avec les bardes.

Luter la terrine (souder le couvercle avec une pâte faite de farine et d'eau).

Mettre au bain-marie au four doux pendant 4 heures : température 120° (thermostat 4).

Laisser refroidir, puis entreposer au réfrigérateur avant emploi.

Terrine de lotte à la tomate

Pour 8 personnes
1 kg de lotte
400 ml de vin blanc
1 bouquet garni (queues de persil, thym, laurier)
sel
poivre en grains
6 belles tomates
100 g de crème
40 ml d'huile d'olive
6 œufs

Nettoyer la lotte, la mettre dans une casserole avec le vin, le bouquet garni, sel et poivre en grains. Recouvrir à hauteur avec de l'eau froide. Mettre sur le feu, cuire à petit feu 20 minutes, laisser refroidir dans le court-bouillon.

Éplucher les tomates (au besoin en les plongeant 30 secondes dans l'eau bouillante). Les épépiner et les couper en petits dés. Faire réduire la chair des tomates en les cuisant à feu moyen avec l'huile d'olive, en tournant pour empêcher d'attacher, pendant 5 minutes.

Couper la lotte en gros cubes. Enlever l'arête.

Mélanger la crème, les œufs, les tomates, saler, poivrer.

Mettre l'ensemble dans une terrine. Cuire au four à 210° (thermostat 7) au bain-marie pendant 40 à 50 minutes (le temps dépend de la qualité des tomates). Laisser refroidir et servir bien froid.

NB — *Si la qualité des tomates laisse à désirer, on peut ajouter un peu de concentré de tomate. (Recette d'Henriette Reggui.)*

Terrine de ha à la tétragone

Pour 8 personnes
1 kg de ha ou de roussette
100 g de crème
20 g de beurre
400 g de feuilles de tétragone (bien équeutées)
6 œufs
1 cuillerée à soupe de farine de maïs (Maïzena)
sel
poivre
citron

671

Éplucher le requin, enlever les arêtes, mixer la moitié de la chair avec la crème. Couper le reste en cubes de 2 centimètres de côté. Faire sauter les cubes dans le beurre 1 ou 2 minutes par face. Les essuyer.

Plonger les feuilles de tétragone dans une casserole d'eau bouillante. Les retirer dès qu'elles se ramollissent (c'est très rapide). Les plonger dans un saladier d'eau glacée. Les égoutter et bien presser pour faire sortir d'eau. Les hacher finement.

Battre les œufs en omelette

Mélanger l'omelette, la farine de maïs, la purée de poisson et le hachis de tétragone. Saler, poivrer, mixer l'ensemble.

Mettre dans une terrine en intercalant des cubes de ha.

Cuire au bain-marie à 180° (thermostat 6) pendant 40 à 50 minutes.

Servir froid avec du citron.

NB — *Cette terrine bien verte peut se servir avec des jaunes d'œufs réduits en fine poudre, les blancs hachés, et des petits cubes de tomates épluchées et épépinées. Une belle harmonie de couleurs.*
Le ha, ou chien de mer, est un squale de taille moyenne. A défaut, on peut utiliser un animal de même type : veau de mer, roussette, etc.

Terrine de saumon aux pistaches

Pour 8 personnes
1,3 kg de chair de saumon
100 g de mie de pain
100 g de crème
250 g de chair de merlan
3 œufs
100 g de pistaches grillées (poids décortiqué)
3 cuillerées à soupe de feuilles de coriandre fraîche hachée
sel
poivre
huile d'olive
1 citron

Bien préparer le poisson : enlever toute trace de sang, de peau, enlever les petites arêtes.

Mixer la chair de 600 grammes du saumon. Couper le reste en escalopes de 2 mm d'épaisseur.

Tremper la mie de pain dans la crème et la passer au mixer avec la chair du merlan et les œufs.

Saler et poivrer les 2 hachis. Les mélanger. Passer au tamis.

Ajouter les pistaches et la coriandre à ce hachis.

Passer au pinceau de l'huile d'olive sur les parois d'une terrine. La chemiser avec des escalopes de saumon. Alterner les couches de saumon et de hachis. Terminer par ce dernier. Recouvrir de tranches fines de citron.

Luter la terrine (sceller le couvercle avec un mélange de farine et d'eau).

Cuire au bain marie à four doux, à 120° (thermostat 4) pendant 1 heure et demie.

Laisser refroidir. ôter le couvercle. Mettre un poids de 1 ou 2 kilos pendant 12 heures au froid. La terrine sera meilleure après 24 heures de réfrigérateur.

LES ÉMULSIONS DE LA CHALEUR DOUCE

L'union des contraires peut se faire à froid ou au grand feu. Elle ne peut, dans certaines conditions, se produire que lorsque la température est inférieure à celle qui provoque l'ébullition. Pour obtenir une émulsion, il faut un mouvement. A froid, c'est le déplacement mécanique produit par la main du cuisinier ou par un instrument électrique qui la provoque. Les émulsions du grand feu n'en ont pas besoin car l'ébullition entraîne des turbulences telles que les molécules des divers constituants sont mises en mouvement. Les émulsions de la chaleur douce sont intermédiaires. Certaines n'ont pas besoin d'un apport mécanique, elles se produisent seules au terme de longues cuissons. D'autres, plus rapides, demandent un mouvement de la part du cuisinier. Ce n'est d'ailleurs pas la seule raison pour que le cuisinier manie la palette ou le fouet. Ces émulsions se faisant en général sur un feu de cuisson, il existe un gradient de température entre le fond du récipient, plus chaud puisque situé près de la source de chaleur et la surface qui en est éloignée. Le mouvement empêche ainsi la formation d'une pâte plus épaisse près du fond, où d'ailleurs elle pourrait se coller, et qui ferait écran à la transmission de la chaleur vers le haut.

Nombre de ces préparations nécessitent la présence de jaune d'œuf, qui, en cuisant peu à peu, participe à l'épaississement de l'ensemble.

673

Les émulsions de la chaleur douce sont délicates à réussir. Si le feu est insuffisant, elles ne se produisent pas. S'il est trop fort, la coagulation du jaune d'œuf fait « tourner » l'ensemble. Elles demandent donc de l'attention et une présence constante. (Signalons l'existence de certains sauciers automatiques qui assurent à la fois la température requise et le mouvement mécanique).

Si la préparation est délicate, le résultat est souvent remarquable de légèreté, de finesse et d'élégance. C'est ainsi qu'on prépare certaines sauces parmi les plus renommées : hollandaise et béarnaise entre autres, ou des crèmes comme la crème anglaise et ses dérivées, crème au beurre ou moka, et des potages tel l'aristocratique Germiny. (D'autres exemples d'émulsions se trouvent dans la dernière partie, « Le livre des transformations ».)

Sauce hollandaise

Pour un bol de sauce
4 jaunes d'œufs
3 fois le même poids de beurre (environ 250 g)
2 cuillerées à soupe de vinaigre de vin blanc
sel
poivre blanc

Casser un à un les œufs et séparer les jaunes en éliminant toute trace de blanc.

Peser les jaunes, ce qui permet d'estimer la quantité de beurre nécessaire.

Faire réduire le vinaigre des trois quarts. Le mettre dans un récipient avec le sel, le poivre, 1 ou 2 cuillerées à soupe d'eau et les jaunes.

Placer l'ensemble à l'intérieur d'une casserole d'eau chaude mais non bouillante. Le fond du récipient ne doit pas toucher le fond de la casserole pour éviter de recevoir directement la chaleur : cette dernière doit être transmise par l'eau, elle-même maintenue à une température inférieure à 100°.

Créer un mouvement continu avec un fouet ou une cuillère, bien mélanger.

Ajouter un morceau de beurre de 20 grammes environ lorsque l'ensemble commence à épaissir et à prendre une consistance crémeuse.

Continuer ainsi jusqu'à épuisement complet du beurre.

NB — La sauce hollandaise est un des grands chefs-d'œuvre de la cuisine, elle allie onctuosité et sapidité. Elle demande de l'attention. Il ne faut chauffer ni trop ni pas assez. Un excès de chaleur la fait tourner. Il faut alors recommencer en la laissant refroidir et en mettant un jaune d'œuf avec un peu d'eau au bain-marie en fouettant, on ajoute ensuite peu à peu la sauce tournée.
On peut cuire directement sur le feu mais il faut bien maîtriser la chaleur.
On peut ajouter une pincée de fécule ou de farine pour l'empêcher de tourner.
On peut ajouter un peu de jus de citron ou supprimer le vinaigre.

Sauce mousseline

100 g de crème
350 g de sauce hollandaise

Battre la crème en chantilly non sucrée.
Ajouter, au moment de servir, la chantilly en la mélangeant avec un fouet.

Sauce maltaise

1 orange maltaise de Tunisie
350 g de sauce hollandaise

Prélever quelques très fins filaments de zeste (ils ne doivent pas comporter de blanc).
Presser l'orange et recueillir le jus en le passant à l'étamine.
Au moment de servir, mélanger le jus et le zeste avec la sauce hollandaise.

Sauce béarnaise

Pour un bol de sauce
4 jaunes d'œufs
3 fois le même poids de beurre (environ 250 g)
6 cuillerées à soupe de vinaigre de vin blanc
6 échalotes grises épluchées finement émincées
1 belle branche d'estragon + 1 cuillerée à café de feuilles hachées
sel
poivre blanc
1 cuillerée à café de cerfeuil finement haché

Casser un à un les œufs et séparer le jaune en éliminant toute trace de blanc.

Peser les jaunes, ce qui permet d'estimer la quantité de beurre nécessaire.

Dans une casserole, mettre le vinaigre, les échalotes et la branche d'estragon coupée en 3 morceaux. Faire chauffer tout doucement pour que le liquide réduise de la moitié.

Passer le liquide au chinois dans un récipient, en pressant bien pour exprimer toutes les saveurs. Ajouter le sel, le poivre et les jaunes.

Placer l'ensemble à l'intérieur d'une casserole d'eau chaude mais non bouillante. Le fond du récipient ne doit pas toucher le fond de la casserole pour éviter de recevoir directement la chaleur : cette dernière doit être transmise par l'eau, elle-même maintenue à une température inférieure à 100°.

Créer un mouvement continu avec un fouet ou une cuillère, bien mélanger.

Ajouter l'estragon et le cerfeuil hachés.

NB — *La consistance est plus épaisse que celle de la sauce hollandaise, elle est proche de celle d'une mayonnaise.*
Comme dans le cas de la sauce hollandaise, on peut faire la sauce directement sur le feu, mais il faut bien maîtriser la température.
On peut ajouter un peu de vin blanc avec le vinaigre tout au début.
On peut également ajouter une pincée de farine ou de fécule avec les jaunes.

Sauce choron

2 grosses tomates bien mûres
350 g de sauce béarnaise
sel
poivre

Éplucher, épépiner les tomates. Les faire cuire à feu moyen pendant 10 minutes. Les mixer.
Faire épaissir la purée pour qu'il n'en reste que 100 grammes environ.
Rectifier l'assaisonnement.
Au dernier moment, ajouter la purée de tomates à la béarnaise.

Sauce avgolemono

Pour un bol de sauce
3 œufs
250 ml de bouillon
1 citron

Casser les œufs un à un. Séparer les jaunes des blancs.
Faire chauffer le bouillon avec le citron. Maintenir une température inférieure à celle de l'ébullition. Ajouter les jaunes. Faire cuire 10 minutes en tournant régulièrement avec une palette.

NB — *Une sauce grecque qui est d'esprit similaire au potage Germiny ou à la crème anglaise. Elle accompagne poissons et viandes blanches grillés ou pochés.*
On peut ajouter à la fin les blancs battus en neige en tournant avec précaution.

Brandade de morue

Pour 4 personnes
500 g de morue salée
1 belle pomme de terre de 80 g
20 g de câpres
1 gousse d'ail épluchée et dégermée, finement écrasée au mortier.
1 citron
200 ml d'huile d'olive
1 cuillerée à soupe de crème
poivre blanc
sel

Dessaler la morue 24 heures sous l'eau courante.
Couper la morue en 4 morceaux. Les mettre dans l'eau chaude sans bouillir pendant 10 minutes.
Éplucher la morue, enlever les arêtes, effeuiller la chair.
Cuire la pomme de terre à l'eau. La peler et l'écraser avec la morue à la fourchette. Ajouter les câpres et la gousse d'ail écrasée, ainsi que le jus de citron.
Mettre sur un feu doux dans une casserole avec un peu d'huile.
Tourner et travailler avec une cuillère en bois et ajouter peu à peu le reste d'huile comme pour une mayonnaise, puis la crème.
Poivrer, saler éventuellement.

NB — *La brandade, blanche et lisse, se mange tiède, traditionnellement avec des croûtons frits. La présence de l'ail est discutée.*

Crème d'oursins

Pour un bol de sauce
24 oursins bien frais
250 ml de sauce hollandaise

Éplucher les oursins, recueillir les languettes orangées avec une cuillère, les mettre dans un bol. Les mélanger à la fourchette.
Les mélanger étroitement avec la sauce hollandaise.

NB — *Cette sauce accompagne tous les poissons de mer.*

Toasts à l'encre

Pour 6 personnes
6 belles tranches fines de bon pain de campagne (éventuellement à l'épeautre ou au seigle)
encre de 1 kg de seiches ou de calmars
40 ml d'huile d'olive
poivre
sel
1 jaune d'œuf

Faire légèrement griller le pain. Il doit être blond mais pas desséché. Couper chaque tranche en 6 morceaux.

Dans une casserole, mettre l'encre, l'huile d'olive, le poivre, le sel et le jaune d'œuf. Cuire en remuant sans cesse avec un fouet ou une spatule, sans faire bouillir : on obtient une sorte de crème anglaise.

Tartiner les toasts et servir à l'apéritif.

Encornets à l'encre

Pour 4 personnes
2 oignons moyens
50 ml d'huile d'olive
2 gousses d'ail
500 ml de vin blanc
1 kg d'encornets (calmars, chipirons, les mots diffèrent, pas l'animal)
20 g de beurre
sel
poivre
poivre de Cayenne
1 cuillerée à soupe de cerfeuil haché

Émincer les oignons, les cuire à feu doux dans l'huile pendant 10 minutes avec les gousses d'ail non épluchées.

Mouiller avec le vin blanc, cuire encore 10 minutes.

Éplucher les encornets, enlever les entrailles, les cartilages, les yeux et les becs ; garder les poches à encre dans un saladier. Hacher les tentacules. Mettre les encornets et les tentacules avec le vin et cuire 1 heure à feu doux. Vérifier en cours de cuisson que les encornets ne se dessèchent pas.

Mettre l'encre des seiches dans une casserole avec un peu de liquide de cuisson et le beurre.

Cuire à petit peu sans faire bouillir pendant 5 minutes.

Ajouter hors du feu l'encre au plat d'encornets. Couvrir et laisser épaissir (toujours hors du feu) pendant 5 minutes. Saler, poivrer.

Mettre les encornets dans un plat de service, ajouter la sauce, parsemer de cerfeuil.

NB — *Cette recette est d'inspiration espagnole* (en su tinta). *Elle peut s'appliquer à la seiche. C'est d'ailleurs la recette de Gualtiero Marchesi*[1], *natura morta con sepia, qui pousse à l'extrême le raffinement, la simplicité et l'esthétisme de ce que peut être la vraie grande cuisine. C'est une version apparemment simplifiée, en fait concentrée en son essence, une sorte de synthèse de ce qu'il y a de meilleur dans les cuisines italienne et japonaise : les seiches, qui doivent être d'une extrême fraîcheur et de petite taille (150 grammes) sont nettoyées et vidées, on cuit le corps et les tentacules 20 minutes dans un court-bouillon de vin blanc, on les présente reconstituées dans une assiette blanche, recouvertes d'un mélange d'encre, d'eau et de beurre fouettés ensemble sans bouillir, parsemé de cerfeuil. C'est tout. Le chef-d'œuvre de cette recette espagnole est italien. Sic transit gloria mundi.*

Pommes en sauce aux épices

Pour 4 personnes
1 kg de pommes
30 g de sucre
sel
poivre
6 râpures de noix de muscade
1 petite pincée de cannelle
1 clou de girofle
10 g de gingembre frais épluché et râpé
2 citrons
150 g de beurre

1. *La Cuisine italienne réinventée, op. cit.*

Éplucher les pommes. Les mettre avec le sucre, le sel, les épices et le jus des citrons dans une casserole. Couvrir. Laisser compoter à feu doux en remuant de temps en temps pendant 30 minutes.
Mixer l'ensemble. Ajouter le beurre peu à peu.

NB — *Une sauce sucrée-salée d'inspiration moyenâgeuse par les épices, qui accompagne le porc, le gibier, le canard ou les oiseaux sauvages.*

Compote de poivrons jaunes en vinaigrette piquante

Pour 6 personnes
6 poivrons jaunes équeutés et épépinés
1 tête d'ail coupée transversalement en 2
500 ml d'huile d'olive
250 ml de vinaigre de vin blanc
20 grains de poivre blanc
3 piments verts équeutés, épépinés et coupés en rondelles
sel

Cuire 20 minutes les poivrons au four à micro-ondes. Les éplucher. Couper la chair en lamelles.
Mettre l'ensemble des ingrédients à compoter à feu doux à couvert pendant 45 minutes.
Retirer l'ail à mi-cuisson, extraire la pulpe, l'écraser à la fourchette et la remettre en mélangeant bien.
Laisser refroidir. Mettre en pots. Garder au réfrigérateur

NB — *Bon accompagnement pour une viande froide, qui peut se manger également seul en entrée, ou chaud comme légume.*

LES RÉDUCTIONS

On peut faire réduire peu à peu un liquide contenant du gras. On peut aussi réduire des liquides qui n'en contiennent pas et concentrer ainsi leurs essences. Il convient cependant d'incorporer des éléments qui donnent une certaine épaisseur ou consistance au résultat final, généralement une sauce.

Sauce de canneberges (Cranberry sauce)

Pour un bol de sauce
300 g de canneberges fraîches
100 g de sucre
1 pointe de sel
1 citron

Laver les fruits.
Mettre les fruits, le sucre, sel et jus de citron dans une casserole.
Cuire 15 minutes à petit feu à couvert.

NB — *La* cranberry sauce *accompagne le gibier.*

Sauce Cumberland

Pour un bol de sauce
2 échalotes épluchées et finement hachées
poivre mignonnette
100 ml de vinaigre de vin rouge
2 oranges
100 ml de fonds de veau
50 ml de porto
50 ml de gelée de groseilles
5 ml de sauce Worcestershire

Mettre à petit feu les échalotes avec le poivre et le vinaigre. Faire réduire pour ne garder que 3 à 4 cuillerées à soupe de liquide. Ajouter le jus des oranges, le fonds de veau, le porto, la gelée et la sauce Worcestershire. Cuire 20 minutes à petit feu. Filtrer. Mettre au frais.

NB — *Cette sauce se sert très froide avec du porc, du canard, du gibier. On peut ajouter quelques zestes d'agrumes juste blanchis.*

LES INFUSIONS

Tout le monde connaît les infusions. C'est ainsi qu'on prépare le thé et les diverses tisanes appréciées des grands-mères. L'infusion se fait en portant un liquide à ébullition, en le retirant du feu et en y plongeant des ingrédients aromatiques. Nombre de desserts commencent par cette opération, par exemple les desserts et entremets parfumés à la vanille : on fait bouillir du lait, on le retire du feu, on ajoute une gousse de vanille coupée en deux, on couvre le tout et on laisse infuser une demi-heure. Le lait prend alors l'arôme caractéristique et on l'utilise ensuite pour ce qu'on veut faire.

Les Japonais utilisent cette méthode pour préparer leurs bouillons, le plus connu étant l'*ichiban dashi* fait avec l'algue *konbu* et des flocons de bonite séchée.

On peut également parfumer du vin, du vinaigre et d'autres liquides chauffés puis additionnés de principes aromatiques. Il faut évidemment s'assurer que ces derniers ne sont pas détruits par la forte chaleur.

Une autre méthode consiste à verser le liquide bouillant sur des aliments pour les cuire. C'est une méthode très utilisée par les chefs pour présenter des potages avec du poisson. On fabrique un bouillon. On coupe le poisson en fines tranches que l'on dispose au fond d'assiettes creuses. On verse le bouillon très chaud, suffisamment pour cuire immédiatement le poisson. Le même procédé s'applique aux crustacés, aux céphalopodes et à certaines viandes.

On peut aussi utiliser le liquide bouillant à la fois pour cuire et pour commencer une marinade : dans la cuisson à l'escabèche, on frit des petits poissons. On les dispose dans un plat avec des aromates et des herbes, et on les couvre de vinaigre bouillant. Quand le plat a refroidi, on le couvre et on laisse mariner au réfrigérateur pendant quelques jours.

Une dernière manière, bien connue des amateurs de soupes lyophilisées et de purées en flocons, consiste à verser un liquide bouillant sur un aliment qui change de forme et de structure sous l'effet du liquide et de sa chaleur. On obtient ainsi des préparations plus ou moins consistantes.

Bouillon de bonite aux algues
(ichiban dashi)

C'est le bouillon de base de très nombreux plats japonais.

Pour 4 personnes
1 feuille d'algue *konbu*
50 g de copeaux de bonite séchée

Mettre l'algue légèrement humidifiée dans 1 litre d'eau froide.

Monter progressivement la température. Retirer l'algue avant l'ébullition.

Faire bouillir le liquide, ajouter la bonite. Retirer du feu dès que l'ébullition reprend. Enlever la bonite quand elle tombe au fond.

NB — *On souhaite (en 1996) le retour de la bonite séchée disparue pour raison de diplomatie commerciale.*

Harengs au cidre

Pour 6 personnes
1 bouteille de cidre
100 ml de vinaigre de cidre
18 filets de harengs frais
8 échalotes grises épluchées et finement émincées
20 cornichons émincés
1 carotte épluchée coupée en très fines rondelles
2 feuilles de laurier
20 grains de poivre
20 feuilles de menthe fraîche
sel de mer

Mélanger le cidre et le vinaigre. Monter à ébullition.
Mettre l'ensemble des autres ingrédients dans une terrine.
Les recouvrir du liquide bouillant. Laisser refroidir.
Mettre au réfrigérateur pendant 48 heures avant de consommer.

NB — *Cette version normande de l'escabèche ne comprend pas la phase initiale de friture du poisson.*

Escabèche de petits gardons et d'ablettes

Pour 4 personnes
1 kg de petits gardons et d'ablettes
farine de blé
huile d'arachide
vinaigre
1 gros oignon épluché
8 échalotes épluchées
1 bouquet garni (persil, thym, laurier)
1 bouquet de menthe fraîche
sel
poivre

Nettoyer, écailler, étêter et vider les poissons. Les sécher et les passer dans la farine en tapotant pour en enlever l'excès.

Les faire frire à l'huile bien chaude.

Les sortir et les égoutter quelques instants sur un papier absorbant.

Dans un plat creux, disposer l'oignon et les échalotes coupées en fines rondelles, le bouquet garni, les feuilles de menthe, le sel et le poivre.

Placer les poissons encore chauds dans le plat et les recouvrir du vinaigre bouillant. Couvrir le plat et le laisser reposer. Le mettre au réfrigérateur et ne le consommer qu'après 3 ou 4 jours.

NB — *Cette recette convient à tous les petits poissons de mer comme de rivière. Il est très plaisant, vif, un peu « canaille ». Il se garde un mois au réfrigérateur. C'est donc une entrée bien utile à avoir à disposition. On peut également ajouter de l'huile d'olive, mais généralement on le fait à table, dans l'assiette.*

Soupe de moules à la ciboule et au gingembre

Pour 4 personnes
1 litre de moules de bouchot
1 l de bouillon de bonite aux algues (ichiban dashi)
8 tiges de ciboule
30 g de gingembre frais

Nettoyer les moules. Les faire ouvrir à sec dans une casserole. Les retirer au fur et à mesure qu'elles s'ouvrent. Éliminer celles qui ne s'ouvrent pas.

Les sortir de leurs coquilles et les réserver dans un peu de liquide au tiède.

Filtrer le jus des moules et le mettre dans le bouillon. Chauffer ce dernier.

Éplucher et émincer finement la ciboule.

Éplucher le gingembre et le couper en bâtonnets de 1 millimètre de section.

Mettre le quart des moules dans chaque assiette (creuse).

Ajouter les ciboules et le gingembre. Recouvrir du bouillon très chaud. Laisser infuser 1 minute.

Servir.

Panir

Le panir est un fromage blanc pressé, un des ingrédients les plus agréables de la cuisine indienne. Le *panir palak* (ragoût de panir aux épinards) est un des plats obligés d'un voyage dans le Nord du sous-continent.

Pour environ 1 livre de panir
4 l de lait
4 citrons

Faire bouillir le lait.
Presser les citrons.
Ajouter le jus de citron dans le lait, hors du feu. Le panir se sépare du petit-lait.
Recueillir le panir, le mettre dans un linge, le passer sous l'eau froide. Le mettre dans un moule à fromage, toujours dans le linge.
Mettre sous presse (3 à 5 kilos) pendant une nuit.

NB — *Le panir se découpe en cubes que l'on peut faire frire ou ajouter à des ragoûts, particulièrement lorsqu'ils sont épicés.*
Les quantités indiquées permettent de préparer environ 1 livre de panir. On peut obtenir un panir plus friable en ne le mettant pas sous presse. On peut remplacer chaque citron par un yaourt pour obtenir un panir plus moelleux.

Crème de taro aux noix et au Cointreau

Pour 4 personnes
100 g de poudre de taro
200 g de crème
1 cuillerée à soupe de miel
5 noix épluchées
2 cuillerées à soupe de Cointreau

Faire bouillir de l'eau.
Mettre la poudre de taro dans un saladier. Verser l'eau bouillante en remuant pour former une purée épaisse.
Mettre dans un mixer la crème, le miel, les noix et le Cointreau.

686

Mixer 1 minute à grande vitesse. Ajouter le taro, mixer encore 2 minutes.

Mettre la crème de taro dans un bol de présentation et la placer au réfrigérateur 1 heure avant de la servir.

NB — *La poudre de taro, bien blanche, devient brunâtre lorsqu'on la mouille ; elle a une apparence et un goût assez proches de ceux des purées faites avec de la farine de châtaigne. On peut ajouter des fruits confits, des noix, de la crème fouettée, etc.*

Cerises au vinaigre

1 kg de cerises anglaises
1 l de vinaigre de vin rouge
2 clous de girofle
4 flocons de galanga séché
1 bâton de cannelle

Équeuter, laver et sécher les cerises.
Mettre les autres ingrédients dans une casserole. Porter à ébullition.
Verser sur les cerises.
Mettre en pots et fermer. Consommer après 2 semaines, en accompagnement des viandes froides.

NB — *Le même principe est suivi pour les cornichons et les petits oignons : on nettoie ou on épluche soigneusement les légumes. On les sèche, on les met en pots avec estragon, ail, poivre, piments, etc., et on couvre de vinaigre d'alcool ou de vin blanc bouillant. On ferme les pots et on consomme après 2 à 4 semaines.*

Vinaigre d'épices

1 l de vinaigre de vin blanc
1 bâton de cannelle
12 grains de poivre noir
12 grains de poivre de la Jamaïque
12 morceaux de macis
12 « grains » de poivre du Setchouan
10 g de gingembre pelé et râpé
1 feuille de laurier
8 clous de girofle
8 têtes d'ail

687

Mettre l'ensemble des éléments dans une casserole. Porter à ébullition. Laisser refroidir.

Mettre dans un bocal pendant 10 jours avant de l'utiliser.

Potage aux noix et au bleu

Pour 4 personnes
200 g de cerneaux de noix
1 l de bouillon de poule ou de bouillon de pot-au-feu
100 g de fromage bleu (roquefort stilton, fourme d'Ambert, gorgonzola, etc.)
2 jaunes d'œufs
sel
poivre
2 feuilles de livèche

Faire bouillir de l'eau salée, y jeter les cerneaux de noix. Les sortir et les mettre à l'eau froide. Bien les éplucher.

Faire chauffer le bouillon jusqu'à l'ébullition.

Mettre 4 cuillerées à soupe de bouillon dans le mixer, ajouter les cerneaux puis le fromage et les jaunes d'œufs. On doit obtenir une purée bien lisse. Verser dans la soupière.

Ajouter peu à peu la purée de noix et de fromage en fouettant. Saler, poivrer.

Servir en soupière, parsemer avec les feuilles de livèche finement émincées.

NB — *Pour bien épaissir le potage, on peut le mettre à très petit feu sans bouillir en remuant avec une cuillère ou une spatule en bois.*
Il s'agit d'une manière simple d'utiliser un reste de bouillon de poule ou de pot-au-feu.

Lait de coco

Pour une grande tasse
1 noix de coco

Casser la noix. Retirer la pulpe et la râper.

Faire bouillir de l'eau. La verser sur la noix râpée.

Laisser infuser.

Filtrer le liquide. Presser sur la pulpe râpée pour bien en exprimer le lait.

NB — *C'est un ingrédient de cuisson très utilisé dans diverses cuisines (thaï, brésilienne, etc.).*

Le café

Le café peut se préparer de diverses manières. Le *café turc* (ou grec si on préfère) est moulu, mis dans un récipient en cuivre avec de l'eau et du sucre et cuit sur le feu. On obtient ainsi un breuvage fort et riche en dépôts, dont le goût particulier est apprécié des amateurs. Mais c'est pour éviter la présence dans la tasse de la poudre de café que les méthodes « occidentales » ont été mises au point. Il en existe 3 sortes.

Dans les *cafetières à pesanteur*, l'eau traverse une couche de café retenue par un filtre : c'est le principe du café filtre traditionnel, de la cafetière dite napolitaine, de la Melitta et de ses dérivés. C'est également celui des cafetières électriques aujourd'hui omniprésentes dans les foyers domestiques.

La plus connue des *cafetières à pression d'air* est la Cona qui associe deux principes : on chauffe un ballon clos à moitié rempli d'eau. La dilatation de l'air chasse le liquide à travers une cheminée surmontée d'un récipient rempli de café à sa base. Quand le liquide a intégralement transité, on retire la source thermique ; refroidi, le café redescend par pesanteur.

Enfin, chacun connaît les *systèmes à pression de vapeur* utilisés dans les débits de boisson — et aussi à domicile — pour préparer les espressos.

Plusieurs facteurs conditionnent la qualité du café ainsi produit :
1. La qualité des produits utilisés : non seulement le café lui-même, mais aussi l'eau — par sécurité les amateurs utilisent certaines eaux minérales.
2. L'adéquation de la mouture et du principe de la cafetière : la mouture à meule donne de meilleurs résultats que les pales rotatives des moulins électriques. De plus, la granulométrie est importante à considérer : les moutures les plus fines sont adaptées aux systèmes à pression de vapeur.
3. La température de l'eau doit être nettement inférieure à celle de l'ébullition. Les températures idéales se situent aux alentours de 90°.

Enfin, il est des régions où au café on ajoute des épices : cardamone, vanille, girofle, etc. D'autres où c'est de l'alcool : imagine-t-on terminer sa tasse autrement qu'en y versant un peu de calvados dans la tradition du département du même nom ?

Quoi qu'il en soit, la diversité des cafés est telle qu'on souhaite, par exemple au restaurant, comme chez Thibert à Dijon, de se voir proposer une carte des cafés, comme il existe une carte des vins et parfois des thés. Avec la possibilité de choisir et de comparer. D'apprécier et de critiquer. En bref, d'aimer.

Le thé

Concevrait-on un Anglais sans thé, éventuellement au lait, un Arabe sans thé à la menthe ? Pourtant le thé est d'abord et originellement chinois, comme l'indique le nom du camélia dont il est la feuille ou le bourgeon (*Camellia sinensis*). La préparation du thé n'est pas la même selon les pays et il n'a pas les mêmes fonctions. La ménagère française préparant une infusion dont la seule utilité sera d'y faire gonfler des pruneaux a peu à voir avec un maître de thé japonais exécutant une cérémonie dont on ne sait si elle relève du sacré ou de l'art culinaire.

Il n'y a donc pas une manière unique de préparer le thé, tant ce breuvage remplit de fonctions variées. Il peut aussi bien être le liquide chaud du petit déjeuner ou de l'en-cas que l'élément central, avec le lait et les petits gâteaux, du *five o'clock tea*, la boisson de l'amitié offerte par un bédouin ou celle du voyageur des contrées tropicales.

Le plus souvent, le thé se prépare dans une théière. Le matériau en est important pour le goût et la qualité de l'infusion. Les meilleures sont du Japon, de formes et de couleurs bien particulières. Les amateurs disposent de plusieurs théières car un bon récipient doit se culotter d'un dépôt qui a son rôle dans la qualité de l'infusion. Plus il est important, plus il l'imprègne. Il convient de réserver une théière pour chacune des variétés consommées. La préparation du thé à l'occidentale comporte cinq règles d'or : ébouillanter la théière ; mettre le thé (le mieux est dans une grande mousseline faite d'un matériau non chloré) à raison d'une cuillerée à café rase par tasse, plus une ; ajouter l'eau frémissante et n'ayant pas bouilli ; infuser quelques minutes (au maximum 5 à 6) ; remuer avec une cuillère. Et servir.

On obtient ainsi des boissons plus ou moins corsées et aromatiques, au goût de chacun. Les puristes rejettent le citron, tout au moins avec les thés de qualité. Certains thés supportent un nuage de lait.

Il existe d'autres façons classiques de préparer le thé.

Thé à la menthe. C'est une infusion de thé vert. On place quelques feuilles de menthe dans la tasse. En théorie, ce doit être la variété *Mentha spicata Nanah*, la vraie menthe douce marocaine. Le thé est servi sucré.

Thé aux pignons. C'est une infusion de thé vert sucrée que l'on verse dans une tasse qui contient quelques pignons de pin. Une spécialité tunisienne qui a rendu célèbre le café des Nattes de Sidi Bou Saïd.

Thé russe. C'est une infusion très concentrée que l'on dilue dans chaque tasse avec de l'eau chaude tirée d'un samovar et que l'on sucre.

Thé tibétain. C'est une émulsion de thé et de beurre de yak battue au fouet (en fait une sorte de bouillon que l'on boit en mangeant des boulettes d'orge).

Thé japonais. C'est un thé fait dans chaque tasse avec de la poudre de thé vert Matcha battu au fouet en bambou (cérémonie du thé). Il existe d'autres thés japonais (voir tableau).

Les autres sortes de thé se préparent de façon classique, la température de l'eau et le temps d'infusion variant selon les variétés utilisées.

En pratique, les thés les meilleurs sont faits avec des feuilles sélectionnées ; l'eau ne doit pas être calcaire (l'eau minérale est préférable). Les thés les plus réussis sont fortement aromatiques et peu corsés, c'est-à-dire que le temps d'infusion doit être court : 1 à 3 minutes selon la qualité du produit.

TABLE D'INFUSION DU THÉ [1]

Type de thé	Quantité de thé	Volume d'eau	Température de l'eau	Durée d'infusion
Thé blanc Yin Zhen	5 g	200 ml	70°	15 min
Autres thés blancs	5 g	200 ml	85°	7 min
Gyokuro	10 g	60 ml	50°	2,5 min
Thés verts supérieurs	5 à 6,5 g	200 ml	70°	1 à 3 min
Thés verts	5 g	200 ml	95°	2 à 3 min
Thés semi-fermentés	2,5 g	200 ml	95°	7 min
Darjeeling de printemps	3,5 g	200 ml	95°	3 min
Thés noirs et thés parfumés	2,5 g	200 ml	95°	2 à 5 min

CUISSON À SEC

Certains aliments de petite taille peuvent se cuire à cru, sans graisse ni autre élément. On peut préparer ainsi des aiguillettes de canard, des crevettes, de petits mollusques, des légumes. Il importe que le récipient de cuisson n'adhère pas. Ce mode est proche du gril, seule change la température.

---

1. Adapté du *Livre du thé*, Mariage Frères, 1994.

Crevettes grises vivantes

Les crevettes grises sont un des meilleurs hors-d'œuvre. On peut les préparer de diverses manières : à cru, à l'eau de mer, au cidre, au vin blanc, au beurre frais. On les accommode au dernier moment avec du sel de mer et du poivre blanc mignonnette. On les mange avec du pain beurré.

Pour 1 kilo de crevettes grises

Les faire sauter dans une cocotte épaisse en tournant sans arrêt. On les sort dès qu'elles sont roses.

NB — *On peut cuire les crevettes d'autres façons :*
Au beurre. On fait revenir 6 échalotes grises émincées dans 50 grammes de beurre pendant 3 minutes. On ajoute les crevettes et on tourne à la cuillère jusqu'à ce qu'elles soient roses.
A l'eau de mer. On fait chauffer 2 litres d'eau de mer, avec un peu d'algues : laitue de mer ou autre algue comestible. On ajoute les crevettes. On les sort dès qu'elles sont roses.
Au cidre ou au vin blanc. On fait revenir 6 tiges de ciboule finement émincées dans 50 grammes de beurre pendant 3 minutes. On mouille avec 1 bouteille de vin ou de cidre. On laisse cuire 5 minutes. Puis on ajoute les crevettes, que l'on sort dès qu'elles sont cuites. Le court-bouillon de cuisson peut être utilisé comme soupe ou comme base de potage.

CUISSONS DOUCES DE L'ÂTRE

Cuisson sur ou dans la cendre

La combustion du bois le transforme en braises qui s'effacent peu à peu pour devenir cendres. Les braises sont chaudes, les cendres restent tièdes pendant des heures.
On peut profiter de cette chaleur pour cuire à petit feu, lentement, divers aliments. C'est une façon traditionnelle pour les châtaignes, les pommes de terre, les ignames, etc.

On peut aussi entourer dans du papier d'aluminium diverses autres préparations. Toutefois, cette dernière méthode n'apporte pas le discret parfum de bois brûlé qui est apprécié dans ce mode de cuisson.

Dans ce même registre, Michel Guérard[1] distingue plusieurs méthodes de cuisson dans l'âtre :

Cuisson à l'étouffée à sec. Pommes de terre, champignons, petits oiseaux ou fruits sont entourés de papier aluminium et glissés sous les cendres.

Cuisson à l'étouffée mouillée. On verse un liquide aromatique dans la papillote.

Cuisson à la vapeur. On place un lit d'herbes humides ou de varech sur le gril, on pose l'aliment et on recouvre des mêmes éléments. Le temps de cuisson d'un bar de 800 grammes est de 20 minutes.

Cuisson « à la paresseuse ». On quadrille une pièce de viande, on la pose sur une feuille de papier aluminium placée sur les cendres chaudes mais non rouges. On retourne régulièrement l'aliment. Il faut 2 à 3 heures pour un gigot d'agneau ou un train de côte de bœuf.

Cuisson à la fumée. On cuit l'aliment au gril, à bon feu, puis on étouffe ce dernier, et on recouvre d'une cloche ; la cuisson est complétée par le fumage.

Œufs à la paille

Les œufs cuisent sur une plaque de fonte posée devant la cheminée où brûle un bon feu de bois.

Poser les œufs très frais sur une zone moyennement chaude de la plaque, et mettre un morceau de paille de blé de 5 cm au-dessus de chacun. Lorsque la paille se met en mouvement, l'œuf est cuit « coque ».

NB — *Une vieille méthode gasconne rapportée par Françoise Chalon.*

1. *La Grande Cuisine minceur, op. cit.*

3

Le livre du grand feu

LE GRAND FEU

La cuisson peut se conduire à grand feu. On verra au chapitre des fours qu'on peut utiliser ceux-ci à diverses puissances et températures, mais que la plupart des rôtis sont meilleurs lorsque la chaleur est très élevée, car elle permet un saisissement rapide des viandes, avec constitution d'une croûte bien dorée et appétissante. De même, la cuisson au four à micro-ondes de certains légumes peut-elle être menée à grande puissance.

Les feux et plaques de cuisson, selon leur taille, ont une puissance différente, ce qui offre des usages diversifiés. En modifiant l'intensité de chauffe, on obtient une gamme de possibilités variées en températures comme en dimension. Ce dernier paramètre est important car la taille de l'ustensile de cuisine doit être adaptée à la fois à celle de l'aliment et à celle de la source de chaleur.

Prenons l'exemple d'un steak qu'on désire cuire à la poêle sur un feu à gaz. La viande est de taille réduite. Supposons qu'on utilise un ustensile large et un brûleur de grande taille. Le feu va se distribuer vers l'extérieur et éventuellement carboniser les graisses qui s'échapperont cependant que le centre où se trouve la viande sera relativement moins chaud. La viande cuira mal. Si on utilise sur le même feu une petite poêle, le résultat sera encore pire, on risquera de brûler le manche et le feu entourant la poêle, enflammera les graisses projetées à l'extérieur. Pour cuire un steak il faut une petite poêle et un brûleur de petite taille.

Ce qui est vrai pour les petites quantités l'est encore plus pour les grandes. Inutile de chercher à obtenir une température et plus encore une puissance suffisantes avec une source de chaleur de taille réduite. L'utilisation du grand feu va mettre en mouvement les liquides, créer des turbulences, entraîner des projections. Un conteneur de grande taille est donc nécessaire. En particulier, ses bords doivent être suffisamment hauts pour éviter certains débordements, avec leurs conséquences désagréables et parfois dangereuses.

L'utilisation du grand feu crée des variations importantes de température et d'état physique qu'il faut surveiller et contrôler. Il ne s'agit pas plus de laisser brûler le steak que de laisser déborder la friture, et de mettre le feu à la cuisinière.

La conduite de la cuisson au grand feu est avant tout affaire de tempérament. D'abord il ne faut pas en avoir peur. Il faut aussi apprendre à s'en méfier.

Il s'agit de bien connaître les propriétés des divers instruments : ceux à fond épais sont plus fiables car les variations de température y sont plus lentes et assurent une plus grande continuité de cuisson, ainsi que celles des aliments, aromates, corps gras, et divers liquides de cuisson.

La cuisson au grand feu est généralement courte, parfois même très brève. Elle peut se conduire avec des liquides dans lesquels on plonge l'aliment à cuire, ou qui font partie du plat lui-même — comme dans la bouillabaisse —, quand ils ne le constituent pas entièrement — comme dans l'aïgo boulido. Elle peut se faire en fritures profondes ou en sautés à grand feu. Cette dernière méthode est très utilisée en Asie du Sud-Est où on la pratique avec une sorte de poêle de forme concave, le wok, particulièrement bien adaptée à cette cuisson : on obtient des légumes, des viandes, des crustacés et des poissons tout juste saisis et goûteux.

Le grand feu bien conduit amplifie les goûts et révèle les arômes. Il accentue la médiocrité des produits douteux comme il permet à l'excellence des meilleurs de s'exprimer.

L'UNION DES CONTRAIRES

De nature, les contraires s'opposent. Chez les animaux, c'est le cas de la graisse et de l'eau. Les produits sont dits hydrophiles (amateurs d'eau) ou lipophiles (amateurs de graisse) selon qu'ils se combinent avec l'une ou l'autre. Toutefois, certains liquides biologiques contiennent à la fois l'une et l'autre : le lait, par exemple. En fait, dans le lait, les deux éléments coexistent sans se mélanger vraiment : la graisse du lait est présente sous forme de très fines gouttelettes réparties dans l'eau. De leur forme, de leur nombre dépendent la consistance et le goût du produit : par exemple, si on en diminue la teneur en eau, on obtient la crème. Cette forme particulière de coexistence s'appelle une émulsion. Une émulsion sera plus ou moins stable selon sa température, les ingrédients qui la composent, les diverses manipulations mécaniques (si on bat la crème, on obtient de la crème fouettée, de consistance différente, alors que sa composition est la même), ou de l'addition de substances stabilisantes, ce qui est souvent le cas des produits industriels.

Les émulsions peuvent être faites à froid (par exemple la vinaigrette) ou à chaud.

Les émulsions chaudes sont très aisées à réaliser. Elles ne demandent qu'un peu d'attention, surtout pour éviter qu'elles ne débordent. Elles consistent à cuire au grand feu (puissance maximale du brûleur à gaz ou de la plaque électrique) un mélange d'eau et de graisse. La chaleur va disloquer la substance grasse et la pulvériser dans l'eau, où elle captera au passage les épices, les herbes aromatiques, les fragments de légumes, de viandes ou de poissons libérés et agités par le mouvement créé.

Cette cuisson a deux avantages : elle est rapide et simple, et permet d'exprimer très fortement les goûts et les arômes : c'est une cuisson particulièrement naturelle. Son inconvénient — si c'en est un — est qu'elle accentue les qualités, mais aussi les défauts des aliments. Pas de bouillabaisse si le poisson n'est pas ultra-frais. Pas de sauce tomate si les fruits sont douteux. C'est une cuisine de vérité.

On peut, selon les recettes, utiliser de nombreuses graisses animales ou végétales : huile, crème, beurre, graisse d'oie ou de canard, etc. L'élément aqueux pourra être de l'eau pure ou des composés alcoolisés : bière, vin, cidre ; des préparations diverses : fumets, bouillons, jus, etc. On peut même profiter du fait que les légumes sont composés à plus de 90 % d'eau et ne rien ajouter d'autre (c'est le principe de l'escargagnasse).

Quelques exemples de mélanges, d'éléments contraires avec le grand feu :
  • huile d'olive et eau (bouillabaisse, aïgo boulido) ;
  • vin blanc, beurre et bouillon (risotto) ;

- huile d'olive et eau de végétation des légumes (escargagnasse);
- crème et cidre (bolletée, marmite dieppoise);
- beurre et bière;
- graisse d'oie ou de canard et eau;
- beurre et vin blanc ou rouge;
- beurre, sucre et alcool de fruit.

Tajine d'agneau aux citrons confits

Pour 4 personnes
100 ml d'huile d'olive
sel
poivre
3 gousses d'ail épluchées, dégermées et finement râpées
10 g de gingembre frais épluché et finement râpé.
15 filaments de safran
1 kg d'épaule d'agneau désossée coupée en cubes de 4 cm de côté
1 oignon épluché finement émincé
2 citrons
1 bouquet de coriandre fraîche, hachée
3 citrons confits coupés en 8 morceaux chacun

Mélanger l'huile avec le sel, le poivre l'ail, le gingembre et le safran. Rouler les morceaux d'agneau dans l'huile épicée.
Mettre la viande et l'oignon dans une cocotte.
Ajouter de l'eau pour juste couvrir la viande et l'oignon.
Cuire la viande à feu vif — au besoin ajouter de l'eau pendant la cuisson — pendant 1 heure.
Retirer la viande, réduire la cuisson. Ajouter le jus de citron, la coriandre et les citrons confits. Ajouter la viande.
Servir sur le plat de service.

NB — *Cette « bouillabaisse » marocaine est faite avec de la viande d'agneau.*
Sur le même mode on peut préparer du poulet, du lapin, de la dinde, etc.
On peut remplacer l'huile par du beurre frais ou du beurre clarifié.
De très nombreuses variantes sont préparées sur le même principe :

avec des citrons confits et des olives on a le tajine mqualli, *avec des amandes et des œufs durs au safran on a le tajine* tfaia[1].

Bolletée de jambon

Pour 4 personnes
500 g de jambon style Prague
6 échalotes grises épluchées et coupées en lamelles
100 g de beurre
1 bolée de cidre
1 verre de calvados
hachis d'herbes nouvelles : ciboulette, persil, estragon
sel
poivre

> Couper le jambon en parallélépipèdes de 10 cm × 1 cm × 1 cm.
> Mettre les échalotes et la moitié du beurre dans une casserole.
> Faire cuire doucement. Ajouter le cidre. Monter à ébullition 3 à 4 minutes.
> Ajouter le jambon. Le cuire 4 à 5 minutes. Réserver.
> Ajouter le calvados. Flamber. Faire réduire à feu vif en fouettant et en ajoutant le reste du beurre.
> Hors du feu ajouter le hachis d'herbes. Saler, poivrer.
> Napper le jambon.

Sauté de dinde aux olives

Pour 4 personnes
800 g de blanc de dinde
2 cuillerées à soupe d'huile
250 ml de vin blanc sec
200 g d'olives vertes dénoyautées
1 cuillerée à café de mélange satay
1 pointe de poivre de Cayenne
sel
poivre
100 g de beurre

1. *Mme Guinaudeau, Fès vu par sa cuisine, op. cit.*

Couper la viande en cubes de 3 cm de côté. Les faire rissoler dans l'huile à feu vif pendant 4 à 5 minutes. Retirer la viande. Ajouter le vin et le bouillon, gratter les sucs. Ajouter les olives, les champignons, les épices (ne saler qu'au dernier moment car les olives peuvent être salées).

Cuire à feu vif pendant 10 minutes. Ajouter le beurre. L'ensemble doit être bien émulsionné.

Ajouter la viande. Cuire encore une minute. Rectifier l'assaisonnement. Verser dans le plat de service.

NB — *Le blanc de dinde est souvent sec et un peu fade. Cette recette permet de garder le moelleux et d'apporter une note gustative agréable.*

Soupe d'abattis au vermicelle et aux anchois

Pour 4 personnes
les abattis et la carcasse grossièrement concassés d'un poulet
2 oignons de taille moyenne épluchés et émincés
1 tête d'ail coupée par le milieu
1 cuillerée à soupe d'huile d'olive
4 belles tomates épépinées, épluchées et coupées en cubes
1 branche de céleri ou quelques feuilles de livèche
6 brins de persil
sel
poivre
poivre de Cayenne
3 anchois au sel (sans l'arête centrale)
50 g de vermicelle
2 citrons
2 jaunes d'œufs

Faire bien dorer avec l'huile les oignons et les abattis.
Mouiller avec 1/2 litre d'eau. Ajouter l'ail, les tomates, le céleri, les tiges de persil, le sel, le poivre et le poivre de Cayenne.
Cuire à grand feu à couvert pendant 35 minutes.
Passer le liquide. Mixer les oignons, les anchois, les tomates et la chair de l'ail. Ajouter au liquide.
Couper les chairs attenantes aux os en petits dés, les ajouter.
Remettre sur le feu, ajouter le vermicelle, cuire 2 à 4 minutes selon la consistance souhaitée pour ce dernier.

Hors du feu, ajouter les jaunes d'œufs battus avec un peu de soupe. Laisser épaissir au chaud pendant 2 à 3 minutes hors du feu.

Servir en soupière, parsemer des feuilles de persil hachées.

Chacun ajoute du jus de citron à sa convenance.

NB — *Une soupe d'inspiration tunisienne, une sorte de chorba* bil djej.

Lotte à l'ail et aux piments rouges

Pour 8 personnes
50 ml d'huile d'olive
10 petits piments secs rouges
2 têtes d'ail
8 belles tomates
3 kg de lotte épluchée coupée en cubes de 3 cm de côté
30 g de beurre
30 feuilles de basilic à grandes feuilles
sel
poivre

Chauffer à feu doux l'huile d'olive avec les piments afin de pimenter l'huile.

Éplucher et dégermer les deux têtes d'ail. Couper la première en morceaux assez gros, la seconde en tout petits bouts.

Faire cuire la première moitié de l'ail dans l'huile : les morceaux doivent à peine blondir. Les enlever à l'écumoire et les réserver.

Éplucher les tomates (au besoin les plonger 30 secondes dans l'eau bouillante), les épépiner en récupérant l'eau de végétation. Monter la puissance du feu sous l'huile, y faire revenir la lotte en retournant régulièrement les morceaux. Cette dernière va rendre de l'eau. Laisser 4 ou 5 minutes sur feu vif. Réserver le poisson.

Ajouter les tomates coupées en cubes et l'ail. Cuire à fort bouillon pendant 15 minutes.

Faire cuire la deuxième gousse d'ail avec le beurre et 50 ml d'eau. Arrêter la cuisson quand l'eau s'est évaporée. Ajouter le basilic finement haché.

Ajouter le liquide rendu par la lotte au contenu de la casserole où cuisent les tomates. Cuire encore 5 minutes au grand feu.

Ajouter l'ail et le basilic. Remettre l'ensemble dans la cocotte, ajouter le poisson, saler, poivrer, et faire doucement réchauffer quelques minutes.

NB — *Un plat à la fois doux et pimenté, qui excite l'appétit. Il n'y a jamais de reste.*

Bouillabaisse

Eh non, ce n'est pas une soupe de poisson. Surtout pas un plat mijoté à petit feu. Encore moins un plat qu'on peut réchauffer. Tout d'abord et avant tout, la bouillabaisse est un principe : cuisson à grand feu, rapide, dans un mélange d'eau et d'huile d'olive, ici de poissons.
Les poissons sont de deux types : les uns servent à faire un fumet de base et ne se mangent pas — les autres se cuisent très peu, ce sont des poissons nobles, ceux qu'on mange. Il y a de très nombreuses variantes de bouillabaisse et chacun pourra concocter la sienne. Voici la mienne, bien classique, à vrai dire.

Pour 4 personnes
3 poireaux (ne garder que le blanc)
6 échalotes
6 grosses tomates bien mûres
3 caïeux d'ail
1 kg de poissons de roche dits « à soupe »
100 ml d'huile d'olive
20 filaments de safran
sel
poivre
par convive : 50 g de 3 à 5 poissons nobles en filets ou en gros cubes selon leur taille : lotte, congre (tête), saint-pierre, sole, merlan (on peut également utiliser d'autres poissons blancs, pas de poisson bleu).

Émincer les poireaux, les échalotes. Peler les tomates en les plongeant quelques instants dans l'eau bouillante. Les couper en deux. Presser l'eau de végétation en serrant les demi-fruits dans la main. Les couper grossièrement. Éplucher les gousses d'ail, enlever les germes et les couper grossièrement au couteau.

701

Nettoyer soigneusement les poissons. Garder les arêtes.
Faire bouillir 2 ou 3 litres d'eau.
Dans une cocotte, mettre la moitié de l'huile, faire revenir poireaux et échalotes pendant 1 ou 2 minutes. Ajouter les tomates, le safran, le sel et le poivre. Faire cuire 2 ou 3 mn.
Ajouter le reste de l'huile et les poissons de soupe. Monter la température au maximum et cuire 5 ou 6 minutes en remuant les poissons qui peuvent se défaire.
Ajouter l'eau chaude. Dès que l'ébullition reprend, ajouter la lotte et le congre — qui vont cuire 5 minutes — puis la sole et le saint-pierre qui cuisent 3 minutes et le merlan qui cuit 2 minutes.
Réserver les poissons sur le plat de service avec un peu de bouillon pour les tenir chauds. Rectifier l'assaisonnement de la bouillabaisse.
Servir immédiatement le bouillon dans une soupière. La bouillabaisse se consomme très chaude et n'attend pas.

NB — *Chaque convive se servira de bouillon et d'un assortiment de poissons.*
La soupe peut être accompagnée de rouille (ail écrasé avec un piment rouge fort, de la mie de pain et de l'huile d'olive) et de parmesan fraîchement râpé.
On présentera à chaque convive des tranches de pain grillé frotté avec de l'ail. Chacun pourra ajouter, s'il le désire, un peu d'huile d'olive de première pression de Provence.

Bolletée de maquereaux de ligne

Pour 6 personnes
8 échalotes grises
100 g de beurre
6 petits maquereaux de ligne
2 bolées de cidre
sel
poivre

Dans une casserole, faire fondre doucement les échalotes dans la moitié du beurre sans les faire roussir. Ajouter les maquereaux nettoyés, étêtés, lavés et essuyés. Cette opération doit s'effectuer hors du feu. Les maquereaux doivent être placés côte à côte de façon à laisser le minimum d'intervalle entre eux. S'ils sont gros, il faut les couper en deux dans le sens de la longueur. Ajouter 2 bols de cidre. Le liquide doit recouvrir légèrement les poissons.

Mettre sur grand feu pendant 8 à 10 minutes. Sortir les poissons, enlever les arêtes et les disposer sur des assiettes chaudes.

Pendant ce temps, faire réduire la cuisson en ajoutant le reste du beurre et en fouettant. Vérifier l'assaisonnement. Verser sur les poissons et servir.

Bolletée cauchoise

Pour 4 personnes
1 sole à filets de 600 g
1 lotte de 600 g
2 beaux rougets grondins
1 anguille de 500 g
2 beaux oignons
3 caïeux d'ail
8 échalotes grises
150 g de beurre
3 bolées de cidre
safran (1 pincée ou 15 filaments infusés 1 heure dans un peu d'eau tiède)
poivre
estragon
sel

Nettoyer, parer les poissons et les couper en filets. Laver les parures et les réserver. Peler et émincer séparément oignons, ail et échalotes. Dans une casserole faire revenir ail et oignons dans le beurre à feu moyen. Lorsqu'ils commencent à être translucides, ajouter les parures de poissons et faire revenir 5 minutes. Mouiller avec le cidre et monter le feu au maximum. Faire cuire 20 minutes. Passer au chinois pour bien en extraire les sucs. Laisser refroidir.

Mettre les échalotes avec la moitié du beurre dans une casserole. Les cuire très doucement sans colorer. Ajouter le fumet refroidi. Ajouter le safran et le poivre.

Monter le feu au maximum pendant 5 minutes. Ajouter les filets de poissons, toujours à feu vif et les retirer au fur et à mesure de leur cuisson. Réserver.

703

Réduire la sauce, toujours à feu vif, en ajoutant le reste de beurre en noisettes et, au dernier moment, l'estragon frais. Rectifier l'assaisonnement.

Napper les poissons avec la sauce.

Soupe de poutine aux puntine

Pour 6 personnes

1 oignon doux de 100 g épluché et finement émincé
1 poireau épluché et finement émincé
2 gousses d'ail épluchées, dégermées et finement râpées
3 cuillerées à soupe d'huile d'olive
3 tomates épluchées, épépinées et coupées en petits cubes
sel
1 bouquet garni (laurier, thym et persil)
15 filaments de safran
200 g de poutine
100 g de puntine
croûtons de pain sec
parmesan fraîchement râpé

Faire cuire à grand feu l'oignon, le poireau et l'ail avec l'huile en remuant à la cuillère pendant 2 minutes.

Ajouter les tomates. Cuire encore 3 minutes.

Mouiller avec 1,5 litre d'eau. Saler, ajouter le bouquet garni et le safran. Cuire pendant 10 minutes.

Ajouter la poutine et les puntine. Cuire encore 6 minutes.

Retirer le bouquet garni.

Verser dans la soupière. Servir avec des croûtons de pain grillé et du parmesan fraîchement râpé.

NB — *La poutine est une spécialité niçoise — ce sont des alevins de poissons. Les puntine sont des pâtes qui, à la cuisson, ressemblent à de petits grains de riz.*

Homard à l'américaine

Pour 2 personnes
1 homard de 1 kg
3 échalotes
40 ml d'huile d'arachide
90 grammes de beurre
1 tout petit verre de cognac (3 ml)
3 belles tomates bien mûres
2 caïeux d'ail
100 ml de vin blanc sec
sel
poivre
1 pointe de couteau de poivre de Cayenne
estragon
cerfeuil ciselé

Ébouillanter le homard. Le découper en tronçons. Recueillir les parties crémeuses de la tête et les réserver dans un bol. Couper la tête en deux dans le sens longitudinal. Donner un coup de marteau sur les pinces pour les briser sans les disloquer.
Faire revenir l'échalote quelques instants dans l'huile additionnée de 20 grammes de beurre.
Monter le feu. Ajouter les morceaux de homard. Les faire revenir sur toutes les faces. Les flamber avec le cognac. Les retirer dès que leur couleur devient d'un beau rouge. Éliminer la graisse de cuisson.
Éplucher les tomates après les avoir plongées dans l'eau bouillante quelques instants. Les couper en deux. Presser l'eau de végétation en serrant les demi-fruits dans la main. Les couper grossièrement.
Éplucher l'ail, le dégermer, le couper en petits morceaux.
Dans la cocotte, ajouter les tomates, 20 grammes de beurre et 20 millilitres d'huile, le vin blanc, l'eau, l'ail, le sel, le poivre, le poivre de Cayenne, les demi-têtes de homard. Monter la température au maximum pendant une douzaine de minutes.
Ajouter les morceaux de homard. Cuire encore pendant 5 minutes à feu moyen.
Au dernier moment, débarrasser les morceaux de homard sur le

plat de service et, hors du feu, ajouter les parties crémeuses du homard, l'estragon et 50 grammes de beurre en fouettant pendant une minute.

Couvrir le homard avec cette sauce. Parsemer le cerfeuil ciselé.

Langoustines en mousse de bouillabaisse de fleurs de courges et courgettes safranées

Pour 6 personnes
500 g de fleurs mâles de courges et de courgettes
6 cuillerée à soupe d'huile d'olive
20 filaments de safran
sel
poivre blanc
2 kg de langoustines

Laver les fleurs, enlever le pistil et la base adjacente de la fleur. Mettre 200 millilitres d'eau et l'huile dans une cocotte, ajouter les fleurs. Cuire au grand feu pendant 15 minutes.

Ajouter le safran, cuire 2 minutes.

Mixer l'ensemble pour obtenir une mousse. La passer au chinois, puis à l'étamine. Saler, poivrer.

Éplucher les langoustines : enlever têtes et pattes, décortiquer les queues, enlever le boyau noir.

Sauter à cru les langoustines 1 minute maximum par face (la moitié de ce temps pour des petites pièces).

Servir les langoustines recouvertes de la sauce.

NB — *On peut tirer ce plat vers le doux en ajoutant au dernier moment 100 grammes de crème Chantilly non sucrée à la sauce ; on peut la tirer vers le piquant en ajoutant du poivre de Cayenne ou du Tabasco ; vers l'acide avec un peu de jus de citron ou de vinaigre fin. On peut aussi utiliser les têtes et les parures des langoustines en les hachant grossièrement et en les ajoutant aux fleurs : on obtiendra ainsi un goût différent, mixte, la sauce aura une saveur marine prononcée.*

Bolletée de moules au safran

Pour 6 personnes
têtes et arêtes de poissons fins (1 kg environ) :
sole, turbot, saint-pierre, etc.
100 g de beurre
8 échalotes grises
50 ml de calvados
1 bouteille de cidre sec
sel
poivre
2 kg de moules de bouchot
200 g de crème
30 filaments de safran
cerfeuil

Nettoyer et laver les têtes et les parures, enlever les ouïes. Il ne doit rester aucune trace de sang.

Mettre dans un faitout 40 grammes de beurre. Faire revenir à feu doux les échalotes épluchées et les têtes et parures de poissons pendant 10 minutes.

Flamber têtes et parures avec le calvados. Ajouter la moitié du cidre puis 3 litres d'eau. Cuire à grand feu jusqu'à réduction de moitié. Saler, poivrer.

Filtrer le fumet. Réserver.

Nettoyer et laver les moules. Mettre le reste de cidre dans un faitout, ajouter les moules. Cuire à grand feu en enlevant au fur et à mesure les moules qui s'ouvrent. Jeter celles qui restent fermées. Décortiquer les moules et les garder au tiède (elles ne doivent pas recuire). Enlever éventuellement le sable.

Filtrer la cuisson des moules à l'étamine (attention aux grains de sable). L'ajouter au fumet. Remettre l'ensemble au grand feu. Ajouter le reste du beurre en fouettant, puis la crème et le safran. Bien faire bouillonner. Rectifier l'assaisonnement.

Ajouter les moules et mettre en soupière en parsemant de cerfeuil ciselé.

NB — *La bolletée se sert dans un bol avec, si on le veut, des petits croûtons simplement grillés.*

Persillade de couteaux

Pour 4 personnes
30 couteaux
100 g de beurre salé
2 citrons
4 gousses d'ail épluchées et dégermées, coupées en tout petits morceaux
poivre
8 branches de persil
2 cuillerées à soupe de persil haché

Faire ouvrir à sec les couteaux. Éliminer ceux qui ne s'ouvrent pas. Les enlever de leurs coquilles. Les couper en tronçons de 1 centimètre.

Dans une poêle, faire fondre 50 grammes de beurre, ajouter le jus des 2 citrons, l'ail, le poivre, les branches de persil. Faire cuire au grand feu pendant 5 à 6 minutes.

Ajouter les couteaux. Cuire encore 2 ou 3 minutes.

Retirer les branches de persil, ajouter le persil haché et le reste de beurre en petits morceaux tout en fouettant.

Petites cassolettes d'escargots à la livèche fraîche

Ce plat se fait avec la partie réservée de la cuisson du court potage clair d'escargots à la menthe[1], additionné de beurre (100 grammes) et parsemé de feuilles de livèche finement hachées.

Retirer les lardons, les mettre à griller à sec sur une poêle. Quand ils sont bien dorés, ajouter le reste de liquide, les escargots, les petits oignons et les rondelles de carottes. Faire bouillonner 1 minute à feu vif.

Ajouter le beurre coupé en petits morceaux en les posant un à un dans la sauce tout en fouettant avec un petit fouet. Rectifier l'assaisonnement.

Servir dans chaque assiette 6 escargots, 2 petits oignons, 2 rondelles de carottes, quelques petits lardons, ajouter la sauce et parsemer de quelques filaments de feuilles de livèche (ou de céleri branche) finement ciselés. Ne pas abuser de cette dernière en raison de sa forte empreinte aromatique.

1. Voir recette p. 801.

Escargagnasse *(sauce tomate minute)*

4 belles tomates bien mûres
20 ml de très bonne huile d'olive
sel
poivre
4 feuilles de basilic à grandes feuilles finement émincées

Peler les tomates après les avoir plongées quelques instants dans l'eau bouillante. Les épépiner.
Les couper en deux, presser l'eau de végétation en serrant les demi-fruits dans la main.
Les couper grossièrement. Les mettre dans une casserole avec l'huile, le sel et le poivre.
Monter la température au maximum. Écraser la tomate avec une cuillère en bois de temps en temps.
Cuire 5 minutes. Une minute avant la fin, ajouter le basilic.

NB — *Cette sauce mi-cuite est d'une jolie couleur orangée. Elle est onctueuse, avec quelques morceaux, et garde donc le goût de la tomate. Elle sera d'autant meilleure que les ingrédients (tomates et huile) seront de qualité. Elle est mi-cuite et accompagne très bien les pâtes. Rien de plus facile, de plus rapide (si on n'est pas incommodé par leur peau, on peut employer les tomates entières). Inratable.*

Petits légumes du jardin en vinaigrette chaude

Pour 2 personnes
4 minicourgettes de 10 cm de long avec leur fleur
100 g de petits haricots verts
4 minicarottes avec leurs fanes (5 à 6 cm de long)
2 cuillerées à soupe d'huile d'olive
1 cuillerée à café d'un mélange à parts égales de macis, gingembre sec, poivre du Setchouan et zeste d'orange sec pulvérisé
1 pincée de sucre
sel
poivre
2 cuillerées à soupe de vinaigre de vin rouge

Laver rapidement les légumes sous le robinet. Éplucher les haricots. Séparer les fleurs de courgettes. Enlever la base et garder à part le pistil.

Couper les courgettes en rondelles de 5 mm d'épaisseur. Ciseler les fleurs.

Couper les fanes des carottes, en garder un petit bouquet, le ciseler.

Mettre à feu vif l'huile dans une petite cocotte. Y ajouter les carottes, les fleurs, puis les autres légumes. Laisser à feu vif pendant 2 minutes en remuant de temps en temps.

Ajouter l'eau. Cuire 5 à 6 minutes à grand feu.

Ajouter les épices, le sucre, le sel, le poivre, le vinaigre, les fanes de carottes ciselées et les pistils écrasés. Remuer en laisser cuire encore 2 minutes. Servir chaud.

Soupe au pistou

Pour 8 personnes
400 g de haricots blancs frais
2 feuilles de sauge
2 brindilles de sarriette (alternipilosa si possible)
2 pommes de terre de 80 g à chair ferme
3 carottes de taille moyenne
3 courgettes de taille moyenne
200 g de haricots verts fins sans fil
6 petits oignons blancs
4 branches de céleri branche
100 ml d'huile d'olive
sel
poivre
pistou

Cuire à l'eau salée les haricots avec sauge et sarriette pendant 30 à 35 minutes (le double si les haricots sont secs, et dans ce cas on les aura mis à tremper pendant 12 heures). Les haricots doivent être juste cuits, veiller à les retirer avant qu'ils n'éclatent.

Couper l'ensemble des légumes en tronçons ou en cubes de 8 à 12 millimètres de côté.

Emincer l'oignon et le céleri.

Mettre dans une grande casserole l'huile, 4 litres d'eau, et les légumes (sauf les haricots et les pommes de terre) et mener à grande ébullition pendant 30 minutes. Saler, poivrer. Ajouter d'abord les pommes de terre et cuire encore 20 minutes, puis les haricots et cuire à nouveau 5 minutes. Mettre en soupière, ajouter le pistou.

Haricots verts au beurre

Pour 6 personnes
50 g de beurre
sel
1 kg de haricots verts très fins épluchés et lavés

Faire bouillir 1/4 de litre d'eau, le beurre et le sel.
Ajouter les haricots verts qui doivent être juste couverts par l'eau. Cuire 7 à 10 minutes selon la taille des haricots en remuant de temps en temps et en goûtant pour s'assurer de la cuisson.

NB — *On peut cuire les haricots al dente ou les laisser légèrement roussir. Il ne doit rester que peu de liquide. Les quantités indiquées sont pour un accompagnement.*

Ragoût fin d'artichauts

Pour 4 personnes
8 artichauts
1 citron pressé
30 g de beurre
sel
poivre

Éplucher les artichauts en ne gardant que les fonds. Les couper en cubes de 1 centimètre de côté. Les citronner pour les empêcher de noircir.
Mettre 100 millilitres d'eau et le beurre à bouillir dans une casserole. Ajouter les fonds d'artichauts. Cuire 7 à 8 minutes en remuant de temps en temps.
Saler et poivrer 1 minute avant la fin.

Aïgo boulido

Une bouillabaisse sans poisson. Une de plus. Et c'est une soupe. Simple, simplissime. C'est une façon de boire de l'eau, bien chaude, goûteuse, lorsqu'il fait froid.

Pour 6 personnes
2 têtes d'ail
100 ml d'huile d'olive
2 feuilles de sauge officinale
sel
poivre
4 tranches de pain de campagne de 1 cm d'épaisseur grillées
cerfeuil ciselé

Éplucher les têtes d'ail, enlever le germe, les couper en tout petits morceaux.
Mettre dans une grande casserole l'ail, l'huile, 2 litres d'eau, la sauge, le sel et le poivre. Monter la température à ébullition pendant 10 minutes.
Mettre le pain dans la soupière. Verser dessus le contenu de la casserole. Parsemer de cerfeuil ciselé.

NB — *Bien sûr, vous pouvez varier à l'infini cette recette générale, en ajoutant de la tomate, du poisson, de la viande, des os, des boulettes, des œufs, du piment, du curry, du curcuma, enfin, tout ce qui vous passera par la tête.*

Rattes au vouvray et à la fleur de romarin

Pour 6 personnes
1 kg de rattes (pommes de terre fermes)
200 g de petits lardons (1 cm × 0,5 cm × 0,5 cm)
200 ml de vouvray sec
200 g de crème fraîche
6 petits oignons blancs émincés
20 fleurs de romarin, ou à défaut 3 brins de romarin sec
sel
poivre

Mettre les pommes de terre dans l'eau froide. Les mettre sur le feu. A l'ébullition les sortir, les éplucher et les couper en cubes de 1 centimètre de côté.

Mettre les lardons dans l'eau froide. Mettre sur le feu. A ébullition les sortir et les rincer.

Dans une cocotte à haut bord, mettre le vin, puis les cubes de pommes de terre en remuant avec une cuillère en bois pour détacher les cubes les uns des autres. Ajouter tous les autres ingrédients.

Cuire à feu maximum, couvercle sur la cocotte, en remuant de temps en temps, pendant 30 minutes environ.

Si l'évaporation est très intense et si le plat tend à sécher, ajouter 1 verre d'eau ou de vin blanc, ou un mélange des deux.

Les pommes de terre doivent rester bien fermes, mais tendres. En fin de cuisson, il doit rester une sauce courte, assez épaisse.

NB — *Une bouillabaisse de pommes de terre où le vin blanc remplace l'eau et la crème l'huile d'olive. On peut changer l'origine du vin blanc et la composition à volonté, ajouter du bouillon, remplacer le romarin par du safran, ou du curcuma, en faire une version piquante avec un peu d'harissa, ou plus tendre en reprenant au dernier moment la sauce avec deux jaunes d'œufs émulsionnés à la fourchette dans 50 millilitres d'eau tiède, que l'on mélange aux pommes de terre hors du feu.*
On peut aussi manger le plat froid en reprenant la sauce avec du vinaigre, du citron, des herbes vertes ciselées, etc.

Sauce aigrelette

250 ml de bon vin rouge
4 échalotes ou le vert de 2 petits oignons blancs
250 ml de crème
sel
poivre

Faire chauffer le vin rouge, le faire brûler pour en éliminer l'alcool.

Émincer les échalotes ou l'oignon.

Mettre à bouillir la crème avec l'échalote (ou l'oignon), le sel, le poivre. Ajouter le vin.

Continuer l'ébullition pendant 7 à 10 minutes en couvrant.

On peut servir soit en passant au chinois (la sauce sera plus douce) soit en gardant les légumes qui apportent une aigreur bien personnelle.

NB — *Une sauce particulièrement facile à réaliser, d'une couleur vieux rose, au goût acidulé et doux en même temps, qui se marie bien avec le gibier, les volailles, les steaks. La couleur est éclatante, tendre et subtile, le goût varie selon le mode de présentation.*

Risotto à la milanaise

Pour 8 personnes
150 g de beurre
50 g de moelle de veau
1 petit oignon (40 g)
500 g de riz rond (on peut utiliser du Vialone Nano, de l'Arborio ou du riz de Camargue, mais le meilleur est le Carnaroli)
200 g de vin blanc sec
1,6 l de bouillon de veau ou de volaille, sinon d'eau
0,1 g de bon safran en filaments
sel
poivre
50 g de parmesan (parmigiano reggiano) raclé avec la lame d'un couteau

Dans une cocotte à haut bord, mettre la moitié du beurre à fondre avec la moelle coupée en petits morceaux et l'oignon finement émincé. Cuire 1 ou 2 minutes en remuant à feu maximum.
Ajouter le riz. Tourner 1 ou 2 minutes.
Ajouter le vin blanc. Tourner 1 ou 2 fois par minute jusqu'à disparition du liquide.
Ajouter en deux fois 0,8 litre de bouillon. Tourner régulièrement chaque fois jusqu'à disparition du liquide.
Ajouter le reste de bouillon avec le safran, le sel et le poivre.
Lorsque le liquide a presque disparu, ajouter le parmesan et le reste du beurre.
Tourner vigoureusement une ou deux minutes (le mélange doit rester humide).
Arrêter le feu, couvrir hermétiquement et laisser reposer 10 minutes avant de servir.

714

— *Il existe de très nombreuses variantes de risotto, aux cham-pignons, aux fruits de mer, aux herbes... La consistance en est cré-meuse.*

LA FRITURE PROFONDE ET DE SURFACE

La friture profonde s'oppose à la friture de surface. Cette der-nière s'effectue, avec un corps gras disposé en couche mince sur une poêle ou un sautoir, à température élevée, l'intensité du feu devant toutefois être réglée en fonction de la taille de l'aliment. S'il s'agit par exemple de très petits poissons, on peut les cuire à grand feu, car une fois leur surface bien dorée et croustillante, l'intérieur sera cuit. Par contre, s'il s'agit d'une plus grosse pièce, il convient tout d'abord de la saisir pour que la chaleur pro-voque la formation d'une carapace qui s'oppose à la pénétration de la graisse, puis on baissera l'intensité afin de cuire l'intérieur.

Pour réaliser la friture profonde, on plonge intégralement l'aliment dans un corps gras très chaud. Dans ce cas, plusieurs remarques s'imposent :

— Le volume du corps gras doit être de beaucoup supérieur à celui de l'aliment, faute de quoi il se produit un refroidissement de celui-ci et la cuisson sera mal conduite.

— Le corps gras doit être porté à forte température, afin de saisir rapidement la surface de l'aliment et de s'opposer ainsi à la pénétration de la graisse ; quant à la surface, elle sera croustil-lante et bien dorée.

— Cependant, la température ne doit pas dépasser un niveau critique, c'est-à-dire celui où le corps gras commence à se décomposer en éléments âcres et désagréables, comme l'acro-léine.

— Cette température n'est pas la même dans tous les cas. Par exemple, c'est à cause de sa mauvaise tolérance au grand feu qu'on n'utilise pas le beurre. Les meilleures graisses de friture sont les huiles d'olive, d'arachide, de tournesol, de pépins de rai-sin ou de sésame, la graisse d'oie et de canard. Les graisses de rognon de bœuf et de veau qui supportent bien les fortes chauffes étaient traditionnellement utilisées, mais, comme nombre de corps gras d'origine animale, elles ne sont pas recommandées pour un usage régulier en raison de leur richesse en graisses saturées.

— Le gras de la friture doit être parfaitement propre, il faut le filtrer après cuisson, faute de quoi les petits débris restants continueront à cuire au fur et à mesure des utilisations, se transformant progressivement en résidus noirâtres et désagréables.

— L'huile bouillante était utilisée au Moyen Age comme arme de guerre. Il s'agit d'une matière dangereuse compte tenu de sa température et du risque qu'elle s'enflamme. De plus, si on y plonge un élément aqueux, elle produit des projections particulièrement agressives et salissantes. Les aliments mis dans la friture doivent donc avoir été soigneusement épongés et séchés.

— Il convient d'utiliser des récipients suffisamment stables et profonds pour prévenir les débordements catastrophiques qui pourraient arriver dans certains cas. Et tenir le tout hors de portée des enfants.

— La friture se conduit à haute température, variant de 140° à 180° environ selon les cas. Il est souvent préférable de cuire les aliments dans plusieurs fritures à température différente. Une méthode consiste à cuire en deux fois, en modifiant la température de la friture entre les deux. C'est le principe de la préparation des pommes de terre soufflées.

FRITURE PROFONDE

Poulet frit

Pour 4 personnes
1 cuillerée à soupe de miel
100 ml de vinaigre de vin blanc
1 cuillerée à café de poivre de Cayenne
1 poulet de grain de 1,5 kg
1 l d'huile d'arachide

Dans une casserole, faire dissoudre à chaud le miel dans le vinaigre avec le poivre de Cayenne.
Suspendre le poulet par le cou et le badigeonner avec le mélange. Le faire sécher (devant un ventilateur par exemple).
Faire fortement chauffer l'huile dans une friteuse à haut bord.
Y introduire le poulet. Le colorer sur les différentes faces (pendant 5 à 8 minutes).
Baisser la température de cuisson et cuire à feu moyen 15 minutes. Sortir le poulet.

Augmenter de nouveau la température. Mettre le poulet à frire à nouveau à haute température. La peau doit devenir bien brune. Sortir le poulet. Le laisser au chaud 15 à 20 minutes avant de le découper.

NB — *Cette recette d'inspiration chinoise est dangereuse : il faut se méfier de l'huile chaude. On peut, comme dans le cas du canard laqué, servir la peau à part. Ce n'est guère diététique, mais goûteux. Le poulet frit entier peut être servi avec des légumes, ou, mieux, avec des fruits, par exemple des poires rôties ou cuites au beurre.*

Anchois frits

Pour 6 personnes
1 kg de beaux anchois très frais
farine
1 œuf battu en omelette
chapelure de pain
huile de friture
sel
citrons

Écailler les poissons, lever les filets, les laver, enlever les arêtes et les sécher.
Les rouler successivement dans la farine, l'omelette et la chapelure.
Faire frire à forte chaleur.
Égoutter sur du papier absorbant.
Saler et servir en buisson avec des citrons coupés en deux.

Friture de goujons

Pour 6 personnes
1 kg de goujons
farine
huile d'arachide ou de tournesol
sel
1 botte de persil plat lavé et ciselé
citrons

Vider, laver et essuyer les goujons.

Lorsqu'ils sont bien secs, les rouler dans la farine, tapoter pour en enlever l'excès.

Faire chauffer l'huile qui doit être très chaude, mais non fumante.

Cuire les poissons par petites quantités en les maintenant à distance les uns des autres. Ils doivent être bien dorés.

Les retirer à l'écumoire, les placer sur du papier absorbant pour éliminer l'excès de graisse.

Saler, saupoudrer de persil ciselé. Servir avec des demi-citrons.

Calamari fritti

Pour 6 personnes
sel
poivre
farine
1 kg d'encornets de taille moyenne
1/2 l de lait
huile de friture
citrons

Mélanger le sel et le poivre avec la farine.

Nettoyer et vider les encornets, ne garder que les corps et les couper en anneaux de 1 cm de haut. Les mettre dans le lait.

Les passer dans la farine.

Les frire dans la friture très chaude, les sortir quand ils deviennent d'un beau blond doré.

Les égoutter sur du papier absorbant.

Servir avec les citrons.

Fromage frit

Compter 100 g de fromage par personne
1 ou plusieurs fromages (camembert, brie, comté, chèvre, etc.)
1 ou 2 œufs selon la quantité de fromage
chapelure de pain
huile de friture

Couper le fromage en cubes de 1,5 centimètre de côté.

Battre les œufs en omelette bien homogène.

Passer les cubes dans l'omelette puis dans la chapelure. (Si la chapelure adhère insuffisamment, repasser une deuxième fois dans l'œuf puis dans la chapelure.)

Cuire dans la friture chaude (180°) jusqu'à obtention d'une couleur d'un beau brun doré.

Égoutter sur du papier absorbant.

NB — *Un plat très apprécié des jeunes enfants. Attention c'est chaud.*

Pommes de terre frites

Pour 4 personnes
1 kg de grosses pommes de terre de consommation type Bintje ou Urgenta
huile de friture
sel

Laver les pommes de terre. Les éplucher, les couper en tranches épaisse de 1 centimètre. Recouper ces dernières transversalement tous les centimètres.

Essuyer soigneusement les frites avec un torchon.

Faire chauffer l'huile à 180-190°. Y plonger les frites en deux moitiés successives.

Lorsque les frites commencent à prendre une couleur dorée, les retirer à l'araignée, les égoutter et les réserver.

Au moment de servir, faire à nouveau chauffer l'huile, y plonger les frites qui sont ramollies. Les retirer lorsqu'elles ont une belle couleur dorée un peu foncée. Les égoutter. Les mettre sur le plat de service, saler et servir.

Poireaux frits

Pour 6 personnes
500 g de poireaux (poids épluché et séché)
huile d'arachide ou de pépins de raisin

Nettoyer soigneusement les poireaux. Garder le blanc et suffisamment de vert pour qu'ils soient longs de 10 centimètres.
Les couper dans le sens de la longueur en julienne. Bien dissocier les filaments.
Mettre la julienne dans l'huile chaude par petits paquets successifs.
Retirer avec une écumoire quand le poireau prend une teinte dorée. Le placer sur du papier absorbant pour résorber l'excès d'huile. Garder au chaud.
Servir dès que les derniers poireaux sont cuits.

NB — *Les poireaux frits se servent en accompagnement, par exemple d'un poisson poché ou grillé.*

Bananes plantains frites

Pour 6 personnes
1 kg de bananes plantains
huile de friture
sel

Couper les bananes épluchées en rondelles de 8 millimètres d'épaisseur.
Les faire frire dans la friture profonde en faisant attention à ce qu'elles ne collent pas les unes aux autres.
Quand elles sont dorées, les sortir avec une araignée et les placer sur du papier absorbant pour éliminer l'excès de gras, puis les saler.

NB — *Un excellent accompagnement d'une viande rôtie.*

Courgettes ou aubergines panées

Couper les courgettes ou aubergines en rondelles, les tremper dans un œuf battu, puis dans de la chapelure.
Mettre à cuire dans de l'huile bouillante.
Retirer du feu, lorsqu'elles sont bien dorées, avec une écumoire et mettre sur du papier absorbant.

Churros

Pour 6 personnes
300 g de farine
sel
huile de friture
sucre cristal

Mettre la farine dans un saladier. Ajouter 300 millilitres d'eau salée bouillante. Bien mélanger à la fourchette pour obtenir une pâte homogène.
Laisser refroidir. Placer 1 heure au réfrigérateur.
Mettre la pâte dans une poche à douille à embouchure de 1 centimètre.
Faire chauffer l'huile de friture. Y jeter directement de la poche à douille des sortes de « frites » de pâte d'une dizaine de centimètres de long.
Les faire cuire en friture profonde pendant 1 à 2 minutes.
Les sortir avec l'araignée. Les placer sur du papier absorbant pour éliminer l'excédent de graisse.
Les saupoudrer de sucre cristallisé.

NB — *Ce plat typique de Madrid est servi au petit déjeuner. Comme pour toutes les fritures, il faut être rigoureux durant l'opération. Ne pas en abuser.*

FRITURE DE SURFACE

Merlans frits

Pour 2 personnes
2 merlans de 200 g bien nettoyés
100 ml de lait
50 g de farine
250 ml d'huile d'arachide

Faire une profonde entaille de chaque côté des poissons, le long de l'arête principale.
Les plonger dans le lait, les passer dans la farine. Tapoter pour enlever l'excès de farine.

Faire chauffer l'huile qui doit être assez chaude, mais pas trop.
Plonger les 2 poissons dans l'huile. Retourner à mi-cuisson.
Retirer lorsqu'ils sont bien dorés.

Steak de thon rouge à l'émincé de roquette

Par personne
30 ml d'huile d'olive
20 g de beurre
1 tranche de thon rouge de 150 g, épaisse de 1,5 cm
10 feuilles de roquette
sel
poivre
1/2 citron

Dans une poêle, faire chauffer l'huile et le beurre.
Ajouter le thon et le faire cuire 2 minutes et demie sur une face,
1 minute sur l'autre.
Effeuiller la roquette, et la couper en petites lamelles.
Sortir le poisson, le saler, le poivrer, le recouvrir avec la
roquette.
Servir bien chaud avec 1/2 citron.

Friture de petits poissons

Par personne
200 g de petits poissons
farine
100 ml d'huile d'arachide ou de pépins de raisin
sel
citron

Nettoyer les poissons sous le robinet, en enlevant soigneusement
le contenu de l'abdomen, couper aux ciseaux les nageoires et la
tête des poissons de plus de 7 centimètres de long.
Les sécher dans un linge ou avec du papier absorbant.
Les passer dans la farine en les tapotant pour en éliminer
l'excès.
Chauffer fort l'huile. Y jeter les poissons.
Les retirer lorsqu'ils sont tous dorés. Les saler.
Servir aussitôt avec du citron.

Galette de poissons frits

Pour 4 personnes
sel
huile de friture
4 citrons
farine
1 kg de petits poissons (sprats, petites sardines, anchois, athérines, etc.) vidés et écaillés

Saler et fariner les poissons.
Mettre l'huile à chauffer dans une petite poêle (15 centimètres de diamètre). Y placer le quart des poissons de telle sorte qu'ils se touchent. Ne pas les bouger en cours de cuisson car en cuisant ils vont se coller l'un à l'autre et former une galette.
Retourner la galette. Quand elle est cuite, la mettre sur du papier absorbant pour éliminer l'excès de graisse. Réserver au chaud jusqu'à fabrication de quatre galettes.
Servir avec des citrons coupés en 2.

NB — *Cette amusante façon de présenter la friture est d'origine provençale. Pour retourner la galette sans la casser, il faut une petite casserole et une assiette. On saisit la poêle d'une main, on la recouvre avec une assiette tenue de l'autre. On vide l'huile bouillante dans la casserole. On retourne la poêle : la galette est alors sur l'assiette, côté doré au-dessus. On replace la poêle sur le feu, on reverse l'huile. Quand elle est chaude, on fait glisser délicatement la galette qui va cuire de l'autre côté. Il faut une poêle qui n'accroche pas.*

Scampi fritti

Pour 4 personnes
24 grosses langoustines très fraîches
2 cuillerées à soupe d'huile d'olive (marinade)
sel
poivre
quelques feuilles d'estragon
1 jus de citron
4 jaunes d'œufs battus
chapelure de pain
200 ml d'huile d'olive pour la friture
2 citrons coupés en 2
250 ml de sauce béarnaise

Éplucher les queues des langoustines, enlever le boyau noir. Les faire mariner 1 heure avec l'huile d'olive ; le sel, le poivre, l'estragon et le citron.

Les passer dans le jaune d'œuf, puis dans la chapelure.

Les cuire dans l'huile très chaude 1 ou 2 minutes sur chaque face en fonction de leur grosseur.

Les égoutter sur du papier absorbant.

Les servir avec les deux 1/2 citrons et la sauce béarnaise.

Paillassons de pommes de terre

Pour 4 personnes
500 g de pommes de terre
100 g d'huile
50 g de beurre
sel

Peler les pommes de terre. Les râper (comme on râpe des carottes). Ne pas les laver. Diviser le tout en 4 parties égales.

Faire chauffer l'huile et le beurre dans 4 petites poêles de 10 à 12 centimètres de diamètre. Répartir dans chacune le quart des pommes de terre, bien étaler. Saler.

Cuire de chaque côté 5 minutes à feu vif et 5 minutes à feu plus doux.

NB — *Les paillassons, bien dorés et croustillants, constituent un excellent socle pour y disposer des aliments de qualité : langoustines, ris de veau ou d'agneau, lotte, escargots, etc.*

CUISSON MINUTE FAÇON BOLO

C'est en lisant Freddy Girardet que j'ai découvert cette façon de cuire à grand feu. Le principe en est on ne peut plus simple. La réalisation demande simplement un peu de dextérité. En effet, le temps total de cuisson est d'une minute. Il convient donc de ne pas perdre de temps. Girardet indique que c'est ainsi que son père préparait le rognon de veau pour Bolo Pacha — et la recette en est délectable. Je l'ai donc essayée avec d'autres aliments, abats, viandes blanches et rouges, poissons ou légumes. Les résultats sont variés : excellents pour le rognon de veau, comme indiqué par Girardet, médiocres pour un onglet pourtant de belle origine.

La cuisson « Bolo » concerne des aliments coupés en tranches de 5 millimètres d'épaisseur. On chauffe très fort une poêle épaisse contenant 2 cuillerées à soupe d'huile. Lorsque celle-ci commence à fumer, on y place vivement les tranches ainsi qu'un bon morceau de beurre. On poivre et on sale.

On retourne à mi-cuisson et on retire de la poêle au bout de 60 secondes. On sert aussitôt car ce mode de cuisson n'attend pas.

Deux indications importantes : le feu doit rester à son maximum et la surface de la poêle doit être adaptée à celle de l'aliment pour éviter que le corps gras ne se dénature en devenant désagréable au goût. En général, cette cuisson est bien adaptée à des poêles relativement petites et à un petit nombre de convives — à moins que vous ne soyez plusieurs aux fourneaux.

Foie de veau minute

Par personne
2 cuillerées à soupe d'huile d'arachide ou d'huile de pépins de raisin
1 tranche de foie de veau de 5 mm d'épaisseur
20 g de beurre
sel
poivre

Faire fortement chauffer l'huile dans une poêle épaisse.
Lorsqu'elle commence à fumer, y glisser le foie et commencer à compter le temps.
Ajouter le beurre.
Retourner le foie après 30 secondes de cuisson. Le retirer à 60 secondes. Le placer sur du papier absorbant pour éponger l'excès de graisse.
Saler, poivrer, servir aussitôt.

Steak de raie au poivre et aux poivrons rouges

Pour 4 personnes
8 filets épluchés de raie de 100 g environ chacun
6 cuillerées à soupe d'huile d'olive
4 cuillerées de poivre mignonnette (il doit recouvrir les filets)
2 poivrons rouges
50 g de beurre
50 ml de calvados
sel

Faire mariner les filets dans l'huile d'olive et le poivre pendant 2 heures.
Cuire les poivrons 20 minutes au four à micro-ondes ou 40 minutes à la vapeur. Les éplucher, les épépiner et les couper en fine julienne.
Faire chauffer l'huile de la marinade.
Cuire à feu vif les filets 1 minute sur chaque face en ajoutant le beurre immédiatement après le poisson.
Réserver le poisson au chaud. Déglacer avec le calvados. Faire flamber, ajouter la crème, le sel et la julienne de poivrons. Laisser bouillir 2 minutes.
Servir deux filets par personne entourés de poivrons.

NB — *Un steak au poivre inhabituel. Le poivre mignonnette est du poivre grossièrement écrasé.*

Thon à la roquette et vinaigre balsamique

Pour 8 personnes
1 botte de roquette
200 ml d'huile d'arachide
8 steaks de thon de 5 mm d'épaisseur de 150 g chacun
200 g de beurre
sel
poivre
vinaigre balsamique

Laver, nettoyer, essorer et hacher finement la roquette. Dans une poêle pas trop grande, faire chauffer fortement le quart de l'huile. Lorsqu'elle commence à se cloquer, donc avant qu'elle ne fume, mettre deux steaks et commencer à compter les secondes. Immédiatement, ajouter le quart du beurre. Retourner

726

le thon 30 secondes après le début de la cuisson, sortir au bout de 1 minute.

Placer le poisson sur du papier absorbant. Saler, poivrer, mettre un trait de vinaigre, saler, poivrer, servir aussitôt (le plat n'attend pas).

Jeter la graisse, recommencer.

NB — *Le thon cuit ainsi est délectable. L'inconvénient est qu'il faut le manger très vite. A réserver aux dîners de l'amitié. Ou bien se mettre à deux cuisiniers. Ou encore réserver la recette pour deux convives. Bien entendu, il convient que la poêle soit de taille adaptée à celle des steaks.*

La courgette de 4 minutes

Pour 2 personnes
1 courgette de 150 g
2 cuillerées à soupe d'huile d'arachide ou d'huile de pépins de raisin
15 g de beurre
sel
poivre

Couper la courgette lavée et essuyée, mais non pelée, en rondelles de 5 millimètres d'épaisseur.

Faire chauffer fortement l'huile dans une poêle épaisse.

Lorsque l'huile commence à fumer, ajouter les rondelles en les disposant pour qu'elles forment une seule épaisseur, puis ajouter le beurre.

Retourner les rondelles au bout de 2 minutes. Cuire encore 2 minutes.

Retirer de la poêle avec une spatule ou une écumoire et disposer sur du papier absorbant pour éliminer l'excédent de graisse.

Saler, poivrer, servir très chaud.

NB — *Se sert en accompagnement d'une grillade.*

LE POCHAGE À GRAND FEU

Le pochage qui doit généralement être conduit à petit feu peut également se faire au grand feu. Il faut d'abord différencier le pochage du bouilli. Le premier mode cuit de façon relativement brève l'aliment au contact d'un liquide bouillant. Le second cuit, dans un temps relativement long, légumes, poissons ou viandes, mis, au choix, à l'eau froide, tiède ou chaude, de façon qu'on obtienne un bouillon. Quant aux ingrédients, ils acquièrent une consistance et une solidité variables à la fin de l'opération. Il arrive qu'on ne les mange pas, comme c'est le cas lorsqu'il s'agit de la chair d'animaux trop âgés.

Par contre, dans le cas du pochage à grand feu, le bouillon ou le liquide de cuisson ont pour seule fonction de cuire les aliments. Cette méthode s'applique à certaines viandes : c'est le cas du classique bœuf à la ficelle, c'est-à-dire de tranches allongées de section grossièrement carrées tirées du filet ou du faux-filet, qu'un entoure d'une ficelle et qu'on plonge dans une marmite de bouillon. C'est également ce que proposait Michel Guérard[1] pour sa fondue — qui n'en était pas une — de viandes variées cuites dans le bouillon du pot-au-feu.

C'est aussi le principe de la fondue chinoise : on cuit vermicelles, crustacés, petits bouts de seiche, de poissons et de viande à feu vif dans un bouillon de poisson agrémenté de pakchoi ou de petsai.

On voit que la règle qui interdit de cuire le poisson au grand feu n'en est pas une. La méthode consiste à éviter de trop le cuire. Il ne s'agit pas, en effet, de le laisser bouillir pendant des temps prolongés, mais rien n'empêche de le saisir dans un pochage bouillant. Le temps de cuisson est court et de ce fait la surveillance aisée. Cependant, on ne peut traiter ainsi que des morceaux de taille relativement réduite.

C'est dans l'eau bouillante qu'on cuit le mieux certains légumes verts, en général les légumes feuilles — épinards, arroche, tétragone, ou chénopodes, asperges, haricots verts, etc. La cuisson doit être très courte pour garder aux produits goût et couleur. Souvent d'ailleurs, pour conserver la couleur, on les retire à l'écumoire et on les place aussitôt dans un récipient rempli d'eau contenant des glaçons.

Bœuf à la ficelle

Pour 4 personnes
1 kilo de filet ou de faux-filet : attention, il faut que le morceau puisse être coupé en morceaux d'une trentaine de cm, de section carrée de 3 cm de côté
5 l de bon bouillon

1. *La Grande Cuisine minceur, op. cit.*

Ficeler les morceaux et les accrocher sur une barre de bois de longueur supérieure au diamètre de la casserole.

Monter le bouillon à ébullition. Y plonger les steaks et les laisser à bonne ébullition pendant 7 à 8 minutes, après reprise de l'ébullition, selon la cuisson souhaitée.

NB — *Il faut un récipient assez profond. On peut à défaut couper les morceaux en deux par le milieu.*
On sert avec cette viande tous les accompagnements classiques, gros sel, moutarde, ou des sauces émulsionnées froides ou chaudes.

Pochouse

Pour 4 personnes
500 g chacun d'au moins 3 poissons de rivière : perche, brochet, sandre, anguille, tanche (poids des poissons étêtés, écaillés ou dépouillés, vidés et lavés avec minutie)
3 gousses d'ail épluchées et dégermées
32 petits oignons blancs
250 g de petits lardons fumés
sel
poivre en grains
1 bouquet garni (thym, laurier, queues de persil)
2 bouteilles de vin blanc sec
2 jaunes d'œufs
2 cuillerées à soupe de persil haché

Nettoyer les têtes de poisson. Les laver à grande eau. Enlever les branchies et toutes les parties tachées de sang.

Dans une grande casserole, mettre les têtes, puis les poissons coupés en tranches de 4 à 5 centimètres d'épaisseur ; répartir l'ail, les oignons, les lardons, le sel, le poivre et le bouquet garni.
Mouiller à hauteur avec le vin blanc.

Mettre sur grand feu à découvert, cuire 12 à 15 minutes.

Sortir les tranches de poisson, les mettre sur le plat avec les lardons et les petits oignons.

Passer le jus de cuisson, ajouter hors du feu 2 jaunes d'œufs battus dans un peu de jus, laisser épaissir 5 minutes au chaud. Rectifier l'assaisonnement.

Verser la sauce sur le poisson, saupoudrer avec le persil haché.

NB — *Une version de pochouse qui s'apparente plus à celle de Seurre qu'à celle de Verdun-sur-le-Doubs.*

Soupe minute à la tomate

Pour 4 personnes
2 tomates bien mûres
1 gousse d'ail épluchée et dégermée
2 grains de poivre
1 branche de céleri
300 ml d'eau
sel

Mixer l'ensemble des ingrédients. Cuire 1 à 2 minutes à ébullition. Servir.

NB — *Sur cette base simple, facile et goûteuse on peut ajouter*
— 1 cuillerée à soupe d'huile d'olive
— 2 cuillerées à soupe de crème
— du beurre malaxé avec des herbes fraîches diverses
— des petits bouts de poulet, de porc, de poisson cuits, etc.
— des épices diverses (curry, piment, harissa, etc.).

Spaghetti de peaux de courgettes

Pour 4 personnes
peaux de 4 courgettes moyennes
sel
huile d'olive

Éplucher les courgettes (la peau doit avoir une épaisseur maximale de 1 millimètre).
Couper les peaux en spaghetti carrés de 1 millimètre de côté.
Saler de l'eau à 20 grammes par litre. La faire bouillir. Cuire les spaghetti une minute.
Les rafraîchir. Les arroser d'un peu d'huile d'olive.

NB — *Se mange froid en salade estivale, seule ou en compagnie.*

LES SAUTÉS DU GRAND FEU

C'est en Asie du Sud-Est, dans les restaurants en plein air, qu'on peut observer ce mode de cuisson dans son expression la plus diverse, la plus variée et la plus simple, du riz cantonais, ou riz frit, à l'innombrable variété des préparations de crevettes, de petits bouts de poulet, de poisson ou de porc, sans compter bien sûr les légumes.

On peut faire sauter à sec, ou avec un corps gras, ou encore avec un mélange d'eau ou de bouillon et de gras, comme la bouillabaisse. Ce mode de cuisson est très bien adapté à des aliments de petite taille : cuisses de grenouille, petits crustacés, légumes coupés en petits morceaux, viandes de la taille d'une bouchée. Toutefois, il faut tenir compte des propriétés mécaniques et du comportement à la cuisson de ce qu'on veut cuire. Par exemple, il ne saurait être question de cuire ainsi des pommes de terre ou des carottes crues, car elles demandent un temps de cuisson incompatible avec le grand feu : le centre resterait cru et l'extérieur serait carbonisé.

Conviennent à ce mode de cuisson :
— les viandes tendres en petits morceaux ;
— les poissons en filets et en cubes ;
— les petits crustacés décortiqués ;
— les coquillages ;
— les légumes feuilles ;
— certains légumes tiges (pas tous) ;
— les légumes fleurs ;
— les fleurs ;
— les tomates, les poivrons, les concombres et les courgettes ;
— certaines légumineuses, fraîches exclusivement, (fèves, petits pois) ;
— les fruits.

Il est souvent préférable de peu cuire les aliments, afin de combiner sapidité, croquant et tendreté.

Rognon de veau aux funghi porcini secs

Pour 2 personnes
1 beau rognon de veau bien clair
30 g de funghi porcini secs
20 g de beurre
sel
70 g de crème fraîche
mélange aux 5 poivres

Nettoyer le rognon de veau, enlever la graisse extérieure et intérieure. Le couper en cubes d'environ 1,5 centimètre de côté.

Faire gonfler les funghi porcini dans 50 millilitres d'eau tiède — ou les faire chauffer sur le feu dans une quantité d'eau légèrement supérieure.

Faire sauter les rognons 2 minutes au beurre à feu vif.

Saler, poivrer, ajouter la crème et les champignons. Cuire encore pendant 2 minutes à feu vif. Servir.

NB — *Simple, subtil, inratable. Ces rognons ne doivent pas être trop cuits. Les funghi porcini sont des champignons italiens proches de nos bolets. On peut les remplacer par des cèpes, des marasmes d'Oréade (faux mousserons), des morilles, etc.*

Crevettes au lait de coco

Pour 4 personnes
1 kg de crevettes roses d'assez grosse taille
6 petits oignons blancs avec leurs tiges vertes
2 piments oiseaux
3 cuillerées à soupe d'huile d'arachide
300 ml de lait de coco
sel
poivre

Décortiquer les crevettes.

Éplucher et émincer finement les oignons.

Oter le pédoncule et les graines des piments. Les émincer finement.

Dans un wok, mettre l'huile, faire sauter à feu vif les oignons et le piment pendant 2 minutes. Ajouter les crevettes, cuire encore 2 minutes en remuant régulièrement.

Ajouter le lait de coco, le sel et le poivre. Baisser le feu et cuire à couvert à l'étouffée 10 à 15 minutes. Rectifier l'assaisonnement.

NB — *Style africain ou brésilien pour une cuisson à la chinoise.*

Palourdes de pêche à pied, pain et beurre salé

Pour 4 personnes
2 l de palourdes
pain
beurre salé

Nettoyer les palourdes.
Les faire sauter à cru dans une casserole, les retirer au fur et à mesure et les placer dans un grand saladier. Éliminer celles qui ne s'ouvrent pas et celles qui contiennent trop de sable ou de vase.
Filtrer deux fois le jus de cuisson et le verser dans le plat.
Servir dans des assiettes creuses.

NB — *C'est un plat « sale » puisqu'on se salit les doigts en prenant les palourdes. On les mange avec du pain (par exemple : pain brié ou pain complet) et du beurre salé : un grand plaisir si les palourdes viennent de fonds à gros sable qui s'élimine aisément. C'est ainsi que l'on peut goûter le mieux les nuances des coquillages qu'on vient de collecter.*
On peut préparer de la même façon tous les bivalves (coques, moules, clams, praires, vernis, clovisses, couteaux, etc.).
Impossible de faire plus simple que ce sauté sans graisse.

Seiches à l'ail

Pour 4 personnes
500 g de blanc de seiche
50 ml d'huile d'olive
6 gousses d'ail épluchées, dégermées, coupées en petits cubes de 1 mm de côté
2 cuillerées à soupe de feuilles de persil haché
sel
poivre

Couper le blanc de seiche en morceaux de 2 × 2 centimètres.
Faire revenir les seiches dans l'huile d'olive à feu vif avec l'ail et le persil, le sel et le poivre pendant 4 à 5 minutes.
Servir chaud.

NB — *Simple et bon, de goût vif et typé.*

733

Légumes et poissons sautés à la japonaise

Pour 6 à 8 personnes
200 g de haricots verts coupés en tronçons de 10 cm
2 filets de saint-pierre de 200 g chacun
2 filets de sole de 200 g chacun
1 tranche de bonite ou de thon de 100 g
huile de sésame
24 queues de belles crevettes roses crues décortiquées en laissant le dernier anneau et la queue (enlever le boyau noir)
2 courgettes de taille moyenne coupées en rondelles de 4 mm d'épaisseur
200 g de chapeaux de champignons de Paris de petite taille lavés et essuyés (ou, si on préfère, de shii-také)
sauce soja japonaise

Cuire à la vapeur les haricots verts pendant 4 minutes.
Émincer les poissons en tranches de 5 millimètres d'épaisseur.
Déposer chaque ingrédient dans des petits raviers.
Poser sur la table un réchaud mobile. Y mettre l'huile et la faire chauffer.
Chacun cuit les ingrédients à sa convenance et les assaisonne de la sauce soja.

NB — *Les quantités sont indicatives, de même que les ingrédients qui peuvent être variés à volonté (ils doivent être très frais, c'est la seule condition).*
On peut servir des sauces plus occidentales si on le souhaite.
L'huile de sésame permet des températures très élevées, la cuisson est donc rapide.

Riz sauté aux lardons

Pour 4 personnes
200 g de poitrine fumée découennée
8 tiges de ciboule
80 g de beurre
400 g de riz rouge de Camargue aux épices mélangées (poids cuit)

Couper la poitrine en lardons fins.

Éplucher la ciboule. L'émincer finement.

Mettre le beurre dans une poêle à feu vif avec les ciboules et les lardons. Cuire 3 à 4 minutes en remuant de temps en temps.

Ajouter le riz cuit. Cuire encore 5 minutes en remuant régulièrement pour éviter d'attacher.

Verser sur le plat de service.

NB — *Un plat familial, simple et goûteux. Un riz frit à la française.*

Pêches caramélisées au sauternes et aux calaments

Pour 4 personnes
8 belles pêches
100 g de beurre
30 g de sucre
1 verre de sauternes (150 ml)
8 petites branches de calament (Calamintha nepeta)

Peler les pêches. Les couper en deux.

Dans une grande poêle, faire fondre le beurre.

Cuire les pêches 2 minutes sur chaque face à feu vif.

Poudrer de sucre, faire caraméliser, toujours à feu vif.

Réserver les pêches au chaud sur le plat de service.

Déglacer la poêle avec le sauternes. Gratter pour dissoudre les sucs. Faire réduire des deux tiers. Verser sur les pêches.

Ciseler les calaments et en saupoudrer les pêches.

NB — *On peut utiliser un autre vin doux naturel et remplacer les calaments par de la menthe.*

LA CUISSON EN SURPRESSION

La cuisson à la vapeur est traitée dans un autre chapitre. L'eau, en chauffant, libère la vapeur à une température de 100°, température modifiée si on adjoint un peu de sel, de vin ou d'huile. Mais l'échappement qui se fait, même lorsqu'on cuit avec un couvercle, garantit une température constante.

Ce n'est pas le cas dans les autocuiseurs dont la fermeture hermétique permet de monter la température au-dessus de 100° (en général 130°). On obtient ainsi une pression beaucoup plus élevée, qui pourrait d'ailleurs être dangereuse s'il n'y avait pas une soupape qui sert de « trop-plein ». La cuisson par auto-cuiseur est donc une forme de grand feu qui combine chaleur vive et pression élevée. Certains aliments s'en trouvent bien, d'autres y perdent leurs qualités.

Ce mode est difficile à maîtriser car on ne peut pas vérifier la cuisson avant la fin. Il doit donc être réservé à certaines viandes dont la structure résiste bien aux contraintes mécaniques et à des légumes peu délicats, ou pour préparer des plats dont les éléments doivent être, en fin de préparation, disloqués — comme certaines soupes ou purées — et pour la préparation de certaines viandes qui doivent être hachées après cuisson. Un aliment s'y trouve fortement bonifié : la pieuvre (poulpe).

Steaks aux olives vertes

Pour 4 personnes
6 filets d'anchois au sel dessalés et désarêtés
30 ml d'huile d'olive
1 bel oignon épluché, finement émincé
4 steaks de 150 g
6 tomates épluchées, épépinées, coupées en morceaux
4 gousses d'ail non épluchés
32 olives vertes dénoyautées
1 bouquet garni (thym, laurier, queues de persil)
50 ml de vinaigre de vin blanc
sel
poivre

Faire fondre les anchois dans l'huile.
Blondir l'oignon dans l'huile pendant 5 minutes sans colorer. Réserver. Ajouter les steaks. Les faire rissoler des 2 côtés.
Ajouter l'ensemble des ingrédients. Mouiller à hauteur avec de l'eau ou du bouillon, ou encore du vin blanc. Ne pas saler à ce stade, à cause des olives.
Fermer l'autocuiseur. Cuire 45 minutes en laissant chuinter la soupape.
Sortir la viande, la mettre au chaud dans le plat de service avec

les olives. Passer le reste de la cocotte au moulin à légumes. Faire éventuellement réduire. Rectifier l'assaisonnement. Saler si besoin. Verser sur les steaks.

NB — *Une recette de ménage qui a la propriété d'attendrir des steaks trop durs.*

Poulpe froid mayonnaise

Pour 6 personnes
1 poulpe de 1 à 2 kg
1 bol de mayonnaise

Retourner la poche située à l'arrière de la tête du poulpe. Éliminer les viscères. Arracher également le « bec » situé de l'autre côté, au centre des tentacules.
Mettre de l'eau dans l'autocuiseur. Placer le poulpe dans le panier. Fermer l'appareil. Cuire 20 à 30 minutes après la mise en rotation de la soupape, selon la taille de l'animal.
Ouvrir l'autocuiseur (la façon la plus sûre consiste à refroidir le couvercle en le plaçant sous l'eau du robinet, puis à ôter la soupape. Le couvercle s'ouvre sans difficulté).
Sortir le poulpe. Le laisser refoidir. Éplucher les tentacules et les couper en cylindres de 1 centimètre de haut. Servir avec la mayonnaise.

NB — *Cette recette de Françoise Chalon ne nécessite pas de battre le poulpe. La chair en est blanche et tendre, proche de certains des meilleurs crustacés. On peut servir l'animal froid en vinaigrette ou avec d'autres assaisonnements. On peut aussi le servir chaud avec une sauce tomate douce ou piquante, au vin, au vinaigre, etc.*

Purée de lentilles du Puy

Pour 6 personnes
500 g de lentilles du Puy
1 carotte épluchée, coupée en rondelles fines
1 oignon moyen épluché et piqué d'un clou de girofle
sel
poivre
1 bouquet garni (thym, laurier, queue de persil)
120 g de beurre demi-sel
1 cuillerée à soupe de feuilles de persil haché

Trier et laver les lentilles. Éliminer celles qui seraient abîmées et surtout les éventuelles petites pierres.

Mettre les lentilles, la carotte, l'oignon, le sel, le poivre et le bouquet garni dans un autocuiseur avec 300 millilitres d'eau. Fermer le couvercle.

Cuire 15 minutes à partir du chuintement de la soupape.

Sortir les lentilles, les passer au tamis ou au presse-purée.

Sécher la purée sur le feu en tournant avec une cuillère en bois. Ajouter peu à peu le beurre. Rectifier l'assaisonnement. Mettre dans le plat de service. Saupoudrer de persil.

Risotto campagnard

Pour 4 personnes
3 cuillerées à soupe d'huile d'olive
1 oignon de 100 g épluché et finement émincé
2 gousses d'ail épluchées, dégermées et finement râpées
80 g de riz rond
80 g de pois cassés
80 g de fèves séchées
eau ou bouillon
100 g de jambon cru coupé en petites et fines lamelles

Dans un autocuiseur, mettre 1 cuillerée à soupe d'huile. Faire revenir doucement l'oignon et l'ail pendant 4 à 5 minutes.

Ajouter le riz et les légumes. Bien mélanger. Couvrir d'eau ou de bouillon. Fermer le couvercle.

Amener à ébullition. Dès que la soupape siffle, baisser le feu et cuire 30 minutes.

Ôter le couvercle. Verser le contenu de l'autocuiseur dans un saladier, ajouter le reste de l'huile et le jambon. Bien mélanger.

NB — *Une cuisson bien différente du risotto à la milanaise. Bien rustique.*

Compote aux deux figues

Pour 6 personnes
18 belles figues fraîches
500 g de figues sèches
200 g de sucre
1 bâton de cannelle ouvert en 2
2 clous de girofle

Oter le pédoncule des figues fraîches. Les couper en tranches de 5 millimètres d'épaisseur. Les saupoudrer de sucre.
Ôter le pédoncule des figues séchées. Les couper en 2.
Mettre l'ensemble des ingrédients dans un autocuiseur avec 300 millilitres d'eau. Fermer le couvercle.
Cuire 15 minutes à partir du chuintement de la soupape.
Laisser refroidir dans un compotier. Ôter les épices.
Mettre au réfrigérateur. Servir froid.

NB — *Sur le même principe on peut préparer des compotes aux deux pêches, aux deux pommes, aux deux poires, aux deux abricots, aux deux dattes, etc. On peut varier les épices en utilisant la cannelle, la muscade, le safran, le poivre — ou s'en passer.*

Chutney de pommes et de raisins secs

Pour 4 pots
1 kg de pommes
3 citrons non traités, coupés en fines rondelles
12 clous de girofle
1 bâton de cannelle
500 g de sucre
250 g de raisins secs
250 ml de vinaigre de malt
12 grains de poivre noir

Éplucher les pommes et les couper en fines lamelles.
Mettre l'ensemble des ingrédients dans un autocuiseur. Bien mélanger. Fermer hermétiquement et cuire 15 minutes après le chuintement de la soupape, en réduisant le feu.
Ouvrir après les 15 minutes de cuisson. Si la consistance est trop liquide, faire réduire à grand feu. Mettre en pots.

NB — *Les chutneys accompagnent les currys et les viandes froides.*

Compote de fruits secs

Pour 8 personnes
200 g de pêches séchées
200 g de poires séchées
200 g d'abricots séchés
200 g de raisins secs
200 g de sucre

Lavez rapidement les fruits.
Mettre l'ensemble des ingrédients avec 600 millilitres d'eau dans un autocuiseur. Fermer le couvercle
Cuire 15 minutes à partir du chuintement de la soupape.
Laisser refroidir dans un compotier. Mettre au réfrigérateur. Servir froid.

CUISSON SUR OU DANS LA FLAMME

La flamme brûle et produit une température d'intensité variable, pouvant atteindre plusieurs milliers de degrés. Il n'est donc pas question de cuire les aliments en les plaçant directement au contact, car ils se transformeraient en charbon. C'est d'ailleurs ce qui se passe lorsque de la graisse coule des grillades sur le feu du barbecue et qu'elle s'enflamme. L'embrasement qui en résulte carbonise viandes, légumes et poissons en les rendant amers. De plus, cette opération produit des composés soupçonnés d'être cancérigènes.

On ne cuit donc pas dans la flamme. Mais à toute règle ses exceptions. Les plus notables sont celles de certains légumes entourés d'une peau épaisse, comme les aubergines, les poivres, les piments et même les oignons et les tomates[1] qu'on prépare ainsi pour confectionner la *salade méchouia* tunisienne, ou

1. Plus banalement, on peut aussi piquer les tomates avec une fourchette et les passer sur la flamme, non pour les cuire, mais pour les éplucher sans difficulté.

encore certaines purées de légumes. Cette cuisson apporte un goût de brûlé qui est agréable à condition de rester discret.

On peut aussi utiliser la flamme du chalumeau pour caraméliser directement le sucre d'une crème brûlée ou encore pour décoller une glace qui adhère trop fortement au conteneur qui la renferme.

Néanmoins toutes ces utilisations ne sont que marginales.

Éclade

C'est une des recettes les plus traditionnelles de la Charente. Elle se fait avec des moules de bouchot (pieux de bois enfoncés dans la mer, sur lesquels les mytiliculteurs élèvent les moules). Ce sont les meilleurs de ces mollusques bivalves.

L'éclade est un plat de plein air, d'été.

On place les moules debout, charnière vers le haut, serrées les unes contre les autres sur une épaisse planche en bois. On recouvre l'ensemble d'aiguilles de pin (2 centimètres). On met le feu. Quand la flamme est éteinte, on mange les moules avec du pain beurré en buvant du vin blanc.

4

La voie médiane

Ce titre à la consonance extrême-orientale annonce la cuisson à la vapeur douce. Ne s'agit-il pas, d'ailleurs, d'une des méthodes préférées de la Chine du Sud, où on prépare ainsi les dim sum, ces petites bouchées servies dans des récipients de bambou. C'est à la vapeur aussi qu'on cuit la graine du couscous en Afrique du Nord.

Pourtant, si ce mode de cuisson s'est répandu assez largement, à la suite de Jacques Manière, d'Alexandre Dumaine, et de Denis, parmi d'autres, la cuisson à la vapeur ne fait pas vraiment partie de l'héritage culinaire traditionnel français.

Le principe en est extrêmement simple : l'eau bout à 100° et dégage de la vapeur. Dans une enceinte close, mais qui permet l'échappement du trop-plein de vapeur, la température est maintenue constante et l'aliment imprégné d'humidité saturée. Il s'agit donc d'une cuisson douce, sans la surpression engendrée dans les autocuiseurs ; d'une cuisson constante en température comme en humidité. Cuisson douce, constante, cuisson du juste milieu.

On peut, ainsi que l'a montré Jacques Manière, auteur d'un ouvrage qui fait référence[1], cuire à peu près tout à la vapeur. Quitte à compléter au dernier moment en passant l'aliment au four ou sur le gril pour en améliorer la présentation extérieure.

On peut cuire à la vapeur dans un couscoussier, dans une

---

1. *Le Grand Livre de la cuisine vapeur*, Denoël, 1985.

casserole ordinaire ou dans un appareil spécialement étudié pour cette cuisson; il en est d'électriques, d'autres qu'on place sur la cuisinière.

Le liquide utilisé est essentiellement l'eau, puisque ce sont ses gouttelettes qui constituent le vecteur essentiel de chaleur. On peut toutefois y mélanger des produits volatils, du vin par exemple, et même gras.

Attention : il peut se reproduire un phénomène indésirable : la vapeur d'eau, refroidie au contact du couvercle, forme des gouttes qui vont tomber sur l'aliment situé au-dessous, qu'elles humidifient. S'il y a plusieurs compartiments perforés superposés, le liquide va s'écouler du haut vers le bas. Il convient donc de s'assurer que ce qui vient du compartiment supérieur ne détériore pas le goût de ce qui est dans celui du dessous.

Le temps de cuisson des aliments dépend à la fois de leur nature et de leur structure géométrique.

- Les *légumes découpés en petits volumes* cuisent en 10 à 15 minutes.
- Les *légumes entiers ou de plus grande taille* demandent de 20 à 40 minutes.
- Les *filets de poisson* cuisent en 10 à 15 minutes.
- Le temps nécessaire pour cuire les *poissons entiers* dépend du poids et du type. Les petits prennent 10 à 15 minutes; pour les autres, il faut compter environ 25 minutes au kilo, un peu plus pour les poissons à chair ferme (raie, lotte, thon).
- Le temps pour cuire une *volaille* est de 10 minutes, plus 25 à 30 minutes par kilo, un peu plus pour la poule qui est plus vieille.
- Les *steaks*, *côtelettes* et *petites pièces* nécessitent 10 à 15 minutes selon la cuisson désirée, plus le temps de quadrillage.
- Les *pièces de viande plus grosses* nécessitent au kilo 50 à 60 minutes pour le veau, un peu plus pour le porc, 30 à 40 minutes pour l'agneau, un peu moins pour le bœuf. Auquel il faut ajouter éventuellement le temps de colorer la pièce au four très chaud si on veut la présenter en « rôti ».

En fait il est d'autant moins illogique de faire cuire des « rôtis » à la vapeur que le récipient dans lequel ils cuisent est une enceinte close dotée d'une source de chaleur : la cuisson à la vapeur, douce ou sous pression, est une sorte de cuisson dans un four humide.

La cuisson à la vapeur douce ne brutalise pas l'aliment, elle permet ainsi de conserver certaines propriétés de goût et de consistance, elle ne masque pas les goûts.

Épaule d'agneau M'faoura[1]

Pour 6 personnes
1 épaule d'agneau grasse avec les côtelettes attenantes
sel
1 bouquet de persil
1 gousse d'ail épluchée
1 oignon épluché
cumin

Frotter la viande avec le sel.
Mettre le persil sur le compartiment supérieur du couscoussier.
Poser par-dessus l'ail et l'oignon puis la viande.
Envelopper la viande dans une serviette, puis poser une feuille de plastique sur le couscoussier et le couvrir avec le couvercle (on obtient ainsi une obstruction plus complète).
Remplir le compartiment inférieur avec de l'eau. Cuire à feu vif pendant 2 à 3 heures selon la taille du morceau.

NB — *Dans cette recette traditionnelle de l'Est algérien, chacun se sert avec ses doigts des morceaux de viande qu'on trempe dans le sel et le cumin.*
On peut l'accompagner d'un couscous sucré (masfouf).
Cette recette existe également au Maroc sous le nom de choua. On ajoute du safran au sel. Le choua peut se préparer également avec du poulet, de la dinde ou une tête de mouton (cuisine fassi).
On peut aussi luter les ustensiles (coller le couvercle avec une pâte faite de farine et d'eau). Dans ce cas, le principe du plat est différent.

Foie d'agneau cuit entier à la vapeur servi aux deux raisins

Pour 6 personnes
1 foie d'agneau
12 échalotes grises
1 bouquet de persil
150 g de beurre mou
sel
poivre
100 g de raisins secs
200 g de grains de raisins blancs (muscat ou chasselas)

1. Recette de Mme Ennoufous Bedaïria.

Laver le foie, enlever les parties dures et le sang, mais le laisser entier.

Éplucher et émincer finement les échalotes, laver et hacher les feuilles de persil. Mélanger les échalotes, le persil et 120 grammes de beurre, saler et poivrer.

Entourer le foie d'une couche de beurre aux herbes. L'envelopper dans du papier aluminium.

Cuire à la vapeur 15 à 20 minutes. Laisser 15 minutes au tiède.

Faire infuser les raisins secs dans de l'eau tiède.

Éplucher et épépiner les raisins blancs, les faire étuver tout doucement avec les 30 grammes de beurre restant, ajouter les raisins secs.

Déballer le foie, le couper en tranches qui doivent être rosées, l'arroser du jus de la papillote, parsemer avec les deux raisins.

Raie au beurre noir et aux câpres

Pour 4 personnes
4 ailes de raie avec leur peau
160 g de beurre noir
50 g de câpres
sel
poivre
2 citrons

Cuire la raie 20 à 30 minutes à la vapeur.

L'éplucher : enlever la peau et les arêtes.

Disposer la raie qui doit être bien blanche et tendre sur les assiettes.

Arroser du beurre noir, ajouter les câpres, saler, poivrer, servir avec un demi-citron.

NB — *Un grand classique familial tombé en désuétude depuis qu'on a confondu beurre noir (c'est-à-dire brun) avec beurre brûlé (avec des particules noires). Si on reste réfractaire, on peut arrêter la cuisson du beurre quand il est plus clair (beurre noisette).*
On peut aussi servir la raie avec une autre sauce, l'effilocher et en faire une salade, etc.

Pavé de turbot à l'ail et au citron confit

Pour 4 personnes
24 gousses d'ail
80 ml d'huile d'olive
1 branchette de thym citron
4 pavés de 200 g de turbot sans arête
12 tranches de citron confit à l'huile
sel de Guérande
poivre du Setchouan

Faire doucement confire les gousses d'ail et le thym avec 60 millilitres d'huile d'olive pendant 40 à 60 minutes. Les éplucher après cuisson.

Cuire les pavés de turbot 6 à 7 minutes à la vapeur.

Couper les tranches de citron en deux.

Dans chaque assiette, disposer le turbot au centre entouré d'une couronne alternant ail et citron. Mettre quelques grains de sel sur le poisson après avoir passé au pinceau le reste de l'huile d'olive.

Moudre le poivre du Setchouan au-dessus du poisson et des citrons.

Marguerite de haddock à l'huile de tournesol

J'ai voulu en manger sous les Lampions près Dupont(d), non loin de l'Alcazar, mais j'ai dû faire tintin. Alors je me suis dit : Szut. Au loin pourtant on entendait chanter « Ah ! je ris de me voir si belle en ce miroir ! ».

Pour 2 personnes
1 filet de haddock de 200 g
lait
huile de tournesol
vinaigre
sel
poivre
1 œuf dur

Dessaler le haddock dans du lait pendant 2 heures. L'égoutter, le cuire à la vapeur pendant 8 minutes.

Séparer délicatement les uns des autres les muscles du haddock encore chaud (l'effeuiller).

Faire une vinaigrette.

Couper l'œuf en rondelles et mettre une rondelle au centre de chaque assiette. Cette rondelle doit contenir du jaune.

Disposer autour de chaque rondelle les « pétales » de haddock pour former une marguerite blanche à centre jaune.

Servir avec la vinaigrette.

Vives à l'ail en papillotes

Pour 4 personnes
1 kg de vives[1]
100 g de beurre
2 gousses d'ail épluchées dégermées et finement râpées
1 cuillerée à soupe de persil haché
sel
poivre

Nettoyer avec précaution les vives : mettre des gants.

Couper aux ciseaux toutes les arêtes, faire également attention aux piquants sur les opercules, il est prudent de les enlever aussi. Vider les poissons et les laver. Les sécher.

Mélanger finement l'ensemble des autres éléments, en farcir les vives. Les envelopper dans des papillotes.

Cuire à la vapeur 8 à 10 minutes selon la taille des vives.

Servir les papillotes dans chaque assiette.

NB — *La chair des vives, très fine et plaisante, est très sensible à la chaleur. Se méfier de la surcuisson.*

Truites farcies à la coriandre fraîche

Pour 4 personnes
100 g de beurre
100 g d'amandes effilées grossièrement hachées
2 cuillerées à soupe de coriandre fraîche hachée
sel
poivre
4 belles truites très fraîches

1. Rappelons que l'arête dorsale noire des vives cause des plaies douloureuses et tenaces. En cas de piqûre, plonger immédiatement la zone blessée dans l'eau la plus chaude possible, car le venin est thermolabile, c'est-à-dire détruit par la chaleur.

Mélanger le beurre avec les amandes, la coriandre, le sel et le poivre.

Vider les truites par le ventre. Enlever les branchies, couper l'arête dorsale et la retirer. Couper les nageoires et la queue.

Farcir les truites et les recoudre.

Les mettre chacune dans une papillote en aluminium.

Cuire à la vapeur 8 à 12 minutes.

Servir une papillote par assiette. Chacun découvrira le poisson.

Brochet à la vapeur et au beurre blanc

Pour 6 personnes
Pour le brochet
1 brochet de 1,5 à 2 kg
1 ou 2 verres de vin blanc

Pour le beurre blanc
3 échalotes grises
2 cuillerées à soupe de vinaigre
2 cuillerées à soupe de vin blanc
200 g de beurre demi-sel
poivre grossièrement écrasé (1/2 cuillerée à café rase)

Bien nettoyer le brochet, le vider, enlever les ouïes et éliminer toute trace de sang. Ne pas l'écailler.

Le cuire à la vapeur douce en ajoutant éventuellement un ou deux verres de vin blanc dans l'eau de cuisson pour le parfumer (compter de 30 à 50 minutes).

Éplucher et émincer finement les échalotes. Mettre dans une casserole le vinaigre, le poivre, le vin blanc et les échalotes. Faire réduire presque à sec à feu doux. Ajouter un à un en battant vivement les morceaux de beurre de 10 à 15 grammes environ. L'opération demande un peu de dextérité et ne doit pas se faire à forte chaleur. On obtient ainsi une crème jaune. Poivrer.

Passer le beurre blanc qui n'attend guère.

Débarrasser le brochet. L'écailler, enlever les arêtes, le reconstituer et le mettre sur un plat long. Servir avec la sauce.

NB — *Cette recette convient également au sandre et à tous les carnassiers de rivière et même de mer.*

748

Œufs en cocotte au saumon fumé

Pour 4 personnes
60 g de saumon fumé
100 g de crème fraîche
poivre
4 œufs extrafrais
20 g de beurre

Mixer le saumon avec la crème. Poivrer.
Mettre la farce dans le fond de 4 ramequins.
Casser les œufs un à un dans une tasse. Les glisser au fur et à mesure dans les ramequins.
Recouvrir d'un peu de beurre.
Cuire 7 à 8 minutes à la vapeur.

LE FEU MOYEN

L'opposition entre chaleur douce et grand feu caractérise deux styles, deux tempéraments. Il ne s'agit cependant pas d'un système manichéen. Entre les deux, se situent tous les degrés de la modération, avec de nombreuses variations. De plus, dans certaines recettes, on peut passer du grand feu au feu moyen ou de la chaleur douce à la chaleur modérée avec soit des différences significatives, soit peu de modifications. Tout dépend de très nombreux facteurs qu'il est difficile de détailler : nature, forme et structure des aliments, type d'énergie et d'ustensile utilisés, etc.

Il faut également se rappeler que les temps et les températures de cuisson mentionnés dans cet ouvrage doivent être considérés comme indicatifs et non absolus, qu'il faut les moduler en fonction des instruments et sources de cuisson dont dispose le cuisinier.

Steak au poivre

Pour 4 personnes
4 steaks de 200 g (filet)
poivre mignonnette (poivre concassé)
20 g de beurre
1 petit verre d'armagnac
100 g de crème
sel

Rouler les steaks dans le poivre. Les faire cuire dans le beurre à feu moyen 2 à 3 minutes sur chaque face selon la cuisson souhaitée.

Verser l'armagnac, flamber.

Enlever la viande, la laisser au chaud.

Ajouter la crème, saler, racler pour récupérer les sucs. Faire bouillonner pendant 3 minutes.

Mettre la viande sur le plat de service, la recouvrir de la moitié de la sauce, le reste en saucière.

NB — *C'est une des très nombreuses façons de préparer ce grand classique.*

On peut également remplacer le poivre mignonnette par une infusion de grains de poivre entiers dans du vin blanc, du bouillon, etc. On peut utiliser divers types de poivre : blanc, gris, vert, cinq-poivres, etc.

On peut remplacer la crème par un beurre monté (dans ce cas, on met une cuillerée de vinaigre dans la poêle après avoir enlevé la viande. On la réduit à sec, puis on ajoute le beurre en petits morceaux comme pour le beurre blanc); on peut aussi déglacer avec du fonds de veau, du bouillon de légumes réduit, etc. Sur cette base simple, le nombre de variantes est infini.

Steak haché (hamburger)

Par personne
200 g de viande maigre de bœuf
sel
poivre
20 g de beurre
1 cuillerée à soupe d'huile d'arachide
facultatif : 1 œuf

Hacher, ou faire hacher, la viande. Lui donner une forme plate, épaisse de 1 à 2 centimètres, ovalaire ou arrondie. Saler et poivrer.

Faire fondre le beurre dans l'huile.

Saisir à feu vif le steak haché dans ce mélange très chaud pendant 30 secondes, continuer à feu moyen.

Éventuellement, cuire un œuf sur le plat et le poser sur le steak.

NB — *Une version du hamburger faite de viande ne contenant que peu de graisse. On peut même l'entourer d'un pain fait avec de la farine de blé et du levain.*

Bien que simple, cette recette est mangeable, et même agréable, à défaut d'être sophistiquée.

Côte de veau panée

Pour 2 personnes
1 œuf
sel poivre
chapelure de pain
10 grammes de beurre
2 côtes de veau
1 citron

Battre l'œuf en omelette dans une assiette creuse avec le sel et le poivre. Mettre la chapelure dans une deuxième assiette. Faire fondre le beurre dans une poêle. Passer les côtelettes des deux côtés dans l'omelette puis dans la chapelure. La côte doit être uniformément recouverte. Faire cuire 5 ou 6 minutes sur chaque face, à feu moyen. La surface des côtes de veau doit être dorée, légèrement brune — surtout ne pas la faire brûler.

Servir avec 1/2 citron par personne.

NB — *C'est probablement la meilleure façon de cuire les côtes de veau[1], avec les fameuses côtes de veau Foyot. La cuisson de l'œuf fait une très mince omelette qui préserve l'humidité et la tendreté de la viande, constituant un plat très simple, très goûteux. Sur le même mode, on peut préparer des escalopes de veau* (escalopes viennoises).

1. Quand on ne dispose pas de produits de haut de gamme.

Côte de veau de lait du Limousin à l'ail nouveau

Pour 2 personnes
1 tête d'ail nouveau
20 g de beurre d'Isigny ou d'Échiré
1 belle côte de veau de lait du Limousin de 1,5 à 2 cm d'épaisseur
sel
poivre

Défaire les caïeux d'ail en laissant leur peau.
Dans une poêle faire fondre le beurre, y ajouter l'ail.
Cuire à feu moyen la côte de veau 4 minutes de chaque côté.
Saler et poivrer.
Servir la côte de veau entourée des caïeux d'ail.

NB — *Cette recette, d'une simplicité évidente, est admirable avec de très bons produits, en particulier l'ail qui doit être vraiment jeune. Il faut surveiller la cuisson pour éviter que le beurre ne soit trop chaud.*

Escalope de veau à la crème

Pour 2 personnes
2 escalopes de veau de 100 à 150 grammes
10 g de beurre
100 g de crème fraîche
sel
poivre

Quadriller légèrement les escalopes des deux côtés avec un couteau bien affûté pour les empêcher de raidir à la cuisson.
Faire fondre le beurre dans une poêle.
Cuire les escalopes 2 à 3 minutes sur chaque face à feu moyen.
Retirer les escalopes, ajouter la crème, le sel, le poivre. Monter la température au maximum. Remuer la crème, qui bouillonne et s'épaissit, pendant 1 ou 2 minutes.
Remettre les escalopes dans la poêle et les retourner pour les enrober de sauce pendant quelques instants, juste pour les réchauffer. Servir sur un plat.

NB — *C'est le classique, inratable, toujours agréable, toujours* apprécié — *le plat roi des invitations surprises quand on n'a vraiment pas le temps de cuisiner.*

Filet de renne sauce à la pomme

Pour 4 personnes
4 tranches de filet de renne de 150 g
sel
poivre
40 g de beurre clarifié
400 g de pommes en sauce aux épices

Saler et poivrer la viande.
La cuire dans le beurre clarifié à feu moyen 2 à 5 minutes par face selon la cuisson désirée. Réserver la viande au chaud.
Jeter la graisse, ajouter les pommes. Remuer en raclant le fond.
Servir à l'assiette, chaque filet étant entouré de sauce.

NB — *On peut ajouter des airelles, des canneberges ou autres baies sauvages peu sucrées. Ou encore des raisins muscats épluchés, épépinés et chauffés dans le beurre pendant quelques minutes.*
De la même façon, on peut préparer des morceaux similaires d'orignal, de wapiti, de cerf, etc.

Andouillettes de Troyes aux lentilles du Puy

Pour 4 personnes
50 g de beurre
4 andouillettes de Troyes
30 g de crème
1 cuillerée à café de moutarde de Dijon
sel
poivre
200 g de lentilles du Puy triées et lavées, cuites à l'eau

Faire fondre le beurre dans une poêle.
Couper les andouillettes en rondelles de 8 millimètres d'épaisseur. Les faire dorer à la poêle des deux côtés à feu moyen pendant 2 à 3 minutes par face.

753

Réserver les andouillettes. Déglacer la poêle avec la crème et la moutarde, saler, poivrer. Ajouter les lentilles. Faire juste chauffer quelques instants.

Servir les andouillettes sur un plat, les lentilles en saladier.

NB — *Pour cuire les lentilles, les mettre dans 700 millilitres d'eau froide salée. Amener à ébullition. Cuire 20 minutes à petit feu. Passer l'eau de cuisson. Réserver au chaud.*

Noisettes de chevreuil poêlées

Pour 4 personnes
1 cuillerée à soupe d'huile
50 g de beurre
12 noisettes de chevreuil

Chauffer l'huile et le beurre.
Cuire les noisettes 1 minute et demie par face.
Réserver au chaud.

NB — *Les servir avec une compote de chou rouge et avec du cerfeuil tubéreux sauté.*

Cuisses de poulet frites à la mode du Sud

Pour 4 personnes
6 cuisses de poulet fermier
1 œuf
farine type 45
chapelure de pain
sel
poivre
100 g de beurre clarifié
3 cuillerées à soupe de feuilles de persil hachées
2 citrons

Couper chaque cuisse de poulet en deux au niveau de l'articulation.

Battre l'œuf en omelette ou le mixer pour obtenir une consistance bien fluide. Le mettre dans une assiette. Mettre la farine et la chapelure chacune dans une assiette. Ajouter à chacune du sel et du poivre.

Rouler les morceaux de poulet successivement dans la farine, l'œuf et la chapelure. Ils doivent être bien enrobés (éventuellement repasser une seconde fois dans l'œuf et la chapelure).

Les faire colorer avec le beurre clarifié dans une sauteuse assez grande pour que les 12 morceaux y tiennent sans se chevaucher. Les morceaux doivent être bien dorés sur toutes les faces.

Baisser le feu, couvrir et cuire à feu doux pendant 30 minutes. Servir 3 morceaux par assiette. Parsemer de persil. Mettre 1/2 citron dans chaque assiette.

NB — *Cette cuisine frite est typique du sud des États-Unis.*

Escalope de dinde au basilic

Pour 1 personne
2 cuillerées à soupe d'huile d'olive
1 escalope de dinde de 150 g
2 belles tomates épluchées et épépinées coupées en cubes.
1/4 de gousse d'ail finement hachée
sel
poivre
6 feuilles de basilic à grandes feuilles finement hachées

Faire chauffer l'huile dans une petite poêle.
Cuire l'escalope sur une face 5 minutes à feu moyen.
Ajouter de chaque côté de l'escalope la tomate et l'ail.
Retourner la viande et cuire encore 5 minutes. Saler, poivrer.
Sortir la viande, la mettre sur l'assiette de service, réserver au chaud.
Ajouter le basilic, saler et poivrer. Monter le feu au maximum.
Cuire encore 2 minutes en remuant les tomates avec une palette.
Placer la sauce sur la viande et servir celle-ci, entourée des légumes.

NB — *La chair de la dinde étant fade, on peut ajouter du piment et ne pas craindre d'assaisonner. Recette simple et inratable. Attention seulement à la qualité des tomates.*

Tranche de thon panée

Pour 4 personnes
2 belles tranches de thon rosé de 1 cm d'épaisseur
1 œuf
chapelure de pain
40 g de beurre
sel
citrons

Bien nettoyer le thon, enlever d'éventuels restes de sang, d'arêtes ou de peau. Sécher dans du papier absorbant.
Battre l'œuf vigoureusement en omelette bien homogène.
Disposer l'omelette dans une assiette et la chapelure dans une autre.
Passer les tranches de thon successivement dans l'œuf puis dans la chapelure. Bien répartir cette dernière de façon homogène.
Faire fondre le beurre à la poêle. Cuire le thon à feu moyen 2 minutes par face : la chapelure doit être dorée.
Saler après cuisson, servir avec des citrons.

NB — *On peut corser ce plat en ajoutant paprika, cayenne, herbes aromatiques diverses à l'omelette.*

Carrelet de sable blond vivant au beurre clarifié

Par personne
1 carrelet de 300 g
40 g de beurre clarifié
20 g de beurre frais
sel
poivre
1/2 jus de citron

Tuer le poisson d'un coup sur la tête, bien le vider, couper les nageoires et la queue. Bien le sécher.
Chauffer le beurre clarifié dans une poêle. Y mettre le carrelet et le cuire 3 à 4 minutes par face.
Fondre le beurre dans une casserole, saler, poivrer, émulsionner le jus de citron.

Mettre un carrelet dans chaque assiette (on peut aussi lever les filets et reconstituer l'animal), couvrir de sauce.
Servir immédiatement.

NB — *Façon d'exprimer les qualités du poisson, qui dépendent du fond dans lequel il vit et de sa fraîcheur ; à réserver aux produits de grande qualité, cette recette s'applique à tous les poissons plats de taille moyenne.*

Filets de sole meunière aux légumes frits

Pour 4 personnes
4 filets de sole de 150 g à 200 g
150 ml de lait
1 aubergine
2 courgettes de 100 g
1 concombre de 200 g
farine type 45
100 ml d'huile d'olive
80 g de beurre clarifié
sel
poivre
2 cuillerées à soupe de persil ciselé
4 citrons coupés en 2

Mettre les filets à tremper dans le lait.
Couper les légumes en rondelles de 5 millimètres d'épaisseur.
Les recouvrir de sel, les laisser dégorger pendant 2 heures.
Les laver, les égoutter, les sécher et les fariner.
Les frire dans l'huile d'olive 2 à 3 minutes de chaque côté.
Fariner les filets de sole. Les cuire dans le beurre clarifié à feu moyen.
Mettre les légumes et les filets sur du papier absorbant pour ôter le maximum de graisse.
Servir à l'assiette le filet de sole entouré de 3 petits tas de légumes frits. Saler, poivrer, parsemer de persil. Mettre les citrons dans chaque assiette.

NB — *Recette d'inspiration italienne.*

Mérou à la pizzaiola

Pour 4 personnes
4 tranches de mérou de 2 cm d'épaisseur (si le mérou est très
gros, n'en prendre que deux, il faut obtenir environ 200 g de
chair par personne)
farine type 45
6 cuillerées à soupe d'huile d'olive
8 filets d'anchois au sel, dessalés et désarêtés
1 gros oignon blanc doux
4 gousses d'ail, épluchées, dégermées et finement râpées
6 belles tomates épluchées épépinées et coupées en petits
morceaux
sel
poivre
1 cuillerée à soupe de persil haché

Nettoyer le mérou, le sécher, le fariner légèrement et le cuire
dans 2 cuillerées à soupe d'huile d'olive pendant 5 à 6 minutes
sur chaque face ; sortir le poisson et l'éplucher soigneusement.
Réserver au chaud.
Couper les anchois en tout petits morceaux. Les faire fondre
dans 4 cuillerées à soupe d'huile.
Emincer finement l'oignon, le faire fondre avec l'huile aux
anchois sans faire colorer, ajouter l'ail, puis les tomates, le sel et
le poivre. Laisser compoter pendant 15 à 20 minutes.
Répartir le poisson sur les assiettes, recouvrir de la sauce pizzaiola. Parsemer de persil.

Escalopes de veau de mer à la crème
et au poivre vert

Pour 4 personnes
4 tranches de veau de mer de 200 g
farine
20 g de beurre clarifié
30 g de poivre vert
100 g de crème
sel

Nettoyer et essuyer les escalopes, les fariner légèrement.

Les faire cuire dans le beurre clarifié à la poêle 2 à 3 minutes par face.

Les réserver au chaud, jeter la graisse, essuyer la poêle pour enlever les éventuels restes de farine.

Mettre le poivre et la crème dans la poêle, saler et faire bouillonner pendant 5 minutes à feu moyen.

Remettre les escalopes pendant 30 secondes par face.

Servir.

Filets de perche meunière

Pour 6 personnes
6 belles perches de 250 g
lait
farine
100 g de beurre clarifié
sel
citron

Plonger les perches 30 secondes dans l'eau bouillante. Il est ainsi très facile de les écailler (sinon, gare aux éclaboussures). Lever les filets, les passer dans le lait, puis dans la farine.

Les cuire à feu moyen dans le beurre clarifié. Les retirer quand ils sont dorés, mais ils doivent rester tendres. Compter environ 2 minutes par côté.

Les sortir de la poêle, les saler et les servir avec des quartiers de citron.

Truites au lard
(Première recette)

Pour 4 personnes
8 longues tranches de poitrine de porc fraîche de 5 mm d'épaisseur
4 truites de 250 g
farine
citron
persil
sel
poivre

759

Faire doucement revenir les tranches de lard dans une poêle. Les réserver, garder la graisse.

Nettoyer les truites, les vider, les laver, les essuyer, les passer dans la farine. Les faire cuire dans le gras du lard à feu moyen, pas trop chaud, 5 à 6 minutes de chaque côté.

Servir, avec citron, persil ciselé, sel et poivre, chaque truite sur deux tranches de lard.

NB — *Une recette classique de Normandie. La graisse de porc n'est pas à la mode chez les nutritionnistes. Alors cette recette ne l'est pas non plus.*

(Deuxième recette)

La manière la plus raffinée d'effectuer cette recette est de conduire la cuisson du lard (on choisira alors des tranches de 2 à 3 millimètres d'épaisseur) jusqu'à ce qu'il soit complètement desséché, craquant. La présentation sera plus sophistiquée : on épluche les poissons et on sert les filets désarêtés recouverts de fragments de lard craquant. On peut l'accompagner d'une sauce faite avec 100 grammes de feuilles de persil poché à l'eau bouillante, mixé avec un peu de crème, sel et poivre. En plus, c'est beau.

Tortillas de Rodrigo

Pour 10 tortillas
200 g de farine de maïs
150 g d'eau

Mélanger les ingrédients. Bien pétrir pour obtenir une pâte homogène.

Former 10 morceaux de pâte de taille identique. Les abaisser finement au rouleau à pâtisserie.

Les cuire à la poêle à sec une minute environ sur chaque face à feu moyen.

NB — *Les tortillas espagnoles sont des omelettes. Ne pas confondre. Avec les tortillas mexicaines, on confectionne les tacos, mis à la mode dans les restaurants tex-mex (ce sont des tortillas fourrées).*

Galette de manioc

Pour 4 personnes
500 g de manioc
250 g de sucre
un trait de vanille liquide
200 g de beurre
1 cuillerée à soupe de calvados
1 cuillerée à soupe d'huile

Éplucher et laver le manioc. Le râper.
Mélanger l'ensemble des ingrédients (sauf l'huile) jusqu'à ce que le sucre soit fondu.
Aplatir la préparation en forme de galette. La faire cuire dans l'huile sur une poêle 5 minutes de chaque côté à feu moyen. La galette doit être bien dorée.

NB — *Cette recette de la Réunion est due à Achille Conflit.*

LA CUISSON SUR LE GRIL

Un gril est une structure métallique épaisse à travers laquelle la chaleur pénètre l'aliment et le cuit par conduction lorsque ce dernier est placé en contact avec lui. En fait, il existe diverses sortes de grils.

Le gril peut être une plaque de fonte, généralement cannelée, qu'on place sur un feu de cuisson. Ou encore il peut s'agir de celui du four (salamandre), ou bien d'une série de barreaux épais et parallèles maintenus ensemble par deux pièces métalliques, qu'on place au-dessus du barbecue ou à côté du feu de la cheminée. Chacun de ces instruments a des comportements bien différents. Le premier permet de saisir fortement les viandes, poissons, etc., mais il conserve les graisses qui s'écoulent de la cuisson et il peut facilement se transformer en poêle à friture si on n'y prend pas garde, par exemple quand on cuit un magret. Dans le cas du gril du four, sa forte énergie thermique fait qu'après quelques minutes, il agit à la fois comme gril et comme four à convexion. Le gril du barbecue est souvent fait d'un métal trop peu épais, ce qui nuit à la cuisson. De plus, étant à claire-voie et placé au-dessus du foyer, il laisse s'écouler le jus de cuisson qui est perdu et qui peut d'ailleurs s'enflammer s'il est gras. Devant la cheminée, ces inconvénients n'existent plus; cependant, il faut une masse importante de braises, ce qui peut être inconfortable pour le cuisinier; autre inconvénient, la partie du gril placée le plus près du foyer est plus chaude que l'autre côté.

On voit donc que l'indication « cuire au gril » est plus complexe qu'il n'y paraît et qu'il faut réfléchir quelques instants avant d'appliquer une recette. Faute de quoi on risque des déconvenues, pourtant facilement évitables.

Le gril est généralement chauffé de façon inhomogène (sauf, bien sûr, la salamandre). On obtient des températures différentes, ou en tout cas des débits de chaleur différents. En règle générale, on place l'aliment d'abord sur la partie la plus chaude pour bien le saisir; éventuellement on le *quadrille*, c'est-à-dire qu'on lui fait décrire une rotation de 90° en cours de cuisson pour que le fer chaud imprime une sorte de grille. On peut ensuite, selon sa taille et selon le type de cuisson recherché, déplacer l'aliment vers une zone moins chaude.

La cuisson au gril convient bien aux viandes grasses, aux mélanges tels que crépinettes, saucisses, etc., aux poissons et à certains légumes riches en eau, comme les tomates. On peut également utiliser le gril pour marquer des aliments cuits autrement, par exemple à la vapeur (cf. la cuisson à la vapeur douce).

On peut enfin faire sauter au feu vif, sans graisse ou quasiment, de nombreux aliments, par exemple certains petits crustacés ou mollusques, les filets de petits poissons, le foie gras, etc. La cuisson au feu vif est rapide, mais elle nécessite une attention soutenue car le passage entre l'insuffisance et l'excès de cuisson est fugitif.

Magret à la moelle de laitue confite

Par personne
10 trognons de laitues
1 citron
1 cuillerée à soupe de miel d'acacia
1 cuillerée à café de farine
1 jus d'orange
1 magret de canard
sel
poivre

Préparer la moelle des laitues, c'est-à-dire la partie allongée et oblongue située entre la racine et le cœur. Les éplucher pour enlever les parties fibreuses.

Les cuire 5 minutes dans un blanc (eau salée additionnée du jus de 1/2 citron et de 1 cuillerée à café de farine).

Les mettre à confire doucement dans le miel, le reste de jus de citron et le jus d'orange pendant 20 à 30 minutes.

Cuire le magret au gril, 6 à 10 minutes côté peau et 2 minutes côté chair, en éliminant soigneusement la graisse entre ces deux opérations. Saler et poivrer en fin de cuisson.

Servir le magret entouré de la moelle de laitue.

Foie gras de canard, sel et poivre

Pour 4 personnes
foie gras cru de canard
farine
sel de Guérande (fine fleur)
poivre mignonnette

Couper le foie en tranches de 15 à 20 millimètres d'épaisseur.
Fariner très légèrement le foie.
Le griller à la poêle ou au gril 40 secondes sur chaque face.
Servir avec fine fleur de sel de Guérande et poivre mignonnette.

NB — *Le foie gras ainsi cuit se suffit à lui-même. On peut cependant servir en même temps une petite salade à l'huile d'olive ou de noix (mâche, cresson, cardamine hirsute, etc.), des légumes — feuilles juste blanchies et sautées quelques secondes dans le gras du foie gras (jeunes feuilles d'épinards, d'arroche blonde, de chénopode, vert de blette, etc.) ou encore des fruits : pêche, figue, poire, etc., coupés en tranches de 2 à 3 mm, sautés au gras du foie gras, agrémentés de quelques grains de sel.*

Brochettes de cœurs de canard

Pour 4 personnes
250 g de lard de poitrine fumé et découenné épais de 2 cm
8 têtes de gros champignons de Paris (ou, mieux, de cèpes)
24 cœurs de canard
graisse de canard
1 cuillerée à soupe de feuilles de persil haché
2 citrons

Couper la poitrine en 32 tranches carrées larges de 2 centimètres. Mettre les lardons à l'eau froide. Monter à ébullition. Les retirer au bout de 2 minutes. Les refroidir et les égoutter. Couper les têtes de champignons en 4 morceaux. Les faire sauter 3 ou 4 minutes dans 2 cuillerées à soupe de graisse de canard. Bien laver les cœurs. Les ouvrir pour s'assurer que tout le sang en est éliminé.

Faire 8 brochettes avec, chacune, 3 cœurs, 4 lardons et 4 tranches de champignons.

Enduire au pinceau les brochettes très légèrement avec la graisse de canard.

Les cuire au gril 2 minutes sur chacune des 4 faces (la forme carrée des lardons permet aisément de les empêcher de rouler).

Placer 2 brochettes par assiette. Saupoudrer de persil.

Servir avec 1/2 citron.

Ailerons de dinde farcis

Pour 4 personnes
20 ailerons de dinde
300 g de mie de pain
100 ml lait
2 bottes d'herbes variées (estragon, persil, ciboulette, cerfeuil)
4 œufs
5 cl d'armagnac
sel
poivre
poivre de Cayenne

Préparer les ailerons : les ouvrir et les désosser

Préparer la farce : tremper le pain dans le lait, l'essorer. Laver et ciseler les herbes.

Confectionner la farce : mélanger l'ensemble des ingrédients. Saler, poivrer. Rectifier l'assaisonnement en goûtant.

Farcir les ailerons et les rouler comme des cigares. Les recoudre soigneusement.

Cuire les ailerons au gril à feu moyen en les retournant de temps en temps, ils doivent être bien grillés.

NB — *C'est une recette facile, agréable et peu onéreuse. Elle demande cependant de la patience pour désosser, farcir et recoudre.*

Rougets grillés aux fanes de carotte

Pour 4 personnes
4 rougets barbets de 200 grammes
les fanes très fraîches d'une botte de carottes
1 cuillerée à soupe d'huile d'olive
sel de Guérande

> Lever les filets des poissons, enlever les petites arêtes à la pince à épiler.
> Nettoyer les fanes, ne garder que l'extrémité feuillue. Les émincer.
> Faire sauter les fanes dans l'huile d'olive pendant 2 à 3 minutes.
> Griller les filets de rouget 1 minute sur chaque face.
> Servir les filets entourés des fanes, un peu de sel de Guérande sur chacun.

Murène grillée au thym

Pour 4 personnes
1 belle murène de 1 à 1,5 kg
3 cuillerées à soupe d'huile d'olive
1 cuillerée à soupe de vinaigre
sel
poivre
20 brindilles de thym
citrons

> Nettoyer, bien vider la murène. Appuyer sur les flancs pour exprimer le sang, la laver, la sécher. Éliminer la queue, c'est-à-dire la partie située après l'anus [1].
> La mettre à mariner pendant 2 heures avec l'huile, le vinaigre, le sel, le poivre et le thym.
> Chauffer le barbecue de façon que le poisson puisse cuire à température modérée.
> Sortir le poisson, coller les brindilles de thym sur sa peau (en mettre 2 ou 3 à l'intérieur). Griller le poisson, ce qui prend 20 à 30 minutes. L'enduire régulièrement de la marinade.

1. Elle peut servir à la confection d'une soupe.

Dépouiller le poisson, enlever les branchettes de thym.
Servir avec des citrons.

NB — *La chair de la murène, très blanche et ferme, a la réputation (justifiée) d'être grasse. Le gril permet de servir une chair tendre et goûteuse, malheureusement pleine d'arêtes.*
On peut aussi couper le poisson en tranches de 3 ou 4 centimètres, les préparer comme ci-dessus et en faire des brochettes.

Poisson au barbecue

Pour 6 personnes
1 poisson de 2 à 3 kg
4 brins d'estragon
sel marin

Nettoyer finement le poisson en le vidant bien : enlever le péritoine, les branchies, bien presser sur les flancs pour exprimer le sang présent dans l'aorte. Gratter le long de la colonne vertébrale pour enlever les restes de sang. Sang de poisson cuit = amertume. Ne pas l'écailler.
Mettre les brins d'estragon à l'intérieur de l'abdomen. Envelopper le poisson dans 5 ou 6 épaisseurs de papier aluminium avec un peu de sel de mer. L'ensemble doit être parfaitement hermétique pour que le poisson cuise dans ce « four » tout en gardant son humidité.
Cuire sur le gril du barbecue 15 minutes de chaque côté. Après cuisson, enlever l'aluminium, écailler le poisson, enlever délicatement les arêtes et reconstituer le poisson sur un plat.
Le jus peut être incorporé à une sauce béarnaise ou à un aïoli de fleurs de courgettes.

NB — *Cette façon de cuire convient a un grand poisson : brème, pagre, carpe, bar, mérou, etc. Une seule exigence : la fraîcheur.*

Turbot tiède à la salade méchouia

Pour 4 personnes
4 tranches de turbot de 200 g (chaque tranche doit comprendre les deux filets situés de part et d'autre des grandes arêtes horizontales)
3 poivrons verts doux
3 poivrons verts forts
6 belles tomates fraîches
100 ml d'huile d'olive
1 jus de citron
sel
poivre
1 gros oignon blanc doux (ou 6 petits oignons blancs) coupés en très fines tranches hachées
8 tranches de citron confit à l'huile
1 cuillerée à soupe de coriandre fraîche

Faire griller le turbot 3 à 4 minutes sur chaque face (cette présentation permet de garder le goût et le moelleux donné par l'arête). Laisser refroidir (garder tiède).
Faire griller les légumes, sauf l'oignon, les uns après les autres, les peler, les épépiner et les hacher.
Faire une vinaigrette avec l'huile, le citron, le sel et le poivre.
Mélanger les légumes avec l'oignon haché et avec les 3/4 de la sauce.
Éplucher le poisson. Poser une rondelle de citron sur chaque filet. Saupoudrer avec la coriandre, saler et poivrer.
Entourer avec la salade méchouia.
Servir tiède, ou froid si on préfère, le reste de la vinaigrette dans une saucière.

Brochettes d'esturgeon au lard

Pour 4 personnes
1 kg de chair d'esturgeon coupée en cubes de 3 cm de côté
3 cuillerées à soupe d'huile
1 citron
sel
poivre
300 g de poitrine fumée
4 poivrons verts

Faire mariner les cubes de poisson pendant 1 ou 2 heures avec l'huile, le citron, le sel et le poivre.

Couper la poitrine de façon à avoir autant de lardons que de cubes d'esturgeon, et à ce qu'ils aient la même surface (ils peuvent être moins épais).

Cuire les poivrons 15 minutes au four à micro-ondes (ils ne sont pas complètement cuits). Les couper en carrés de 3 centimètres de côté.

Enfiler sur les brochettes les 3 ingrédients de façon régulière. Cuire sur le gril 2 à 3 minutes par face.

Brème grillée au beurre blanc

Pour 8 personnes
1 brème d'eau douce et courante de 2,5 kg
sel
poivre
6 branches d'estragon
250 ml de beurre blanc

Nettoyer minutieusement le poisson, bien presser sur les flancs pour exprimer le sang, ôter les branchies et les parties rouges de la tête.

Ne pas écailler ni enlever les nageoires.

Saler et poivrer l'intérieur, y introduire l'estragon.

Envelopper le poisson dans une triple couche de papier aluminium. L'enveloppe doit être hermétique.

Préparer le gril du barbecue. Cuire 15 minutes par face.

Enlever l'aluminium, écailler la première face, enlever les nageoires ; renverser le poisson sur un plat, écailler l'autre face. Servir avec le beurre blanc.

NB — *Contrairement à ce qui est écrit partout, la chair de la brème est excellente et fine ; il faut cependant que le poisson soit gros et provienne d'une eau courante sur fonds sableux.*
Le beurre blanc peut être remplacé par toute autre préparation adaptée.

LA CUISSON SUR LE SEL

Le sel conduit la chaleur. La cuisson des aliments particulièrement riches en graisses pose des problèmes techniques lorsqu'on veut la conduire sur le gril en fonte qu'on pose sur une plaque de cuisson (cet inconvénient n'existe pas si on cuit sur un gril placé devant le feu de la cheminée ou dans le four). En effet, même en vidant régulièrement la graisse qui s'écoule, d'un magret par exemple, il en reste toujours sur la fonte en sorte que, lorsqu'on retourne la viande du côté maigre, elle est à la fois grillée et frite.

Comme le fait remarquer Edouard Kieffer, qui est non seulement un grand chirurgien mais aussi un cuisinier ingénieux, l'emploi du gros sel permet de pallier cet inconvénient : on place une bonne couche de gros sel dans le fond d'une cocotte (6 à 10 cm environ). On chauffe. Lorsque le sel est à la température voulue, on y pose les magrets côté peau pendant 8 à 10 minutes selon l'épaisseur et la cuisson recherchée, on les retourne et on finit la cuisson côté maigre pendant 1 à 2 minutes. Avant de trancher la viande, il convient simplement de la débarrasser des grains de sel qui peuvent y coller.

Signalons que certains grands cuisiniers placent les *pommes de terre* sur un lit de gros sel pour les cuire au four.

Magret aux pêches, verjus et miel rose

Pour 4 personnes
1 petit oignon
1 échalote épluchée finement émincée
20 g de graisse de canard
8 manchons de canard
200 ml de vin blanc
sel
poivre
1 grosse grappe de raisins blancs encore verts
2 cuillerées à soupe de miel rose à la peau de pêche
1,5 kg de gros sel
4 magrets
4 pêches pas trop mûres
30 g de beurre

Faire un fumet de canard. Dans une cocotte, faire fondre doucement l'oignon et l'échalote dans la graisse sans colorer pendant 10 minutes. Réserver. Faire bien colorer les manchons. Remettre l'oignon et l'échalote, ajouter le vin blanc, autant d'eau, le sel et le poivre. Cuire à couvert pendant 30 minutes.

769

Filtrer, dégraisser, réduire le fumet à feu vif pour n'en garder que 6 cuillerées à soupe.

Presser les grains de raisins pour en extraire le jus qui, du fait de sa couleur verte et opaque, s'appelle le verjus. L'ajouter au fumet réduit, ainsi que le miel. Mélanger, laisser à feu très doux.

Placer le sel dans le fond d'une cocotte, en égaliser la surface — il doit avoir 6 à 8 cm d'épaisseur. La mettre sur le feu. Quand le sel est chaud, placer les magrets côté peau. Les cuire 8 à 10 minutes selon leur épaisseur et la cuisson souhaitée. En général le magret se mange rose. Retourner les magrets et les cuire côté maigre 1 à 2 minutes. Les sortir, les essuyer pour enlever les grains de sel et les garder au chaud.

Peler les pêches, les couper en quartiers de 2 à 3 millimètres d'épaisseur (côté extérieur). Les faire colorer rapidement à la poêle dans le beurre.

Trancher les magrets sur une planche en faisant des morceaux obliques de 4 à 5 millimètres d'épaisseur. Les disposer au centre de chaque assiette. Ajouter à la sauce le jus qui s'écoule. Rectifier l'assaisonnement. Entourer les magrets avec les pêches. Recouvrir de sauce. Servir aussitôt.

Côtes d'agneau au thym sur le sel

Pour 4 personnes
2 branchettes de thym
30 ml d'huile d'olive
1,5 kg de gros sel
poivre
12 côtes d'agneau

Effeuiller le thym. Le mélanger à l'huile d'olive. Poivrer.

Arroser les côtes d'agneau avec l'huile. Les faire mariner pendant une heure en les retournant de temps en temps.

Mettre le gros sel dans deux poêles. Mettre à chauffer pendant 10 minutes.

Cuire les côtelettes sur le sel 2 à 3 minutes par face selon l'épaisseur et la cuisson désirée.

Éliminer l'excès de sel. Servir aussitôt.

NB — *Ces côtelettes tendres n'ont pas le goût de graisse qui les rend parfois désagréables.*

La cuisson à la broche se pratique conventionnellement devant une source de chaleur. Il existe également des dispositifs permettant de cuire au-dessous ou au-dessus de résistances chauffantes situées à l'intérieur d'un four. Dans ce dernier cas, il s'agit d'un mode un peu différent puisque à la radiation s'ajoute une participation convective non négligeable, d'autant plus si le four est doté d'une turbine (gril pulsé).

Car la cuisson à la broche, devant le feu de la cheminée ou du trou dans la terre est quasi exclusivement produite par radiation. De ce fait, seule cuit la partie exposée au foyer. Cet inconvénient se transforme en avantage quand on fait tourner régulièrement la broche qui traverse l'aliment mis à cuire. Ainsi, ce dernier est-il régulièrement soumis à des variations cycliques d'exposition thermique qui permettent une cuisson régulière et homogène.

On peut tourner la broche à la main — c'est souvent le cas lorsqu'il s'agit de pièces importantes, un agneau entier par exemple. On peut aussi s'aider d'un mécanisme à crémaillère mécanique ou électrique. Les professionnels disposent de broches entraînées électriquement, les aliments étant exposés à des résistances électriques qui assurent l'énergie thermique.

La cuisson à la broche est idéale pour le rôtissage, en particulier dans le cas des oiseaux — poulets, oies, dindes en particulier. Lorsque la chaleur est produite par la combustion du bois, des arômes volatiles parfument la viande. Il faut donc vérifier la nature de ce qu'on brûle et éviter en particulier d'utiliser des conifères qui risquent de donner des relents désagréables aux mets ainsi préparés. Une méthode devenue classique est la cuisson du méchoui, c'est-à-dire, dans ce cas, du méchoui fait avec l'agneau entier. On creuse un trou dans la terre. On le remplit de bois qu'on met à brûler. Lorsque la masse de braises est suffisante, ce qui prend un certain temps, on place les deux extrémités d'une broche qui transperce l'animal sur deux tréteaux et on lui fait décrire un mouvement lent de rotation. La cuisson dure environ deux heures et doit être continuellement surveillée. Il est recommandé de badigeonner régulièrement la chair qui cuit avec le jus du récipient placé sous l'animal (lèche-frite) ou avec un tampon huilé ou beurré.

Signalons enfin l'amusante recette traditionnelle du gâteau

cuit à la broche : on fabrique une pâte assez épaisse pour adhérer à la tige et on en ajoute peu à peu, au fur et à mesure qu'elle se solidifie.

Paul Bocuse[1] rapporte une recette de gigot de marcassin cuit en croûte à la broche mise au point par Pierre Paillon : on rôtit la viande, puis on ajoute petit à petit une pâte à brioche épaisse qui, en fin de cuisson, la recouvre complètement.

Ce mode de cuisson est rangé dans « La voie médiane » car l'aliment n'est soumis que par périodes à une chaleur généralement forte. Il s'agit à proprement parler d'une cuisson à chaleur alternante, dont les caractéristiques dépendent de la régularité du mouvement de rotation de la pièce qui cuit.

1. *La Cuisine du gibier*, Flammarion, 1994.

5

Le livre des fours

Y a-t-il une définition simple et univoque de cet instrument de cuisson, à priori pourtant bien connu ? On peut considérer qu'un four est une enceinte close disposant d'une source de chaleur ou d'énergie capable de se transformer en chaleur. Font partie de cette définition toutes les sortes de fours que l'on trouve dans le commerce. Aujourd'hui il existe des fours à convection, avec éventuellement une soufflerie (chaleur tournante) et des fours à micro-ondes. Le four peut, de plus, être doté d'un gril. Ainsi sont définis quatre modes différents de cuisson qui peuvent d'ailleurs, dans certains cas, se combiner ou se succéder.

On connaît des fours plus rustiques : four à pain des vieilles fermes, par exemple, ou, encore plus primitifs, ces trous simples creusés dans la terre, remplis de bois qu'on fait brûler. Lorsqu'il ne reste que des braises et des cendres, on y place quelques pierres conductrices, puis les aliments, et on recouvre le tout de terre ; on sort les aliments cuits quelques heures plus tard. Ce système existait dans nos pays. C'est encore une méthode utilisée les jours de fête en Polynésie (*tamaaraa*). Il subsiste dans certaines traditions : perdreau des vendangeurs, hérisson des manouches[1], par exemple.

1. Dans ce cas, on fait une boule de terre glaise, on l'applique sur le hérisson, qui se trouve entouré de terre. En cuisant, cette dernière durcit. On la casse et on enlève aisément les piquants qui partent avec. C'est du moins ce que disent ceux qui ont goûté ce plat de vieille tradition.

Mais le plus important, c'est l'enceinte, dont la conception rend plus complexe la compréhension de ce qu'est un four. En effet, au sens strict, on pourrait dire que la chair d'une pomme de terre non épluchée mise au four à chaleur tournante, enveloppée dans du papier d'aluminium, cuit dans une triple enceinte, ou si on veut dans un triple « four » : le four proprement dit, l'aluminium et la peau.

On voit que, loin d'être futile, la question oblige à s'interroger sur la manière dont cuit l'aliment. Reprenons la pomme de terre et comparons les différents modes de cuisson : à l'eau, dans une casserole, épluchée ou non, elle garde toute son eau ; au four à convection, elle se dessèche en partie et il va se former une croûte de couleur, d'épaisseur et de goût différents selon qu'elle est ou non épluchée ; dans le même four, enveloppée dans un papier d'aluminium, le résultat sera intermédiaire ; cuite dans un four à micro-ondes, elle va donner encore un autre résultat. Car l'important, ce n'est pas la casserole ou le four, mais la nature de l'énergie de cuisson, comment elle se transforme en chaleur, comment cette dernière pénètre l'aliment et comment ce dernier se comporte, s'il change de forme et de consistance, s'il perd de l'eau et si ce dernier phénomène est brutal ou progressif, s'il est homogène ou ne concerne qu'une partie de ce qui cuit.

PRINCIPES DES FOURS

La cuisson dans un four dépend de la façon dont il produit de la chaleur. Les principales sources d'énergie thermique sont :

La conduction

C'est ce qui se passe si on place un steak sur une poêle chaude. Il y a transfert de chaleur du récipient vers l'aliment par continuité. Ce n'est évidemment pas le principe d'un four. Toutefois, il ne faut pas oublier cette forme de cuisson lorsqu'on se sert d'un four. La plaque de cuisson ou le plat peut être meilleur conducteur de chaleur que l'aliment. Dans ce cas, il va capter facilement l'énergie thermique et agir comme une poêle sur la partie de l'aliment qui repose dessus. Le fonds du rôti ou du gratin risque donc d'être plus cuit que le reste et peut même prendre au fond, voire brûler.

La convection

C'est un des modes utilisés dans les fours. Dans ce cas, l'énergie thermique est transportée par les atomes de gaz (air, vapeur d'eau) contenus dans un four. Selon que l'air est sec ou humide, les effets sont différents : la convection sèche dessèche l'aliment qui cuit, ce qui n'est pas le cas lorsqu'il est saturé en humidité.

La cuisson par convection sera plus homogène, plus régulière si elle est délivrée par une soufflerie (chaleur tournante) qui assure une répartition identique de la chaleur et évite les gradients de température que l'on observe dans la plupart des fours à convection (l'air est plus chaud auprès de la source de chaleur, qu'elle soit électrique ou au gaz)

Le rayonnement

La chaleur peut être distribuée par rayonnement. Le gril du four (salamandre) est un exemple évident. Mais le four entier émet de l'énergie par rayonnement (radiation).

Les ondes

Dans le cas du four à micro-ondes, le principe est très différent : on bombarde l'aliment avec des ondes de très faible longueur, qui mettent en vibration diverses molécules, surtout les molécules d'eau. C'est ce mouvement qui les échauffe.

LES FOURS RUSTIQUES ET INHABITUELS

La cuisson dans une enceinte close permet de conserver l'énergie mieux que si la chaleur est libre de se perdre dans l'atmosphère. On connaît ce système depuis très longtemps : on trouve des fours dans les ruines de civilisations méditerranéennes et de bien d'autres. Les plus simples sont des trous à même le sol, qu'on recouvre de terre pour les fermer.

En Afrique du Nord, on utilise encore le *tabouna*, poterie en forme de tronc de cône. On met des braises dans le fond, et on place contre la paroi des patons qui, après cuisson, deviennent le pain traditionnel, très plaisant (le *khobs tabouna*). Ce mode de cuisson « arabe » est en fait bien antérieur : on en trouve dans les ruines carthaginoises de Kerkouane, au cap Bon en Tunisie.

Dans les fermes françaises, il était traditionnel de faire son pain et on retrouve généralement des fours de grande taille, faits de pierres ou de briques, situés à part de l'habitation. On y faisait brûler du bois, puis, lorsque les braises étaient chaudes, on introduisait les miches de pâte à proximité de ces dernières et le pain cuisait par convection (air chaud) et par la radiation produite par le rougeoiement des braises. Ainsi se fabriquait un pain croustillant dont le goût était parfumé des particules aromatiques libérées par la consomption du bois.

Ce type de four existe encore occasionnellement dans certaines rares boulangeries rustiques. Le four est simplement un peu plus grand. On a vu ces dernières années un retour de fours individuels du même type, dû à la vogue de la cuisson au plein air : on trouve aisément des barbecues fixes, en dur, dotés de fours de taille modérée fait de pierres ou de briques, et qui permettent la cuisson de tartes, pizzas, gâteaux, pains de ménage. Avec un minimum de maçonnerie, la cour ou le jardinet retrouvent ainsi des fonctions ancestrales.

On peut transformer en fours, éventuellement jetables, des instruments dont ce n'est pas la fonction initiale, par exemple des bacs métalliques ou des pots en terre : on y place des braises, on met l'aliment à cuire, on ferme de façon non hermétique pour surveiller la cuisson. On peut aussi fabriquer un autre four jetable, par exemple une grosse boule de terre glaise ou d'argile dans laquelle on a enfermé un oiseau avec ses plumes. On casse la terre cuite, les plumes partent avec. Un poisson ou une viande peuvent cuire entourés d'une épaisse coque faite de gros sel mélangé à du blanc d'œuf, qu'on casse elle aussi après cuisson (cf. le chapitre sur la cuisson dans le sel).

Parmi les fours inhabituels, signalons un modèle qu'on trouvait sur les marchés il y a quelques années. Il comporte une partie inférieure arrondie, qui ressemble à un moule à baba percé de trous latéraux, et un couvercle. Entre les deux, on place une grille sur laquelle on dispose les aliments à cuire. On met le four sur le gaz, la flamme étant située au centre en sorte qu'elle ne touche rien : son rôle est de chauffer l'air qui monte dans le four et s'évacue par les trous latéraux. Ainsi peut-on cuire de petits morceaux de viande et de poisson, et surtout les saucisses, boudins antillais, merguez, etc. qui sont souvent bien difficiles à cuire autrement. Un autre avantage est la quasi-absence d'odeur.

LES FOURS USUELS

Ce sont les plus répandus. Ils fonctionnent avec diverses sources d'énergie, le gaz et l'électricité étant aujourd'hui les plus communes. Dans ce cas, la source énergétique se présente comme une rampe percée de trous à travers lesquels le gaz sort et brûle, ou comme une série de résistances situées dans diverses parties du four, généralement dans les parties supérieures et inférieures. Dans ces deux cas il existe un gradient de température entre la source de chaleur et les points du four qui en sont éloignés. La partie de l'aliment située à proximité de la source cuira plus vite que celle qui est à l'opposé. L'énergie est fournie par le rayonnement, en particulier dans certains fours électriques, et par convection. La cuisson devra donc être suivie avec attention. Les fours électriques et à gaz doivent également être chauffés à la température prévue *suffisamment de temps à l'avance* pour éviter, ou à tout le moins limiter, la baisse de température causée à la fois par l'ouverture du four et par l'introduction d'un objet froid, dont le poids, le volume et la température initiale vont bien évidemment modifier les conditions thermiques de l'ensemble. Par exemple, dans un four de 50 litres, l'introduction d'un cochon de lait de 7 kilos, additionné de 1 ou 2 kilos de farce, sortant d'un réfrigérateur à 6°, entraînera des répercussions beaucoup plus importantes que si on y introduit un pigeon préalablement chauffé à la poêle.

Interviennent donc deux facteurs : la puissance du four et les caractéristiques de l'aliment à cuire. Il peut être intéressant de limiter les inhomogénéités de température en utilisant une soufflerie (chaleur tournante) qui permet, en faisant « tourner » l'air, d'exposer toutes les faces de l'aliment à la même température et de diminuer les gradients évoqués plus haut. Inversement, un four doté d'un gradient de température peut être mieux adapté lorsqu'on veut au contraire que les différentes parties du plat ou de l'aliment ne cuisent pas à la même température. Par exemple, on peut disposer une épaule d'agneau sur un lit de pommes de terre ; la chaleur fait fondre le gras, où vont rissoler les légumes, eux-mêmes situés plus près de la source de chaleur. Un poulet placé sur le dos cuira plus de ce côté que du côté de la poitrine.

De plus, la plaque de cuisson agit par conduction, propriété très utilisée pour la cuisson des oiseaux. Une plaque épaisse apporte beaucoup plus de chaleur à la partie qui y repose. En tournant l'oiseau sur une cuisse, puis sur l'autre, sur le dos et sur la poitrine pendant des durées variées, on peut cuire de façon satisfaisante des parties qui demandent normalement des temps de cuisson différents.

Si le fond du plat est rempli de liquide, s'ajoute une source de chaleur fournie par l'ébullition, à 100° s'il s'agit d'eau, à 78° si c'est de l'alcool pur (donc une température comprise entre 78 et 100° s'il s'agit de vin d'alcool, de cidre, etc.) et vers 190° s'il s'agit d'huile. La nature du liquide a une influence très importante sur la cuisson.

Il en est de même lorsqu'on cuit au four dans un bain-marie (cf. le chapitre sur le bain-marie).

En pratique, il convient de séparer d'une part ce qui relève du rôtissage ou du simple dessèchement si on opère à basse température : dans ces cas, l'aliment est directement exposé à la chaleur produite par le four ; et d'autre part les cuissons à l'intérieur d'un récipient fermé qui fait lui-même office de four dans le four : dans ces cas, on peut obtenir des cuissons proches de celles qui ont été décrites au « Livre de la chaleur douce » (ragoûts, sautés, pochés, etc.).

RÔTISSAGE

Rognon de veau à la graisse, sel et poivre

Pour 4 personnes
2 rognons de veau avec leur graisse
poivre noir
sel de Guérande (fine fleur)

> Préparer les rognons en enlevant une partie de la graisse ; il doit rester 5 millimètres autour de la viande.
> Cuire les rognons 20 minutes à four chaud 250° (thermostat 8-9).

Escaloper les rognons, les poivrer et parsemer de fleur de sel de Guérande.

NB — *C'est une façon excellente de préparer un excellent produit. On peut accompagner ce plat de pommes de terre sautées à la graisse d'oie ou de canard, ou encore d'un petit risotto dans lequel on mélange au dernier moment le jus qui s'écoule des rognons quand on les découpe.*

Tête d'agneau rôtie *(ras mosli)*

Pour 4 personnes
4 têtes d'agneau dépouillées, coupées en deux
sel
poivre
50 grammes de beurre fondu
chapelure
citrons

Faire chauffer le four à 200°.
Mettre les demi-têtes d'agneau dans un plat, os en bas.
Saler, poivrer.
Répartir le beurre sur les têtes, recouvrir de chapelure.
Mettre 2 verres d'eau dans le fond du plat.
Passer au four pendant une heure en veillant qu'il reste un peu d'eau dans le fond du plat.
Servir avec du citron coupé en quartiers.

NB — *Ce plat tunisien se prépare aussi en Italie et dans différents pays méditerranéens.*

Poularde farcie aux escargots

Pour 6 personnes
1 gousse d'ail
2 œufs
18 escargots de Bourgogne cuits au vin blanc
sel
poivre
100 g de poudre d'amandes
1 cuillerée à soupe de chapelure de mie de pain
50 g de beurre
1 belle poularde fermière plumée, vidée et passée à la flamme pour brûler les dernières traces de plumes.

779

Éplucher, dégermer la gousse d'ail, la blanchir 3 minutes à l'eau.

Mettre dans le bol du mixer les œufs, l'ail coupé en morceaux et les escargots. Mixer 5 minutes à bonne vitesse pour pulvériser les escargots. On obtient une composition liquide parsemée de petits éclats d'escargots. Placer cette dernière dans un saladier. Saler, poivrer fortement.

Ajouter la poudre d'amandes et mélanger, puis assez de chapelure pour que la farce soit roulée en boule à la main. Farcir la poularde. La mettre à rôtir au four à 180° (thermostat 6) pendant 50 à 60 minutes. Il est préférable de placer l'animal sur un plat garni d'une grille et d'une lèchefrite, ce qui permet de récupérer le jus de cuisson. Mettre de l'eau dans la lèchefrite pour éviter que la sauce ne brûle et arroser régulièrement l'animal qui doit être bien doré. Après cuisson, récupérer le jus de la lèchefrite, gratter les sucs sur le fond, dégraisser, mettre la lèchefrite sur feu vif et faire réduire, puis ajouter peu à peu tout en fouettant le beurre coupé en petits morceaux. Découper l'animal sur la table. Servir les morceaux, la farce coupée en morceaux, la sauce en saucière.

NB — *Le plat est meilleur avec une poularde de belle origine (Bresse, Houdan ou bel animal de ferme).*
On peut le farcir en décollant la peau (en introduisant une paille entre chair et peau au niveau du cou et en soufflant dedans), puis en introduisant la farce entre chair et peau. Dans ce cas le jus coule dans la lèchefrite et peut être utilisé pour cuire des pommes de terre. On peut aussi désosser l'animal et le reconstituer dans sa peau.
Poularde (ou poulet) rôtie : on peut se contenter de rôtir l'animal pendant une heure environ à 180° (thermostat 6).

Blancs de poulet au beurre d'ail

Pour 2 personnes
20 gousses d'ail
50 g de beurre
sel
poivre
2 blancs de poulet

Cuire au four les gousses d'ail en chemise. Retirer la chair et l'écraser. La passer au tamis et la mélanger avec le beurre. Saler, poivrer.

Recouvrir les blancs de poulet avec le beurre d'ail. Les passer 8 minutes au four à 180° (thermostat 6).

NB — *C'est un plat simple qui vaut ce que valent les ingrédients et la cuisson. Avec de l'ail nouveau et une volaille de belle qualité, c'est une façon agréable de servir les blancs, souvent secs et trop cuits lorsque l'animal est rôti.*

Poulet tandoori

Pour 4 personnes
4 cuisses de poulet fermier
3 yaourts
mélange d'épices tandoori

Enlever la peau et les petites parties graisseuses des cuisses.
Les couper en deux au niveau de l'articulation.
Mélanger dans un saladier les yaourts avec 1,5 à 2 cuillerées à soupe bombées de tandoori. Y tremper la viande et bien l'imprégner.
Laisser mariner pendant 24 heures au réfrigérateur.
Mettre la viande dans un plat avec suffisamment de marinade pour bien enrober les morceaux.
Cuire 30 minutes au four à 250° (thermostat 8-9).

NB — *Le poulet tandoori se cuit traditionnellement sur le gril. On peut également mettre les morceaux sur une grille dans le four. Toutefois, cette méthode donne une viande moins tendre que celle décrite ici.*

Canette à l'aïoli d'épices et de fleurs de courgettes

Pour 4 personnes
1 canette de 1,7 kg
2 gousses d'ail
8 pistils de fleurs de courgettes
sel
2 jaunes d'œufs
80 ml d'huile d'olive
1 cuillerée à café d'un mélange pulvérisé à parts égales de macis, poivre du Setchouan, gingembre séché, peau d'orange séchée.

Cuire le canard en le plaçant à grand feu dans une poêle épaisse à haut bord, pouvant aller au four. On perce quelques trous dans la peau pour permettre l'écoulement de la graisse. Cuire sur le feu 2 minutes sur chacun des 3 côtés.

Mettre à rôtir à four chaud 250° (thermostat 8-9) 8 minutes sur chaque suprême et 12 minutes sur le dos. Éliminer la graisse entre chaque opération. Laisser reposer le canard au chaud 15 minutes après cuisson.

Écraser au mortier l'ail et les pistils. Ajouter le sel et les jaunes d'œufs. Monter à l'huile d'olive. Ajouter les épices.

Découper sur la table de la salle à manger.

NB — *On peut, au lieu d'huile d'olive et de jaune d'œuf, monter la sauce au beurre (100 grammes) à chaud : on ajoute le beurre par petits morceaux en battant, comme pour un beurre blanc.*

Canard aux raisins

Pour 4 personnes
1 canard de 1,5 kg
300 g d'oignons
100 g de beurre
40 grains de raisins blancs (muscat si possible)
sel
poivre

Cuire le canard comme indiqué à la recette précédente (2 minutes à la poêle sur chacune des 3 faces, 8 à 12 minutes au four à 250° sur chacune également).

Éplucher les oignons, les couper en rondelles très fines.

Les faire revenir doucement dans 40 grammes de beurre pendant 20 minutes sans les faire colorer.

Mixer l'ensemble au robot ménager.

Éplucher et épépiner les raisins.

Découper le canard. Recueillir le jus. Poser les morceaux sur un plat. Réserver au chaud.

Mettre la purée d'oignons dans une casserole. Ajouter le reste du beurre, petit à petit, pour faire mousser. Hors du feu, ajouter le jus rendu par le canard et les raisins.

Saler, poivrer.

Mettre la moitié de la sauce, avec les raisins, sur la viande et le reste en saucière.

NB — *Cette recette est très simple à réaliser, elle ne demande que peu de temps (45 minutes au total).*
On peut préparer de la même manière pigeons et pintades. Comme ils sont plus petits, c'est encore plus court.

Pintade aux coings et à la badiane

Pour 4 personnes
6 échalotes épluchées et finement émincées
40 g de beurre
3 coings (400 à 500 g au total)
200 ml de vin blanc sec
2 étoiles de badiane (anis étoilé)
sel
poivre
1 belle pintade fermière

Faire fondre les échalotes dans le beurre pendant 5 minutes à feu doux. Ajouter les coings épluchés et coupés en tranches de 2 millimètres, en les retournant de temps en temps, pendant 5 minutes. Ajouter le vin, la badiane, sel et poivre. Cuire encore 10 minutes, toujours à feu doux.
Mettre la pintade dans un plat à four, placée sur la poitrine (cuisses en l'air). La placer dans le four à 180° (thermostat 6). Cuire à sec 15 minutes. Ajouter la sauce. Cuire encore 45 minutes. Découper la pintade. Servir dans un plat. Recouvrir de coings et de la sauce (retirer la badiane).

NB — *Les cuisses sont rôties, la peau craquante, les blancs bien tendres et non secs.*

Cuisse de dinde rôtie à la crème de moutarde

Pour 6 personnes
100 g de crème fraîche
50 g de moutarde forte de Dijon
1 cuisse de dinde

Chauffer le four au maximum, 250° ou thermostat 10.

Mélanger la crème et la moutarde.

Enlever la peau de la cuisse de dinde. La poser sur le plat de cuisson.

L'enduire sur toutes ses faces avec le mélange.

La mettre au four pendant 10 minutes.

La retourner. Ajouter 1 verre d'eau dans le plat. Cuire encore 10 minutes.

La retourner une deuxième fois. Cuire encore 10 minutes (au total 30 minutes).

La laisser reposer four éteint pendant 10 minutes.

La mettre sur le plat de service.

Gratter le fond du plat avec une fourchette pour récupérer les sucs. Faire bien attention à ne pas garder de particules noircies, car elles rendraient la sauce amère.

Verser la sauce dans une saucière.

NB — *Un rôti hypersimple à faire, inratable (ne pas oublier le verre d'eau). Malgré l'apparence et la consistance, le contenu calorique est bas, surtout si on utilise de la crème allégée. La viande ainsi cuite est particulièrement savoureuse.*

On peut également, si on le désire, ajouter sur feu très doux 50 grammes de beurre coupé en petits morceaux qu'on met peu à peu en fouettant vivement et incorporer au dernier moment une herbe aromatique (et une seule, en quantité réduite d'ailleurs) : estragon, fleur de thym ou de thym citron, fleur fraîche de romarin, hysope, etc., selon son goût et son inspiration, et rectifier l'assaisonnement avec sel et poivre si on le désire.

Oie farcie aux coings et fruits d'automne

Pour 8 personnes
1 oie de 3 kg pas trop grasse
300 g de raisins blancs (muscat ou chasselas de Fontainebleau) épluchés et épépinés
4 coings de 150 g
2 poires de 125 g
1 citron
sel
poivre
8 gousses d'ail épluchées, dégermées et coupées en 4
1 feuille de sauge officinale
1 petite branchette d'hysope (préférer la variété aristatus)
1 branchette de sarriette alternipilosa, au à défaut de sarriette des jardins ou de montagne
200 ml de vin blanc sec
20 g de gingembre frais épluché et coupé en bâtonnets très
fins (1 mm de section au maximum)

Préparer l'oie, brûler les petites plumes à la flamme du gaz, la
vider, enlever le maximum de gras.

Couper les coings et les poires en petits morceaux, les enrober
dans le jus de citron pour éviter qu'ils ne s'oxydent. Saler et
poivrer.

Farcir l'oie avec les fruits, l'ail, la sauge, l'hysope et la sarriette.
Refermer et coudre l'orifice.

Cuire l'oie au four à 180° (thermostat 6) pendant 1 heure et
demie. L'arroser en cours de cuisson, ajouter éventuellement un
peu d'eau dans la lèchefrite.

Retirer l'oie, la découper. Recueillir le jus qui s'écoule.

Déglacer la lèchefrite avec le vin blanc. Faire bouillir en raclant
les fonds qui doivent être caramélisés mais non noircis.

Ajouter à la sauce le jus de l'oie en évitant d'y mettre trop de
graisse. Saler et poivrer, ajouter le gingembre.

Mettre les morceaux d'oie dans le plat de service, entourer de
morceaux de farce. Servir la sauce en saucière.

NB — *Une recette moyenâgeuse d'origine britannique, adaptée du*
Forme of Cury, *qui date du* XIV*ᵉ siècle, citée par C. B. Hieatt et*
S. Butler[1]. *On peut « solidifier » la farce en y ajoutant du pain*

1. *Pain, Vin et Veneison* (sic), L'Aurore, 1977.

trempé dans du lait, des œufs, pourquoi pas de la poudre d'amandes. L'assemblage d'herbes aromatiques est un des choix possibles, on peut les remplacer par d'autres herbes ou par des épices, par exemple noix de muscade, un peu de cannelle, galanga, etc. On restera de toute façon dans l'esprit de la recette.

Pigeonneaux aux mirabelles et au cubèbe

Pour 4 personnes
6 échalotes grises épluchées finement émincées
100 g de beurre
100 ml de vin blanc sec
60 mirabelles lavées et coupées en deux
poivre à queue (cubèbe) ou, à défaut, poivre noir
4 pigeonneaux fermiers vidés, plumés, bridés, passés à la flamme pour éliminer les petites plumes
sel

Mettre les échalotes à fondre dans 30 grammes de beurre pendant 5 minutes sans colorer. Ajouter le vin blanc. Cuire encore 5 minutes. Ajouter les mirabelles, bien poivrer, saler. Cuire pendant 10 minutes à petit feu.
Faire fortement chauffer un plat épais sur un feu de cuisson. Saisir les pigeons 1 minute sur chacune de leurs 3 faces.
Mettre le plat au four à 250° (thermostat 9-10) 5 minutes sur le dos, 3 minutes et demie sur chaque aile. Laisser au chaud 5 minutes.
Passer la sauce au tamis. Ajouter progressivement le reste de beurre en battant à la fourchette.
Servir les pigeons avec la sauce.

NB — *Pour une présentation plus élaborée, on découpe les pigeons et on ne sert que les cuisses et les filets, ou suprêmes. On les dispose sur les assiettes et on ajoute la sauce, à laquelle on incorpore le jus écoulé des carcasses.*
On peut aussi faire un jus avec les ailerons, en les faisant revenir en même temps que les échalotes. On double la quantité de vin et on cuit une dizaine de minutes en réduisant le volume du liquide au même niveau que dans la cuisson décrite dans la recette.
La recette mère est de la cuisine « sale », qu'on finit de manger avec les doigts.
Le sucré de la mirabelle s'harmonise bien avec le jus des pigeons.

Barbue au cidre et à l'estragon

Pour 6 personnes
1 barbue de 2 kg
8 échalotes grises
100 g de beurre
50 ml de calvados
300 ml de cidre sec
sel
poivre
6 branches d'estragon (ne garder que les feuilles)

Couper les nageoires et la queue du poisson. Lever les filets de la barbue. Nettoyez méticuleusement l'arête centrale, en enlevant toute trace de sang, éliminer les branchies et les parties rouges de la tête. Reconstituer le poisson.
Faire fondre les échalotes finement émincées dans 20 grammes de beurre. Ajouter le calvados et le cidre. Faire bouillonner 1 minute. Récupérer les échalotes.
Mettre le poisson sur une plaque à four. Répartir les échalotes entre les arêtes et les filets. Ajouter le fumet des échalotes. Couvrir le poisson d'un papier aluminium.
Cuire au four chaud 210° (thermostat 7) pendant 20 minutes.
Retirer les filets, les mettre sur un plat, les réserver au tiède.
Récupérer le liquide de cuisson, le faire réduire de moitié. Monter avec le reste de beurre en fouettant, saler, poivrer. Parsemer d'estragon finement ciselé.

NB — *Cette recette traditionnelle de Normandie peut se faire avec n'importe quel poisson plat de taille suffisante (carrelet, turbot en particulier). La sauce mentionnée ici n'est qu'indicative. On peut la remplacer par n'importe quel « beurre » (de crustacé, de citron, de pomme, d'ail, etc.), par une sauce crémée, pourquoi pas par une émulsion d'huile d'olive, une vinaigrette chaude, etc. On peut remplacer le cidre par du poiré, ou du vin blanc sec ou même doux. On peut ajouter des épices douces ou fortes. L'essentiel de la réussite dépend du mode de cuisson qui conserve les arêtes (il faut les nettoyer très finement, on peut briser la colonne vertébrale si nécessaire) et qui, grâce à la « couverture » d'aluminium, garde une bonne humidité. Bien entendu, de la fraîcheur et de la qualité du poisson dépend également le résultat final.*

Merlan berthommier

Pour 4 personnes
6 échalotes
100 grammes de beurre
100 ml de vin blanc sec
sel
poivre
4 merlans de 250 g bien nettoyés

Émincer les échalotes, les faire revenir 2 minutes avec 20 grammes de beurre. Ajouter le vin blanc. Saler, poivrer. Cuire 5 minutes à petit feu.
Fondre doucement le reste du beurre.
Ouvrir les poissons par le dos, couper aux ciseaux l'arête centrale au ras de la tête et au ras de la queue et enlever l'arête.
Poser les poissons sur un plat allant au four en rabattant à plat chaque moitié de poisson, ces derniers reposant sur les côtés avec peau. Recouvrir avec le beurre fondu, parsemer de chapelure, ajouter le vin et les échalotes.
Cuire à four chaud 210° (thermostat 7) pendant 10 minutes.

Pagre au lard et aux herbes

Pour 4 personnes
1 pagre de 1,5 kg
200 g de poitrine fumée
100 g de mie de pain fraîche
50 g de crème
50 g d'herbes fraîches hachées (persil, estragon, ciboulette)
100 g de ricotta
300 ml de vin blanc sec
40 olives noires type Nice
sel
poivre
huile d'olive

788

Écailler et vider très soigneusement le pagre. Presser sur les flancs pour éliminer le sang, enlever les branchies et les parties rouges de la tête. Le laver et le sécher.

Faire des entailles profondes de chaque côté du poisson sans qu'elles atteignent la cavité abdominale.

Couper autant de tranches fines de poitrine (1 millimètre d'épaisseur) que d'incisions. Les placer dans ces dernières (elles débordent, c'est normal). Couper le reste de la poitrine en petits lardons.

Mélanger à la fourchette le pain et la crème, ajouter les herbes et la ricotta, le sel, le poivre puis les lardons.

Farcir le pagre. Coudre la cavité abdominale. Badigeonner le pagre avec l'huile d'olive.

Cuire au four sur une grille pendant 25 minutes à 200° (thermostat 6-7). Mettre le vin blanc et les olives noires dans la lèchefrite.

Vérifier que le poisson ne se dessèche pas en cours de cuisson, sinon repasser de l'huile sur la face supérieure.

Ajouter, si besoin est, du liquide dans la lèchefrite, qui doit être très près du poisson : elle permet ainsi que la face inférieure s'humidifie sans être mouillée.

Servir le poisson entier, le découper à table.

Réduire la cuisson, éventuellement ajouter quelques gouttes d'huile d'olive et de citron. Servir en saucière.

NB — *Cette recette s'applique à tous les poissons de la même famille, dentés, daurades royales et autres, à condition qu'ils soient de belle taille.*

Omble chevalier rôti à l'ail et à l'échalote

Pour 4 personnes
8 gousses d'ail
250 ml de vin blanc
20 ml d'huile d'olive
2 ombles chevalier de 500 g
4 échalotes grises
20 de beurre
sel
poivre
2 citrons

Éplucher et dégermer l'ail. Le couper en petits cubes de 1 milli-mètre de côté.

Les mettre à cuire avec l'huile et 50 millilitres d'eau, jusqu'à évaporation.

Vider soigneusement les poissons. Les laver et les essuyer

Éplucher et couper en tout petits morceaux les échalotes. Les faire fondre 3 minutes dans le beurre à petit feu.

Mettre les poissons dans un plat. Ajouter le vin blanc, les écha-lotes et leur cuisson.

Cuire 15 minutes au four à 200° (thermostat 6-7) en arrosant souvent (toutes les 3 à 4 minutes).

Sortir les poissons. Les éplucher et lever les filets (1 par face). Réduire la cuisson du poisson dans une poêle (le liquide doit être presque évaporé). Saler, poivrer.

Cuire l'ail dans une autre poêle (il doit être légèrement roussi). Servir dans chaque assiette un filet de poisson. Le recouvrir d'ail et d'échalote. Saler, poivrer. Mettre 1/2 citron dans chaque assiette.

Têtes de champignons farcies

Les gros champignons, ceux qui ont des têtes larges ne sont pas toujours les plus fins ni les plus subtils. Du moins quand on les consomme seuls. Par contre, à cause de la forme de leur cha-peau, incurvés vers le pied, ils forment, en les renversant, des sortes de coupelles naturelles et comestibles qu'on peut farcir et cuire, généralement au four. Ils accompagnent les viandes gril-lées, le gibier, les plats chauds cuits en croûte.

La manière la plus simple consiste à les farcir de leurs pieds finement hachés, de beurre, d'ail et d'herbes diverses. On peut aussi ajouter tomates, œufs, crème, parmesan ou gruyère râpé, échalotes. On peut « infléchir » le goût de l'ensemble vers la mer, en ajoutant crustacés divers, œufs de poissons, morue des-salée, etc., ou vers les pâturages de l'intérieur en incorporant poitrine fumée ou jambon, foie, moelle de bœuf, rognons ou ris de veau ou d'agneau, etc.

La cuisson se fait au four chaud (210° à 250° ; thermostat 7 à 10), sur une plaque beurrée ou huilée ; elle prend en général 10 à 15 minutes.

Cèpes farcis

Pour 4 personnes
12 cèpes de 7 à 8 cm de diamètre
2 gousses d'ail épluchées et dégermées
1 bouquet de persil
4 petits oignons blancs avec leur vert
2 cuillerées à soupe d'huile d'olive
sel
poivre
100 g de chapelure de pain

Nettoyer les champignons, séparer les chapeaux des pieds, les mettre dans de l'eau citronnée.
Hacher finement l'ail et le persil, les oignons et leur vert.
Hacher finement les pieds des champignons.
Mélanger les deux hachis. Faire sauter 4 minutes à feu vif avec une cuillerée à soupe d'huile en remuant régulièrement.
Ajouter le sel, le poivre, la chapelure. Bien mélanger et en farcir les têtes de cèpes.
Huiler un plat, y poser les cèpes, côté farci sur le dessus.
Mettre au four à 210° (thermostat 7) pendant une vingtaine de minutes.

NB — *La qualité des cèpes est très variable, et il ne faut pas hésiter à allonger le temps de cuisson si besoin est. Ou, au contraire, à le raccourcir. Il faut donc bien surveiller l'opération.*

Pommes de terre au four
(Première recette)

Pour 4 personnes
1 kg de pommes de terre à chair ferme de taille moyenne (80 g), ni petites, ni grosses.

Laver les pommes de terre. Les couper en deux dans le sens longitudinal.
Les placer côté peau sur un plat.
Les cuire 30 à 50 minutes au four à 200° (thermostat 6-7).
Les manger bien chaudes, avec leur peau.

NB — *Impossible de faire plus simple. Ni plus diététique. La surface de la pomme de terre se souffle et prend une coloration blonde des plus avenantes. On peut les placer sur un lit de gros sel avant de les cuire.*
Un très bon plat de ménage qui accompagne toutes les viandes rôties ou grillées.
Comme on s'en doute, on peut, à partir de cette version de base, ajouter de très nombreuses variantes.

Gâteau de patates douces

Pour 6 personnes
4 œufs
7 cuillerées à soupe de sucre en poudre
2 petits verres de rhum vieux
1 trait de vanille liquide
100 g de beurre
5 cuillerées à soupe de farine
1 kg de patates cuites en robe de chambre, épluchées et passées au presse-purée

Battre les œufs avec le sucre, ajouter la vanille, le beurre, la farine et la purée de patates. Bien mélanger.
Cuire au four à 150° (thermostat 5) pendant une heure.

NB — *Ce dessert typique de La Réunion est une recette d'Achille Conflit.*

Bananes rôties flambées au rhum

Pour 4 personnes
8 bananes un peu fermes
1 citron
50 g de sucre semoule
100 ml de rhum

Éplucher les bananes. Les ranger dans un plat à four. Arroser du jus de citron. Saupoudrer de sucre.
Cuire 8 à 12 minutes au four à 200° (thermostat 6-7). Amener

très chaud sur la table. Ajouter le rhum en arrosant bien chaque banane. Flamber. Servir quand la flamme est éteinte

NB — *Attention aux flammes, elles brûlent et peuvent enflammer des objets qui ne sont pas a priori destinés à cette fin.*
On peut aussi faire revenir les bananes au beurre à la poêle, ou les paner et les frire au beurre ou dans un mélange d'huile et de beurre, ou encore en friture profonde.

LES FARCIS

On connaît la fameuse recette d'un bœuf à l'intérieur duquel on installe un cochon. Dans ce dernier on place une oie elle-même farcie d'un poulet qui contient en son ventre un pigeon qui a une caille dans l'abdomen, laquelle présente en son sein un ortolan, lui-même renfermant une olive. On cuit l'ensemble le temps nécessaire et on ne mange que l'olive. Le plat a quatre variantes, avec olive verte ou noire, avec ou sans noyau. Bien entendu, le cuisinier perd sa réputation si l'olive est mal cuite.

Cette amusante recette, sous son aspect folklorique, illustre un problème simple : les oiseaux, les poissons et les mammifères possèdent un abdomen et un thorax qui nécessitent généralement d'être vidés de leur contenu. D'où la tentation de combler le vide par d'autres aliments, éventuellement faits pour partie du contenu originel (foie notamment). Or la cavité thoraco-abdominale, recousue avant cuisson, fait à son tour office de four (enceinte fermée par laquelle la chaleur pénètre l'aliment).

La cuisson d'une pièce farcie doit donc tenir compte des propriétés relatives du contenant et du contenu, et en particulier de leur réactivité respective à la chaleur.

Il faut aussi tenir compte de leur contenu en graisse et en eau. Car le but de l'opération est de disposer après cuisson de deux types d'aliments, dont les goûts et les consistances se complètent.

Si par exemple la farce assèche la viande ou, au contraire, si le contenant humidifie trop fortement le farci, l'ensemble est déséquilibré, peu heureux. Car on peut farcir, outre les animaux entiers, des parties : ailes ou ailerons, blancs de volailles, escalopes ou tranches fines de veau, bœuf ou agneau (paupiettes,

793

alouettes sans tête, ratons de mouton). On peut aussi farcir des poissons, des légumes — les tomates farcies des dimanches ou les petits farcis provençaux — ou des fruits.

Le problème de l'humidité du contenant, surtout son excès, est particulièrement important dans le cas des fruits et légumes, et il convient d'y bien réfléchir avant de commencer une recette, faute de quoi les tomates peuvent s'affaisser, les courgettes se transformer en une sorte de structure délavée et insipide, et le bourdelot normand s'effriter, la croûte extérieure délitée par l'implosion d'une espèce de pomme qui ne supporte pas la chaleur.

En dehors des contraintes liées aux mouvements de l'eau et aux consistances relatives du farci et de l'enveloppe, il faut aussi considérer la complémentarité des goûts. Certains ingrédients aromatiques de la farce communiquent leurs propriétés gustatives au reste de l'aliment, d'autres non.

On peut farcir avec des fruits, des légumes, des fruits de mer, d'autres viandes, des lardons, etc. Généralement, les constituants de la farce sont liés avec de l'œuf et agrémentés d'herbes et d'épices.

Les farces sont en fait des pâtés cuits dans des moules comestibles. Elles peuvent donc varier à l'infini et on ne peut que regretter le manque d'imagination qui les résume souvent à de la chair à saucisse plus ou moins épicée.

Poitrine de veau farcie

Pour 12 personnes
1 morceau de flanchet de veau d'un seul tenant de 3 kg. On demande au boucher de le creuser au milieu en forme de poche et de le désosser.
800 g de lard fumé
200 g de mie de pain
100 g de lait
500 g de raisins secs
300 g d'oignons
300 g d'épinards
5 caïeux d'ail
muscade
80 g de persil
400 g d'échine de porc hachée
sel
poivre

Préparer les éléments de la farce. Enlever la couenne du lard. Couper ce dernier en tout petits lardons (1 à 2 millimètres de côté).

Tremper le pain dans le lait, l'essorer.

Tremper les raisins secs (bien lavés) dans de l'eau (on peut y ajouter de l'armagnac ou du calvados).

Éplucher les oignons et les couper en tout petits cubes de 1 millimètre de côté.

Nettoyer feuille à feuille les épinards et les émincer finement.

Éplucher l'ail et le couper en dés de 1 millimètre de côté.

Râper 1/3 d'une noix de muscade.

Ciseler le persil.

Confectionner la farce.

Dans un grand saladier, mélanger l'ensemble des ingrédients et l'échine hachée. Ne saler éventuellement qu'au dernier moment car les lardons suffisent généralement à apporter la quantité nécessaire.

La façon la plus simple consiste à malaxer la farce avec les mains, propres évidemment.

Vérifier que la poitrine ne comporte pas de trous ni de fuites ; si c'est le cas, les coudre, car il est important que l'ensemble soit étanche.

Farcir la poitrine. La recoudre afin qu'elle soit parfaitement hermétique.

Cuire au four à 200° (thermostat 6-7) pendant 1 heure et demie.

La poitrine de veau farcie se sert chaude ou froide.

NB — *Elle se présente comme une sorte de « pâté » moyenâgeux, bien doré et croustillant. C'est un plat spectaculaire et amical. La farce se défait parfois lorsqu'on la sert chaude (il suffit d'avoir un couteau suffisamment long et large pour pallier cet inconvénient).*

Ratons d'agneau à la menthe aquatique

Pour 8 personnes
1 kg de viande d'agneau (gigot ou épaule) coupé en fines
escalopes de 100 à 150 g
200 g de veau haché
150 g de crème
30 g de beurre
30 g d'huile d'olive
1 jus de citron
4 gousse d'ail
150 g de mie de pain
4 brins de persil
10 tiges de menthe aquatique (Mentha aquatica) ou, à défaut,
d'une autre variété
sel
poivre
poivre de Cayenne
vin blanc

Mettre l'agneau à mariner avec l'huile et le citron pendant
1 heure au frais.

Mettre dans une casserole le veau avec le beurre, faire sauter à
feu vif, ajouter le pain, le persil et le vin blanc. Laisser mijoter
10 minutes.

Effeuiller la menthe et la hacher. L'incorporer au hachis qui
doit être bien homogène, saler, poivrer, ajouter le poivre de
Cayenne.

Étaler les escalopes, disposer la farce en tas, replier la viande
pour former les ratons (paupiettes) et les ficeler. Les enduire au
pinceau avec l'huile de la marinade. Les saler et les poivrer.

Les cuire au four à 200° (thermostat 6-7) pendant 30 minutes en
les passant régulièrement au pinceau avec un peu d'huile d'olive
ou avec le jus de la lèchefrite.

NB — *Il s'agit d'une adaptation personnelle de la recette de La
Chapelle (1733) publiée par R.J. Courtine et C. Vence dans* Les
Grands Maîtres de la cuisine française *(Bordas, 1972).*
On peut aussi embrocher les ratons et les cuire à la broche.

Cochon de lait farci

Pour 16 personnes
1 cochon de 6 à 7 kg
poivre de Cayenne
10 cl de cognac
6 pommes
1 citron
400 g de raisins secs
500 g de pain
150 g de lait
1 tête d'ail
1 botte de ciboulette
1 botte de persil
1 botte de ciboules
20 œufs
sel
poivre
saindoux ou graisse de canard ou d'oie
500 g de fromage blanc

Préparer l'animal. Le nettoyer, bien enlever d'éventuels restes à l'intérieur. Recoudre l'abdomen à moitié (il faut que la main puisse passer pour le farcir). Bien sécher l'intérieur, puis l'enduire de poivre de Cayenne et de la moitié du cognac. Le laisser mariner à température ambiante pendant 10 minutes.

Préparer les éléments de la farce. Couper les pommes épluchées en petits cubes. Les mettre dans l'eau citronnée.

Mettre à tremper les raisins secs bien lavés, dans l'eau tiède.

Tremper le pain dans le lait, exprimer ce dernier.

Éplucher la tête d'ail et la couper en petits morceaux.

Nettoyer et ciseler les herbes (on peut en ajouter d'autres en fonction de son goût).

Confectionner la farce. Mettre dans un grand saladier l'ensemble des ingrédients (y compris les œufs, le fromage et le reste du cognac). Saler, poivrer.

Malaxer la farce avec les mains — propres, cela va de soi.

Farcir l'animal. Le recoudre complètement afin que la cavité soit bien hermétiquement fermée.

L'enduire de saindoux ou de graisse d'oie ou de canard.

Cuire à 210° (thermostat 7) pendant 40 à 50 minutes. L'animal doit être bien doré. Réduire ensuite à 150° (thermostat 5) pendant 2 heures.

NB — *Le cochon de lait farci est souvent sec. La farce indiquée ici contient beaucoup d'eau (pommes, raisins, fromage blanc) et la viande reste très moelleuse et douce. La cuisine niçoise comporte la recette de la* porchetta, *cochon farci d'abats, et la* porchetta romana, *pour laquelle l'animal choisi est plus gros. En Italie, il existe de nombreuses recettes de porc farci appelées aussi* porchetta, *agrémentées de diverses épices.*

Chapon de mer farci

Pour 4 personnes
100 g de mie de pain trempée dans du lait
8 branches de ciboule finement émincées
6 gousses d'ail épluchées, dégermées et finement râpées
1 cuillerée à café de graines de coriandre en poudre
3 jaunes d'œufs
1 gros chapon (rascasse) de 1 1/2 kg ou deux de 1 1/2 livre
1 cuillerée à café de chapelure de pain
3 cuillerées à soupe d'huile d'olive
sel
poivre
1 cuillerée à café de harissa

Faire fondre le pain avec le lait dans une casserole.
Ajouter hors du feu la ciboule, l'ail, les épices, y compris l'harissa, et les jaunes d'œufs.
Bien mélanger.
Nettoyer et écailler le chapon. L'ouvrir par le dos, enlever l'arête centrale et le vider. Le laver minutieusement et le sécher.
Le remplir avec la farce.
Parsemer la chapelure.
Le placer ensuite sur un plat de telle façon que l'ouverture reste horizontale.
Arroser avec l'huile d'olive. Faire cuire au four à 200° (thermostat 6-7) pendant 30 à 50 minutes, en arrosant souvent avec le jus de cuisson. Le temps de cuisson dépend de la taille de l'animal.
Servir dans le plat de cuisson. Découper en 4 parts sur la table (en 2, si on a deux chapons).

Courgette farcie en corne d'abondance

Pour 8 personnes
1 beau poulet de grain
200 g de mie de pain trempée dans du lait
1 œuf
20 branches d'estragon
50 g de crème fraîche
sel
poivre
poivre de Cayenne
muscade
1 très grosse courgette de 4 à 5 kg

Désosser complètement le poulet en lui laissant sa peau. Mélanger la mie de pain trempée, l'œuf, les feuilles d'estragon, la crème, le sel et les épices et en farcir le poulet. Recoudre la peau pour former une sorte de gros boudin qui contient à la fois la farce et la chair du poulet.

Couper transversalement la courgette à 5 ou 6 centimètres de son gros bout. Enlever l'intérieur en laissant une épaisseur d'environ 1 centimètre sur la face interne de la peau de la courgette.

Introduire le poulet à l'intérieur. Mettre la courgette farcie dans le four en la coinçant de telle sorte que le « chapeau » reste bien collé sur le reste du légume. Il est préférable de la disposer de telle façon qu'elle ne soit pas horizontale mais que le gros bout de la courgette soit surélevé, afin de limiter une éventuelle perte de sauce. Mettre une lèchefrite sous la jonction entre les deux morceaux de courgette.

Cuire 1 heure à 190° (thermostat 6) puis 1 heure à 150° (thermostat 5).

Servir sur un long plat, le chapeau enlevé, le poulet sortant légèrement de cette corne d'abondance. Couper des tranches de 1 centimètre et demi et les servir aussitôt.

NB — *Denis, dans sa Cuisine, donne 16 recettes de poulet à l'estragon, et il n'y a pas celle-ci.*
Les très grosses courgettes, oubliées des vacances, sont généralement immangeables. Or, ainsi préparées, elles sont très agréables.
On peut varier le type de farce, ou bien farcir avec des couches successives, ou avec des oiseaux de plus petite taille, des pigeons par exemple, ou des poissons.

La cuisson « en courgette » permet de garder toute l'humidité de la viande, donc son moelleux, et de parfumer la chair du légume qui apporte un contrepoint léger et rafraîchissant.
Une recette dédiée à Jennifer Macklem.

LES INFUSIONS

Bouillon froid de chapeaux chinois au gingembre

Pour 4 personnes
1 kg de patelles (chapeaux chinois) bien lavés
1 bouquet garni (queues de persil, thym, laurier)
1 bouteille de vin blanc sec
1 petit oignon piqué d'un clou de girofle
2 petits poireaux lavés et émincés
2 gousses d'ail entières
12 grains de poivre noir
sel
30 g de gingembre frais épluché et coupé en fins filaments (comme des cheveux — c'est ainsi que feu Alain Chapel les faisait préparer)

Mettre l'ensemble des ingrédients (sauf le gingembre) dans un plat à four avec 500 millilitres d'eau.
Cuire 3 heures à 130° au four (thermostat 4).
Passer le bouillon. Ajouter le gingembre, laisser refroidir. Mettre au réfrigérateur.
Servir très froid (on peut ajouter de la menthe ciselée).

NB — *Les berniques — patelles, arapèdes, etc. — adhèrent aux rochers, épaves, jetées. Elles sont difficiles à détacher. Leur chair est dure mais elles ont un goût iodé intéressant.*

Court potage clair d'escargots à la menthe

Pour 4 personnes
24 escargots de Bourgogne
500 ml de vin blanc
100 g de poitrine fumée
1 belle carotte coupée en 8 rondelles
8 petits oignons blancs
1/4 de feuille de laurier
1 branchette de sarriette
1 feuille de livèche
10 grains de poivre
3 gousses d'ail non épluchées
8 feuilles de menthe

Faire jeûner les escargots 8 à 15 jours en leur donnant éventuellement un peu de farine ou de salade.

Les faire dégorger pendant 2 heures dans de l'eau vinaigrée. Les laver à grande eau jusqu'à ce qu'ils ne moussent plus.

Les mettre dans une casserole d'eau froide, les porter doucement à ébullition, et cuire 10 minutes. Les rafraîchir, les enlever des coquilles en gardant ou non — selon son goût — leur tortillon terminal (La Reynière recommande de le consommer, alors que *Le Ménagier de Paris* écrit en 1393, le déconseille : « car c'est leur m...de »).

Mettre dans une cocotte le vin, autant d'eau, les escargots, la poitrine coupée en lardons de 5 millimètres de côté, les légumes, et les herbes aromatiques (sauf la menthe). Cuire 3 heures au four à 130° (thermostat 4).

Récupérer les 3/4 du liquide, le passer au chinois et à l'étamine, (c'est-à-dire à travers un linge très fin ou du coton). Le laisser refroidir.

Servir frais en petits bols individuels avec une ou deux feuilles de menthe très finement ciselée.

NB — *Le reste est utilisé pour le poulet farci aux escargots ou pour les petites cassolettes d'escargots.*

Carré de veau farci aux noix et au miel sauce au thym Herba barona

Pour 4 personnes
1 cuillerée à café de miel
1 jaune d'œuf
40 g de mie de pain fraîche finement tamisée
40 g de noix finement hachées
sel
poivre
1 carré de veau de lait de 1,2 kg (8 cm d'épaisseur environ)
couennes de porc
1 branchette de thym Herba barona (ou à défaut de thym vulgaire)
300 ml de vin blanc sec

Mélanger le miel et le jaune d'œuf, ajouter la mie de pain et les noix, saler et poivrer.

Faire des entailles profondes à 1, 3, 5 et 7 centimètres du bord du carré. Rester à distance de l'os. Farcir les poches avec le mélange précédent. Recoudre le veau et le ficeler.

Tapisser une cocotte avec les couennes de porc, ajouter le thym et le vin blanc, fermer la cocotte et faire cuire à 140° (thermostat 4-5) pendant 1 heure et demie en arrosant régulièrement. Au besoin ajouter un peu de bouillon.

Sortir la viande, la découper tous les 2 centimètres pour former quatre côtes farcies.

Réduire la cuisson à 1 décilitre environ. Ajouter en fouettant le beurre.

Rectifier l'assaisonnement.

Servir à l'assiette, nappé d'un peu de beurre.

NB — *On peut entourer le veau avec une crépine de porc. Le thym Herba barona, originaire de Corse, a une forte odeur aromatique évoquant le maquis.*

Jarret de porc aux pruneaux à l'aigre-douce

Pour 6 personnes
1 jarret de porc frais
sel
1 cuillerée à soupe d'un mélange d'épices (4 clous de girofle,
1/4 de feuille de laurier, 6 lamelles d'ail sec, 2 cm² d'écorce
de cannelle, 1 cm de poivre long, 6 râpures de noix de muscade)
1 cuillerée à soupe d'huile
18 pruneaux d'Agen
1 litre de thé fort
200 ml de vin rouge
100 ml de vinaigre de vin rouge

Enlever la couenne qui recouvre le jarret (ne pas la jeter).
Mélanger le sel, les épices et l'huile. Badigeonner la viande avec
l'ensemble et laisser au réfrigérateur pendant 12 heures.
Faire gonfler les pruneaux dans le thé. Enlever les noyaux.
Remettre la couenne autour du jarret et la ficeler pour la laisser
en place.
Poser le jarret dans une cocotte, ajouter le vin, le vinaigre et les
pruneaux. Fermer la cocotte. Mettre au four à 150° (thermos-
tat 5) pendant 3 heures. Ajouter éventuellement du bouillon.
Servir dans la cocotte.

Choucroute

Pour 6 personnes
600 g de poitrine fumée
graisse d'oie ou de canard
3 pommes
3 kg de choucroute crue
bouquet garni (thym, laurier, queues de persil)
poivre en grains
2 bouteilles de vin blanc sec d'Alsace (sylvaner ou, mieux,
riesling)
grains de genièvre
1 jambonneau demi-sel
12 pommes de terre à chair ferme de taille moyenne
6 saucisses de Strasbourg
6 saucisses de Francfort

Couper la poitrine en douze morceaux. Les mettre dans l'eau froide. Monter à ébullition et les laisser une minute, puis enlever la viande.

Enduire une cocotte avec la graisse d'oie, ajouter les pommes épluchées et épépinées coupées en petits morceaux. Ajouter la moitié de la choucroute.

Ajouter la poitrine, le bouquet garni, le poivre et le genièvre (les épices peuvent être enfermées dans une mousseline). Ajouter le reste de la choucroute.

Ajouter le vin. Mettre sur le feu. A ébullition, couvrir la cocotte et la mettre au four à 160° (thermostat 5-6) pendant 1 heure et demie. Vérifier régulièrement le niveau de liquide : il ne doit quasiment plus en rester en fin de cuisson, mais la choucroute ne doit pas se dessécher non plus.

Mettre le jambonneau dans l'eau froide. Monter à ébullition. Jeter l'eau.

Le remettre à l'eau froide et cuire à petite ébullition 1 heure.

Éplucher les pommes de terre, les laisser entières et les cuire à l'eau en commençant à l'eau froide. Cuire 20 à 25 minutes après le début de l'ébullition.

Cuire les saucisses à la vapeur après les avoir piquées (le temps est court, vérifier fréquemment si on veut éviter qu'elles éclatent).

Servir la choucroute sur un grand plat, recouverte des diverses viandes, entourée des pommes de terre.

NB — *Une des innombrables variantes de ce plat roboratif, familial et amical. La choucroute est une préparation fermentée du chou qui est bien meilleure cuite ainsi ; elle ne doit être ni grasse ni molle, mais blonde et croquante. Ce n'est pas toujours facile à réaliser.*

Ce plat, qui associe diverses formes de cuisson, est placé au chapitre des fours car l'élément essentiel, la choucroute — c'est-à-dire le chou fermenté —, est meilleur cuit ainsi, comme le recommande La Reynière.

Alose confite dans son nid d'oseille, beurre blanc

Pour 4 personnes
1 alose de 1 kg
sel
poivre
70 ml d'huile d'olive
500 g d'oseille épluchée et grossièrement hachée
beurre blanc

Nettoyer, écailler, vider l'alose, la saler et la poivrer.

Dans un plat à four, mettre la moitié de l'huile d'olive et le tiers de l'oseille, ajouter l'alose farcie du deuxième tiers d'oseille, recouvrir du troisième tiers, arroser du reste de l'huile.

Cuire à 130° (thermostat 4-5) pendant 1 heure et demie.

Servir dans le plat. Découper sur la table. Les arêtes auront presque fondu.

Servir le beurre blanc en saucière.

NB — *On peut accompagner ce plat de pommes de terre cuites 25 minutes à l'eau ou à la vapeur.*

Carpe braisée à l'oseille

Pour 6 personnes
1 carpe de 1,5 kg
300 g d'oseille
300 g de lard fumé coupé en longues tranches peu épaisses
375 ml de vin blanc sec
1 bouquet garni (queues de persil, thym, laurier)
sel
poivre en grains

Nettoyer, vider méticuleusement la carpe, presser sur les flancs pour enlever tout le sang, l'écailler, la laver et la sécher.

Laver l'oseille, enlever les tiges. Mettre l'oseille dans le ventre de l'animal.

Emmailloter la carpe avec les tranches de lard.

La mettre dans une cocotte fermée avec le reste des ingrédients.

Cuire 2 à 3 heures au four à 130° (thermostat 4-5).

NB — *Les arêtes perdent beaucoup de leur agressivité grâce à l'oseille. Cette recette peut s'appliquer à tous les poissons qui ont beaucoup d'arêtes (aloses, barbillons, chevesnes, etc.). La cuisson peut toutefois déliter la chair du poisson. Le jus de cuisson peut être additionné de beurre, de crème, de beurre manié, d'une concassée de tomates, de câpres et de moutarde, de fines herbes, de jaune d'œuf (etc., selon le goût de chacun) avant de servir.*

Calamari ripieni

Pour 10 personnes
10 calamars de 100 g à 150 g chacun
150 g de mie de pain
120 à 150 ml d'huile d'olive
5 gousses d'ail, épluchées, dégermées et finement râpées
3 cuillerées à soupe de persil haché
300 g de chair de tomates (épluchées et épépinées) concassée
sel
poivre

Nettoyer les calamars, enlever la poche à encre, les entrailles et les parties cartilagineuses. Couper la tête. Garder les tentacules. Faire blanchir 3 minutes les tentacules dans l'eau salée. Les sortir et les hacher.

Écraser la mie de pain avec une partie de l'huile d'olive, ajouter l'ail et le persil, les tentacules hachés. Saler et poivrer. (La quantité d'huile est ce qu'il faut pour obtenir une farce consistante.)

Farcir les calamars. Les recoudre. Les disposer dans un plat creux. Répartir la concassée de tomates. Verser le reste de l'huile.

Cuire au four à 180° (thermostat 6) pendant 40 minutes environ en arrosant souvent, les calamars ne doivent pas être desséchés. Au besoin ajouter un peu d'eau. La sauce doit être épaisse et douce.

GRATINS

Cassoulet de tripes d'agneau au safran

Pour 8 personnes
1 kg de tripes d'agneau coupées en morceaux de 4 cm de côté
farine
1 citron

2 cuillerées à soupe d'huile d'olive
1 kg de haricots coco frais ou 500 g de haricots secs trempés
12 heures dans l'eau
1 tête d'ail coupée en deux transversalement
20 filaments de safran
1/2 cuillerée à café de paprika
1/2 cuillerée à café de fénugrec pulvérisé
1 pointe de poivre de Cayenne
sel
poivre
1 cuillerée à soupe bombée de chapelure de pain

Cuire les tripes 4 heures à feu doux dans un blanc (eau salée additionnée d'un jus de citron et d'une cuillerée à soupe bombée de farine), les sortir et les égoutter.

Dans une grande cocotte, mettre les haricots, l'ail, les épices, le sel, le poivre et les tripes égouttées. Ajouter de l'eau qui doit recouvrir les haricots de quelques millimètres.

Cuire 1 heure à feux doux. Les haricots doivent être tendres et non éclatés.

Verser l'ensemble des ingrédients dans une terrine à four, retirer l'ail, en écraser la chair et la mélanger au plat. Saupoudrer de chapelure. Cuire 15 minutes à 180° (thermostat 5-6) pour bien dorer la surface.

Servir dans le plat de cuisson.

NB — *Peut se servir en portions individuelles, la dernière opération se faisant dans de petits moules appropriés.*

Aubergines alla parmigiana

Pour 6 personnes
1 kg d'aubergines (poids pesé après avoir enlevé les pédoncules)
sel
farine
100 ml d'huile d'olive
300 g d'escargagnasse (sauce tomate mi-cuite)
300 g de mozzarella de bufflonne coupée en tranches de 3-4 mm
100 g de parmesan fraîchement râpé

Couper les aubergines en tranches larges, épaisses de 5 millimètres. Les saupoudrer de sel fin. Les laisser dégorger pendant une heure.

Les laver, les éponger, les passer dans la farine. Les dorer à l'huile à feu moyen 5 minutes sur chaque face.

Les retirer et les mettre sur du papier absorbant. Ajouter du papier par-dessus. Presser doucement pour exprimer le maximum d'huile.

Dans un plat à gratin huilé avec un coton imbibé, mettre une couche d'aubergines, une couche d'escargagnasse, une couche de mozzarella, une couche d'aubergines, une couche d'escargagnasse. Saupoudrer de parmesan.

Cuire 40 minutes au four à 170° (thermostat 5-6).

Gratin de courgettes

Pour 8 personnes
400 g de pommes de terre lavées et épluchées et finement coupées
1,5 kg de courgettes coupées en tronçons de 4 cm de long
50 g de beurre
250 g de crème
sel, poivre
200 g de gruyère — ou d'un fromage apparenté — râpé

Cuire les pommes de terre et les courgettes à la vapeur. Les laisser égoutter pendant une heure.

Écraser ensemble à la fourchette pommes de terre et courgettes.

Placer l'ensemble à sec sur une cocotte et faire évaporer l'eau de végétation en remuant.

Hors du feu, ajouter le beurre, puis la crème, saler, poivrer.

Mettre dans un plat à four. Recouvrir du fromage.

Cuire une heure à 170° (thermostat 5-6) en surveillant la cuisson : le gratin doit être bien doré.

Servir dans le plat de cuisson.

NB — *Accompagne très agréablement toutes les viandes rôties.*

Gratin de pommes de terre

Pour 8 personnes
2 gousses d'ail épluchées et dégermées
1 kg de pommes de terre lavées et épluchées
300 g de crème
sel, poivre
200 g de gruyère — ou d'un fromage de même type — râpé

Frotter le plat de cuisson avec l'ail. Hacher grossièrement le reste de l'ail.

Couper les pommes de terre à la mandoline en tranches égales de 2 millimètres d'épaisseur. Ne pas les essuyer ni les laver.

Mélanger la crème, l'ail, le sel et le poivre. Ajouter les pommes de terre. Bien les manipuler dans la crème pour les détacher les unes des autres et les enrober.

Étaler les pommes de terre dans le plat aillé. Recouvrir du fromage.

Cuire 1 heure à 180° (thermostat 5) puis 1 heure et demie à 60° (thermostat 2).

NB — *Un plat qui attend les invités.*

Pounti

Pour 4 personnes
250 g de lard de poitrine demi-sel découenné
le vert d'une botte de blettes
3 cuillerées à soupe de feuilles de persil haché
200 g de crème
sel
poivre
5 œufs entiers
2 cuillerées à soupe de farine

Couper le lard en tout petits lardons. Les mettre dans l'eau froide. Mener à ébullition. Laisser bouillir 2 ou 3 minutes. Égoutter, refroidir et sécher les lardons.

Hacher finement le vert des blettes.

Mélanger le persil, le lard, et les blettes avec la crème. Saler et poivrer.

Battre les œufs en omelette. Ajouter au hachis. Saupoudrer la farine et l'incorporer peu à peu.

809

Mettre dans une terrine à feu et cuire au four à 180° (thermostat 5-6) pendant 1 heure. Le pounti doit être bien doré.
Retourner sur un plat de service.

NB — *Il y a beaucoup de recettes de ce plat traditionnel de l'Auvergne ; on peut ajouter des oignons, du jambon, des pruneaux, des raisins secs, etc. Surtout on peut, comme c'est le cas dans le cas du clafoutis, ajouter plus de farine. En fait, la consistance de ce plat dépend de façon cruciale de la quantité de cette dernière.*
On peut également farcir des morceaux d'intestin et les coudre, les cuire au four ou dans une soupe ou un bouillon. On appelle le pountari soit cette dernière façon de cuire, soit le pounti lui-même.

Teurgoule

Pour 6 personnes
3 l de lait entier
1 gousse de vanille fendue en deux
400 g de cassonade
300 g de riz rond (japonica)

Faire bouillir le lait. Le retirer du feu, ajouter la vanille, laisser infuser 30 minutes. Retirer la gousse.
Ajouter le sucre et le dissoudre dans le lait.
Dans une terrine, mettre le riz et le lait sucré.
Cuire 4 heures à 140° (thermostat 4-5) sans remuer. Il doit se former une belle croûte dorée en surface.

NB — *Ce classique normand, également appelé « terrinée », se mange chaud, tiède ou froid. On peut remplacer la vanille par de la cannelle. Certains ajoutent du beurre sur la croûte en fin de cuisson.*

LES FOURS À MICRO-ONDES

Dans l'univers des fours, ceux à micro-ondes font effet de révolutionnaires. En effet, la forme d'énergie utilisée pour la cuisson est tout à fait originale et différente de celles des autres fours. L'énergie est fournie par un appareil, le magnétron, émettant des ondes électromagnétiques qui ont pour effet d'exciter certaines molécules, en particulier l'eau, et donc de les chauffer.

L'intérieur d'un four à micro-ondes est une enceinte close. Celle-ci empêche la sortie des ondes qui seraient extrêmement dangereuses pour les personnes à proximité[1].

Les ondes sont réfléchies par les parois métalliques et absorbées par les aliments. Il ne faut jamais disposer à l'intérieur du four d'élément métallique qui risquerait d'interférer avec son fonctionnement et pourrait l'endommager. De même faut-il éviter certains plastiques et la poterie non vernie. Se méfier également de certains conteneurs qui peuvent être décorés avec un matériau métallique (dorure, par exemple).

La pénétration des micro-ondes dans les aliments est réglée de telle manière qu'elles ne soient pas toutes absorbées par la surface. Il y a cependant une perte progressive d'énergie chauffante de l'extérieur vers l'intérieur. Résultat, comme dans le cas des autres fours, la forme et la dimension de l'aliment jouent un rôle considérable dans la façon dont il cuit et dans la durée de cuisson.

Les micro-ondes cuisent surtout par augmentation de température de l'eau contenue dans l'aliment. Dans le cas de l'eau elle-même, ou d'un liquide composé quasi exclusivement d'eau, la cuisson est facile à comprendre. Les ondes sont absorbées jusqu'à ce qu'on atteigne 100°. Bien entendu, si on prolonge, il ne restera plus rien car tout sera évaporé. Le temps de cuisson réclame d'autant plus de contrôle que le four est puissant.

Dans le cas des autres aliments, ce qui compte en premier lieu est leur contenu en eau. Il n'y en a pas dans l'huile, il y en a un peu dans le beurre et beaucoup dans la crème. Il y en a également beaucoup dans les légumes et les fruits, les viandes et les poissons. Un aliment qui contient beaucoup d'eau va cuire plus vite qu'un autre qui en contient moins.

Cependant, il y a encore d'autres facteurs à prendre en considération.

— La température initiale : plus elle est basse, plus long est le temps de cuisson.

— Le volume et la disposition des aliments dans le four : une seule pomme de terre cuit plus vite que vingt.

— La puissance de l'appareil : facteur très important, comme dans le cas de tous les fours, d'ailleurs ; ce qui compte ce n'est pas seulement la température mais la forme et le débit d'énergie chauffante que reçoit l'aliment.

---

1. Il convient donc, par prudence, d'éviter de rester trop longtemps à proximité d'un four à micro-ondes en action. Certains considèrent qu'il pourrait y avoir danger pour les yeux. D'autres parlent d'effets cancérigènes. A surveiller.

Les choses sont encore compliquées par d'autres facteurs.

— Un aliment placé au centre cuit moins vite qu'à la périphérie, il faut en tenir compte dans la disposition de ceux qui sont de structure inhomogène. Les plus fragiles ou les plus fines des parties doivent être placées au centre. Lorsqu'il s'agit d'aliments de taille et de forme identique, par exemple des pommes de terre calibrées, il faut les répartir en rond autour du plateau tournant.

— Les inhomogénéités de la structure de l'aliment : l'os, la graisse, etc., se traduisent par des inhomogénéités de cuisson à l'intérieur de l'aliment lui-même.

— Enfin, si du liquide s'écoule de ce qui cuit, ou si pour une raison ou pour une autre, les ustensiles de cuisson sont également chauffés, à la cuisson par les ondes s'ajoute un autre type dépendant de la nature de ce qui a été chauffé : une partie de l'aliment peut ainsi bouillir, frire, griller, etc.

On le voit, la cuisson au four à micro-ondes est complexe. Les temps de cuisson sont très variables d'un four à l'autre et dépendent de multiples facteurs. Comme le passage entre le « pas assez » et le « trop cuit » est rapide, l'utilisation de ce type de four est délicate. Elle l'est encore plus quand on dispose d'un système mixte associant les ondes à une autre forme d'énergie — en général la convection avec chaleur tournante ou le gril.

Les fours à micro-ondes cuisent rapidement les légumes et les fruits riches en eau. Cette cuisson n'est pas seulement un gain de temps, c'est parfois une manière de révéler des goûts et des arômes que les autres modes ne permettent pas d'exprimer. Par exemple, celui des *aubergines* est incomparablement meilleur et plus subtil : elles cuisent sans devenir les éponges à huile qu'en fait parfois la friture, et sans le liquide noirâtre qu'elles produisent dans les fours usuels.

Ces fours permettent de préparer des soupes, des purées. On peut y cuire certains poissons. Quant aux viandes, c'est une manière possible de les cuire, mais elles nécessitent généralement une deuxième cuisson d'un autre type.

Enfin, bien sûr, le four à micro-ondes sert à *dégeler* plus rapidement les surgelés et permet de *réchauffer* le riz et les pâtes en très peu de temps et sans les détériorer.

Un dernier mot : *sécurité*. Il ne faut pas mettre en marche un four à micro-ondes sans aliment à cuire, il ne faut pas toucher au système de sécurité qui arrête l'émission d'ondes dès que la porte du four est entrouverte et, rappelons-le, il ne faut pas y introduire d'élément métallique.

Pommes de terre au four
(Deuxième version)

Pour 6 personnes
1 kg de pommes de terre de taille moyenne à grosse (80 g)

Laver les pommes de terre. Les laisser entières.
Les cuire au four à micro-ondes puissance maximum 6 à
12 minutes selon la taille — plus longtemps si leur nombre est
plus élevé (s'il n'y a que 1 ou 2 pommes de terre, le temps peut
être réduit à 4 minutes).
Les couper en deux pour servir, recouvrir de l'assaisonnement
choisi (beurre, huile d'olive, crème fraîche ou sure, ou sauce).

NB — *On peut manger la peau, mais ce n'est pas indispensable.*
Prévoir des petites cuillères avec lesquelles les convives sortent la
chair. On peut aussi cuire en mode mixte : convection et micro-
ondes.

Poivrons rouges à l'huile d'olive

Pour 4 personnes
6 beaux poivrons rouges
2 gousses d'ail
huile d'olive
sel

Cuire les poivrons rouges 20 minutes au four à micro-ondes,
puissance maximale.
Les éplucher, enlever les pépins, l'eau de végétation, les couper
en languettes de 1 centimètre de large.
Émincer finement l'ail.
Dans un petit saladier, mettre l'ail, un peu d'huile d'olive et le
sel. Bien enrober les poivrons. Ajouter de l'huile pour juste les
recouvrir.
Mettre au réfrigérateur.

NB — *Bon dès le lendemain, excellent au bout de 3 jours, ce plat se*
garde une dizaine de jours. On le sert avec des citrons que l'on presse
au-dessus des poivrons.
Une entrée toujours appréciée, à préparer pour les invitations

impromptues. Si personne ne vient, c'est si bon qu'il n'y a pas à se forcer pour finir le plat.

LE GRIL DU FOUR

La plupart des fours modernes sont garnis d'un gril, encore appelé *salamandre*, généralement situé dans sa partie supérieure. Il peut être électrique ou à gaz. Par rapport aux autres grils, le gril du four présente plusieurs particularités. La source de chaleur est située *au-dessus* et non au-dessous de l'aliment. Comme le gril se trouve à l'intérieur d'une enceinte fermée, la chaleur produite va rester captive et la cuisson se fera de deux façons conjointes : par la radiation produite par le gril et par convection dans le cas d'un four ordinaire.

Le gril du four présente encore une différence importante avec les autres grils : il ne cuit pas par conduction. Ce n'est pas la grille métallique sur laquelle est posé l'aliment qui apporte la chaleur. L'énergie est transmise essentiellement par radiation. Comme on l'a dit au paragraphe précédent, l'air va chauffer et le gril du four apporter rapidement une cuisson mixte. Toutefois, cette description n'est vraie que dans deux conditions : que le gril fonctionne depuis quelques minutes, le temps de chauffer le four, et que la porte soit close. Certains grils ne peuvent fonctionner que lorsqu'ils sont bien fermés : c'est le cas généralement des fours multifonctions, en particulier de ceux qui comportent une source à micro-ondes — sécurité oblige. D'autres peuvent fonctionner la porte ouverte.

La cuisson avec le gril est facile, encore faut-il connaître la puissance de chauffe, fort variable d'un modèle à l'autre. Et se rappeler que les cinq premières minutes d'utilisation, porte fermée, se font en cuisson simple (radiation); c'est également ce qui se passe si la porte reste ouverte. Porte fermée, four chauffé, le gril cuit par la double action (radiation + convection) décrite plus haut.

Langouste rose de Bretagne
juste grillée au beurre salé de Noirmoutier

Pour 2 personnes
1 belle langouste rose de 1,2 kg
beurre salé de Noirmoutier
poivre blanc
2 citrons

Mettre la langouste 1 ou 2 minutes dans une casserole d'eau bouillante salée. La sortir et la couper en deux moitiés bien symétriques.

Badigeonner la langouste côté chair avec le beurre salé, poivrer et la cuire au gril du four, côté chair au-dessus, pendant 10 à 20 minutes selon la puissance de chauffe. Surveiller la cuisson. Éventuellement, ajouter du beurre, car la chair ne doit pas se dessécher ; elle doit être ferme et bien blanche à la coupe.

Poser les 1/2 langoustes sur un plat, les découper sur la table, servir avec des 1/2 citrons, et éventuellement du beurre.

NB — *Cette recette est simple, donc exigeante sur la qualité des ingrédients : langouste bien fraîche, beurre de grande qualité. Il faut surveiller la cuisson : rien ne doit être négligé. La grande cuisine simple est une cuisine de rigueur. Les langoustes de Corse sont elles aussi de bonne qualité. Ne pas utiliser de produits surgelés de qualité médiocre.*

Gratin d'écrevisses à la Nantua

Pour 4 personnes
48 écrevisses cuites à la Nantua avec leur sauce
40 g de beurre dur

Mettre dans de petits plats à gratin individuels 12 écrevisses avec leur sauce.
Recouvrir avec des copeaux de beurre.
Passer 2 à 3 minutes au gril du four.
Servir dans le plat de cuisson.

NB — *Un grand classique traditionnel, hors mode car long à faire — et souvent mal fait. Remarquable dans sa version originale.*

Les crostini (croûtons)

Les crostini sont fréquemment servis comme hors-d'œuvre, ou comme pré-hors-d'œuvre, en Toscane et plus encore en Ombrie.
En fait les crostini sont des tartines de pain grillé.
On coupe le pain en tranche de 1 centimètre d'épaisseur. L'idéal

est le pain de 400 grammes. Les crostini peuvent être fabriqués avec du pain blanc, du pain dit de campagne, du pain complet, du pain multicéréale, etc.

Il existe deux façons de faire les crostini. Soit on les grille (par exemple avec un grille-pain) et on les tartine, soit on les tartine d'abord, puis on les passe quelques minutes au gril du four. Cette deuxième manière est beaucoup plus savoureuse que la première, car le gril cuit le pain en même temps que l'ingrédient utilisé pour tartiner, et donc développe les arômes de pain grillé mêlés à ceux du petit gratin qui le couvre.

Les crostini peuvent être consommés à l'italienne, au début du repas de midi ou du soir. Ils sont à mon sens beaucoup plus agréables au petit déjeuner ou pour le goûter. Ils remplacent avec bonheur la sempiternelle tartine de pain grillé beurré (qui n'est au fond que la version la plus simple des crostini).

Comme on peut varier à l'infini ce dont on les tartine, les crostini sont une source sans cesse renouvelée de sensations gustatives différentes. Ils permettent d'utiliser les restes de viande, de sauce, etc.

Attention : Le gril amplifie les goûts — meilleur le pain, meilleurs les crostini. Pour tartiner, pas d'aliments de deuxième ordre, peu frais, peu nets. Les crostini n'acceptent que l'excellence dans la simplicité.

Attention : Les temps de cuisson sont ceux du gril d'un four multifonctions à plateau tournant[1]. Vérifier avec votre propre gril si les temps sont les mêmes.

Enfin : Les croûtons peuvent être salés ou sucrés. On peut également utiliser des tranches de pain beaucoup plus fines (5 millimètres environ). Dans ce cas, le temps de cuisson est de 2 minutes à 2 minutes et demie.

Quand les manger ?

• Apéritifs (croûtons tartinés qu'on peut, après cuisson, couper en petits carrés).
• Petit déjeuner.
• Goûter, en particulier des enfants (croûtons sucrés).

Quels pains, quelles épaisseurs ?

• Tranches de brioche.
• Tranches de pain de 5 ou 10 millimètres (2 minutes ou 3 à 4 minutes)

---

1. L'auteur a pu vérifier qu'avec deux fours apparemment similaires et de marque différente, les temps de cuisson peuvent varier du simple au double.

- Pain blanc, pain de campagne, pain complet, etc.
- Toasts.

Sucrés — salés ?

Humecter avec lait de poule, vin blanc, beurre, crème, huile d'olive, jus d'orange, jus divers, etc.

Quelques idées

- Filet de pigeon escalopé (retourner à mi-cuisson).
- Foie gras en escalope, en purée, en purée mélangée à une réduction crémée.
- Divers légumes.
- Omelette.
- Poisson cru.
- Fromages doux éventuellement additionnés d'herbes.
- Beurre d'ail.

Croûton au filet mignon de porc et à l'origan

1 tranche d'un pain de 400 g de 1 cm d'épaisseur
2 g de beurre d'ail (cf. croûton au beurre d'ail)
20 g de filet de porc coupé en lamelles de 1 mm d'épaisseur (plus facile à faire en mettant le porc dans le compartiment à viande du réfrigérateur : le froid raffermit la viande et permet de la couper aisément)
quelques gouttes d'huile d'olive
origan
sel de Guérande (fine fleur)
poivre

Tartiner très légèrement le pain avec le beurre d'ail.
Recouvrir avec les tranches de porc.
Mettre une goutte d'huile sur chaque tranche avec un soupçon d'origan, et 1 ou 2 grains de sel.
Poivrer.
Passer 4 minutes au gril.

817

Croûton au poulet et au reblochon fermier

1 tranche d'un pain de 400 g de 1 cm d'épaisseur
30 g de restes de poulet rôti coupés en cubes de 3 à 4 mm de côté
sel
poivre
20 g de reblochon fermier en lamelles
1 pincée de chapelure

> Répartir le poulet sur le pain. Saler avec précaution (à cause du fromage) et poivrer. Recouvrir avec le reblochon.
> Parsemer de chapelure.
> Passer 4 minutes au gril.

Croûton au blanc de pintade et à la ricotte

1 tranche d'un pain de 400 g de 1 cm d'épaisseur
30 g de blanc de pintade cuit coupé en cubes de 3 à 4 mm de côté
1 cuillerée à café de ricotte
1 pincée d'origan
pulpe de 1/2 tomate coupée en dés de 4 à 5 mm de côté
1/4 de cuillerée à café d'huile d'olive
sel
poivre
3 g de parmesan râpé
1 pincée de chapelure

> Mélanger la pintade, la ricotte, la tomate, l'origan, l'huile, sel et poivre.
> Tartiner le pain.
> Parsemer de parmesan puis de chapelure.
> Passer 4 minutes au gril.

Croûton à l'anchois et à l'olive

1 tranche d'un pain de 400 g de 1 cm d'épaisseur
1/2 filet d'anchois au sel, dessalé sous l'eau du robinet pendant 1 minute et désarêté
8 g de beurre mou
1 olive verte coupée en tout petits bouts (1 mm de côté)
1 pincée de chapelure

Écraser l'anchois à la fourchette. Mélanger avec le beurre et les morceaux d'olive.
Tartiner la tranche de pain.
Saupoudrer la chapelure.
Passer 3 minutes au gril.

Barque (croûton) à l'œuf, à la crème et à la ciboulette fraîche

1 tranche d'un pain de 400 g de 3 bons cm d'épaisseur
1/2 cuillerée à soupe de crème
1 g de ciboulette très finement hachée
sel
poivre
1 œuf extrafrais de petite taille (55 g)
1 pincée de chapelure de pain sec

Creuser une cavité de 2 centimètres de profondeur dans la tranche de pain sans percer le fond de la tranche.
Mélanger la crème, la ciboulette, le sel et le poivre.
Tartiner soigneusement le pain, en particulier les parois de la cavité, avec les trois quarts du mélange obtenu.
Casser délicatement la coquille de l'œuf et déposer ce dernier dans la cavité.
Mettre le reste de la crème délicatement au-dessus du jaune qu'elle empêchera de sécher à la cuisson.
Parsemer la chapelure
Passer 7 ou 8 minutes au gril.

NB — *Cette sorte de « barque » à l'œuf peut être aromatisée de multiples manières : avec des épices, des fruits de mer, des herbes diverses, etc. Elle constitue un mini-repas à elle seule.*

Croûton à la ricotte fraîche et au basilic

1 tranche d'un pain de 400 g de 1 cm d'épaisseur
sel
poivre
12 g de ricotte fraîche
1/2 cuillerée à café d'huile d'olive
1 grande feuille de basilic coupée en petites lanières
1 pincée de chapelure de pain sec

819

Mélanger le sel, le poivre, la ricotte, l'huile d'olive et le basilic.
Tartiner le mélange sur le pain. Parsemer de chapelure.
Passer 3 minutes au gril.

Croûton au beurre de roquefort

1 tranche d'un pain de 400 g de 1 cm d'épaisseur
5 g de beurre mou
10 g de roquefort

Mélanger le beurre et le roquefort. Tartiner le pain. Passer au
gril pendant 3 minutes.

NB — *Le goût du roquefort est trop intense pour que le fromage soit
utilisé seul. En cuisant, il deviendrait âcre. Le mélange beurre-
roquefort permet de garder le goût typique du roquefort sans le
dénaturer. Comme pour tous les croûtons au fromage, le nombre de
calories est relativement élevé : environ 100 par croûton. On peut
remplacer le roquefort par un autre fromage à pâte persillée : gorgonzola, stilton, bleu, fourme...*

Croûton au beurre d'ail

1 tranche d'un pain de 400 g de 1 cm d'épaisseur
1/2 gousse d'ail (sans le germe) cuite 15 minutes à l'eau
8 g de beurre mou
**1/2 feuille de basilic à grandes feuilles coupée en fines
lanières**
sel

Écraser l'ail avec le beurre, le sel et le basilic.
Tartiner la tranche de pain.
Passer 3 minutes au gril.

Croûton aux champignons

1 tranche d'un pain de 400 g de 1 cm d'épaisseur
30 grammes de champignons
1/4 de gousse d'ail finement râpée
1 échalote finement émincée
5 g de beurre
20 g de crème
chapelure de pain

Nettoyer les champignons. Les couper en petits dés de 3 à 4 millimètres de côté.

Faire revenir les champignons, l'ail et l'échalote au beurre pendant 2 ou 3 minutes.

Mélanger les champignons avec la crème.

Tartiner le pain avec le mélange.

Parsemer de chapelure.

Passer 4 minutes au gril.

NB — *Un accompagnement original si on dispose de cèpes ou de champignons plus inhabituels (pholiotes du peuplier, coprins chevelus...).*

Croûton aux dés de tomate et au basilic

1 tranche d'un pain de 400 g de 1 cm d'épaisseur
1 petite tomate ou la moitié d'une grosse
1/2 cuillerée à café d'huile d'olive
sel
poivre
1 grande feuille de basilic coupée en petites lamelles
1 pincée de chapelure

Peler la tomate. Presser pour enlever les pépins. Couper en petits cubes de 5 à 6 millimètres de côté. Mélanger avec l'huile d'olive, le sel, le poivre et le basilic ciselé. Étaler sur le pain.

Parsemer de chapelure

Passer 4 minutes au gril.

Croûton aux pâtes plates, à la tomate et au parmesan

1 tranche d'un pain de 400 g de 1 cm d'épaisseur
1 g de sel
1/2 cuillerée à café, plus quelques gouttes, d'huile d'olive
10 g de pâtes plates courtes (2 à 3 cm de long)
10 g de sauce tomate au basilic
5 g de parmesan râpé

Faire bouillir 1 décilitre d'eau, le sel et deux ou trois gouttes d'huile d'olive.

Ajouter les pâtes. Cuire à feu vif en écumant au fur et à mesure et en remuant pour éviter qu'elles n'attachent. Goûter de temps en temps. Les cuire molles (et non pas *al dente*). Les réserver lorsqu'elles sont cuites. Garder le liquide de cuisson.

Mélanger les pâtes cuites avec la sauce tomate au basilic et avec la 1/2 cuillerée à café d'huile d'olive.

Humecter le pain avec 1 ou 2 cuillerées à soupe d'eau de cuisson des pâtes.

Étaler les pâtes sur les tranches de pain

Saupoudrer de parmesan

Passer 4 minutes au gril.

NB — *Le pain est fait d'eau et de farine, les pâtes aussi. Leur rencontre ne doit pas choquer, mais nécessite réflexion.*

Croûton au miel et à la noix

1 tranche d'un pain de 400 g de 1 cm d'épaisseur
1 cuillerée à café de miel liquide ou semi-liquide
1 cerneau de noix haché grossièrement

Tartiner le miel sur le pain. Parsemer de petits bouts de noix. Passer 4 minutes au gril.

Croûtons à la pomme fruit

3 tranches d'un pain de 400 g de 1 cm d'épaisseur
1 jaune d'œuf frais cru
1 cuillerée à café rase de sucre en poudre, plus 1 pincée
1 pomme pelée

Battre à la fourchette 2 cuillerées à soupe d'eau, la cuillerée à café de sucre et le jaune d'œuf. En répartir le tiers sur chaque tranche de pain. Le mélange doit être absorbé par le pain.

Recouvrir complètement le croûton avec des tranches très fines (1 millimètre) de pomme.

Saupoudrer d'un peu de sucre en poudre.

Passer 4 minutes au gril.

NB — *Au lieu de sucre, on peut utiliser de la gelée ou de la confiture de fruits divers, ou bien du miel, du sirop d'érable, du sucre de palme, etc.*

Croûtons au choix de confitures

3 tranches d'un pain de 400 g de 1 cm d'épaisseur
1 jaune d'œuf frais cru
1 cuillerée à café rase de sucre en poudre
3 cuillerées à café de confiture de votre choix (1 par tartine)

Battre à la fourchette 2 cuillerées à soupe d'eau, le sucre et le jaune d'œuf.
En répartir le tiers sur chaque tranche de pain. Le mélange doit être absorbé par le pain.
Tartiner avec la confiture de votre choix.
Passer 4 minutes au gril.

Croûton au sucre et au beurre

1 tranche d'un pain de 400 g de 1 cm d'épaisseur
5 g de beurre mou
1 cuillerée à café de sucre en poudre

Mélanger le beurre et le sucre.
Tartiner le pain.
Passer au gril pendant 3 minutes.

NB — *Il y a 50 ans, les enfants nés dans les familles qui en avaient les moyens avaient droit pour le goûter à une tranche de pain beurré saupoudré de sucre ou de cacao en poudre. Comme la suivante, cette recette se situe dans cette tradition — plus agréable et amusante.*

Croûton au chocolat-beurre

1 tranche d'un pain de 400 g de 1 cm d'épaisseur
5 g de beurre mou
1 cuillerée à café de cacao en poudre sucré (ou 1/2 cuillerée à café de cacao non sucré et 1/2 cuillerée à café de sucre en poudre)

Mélanger le beurre et le cacao (et éventuellement le sucre).
Tartiner le pain.
Passer au gril pendant 3 minutes.

LA CUISSON DANS LE GROS SEL

Le sel est un élément minéral. C'est d'ailleurs un des rares minéraux que nous consommons. Il joue un rôle fondamental dans la régulation de l'eau et de sa distribution entre les cellules et les espaces extracellulaires. Les besoins sont de quelques grammes par jour, sans commune mesure avec les kilos utilisés pour cuire « dans le sel ». En effet, ce mode de cuisson n'a en aucune manière pour objectif de saler les aliments. C'est une façon de créer une enveloppe, un four en quelque sorte, autour de ce qu'on veut cuire.

Le principe est simple : on entoure de tous côtés l'aliment à cuire de gros sel. Ce dernier est utilisé soit tel quel, soit malaxé avec du blanc d'œuf éventuellement additionné de farine. On met l'ensemble dans un four chaud. La chaleur va solidifier le revêtement salé et créer une croûte dure qui servira de coque. Celle-ci assure une diffusion homogène de la chaleur et empêche l'évaporation de l'eau alimentaire.

Le gros sel permet une cuisson régulière. Les aliments restent moelleux. De plus, il assure un effet spectaculaire : au moment de servir on présente le tout sur la table, on casse la coquille et le mets apparaît, que l'on va ensuite découper.

Il faut, afin d'éviter que le sel pénètre l'aliment, ménager un élément de transition entre le sel et la chair. Le plus simple est la peau qui recouvre poissons ou volailles. On peut également entourer l'aliment avec une crépine, ou avec du papier sulfurisé ou de l'aluminium alimentaire.

L'inconvénient principal de cette méthode est son opacité. Comme on ne peut pas vérifier l'avancement de la cuisson, il faut être sûr des temps nécessaires. Il est donc préférable de réserver la cuisson au gros sel aux viandes et poissons qui tolèrent quelques variations de temps de cuisson sans inconvénient majeur; car, évidemment, on ne saurait affirmer que la température annoncée est bien la même pour chaque four, que la couche de sel a bien la même épaisseur, la cocotte les mêmes propriétés et, finalement, la poularde ou le bar, les mêmes caractéristiques.

Poulet en croûte de sel

Pour 4 personnes
1 poulet
poivre
4 kg de sel marin en grains
6 blancs d'œufs

Préparer le poulet, qui doit être de belle origine. Le flamber pour éliminer toute trace de plumes.
Ajouter du poivre à l'intérieur.
Faire une pâte avec le sel et les blancs d'œufs. En enrober le poulet.
Mettre l'ensemble dans un four à 200° (thermostat 7) pendant 1 heure et demie.
Servir le poulet en croûte de sel sur sa plaque de cuisson. Casser la coque à table et découper le poulet.

LA CUISSON EN CROÛTE

Pâtés en croûtes, croustades, poissons ou viandes en feuilletage, voilà qui évoque les repas d'apparat, les soupers fin du XVIIIe siècle, les grandes tables. Le bar de Paul Bocuse comme le gigot de Raymond Thuillier restent des classiques. Plus simplement les friands ou les modestes pains au chocolat et chaussons aux pommes font partie de la cohorte des mets cuits en croûte. On peut réaliser ainsi d'innombrables préparations. Toutefois, gardons-nous des excès. Si les soupes servies en petites marmites individuelles couvertes de feuilletage, devenues populaires après la soupe Valéry Giscard d'Estaing de Paul Bocuse, sont souvent amusantes et agréables — c'est d'une manière sophistiquée renouer avec la tradition paysanne du pain trempé dans la soupe —, un restaurateur pousse le ridicule jusqu'à présenter les steaks entre deux pièces de feuilletage. Il est vrai que dans ce restaurant tout est servi en feuilletage...
La cuisson en croûte est délicate. En effet, le temps nécessaire pour cuire l'enveloppe peut être différent du temps de cuisson de l'aliment proprement dit. De plus, celui-ci peut dégager de l'eau et, si on n'y prend pas garde, elle détrempera la pâte de la croûte. C'est la raison pour laquelle on ménage souvent dans les croustades une cheminée qui permet à la vapeur de s'échapper.

Autre difficulté : on ne peut évidemment pas surveiller la cuisson d'autre chose que de la surface extérieure de la croûte. Il faut donc bien connaître les propriétés de l'aliment et le comportement du four. Sinon, mieux vaut réserver cette cuisson à des aliments pour lesquels les temps de cuisson ne sont pas trop précis.

On utilise généralement de la pâte feuilletée, ou de la pâte à brioche (la brioche au foie gras est un classique) ; on peut aussi se servir de pâte brisée. Généralement, on badigeonne la surface extérieure avec un pinceau trempé dans du jaune d'œuf dilué pour lui donner un bel aspect doré.

Un dernier mot : les pâtes sont toutes riches en graisses animales, particulièrement la pâte feuilletée. La croûte apporte une grande quantité de calories, souvent plus que l'aliment qu'elle contient.

Bourdelots (douillons)

Pour 4 personnes
250 g de pâte écossaise ou de pâte à foncer un peu plus sucrée que sur la recette
4 pommes
80 g de beurre
gelée de groseilles
1 jaune d'œuf

Couper la pâte en 4 parties égales. Les étaler au rouleau pour que chaque partie puisse recouvrir une pomme.
Éplucher les pommes. Enlever le centre avec un emporte-pièce spécial.
Diviser le beurre en 8 morceaux.
Poser la première pomme, dès qu'elle est prête, sur la pâte. Placer dans le trou central successivement un morceau de beurre, de la gelée de groseille, puis un autre morceau de beurre. Le trou doit être comblé. Envelopper la pomme avec la pâte. Recommencer avec les 3 autres.
Badigeonner la pâte au pinceau avec le jaune d'œuf battu avec quelques gouttes d'eau.
Mettre sur une plaque antiadhésive. Cuire au four 30 à 40 minutes à 180° (thermostat 6).
Servir tiède ou froid.

NB — *Les bourdelots ou douillons normands se font avec des pommes ou des poires (à quel fruit est réservé l'appellation, ce n'est pas clair). Si les fruits sont médiocres, ils risquent de s'affaisser et de faire éclater la pâte.*

LA CUISSON EN PAPILLOTES

Les papillotes, c'est-à-dire des enveloppes faites de papier d'aluminium ou de papier beurré — c'est le plus traditionnel —, sont rangées dans le chapitre des fours, même si on les trouve aussi dans d'autres types de cuisson, par exemple à la vapeur ou sur le gril. C'est pourtant la cuisson au four qui offre le plus de possibilités. Et puis ne constituent-elles pas elles-mêmes une sorte de four transitoire, détruit au moment où le convive commence son repas ? Car, individuelles ou collectives, les papillotes sont traditionnellement ouvertes à table, devant les invités, ou par eux. C'est alors que se dégagent les flaveurs et les fragrances de leur contenu. On cuit en papillotes des mets fins, des poissons de classe, des crustacés, de petites volailles, des paupiettes, des desserts, etc.

Comme toutes les cuissons aveugles, il faut bien maîtriser les temps de cuisson qui, répétons-le, varient avec l'aliment considéré mais aussi le type de four, sa taille, la quantité et le volume mis à cuire, le temps de préchauffage, etc. Seule la cuisson à la vapeur offre des garanties puisque l'eau bout toujours à la même température. Il reste cependant au cuisinier inquiet, ou simplement soucieux de perfection, la possibilité de « tricher », d'ouvrir subrepticement la papillote à la cuisine, en dehors du regard des invités, pour vérifier la cuisson. Quand on ne maîtrise pas bien le four ni le gril et le plat à présenter, c'est une sage précaution.

Flétan en feuilles de vigne fraîches

Pour 4 personnes
4 belles tomates épluchées, épépinées et coupées en petits cubes
100 ml d'huile d'olive
2 petits piments rouges épépinés
sel
poivre
2 gousses d'ail épluchées, dégermées et râpées
feuilles de vigne
4 pavés de flétan de 200 g chacun
1 citron

Faire fondre les tomates avec 20 millilitres d'huile, les piments coupés en deux, le sel, le poivre et l'ail, pendant 5 minutes.

Laver les feuilles de vigne pour enlever les traces de bouillie bordelaise qui peuvent les couvrir d'un dépôt bleuâtre. Enlever les trop grosses côtes. Les mettre à l'eau bouillante, juste le temps de les assouplir.

Étaler les feuilles de vigne, et former 4 grandes enveloppes. Mettre la moitié de la concassée de tomate, puis le flétan, et ensuite la seconde moitié des tomates. Rabattre les feuilles de vigne (il en faut suffisamment pour fermer l'ensemble hermétiquement). Les faire bien adhérer au poisson.

Les placer dans un plat à four. Arroser d'huile d'olive et de citron.

Cuire à 180° (thermostat 6) pendant 20 minutes.

Arroser en cours de cuisson.

Servir dans le plat, arroser avec le jus de cuisson.

NB — *C'est là une conception méditerranéenne de ce poisson de mers froides.*

Poissons vivants en papillotes

Il s'agit d'une manière simple de goûter le « vrai » poisson. Cette recette, dont il existe de nombreuses variétés régionales, n'a de sens qu'avec des poissons juste sortis de l'eau. Certains restent vivants assez longtemps (carpes, tanches, anguilles, poissons plats) et sont donc les mieux adaptés à cette cuisson ; mais le pêcheur amateur disposant d'une bourriche pourra également utiliser d'autres poissons plus fragiles.

On tue les poissons, on les vide soigneusement, en enlevant les branchies et ôtant toutes les traces de sang (gare à l'amertume !) en pressant bien le long du corps. On enlève les nageoires et la queue, on écaille (c'est facultatif ; sinon, on écaillera après cuisson).

On place les poissons entiers ou en tranches selon leur taille dans une grande papillote d'aluminium. On ajoute du beurre, de l'huile d'olive, du vin blanc, du cidre, des échalotes, de la ciboule ou de l'oignon blanc émincé, des algues, des herbes aromatiques, etc., du sel et du poivre à sa convenance.

La papillote est fermée et mise au four à 200° (thermostat 6-7) pour une durée variable selon la taille des poissons.

On sert la papillote, qu'on ouvre à table. Pas besoin d'autre accompagnement. C'est la meilleure façon de goûter les saveurs spécifiques de chaque type de poisson.

LA CUISSON À BASSE TEMPÉRATURE

A côté des méthodes usuelles qui, à chaleur douce ou à grand feu, se font à température relativement élevée, il existe des méthodes qui demandent la basse température. C'est le cas de certains bains-maries, qui plafonnent parfois entre 40° et 50°. C'est aussi le cas du pochage des poissons qui se fait aux alentours de 80°, en tout cas en dessous de 90°.

En fait, les protéines animales commencent à coaguler entre 35° et 50°. Or les objectifs du cuisinier ne sont pas de les carboniser. C'est ainsi que le rôti cuit à une température intérieure bien inférieure aux 180° ou 200° qui lui sont imposés de l'extérieur dans le four. La température indiquée sur le four n'est pas celle de l'aliment à la fin de la cuisson. Il est vraisemblable que de nouvelles méthodes de cuisson se répandront, telle la cuisson sous vide à basse température, que maîtrisent déjà nombre de grands chefs.

CUISSON À LA BILATÉRALE

La cuisson dite à l'unilatérale, utilisée principalement pour les poissons, consiste à cuire l'aliment sur une poêle seulement côté peau. On obtient ainsi un dégradé de consistances allant du très cuit côté poêle au cru du côté opposé.

Une autre méthode consiste à y associer la conduction en utilisant une poêle épaisse et une source située à l'opposé — le gril du four. Il suffit de chauffer fortement la poêle, d'y poser le filet de poisson côté peau et de mettre l'instrument dans le four sous le gril, qui cuit l'autre face. C'est une façon rapide et délicate. Si elle est réussie, on obtient une peau croustillante d'un côté, une surface extérieure cuite de l'autre côté et un milieu tendre, chaud et à peine cuit.

Dos de saumon aux amandes cuit à la bilatérale avec sa peau croustillante

Pour 4 personnes
4 pavés épais de saumon (200 g environ) coupés dans la partie la plus charnue de l'animal, avec la peau
80 g de beurre
60 g d'amandes en poudre
poivre
sel de Guérande ou de Noirmoutier (fine fleur)

Écailler le poisson, laisser la peau. Bien nettoyer, enlever les petites arêtes.
Mélanger finement le beurre avec la poudre d'amandes et le poivre et en tartiner la face nue des pavés.
Faire chauffer le gril du four.
Faire fortement chauffer un plat épais sur la cuisinière.
Éteindre le feu et poser sur le plat, côté peau, le saumon. Mettre aussitôt le poisson dans le four. Cuire 2 minutes, le temps que le beurre d'amande fonde et blondisse.
Servir aussitôt, en enlevant la peau, qui peut être servie à part grillée. Parsemer de fleur de sel.

NB — *La cuisson doit être courte. Ainsi est préservé le moelleux du poisson.*
On peut accompagner ce plat de haricots cocos au foie gras et à la sarriette alternipilosa.

6

Les cuissons complexes

A côté des systèmes simples, c'est-à-dire de ceux qui procèdent soit d'une seule façon de traiter l'aliment — par exemple la vapeur —, soit d'une succession réglée d'opérations bien identifiées, comme dans le cas des ragoûts ou des blanquettes, il existe des systèmes plus complexes. Complexes parce que, à l'image de la vie, au fur et à mesure qu'on croit saisir sa réalité, l'art culinaire s'échappe et nous rappelle que les apparences et les règles qui sont censées le définir ne peuvent le contenir toujours. Aussi parce que certains plats résultent d'une suite d'interventions différentes les unes des autres. Ce type de complexité n'est qu'apparent, car il s'agit plutôt d'une série, d'un ensemble d'opérations simples, dont la combinaison finale crée un plat dont les qualités dépendent du talent et des moyens du cuisinier.

CUISSONS MIXTES

Les cuissons mixtes sont celles qui combinent plusieurs méthodes simultanées. Nous en avons un exemple aujourd'hui familier dans les fours multifonctions qui permettent, en appuyant sur une touche, de cuire en associant gril et chaleur tournante, ou micro-ondes et chaleur tournante.

D'autres méthodes, de manière évidente ou cachée, apportent diverses formes d'énergie thermique à l'aliment. Comme il est indiqué au « Livre des fours », la cuisson dans une enceinte close relève souvent de principes différents.

C'est le cas de la cuisson à la bilatérale qui associe conduction et radiation.

Pommes de terre à la crème sure

Pour 4 personnes
**8 belles pommes de terre à chair ferme de 100 g chacune
crème sure**

> Répartir les pommes de terre dans un four multifonctions en les plaçant de façon régulière et symétrique en couronne, près du bord extérieur du plateau tournant afin de les cuire d'une façon identique (les micro-ondes ne se répartissent pas de la même manière au centre et à la périphérie).
> Régler la combinaison « convection + micro-ondes » sur la puissance maximale. Cuire 4 à 10 minutes selon le type de four.
> Couper les pommes de terre en deux, les placer sur un plat et les servir avec la crème sure.

NB — *Les temps de cuisson sont très différents d'un four à l'autre, et ils dépendent aussi du nombre, de la taille et de la structure des aliments. Il est souvent sage de vérifier la cuisson en cours, on peut toujours cuire un peu plus une pomme de terre encore trop crue, alors que la surcuisson et le dessèchement qu'elle entraîne sont irrémédiables.*

LES CUISSONS PARALLÈLES

Un plat peut être simplement la rencontre finale, dans l'assiette ou dans le récipient de service, d'éléments cuits chacun de façon différente. Ce mode est celui des cuissons parallèles et concerne en fait la quasi-totalité des plats principaux servis à table. Les pommes vapeur qui accompagnent le ragoût et les frites jointes au steak n'ont pas cuit avec, mais en même temps que la viande, dans un autre récipient et selon des principes différents.

Pour une plus grande clarté, la plupart des recettes de cet ouvrage évitent de décrire de telles associations, que le lecteur peut aisément reconstituer. Il est préférable de maîtriser la cuisson du steak et celle des frites individuellement que de centrer l'attention sur leur réunion finale qui est aléatoire : on peut remplacer les frites par un autre accompagnement et, inversement, elles peuvent se manger seules ou avec d'autres viandes.

Dans d'autres cas, l'intérêt même du plat réside précisément dans la réunion finale des éléments cuits en parallèle.

Carrés d'agneau de lait aux légumes de printemps

Pour 4 personnes
1 kg de petits pois (pois non écossés)
4 petits navets avec leurs fanes bien vertes
4 gousses d'ail nouveau
8 toutes petites pommes de terre nouvelles
12 petits oignons blancs
500 ml de bouillon de légumes
100 ml d'huile d'olive
sel
poivre
1 petite branche d'origan compact (Origanum compactum) ou à défaut d'origan vulgaire
4 carrés de 4 côtes d'agneau de lait parés et partiellement désossés (il ne doit rester que le manche)

Écosser les petits pois, laver et nettoyer les autres légumes, garder les fanes.
Mettre dans une grande sauteuse le bouillon de légumes à réduire des 3/4.
Ajouter l'huile, le sel et le poivre, et les pommes de terre, faire bouillonner avec l'origan pendant 5 minutes
Ajouter l'ail et les oignons, cuire 3 minutes, puis les navets, cuire encore 3 minutes, et enfin les petits pois. Cuire encore 3 à 4 minutes.
Rectifier l'assaisonnement. Le liquide de cuisson doit être sirupeux, émulsionné, les légumes doivent être colorés, luisants et fermes.
Ajouter les fanes qui doivent juste se flétrir.
Cuire les carrés à 250° (thermostat 8-9) pendant 12 minutes. Les laisser au chaud 10 minutes.
Découper les carrés et disposer les côtelettes en éventail dans les assiettes. Placer les légumes à côté.

Jambon à la mode des îles
aux patates douces et bananes plantains

Pour 12 personnes
20 clous de girofle
1 jambon frais de porc sans sa couenne
100 ml de rhum
1 morceau de cannelle (écorce)
sel
12 grains de poivre écrasés
4 petits oignons blancs épluchés finement émincés
100 g de miel
1 kg de bananes plantains
1 kg de patates douces
50 ml d'huile de tournesol

Planter les clous de girofle dans le jambon. Le mettre à mariner au frais avec le rhum, la cannelle, le sel, le poivre et les oignons pendant 12 à 18 heures.

Mélanger la marinade avec le miel. Badigeonner le jambon. Le cuire 3 heures à 180° (thermostat 6) en le badigeonnant avec le jus de la lèchefrite. Au besoin, diluer du miel avec un peu de rhum et s'en servir à cette fin.

Cuire les patates douces 30 minutes à l'eau salée.

Éplucher les bananes, les couper en grosses rondelles et les frire 5 minutes sur chaque face dans l'huile.

Servir le jambon entouré des légumes.

NB — *L'idée de planter des clous de girofle dans la viande était très répandue au Moyen Age. On peut faire mariner la viande plus long-temps. On peut également varier les accompagnements : l'ananas en particulier est très souvent associé au porc dans la cuisine du Sud des États-Unis et aux Antilles. La durée de la cuisson dépend de la taille du jambon.*

Filet mignon aux échalotes grises
en aigre-doux de galanga, sucre de palme
et vinaigre d'acore

Pour 4 personnes
4 échalotes grises épluchées et finement émincées
2 cuillerées à soupe d'huile d'olive
4 cuillerées à soupe de vinaigre d'acore
1 cuillerée à soupe de sucre de palme
sel
1/2 cuillerée à café de galanga en poudre
2 filets mignons de porc

Faire fondre à feu doux les échalotes dans l'huile d'olive pendant 5 minutes.
Ajouter le vinaigre, le sucre, le sel et le galanga. Remuer. Couvrir. Faire cuire à feu doux pendant 10 minutes.
Couper les filets mignons en rondelles de 1,5 centimètre d'épaisseur.
Dans une poêle à fond épais, faire griller à sec les rondelles de viande une minute par face. Ajouter les échalotes et leur cuisson. Mélanger. Cuire encore 2 minutes.

NB — *Le vinaigre d'acore se fabrique en faisant macérer un rhizome d'acore (Acorus calamus) dans du vinaigre de vin pendant un mois.*

Poule faisane aux girolles

Pour 4 personnes
2 poules faisanes
500 g de girolles
100 g de beurre
sel
poivre

Parer et barder les faisanes.
Rôtir les animaux au four à 250° (thermostat 9) pendant 20 minutes. Laisser reposer 10 minutes dans le four éteint.
Nettoyer et essuyer les girolles. Les faire cuire à feu moyen avec le beurre et du sel pendant 20 minutes. Elles doivent rendre leur eau, le jus de liaison doit être un peu épais.

Sortir les oiseaux, lever les filets qui doivent être rouges, les émincer et les disposer en demi-lunes sur les assiettes. Désarticuler les cuisses.

Disposer une cuisse au centre de chaque demi-lune. Saler et poivrer la viande.

Entourer la viande avec les girolles.

NB — *La chair des poules faisanes est supérieure à celle des coqs. Servie rosée, elle est beaucoup plus délectable que lorsqu'elle est trop cuite. Faire attention aux cuisses qui peuvent être brisées et avoir une amertume désagréable. Si elles sont trop rouges, on peut les faire griller 2 à 3 minutes.*

Perdreaux grillés sauce aux groseilles

Pour 4 personnes
4 perdreaux
3 échalotes épluchées, finement émincées
1 petit poireau épluché, finement émincé
50 g de beurre
1 verre d'armagnac jeune (50 ml)
sel
poivre
1 bouquet garni (thym, laurier, persil)
gelée de groseille

Lever les filets des perdreaux. Détacher les cuisses.

Hacher grossièrement le reste des carcasses.

Faire fondre les échalotes et le poireau dans le beurre pendant 3 minutes à feu moyen. Ajouter le hachis de perdreaux. Cuire 10 minutes en remuant de temps en temps pour assurer une cuisson régulière.

Ajouter l'armagnac. Faire flamber.

Mouiller à hauteur avec de l'eau. Ajouter sel, poivre, bouquet garni. Couvrir. Cuire à feu moyen pendant 30 minutes.

Passer le jus obtenu au chinois en pressant bien. Remettre sur le feu et faire réduire des 2/3.

Mélanger avec la même quantité de gelée de groseille. Réserver au tiède.

Cuire au gril les cuisses et les filets 4 minutes et 2 minutes respectivement sur chaque face.

Mettre dans chaque assiette deux filets et deux cuisses de perdreaux. Ajouter la sauce.

Perdreaux rôtis. *Avec le même accompagnement, on peut rôtir les perdreaux entiers : 6 minutes sur le dos, 5 minutes de chaque côté au four à 250° (thermostat 8-9). On laisse reposer au tiède pendant 15 minutes avant de servir.*

Soupe vietnamienne mi-kho

D'origine chinoise, elle est très populaire en Indochine (Vietnam). Indépendamment de ses qualités gustatives, son originalité est d'être sèche (Kho) : le bouillon est servi à part, les pâtes jaunes de blé aux œufs (mi) sont sèches.

Pour 4 personnes
os de porc
1 carcasse de poulet
3 gousses d'ail écrasées
2 oignons épluchés et émincés finement
sel
2 cuillerées à soupe de nuoc-mam
1 petite poignée de cai bau tao (petite salade confite au sel et séchée qu'on trouve dans les épiceries chinoises)
2 cuillerées à soupe d'oignons verts finement émincés
400 g de pâtes jaunes de blé fraîches aux œufs (mi)
1 cuillerée à soupe d'huile d'arachide
1 cuillerée à soupe d'huile de sésame
1 cuillerée à soupe de sauce d'huître
1 cuillerée à café de concentré de tomates
1 cuillerée à soupe de vinaigre de sorgho
1 cuillerée à soupe de sauce de soja
poivre blanc moulu
300 g de xia xu finement coupé

Dans une cocotte, mettre les os, le poulet, l'ail et les 2 oignons avec 3 litres d'eau. Cuire doucement pendant deux ou trois heures. Il doit rester 2 litres de bouillon.

En fin de cuisson ajouter le sel et le nuoc-mam, puis le cai bau tao. Filtrer — le bouillon doit être bien clair. Ajouter les oignons verts.

Séparer les pâtes comme un écheveau. Les ébouillanter quelques minutes. Les égoutter. Ajouter l'huile d'arachide et remuer pour qu'elles n'attachent pas.

Mettre dans un bol l'huile de sésame, la sauce d'huître, le

concentré de tomates, le vinaigre de sorgho, la sauce de soja et le poivre blanc moulu. Ajouter les pâtes et le xia xu.

Présenter le bouillon en soupière. Le servir dans les bols individuels, les pâtes dans les assiettes.

NB — *Le* xia xu *est un morceau de porc (travers, filet ou échine) rôti, sucré et mariné pendant plusieurs heures avec 5 ou 6 épices spéciales.*
On peut ajouter, comme plat de fête, 20 grosses crevettes marinées et grillées et 300 grammes de canard rôti, épicé et émincé.
Le Mi-Kho chinois comporte en plus carottes, navets, poivre, glutamate, seiche séchée grillée ou petites crevettes séchées dans les ingrédients aromatiques du bouillon qui se sert bouillant.
Les pâtes sont cuites de la même façon et aromatisées avec huile de sésame, sauce de soja épaisse, sucre, ail grillé, chou coufit salé, ciboulette chinoise, coriandre. On ajoute du xia xu ou du canard laqué ou des crevettes fraîches grillées, épluchées et coupées en deux.
(Recette de Mireille Connan et Bernard Louyrette.)

Beuchelle au ris d'agneau

Pour 4 personnes
1 rognon de veau
300 g de ris d'agneau
50 g de beurre clarifié
20 g d'huile d'arachide
20 g de beurre
3 cèpes (bouchons de champagne) finement émincés
100 g de crème
sel
poivre
50 g de parmesan fraîchement râpé

Éplucher le rognon de veau, le couper en larges tranches de 5 millimètres. Enlever les parties blanches et fibreuses situées près du hile.
Éplucher les noix de ris d'agneau, les couper en tranches de 5 millimètres.
Faire sauter les tranches de rognon de veau 1 minute et demie sur chaque face dans le beurre clarifié, puis les ris d'agneau 2 minutes de chaque côté.

Réserver ris et rognons au tiède. Jeter le beurre clarifié.
Mettre l'huile d'arachide et le beurre dans la poêle. Faire sauter vivement l'émincé de cèpes. Lorsqu'ils sont bien rissolés, jeter le gras, et ajouter la crème.
Saler et poivrer.
Gratter les sucs. Faire bouillonner 2 minutes.
Baisser le feu et ajouter le rognon et les ris. Les envelopper de la crème.
Rectifier l'assaisonnement. Parsemer de parmesan et faire colorer au gril du four (salamandre).

NB — *Une recette à la suite de celle d'Édouard Nignon[1], allégée. Nignon ajoute du madère et de la glace de veau. Le ris de veau présent chez Nignon est remplacé par le ris d'agneau. La Reynière, dans ses 100 Merveilles de la cuisine française[2] remplace les cèpes par des truffes, flambe les rognons au cognac et ne fait pas gratiner.*

Mulet en poisson complet comme à La Goulette

Par personne
1 mulet de mer de 250 à 300 g
huile d'olive
1 belle tomate
1 œuf
1 piment vert (fort)

Nettoyer vider, écailler les poissons. Les inciser sur les côtés.
Les badigeonner d'huile d'olive.
Éplucher les tomates. Les couper en deux, les épépiner sans les briser.
Griller les poissons.
Cuire à l'huile d'olive les tomates et les piments. Les tomates doivent être bien cuites.
Cuire les œufs au plat à l'huile d'olive.
Déposer sur chaque assiette un poisson, deux demi-tomates, un œuf sur le plat et un piment.

NB — *C'est le poisson complet de La Goulette, simple, beau,*

1. *Éloges de la cuisine française*, réédition François Bourin, 1992.
2. Seuil, 1971.

agréable. Certains y ajoutent des pommes de terre sautées ou frites. On peut remplacer le mulet par un autre poisson : bar, serre, sole, tranche de mérou, etc.

Pavé de cabillaud au confit d'oignons

Pour 4 personnes
4 darnes de 3 cm d'épaisseur de cabillaud
200 g d'oignons confits à la 7 heures

Bien nettoyer les darnes pour enlever les restes de sang.
Les cuire 10 minutes à la vapeur.
Les éplucher, enlever la peau et les arêtes, reconstituer les darnes en forme de pavés dans les assiettes de service.
Couvrir avec les cercles d'oignons, arroser largement de la sauce.

NB — *Puisqu'il faut 7 heures pour préparer les oignons, ils peuvent cuire pendant la nuit (cf. Plats de la nuitée).*
La préparation et la cuisson du cabillaud étant très rapide, il s'agit en définitive d'une préparation raffinée exécutée dans un temps record.
Si, lors de la préparation finale, il apparaît que le poisson n'est pas assez cuit, il suffit de le remettre à cuire 1 ou 2 minutes.

Filets de grenadier au piment

Pour 4 personnes
3 gousses d'ail épluchées et dégermées
1 jus de citron
2 piments de Cayenne
1 cuillerée à café de curcuma pulvérisé
300 ml de lait de coco
sel
4 filets de 200 g de grenadier
farine
1 cuillerée à soupe d'huile d'arachide

Pulvériser l'ail avec le citron et le piment. Mettre l'ensemble avec le curcuma et le lait de coco dans une casserole. Saler, faire chauffer à feu doux pendant 15 à 20 minutes.

Fariner légèrement les filets. Les frire vivement avec l'huile d'arachide, 2 minutes par face sont suffisantes.

Mettre le poisson dans la sauce. Cuire 1 minute et servir.

NB — *Style indien pour un poisson d'eau froide et profonde.*

Salade de Rougets au plan de poireaux et mauvaises herbes de début de printemps

Pour 4 personnes

16 rougets de 50 g
1 botte de 100 plants de poireaux
200 g de jeunes feuilles d'ortie
30 feuilles d'alliaire
12 tiges florales de cardamine des prés
20 fleurs de primevère
20 g de beurre
huile extra vierge de Toscane
fine fleur de sel de Guérande
poivre blanc

Lever les filets de rougets. Enlever les arêtes à la pince à épiler.

Laver les poireaux, les éplucher, les réduire à 10-12 cm de long. Pocher les poireaux 2 minutes à l'eau bouillante salée. Les égoutter et les réserver au tiède.

Laver les feuilles d'ortie, les pocher 1 minute à l'eau bouillante salée. Les égoutter et presser pour exprimer l'eau. Les hacher et les réserver.

Laver l'alliaire. L'égoutter et l'émincer finement.

Disposer un quart des poireaux en buisson dans chaque assiette

Faire sauter l'ortie dans le beurre à feu vif pendant 2 minutes. Hors du feu incorporer l'alliaire. Disposer un quart de l'ensemble dans chaque assiette.

Faire griller à sec les filets de rougets 30 à 40 secondes, sur chaque face. Les placer sur les assiettes.

Parsemer les fleurs de primevère et de cardamine.

Saupoudrer de sel, poivrer et recouvrir les divers éléments d'un filet d'huile d'olive.

NB — *Le plan de poireaux se trouve dans les jardineries et chez les marchands de plantes.*

Espadon aux petits lardons

Pour 4 personnes
120 g de poitrine de porc coupée en 24 petits lardons
6 échalotes épluchées finement émincées
500 ml de vin rouge
1 bouquet garni (laurier, thym, queues de persil)
sel
poivre
1 tranche d'espadon de 2 cm d'épaisseur
farine
20 ml d'huile d'arachide
1 cuillerée à soupe de feuilles de persil

Faire fondre doucement les lardons dans une cocotte. Quand ils sont dorés, les réserver au chaud. Ajouter les échalotes. Les faire fondre pendant 2 ou 3 minutes. Ajouter le vin rouge, le bouquet garni, saler et poivrer. Laisser cuire 20 à 30 minutes. Fariner le poisson. Le faire cuire dans l'huile 3 minutes de chaque côté.

Mettre le poisson sur une planche, l'éplucher, le couper en 4 morceaux. Les placer sur 4 assiettes, ajouter les lardons, recouvrir de sauce. Parsemer de persil haché.

NB — *Une sauce au vin rouge pour un poisson de mer.*

Escalope de lieu aux poireaux

Pour 2 personnes
500 g de poireaux
20 g de beurre
2 filets de lieu jaune de 200 g
100 g de crème
sel
poivre

Faire une ébouriffée de poireaux avec les poireaux et le beurre[1].
Cuire le lieu 4 minutes à la vapeur.

1. Cf. recette p. 882.

Mettre chaque filet sur une assiette, le garder au chaud, sans cuire.

Ajouter crème, sel et poivre à l'ébouriffée, monter la température et faire bouillir la crème en tournant et en épaississant la sauce. Quand la consistance est suffisamment ferme, couvrir les filets de poisson et servir.

Merlan enragé

Pour 6 personnes
3 gousses d'ail épluchées et dégermées
8 piments de Cayenne
1 pincée de sel
50 ml d'huile d'olive
4 belles tomates mûres
6 filets de merlan
farine
30 g de beurre

Écraser l'ail avec les petits piments rouges et le sel dans un mortier.

Ajouter 1 cuillerée à soupe d'huile d'olive. Bien mélanger.

Éplucher, épépiner les tomates (on peut les plonger 30 secondes dans l'eau bouillante). Les couper en cubes de 1 centimètre de côté.

Mettre le reste de l'huile d'olive dans une casserole. Ajouter les tomates, cuire 1 minute à feu vif. Baisser le feu au minimum, ajouter la purée d'ail et de piment. Bien mélanger. Laisser à compoter 15 minutes à feu doux.

Fariner les filets, tapoter pour enlever l'excès, les cuire dans le beurre à feu moyen (on peut si on préfère les frire à l'huile d'olive ou simplement les cuire à la vapeur).

Les filets cuits doivent rester tendres et doux.

Les servir à l'assiette, recouverts de sauce « enragée ».

NB — *C'est une façon simple de préparer les filets de poissons « doux », comme la plupart des gadidés (cabillaud, merlu, lieu jaune ou noir, etc.).*
Le brûlant de la sauce équilibre la tendre onctuosité de la chair.

Charmoula de serre

Pour 4 personnes
1 oignon doux ou 6 petits oignons blancs épluchés et émincés
4 cuillerées à soupe d'huile d'olive
1 cuillerée à soupe d'épices pulvérisées (4 boutons de rose de
Damas séchés, 6 grains de cubèche — ou poivre à queue —,
1 cm^2 d'écorce de cannelle)
100 g de raisins de Corinthe
sel
vinaigre de vin rouge
4 serres de 250 g
farine
60 g de beurre clarifié

Faire fondre l'oignon dans l'huile pendant 5 minutes sans colorer. Ajouter les épices, les raisins et le sel avec 1/4 de litre d'eau.
Faire compoter pendant 30 à 40 minutes. Au dernier moment,
ajouter un trait de vinaigre.
Nettoyer, écailler et vider les poissons. Les laver, les sécher. Les
fariner et les cuire dans le beurre clarifié 4 à 5 minutes par face.
Servir les poissons à l'assiette, la sauce en saucière.

NB — *Ce plat tunisien peut se faire avec n'importe quel autre
poisson.*

Filets de rougets barbets à l'anchois
et aux courgettes

Pour 4 personnes
2 rougets de 250 grammes
2 filets d'anchois salé
2 courgettes de taille moyenne
2 cuillerées à soupe d'huile d'olive
30 grammes de crème
sel de Guérande
poivre

Lever les filets des poissons, enlever les petites arêtes à la pince à
épiler.

Laver l'anchois sous l'eau du robinet, enlever les éventuelles écailles et les arêtes.

Couper les courgettes lavées non épluchées en bandes longitudinales de 1 mm d'épaisseur. Les couper en 3 transversalement.

Faire fondre l'anchois dans une poêle avec l'huile d'olive en l'écrasant avec le dos d'une fourchette ou une spatule.

Ajouter les courgettes. Les cuire 2 minutes à feu vif.

Ajouter la crème. Poursuivre la cuisson 2 minutes en tournant de temps en temps. Saler, poivrer.

Faire chauffer une autre poêle passée très légèrement au pinceau huilé. Cuire les filets de rougets une minute de chaque côté.

Servir les rougets à l'assiette, chaque filet entouré d'une collerette de courgette.

Omble chevalier aux cèpes et au lard épicé

Pour 4 personnes
80 g de lard de poitrine frais coupé en tranches très fines
3 cuillerées à soupe de graisse d'oie
6 grains de genièvre
600 g de têtes de cèpes
375 ml de vin blanc sec
50 g de beurre
sel
poivre
4 ombles chevaliers de 300 g

Mettre le lard à cuire à petit feu dans la graisse avec le genièvre. Au terme de la cuisson, il doit être craquant et desséché.

Essuyer soigneusement les têtes de cèpes. Au besoin ôter avec un petit couteau les parties abîmées. Émincer les têtes en tranches de 5 à 10 millimètres d'épaisseur.

Dans une cocotte, mettre le vin, le beurre, les cèpes, saler et poivrer, cuire à feu vif. Le temps de cuisson est variable et dépend de la qualité des cèpes. Au terme de l'opération, les champignons doivent être bien cuits et il ne doit rester quasiment plus de liquide (retourner régulièrement les champignons en fin de cuisson pour éviter qu'ils ne prennent au fond).

Laver, nettoyer et vider soigneusement les poissons en grattant bien ; enlever les traces de sang, enlever les branchies et les parties rouges de la tête. Essuyer les poissons.

Cuire les poissons 10 minutes à la vapeur.

Placer au fur et à mesure les ombles dans les assiettes, après avoir ôté la peau et les nageoires.

Répartir les cèpes de part et d'autre des poissons sur les assiettes. Placer sur les filets les morceaux de lard confit bien essuyés.

NB — *L'omble chevalier, poisson de fond de certains lacs savoyards, se trouve occasionnellement sur les marchés. Certains élevages en produisent désormais.*
La recette la plus classique dite à l'ancienne, dont on pense qu'elle est en fait annecyenne (c'est-à-dire d'Annecy), associe cèpes et vin blanc cuits avec les poissons. Dans les livres anciens, la cuisson en est d'ailleurs fort longue : 20 à 60 minutes au four selon la taille du poisson. La recette présentée ici associe cuisson du poisson à la vapeur et cèpes cuits comme une bouillabaisse. Le lard ajoute une note croquante et « épicée ».

Poivronnade de sandre

Pour 4 personnes
3 poivrons verts
3 poivrons rouges
3 poivrons jaunes
4 1/2 cuillerées à soupe d'huile d'olive
3 gousses d'ail épluchées, dégermées et coupées en petits morceaux
3 petits piments forts sans pépins
sel
poivre
4 filets de sandre de 200 g
3 cuillerées à soupe de crème
40 g de beurre clarifié
cerfeuil ciselé

Utiliser 3 casseroles. Mettre dans chacune 2 poivrons de même couleur (on aura enlevé la queue et les pépins) avec 1 cuillerée et demie d'huile d'olive, 1 gousse d'ail, 1 piment, sel et poivre. Laisser compoter pendant 1 heure environ. Enlever les peaux et passer au mixer avec 1 cuillerée de crème.

846

Cuire les 3 autres poivrons au four à micro-ondes pendant 20 à 25 minutes. Les éplucher, les couper en languettes d'un centimètre de large.

Mettre les languettes de poivrons à feu doux, chacun dans la mousse de même couleur.

Poêler à feu doux les filets de sandre dans le beurre clarifié 4 à 5 minutes côté peau, 2 minutes de l'autre côté. Saler.

Disposer dans chaque assiette 3 tas de poivrons de couleur différente. Mettre le poisson au centre. Parsemer de cerfeuil.

Tanche à l'ail en court potage piquant

Pour 4 personnes
2 belles tanches de 600 g venant de fonds sableux et courants
1 oignon de taille moyenne épluché et émincé
80 ml d'huile d'olive
300 g de pommes de terre à chair ferme épluchées et coupées en cubes de 1 à 1,5 cm de côté
2 têtes d'ail non épluchées coupées en 2 dans le sens horizontal
8 piments rouges type Cayenne
sel
poivre en grains (ou mignonnette)
farine
1 cuillerée à soupe de feuilles de coriandre fraîche hachées
40 g de beurre clarifié

Vider les tanches, bien les laver, lever les filets.

Tremper les têtes et les arêtes pendant 30 minutes à l'eau froide. Enlever les branchies et les traces de sang.

Faire revenir à bon feu l'oignon dans l'huile d'olive, puis les pommes de terre et les parures de poisson. Mouiller avec de l'eau, ajouter l'ail, les piments, le sel et le poivre. Faire bouillonner au grand feu pendant 20 minutes.

Filtrer le jus, éliminer les piments et les parures de poisson. Écraser l'ail pour récupérer la pulpe et les pommes de terre. Remettre dans le jus. Mixer l'ensemble. Rectifier l'assaisonnement.

Fariner les filets après les avoir débarrassés du maximum d'arêtes.

Les cuire dans le beurre clarifié 2 minutes sur chaque face. Servir dans des assiettes creuses, le poisson au milieu, ajouter le potage, parsemer de coriandre.

NB — *La tanche est un excellent poisson qui peut cependant avoir un goût de vase si elle vit dans un milieu qui en comporte. On peut remédier à cet inconvénient en la faisant macérer dans un liquide vinaigré ou en lui donnant une cuillerée de vinaigre par la bouche, mais il n'y a pas de résultat parfait.*
Une deuxième version consiste à garder les pommes de terre et l'ail intacts et à les présenter ainsi dans les assiettes avec le potage.

Langoustines au curry et à la fleur de livèche

Pour 4 personnes
1 kilo de langoustines
3 cuillerées à soupe d'huile d'olive
1/2 cuillerée à café de curry
100 ml de vin blanc
100 g de crème
4 sommités florales de livèche
sel
poivre blanc

Séparer les têtes de langoustine. Éplucher les queues. Enlever le boyau noir avec un petit couteau.
Mettre les queues dans un bol avec 1 cuillerée à soupe d'huile d'olive et le tiers du curry. Réserver au frais.
Concasser grossièrement les têtes et les pinces des langoustines. Mettre le reste de l'huile dans une cocotte. Ajouter les coffres et les carapaces des langoustines. Faire sauter à feu vif 3 minutes. Ajouter le vin blanc. Faire réduire à sec.
Mouiller avec 300 millilitres d'eau. Faire cuire 20 minutes à petit feu.
Passer au chinois en pressant pour bien exprimer les sucs.
Dans une casserole mettre le fumet de langoustine, la crème, ajouter le reste du curry, les fleurs de livèche, le sel, un peu de poivre blanc. Faire bouillonner en tournant.
Faire sauter une minute les queues marinées sur une poêle très chaude.
Les mettre sur le plat de service, couvertes de la sauce.

Gambas grillées

Pour 4 personnes
24 belles gambas
100 g de beurre
100 ml de vin blanc
1 citron
40 ml d'huile d'olive extravierge
1 pointe de cayenne
2 feuilles de livèche fraîche (ou à défaut une branchette de céleri)
sel
6 grains de poivre
16 petits bouquets terminaux de cerfeuil

Oter la tête des gambas. Fendre la carapace des queues sur le dos et retirer la veine.

Mettre les queues à mariner avec l'huile d'olive et le jus de citron.

Mettre les têtes dans une cocotte-minute avec le vin blanc, le cayenne, la livèche, le sel et les grains de poivre. Couvrir à hauteur d'eau. Cuire 5 minutes après que la cocotte commence à siffler.

Passer au chinois en appuyant fortement sur les têtes des gambas.

Faire réduire fortement le jus de cuisson.

Cuire les queues de gambas sur le gril. Les éplucher (conserver le dernier anneau et la queue) et les garder au chaud.

Réchauffer le jus, ajouter peu à peu le beurre en fouettant.

Rectifier l'assaisonnement.

Mettre 6 gambas sur chaque assiette. Recouvrir de sauce, parsemer du cerfeuil.

NB — *On peut ajouter 1/2 demi-citron par convive — question de goût. On peut aussi se contenter de servir avec du beurre fondu.*

Bolletée de coquilles saint-jacques et de raie

Pour 4 personnes
4 belles coquilles saint-jacques
4 champignons
6 échalotes grises
1 aile de raie de 1 bon kg
court-bouillon
100 g de beurre
1 bolée de cidre
sel
poivre
cerfeuil

Éplucher les coquilles saint-jacques. Réserver les barbes en les séparant du reste des parures et les laver très soigneusement. Nettoyer les champignons et les couper en petits cubes de 3 à 5 millimètres de côté. Nettoyer et émincer les échalotes. Faire cuire la raie au court-bouillon. La nettoyer en enlevant la peau et les arêtes. Garder les filets au chaud.

Pocher les coquilles 4 à 6 minutes selon grosseur (1 minute pour le corail) réserver au chaud.

Faire revenir à petit feu les échalotes, les champignons et les barbes des coquilles avec la moitié du beurre. Ajouter le cidre. Monter à feu maximum pendant 10 minutes en ajoutant à la fin le reste du beurre et en fouettant. Enlever les barbes. Saler, poivrer.

Mettre dans chaque assiette 1 filet de raie entouré d'une coquille saint-jacques escalopée. Placer le corail au centre.

Napper de sauce. Parsemer de cerfeuil ciselé.

Tandoori de coquilles saint-jacques au jus de lotte

Pour 4 personnes
8 belles coquilles saint-jacques
poivre blanc
1 cuillerée à soupe d'huile d'olive
1 arête de lotte
100 g de beurre
2 cuillerées à soupe de mélange tandoori
1 jaune d'œuf

Nettoyer les coquilles, ne laisser que la noix. Laver et réserver les barbes qui peuvent contenir du sable.

Couper les noix en deux dans le sens horizontal, les poivrer et les enrober de l'huile d'olive.

Laver à grande eau l'arête de lotte, la tronçonner, la mettre avec les barbes, le beurre et 2 verres d'eau dans une casserole. Cuire à feu vif pendant une quinzaine de minutes : le liquide doit être fortement réduit.

Passer le jus de cuisson, ajouter le tandoori et le jaune d'œuf en battant bien au fouet. Ne plus faire bouillir.

Laisser au chaud.

Cuire au gril très chaud les coquilles 60 à 90 secondes sur chaque face selon leur taille.

Mettre sur chaque assiette 4 demi-coquilles. Recouvrir de sauce.

NB — *Les quantités sont celles d'une entrée. Pour un plat principal, prévoir 3 ou 4 coquilles par personne. Servir avec du gros sel de mer, type Guérande ou Noirmoutier.*

Œufs pochés à l'oseille

Pour 4 personnes
200 g d'oseille épluchée
50 g de beurre
200 g de crème
sel
poivre
8 œufs ultra-frais

Bien nettoyer l'oseille, enlever les pieds et les côtes ainsi que les parties abîmées, laver à grande eau pour éliminer le sable. Il doit rester 200 grammes de fragments de feuilles (poids de l'oseille essorée et séchée).

Faire fondre doucement l'oseille dans le beurre fondu. Passer au mixer.

Remettre sur le feu, ajouter la crème, saler et poivrer. Garder au chaud.

Faire pocher les œufs délicatement à l'eau salée 3 minutes chacun. Les parer, en mettre deux par assiette, couvrir de sauce et servir.

On peut mettre un petit croûton sous chaque œuf.

NB — *Ce principe de recette peut se faire avec d'innombrables pré-parations, généralement crémées, à base de fruits de mer, de petits légumes, de poulet, etc., avec un ragoût fin de champignons, de ris de veau ou d'agneau, avec d'autres herbes, fraîches évidemment. Cette recette facile à réaliser donne des résultats qui dépendent prin-cipalement de la qualité des ingrédients.*

Chou-fleur aux épices

Pour 4 personnes
3 cm de racine de gingembre frais épluchée
2 petits piments forts épépinés
1/4 de feuille de laurier
2 clous de girofle
1 petit bâton de cannelle
1 pointe de noix de muscade
1/4 de cuillerée à café d'asa foetida
4 cuillerées à soupe d'huile d'olive
sel
1 petit chou-fleur
2 cuillerées à soupe de coriandre fraîche, ciselée au dernier moment

Pulvériser les épices. Les faire revenir dans 1 cuillerée à soupe d'huile pendant une minute sans les brûler.
Mouiller avec 1/4 de litre d'eau salée. Laisser mijoter à feu doux pendant 5 minutes.
Couper le chou-fleur en tout petits morceaux. Les faire revenir à feu vif dans le reste de l'huile.
Mélanger le chou-fleur avec la sauce, parsemer de coriandre fraîche ciselée.

Haricots à la tomate

Pour 6 personnes
1 kg de haricots blancs frais (poids écossé)
sel
poivre en grains
1 branchette de sarriette alternipilosa (ou, à défaut, de sarriette des jardins ou de montagne)
1 feuille de sauge officinale
1 pincée d'asa foetida
1 gros oignon doux ou 6 petits oignons blancs épluchés finement émincés
100 ml d'huile d'olive
6 belles tomates mûres épluchées, épépinées et coupées en petits morceaux.

Mettre les haricots dans l'eau froide avec sel, poivre, herbes aromatiques et asa foetida. Le niveau de l'eau doit être environ 2 centimètres au-dessus des haricots. Faire cuire, 40 à 60 minutes à petit feu à couvert en vérifiant le niveau de l'eau. Les haricots doivent être tendres mais non éclatés.

Faire fondre l'oignon dans 30 millilitres d'huile pendant 10 minutes à petit feu. Ils doivent être translucides et non colorés. Ajouter les tomates. Laisser doucement compoter pendant 30 minutes.

Prélever 100 grammes de haricots avec un peu d'eau de cuisson, les mixer avec les tomates. Ajouter le reste de l'huile. Rectifier l'assaisonnement.

Égoutter le reste des haricots, les mettre dans un saladier. Ajouter la sauce.

NB — *Ces haricots se mangent chauds ou froids. On peut servir avec de la très bonne huile d'olive et, si on n'a pas trop salé, du gros sel marin type Guérande.*

Tagliatelles à la cardamine hirsute
et aux langoustines

Pour 4 personnes
4 langoustines
1 poignée de cardamine hirsute (ou, à défaut, de cresson)
200 g de tagliatelles
2 cuillerées à soupe d'huile d'olive
2 cuillerées à soupe de crème
sel
poivre

Éplucher les langoustines, garder les queues et les couper en cubes de 5 millimètres de côté.

Bien laver la cardamine, la sécher, la couper aux ciseaux en morceaux aussi petits que possible.

Faire cuire les tagliatelles dans beaucoup d'eau salée avec 1 cuillerée d'huile.

Faire chauffer l'autre cuillerée d'huile dans une petite poêle, ajouter la cardamine, la remuer pendant 10 à 15 secondes. Ajouter la crème, sel et poivre, laisser cuire 1 à 2 minutes à grand feu en remuant.

Égoutter les pâtes sans les refroidir. Les mettre dans le plat de service. Ajouter la sauce et mélanger.

Faire sauter à cru ou avec un peu d'huile d'olive les cubes de langoustines quelques secondes. Mettre sur les pâtes et servir.

NB — *On peut ajouter 1/2 cuillerée à café d'huile de noisette à la sauce, hors du feu. On peut remplacer les langoustines par d'autres crustacés, de tout petits lardons dessalés, du jambon etc.*

LES CUISSONS SUCCESSIVES

Selon les règles culinaires moyenâgeuses en vigueur dans de nombreuses contrées, le rôti devait être d'abord bouilli, puis passé à la broche : exemple ancien de cuisson combinée. Aujourd'hui les machines à cuire — on n'ose plus les appeler fours — offrent de multiples fonctions où le micro-ondes, le gril, la convection, la conduction se superposent ou se suivent avec, il faut le dire, des résultats parfois imprévus.

Il existe plusieurs sortes d'opérations successives de cuisson qui relèvent de principes différents, et dont les produits peuvent être très réussis.

L'opération la plus fréquente est le saisissement des viandes lors de la phase initiale de préparation des ragoûts, des daubes et des sautés de veau, d'agneau ou de gibier. Cette première opération consiste à saisir à sec, ou plus généralement avec un corps gras, les morceaux de viande, de façon à les griller ou à en faire rissoler la surface. Elle doit être menée à grand feu, relativement brièvement car il ne s'agit pas de trop cuire la viande. L'essentiel se fera en effet à la chaleur douce. La phase initiale vise seulement à modifier l'apparence des morceaux et le goût du jus et du liquide de cuisson.

La combinaison de cuissons successives est également utilisée pour certaines soupes, telle la *chorba bil allouch* traditionnellement servie les soirs de ramadan en Tunisie, et en général pour certaines sortes de soupes de légumes, de poissons et de viandes.

Un deuxième mode de cuisson combinée consiste à blanchir les viandes avant de les préparer. Ainsi on recouvre les morceaux de veau qui vont constituer la blanquette avec de l'eau vinaigrée bouillante pendant une dizaine de minutes avant de commencer la cuisson proprement dite. Plus généralement, il est d'usage de cuire à l'eau, au court-bouillon ou dans un blanc (eau additionnée de farine et de citron) les tripes, les pieds de veau, de porc ou d'agneau, les ris de veau, la cervelle. Ces opérations peuvent être de durée variable, allant de quelques minutes à plusieurs heures, et préparent l'aliment à la cuisson proprement dite.

De même peut-on précuire à l'eau ou au four à micro-ondes certains légumes. C'est par exemple préférable pour préparer des pommes de terre sautées : la deuxième opération — dans le gras de canard ou d'oie, ou dans l'huile et le beurre — peut ainsi se conduire à feu très vif. Les pommes de terre sont bien dorées sans brûler, tout en étant bien cuites. De même si on veut faire des légumes frits : on cuit bouquets de choux-fleurs, cubes de céleri ou de courge, etc., tout d'abord à l'eau ou à la vapeur, on les passe dans la préparation choisie et on les frit juste le temps nécessaire pour obtenir une jolie couleur.

Et puis il y a toutes les combinaisons que l'esprit peut inventer et dont on trouvera quelques exemples qui ne visent pas à l'exhaustivité.

Dans certains pays, le combustible est rare. Comment cuire correctement les aliments ? Cette pénurie a eu des conséquences importantes ; par exemple, c'est probablement l'origine d'une méthode de la cuisine chinoise, qui consiste à faire flamber le combustible — la température est d'abord élevée —, puis, le feu s'éteignant peu à peu, la chaleur diminue progressivement. De là découle un principe de cuisson combinée : on fait sauter à feu vif l'aliment, puis on couvre le conteneur et on laisse doucement mijoter quelques minutes.

Le wok chinois, cette poêle au fond arrondi, est particulièrement adapté à cette cuisson. Il est à la demande accompagné d'un couvercle ; avec un panier ou un conteneur métallique dont la base est trouée, il se transforme en récipient de cuisson à la vapeur.

A défaut d'un wok, on peut se contenter d'une poêle profonde ou d'un poêlon sur lesquels s'adaptent couvercle et compartiment vapeur.

Filet de bœuf à l'écorce d'orange séchée

Pour 4 personnes
300 g de filet de bœuf
50 ml d'huile d'arachide ou de pépins de raisin
100 ml de vinaigre de vin blanc.
1 orange pressée
10 g de sucre en poudre
1 pincée de sel
1 écorce d'orange séchée

Couper le filet de bœuf en tranches fines de 5 millimètres d'épaisseur.

Chauffer fortement l'huile. Y plonger le bœuf. Le retirer dès que la viande change de couleur. Jeter l'huile.

Mettre dans la poêle (ou le wok) le vinaigre, le jus d'orange, le sucre, le sel et l'écorce d'orange séchée.

Laisser infuser à faible température pendant 10 à 15 minutes. La sauce doit devenir sirupeuse. Enlever l'écorce d'orange.

Remettre la viande et bien l'enrober de sauce.

Travers de porc à l'aigre-douce

Pour 4 personnes
2 cuillerées à soupe d'huile d'arachide
500 g de travers de porc coupé en morceaux de 3 cm de côté
50 ml de vinaigre de vin blanc ou de malt
50 g de sucre en poudre
20 g de sauce soja
300 ml de vin blanc
2 cuillerées à soupe d'huile d'olive
8 tiges de persil plat finement ciselé

Faire fortement chauffer l'huile d'arachide dans un wok ou une poêle.
Faire frire la viande deux minutes sur chaque face. La réserver. Jeter l'huile.
Mettre dans le wok le vinaigre, le sucre et la sauce soja, le vin blanc et l'huile d'olive. Émulsionner la sauce à feu vif.
Baisser la température. Remettre la viande. Cuire 10 minutes à couvert.
Découvrir et monter la température au maximum pendant 3 minutes.
Servir la viande recouverte de sauce, parsemée de persil plat.

NB — *Adaptation occidentalisée d'un plat d'origine chinoise.*

Travers de porc au gingembre

Pour 4 personnes
2 cuillerées à soupe d'huile d'arachide
500 g de travers de porc coupé en morceaux de 3 cm de côté
30 g de gingembre épluché et coupé en julienne
6 tiges de ciboule finement émincées
3 g de sucre en poudre
2 petits piments fort épépinés et émincés
100 ml de bouillon
sel
poivre

Faire chauffer l'huile dans un wok ou dans une poêle.

857

Faire dorer le porc à feu vif pendant 4 minutes. Le réserver.
Faire sauter à feu vif successivement le gingembre et la ciboule pendant 1 minute. Réserver. Ajouter le sucre, les piments et le bouillon. Bien remuer.
Baisser le feu. Remettre la viande et le gingembre. Couvrir. Cuire à tout petit feu pendant 40 minutes.
Saler et poivrer. Ajouter la ciboule une minute avant la fin, juste pour la réchauffer.

Poulet sauté au gingembre

Pour 4 personnes
100 g d'huile de sésame (à défaut utiliser l'huile d'arachide)
50 g de gingembre frais (poids épluché) coupé en filaments fins
2 piments forts épépinés et émincés
500 g de viande de poulet coupé en petits morceaux
100 ml de vin blanc
100 ml de bouillon
sel
poivre
20 tiges ciboulette finement émincés

Faire chauffer fortement l'huile dans un wok, ou à défaut, dans une poêle.
Faire sauter le gingembre et le piment 30 secondes. Les réserver.
Ajouter le poulet, le faire sauter 1 minute. Le réserver.
Ajouter le vin blanc et le bouillon. Faire bouillir 2 minutes.
Remettre le gingembre, le piment, le sel, le poivre et le poulet. Mélanger. Baisser le feu et couvrir. Cuire 3 minutes.
Mettre dans le plat de service, parsemer la ciboulette hachée.

NB — *Ce plat, proche du* dong an gai *de la cuisine chinoise du Hu-nan, se mange avec du riz*[1].

1. Recette inspirée de celle d'Elizabeth Chong in *L'Héritage de la cuisine chinoise*, Hachette, 1994.

Langues de morue aux courgettes

Pour 4 personnes
500 g de langues de morue dessalées pendant 24 heures dans
l'eau courante
2 courgettes de taille moyenne
2 cuillerées à soupe d'huile d'olive
sel
poivre
2 branchettes de thym citron
1 citron

Pocher les langues pendant 10 minutes à l'eau.
Les éplucher.
Couper les courgettes en cubes de 1 centimètre de côté. Les faire
sauter pendant 5 à 6 minutes avec l'huile d'olive, sel, poivre et le
thym citron. Enlever ce dernier. Réserver les courgettes.
Faire sauter les langues pendant 2 à 3 minutes dans l'huile,
remettre les courgettes, couvrir et laisser compoter à couvert à
petit feu 5 minutes.
Verser sur le plat de service, arroser du jus de citron.

Cuisses de grenouille au beurre frais, basilic et ciboulette

Par personne
12 cuisses de grenouille fraîches
farine
30 g de beurre clarifié
50 g de beurre frais
3 gousses d'ail épluchées, dégermées et très finement émincées
20 brins de ciboulette
20 feuilles de basilic à grandes feuilles
sel
poivre

Fariner légèrement les cuisses.
Faire chauffer fortement le beurre clarifié. Saisir les cuisses de
grenouille rapidement des 2 côtés.

859

Baisser le feu au minimum. Jeter le beurre clarifié. Ajouter le beurre frais, l'ail émincé en tout petits bouts, la ciboulette et le basilic très finement émincés, saler et poivrer. Couvrir et laisser mousser 2 à 3 minutes (retourner les cuisses pour bien les entourer de beurre).
Servir avec du citron.

Cuisses de grenouilles aux herbes fraîches

Pour 4 personnes
4 douzaines de cuisses de grenouilles
1/2 l de lait
2 cuillerées à soupe de farine
100 g de beurre clarifié
200 g de beurre
1 gousse d'ail épluché dégermé et finement râpé
1 cuillerée à soupe de ciboulette ciselée
1 cuillerée à soupe de feuilles de persil plat haché
1 cuillerée à soupe de feuilles de coriandre hachée
sel
poivre
1/2 citron

Tremper les cuisses dans le lait pendant 2 heures.
Les sécher, les rouler dans la farine.
Faire chauffer le beurre clarifié. Cuire à feu vif les grenouilles 1 à 2 minutes sur chaque face. Jeter le beurre clarifié.
Ajouter la moitié du beurre frais, baisser le feu au minimum, couvrir, cuire encore 8 à 10 minutes en retournant les cuisses à mi-temps.
Mélanger le reste du beurre avec les herbes, le sel et poivre.
Ajouter le beurre d'herbes et le jus de citron. Laisser cuire encore 1 à 2 minutes.
Verser sur le plat de service.

Panaché de champignons et chou chinois
à l'huile de sésame

Pour 4 personnes
1 petit chou chinois, pak choi ou petsai
200 g de champignons de Paris
100 g de pleurotes
100 g de shii-také (champignons japonais)
100 ml d'huile d'arachide
100 ml de bouillon de poule
50 ml de sauce soja
10 ml d'huile de sésame

Émincer le chou.
Nettoyer les champignons et les émincer.
Faire chauffer fortement l'huile d'arachide. Faire sauter 3 minutes successivement le chou et chacun des champignons. Jeter l'huile.
Ajouter le bouillon, la sauce soja, l'huile de sésame.
Remettre les légumes et laisser mijoter à petit feu pendant 10 minutes.

NB — *Selon le type de chou, le résultat sera différent.*

POCHAGE ET FRITURE

Certains aliments peuvent être frits directement, sans ajout de farine ni de pâte à beignets. D'autres ne peuvent l'être qu'entourés de chapelure et d'œuf : par exemple, le beurre frit cher à Marc Meneau[1], ou la crème d'ail de Jacques Maximin[2]. On conçoit que sans cette préparation (cf. « Les jeux du froid, du tiède et du chaud ») le beurre se diluerait tout simplement dans l'huile.

La friture devant être conduite à grande température ne peut cuire convenablement que de petites pièces. Si on veut frire des

1. *La Cuisine en fêtes, op. cit.*
2. *Couleurs, Parfums et Saveurs de ma cuisine*, Robert Laffont, 1986.

morceaux relativement gros, ou lorsque la durée de cuisson est longue, il est recommandé de cuire en deux temps. Le premier est généralement conduit à l'eau ou à la vapeur. Ainsi les bouquets de chou-fleur ou les petits poireaux peuvent-ils être trempés dans une pâte à frire (préférer celle de type tempura) et faire de délicats beignets. C'est nécessaire aussi si on veut faire frire certaines pâtes.

Cuisses de poulet frites à la bière

Pour 4 personnes
8 cuisses de poulet coupées en 2
750 ml de bière (3 canettes)
1 oignon de taille moyenne
2 carottes
1 poireau
2 gousses d'ail épluchées, dégermées et coupées en morceaux
sel
poivre en grains
1 bouquet garni (thym, laurier, queues de persil)
1 œuf battu en omelette
chapelure de pain
huile de friture

Faire un bouillon de cuisson en mélangeant la bière, les légumes, le sel, le poivre et le bouquet garni. Laisser cuire à tout petit feu pendant 30 minutes.
Mettre les cuisses dans le bouillon et les cuire 25 à 30 minutes à petit feu, à couvert, en les retournant à mi-cuisson.
Sortir les cuisses, les passer dans l'omelette puis dans la chapelure. Les mettre dans la friture chaude à 180° quatre par quatre. Les sortir lorsqu'elles sont d'un beau blond doré. Les égoutter sur du papier absorbant et les garder au chaud.

NB — *On peut cuire ainsi d'autres parties du poulet, ou d'autres volailles.*
On peut changer de type de friture, par exemple on peut passer la viande dans de la pâte à tempura ou dans de la pâte à beignets — dans ce cas, on utilisera de la bière et non de l'eau, éventuellement « soufflée » par l'addition de blancs battus en neige.

On peut faire une sauce en réduisant le bouillon très fortement et en ajoutant hors du feu de la crème, des jaunes d'œufs battus ou du beurre. On parsème au dernier moment d'herbes fraîches hachées : livèche, cerfeuil, persil, ciboulette, vert d'oignon, d'ail ou d'échalote, etc.

Rougail de saucisses

Pour 6 personnes
500 g de saucisses fumées
1 ou 2 cuillerées à soupe d'huile
500 g d'oignons épluchés, coupés en rondelles
2 piments forts équeutés et épépinés
300 g de tomates épluchées et épépinées
1 dose de safran
sel

Couper la saucisse en 4 morceaux. Les mettre dans une cocotte avec 1/2 verre d'eau et les cuire jusqu'à évaporation.
Ajouter l'huile et faire dorer les saucisses sur toutes leurs faces.
Ajouter les oignons, le piment, les tomates, le safran et le sel.
Couvrir et laisser compoter 15 minutes.

NB — *Ce rougail réunionnais (recette d'Achille Conflit) comporte en plus une phase finale de cuisson à l'étouffée.*

Rougail de morue

Pour 6 personnes
1 kg de morue séchée
80 ml d'huile
1 kg d'oignons épluchés, coupés en fines rondelles
1 kg de tomates épluchées, épépinées et coupées en cubes
1 gros piment coupé en petits morceaux
sel

Faire dessaler la morue pendant 8 heures dans de l'eau en la changeant plusieurs fois ou en faisant couler un filet d'eau en permanence dans le récipient.

Pocher la morue à l'eau frémissante pendant 20 minutes. La dépouiller et enlever les arêtes.

Dans une cocotte, faire dorer la morue avec l'huile.

Ajouter l'ensemble des ingrédients, mélanger, couvrir et laisser compoter 10 à 15 minutes à feu doux.

NB — *Recette réunionnaise d'Achille Conflit. La phase de friture se termine par une cuisson à l'étouffée.*

Petits légumes frits en tempura

Pour 4 personnes
12 petits bouquets de chou-fleur
12 petits bouquets de brocoli
12 tout petits poireaux d'un centimètre de diamètre
24 petits haricots verts
125 g de farine (blé, maïs et riz en mélange, ou à défaut une seule sorte)
2 jaunes d'œufs
sel
poivre
poivre de Cayenne
quelques cubes de glace
3 l d'huile d'arachide dans une grande friteuse (ou, mieux, 2 friteuses pour aller plus vite)
citrons

Cuire les légumes à l'eau bouillante séparément et successivement. Ils doivent être presque cuits, tendres mais un peu fermes.

Faire la pâte à tempura en battant à la fourchette 1/4 de litre d'eau, la farine, les jaunes d'œufs, sel, poivre et poivre de Cayenne avec les glaçons.

Faire fortement chauffer l'huile.

Tremper les légumes dans la pâte et les mettre par petits paquets dans l'huile. Les retirer quand ils sont cuits, les poser sur du papier absorbant pour éliminer le gras.

Servir sur un plat les brocolis, les choux-fleurs, poireaux et haricots artistiquement disposés.

Accompagner de citrons coupés en quarts.

NB — *On peut également présenter en tempura des queues de*

grosses crevettes roses qu'on aura décortiquées en laissant intacts le dernier anneau et la queue pour pouvoir les saisir. Les crevettes ne nécessitent pas de précuisson.

Pommes de terre sautées

Rien de plus simple. Rien de plus facile à rater. Il en existe une infinité de recettes. Aucune ne met à l'abri de l'insuccès. Pour des raisons mystérieuses, les mêmes pommes de terre sont un jour somptueuses, le lendemain moyennes, voire médiocres. Une pomme de terre sautée doit rester ferme, mais pas dure, dorée, mais pas brûlée, tendre, mais non farineuse. Son goût doit être fin, et se marier subtilement avec la graisse dans laquelle elle a cuit.

Beaucoup de pommes de terre sont excellentes sautées. Ce sont celles à chair ferme (Roseval, Belle de Fontenay, ratte, charlotte, etc.). La meilleure est la ratte, ou corne de cerf, petite, oblongue, un peu irrégulière.

Afin de conserver toutes leurs qualités, il vaut mieux cuire les pommes de terre en deux fois. Tout d'abord les pocher à l'eau — ainsi elles sont à moitié cuites sans perdre d'eau. Puis les faire sauter. Les meilleurs corps gras sont la graisse d'oie ou de canard, le gras de rognon de veau et le mélange huile d'arachide et beurre. Pour certaines préparations, on peut utiliser l'huile d'olive.

Ce deuxième temps doit être conduit à grand feu, en remuant de temps en temps avec une cuillère en bois avec délicatesse pour éviter que les pommes de terre ne se collent les unes sur les autres et n'attachent au fond. La couleur finale doit être d'un joli brun doré clair. On peut arrêter la cuisson peu avant la fin et garder les pommes de terre en attente. On les remettra au grand feu juste avant de servir en les remuant délicatement.

Pour 6 personnes
1 kg de rattes lavées
sel marin
150 g de graisse de canard ou d'oie, ou 150 g de gras de rognon de veau, ou 100 g d'huile d'arachide et 50 g de beurre
persil ciselé

Mettre les pommes de terre dans une casserole avec de l'eau

froide salée. Monter à ébullition. Dès que l'eau bout, retirer les pommes de terre. Les éplucher si on le désire. Les couper en cubes de 2 centimètres de côté.

Mettre le gras à chauffer dans une sauteuse. Y ajouter les pommes de terre en les roulant de tous côtés pour qu'elles ne se collent pas les unes sur les autres. Cuire à bon feu en les remuant de temps en temps avec délicatesse pour ne pas les briser.

Lorsque leur couleur est d'une belle teinte dorée, un peu brune sur les coins, les retirer à l'écumoire. Les placer sur du papier absorbant pour enlever l'excès de graisse. Les mettre dans un plat.

Servir en parsemant de persil — ou de cerfeuil — ciselé, et de gros sel marin.

Pommes de terre au sirop d'érable

Pour 4 personnes
8 grosses pommes de terre à chair ferme lavées non épluchées
150 g de graisse de canard
150 g de sirop d'érable
sel

Mettre les pommes de terre dans l'eau froide salée. Monter à ébullition. Cuire 5 minutes. Rafraîchir à l'eau froide.

Peler les pommes de terre, les couper en rondelles de 7 à 8 millimètres d'épaisseur.

Les faire sauter dans la graisse très chaude. On doit obtenir en fin de cuisson des pommes de terre sautées bien dorées mais tendres à l'intérieur.

Les égoutter, les mettre dans le plat de service. Les arroser de sirop d'érable.

NB — *Un classique des cabanes à sucre du Québec. On traite de la même façon le jambon, les œufs au plat, les binnes (haricots).*
Les pommes de terre sont faites de sucre. Les utiliser en cuisine sucrée est moins hérétique qu'il ne paraît. On peut aussi les servir avec du miel liquide, des confitures et même du caramel.

Sauté de céleri-rave au roquefort

Pour 6 personnes
1 boule de céleri-rave
50 g de beurre
100 g de roquefort
sel marin

Éplucher le céleri. Le couper en cubes de 2 centimètres de côté. Faire chauffer de l'eau salée au sel marin. A ébullition, ajouter le céleri. Laisser cuire à gros bouillons 5 minutes après reprise de l'ébullition.

Égoutter le céleri, le hacher grossièrement en morceaux de 1/2 à 1 centimètre de côté.

Faire fondre le beurre et le roquefort dans une poêle à fond épais. Ajouter le hachis de céleri. Faire cuire à feu vif pendant 10 minutes en tournant de temps en temps. Le céleri doit être légèrement doré.

Sauté de courgettes à la provençale

Pour 6 personnes
6 courgettes de taille moyenne (150 g chacune environ)
8 gousses d'ail épluchées et dégermées
3 cuillerées à soupe d'huile d'olive
2 grosses tomates épluchées, épépinées, coupées en cubes de 5 mm de côté
sel
6 grandes feuilles de basilic finement émincées
poivre
une pointe de couteau de poivre de Cayenne

Laver les courgettes. Couper les deux extrémités. Les essuyer. Les émincer en bandelettes longitudinales de l'épaisseur de 1/2 millimètre, par exemple avec une mandoline.

Les cuire 2 à 3 minutes à l'eau bouillante salée. Les rafraîchir aussitôt dans une récipient d'eau salée afin de conserver leur craquant.

Couper l'ail en tout petits morceaux. Les faire cuire avec une cuillerée d'huile d'olive et 100 millilitres d'eau à bon feu jusqu'à ce que l'eau soit évaporée.

Mettre le reste de l'huile dans une cocotte ou une poêle profonde, ajouter l'ail cuit, la tomate, le sel, le basilic, les épices. Cuire à feu vif pendant 1 minute. Ajouter les courgettes. Cuire encore 1 minute. Servir.

Crosnes sautés

Pour 6 personnes
1 kg de crosnes du Japon
gros sel
sel
1 cuillerée à soupe de farine
1 citron
100 ml d'huile d'olive

Nettoyer les crosnes. Cela peut être difficile. Une des manières les plus efficaces consiste à les frotter avec du gros sel dans un torchon propre.

Les cuire 6 minutes dans un blanc (eau, sel, farine, jus de citron).

Les égoutter et les faire sauter 4 à 5 minutes dans l'huile d'olive.

Persil tubéreux à l'ail

Pour 4 personnes
500 g de persil tubéreux
12 gousses d'ail
2 cuillerées à soupe d'huile d'olive
sel
1 cuillerée à soupe de feuilles de persil ciselé

Éplucher le persil. Le faire pocher 12 minutes à l'eau salée bouillante.

Éplucher l'ail, couper chaque gousse en quatre, en enlevant le germe vert. L'ajouter au persil. Pocher pendant 6 minutes.

Égoutter les légumes. Couper le persil en rondelles de 5 millimètres d'épaisseur.

Chauffer l'huile dans la poêle. Faire sauter à feu vif l'ail et le persil tubéreux pour les faire dorer et presque caraméliser.

Servir sur un plat, parsemé des pluches de persil.

Cerfeuil tubéreux sauté

Pour 4 personnes
500 g de cerfeuil tubéreux
60 g de beurre
sel
1 cuillerée à soupe de pluches de cerfeuil

Éplucher les racines de cerfeuil.
Les cuire 5 minutes à l'eau bouillante salée.
Les couper en tranches de 5 à 6 millimètres d'épaisseur.
Faire sauter dans le beurre chaud à feu moyen 3 à 4 minutes sur chaque face.
Servir en parsemant du cerfeuil haché.

NB — *Des sautées inhabituelles qui ressemblent à celles de pommes de terre, avec un goût sucré et délicat. A servir avec un plat de tonalité discrètement acide.*
Se rappeler que le feuillage du cerfeuil tubéreux est toxique. Le cerfeuil haché provient donc d'une autre plante.

Spaghetti frits au sucre

Pour 4 personnes
1 cuillerée à soupe d'huile d'olive
250 g de spaghetti
50 g de beurre
200 g d'huile d'arachide
sucre cristallisé

Mettre l'huile d'olive dans de l'eau bouillante. Ajouter les spaghetti. Les tourner fréquemment en cours de cuisson, qui doit être conduite à grand feu et sans couvercle.
Lorsqu'ils sont bien cuits (pas *al dente*), les sortir, les égoutter sans les laver et les mettre dans un saladier avec le beurre en tournant bien avec une fourchette en bois pour qu'ils n'attachent pas.

Faire chauffer fortement l'huile dans une poêle profonde.
Y mettre les spaghetti par petit paquets. Les retourner de temps en temps. Lorsqu'ils sont bien dorés, les égoutter sur du papier absorbant. Les servir saupoudrés de sucre.

NB — *La tête des enfants passe de l'écœurement à la surprise et à l'expression de contentement gourmand. Après tout, les pâtes plus le sucre, c'est un gâteau.*

POCHAGE ET RÔTISSAGE

Pocher, puis rôtir, voilà un mode de cuisson dont on peut penser qu'il a convenu à certains gibiers au Moyen Age. Les animaux tués pouvant être âgés, leur chair n'avait pas toujours la tendreté requise. Et le rôtissage seul n'aurait révélé souvent qu'une carne dure et de goût musqué peu plaisant. D'où l'emploi de farces, d'épices, et la cuisson première dans le bouillon. Le rôtissage permettait ensuite de donner à la viande une belle apparence, éventuellement rehaussée de couleurs vives fournies par le jaune du safran ou par le vert du jus de diverses herbes, oseille, persil, chénopodes, etc.

Poularde farcie aux viandes épicées

Pour 6 personnes
1 belle poularde de 1,6 à 1,8 kg
100 g de veau maigre
100 g de blanc de dinde
200 g d'échine désossée
100 g de parmesan
3 œufs plus 2 jaunes
1 cuillerée à café d'un mélange d'épices composé à parts égales de macis, fenugrec, ail séché et poivre long
8 filaments de safran du Gâtinais infusés 1 heure
sel
2 l de bouillon de poule bien corsé dans lequel on aura infusé
10 filaments de safran du Gâtinais pendant 2 ou 3 heures

Désosser complètement la poularde en respectant la peau.

Hacher les viandes, ajouter le parmesan râpé, les œufs et les épices, saler.

Farcir la poularde et la recoudre méticuleusement. Faire pocher la poularde dans le bouillon safrané pendant une heure.

Préchauffer le four, à température élevée 250° (thermostat 8-9). Délayer les jaunes d'œufs dans un peu d'eau. Placer la viande sur une plaque à rôtir. La badigeonner avec le jaune d'œuf.

Cuire 15 à 20 minutes à four chaud en badigeonnant à nouveau. La peau doit être bien dorée et croustillante.

NB — *Il s'agit d'une adaptation de la recette classique de la « Poulaille farcie » tirée du* Viandier de Taillevent. *Ce dernier mettait en outre du mouton dans la farce et du safran dans les jaunes d'œufs. Cela est possible à condition d'utiliser une poudre et non les pistils du Gâtinais qui sont longs à révéler la profondeur et l'ampleur de leurs qualités aromatiques.*

Il ne faut pas faire brûler la volaille (qui est une ballottine).

Le bouillon safrané peut être utilisée comme élément de base d'une soupe.

Gratin d'aubergines

Pour 6 personnes
3 aubergines de 350 g
60 ml d'huile d'olive
100 g de parmesan râpé
3 gousses d'ail épluché et dégermé
1 cuillerée à café de coriandre
sel
poivre
0,1 g de safran

Cuire les aubergines 8 minutes au four à micro-ondes, puissance maximum.

Les couper en deux dans le sens longitudinal, récupérer la pulpe sans abîmer les bords. Couper la pulpe en dés.

Dans un mixer, mettre la moitié de l'huile et du parmesan, l'ail, la coriandre, le sel, le poivre, le safran et un tiers de la pulpe d'aubergine. Mixer pour obtenir une pâte lisse et épicée.

Mélanger les dés d'aubergine avec la pâte d'épices.

Huiler un plat à four, y placer les aubergines pour qu'elles soient stables, les farcir avec le mélange précédent.

Parsemer du reste de parmesan, ajouter le reste de l'huile en dernier.

Cuire à 200° (thermostat 6-7) pendant 20 minutes. Servir chaud, tiède ou froid.

NB — *Les aubergines, ici cuites au four à micro-ondes, peuvent aussi être pochées ou cuites à la vapeur.*

Gratin de topinambours

Pour 6 personnes
1 kg de topinambours
1 cuillerée à soupe de farine
1 citron
200 g de crème
50 ml d'huile d'olive
2 jaunes d'œufs
2 râpures de noix de muscade
sel
poivre
100 g de parmesan fraîchement râpé

Éplucher les topinambours, les couper en rondelles de 5 millimètres d'épaisseur. Les cuire dans un blanc fait d'eau, du sel, de la farine et du jus du citron. Les retirer et les égoutter.

Fondre les échalotes avec l'huile à petit feu pendant 10 minutes. Dans un bol, mélanger la crème, les jaunes d'œufs, la muscade, le sel et le poivre. Ajouter les échalotes et leur cuisson.

Mettre les topinambours dans un plat à gratin. Ajouter la sauce aux échalotes. Saupoudrer du parmesan.

Cuire 10 minutes à four chaud 210° (thermostat 7) pour faire gratiner.

Chayottes farcies

Pour 4 personnes
4 belles chayottes blanches
200 g de crème
1 piment de Cayenne frais épépiné (on enlève le pédoncule)
2 jaunes d'œufs
sel
poivre
1 botte de coriandre fraîche

Couper les chayottes en deux, enlever les pépins. Les faire cuire 30 minutes à l'eau salée.
Enlever la chair des chayottes sans abîmer la peau. La mixer avec la crème, le piment et les jaunes d'œufs.
Saler, poivrer, ajouter la coriandre ciselée. Remplir les chayottes avec la farce. Mettre au four pendant 15 minutes à 200° (thermostat 6-7). Au besoin passer 1 ou 2 minutes à la salamandre (gril du four) pour bien colorer la surface.

Terrine de tétragone et bourrache au yaourt et à la menthe douce

Pour 8 personnes
2 gousses d'ail
500 g de feuilles de tétragone équeutées et lavées (poids sec)
200 g de petites feuilles de bourrache
6 yaourts
4 œufs
1 cuillerée à soupe de farine
10 ml d'huile d'olive
les feuilles d'un bouquet de menthe douce (Mentha spicata Nanah) lavées et hachées
sel
poivre
poivre de Cayenne

Éplucher et dégermer l'ail. Le couper en petits cubes de 1 centimètre de côté. Les faire cuire à grand feu avec l'huile et 50 millilitres d'eau jusqu'à évaporation de cette dernière.

873

Pocher la tétragone et la bourrache à l'eau bouillante salée pendant 3 minutes. Les mettre aussitôt à l'eau glacée. Presser fortement pour exprimer l'eau.

Hacher très finement la tétragone et la bourrache.

Les mettre dans une terrine avec le yaourt, tamiser la farine et l'incorporer, puis les œufs battus en omelette, l'ail avec l'huile de cuisson, la menthe, le sel, le poivre et le cayenne. Bien mélanger.

Mettre dans une terrine. Cuire 1 heure à 180° (thermostat 6).

Servir chaud, tiède ou froid. Dans ce cas, on peut orner le plat de fleurs comestibles (bourrache, mauve, violette, capucine, etc.).

NB — *Ce plat rappelle le style de certains tajines tunisiens ou encore des préparations d'origine persane.*

Il peut se faire avec d'autres légumes feuilles : épinards, arroches, chénopodes, consoudes, verts de blettes, feuilles de radis ou de navets, salades, etc. La bourrache n'est pas obligatoire, mais elle apporte un goût particulier qui ressemble de loin à celui du concombre. Et ses petites fleurs bleues en étoile sont bien jolies.

Mentha spicata Nanah est la vraie menthe douce marocaine. Elle a des feuilles assez effilées et pointues. A défaut on se servira d'une autre variété.

RÔTISSAGE ET POCHAGE

La Reynière donne dans ses *100 Merveilles de la cuisine française* une recette de *chartreuse de perdreaux* dans laquelle les jeunes perdreaux sont d'abord rôtis puis découpés et enfouis au milieu de divers légumes et de chou déjà cuit, puis pochés pendant quarante minutes. Certaines recettes moyenâgeuses font également état de divers oiseaux, d'abord rôtis, puis découpés et finis de cuire en sauce. A leur suite, on trouve de nombreuses recettes qui utilisent des oiseaux rôtis, souvent cuits en partie seulement, puis découpés et incorporés dans diverses préparations, tel le *pâté chaud de caneton* décrit par Escoffier — dans ce dernier cas, on alterne couches de farce et chair de canard, on recouvre de pâte feuilletée ou brisée et on cuit une heure au four à chaleur moyenne.

Et puis, tout bonnement, chacun connaît une des utilisations des restes de poulet rôti : on fait revenir quelques légumes aromatiques, on hache la viande, on mouille d'eau et on fait cuire à petit feu pendant une heure, on obtient ainsi un *potage de poulet rôti* familier et familial.

Poulet au citron vert (poulet yassa)

Pour 4 personnes
1 poulet
150 ml de jus de citron vert
4 oignons
4 cuillerées à soupe d'huile
1 bouquet garni (persil, thym, laurier)
le zeste d'un citron vert (lime)
sel
poivre

Couper le poulet en 4. Mettre les morceaux à mariner avec le jus de citron pendant 2 heures en les imprégnant bien et en les retournant de temps en temps.

Égoutter les morceaux et les essuyer. Les cuire au four moyen 180° (thermostat 6) pendant 20 minutes.

Éplucher et émincer les oignons. Les faire fondre doucement dans une cocotte, avec l'huile ; ils doivent être translucides et non dorés.

Ajouter le poulet, le bouquet garni, le zeste de citron, le sel et le poivre, le jus de la marinade. Couvrir et laisser mijoter doucement en retournant de temps en temps les morceaux pour bien les imbiber, pendant 15 à 20 minutes.

NB — *Un plat traditionnel de l'Ouest africain, qui associe en fait 3 temps : marinade, rôtissage, mijotage.*

POCHAGE (OU CUISSON À LA VAPEUR) ET GRIL

Un aliment cuit à l'eau chaude peut être goûteux ; de même a-t-on pu montrer, à la suite de Denis et de Jacques Manière, que la vapeur est une méthode dont l'utilisation peut être adaptée à de très nombreux produits, certains fort inattendus comme les steaks de bœuf. Souvent, toutefois, l'aspect extérieur peut n'être pas très attirant. C'est pourquoi le gril est utile pour donner une apparence plus conforme à leur qualité gustative.

On peut aussi griller des morceaux de viande, des andouillettes, certains légumes, etc. Le gril permet de rendre croustillante la peau des oiseaux, de transformer les oreilles, la queue ou les pieds de porc en petits chefs-d'œuvre de la cuisine bon enfant.

Steak à la vapeur

Pour 1 personne
1 steak de 200 g
20 g de beurre
sel
poivre
ciboulette
citron

Cuire le steak 5 minutes à la vapeur.

Mélanger le beurre, le sel, le poivre, la ciboulette ciselée, ajouter quelques gouttes de citron.

Passer le steak une minute au gril de fonte très chaud de chaque côté en le faisant tourner de 90° au milieu de chacune de ces phases pour imprimer une grille sur le steak (quadrillage).

Servir avec le beurre mélangé.

NB — *Le temps de cuisson dépend du type recherché (bleu, rosé, saignant, à point, bien cuit).*

Oreilles de veau grillées

Pour 4 personnes
2 cuillerées à soupe de farine
6 citrons
sel
poivre
1 bouquet garni (thym, laurier, queues de persil)
12 oreilles de veau
100 g de beurre fondu
chapelure de pain
2 cuillerées à soupe de persil ciselé

Faire un blanc avec 4 litres d'eau, la farine, le jus de 3 citrons, le sel, le poivre et le bouquet garni.

Y faire cuire à petit feu les oreilles pendant 1 heure et demie.

Retirer les oreilles, les passer dans le beurre fondu, puis dans la chapelure.

Faire griller 5 minutes de chaque côté.

Saler, saupoudrer avec le persil, servir avec les citrons coupés en quartiers.

NB — *On peut aussi les servir avec une sauce émulsionnée, tartare ou aïoli par exemple.*

Queues de porc aux herbes, sauce au pistou

Pour 6 personnes
100 g de beurre
6 cuillerées à soupe d'herbes variées ciselées (au choix, persil, cerfeuil, estragon, feuilles de céleri-branche, basilic, vert d'oignon, etc.)
200 ml de vin blanc
sel
poivre en grains et en poudre
2 carottes
1 oignon piqué d'un clou de girofle
1 bouquet garni (queues de persil, laurier, thym)
6 queues de porc
citrons

Mélanger le beurre et les herbes, saler, poivrer.

Mettre dans un faitout le vin, 2 litres d'eau, les carottes coupées en rondelles, l'oignon, le bouquet garni, sel et poivre en grains avec les queues. Cuire à petit feu pendant 1 heure et demie.

Retirer les queues, les laisser refroidir, les désosser.

Tartiner l'intérieur de chaque queue avec le beurre d'herbes et la reformer.

Couper la crépine en 6 et envelopper chaque queue.

Passer au gril chaud pendant une dizaine de minutes.

Servir avec des 1/2 citrons et du pistou.

NB — *Il y a plusieurs sortes de pistou. Celui d'Alain Ducasse*[1] *est*

1. *La Riviera d'Alain Ducasse*, Albin Michel, 1994.

fait en mixant pendant 2 minutes et demie 10 grammes d'ail pelé, 40 grammes de feuilles de basilic, 100 millilitres d'huile d'olive, 80 grammes de parmesan et du sel. Celui de Roger Vergé[1] associe 4 tomates épluchées et épépinées, 6 gousses d'ail épluchées, 30 feuilles de basilic et 100 ml d'huile d'olive qu'on peut mixer, écraser au mortier ou hacher.

Andouillettes grillées à la moutarde

Pour 4 personnes
4 andouillettes
moutarde

Cuire les andouillettes 8 minutes à la vapeur.
Les passer au gril bien chaud. Les quadriller.
Servir avec de la moutarde.

NB — *Les andouillettes ainsi préparées ne partent pas en charpie. Les meilleures sont de Troyes, faites à la main avec de la fraise de veau.*

Gratin d'araignées de mer à la crème d'oursins

Pour 4 personnes
300 ml de vin blanc sec
20 g de gingembre frais
1 carotte épluchée et coupée en fines lamelles (julienne)
6 grains de poivre
sel de mer
1 poireau épluché finement émincé
4 belles araignées de mer
80 g de beurre demi-sel
chapelure de pain
200 g de crème d'oursin

Faire un court-bouillon avec le vin blanc, 2 litres d'eau, le

1. *Ma Cuisine du soleil, op. cit.*

gingembre, la carotte, le poivre, le sel et le poireau. Cuire à feu doux pendant 10 minutes. Ajouter les araignées. Les cuire à petit feu pendant 15 minutes à couvert.

Sortir les araignées et en retirer la chair.

La répartir de façon régulière sur 4 petits plats à four.

Fondre le beurre, en arroser les araignées, saupoudrer d'un peu de chapelure.

Passer au gril du four, juste le temps de colorer la surface.

Servir dans les plats de cuisson (attention, c'est chaud), la crème d'oursins chaude en saucière.

NB — *On peut préparer de la même manière de la chair de crabe, en particulier de tourteau.*

Cocos brûlés

Pour 6 personnes
1 kg de haricots cocos frais (poids non écossé)
4 branches de sarriette
2 feuilles de sauge
1 pincée d'asa foetida
sel

Écosser les haricots.

Mettre les haricots à cuire dans une cocotte avec 1 litre d'eau, la sarriette, la sauge, l'asa foetida, sel au goût.

Cuire 40 minutes à petit feu. Les haricots doivent être tendres sans éclater.

Enlever les herbes, passer les haricots (l'eau de cuisson peut être récupérée pour un autre usage).

Faire griller les haricots à sec sur une poêle, en les retournant régulièrement. Ils doivent devenir légèrement bruns, un peu craquants.

NB — *Les cocos brûlés ont un goût qui rappelle un peu celui des marrons grillés. Ils peuvent être servis à l'apéritif. Ils doivent avoir un agréable goût de grillé, très légèrement brûlé, d'où leur nom.*

Poires à la Bourdaloue

Pour 4 personnes
100 g de sucre en poudre
4 poires
400 ml de crème pâtissière
100 g de macarons secs pulvérisés

Faire un sirop avec le sucre et autant d'eau.
Peler les poires, les couper en 2 et enlever les pépins.
Pocher les poires dans le sirop pendant 15 minutes.
Dans un plat à four, disposer les poires cuites et la crème pâtissière tiède. Recouvrir l'ensemble de la poudre de macarons.
Faire colorer quelques minutes au gril du four (salamandre).

NB — *On peut remplacer la crème pâtissière par une crème anglaise.*

POCHAGE ET ÉTUVAGE

Une fois l'aliment poché, on peut le saisir à sec ou dans un corps gras. On peut aussi l'enrober doucement avec du beurre ou un autre corps gras, ou encore avec un liquide aromatique, ou encore avec des ingrédients sucrés. Une méthode plutôt réservée à des produits délicats, subtils ou fragiles.

Asperges au beurre

Pour 6 personnes
1 kilos de grosses asperges
50 g de beurre

Éplucher les asperges. Les couper en tronçons de 1 centimètre, en gardant intactes les têtes.
Les cuire 10 minutes à l'eau bouillante salée. Les égoutter.
Les sécher à la poêle quelques instants. Ajouter le beurre et faire cuire tout doucement une dizaine de minutes en les retournant régulièrement pour les imprégner.

NB — *Le temps de cuisson est celui de la tige. Compter moitié moins pour les têtes. De même réduira-t-on le temps de cuisson pour de plus petites asperges.*

Petits navets de printemps

Pour 4 personnes
16 navets nouveaux de petite taille
100 g de beurre
1 pincée de sucre
sel
poivre

> Éplucher les navets. Les pocher 5 minutes dans l'eau bouillante salée. Les égoutter et les couper en morceaux de 1 à 2 centimètres de côté.
> Les mettre dans une casserole avec le beurre et le sucre sur feu doux à couvert. Bien les enrober dans le beurre. Saler, poivrer. Cuire à tout petit feu pendant 5 à 10 minutes.

NB — *Ces navets accompagnent une viande blanche rôtie ou poêlée. Les navets glacés doivent être luisants, le jus sirupeux. Cette recette ne doit s'appliquer qu'à de petits et jeunes navets.*

Héliantis au beurre

Pour 6 personnes
1 kg d'héliantis
1 citron
1 cuillerée à soupe de farine
sel
100 g de beurre

> Éplucher les héliantis. Les couper en tronçons de 5 centimètres de long.
> Les cuire 6 à 7 minutes dans un blanc (eau chaude salée avec le jus du citron et la farine).
> Les égoutter.

881

Faire fondre le beurre dans une cocotte. Y faire étuver les héliantis pendant 3 à 4 minutes en les enrobant bien.

NB — *Ce légume délectable se sert en accompagnement d'une viande poêlée ou rôtie.*

Choux de Bruxelles au lard

Pour 4 personnes
1 kg de choux de Bruxelles
300 g de poitrine fumée maigre de porc
100 g de beurre
sel

Éplucher et effeuiller les choux en ne gardant que les belles feuilles.

Les mettre à cuire dans 4 litres d'eau salée bouillante. Les retirer quand leur couleur devient vert clair, les mettre dans une casserole d'eau froide avec des glaçons pour bloquer la cuisson. Bien les égoutter.

Ôter la couenne et les cartilages de la poitrine. La couper en lardons minuscules. Les mettre dans une casserole d'eau froide. Mener à ébullition. Retirer du feu et égoutter les lardons.

Faire revenir à sec les lardons dans une poêle pour les sécher et les griller légèrement.

Dans une cocotte, fondre le beurre, ajouter les choux de Bruxelles et les lardons. Étuver doucement pendant 10 minutes en remuant 2 ou 3 fois avec délicatesse pour bien enrober les choux.

NB — *Un bon accompagnement d'un gibier à plume rôti.*

Ébouriffée de poireaux

L'ébouriffée de poireaux est la base de nombreuses préparations : tarte aux poireaux, moules aux poireaux de la Saint-Sylvestre, lieu aux poireaux.

L'ébouriffée se fait en 2 cuissons successives, la première à l'eau, la deuxième au beurre.

Faire bouillir de l'eau, la saler. Mettre les poireaux (1 kilo pour une tarte) épluchés. Les faire cuire à grande eau pendant 10 à 12 minutes.

Le sortir de l'eau avec une écumoire. Appuyer dessus pour qu'ils rendent leur eau.

Mettre 50 grammes de beurre à fondre dans une poêle. Ajouter les poireaux, les cuire à feu doux en les effilochant avec une fourchette de temps en temps pendant 20 à 30 minutes.

On obtient ainsi une ébouriffée, les poireaux étant dissociés en petits morceaux, formant une sorte de pâte.

Crosnes à la normande

Pour 4 personnes
500 g de crosnes
50 g de beurre d'Isigny-Sainte-Mère
100 g de crème double de Normandie
sel
poivre

Nettoyer soigneusement les crosnes (une des façons classiques consiste à les frotter avec du gros sel).

Les cuire 6 minutes à l'eau salée.

Les égoutter.

Fondre le beurre dans une poêle, ajouter les crosnes, les enrober en les tournant pendant 1 minute.

Ajouter la crème, bien mélanger, saler, poivrer, laisser épaissir à petit feu pendant 2 à 3 minutes.

Émincé de chou rouge au vinaigre et à la muscade

Pour 6 personnes
1 beau chou rouge
1 grand verre de vinaigre
100 g de beurre
6 râpures de muscade
sel
poivre

Laver, équeuter le chou. Le couper en fines tranches de 1 millimètre. Le faire cuire 15 minutes dans l'eau salée et vinaigrée.
Laisser refroidir et mariner au frais dans son liquide de cuisson
pendant 1/2 journée.
Égoutter soigneusement le chou. Le mettre à compoter doucement dans le beurre avec muscade, sel et poivre pendant
1 heure.

NB — *Au pochage s'associe un temps de macération.*

POCHAGE ET ÉMULSION

Les émulsions peuvent être produites au petit ou au grand
feu. Parfois, il est nécessaire ou simplement plus facile de
pocher d'abord l'aliment, soit pour en modifier la structure phy-
sicochimique (on peut par exemple en faire une purée), soit
pour permettre l'action d'agents aromatiques. Cette succession
d'opérations est une sorte de variante de la blanquette dans
laquelle la deuxième opération se fait au grand feu au lieu de
rester dans le registre de la chaleur douce.

Soupe au cidre

Pour 4 personnes
300 g de lard fumé
150 g de beurre
8 blancs de poireau
8 échalotes grises
4 bolées de cidre
poivre
muscade
bouquet garni
sel
cerfeuil ciselé

Couper le lard fumé en petits lardons. Les blanchir en les mettant dans l'eau froide et en les menant à ébullition. Les égoutter,

puis les faire revenir doucement dans la moitié du beurre pendant 5 minutes.

Ajouter les poireaux et les échalotes émincés finement.

Faire cuire jusqu'à ce que les poireaux commencent à se ramollir. La cuisson doit être faite à feu doux, sans coloration.

Ajouter le cidre. Monter le feu au maximum.

Ajouter le poivre et la muscade avec le bouquet garni. Cuire pendant 20 minutes.

Retirer le bouquet garni.

Ajouter le reste du beurre en fouettant pendant 3 minutes.

Saler.

Verser en soupière. Parsemer de cerfeuil ciselé.

Moules à la marinière

Pour 4 personnes
8 échalotes épluchées et émincées
80 g de beurre
300 ml de vin blanc sec
poivre
4 branches de persil
3 litres de moules bien nettoyées et grattées
le feuillage du persil finement haché

Faire fondre les échalotes dans 30 grammes de beurre pendant 3 à 4 minutes. Ajouter le vin, le poivre et les tiges de persil. Faire cuire à couvert pendant 15 minutes à petit feu.

Ajouter les moules, monter le feu au maximum en tournant de temps en temps. Sortir au fur et à mesure les moules ouvertes dans le plat de service.

Éliminer celles qui restent fermées et, éventuellement, celles qui seraient pleines de sable ou de couleur inhabituelle.

Filtrer le jus de cuisson, ajouter en fouettant sur le feu le beurre en petits morceaux. Goûter, rectifier l'assaisonnement. Il est généralement inutile d'ajouter du sel car le jus des moules en apporte suffisamment.

Verser la sauce sur les moules, parsemer le persil.

NB — *On peut remplacer le beurre par de la crème ou, si on souhaite une version moins grasse, servir tel quel le jus de cuisson. Une version italienne remplace les échalotes par plusieurs gousses d'ail épluchées, dégermées et finement râpées.*

Purée de carottes aux olives

Pour 4 personnes
1 kg de carottes
100 ml d'huile d'olive
1 cuillerée à soupe bombée d'épices pulvérisées (1/3 graines de carvi, 1/3 ail sec, 1/3 piment type Cayenne)
50 ml de jus de citron
sel
20 olives noires dénoyautées et coupées en fines rondelles
20 olives vertes dénoyautées et coupées en fines rondelles

Laver, éplucher les carottes. Les cuire 30 minutes dans un peu d'eau salée.
Les passer au tamis ou un presse-purée.
Ajouter l'huile d'olive, les épices, le jus de citron.
Faire bouillonner à feu vif pendant 15 à 20 minutes en remuant de temps en temps.
Saler.
Laisser refroidir. Mettre au réfrigérateur avec les rondelles d'olives.
Servir frais.

MICRO-ONDES ET AUTRES CUISSONS

Le four à micro-ondes permet de cuire partiellement des aliments qui peuvent ensuite être apprêtés de diverses manières. Il en est ainsi de nombreux légumes pour lesquels la cuisson initiale permet de conserver le contenu en eau tout en gagnant du temps. Ce procédé est utilisé à plusieurs reprises dans cet ouvrage. C'est notamment le cas de :
Caviar d'aubergines 525 ; Sauce aux poivrons, au gingembre 527 ; Pommes de terre Georgette 892 ; Filet d'empereur à l'huile de poivron 601 ; Œufs à la toupinel 892 ; Nids de pommes de terre 893 ; Steak de raie au poivre et aux poivrons rouge 726 ; Gratin d'aubergines ; Aubergines farcies ou bouillabaisse de légumes 920 ; Poivronnade de sandre 846 ; Pommes de terre à la crème sûre 832 ; Zarzuela de pescado 910 ; Paëlla 911 ; Tarte aux légumes du midi 959 ; Tarte aux poivrons 959 ; Bouillabaisse de légumes d'été aux amandes, basilic et thym Silver Queen 919 ; Omelette mousseuse à la charlotte 960 ; Clafoutis aux poivrons verts, olives noires et anchois 995 ; Andouillettes contre faites 1061 ; Soupe aux fanes de radis 1050.

TARTE TATIN

On connaît l'histoire des demoiselles Tatin de La Motte-Beuvron qui mirent au point — à la suite d'une erreur dit-on, preuve que l'erreur peut être créatrice — une tarte à l'envers : pâte au-dessus, contenu au-dessous. Communément la tarte Tatin se prépare avec des pommes, parfois avec des poires. En fait, il s'agit d'un principe de cuisson qui peut aussi bien s'appliquer à d'autres fruits (abricots) mais aussi à la quasi-totalité des légumes ainsi qu'à certaines viandes, mais pas aux poissons. En effet, le temps total de cuisson est de 30 à 45 minutes, ce qui est trop pour eux, à moins d'aimer le poisson « trop » cuit.

La préparation d'une Tatin comporte plusieurs phases :

1. On fait une pâte et on la laisse reposer au frais au moins 1 heure.

2. On prépare le ou les ingrédients. Certains peuvent être utilisés tels quels, d'autres doivent être déjà cuits.

3. On fait un caramel sur le feu de la cuisinière (gaz ou électricité). On ajoute alors les ingrédients de la tarte et on les laisse à feu vif pendant 10 à 15 minutes.

4. On étale la pâte au rouleau, on la place sur l'ustensile dans lequel on a mis à cuire la tarte (on peut d'ailleurs la placer avant de cuire) et on passe l'ensemble dans un four à convection à 200° (thermostat 6 ou 7) préchauffé pendant 20 minutes. On cuit une trentaine de minutes.

5. On sort la tarte cuite, on place un plat sur le dessus et on la retourne aussitôt à chaud, de telle manière que la partie caramélisée se retrouve au-dessus. La tarte Tatin se mange généralement chaude ou tiède.

La cuisson des tartes Tatin offre l'avantage de drainer l'eau vers le bas de l'ustensile de cuisson. Ainsi la pâte n'est-elle pas mouillée, ce qui est le cas par exemple de beaucoup de flans ou de quiches. Elle reste donc croustillante sans être desséchée, car l'évaporation d'une partie de l'eau contenue dans les fruits ou les légumes maintient une humidité suffisante. Par ailleurs, le caramel forme une sorte de carapace qui entoure le contenu de la tarte et se démoule très facilement à chaud.

On peut employer toutes sortes de pâtes — brisée, sablée, feuilletée, etc. Il est souvent préférable d'utiliser une pâte brisée contenant relativement peu de beurre (1/3 du poids de farine), du sel et de l'eau, éventuellement du sucre, mais pas d'œuf.

Pour faire une tarte Tatin, il faut un ustensile qui puisse être utilisé à la fois sur la cuisinière et dans un four à convection. L'idéal est une poêle assez profonde, épaisse, supportant bien sûr la chaleur du four, avec un manche amovible. Le fond épais permet une meilleure répartition de la chaleur. Le manche est particulièrement utile pour sortir la tarte du four et pour la retourner sur le plat de service.

La tarte Tatin, ce n'est pas une tarte ratée, c'est un concept de cuisson.

Tarte Tatin aux pommes

100 g de beurre
50 g de sucre
1 kg de pommes
250 g de pâte brisée, ou de pâte écossaise ou, si on préfère, de pâte feuilletée

Mettre le beurre et le sucre dans le fond d'une poêle épaisse à manche amovible.

Éplucher les pommes, les épépiner et les couper en quartiers. Couper très finement l'une d'entre elles.

Placer les quartiers de pommes dans la poêle en les tassant les unes contre les autres. Recouvrir avec les lamelles de la dernière pomme.

Cuire à feu vif sur le gaz pendant 15 minutes.

Abaisser la pâte au rouleau et lui donner la forme et la surface de la poêle. La poser par-dessus les pommes. Enlever le manche de la poêle.

Mettre l'ensemble au four à 210° (thermostat 7) pendant 25 minutes.

Sortir la poêle. Remettre le manche et le tenir de la main droite. Poser le plat de service avec la main gauche par-dessus la poêle et retourner la tarte.

Laisser refroidir. Se mange tiède ou froid.

NB — *Les pommes apparaissent dorées et caramélisées. On peut cuire ainsi des abricots, des poires, des kumquats, des pêches, etc.*

Tarte aux blettes et au jarret de veau à la Mandarine impériale

Pour 6 personnes
1 kg de jarret de veau
1 carré de zeste d'orange séché de 2 cm de côté
citronnelle de Thaïlande (1 cuillerée à soupe si elle est séchée)
sel
poivre
1 botte de blettes fraîches (le blanc doit être brillant)
250 g de farine
80 g, plus 50 g, plus 50 g de beurre
20 g, plus 30 g de sucre
Mandarine impériale (10 à 20 ml)

Faire cuire doucement pendant 1 à 2 heures le jarret en le mouillant à hauteur avec de l'eau en ajoutant le zeste d'orange, la citronnelle, le sel et le poivre.

Éplucher les blettes. Couper les blancs en carrés de 1 centimètre de côté.

Faire une pâte avec 50 millilitres d'eau, 250 grammes de farine, 80 grammes de beurre, 1 pincée de sel. Faire une boule. Réserver au froid pendant 1 heure.

Lorsque le jarret est bien tendre, le sortir, enlever l'os et les cartilages, effeuiller la chair (on peut la couper en tronçons de 2 à 3 centimètres).

Faire un caramel avec 20 grammes de sucre et 50 grammes de beurre, ajouter la Mandarine impériale. Enrober les morceaux de jarret sans laisser cuire.

Faire fondre 50 grammes de beurre et 30 grammes de sucre dans le moule à tarte à feu vif en remuant. Lorsque le sucre est dissous, ajouter les blettes en formant une couche, puis le jarret. Cuire 10 minutes.

Rouler la pâte, en couvrir le moule, mettre au four à 200° (thermostat 6-7) pendant 25 à 30 minutes.

Démouler. Servir chaud.

Tarte au vert de blettes et à l'émincé de courgettes

Pour 6 personnes
1 botte de blettes bien fraîches (le vert doit être vernissé, brillant)
150 g de crème
2 brins d'origan Thumble's variety ou, à défaut, d'origan vulgaire
sel
poivre
800 g de courgettes (si les courgettes sont grosses, ne pas utiliser le cœur)
250 g de farine
80 g, plus 50 g de beurre
30 g de sucre

Laver et éplucher les blettes. Ne garder que le vert (le blanc sera utilisé pour une autre recette). Les ciseler et les mélanger avec la crème, l'origan effeuillé, sel et poivre.
Émincer les courgettes au couteau économe.
Faire une pâte avec la farine, 80 grammes de beurre, 50 millilitres d'eau, 1 pincée de sel. Former une boule et la mettre au frais pendant 1 heure.
Faire fondre 50 grammes de beurre et le sucre dans le moule à tarte à feu vif en remuant. Lorsque le sucre est dissous, ajouter les courgettes en couches successives en salant et poivrant à chaque couche. Couvrir avec les blettes. Cuire 15 minutes.
Rouler la pâte, en couvrir le moule. Mettre au four à 200° (thermostat 6-7) pendant 30 minutes.
Démouler. Servir chaud ou tiède.

Tarte Émile Loux

Pour 6 personnes
250 g de farine
80 g, plus 50 g de beurre
1,2 kg de poivrons rouges
30 g de sucre cristallisé
sel
poivre

Faire une pâte avec 50 millilitres d'eau, 1 pincée de sel, la farine et 80 grammes de beurre. La rouler en boule, la fariner et la mettre au frais pendant 1 heure.

Mettre les poivrons à griller au four à 200° (thermostat 6-7) pendant 40 minutes. Les retirer, les éplucher, enlever les peaux, les queues, les pépins. Les couper en lamelles.

Faire fondre 50 grammes de beurre et le sucre dans le moule à tarte à feu vif en remuant. Lorsque le sucre est dissous, ajouter les poivrons en couches successives en salant et en poivrant à chaque couche. Cuire 15 minutes.

Rouler la pâte, en couvrir le moule. Mettre au four à 200° (thermostat 6-7) pendant 30 minutes.

Démouler. Servir chaud ou tiède.

LES POMMES DE TERRE ÉCRINS

Si les tartes sont des écrins que fabrique de toutes pièces le cuisinier, il dispose avec les pommes de terre de légumes qu'il peut sculpter et transformer en récipients comestibles. Bien que la mode s'en soit quelque peu perdue, il s'agit là d'une façon simple, peu onéreuse et facile à réaliser, de présenter des entrées variées et goûteuses. Les pommes de terre sont cuites en deux fois. Une première opération consiste à les cuire à l'eau salée ou au four, classique ou à micro-ondes. Cette dernière manière est particulièrement rapide et adaptée. On enlève alors le sommet qu'on tranche horizontalement (pour cette opération, on place la pomme dans la position où elle est le plus stable, c'est-à-dire sur une de ses deux faces principales). On retire l'essentiel de la chair à la cuillère en veillant à rester à 4 ou 5 millimètres des bords et à ne pas crever la peau. On farcit alors la pomme de terre avec la préparation prévue et on fait gratiner au gril du four. Cette préparation peut se servir en entrée ou en accompagnement des viandes et poissons. Elle nécessite évidemment des légumes de grande taille. La pomme de terre, qui est faite essentiellement de sucre assimilable (amidon) et d'eau, est particulièrement adaptée à cette forme de farci. Comme dans le cas des tartes et des pizzas, la douceur un peu neutre de leur chair s'harmonise avec de très nombreuses sortes d'ingrédients, de condiments et d'épices.

Les plus célèbres pommes de terre farcies sont les œufs à la

Toupinel, avec ses nombreuses variantes, et les pommes de terre à l'ardennaise, qui en sont proches. En fait il existe de très nombreuses présentations, dotées d'appellations assez variées et imagées.

Pommes de terre Georgette

Pour 4 personnes
4 belles et grosses pommes de terre
40 g de beurre fondu
48 écrevisses cuites à la Nantua avec leur sauce
40 g de beurre dur
40 g de parmesan fraîchement râpé

Cuire les pommes de terre 5 à 8 minutes au four à micro-ondes (ou en cuisson mixte : micro-ondes et chaleur tournante).

Découper un couvercle sur la face supérieure à 5 ou 6 millimètres du haut. Enlever la chair de la pomme de terre en gardant une épaisseur de 5 millimètres.

Badigeonner l'intérieur de la pomme de terre avec le beurre fondu.

Passer au gril du four pendant 4 à 5 minutes ; la chair doit être bien blonde.

Farcir avec les écrevisses et la sauce.

Parsemer de copeaux de beurre et de parmesan.

Passer à nouveau au gril du four.

NB — *Un ancien succès de la Belle Époque inventé pour honorer une dame. D'où son retour ici.*

Œufs à la Toupinel

Pour 4 personnes
100 g de jambon cuit
ciboulette
4 grosses pommes de terre allongées bien lavées avec leur peau
4 œufs très frais
40 g de parmesan
100 g de crème fraîche
sel
poivre

892

Hacher finement le jambon.

Ciseler finement la ciboulette.

Cuire les pommes de terre 4 à 6 minutes au micro-ondes.

Les sortir du four, les poser de telle façon qu'elles soient bien stables, trancher un chapeau horizontalement à 5 mm de bord supérieur. Creuser la pomme de terre et faire une cavité (rester à 4 ou 5 millimètres de la peau).

Pocher les œufs.

Mélanger la chair des pommes de terre avec la crème, la ciboulette, saler et poivrer. Écraser à la fourchette.

Répartir dans les pommes de terre successivement le hachis de jambon, la purée de pommes de terre, les œufs, râper dessus le parmesan.

Passer le tout au gril du four pour gratiner.

Nids de pommes de terre

Pour 4 personnes
4 grosses pommes de terre (Roseval, charlotte, Belle de Fontenay)
10 g de beurre
chapelure de pain

Cuire les pommes de terre 4 minutes au four à micro-ondes.

Les couper au 1/3 de leur épaisseur (dimension minimale). Les évider avec une petite cuillère en faisant attention à ne pas les transpercer. Elles doivent avoir la forme d'un panier.

Fondre le beurre dans une petite poêle.

Beurrer au pinceau l'intérieur des pommes de terre. Parsemer de chapelure.

Passer au gril jusqu'à obtention d'une belle couleur dorée.

Les nids de pommes de terre se mangent chauds ou tièdes, on les farcit de mousses, d'olives, de petites salades fraîches et acidulées, de crème aux herbes, etc.

C'est un mode de cuisson adapté aux pièces de première catégorie (pièces à griller ou à rôtir) de forme allongée et de section arrondie ou carrée. Il consiste à griller successivement et à forte chaleur les faces latérales de la viande, puis à la retirer, à la découper transversalement en tranches d'épaisseur variable et à finir la cuisson en faisant griller, sauter, rôtir, etc. les tranches.

Bavette d'aloyau aux échalotes

Pour 4 personnes
8 échalotes
20 g de beurre
600 g de bavette d'aloyau d'un seul tenant, coupé de forme arrondie ou de section carrée (4 à 5 cm de côté)
sel
poivre

Éplucher les échalotes, les émincer finement et les cuire à petit feu dans le beurre 3 à 4 minutes, saler et poivrer.
Faire fortement chauffer un gril ou une poêle antiadhésive.
Griller la bavette une minute sur chaque face.
Mettre la bavette sur une planche à découper. La couper transversalement en tranches de 1,5 à 2 centimètres d'épaisseur.
Griller les tranches 1 à 2 minutes sur chaque face, en fonction de la cuisson désirée. Saler, poivrer, servir avec les échalotes.

NB — *Par cette cuisson, les steaks sont cuits de tous côtés. On obtient une viande dont la cuisson finale dépend du temps choisi. On peut cuire de la même façon le filet de bœuf, d'agneau ou de porc, l'onglet de bœuf et généralement toutes les pièces de taille et de forme semblable.*
On peut bien sûr changer la sauce d'accompagnement selon son goût.

Filet de porc aux amandes

Pour 4 personnes
50 g de beurre mou
60 g d'amandes en poudre
sel
poivre
2 filets de porc

Mélanger le beurre et la poudre d'amandes. Ajouter sel et poivre au goût.

Faire chauffer le gril du four.

Parer et enlever le gras et les aponévroses des filets de porc.

Faire sauter les filets 1 minute sur chacune des 3 faces à la poêle ou sur le gril.

Laisser refroidir la viande.

Lorsque la viande est froide, la couper transversalement en tranches de 1,5 à 2 centimètres d'épaisseur.

Les mettre sur une plaque allant au four. Tartiner la face supérieure avec le beurre d'amandes.

Passer 3 à 4 minutes au gril du four. Il se forme un gratin doré.

Servir.

LES CUISSONS COMPLIQUÉES

Elles sont compliquées parce qu'elles associent un certain nombre d'opérations de nature différente et qu'elles ne s'intègrent pas dans un arbre décisionnel simple. Pourtant, elles ne sont pas difficiles à réaliser. Il convient simplement de bien les lire avant de commencer et de savoir gérer son temps. Moyennant quoi, elles ne posent pas de problème particulier de réalisation.

Grand couscous de fête

Pour 12 personnes
2 kg d'oignons
500 ml d'huile d'olive
2 kg de tomates
sel
poivre
ras el hanout (à peu près 100 g)
4 œufs
1 kg de viande hachée
200 g de mie de pain séchée pulvérisée
5 gousses d'ail épluchées, dégermées, finement
12 poivrons verts équeutés et épépinés
1 kg de collier d'agneau coupé en tranches de 2 cm
2 épaules d'agneau dont une coupée en cubes de 4 cm
1 jarret de veau coupé en tranches de 2 cm d'épaisseur
harissa (en boîte, ou au détail)
une petite boîte de concentré de tomates
cubes de bouillon de volaille instantané
1,5 kg de carottes
1,5 kg de navets
1 kg de petits pois frais (poids épluché) ou, à défaut, en boîte
2 kg de potiron
3 kg de couscous fin
1 poulet
1 kg d'os à moelle
80 g de beurre
1 kg de pois chiches cuits (poids cuit)

Le premier jour. Faire la sauce tomate. Éplucher 1 kilo d'oignons, les couper en fines lamelles. Les faire fondre à petit feu avec 100 millilitres d'huile pendant 10 minutes. Éplucher les tomates, les épépiner, les couper en gros cubes. Ajouter les tomates à la fondue d'oignons, saler, poivrer, ajouter 1 cuillerée à soupe bombée de ras el hanout. Cuire à petit feu pendant 20 minutes à couvert. Rectifier l'assaisonnement.

Mélanger les œufs, la viande hachée, la mie de pain, les gousses d'ail hachées, ajouter sel, poivre et 1 cuillerée à soupe de ras el hanout. Diviser la farce ainsi obtenue en 2 parties égales. Farcir les poivrons avec la première. Former 12 boulettes avec le reste.

Cuire les poivrons farcis 40 minutes au four à 170° (thermostat 5-6).

Frire les boulettes dans 50 millilitres d'huile d'olive.

Mettre les boulettes et les poivrons dans la sauce tomate. Réserver au frais.

Dans une grande marmite, mettre 100 millilitres d'huile d'olive. Faire revenir successivement les oignons restants épluchés et coupés en 4, puis le collier, l'épaule et le jarret. Jeter l'huile. Remettre l'ensemble des aliments revenus. Ajouter l'harissa, le concentré de tomates, l'extrait de volaille, du poivre, un peu de ras el hanout. Couvrir d'eau. Mener à ébullition. Arrêter et laisser reposer la nuit.

Le second jour. Éplucher les carottes, les navets et le potiron. Couper les premiers en bâtons carrés de 10 centimètres de long et de 1 centimètre de section.

Mettre les viandes et le bouillon à chauffer. Lorsque le liquide bout, ajouter le compartiment supérieur du couscoussier recouvert d'une mousseline.

Dans une cuvette humecter la semoule en versant de l'eau dessus. L'égoutter en la serrant dans les mains.

Mettre la semoule ainsi égouttée dans le compartiment supérieur du couscoussier.

A trois reprises, 15, 45, 75 minutes après le début de l'ébullition, étaler la semoule dans un très grand plat. Oter la mousseline, puis, lorsque l'ensemble est moins chaud, rouler le couscous avec les doigts de façon à obtenir une semoule uniforme. Remettre chaque fois dans le couscoussier recouvert de la mousseline.

Rôtir au four la deuxième épaule d'agneau et le poulet à 180° (thermostat 6) pendant 1 heure.

15 minutes avant de servir, ajouter les os à moelle dans le bouillon. Quelques minutes avant de servir, y ajouter les pois chiches.

Pocher séparément à l'eau salée additionnée de cubes de bouillon, le potiron, les carottes, les navets et les petits pois s'ils sont frais, sinon les réchauffer dans leur eau de conserve.

Rouler une dernière fois le couscous en ajoutant le beurre en petits morceaux.

Faire réchauffer les boulettes et les poivrons farcis.

Service. Servir séparément

1. Les viandes bouillies avec la moelle des os
2. Les viandes rôties
3. Les boulettes et les poivrons farcis

897

4. Les légumes bouillis
5. La graine de couscous
6. Le bouillon aux pois chiches
7. La sauce tomate.
En outre, on peut servir de l'harissa, des petits oignons doux crus coupés en fines tranches, de la coriandre fraîche ciselée.

NB — *Le couscous est un plat très commun en Afrique du Nord, où il garde un statut particulier. Bien souvent, on fait longuement cuire les légumes dans le bouillon. Résultat, ce dernier est dilué, de goût peu net. La recette ici décrite permet d'obtenir un bouillon très sapide. Le nombre de viandes est optionnel. On peut également ajouter des brochettes de bœuf ou d'agneau, des abats grillés, des côtelettes d'agneau, des merguez, etc. Ou au contraire se contenter d'une seule sorte de viande. Les quantités indiquées correspondent à une grande fête, pas au couscous quotidien. (Recette de Jacqueline Derenne.)*

Hachis parmentier

Pour 4 personnes
2 poireaux épluchés et finement émincés
2 oignons de 100 g épluchés, émincés et finement hachés
2 gousses d'ail épluchées, dégermées et finement râpées
4 belles échalotes épluchées et finement hachées
50 g de graisse de canard
100 ml de vin blanc sec
1 kg de bœuf bouilli (passé au hachoir à viande)
500 ml de bouillon bien relevé
1 bouquet garni (thym, laurier, persil)
20 g de beurre mou
1,5 kg de purée de pommes de terre

Faire revenir à feu moyen le poireau, l'oignon, l'ail et l'échalote dans la graisse de canard pendant 8 à 10 minutes. Ajouter le vin blanc. Faire réduire à sec.
Ajouter la viande en tournant. Cuire 2 minutes. Ajouter le bouillon et le bouquet garni. Bien mélanger. Cuire encore 15 à 20 minutes jusqu'à ce que l'excès de liquide se soit évaporé. Enlever le bouquet garni.

Beurrer un moule à four. Mettre une couche de purée, la farce et une seconde couche de purée. Bien lisser la surface.
Cuire 20 minutes à four moyen 200° (thermostat 6-7).
Servir dans le plat de cuisson.

NB — *On peut, sur ce modèle, utiliser de la viande de dinde, de poulet, de canard, ou bien d'animaux marins.*

Côtes de veau de lait enfouies aux deux tomates et aux épices douces

Pour 4 personnes
8 grosses tomates mûres
50 ml d'huile d'olive
2 tomates sèches
2 cm de poivre long
1 cuillerée à café de fenugrec
3 têtes de macis
3 cm² d'écorce de citron séchée
2 gousses d'ail séché (10 « pétales »)
sel
4 belles côtes de veau de lait
8 feuilles de basilic

Éplucher, épépiner, couper grossièrement les tomates.
Faire cuire à feu maximum la concassée de tomate fraîche avec l'huile et les tomates sèches finement émincées dans une cocotte pendant 5 à 6 minutes.
Pulvériser au moulin à café l'ensemble des épices.
Ajouter la moitié des épices, le sel et les côtes de veau. Baisser le feu, couvrir, cuire 5 minutes. Éteindre le feu et laisser encore 15 minutes à couvert.
Sortir les côtes et les réserver au chaud, ajouter le reste des épices et le basilic. Faire cuire à feu vif pendant 5 minutes.
Enfouir les côtes de veau sous la sauce.

NB — *On peut servir des tagliatelles ou du riz avec ce plat.*

Tajine à la cervelle d'agneau

Pour 6 personnes
4 cervelles d'agneau
500 g de viande maigre d'agneau sans os
1/2 cuillerée à café de paprika
sel
poivre
50 ml d'huile d'olive
6 œufs
4 cuillerées à soupe de farine
150 g de parmesan fraîchement râpé

Faire dégorger les cervelles dans l'eau pendant 1 heure.
Les éplucher et enlever les vaisseaux et le sang.
Mettre la cervelle dans l'eau froide. Mener à ébullition. Retirer.
Enlever les éventuelles traces noires. Couper la cervelle en cubes de 1 centimètre de côté.
Couper la viande en cubes de 5 millimètres de côté.
Assaisonner les cubes de cervelle et de viande avec le paprika, le sel et le poivre, et les faire sauter dans l'huile.
Laisser refroidir, éliminer la graisse.
Battre les œufs avec la farine et le parmesan. Mélanger avec la préparation précédente.
Mettre dans une terrine non adhésive. Cuire au four moyen à 180° (thermostat 6) pendant 50 minutes.

NB — *Ce tajine tunisien se mange chaud ou tiède, coupé en tranches et arrosé de jus de citron et de beurre salé.*

Cuissot de sanglier aux poires épicées
et à la crème de céleri

Pour 12 personnes
1 cuissot de sanglier de moins de 2 ans pesant environ 5 kg
2 bouteilles de vin blanc sec
2 grosses carottes épluchées (on aura enlevé le centre) et coupées en demi-rondelles
1 gros oignon épluché et émincé
4 échalotes épluchées et émincées
2 cuillerées à soupe d'huile
50 grains de poivre
1 feuille de laurier
8 queues de persil
10 clous de girofle
bardes de lard
12 poires Conférence
2 bouteilles de vin rouge
4 étoiles de badiane
12 filaments de citronnelle de Thaïlande
1/2 bâton de cannelle
3 cuillerées à soupe de gelée de framboise
3 boules de céleri épluchées
500 g de crème
sel
poivre
50 g de beurre

Parer le cuissot. Faire une marinade avec le vin blanc, les carottes, l'oignon, les échalotes, l'huile, le poivre, le laurier, les queues de persil et 4 clous de girofle. Ne pas saler. Faire mariner le cuissot pendant 5 jours dans un local frais en le retournant deux fois par jour.

Égoutter la marinade, sécher la viande et l'emmailloter dans les bardes. Rôtir sur une grille à four modéré 150° (thermostat 4-5) pendant 1 heure et demie.

Cuire la marinade à couvert pendant 30 minutes. La passer au chinois en pressant bien puis à l'étamine. La faire réduire de moitié.

Éplucher les poires. Les cuire en cocotte avec le vin rouge auquel on ajoute 6 clous de girofle, la badiane, la citronnelle et la cannelle. Retirer les poires quand elles sont cuites et les réserver au chaud. Filtrer le jus de cuisson et le faire réduire des trois quarts. Ajouter la gelée de framboises.

Sortir la viande, ôter les bardes. Placer le cuissot dans un plat creux. Ajouter la marinade réduite et remettre au four. Cuire encore 40 à 60 minutes selon la cuisson désirée. Arroser toutes les 5 minutes.

Éplucher le céleri et le faire cuire à la vapeur. Le mixer finement avec la crème. Saler, poivrer, réserver au chaud.

Lorsque la viande est prête, récupérer le jus de cuisson et le mélanger au jus des poires.

Laisser reposer la viande au tiède pendant 20 minutes.

Réchauffer la sauce, ajouter le beurre en battant au fouet, rectifier l'assaisonnement.

Servir le rôti sur le plat de service, la sauce en saucière, les poires et la crème de céleri dans des récipients adaptés.

NB — *Un plat de chasse tendre et goûteux, sans nuance faisandée. Un bon vin fait un meilleur plat.*

Crémé de langue de veau aux crozets et christophines

Pour 4 personnes
1 langue de veau
1 cuillerée à soupe de farine
1 citron
2 christophines
150 g de beurre
1 bel oignon
1/2 cuillerée à café rase de curcuma
1/2 cuillerée à café rase de tabel
6 râpures de muscade
1 piment antillais équeuté, épépiné et finement haché
100 g de crème
sel
poivre
80 g de roquefort
200 g de crozets de Savoie
2 litres de bouillon

Cuire la langue de veau dans un blanc (eau additionnée de la farine et du jus de citron) à petit feu pendant 1 heure. La rafraîchir, la parer soigneusement en enlevant la peau, les parties gélatineuses, osseuses et grasses. Couper le muscle ainsi dégagé en tranches de 1 centimètre de large.

Couper les christophines en deux. Enlever le noyau et la partie dure adjacente (elle est plus importante dans les variétés blanches). Les cuire 30 minutes à l'eau salée. Les éplucher et les couper en cubes de 1 centimètres de côté.

Faire fondre 50 grammes de beurre dans une cocotte. Faire blondir sans colorer l'oignon pendant 15 minutes. Il doit être translucide. Ajouter les épices et le piment. Cuire 2 minutes.

Ajouter la langue et la crème. Saler, poivrer. Faire doucement épaissir une dizaine de minutes en enrobant bien la viande.

Fondre le roquefort avec 50 grammes de beurre. Ajouter les christophines. Faire dorer l'ensemble.

Cuire les crozets 10 à 12 minutes dans le bouillon. Les égoutter et les mélanger avec 50 grammes de beurre.

Servir la langue dans un plat, les crozets et les christophines dans des saladiers distincts.

NB — *Plat d'inspiration mixte antillaise (piment, christophine), savoyarde (crozets), rouergate (roquefort) et normande (crème et beurre) pour une des viandes les plus douces et les plus mésestimées, la langue de veau. Les crozets sont de petites pâtes faites avec de la farine de blé et généralement de sarrasin, et des œufs. Après cuisson, ils ont la consistance de gros grains de riz avec un goût spécifique et délicat, différent d'autres pâtes assez semblables comme les puntine.*

Poulet à l'ail en gratin

Pour 4 personnes
1 poulet fermier
100 g de beurre
1 tête d'ail épluchée, dégermée, coupée en petits morceaux
3 tomates épluchées et épépinées, coupées en petits cubes
250 ml de bouillon
2 branchettes de thym
2 branches de marjolaine
sel
poivre
2 jaunes d'œufs
50 g de parmesan fraîchement râpé

Désosser complètement le poulet, couper la chair en petites escalopes.

Mettre 20 grammes de beurre avec 50 millilitres d'eau et les morceaux d'ail. Les faire cuire jusqu'à évaporation de l'eau.

Mettre l'ail et le jus de cuisson avec le reste du beurre dans une cocotte. Saisir les escalopes. Ajouter les tomates et le bouillon, le thym et la marjolaine, sel, poivre. Cuire à bon feu pendant 10 minutes.

Mettre la viande dans un plat à gratin. Enlever le thym et la marjolaine. Mixer le jus de cuisson et le faire réduire de moitié. Ajouter hors du feu les deux jaunes d'œufs. Laisser 5 minutes au chaud pour épaissir.

Mettre la sauce sur le poulet, saupoudrer le parmesan.

Faire gratiner au gril du four pendant 1 ou 2 minutes.

Cassoulet

Pour 4 personnes
1 kg de haricots blancs
4 beaux morceaux de confit de canard
1 petit saucisson à l'ail coupé en 4
3 oignons blancs de 100 g épluchés et finement émincés
6 gousses d'ail épluchées, dégermées, et finement râpées
50 g de graisse de canard
300 g de poitrine de porc maigre coupée en 12 morceaux
200 g de couennes de porc coupés en petits morceaux
1,5 l de bouillon
4 tomates épluchées, épépinées et coupées en petits morceaux
1 bouquet garni (thym, laurier, queues de persil)
chapelure
persil ciselé
sel
poivre

Faire tremper les haricots, s'ils sont secs, pendant une nuit. Les cuire 45 minutes à l'eau salée. Les égoutter ;

Griller à feu moyen les morceaux de confit pendant 5 minutes. Ajouter le saucisson. Cuire encore 10 minutes.

Faire revenir l'oignon et l'ail dans la graisse de canard dans une cocotte. Ajouter le lard, les couennes et la poitrine. Bien remuer sur le feu pendant 5 à 6 minutes à feu moyen.

Ajouter le bouillon, sel, poivre. Bien mélanger avec la cuillère. Ajouter les haricots, le confit et le saucisson. Rectifier l'assaisonnement. Cuire à feu doux à couvert pendant 2 heures.

Répartir le cassoulet dans 4 terrines allant au four en répartissant les divers ingrédients de façon identique. Saupoudrer de persil et de chapelure.

Mettre au four 200° (thermostat 6-7) pendant 15 minutes pour faire gratiner.

Servir dans les terrines de cuisson.

NB — *Un cassoulet parmi mille autres. On peut varier les viandes (agneau, porc, oie, oiseaux divers). Les saucisses peuvent être grillées, coupées en rondelles et ajoutées à la fin ; on peut aussi remplacer les haricots blancs par d'autres, de couleurs différentes, ou, pourquoi pas, par des fèves ; après tout elles étaient là avant l'arrivée des envahisseurs américains. On peut servir dans un plat unique, d'autant plus que le cassoulet se réchauffe. C'était le plat du jeudi de Joseph Delteil[1] qui indiquait que les haricots devaient être de Pamiers, la cassole[2] en terre d'Issel, le four chauffé avec les ajoncs de la montagne Noire. « Il s'agit d'enfoncer sept fois la peau, ajoutait-il en précisant : chez moi on gardait le dernier saucisson de l'année pour le cassoulet de cochon, le jour où l'on tue le cochon : un gros saucisson entier tout debout ; comme un homme dans sa marmite de haricots : ça boucle la queue, c'est le porc qui se mord la queue. »*

---

1. *La Cuisine paléolithique, op. cit.*
2. Le mot « cassoulet » viendrait de celui du récipient dans lequel il cuit, la cassole.

Pintades aux noix fraîches en deux services

Pour 4 personnes
1 kg de noix fraîches (mais mûres)
2 belles pintades
60 g de beurre
2 oignons blancs de taille moyenne
50 ml d'armagnac
1 bouteille de vin blanc sec
1 branche de thym
1 feuille de romarin
2 branches d'origan Thumble's variety (ou, à défaut, d'origan vulgaire) (ne garder que les feuilles)
100 g de poitrine fumée sans couenne et sans cartilage
100 g de foie gras cru, coupés en dés de 1 cm de côté
sel
poivre
250 g de mâche épluchée et bien lavée (ou de salade à petites feuilles de saison)
vinaigrette (huile d'olive et de noix, vinaigre, sel, poivre)

Éplucher les noix et enlever la membrane jaune qui les recouvre.

Découper les pintades. Réserver les cuisses, les ailes et les blancs. Hacher grossièrement les carcasses. Désosser les ailes, ajouter les os aux carcasses.

Faire revenir avec 30 grammes de beurre les oignons finement émincés, ajouter les carcasses, faire dorer. Flamber avec l'armagnac.

Ajouter le vin blanc, le thym et le romarin. Faire cuire à feu doux pendant 1 heure.

Bien filtrer le fumet au chinois en pressant sur les chairs pour exprimer les sucs.

Couper la chair des ailes en petits cubes. Les étuver 5 minutes dans 30 grammes de beurre avec les feuilles d'origan.

Couper la poitrine en tout petits lardons. Les mettre dans une casserole d'eau froide. Porter à ébullition.

Retirer les lardons, les passer à l'eau froide.

Ajouter les lardons aux dés de pintade, puis les dés de foie gras. Retirer après 30 secondes de cuisson. Réserver au chaud.

Couper les cuisses en 2. Les mettre à griller en commençant par le côté peau.

Pocher les filets dans la moitié du fumet de carcasse. Ils ne doivent pas être trop cuits.

Mettre la moitié des noix à cuire 5 minutes dans l'autre moitié du fumet.

Mixer. Saler, poivrer.

Faire la vinaigrette (huile d'olive et de noix, vinaigre, sel et poivre).

Hacher le reste des noix.

Premier service. Escaloper les filets en les coupant à 45° du plan horizontal ; servir dans chaque assiette un filet escalopé recouvert de la sauce aux noix fraîches. De l'autre côté de l'assiette déposer le quart du ragoût d'aile et de foie gras recouvert d'un peu de jus de cuisson des filets. Poivrer.

Deuxième service. Servir les cuisses grillées avec la salade arrosée de vinaigrette à l'huile de noix, parsemée de noix hachées.

Lièvre au sauternes

Pour 10 personnes
1 lièvre de France de 3,5 kg
1 bouteille de sauternes
1 ou 2 crépines (prévoir plutôt plus que moins)
300 g de noix de veau
150 g de champignons de Paris
600 g de foie gras mi-cuit
60 g de beurre
25 g de pelures de truffes
1 œuf
2 cuillerées à soupe de cognac
sel
poivre
1 oignon moyen
3 échalotes
1 petite carotte
1 bouquet garni (thym, laurier, persil)

Désosser le lièvre. Éliminer soigneusement les plombs. Faire tremper les parties ensanglantées en renouvelant soigneusement l'eau qui doit revenir claire. Il est important d'éliminer le sang qui rend amer le gibier.

Lorsque la chair du lièvre ne rend plus de sang, l'essuyer et la mettre à mariner deux heures avec le sauternes.

Mettre la crépine à dessaler à l'eau fraîche.

Hacher finement le veau.

Éplucher les champignons. Réserver les parures.

Couper les champignons en lamelles. Les faire cuire avec 10 grammes de beurre. Les mixer.

Mélanger intimement 400 grammes de foie gras, le veau, les truffes, l'œuf, le cognac et les champignons (farce). Saler et poivrer.

Égoutter le lièvre, le sécher. Étaler la crépine. Disposer le lièvre à plat dessus. Recouvrir de farce. Reformer le lièvre et l'enrouler dans la crépine comme un saucisson.

Émincer l'oignon, les échalotes et les carottes. Les faire revenir doucement avec le reste du beurre. Ajouter les os et les parures de lièvre. Cuire encore 5 minutes. Mouiller avec la marinade et le même volume d'eau. Ajouter le bouquet garni. Couvrir. Cuire à petit feu pendant 1 à 2 heures.

Passer la marinade au chinois en pressant bien, puis à l'étamine. On obtient un beau liquide clair et ambré. Le faire réduire de moitié et le dégraisser.

Mettre le lièvre dans un plat à four. Le cuire à 160° (thermostat 5-6) pendant 30 minutes, puis ajouter peu à peu la marinade. Arroser toutes les 10 minutes. Cuire 2 heures en tout.

Réserver le lièvre au chaud (attention, il refroidit vite).

Dégraisser le jus de cuisson et le réduire des 2/3.

Ajouter hors du feu le reste du foie gras en fouettant vigoureusement (on peut aussi le mixer avec la sauce).

Poser le lièvre sur le plat de service chaud, le couper en tranches, arroser de la moitié de la sauce, le reste en saucière.

NB — *On sert avec ce plat des racines sautées — céleri, cerfeuil tubéreux — ou des pommes de terre.*
Un grand bourgogne accompagne très bien ce plat de fête, mais l'alliance la plus subtile et la plus expressive se fait avec un grand sauternes.

Cassoulet de lotte aux herbes fraîches

Pour 6 personnes
têtes et arêtes de turbot et de lotte
1 kilo de lotte
6 échalotes épluchées et émincées
1 carotte épluchée et râpée
200 g de beurre
375 ml de vin blanc
sel
poivre
1 bouquet garni (thym, laurier, persil)
20 ml d'huile d'olive
6 gousses d'ail entières
1 kilo de haricots blancs (mohjettes, soissons ou cocos) trempés depuis 12 heures
3 feuilles de sauge officinale
1 branchette de sarriette
1 pincée d'asa foetida
1 bonne poignée d'herbes vertes diverses en mélange (épinards, blettes, vert de poireau, vert d'oignon, de ciboule ou d'échalote, persil, céleri, livèche ou autres)
1 cuillerée à soupe de chapelure de pain

Laver bien minutieusement les parures de poisson, enlever toute trace de sang, les branchies et les parties rouges de la tête.
Éplucher la lotte, couper les morceaux en cubes de 3 centimètres de côté.
Faire étuver les échalotes et la carotte dans 50 grammes de beurre pendant 5 minutes. Ajouter les parures de poisson et l'arête de la lotte. Cuire à petit feu pendant 5 autres minutes. Ajouter le vin blanc, 2 litres d'eau, sel et poivre et le bouquet garni. Cuire à petit feu pendant 45 minutes.
Faire sauter les cubes de lotte dans l'huile d'olive pendant 2 à 3 minutes (le poisson doit être mi-cuit). L'égoutter (il va rendre encore du liquide).
Passer le court-bouillon au chinois en pressant bien pour exprimer tous les sucs. Écraser la chair de l'ail et le joindre au jus filtré.
Mettre le court-bouillon et le jus rendu par la lotte dans une casserole. Ajouter les haricots blancs, la sauge, la sarriette et l'asa foetida. Cuire à petit feu pendant 1 heure.

Hacher finement les herbes. Les malaxer avec le beurre. Les mettre dans une terrine allant au four.

Ajouter les haricots avec leur jus de cuisson, enlever la sarriette et la sauge. Remuer délicatement pour bien enrober.

Mettre au four à 180° (thermostat 6). Ajouter la lotte qui doit être enfouie dans les haricots, ou affleurer la surface. Parsemer de chapelure.

Cuire encore 5 minutes. Si nécessaire, mettre le plat sous le gril du four pendant 1 ou 2 minutes pour bien dorer la surface.

NB — *On peut également diviser le cassoulet en portions individuelles et le gratiner dans des bols spéciaux.*

Zarzuela de pescado

Pour 4 personnes
2 belles soles
1 kg de belles langoustines
3 poivrons rouges
1 bouquet garni (thym, laurier, queues de persil)
1 oignon épluché piqué d'un clou de girofle
sel
poivre
8 belles tomates épluchées, épépinées, coupées en petits morceaux
100 ml d'huile d'olive
2 gousses d'ail épluchées, dégermées et finement râpées
500 g d'encornets épluchés
200 g de jambon de Bayonne coupé en dés de 5 mm de côté
0,1 g de safran
1 l de moules

Lever les filets de la sole, la vider, enlever les ouïes. Mettre les arêtes et la tête dans l'eau froide pendant 30 minutes.

Décortiquer les queues des langoustines.

Cuire les poivrons rouges 20 minutes au four à micro-ondes, les éplucher et les épépiner et les couper en petits cubes.

Mettre les arêtes et têtes de soles, les têtes et la carapace des langoustines avec le bouquet garni, l'oignon piqué, sel et poivre, dans 2 litres d'eau.

Faire cuire en cocotte à bon feu pendant 30 à 40 minutes. Filtrer au chinois en pressant bien.

Cuire à feu vif les tomates avec la moitié de l'huile d'olive et avec l'ail pendant 6 à 7 minutes.

Cuire à feu vif dans le reste de l'huile les filets de sole 1 minute sur chaque face, puis les encornets 2 minutes, puis les langoustines 30 secondes de chaque côté.

Dans une cocotte, faire réduire le fumet de poissons et de crustacés, ajouter le jambon, les tomates et les poivrons. Ajouter le safran. Cuire à bon feu pendant 5 minutes.

Ouvrir les moules à sec, les retirer au fur et à mesure.

Éliminer celles qui ne s'ouvrent pas ou qui ont un aspect anormal. Les sortir des coquilles.

Filtrer le jus des moules et l'ajouter à la sauce. Cuire encore 3 minutes.

Mettre les langoustines, les filets de poissons, les encornets et les moules dans un plat. Verser dessus la sauce brûlante. Servir.

NB — *Ce plat catalan nécessite des produits de qualité. Les poissons et fruits de mer ne doivent pas être trop cuits.*

Paella à la valenciana

Pour 4 personnes
500 g de poulet désossé et sans peau
200 g de travers de porc désossé
120 ml d'huile d'olive
8 belles langoustines
2 gros poivrons verts
200 g d'encornets ou de seiche (poids épluché)
2 gros oignons doux ou 8 petits oignons blancs épluchés et finement émincés
4 gousses d'ail épluchées, dégermées et finement râpées
500 g de riz long grain
200 g de chorizo de Jabugo (Andalousie) coupé en tranches de 3 mm d'épaisseur
6 belles tomates épluchées, épépinées, coupées en petits cubes
15 filaments de safran
1 pointe de poivre de Cayenne
sel
poivre
12 belles moules

Couper le poulet et le porc en cubes de 1 centimètre de côté. Les faire cuire dans 20 millilitres d'huile d'olive à feu vif pendant 5 minutes. Réserver la viande.

Cuire les poivrons 20 minutes au four à micro-ondes, les éplucher et les épépiner. Les couper en fines languettes de 3 à 4 millimètres de large.

Dans un plat à paella, mettre 100 millilitres d'huile d'olive, faire sauter à feu vif les encornets pendant 1 minute, ajouter les poivrons, les oignons et l'ail. Remuer pendant une minute. Ajouter le riz. Tourner à feu vif pendant 2 minutes. Ajouter le chorizo, les tomates et le safran, le cayenne, le sel et le poivre. Mouiller avec 1/2 litre d'eau tiède. Porter à ébullition. Baisser le feu, couvrir, cuire 15 minutes à l'étouffée.

Ajouter les langoustines, cuire 3 à 4 minutes; puis cuire les moules juste le temps qu'elles s'ouvrent. Servir dans le plat.

NB — *Un grand classique espagnol.*

Langoustines au foie gras

Pour 4 personnes
12 grosses langoustines très fraîches
1 cuillerée à soupe d'huile d'olive extravierge de Toscane
4 échalotes grises
80 g de beurre
100 ml de vin blanc doux (sauternes ou autre)
300 g de foie gras cru
farine
3 branches de cerfeuil (coupées en tout petits bouquets terminaux)
poivre mignonnette
sel de Guérande (fine fleur)

Séparer les queues des langoustines. Les décortiquer. Enlever et jeter le boyau noir médian.

Mettre les queues de langoustines dans l'huile d'olive. Les laisser mariner au frais.

Faire revenir sans colorer les échalotes dans la moitié du beurre. Hacher grossièrement les parures de langoustines. Les ajouter aux échalotes. Cuire 3 minutes à bon feu.

Ajouter le vin. Faire réduire à sec. Mouiller avec 100 millilitres d'eau et faire réduire des 3/4.

Passer la cuisson des langoustines au chinois en pressant bien. Réserver.

Couper le foie gras en 8 petites escalopes. Les fariner légèrement.

Cuire les langoustines à cru à feu vif 45 secondes sur chaque face.

Dans une autre poêle, cuire à cru les escalopes 45 secondes de chaque côté.

Monter le jus avec les 40 grammes de beurre en fouettant.

Servir dans chaque assiette 3 langoustines, 2 escalopes de foie gras.

Arroser avec le jus de langoustine auquel on aura incorporé le gras coulé lors de la cuisson du foie.

Parsemer de quelques branches de cerfeuil.

Présenter avec le poivre mignonnette et la fine fleur de sel de Guérande en coupelles.

NB — *L'exécution de ce plat est facile. Sa qualité est ce que sont ses ingrédients. Comme ils coûtent cher, il est absurde d'acheter des produits médiocres. A réserver donc aux langoustines de première fraîcheur et au foie gras de belle origine. Ne pas lésiner sur la qualité du beurre non plus. Plus un plat est simple, plus on doit être intransigeant : la simplicité est l'ennemie du laisser-aller.*

Coquilles saint-jacques safranées, aux chicons et jus de clémentines

Pour 4 personnes
8 coquilles saint-jacques
1 cuillerée à soupe d'huile d'olive extravierge
poivre
100 ml de vin blanc
sel
2 brins de persil
50 g de crème
2 endives (chicons)
100 g de beurre
2 clémentines
10 filaments de safran
paprika

Éplucher les coquilles. Réserver le corail. Couper le muscle en deux dans le sens de l'épaisseur. Les mettre à mariner avec l'huile d'olive, poivrer.

Laver les barbes des coquilles à grande eau. Les mettre dans une casserole avec le vin blanc, 100 millilitres d'eau, sel, poivre et le persil. Faire bouillir, puis réduire des 2/3 et filtrer.

Éplucher les chicons, les couper en bâtonnets de 5 millimètres d'épaisseur. Les faire sauter avec 20 grammes de beurre dans une poêle. Lorsqu'elles deviennent translucides, ajouter le jus des clémentines, le safran et le paprika. Faire bouillonner pendant 2 minutes. Ajouter le court-bouillon de barbes et la crème. Faire bouillonner à nouveau 3 minutes. Une minute avant la fin, ajouter le corail des coquilles.

Rectifier l'assaisonnement.

Faire sauter les noix sur une poêle très chaude 1 minute sur chaque face.

Répartir les noix et le corail sur chaque assiette. Couvrir avec la sauce. Servir aussitôt.

Petit gratin de coques à la provençale

Pour 2 personnes
1 l de coques
30 ml d'huile d'olive
1 gousse d'ail épluchée, dégermée et râpée
2 belles tomates épluchées, épépinées et coupées en dés de 1 cm de côté
6 feuilles de basilic à grandes feuilles hachées
sel
poivre
1 jaune d'œuf
50 g de parmesan ou autre grana fraîchement râpé

Mettre les coques pendant 2 heures dans une eau très salée (50 à 60 grammes par litre) pour leur faire éliminer le maximum de sable.

Les mettre dans un faitout et les faire ouvrir à sec, les retirer au fur et à mesure qu'elles s'ouvrent. Éliminer celles qui ne s'ouvrent pas et celles qui pourraient être pleines de vase.

Verser le liquide de cuisson dans un saladier, y mettre 3 ou

4 glaçons pour le refroidir rapidement, éplucher les coques et mettre les mollusques au fur et à mesure dans le même saladier. Nettoyer très finement chaque coque en la lavant dans son eau de cuisson, et les placer au fur et à mesure dans un autre saladier.

Filtrer l'eau de cuisson deux fois à l'étamine (les coques contiennent beaucoup de sable, gare à l'émail des dents).

Dans une casserole, mettre l'huile d'olive, les râpures d'ail, les tomates coupées en dés. Cuire au grand feu pendant 3 ou 4 minutes.

Ajouter le jus de cuisson des coques et le basilic, cuire encore 4 minutes à feu vif en remuant de temps en temps, saler, poivrer.

Hors du feu, ajouter le jaune d'œuf délayé dans un peu de jus de cuisson.

Dans un plat à gratin, placer les coques côte à côte, répartir la sauce par-dessus, saupoudrer avec le parmesan.

Mettre à dorer au gril du four bien chaud.

Servir dans le plat de cuisson quand le plat est bien doré.

NB — *Peut se faire avec d'autres mollusques bivalves (moules, vernis, flions, palourdes, praires). Peut également se faire en répartissant les coques dans 4 petits plats à gratin individuels.*

Germiny de fèves et noisettes fraîches

Pour 6 personnes
1 kg de fèves (poids des fèves proprement dites, pas des cosses)
sel
2 grands brins de sarriette des jardins
50 g de noisettes rouges type coudre fraîche, mais mûres
5 jaunes d'œufs
500 g de crème fraîche
poivre blanc

Mettre les fèves dans de l'eau bouillante salée. Attendre la reprise de l'ébullition, laisser bouillir 1 minute, puis passer les fèves sous d'eau froide.

Éplucher les fèves, ne garder que l'intérieur.

Faire chauffer 1 litre d'eau avec du sel et la sarriette. Remettre les fèves. Les laisser cuire 4 minutes. Les mixer (sans la sarriette).

Éplucher les noisettes. Enlever les parties brunes attenantes à l'amande, mais laisser les parties rosées. Mettre les noisettes dans 1/4 de litre d'eau et les monter à ébullition pendant 1 ou 2 minutes. Mixer.

Mélanger fèves et noisettes, ajouter les jaunes d'œufs et la crème, saler et poivrer. Mettre sur feu doux en remuant constamment à la spatule pour épaissir, comme une crème anglaise (ne pas faire bouillir).

Se sert chaud ou froid.

Soupe de Cendrillon

Pour 12 personnes
1 potiron de 10 kg (plus 1 ou 2 kg de chair d'un autre)
1 l de crème
1 l de bouillon de volaille très corsé
3 gousses d'ail épluchées, dégermées, finement broyées
3 brins d'estragon
muscade fraîchement râpée
cannelle fraîchement pulvérisée
sel
poivre blanc
6 jaunes d'œufs
2 cuillerées à soupe de cerfeuil ciselé
petits croûtons

Couper le sommet du potiron de façon à en faire un couvercle. Enlever la pulpe du potiron avec une cuillère coupante. Rester à 1 centimètre de la paroi. Éliminer les graines. Cuire la pulpe à la vapeur jusqu'à ce qu'elle soit bien tendre.

Mixer finement le potiron avec la crème.

Dans une grande casserole, mettre le bouillon, la purée de potiron, l'ail, l'estragon, la muscade et la cannelle. Saler et poivrer. Cuire à petit feu pendant 1 bonne heure. Rectifier l'assaisonnement.

Battre les jaunes d'œufs avec un fouet et un peu d'eau tiède. Ajouter peu à peu l'équivalent d'une louche de la soupe.

Hors du feu, ajouter les jaunes battus dans la soupe. Rectifier encore une fois l'assaisonnement.

Ébouillanter l'intérieur du potiron. Y verser la soupe. Parsemer de cerfeuil. Servir le potiron sur la table. Accompagner des croûtons.

NB — *Une soupe extrêmement subtile, difficile à réaliser en fait (il est inutile de goûter trop tôt en cours de cuisson). Sa réussite tient à l'équilibre entre la force des épices et du bouillon et la douceur de la crème et de la chair du potiron. Il faut rectifier à plusieurs reprises en ajoutant plus ou moins de cannelle et de muscade selon le résultat escompté.*
Les potirons peuvent également être cuits au four : on enlève les graines, on ajoute de la crème, du fromage râpé, du pain grillé, du lard, etc. On cuit l'ensemble pendant 1 heure et demie à 2 heures au four. Puis on racle les chairs intérieures en faisant attention à ne pas crever la peau, et on sert le potiron sur la table.

Vert de blette sauté et son gratin de côtes

Pour 8 personnes
2 kg de blettes fraîches
1 citron
20 g de farine
8 gousses d'ail
60 g d'huile d'olive
3 œufs
3 yaourts
100 g de crème
sel
poivre
muscade
200 g de gruyère ou d'emmental râpé

Laver soigneusement les blettes. Avec un couteau pointu, séparer le vert des côtes blanches.
Pocher les feuilles vertes à l'eau bouillante salée 1 minute. Sortir les feuilles et les rafraîchir dans de l'eau glacée. Les égoutter et bien presser pour enlever toute l'eau. Les hacher.
Éplucher les côtes, les couper en tranches de 1 centimètre de large.
Les mettre à cuire dans un blanc (eau salée additionnée de 1 jus de citron et de 20 grammes de farine).

917

Éplucher l'ail (enlever le germe) et le couper en morceaux. Le mettre à cuire à feu vif dans une casserole avec 50 millilitres d'eau et 20 millilitres d'huile.

Arrêter la cuisson quand il ne reste à peu près plus d'eau.

Égoutter les côtes de blettes. Les mettre en cocotte. Ajouter un mélange fait de 3 œufs entiers, 3 yaourts, 100 grammes de crème, sel, poivre, muscade, 200 grammes de gruyère râpé. Mettre au four pendant 40 minutes à 200° (thermostat 6-7).

Faire chauffer le reste de l'huile dans une poêle. Faire sauter les feuilles de blettes et l'ail à feu vif. Saler, poivrer. La cuisson prend 3 à 4 minutes.

Servir les côtes dans leur plat de cuisson, les feuilles sur un plat de service.

NB — *Le contraste de couleurs, des textures et du goût de ces deux parties de la même feuille accompagne une viande blanche (escalope de veau à la crème, côte de veau panée, etc.) ou un poisson.*

Côtes de blettes à la Philomène

Pour 8 personnes
1kg de côtes de blettes
1 jus de citron
20 g de farine
1 bel oignon épluché et finement émincé
1 cuillerée à soupe d'huile d'olive
1 gousse d'ail épluchée et dégermée
1 kg de tomates bien mûres, lavées, coupées en morceaux
1 bouquet garni (thym, laurier, tiges de persil, 1 petit poireau)
sel
poivre
100 g de gruyère râpé

Éplucher les blettes, enlever les fils. Couper les côtes en morceaux de 3 centimètres de large.

Cuire les côtes dans un blanc fait d'eau salée additionnée du jus de citron et de la farine pendant 20 minutes. Les sortir et les égoutter longuement.

Faire fondre l'oignon sans colorer avec l'huile d'olive pendant 15 minutes.

Ajouter l'ail, les tomates, le bouquet garni, sel et poivre. Cuire 30 minutes à petit feu. Passer le coulis au moulin à légumes puis à l'étamine.

Faire cuire à petit feu les côtes dans le coulis pendant 10 minutes.

Mettre dans un plat à gratin, recouvrir du fromage, faire prendre couleur au gril du four.

NB — *Ce bon plat de ménage accompagne bien les viandes blanches rôties.*

Bouillabaisse de légumes d'été aux amandes, basilic et thym Silver Queen

Pour 6 personnes
3 poivrons rouges
3 belles tomates bien mûres
3 brins de thym Silver Queen (ou, à défaut, de thym vulgaire)
1 tête d'ail
3 aubergines de 350 g chacune
100 ml d'huile d'olive
30 g d'amandes en poudre,
sel
poivre
poivre de Cayenne
15 feuilles de basilic à grandes feuilles

Cuire les poivrons au four à micro-ondes (15 minutes à puissance maximale).

Éplucher les tomates, éventuellement les passer 30 secondes dans l'eau bouillante pour aller plus vite. Les couper en 2. Enlever eau de végétation et pépins : filtrer l'ensemble pour recueillir le jus. Couper la pulpe en petits cubes.

Mettre le jus de tomate à petit feu avec le thym : laisser infuser 10 minutes.

Enlever les poivrons. Les éplucher. Garder le jus et le mélanger au jus de tomate. Couper la chair en petits cubes.

Cuire la tête d'ail entière 3 minutes au four à micro-ondes.

Cuire les aubergines 8 minutes au four à micro-ondes à puissance maximale.

919

Couper les aubergines en 2. Enlever la pulpe avec une cuillère. Mettre dans une cocotte l'huile, le jus filtré des tomates et des poivrons, la pulpe d'ail cuite, les tomates, les poivrons et les aubergines. Cuire au grand feu pendant 5 minutes.

Mettre dans le mixer les amandes, le sel, le poivre, le poivre de Cayenne, le basilic, ajouter une louche du contenu de la cocotte. Verser cette sauce dans la cocotte. Bien mélanger. Rectifier le goût.

NB — *Grâce à la précuisson des aubergines et des poivrons, l'huile d'olive garde son goût et sa fraîcheur. Ce plat est en fait une escargagnasse (émulsion à chaud dont le liquide de mouillement est l'eau de végétation des légumes).*

Aubergines farcies en bouillabaisse de légumes. *C'est la même recette : on met les légumes cuits dans la peau des aubergines et on fait colorer à la salamandre (gril du four).*

Soupe de queues de radis et de cresson aux fanes de carottes

Pour 8 personnes
500 g de pommes de terre épluchées
les queues d'une botte de radis triées et lavées
les queues d'une botte de cresson triées et lavées
sel
poivre
les fanes fraîches de 6 carottes
100 g de crème
2 jaunes d'œufs

Mettre dans un autocuiseur les pommes de terre coupées en morceaux, les queues de radis et de cresson. Ajouter 1 litre et demi d'eau, saler et poivrer. Faire cuire 15 minutes après la mise en rotation de la soupape.

Mixer le contenu de la cocotte. Le remettre dans la cocotte.

Hacher très finement les fanes de carottes, les faire revenir 3 minutes dans l'huile.

Mélanger la crème et les jaunes d'œufs, les ajouter dans la cocotte en tournant avec une cuillère. Ajouter les fanes de carottes. Rectifier l'assaisonnement. Servir en soupière.

NB — *Une vraie soupe d'épluchures.*

Crème de châtaignes aux petits lardons

Pour 4 personnes
1 bel oignon épluché, finement émincé
2 feuilles de livèche (ou, à défaut, 1 branchette de céleri branche)
500 g de châtaignes épluchées
2 cuillerées à soupe de saindoux
1 bouquet garni (queues de persil, thym, laurier)
sel
poivre
1 jaune d'œuf
100 g de crème
40 petits lardons fumés
1 cuillerée à soupe de feuilles de persil hachées

Étuver l'oignon, la livèche et les châtaignes dans le saindoux avec le bouquet garni pendant 10 minutes en remuant de temps en temps.
Ajouter 1 litre d'eau, saler et poivrer. Cuire à petit feu à couvert pendant 1 heure.
Enlever le bouquet garni et la livèche. Mixer le reste. Ajouter le jaune d'œuf et la crème. Laisser épaissir 5 minutes au chaud sans bouillir. Rectifier l'assaisonnement.
Mettre les lardons à l'eau froide. Les amener à ébullition. Les enlever et les passer sous l'eau froide.
Faire griller à sec les lardons pour bien les dorer.
Mettre les lardons dans 4 assiettes creuses, ajouter le potage et parsemer de persil haché (ou, si on souhaite un goût plus prononcé, de livèche hachée).

7

Le livre des transformations

Le rôle du cuisinier est de choisir, puis d'apprêter les aliments. Ce faisant, il en modifie la structure, l'apparence, la consistance et le goût. De ce point de vue la cuisson joue un rôle éminent. Le plus souvent la préparation reste reconnaissable après cuisson. Le steak, la carotte ou le homard se trouvent modifiés, mais ne posent aucun problème d'identification. Parfois le cuisinier facétieux désire surprendre le convive en présentant un plat qui ressemble à un autre (cf. « Les repas de l'illusion »). Ce sont des exceptions, sortes de pieds de nez à l'usage et à l'apparence. Dans ce cas, le cuisinier doit faire preuve d'ingéniosité et d'imagination.

Cela dit, certains aliments se transforment, tellement qu'en leur état final ils ne sont pas reconnaissables. Le goût lui-même est tellement changé que le convive innocent ne pourrait même pas soupçonner leur présence. Ces ingrédients ont la propriété de s'amalgamer à d'autres, de les transformer à leur tour et au terme du processus de cuisine, de constituer des ensembles indissociables. Ils apportent moelleux, onctuosité, longueur. Ils ont donc une place éminente dans la quasi-totalité des variétés culinaires. Parmi ces aliments miraculeux, sortes de démiurges débonnaires de la quotidienneté, il faut citer la farine : elle fait le pain, elle participe à la confection des gâteaux. L'œuf aussi, tant est grande la diversité des combinaisons et transformations de ses parties, blanc ou jaune, et de leur mélange. Et le sucre dont les présentations multiples apportent tant en pâtisserie et en confiserie.

Les œufs des oiseaux

On utilise en cuisine les œufs de divers oiseaux. Toutefois, les œufs de cane — pourtant appréciables et appréciés par exemple en Thaïlande — ou les œufs d'oie ne se trouvent guère qu'à la ferme et ne sont pas particulièrement prisés. Bien que certaines considérations nutritionnelles plaident en faveur de l'utilisation de l'œuf de caille, il n'est guère présent dans la cuisine quotidienne. On le trouve plus fréquemment dans les plats d'inspiration japonaise et, çà et là, dans diverses recettes où il joue un rôle surtout esthétique. Mais, comme en beaucoup de domaines, il existe des exceptions à cette règle.

Donc, couramment, l'œuf que l'on consomme est celui de la poule. L'œuf est un être vivant. La coquille qui l'entoure est percée de petits trous à travers lesquels l'oxygène diffuse, permettant la maintenance de la vie. Il y a, près du gros bout, une poche qui contient de l'air, et qu'on peut observer à contre-jour. Plus l'œuf est vieux, plus elle est grande. Autrefois, il fallait mirer les œufs, c'est-à-dire mesurer la hauteur de cette poche, quand on les achetait, faute d'information sur la date exacte à laquelle ils avaient été pondus. Cette méthode reste utile aujourd'hui, particulièrement lorsqu'on ignore ou qu'on a oublié depuis quand un œuf séjourne dans le réfrigérateur : on regarde l'œuf face à une source lumineuse et on élimine ceux dont la poche à air dépasse 6 millimètres de haut. Il est cependant heureux que, de plus en plus, la date de la ponte soit imprimée sur la coquille.

En effet, l'œuf doit se manger frais. Autant son goût, surtout s'il est pondu le jour même, peut être d'une grande suavité, autant l'œuf trop vieux a des relents de pourriture bien connus. Entre deux, toutes les nuances allant du passable à l'inacceptable. L'œuf est un admirable milieu de culture pour une armada de bactéries ou de virus, tous plus néfastes les uns que les autres ; la culture sur œuf embryonné est d'ailleurs un grand classique de la reproduction expérimentale des virus.

L'œuf n'est pas cher, donc inutile d'économiser sur la fraîcheur et la qualité. En voyage, il faut être vigilant : dans certains pays peu attentifs à l'hygiène, un œuf colonisé par certains microbes est un bon moyen de terminer les vacances à l'hôpital.

La qualité de l'œuf dépend de l'alimentation des poules. Les œufs des poules nourries avec de la farine de poisson en garderont des relents désagréables ; ceux venus d'une vraie ferme seront excellents. Méfiance donc, particulièrement — mais pas seulement — dans les supermarchés. Si on a la chance d'avoir des poules à domicile, il ne faut pas oublier que la meilleure alimentation est naturelle. Si on achète les œufs, il faut essayer plusieurs marchands, plusieurs marques, avant de choisir. Il n'y a malheureusement pas un itinéraire de l'acheteur qui lui éviterait les erreurs.

L'œuf est une merveille en cuisine, une sorte de Fantomas bienveillant. Tantôt il apparaît, bien reconnaissable, en préparations multiples ; tantôt il disparaît, ayant épaissi les sauces et les soupes, fait les pâtes, les flans, les sabayons, les crèmes. Le jaune est le lien qui assemble, le blanc se cuit seul, se bat, fait des meringues ou des soufflés. L'œuf est partout, irremplaçable. Le blanc apporte ses protéines, le jaune est l'aliment le plus riche en cholestérol. Ce lipide (graisse), si utile pour fabriquer nombre d'hormones, doit pourtant, parfois, être consommé avec modération.

Les métamorphoses du blanc

Le blanc d'œuf, essentiellement composé de protéines, est visqueux et translucide. Lorsqu'on le cuit, il blanchit, devint opaque et solide.

Le blanc d'œuf cru présente une particularité intéressante : il change d'aspect lorsqu'il est battu avec un fouet. Il se transforme progressivement en une mousse bien blanche et relativement stable (ne pas battre trop fort cependant). On dit que les blancs sont montés en neige, en raison de leur aspect.

Le blanc d'œuf battu peut être cuit tel quel, poché dans du lait par exemple (il forme les îles des œufs à la neige) ou incorporé à diverses préparations auxquelles il apporte légèreté et délicatesse. Par exemple, il constitue la partie « critique » des soufflés, c'est-à-dire de ces préparations délicates qui gonflent fortement à la cuisson et qui, bien dorés au sortir du four, doivent être mangés sans attendre. Ils sont également responsables de la qualité et de la structure de préparations diverses : macarons, meringues, etc. Ils forment l'élément déterminant de la fabrication de la meringue italienne (mélange de blanc d'œuf battu et de sucre cuit à 120°), utilisée par de très nombreux chefs comme base de diverses crèmes et desserts.

Les blancs d'œufs crus sont utilisés par les viticulteurs pour « coller » le vin, c'est-à-dire pour faire tomber au fond les impuretés et pour le clarifier. En cuisine, additionnés d'une *mirepoix* (petits légumes coupés en cube de 3 à 4 millimètres de côté) et de viande hachée, ils servent à clarifier bouillons et gelées : pour un litre de gelée, on place dans une casserole 100 grammes de viande de bœuf hachée, 10 grammes de carottes, 10 grammes de céleri et 10 grammes de poireau coupés en petits cubes, un peu de cerfeuil et d'estragon. On ajoute un blanc d'œuf que l'on bat au fouet. On ajoute peu à peu la gelée à peine tiède bien dégraissée. On met sur le feu en chauffant très progressivement et en fouettant. Dès qu'apparaît le début de l'ébullition on règle la puissance du feu pour qu'elle reste à peine visible et on cuit 40 minutes. On passe le liquide à travers un linge propre préalablement mouillé.

Blancs d'œufs battus en neige

Pour réussir les blancs d'œufs battus en neige, quelques contraintes sont à respecter :

1. Les œufs doivent être très frais.
2. Il ne doit y avoir aucune trace de jaune : il vaut donc mieux casser les œufs un à un au-dessus d'un verre et les transférer au fur et à mesure dans le récipient.
3. Le récipient doit être de grande taille, car les œufs subissent un changement de volume très important en cours de battage.
4. Il faut les battre à petite vitesse, régulièrement et assez longtemps pour que la couleur devienne satinée et que la neige forme de petites pointes quand on retire le fouet.
5. On ajoute une pincée de sel avant de battre.
6. Si on souhaite les sucrer, il est préférable d'utiliser du sucre glace.

N.B. *Il existe aujourd'hui des arguments scientifiques rapportés par H. McGee pour considérer que, comme recommandé dans les livres de cuisine traditionnels, on obtient un meilleur résultat en battant les œufs dans un récipient en cuivre non étamé.*

Œufs à la neige

Pour 6 personnes
8 blancs d'œuf
sel fin
eau salée ou lait

Battre les œufs en neige ferme bien blanche en ajoutant quelques grains de sel fin.
Faire chauffer l'eau salée ou le lait sans faire bouillir (90°).
Avec une cuillère à soupe, former des quenelles de blancs d'œuf.
Les pocher 8 minutes.
Les égoutter.

N.B. *Les œufs à la neige se mangent sucrés ou salés. La manière la plus connue est de les pocher dans le lait sucré, de les arroser de caramel et de les servir avec un crème anglaise.*
Leur utilisation salée est tout aussi agréable : ils apportent une consistance douce et un goût un peu neutre, qui se marie très bien avec les potages et les purées liquides, comme la soupe froide de champignons de Jacques Maximin[1].

Meringues

Pour 4 personnes
6 blancs d'œufs
1 pincée de sel
même poids de sucre glace
un peu de sucre vanille

Battre les œufs en neige avec la pincée de sel.
Incorporer doucement le sucre.
Faire de petits tas sur une plaque à four antiadhésive. Cuire à four doux 80° (thermostat 2) pendant 3 heures (porte entrouverte si ce n'est pas un four à chaleur tournante).
Laisser refroidir.

NB — *On peut donner aux meringues la forme qu'on souhaite. On peut les parfumer, ou les colorer avec du cacao, ou divers extraits. Bien surveiller la cuisson : le temps peut varier.*

Meringue italienne

Pour 4 personnes
5 blancs d'œufs
250 g de sucre
70 ml d'eau

1. *Couleurs, Parfums et Saveurs de ma cuisine, op. cit.*

Cuire le sucre avec l'eau jusqu'à la température de 121°.
Battre les blancs au batteur électrique en neige ferme.
Ajouter peu à peu le sucre cuit tout en continuant à battre.
Lorsque le sucre est absorbé, réduire la vitesse et continuer à battre jusqu'à complet refroidissement.

NB — *La meringue italienne est très utilisée en pâtisserie. France Muller fabrique d'exceptionnelles meringues avec un principe similaire : on bat des blancs d'œufs en neige. On ajoute le même poids de sucre cristal cuit comme précédemment. On continue à battre. Quand l'ensemble est tiède, on ajoute du sucre glace (moitié poids du sucre cristal) et on bat juste une minute. On beurre un papier sulfurisé, on y place la meringue et on fait cuire 2 heures à four tiède 70-80° (thermostat 2-3).*

Macarons

Il existe plusieurs sortes de macarons qui diffèrent de goût, de taille et de structure. Les macarons sont faits avec du sucre, des amandes ou des noisettes écrasées et du blanc d'œuf. Ce dernier peut être incorporé tel quel, ou battu en neige. On peut aussi faire retomber les œufs battus avant de les utiliser, comme le propose Jacques Lameloise[1]. On peut y incorporer poudre de cacao, vanille, colorants, etc.
Certains macarons sont lisses, craquants à l'extérieur et crémeux intérieurement. Ils doivent être mangés frais. Les macarons secs, tels les fameux amaretti di saronno, se gardent au contraire longtemps.

Les métamorphoses du jaune

Le jaune d'œuf est très différent du blanc, en consistance comme en goût. Sa composition chimique est différente aussi, avec sa richesse en graisses, particulièrement en cholestérol.
Le jaune d'œuf est rarement employé seul, sauf pour dorer les gâteaux ou pour servir de colle. Il n'y a guère de recettes de jaunes servis seuls — celle des œufs heaumés du *Ménagier de Paris* étant une des rares exceptions.

1. *La Cuisine fraîcheur*, Stock, 1978.

Par contre, les propriétés du jaune permettent de s'en servir comme un élément fondamental dans de très nombreuses sauces, pâtes et entremets, froids comme chauds. Ils sont capables d'émulsionner sauces froides et chaudes en raison de leurs propriétés tensioactives et de faire coaguler les farces et certains mélanges. Selon la manière dont on traite les jaunes, en particulier selon le type de chaleur et d'action mécanique qui leur est appliqué, ils prennent ou font prendre des consistances variées. Il est très important de suivre les instructions de cuisson si on ne veut pas voir « tourner » la crème anglaise ou les œufs au lait.

Œufs heaumés au curry

Pour 4 personnes
8 œufs extrafrais + 4 jaunes
160 g de crème liquide
ciboulette
sel
poivre
4 pointes de couteau de curry

Percer un trou de 3 millimètres de diamètre à un bout du premier œuf. Retourner ce dernier au-dessus d'un bol. Percer un trou de la grosseur d'une tête d'épingle à l'autre bout. Faire écouler le blanc par le premier trou en manipulant précautionneusement l'œuf. Recommencer avec les autres œufs. Les poser sur des coquetiers, petit trou en bas. Mélanger les jaunes, la crème, la ciboulette ciselée, le sel, le poivre et le curry.
Avec la poche à douille, remplir les œufs aux 2/3 par le premier trou.
Placer les œufs sur un socle stable pour leur éviter de se renverser en cours de cuisson.
Mettre les œufs dans l'eau maintenue nettement en dessous de 100° (70° est une température bien adaptée) pendant 6 minutes. Servir en coquetiers.

NB — *Les œufs heaumés sont, selon le* Ménagier de Paris, *des œufs dont on a enlevé le blanc et qui sont cuits « coquille sur une tuile ». La recette ici décrite demande un peu d'adresse, et surtout une surveillance particulière de la cuisson. Le mélange du jaune, cuit comme*

dans un œuf à la coque et de la préparation au curry est très
agréable, à condition que les jaunes ne soient pas coagulés, évidem-
ment.
De la même manière on peut cuire les jaunes avec d'innombrables
autres préparations. On peut ainsi varier les couleurs et servir un
assortissement polychrome.

Les métamorphoses de l'œuf entier

L'œuf entier peut se consommer cru : on fait un trou dans la
coquille et on l'aspire, on le gobe. Il est évident que seuls les
œufs extra-frais peuvent être consommés ainsi.

L'œuf entier est généralement cuit. On peut le mettre dans
l'eau, dans sa coquille, et selon la durée de la cuisson on obtient
des œufs à la coque, mollets ou durs. Si on les cuit trop longtemps, on a des œufs immangeables.

On peut casser la coquille et cuire l'œuf tel quel dans l'eau ou
du beurre, sur une poêle : ce sont les œufs au plat. On peut les
plonger dans l'eau ou l'huile bouillante, et on a des œufs pochés
ou frits. On peut retirer le banc tout en laissant le jaune et cuire
ce dernier dans sa coquille, l'œuf est dit heaumé, le jaune étant
recouvert d'un heaume (la coquille). On peut mélanger grossièrement blanc et jaune dans la poêle, c'est le principe des œufs
brouillés. On peut battre ensemble blancs et jaunes et on a une
omelette. On peut battre à part blancs et jaunes, sans cependant
faire monter les blancs. On peut, aux œufs brouillés ou en omelette, ajouter de la crème, du fromage, des fines herbes, du jambon ou des lardons, de l'oseille, des pommes de terre sautées,
des fruits de mer, des sauces, etc. On obtient ainsi une infinité
de variétés et de combinaisons.

En fouettant longuement l'omelette, elle gonfle et on réalise
alors une omelette soufflée.

Si on ajoute sucre et farine, on obtient une pâte à gâteau.

Œuf à la coque

L'œuf à la coque est tellement connu et courant qu'il est inutile
de s'attarder sur sa description : blanc coagulé et jaune liquide
mais chaud. Il est donc impératif de n'utiliser que des œufs
extrafrais.

On peut cuire les œufs de deux façons. Soit on les met à l'eau froide dans une petite casserole et on monte progressivement la température jusqu'à ébullition (ne pas brutaliser les œufs par une manipulation imprécautionneuse, ou en chauffant trop fort, pour éviter qu'ils ne se cassent), puis on les laisse environ une minute encore à ébullition. On les sort de l'eau et on les place dans des coquetiers pour les manger.

La deuxième méthode consiste à les placer dans une casserole d'eau bouillante et à les y laisser 3 à 4 minutes après reprise de l'ébullition.

Les temps de cuisson doivent tenir compte de la taille des œufs : plus ils sont gros, plus long sera le temps — et du goût de chacun.

Pour empêcher les œufs de se fissurer, certains ajoutent du sel ou du vinaigre dans l'eau de cuisson.

L'œuf à la coque doit-il s'ouvrir par le gros ou le petit bout ? On sait que Gulliver au cours de ses voyages se trouva placé au centre d'un conflit armé entre deux contrées engagées dans une lutte fratricide et inexorable, leur motif de discorde étant un avis différent sur cette question. Swift savait, en écrivant *Les Voyages de Gulliver,* que la violence naît de l'affrontement d'opinions opposées et qu'elle devient d'autant plus grande, aveugle et mortelle que le motif en est futile. Il semble donc sage de ne pas trancher entre gros et petit bout, et de laisser à chacun le choix de son extrémité.

L'œuf à la coque s'ouvre, placé sur son coquetier, avec un couteau ou une petite cuillère en cassant précautionneusement la coquille en cercle, 6 à 8 millimètres en dessous du sommet. On décalotte l'œuf avec délicatesse pour éviter que de petits fragments de calcaire ne tombent à l'intérieur. Il existe des appareils spéciaux pour ouvrir les œufs à la coque, simples et assez efficaces.

La partie du blanc de l'œuf resté dans le haut de la coquille peut être récupérée avec une petite cuillère, en faisant attention aux petits fragments calciques qui peuvent s'être incrustés dans la chair de l'œuf.

On voit que la préparation et l'ouverture de l'œuf à la coque, sans être difficiles à réaliser, demandent attention et doigté.

Pour manger l'œuf à la coque on y trempe des mouillettes, tranches de pain coupées en bâtons carrés d'un centimètre de section. On peut utiliser du pain grillé, et mettre du beurre sur les mouillettes. Bien entendu, le résultat gustatif dépendra de la qualité du pain. L'assemblage de l'œuf et du pain, lorsqu'ils sont tous deux excellents, est particulièrement agréable au goût.

L'œuf à la coque est traditionnellement un plat du petit déjeuner et du dimanche soir dans certaines provinces. Lorsqu'on dispose d'œufs pondus le jour même et de très bon pain, il fait également une excellente entrée. On peut, en ce cas, utiliser d'autres matières pour faire des mouillettes. La recette la plus célèbre est celle des asperges à la Fontenelle : on cuit les asperges un peu craquantes, on les plonge tout à tour dans du beurre fondu, puis dans l'œuf et on les mange comme les mouillettes de pain.

Œuf au plat

Œuf au plat ou œuf sur le plat. La préparation de cet œuf, comme celle de l'œuf à la coque, est délicate : le blanc doit être cuit et coagulé alors que le jaune doit être chaud mais rester fluide.

Comme jaune et blanc ne cuisent pas à la même température, certaines précautions sont nécessaires. L'œuf au plat ne doit pas être cuit au grand feu, mais à la chaleur douce. Sinon, il ne serait que l'addition peu engageant d'un blanc dur et caoutchouteux, éventuellement agrémenté de quelques parcelles calcinées, et d'un jaune cru et froid. On peut le cuire au four, sur le plat ou au bain-marie. Dans tous les cas il faut contrôler attentivement la température.

L'œuf au plat à la fâcheuse habitude de se coller au fond de la poêle dans laquelle il cuit, même si elle est dotée d'un revêtement antiadhésif. Il n'y a que quelques types de poêles qui échappent à cet inconvénient double, puisque l'œuf collé est rarement détachable sans que se brise la jeune, et que la partie restant adhérente à la poêle est délicate à nettoyer.

Il ne faut donc cuire l'œuf qu'après avoir pris certaines précautions. En général, on fait fondre une noisette de beurre ; certaines préfèrent l'huile ou un mélange des deux. Une version basses calories traditionnelle : remplacer le corps gras par de l'eau, éventuellement agrémentée de vinaigre.

L'œuf au plat se mange seul, arrosé selon le goût d'un trait de vinaigre, de crème, d'échalotes hachées ou de fines herbes, etc., ou en accompagnement par exemple d'une tchatchouka, d'une ratatouille ou de toute autre préparation de légumes cuits. Placé sur un steak haché, il constitue le classique œuf à cheval sur le hamburger — fait de viande, hachée à la maison ou par le boucher.

931

Aux États-Unis on sert l'œuf comme en France, doté de la poétique appellation *sunny side up*. Face soleil par-dessus. On peut aussi le retourner et le cuire quelques secondes à l'envers : il prend une teinte blanchâtre sur toutes ses faces, il est alors dit *over*, retourné.

Œuf poché

L'œuf poché a la consistance d'un œuf à la coque. Il doit donc être choisi avec le même soin.

On peut pocher l'œuf dans l'eau salée ou vinaigrée, ou dans un liquide aromatique. L'eau doit être menée près de l'ébullition, on casse l'œuf dans une tasse et on le glisse à la surface de l'eau. L'œuf ne doit pas être cuit à ébullition mais dans un liquide frissonnant. Le temps de cuisson dépend du volume de liquide et du nombre d'œufs. Il est de l'ordre de 3 minutes. L'œuf est cuit quand il est à la fois bien blanc et mou. On le sort délicatement à l'écumoire, on coupe les filaments inesthétiques, de façon à lui donner une forme régulière et on le sert, tel quel ou avec une sauce chaude.

NB — *Les œufs pochés peuvent également être consommés froids : les œufs en gelée en sont un exemple traditionnel. Il existe une très grande variété d'assaisonnements possibles.*

Frisée aux lardons et œufs pochés

Pour 4 personnes
1 chicorée frisée
4 tranches de baguette de 1 cm d'épaisseur
100 g de poitrine fumée sans couenne
6 cuillerées à soupe d'huile d'olive
1 1/2 cuillerée à soupe de vinaigre de vin rouge de belle qualité
sel
poivre
4 œufs extrafrais

Éplucher la frisée. La laver, l'essorer. Couper les feuilles qui ne doivent pas être laissées trop longues (6 à 7 centimètres).

Griller le pain, le couper en cubes.

Couper la poitrine en lardons de 5 millimètres de côté. Les mettre dans une casserole d'eau froide et les monter à ébullition. Retirer les lardons.

Faire une vinaigrette avec l'huile, le vinaigre, sel et poivre.

Mettre la vinaigrette dans un saladier, ajouter la salade, bien mélanger.

Répartir la salade sur 4 assiettes.

Pocher les œufs, les poser sur la salade.

Passer les lardons à sec dans une poêle pour les chauffer et leur donner une belle couleur rousse.

Répartir les lardons et les cubes sur les assiettes et servir.

Œufs pochés aux moules

Pour 4 personnes
2 litres de moules de bouchot bien lavées et nettoyées
200 ml de vin blanc
6 échalotes grises épluchées et finement émincées
2 carottes
1 navet
2 côtes de céleri
15 filaments de safran
100 g de beurre
1 cuillerée de farine
sel
poivre
8 œufs extrafrais

Mettre les moules avec le vin blanc et 2 échalotes hachées dans une casserole. Placer sur le feu en remuant de temps en temps. Retirer les moules au fur et à mesure qu'elles s'ouvrent. Éliminer celles qui restent fermées.

Passer le liquide de cuisson à travers une mousseline fine et réserver.

Éplucher les moules et les laisser au chaud.

Passer carottes, navet et céleri à la centrifugeuse. Recueillir le jus et le faire réduire de moitié. Ajouter le même volume de liquide de cuisson des moules.

Ajouter le safran et laisser infuser ou tiède.

Mettre 20 grammes de beurre dans une casserole, ajouter les 4 autres échalotes finement hachées, les faire blondir 2 minutes, ajouter la cuillerée de farine et remuer sur le feu pendant 2 minutes. Verser peu à peu le liquide safrané tout en tournant pendant encore 2 minutes.

Ajouter le reste du beurre en battant, peu à peu, par petits morceaux. Ajouter les moules. Rectifier l'assaisonnement (ne saler qu'à ce moment).

Pocher les œufs dans le reste du liquide de cuisson des moules. Servir à l'assiette, 2 œufs au centre entourés des moules, recouvrir de sauce.

NB — *Cette recette est inspirée d'une des grandes réussites de Jean Ernandès, qui avait fait du Petit Vatel à Alençon un établissement remarquable. Hommage à un grand cuisinier trop tôt disparu.*

Œufs en cocotte

Les œufs en cocotte sont des œufs cuits individuellement dans des ramequins ou des cocottes toutes petites dotées d'un couvercle, avec de la crème ou des sauces. Ils cuisent au bain-marie, dans le four, pendant 10 minutes environ. Les œufs en cocotte sont mangés lorsqu'ils ont la consistance d'un œuf à la coque. La fraîcheur doit être parfaite. Ils constituent des hors-d'œuvre faciles à faire et toujours appréciés.

Œufs en cocotte à la crème. Mettre 1/2 cuillerée à soupe de crème salée et poivrée dans le fond du ramequin, l'œuf cru par-dessus, recouvrir d'une pointe de crème ou d'une lamelle de beurre.

Œufs en cocotte aux crevettes grises et au curry. Éplucher des crevettes grises, les couper en petits cubes (1 bonne cuillerée à soupe par œuf). Hacher les têtes et les carapaces, les faire sauter avec un peu de beurre à feu vif, mettre du vin blanc et cuire encore 5 minutes. Passer au chinois en pressant bien. Mélanger avec la crème (le volume total doit permettre d'obtenir 1/2 cuillerée à soupe par œuf). Poivrer, ajouter une pointe de curry, saler. Mélanger aux crevettes.

Mettre dans chaque cocotte 1 cuillerée à soupe et demie de crevettes à la crème, l'œuf au-dessus.

Œufs frits

L'œuf peut se frire, en friture de surface ou en friture profonde. La meilleure manière est la suivante : on met 1 bon centimètre d'huile d'arachide dans une poêle, on la fait fortement chauffer. On casse l'œuf dans un petit bol et on le glisse doucement dans l'huile chaude. Avec une spatule on ramène régulièrement les bords extérieurs du blanc vers le centre en faisant tourner l'œuf sur lui-même pour qu'il soit cuit de façon homogène. On égoutte l'œuf sur du papier absorbant et on s'occupe du suivant (il est difficile de cuire plus de 2 œufs en même temps). Servir avec du persil haché.

NB — *Les œufs frits anglo-saxons sont en fait des œufs au plat cuits en friture plus superficielle.*
Les œufs frits, cuits à plus forte température que les œufs pochés, doivent être surveillés de près.

Œufs frits aux petits oignons et au vinaigre de xérès

Pour 4 personnes
40 petits oignons blancs
80 g de beurre
100 ml de vinaigre de xérès
60 g de raisins secs
sel
poivre
8 œufs

Éplucher les petits oignons blancs. Les faire étuver à petit feu avec le beurre pendant 30 minutes. Ajouter le vinaigre et les raisins secs. Cuire encore 15 à 20 minutes en bougeant de temps en temps, sans rompre les oignons, pour bien les enrober. Saler et poivrer.
Frire les œufs.
Servir 2 œufs à l'assiette, entourés des petits oignons, des raisons et de la sauce.

NB — *Encore une recette inspirée par Menon.*

Œufs mollets et œufs durs

Pour cuire les œufs mollets ou durs, on suit les indications fournies pour la préparation des œufs à la coque. On interrompt la cuisson après 6 ou 10 minutes selon qu'on souhaite que le jaune reste un peu mou ou qu'il soit dur, jaune clair. Il ne faut pas cuire les œufs plus longtemps car ils deviennent désagréables au goût.

Il est recommandé de les passer à l'eau froide, ce qui facilite grandement l'écalage (c'est-à-dire l'opération qui consiste à enlever la coquille).

Le compagnon traditionnel de l'œuf dur est la mayonnaise.

Hachés ensemble ou séparément, blanc et jaune participent à de nombreuses garnitures, ils peuvent être reconstitués en « côtelettes », en croquettes, en cromesquis, panés et frits.

On peut également les couper en deux dans le sens longitudinal, retirer les jaunes, les mélanger à diverses sauces et préparations et en farcir les blancs. De telles préparations peuvent être froides ou passées au four et gratinées.

Omelette

On ne fait pas d'omelette sans casser d'œufs. Il convient de le faire un à un, chacun dans un verre ou une tasse pour vérifier qu'ils sont bien frais. Les mauvaises surprises sont plus rares qu'autrefois mais il est inutile de prendre le risque de gâcher l'ensemble en y ajoutant inconsidérément un œuf non consommable.

L'omelette se fabrique en battant les œufs, il y a plusieurs techniques et possibilités.

La plus simple consiste à battre les œufs entiers à la fourchette pour crever la membrane qui entoure le jaune et pour casser la structure du blanc. Comment procéder reste discuté. Pour certains, cinq ou six coups de fourchette sont suffisants. Pour d'autres il faut battre plus longtemps, éventuellement avec un fouet à sauce. Le résultat est différent à la cuisson et chacun peut aisément en faire l'expérience.

D'autres préfèrent battre séparément les jaunes — très peu, il suffit de les mélanger — et les blancs — selon le cas on peut les mettre successivement à cuire dans la poêle ou les incorporer simultanément après avoir versé blancs et œufs dans un même récipient pour bien homogénéiser l'ensemble.

D'autres omelettes, de structure différente, peuvent être préparées en mixant blancs et jaunes quelques instants.

Pour réaliser une omelette soufflée, on sépare les blancs qui sont battus en neige et les jaunes simplement mélangés à la fourchette. On incorpore peu à peu les blancs battus dans les jaunes avant de mettre à cuire. Les omelettes soufflées peuvent être agrémentées de fromage, d'herbes aromatiques et autres substances « salées », mais elles sont plus souvent utilisées dans le registre du sucré et additionné de sucre, miel, alcools variés etc.

La préparation de l'omelette se fait au dernier moment et n'attend guère.

Il est préférable de cuire des omelettes de relativement petite taille (2 ou 3 œufs).

Les omelettes peuvent être faites d'œufs salés et poivrés, additionnés de fromage râpé, de fines herbes, de pomme de terre sautées, de champignons cuits, de lardons frits, etc., ou de crème, de sucre, d'alcool, de fruits cuits.

On peut aussi fourrer les omelettes avec un très grand nombre de préparations : fruits de mer, crustacés, rognons, etc., ou bien de confiture ou d'autres préparations sucrées.

Quelques exemples d'omelettes salées

Les quantités correspondent à une omelette de 3 œufs.

Omelette fines herbes. Ajouter aux œufs 2 cuillerées à café d'un mélange de ciboulette, persil, cerfeuil et estragon finement hachés.

Omelette au jambon. Ajouter aux œufs 30 grammes de jambon de Paris en petits dés.

Omelette aux lardons. Couper en tout petits lardons (2 millimètres de côté) 30 grammes de lard de poitrine, les mettre à l'eau froide, monter à ébullition, les sortir et les faire griller à sec quelques instants pour les roussir. Les ajouter aux œufs dès qu'ils sont tièdes.

Omelette paysanne. La composition est celle d'une omelette aux lardons à laquelle on incorpore 40 grammes de pommes de terre sautées.

Omelette au fromage. Ajouter aux œufs 30 grammes de gruyère râpé.

Omelette à la crème. Battre 2 cuillerées à soupe de crème épaisse et l'incorporer aux œufs.

Omelette mousseline. Battre les blancs en neige, incorporer les jaunes et une cuillerée à soupe de crème battue.

Omelette aux champignons. Ajouter 40 grammes de champignons de Paris, ou de champignons sauvages émincés et cuits au beurre ou à la graisse d'oie ou de canard.

Omelette à l'harissa de mai (harissat mayou). Ajouter 1 cuillerée à café avant de battre les œufs.

Arboulastre

Pour 2 pièces (8 personnes au total)
1 feuille de rue
2 feuilles de menthe coq (qui n'est pas une menthe)
4 feuilles de livèche
4 feuilles de tanaisie
4 feuilles de sauge
4 feuilles de menthe
un peu plus de marjolaine
encore plus de fenouil
plus encore de persil
2 bonnes poignées d'un mélange à parts égales de poireaux, bettes, feuilles de violettes, épinards et laitue
1 morceau de gingembre épluché
16 œufs
fromage râpé
huile ou beurre

Nettoyer et laver les feuilles. Bien les sécher.
Écraser le gingembre dans un grand mortier. Ajouter les herbes et broyer finement l'ensemble.
Battre les œufs et mélanger avec le broyat d'herbes et de gingembre. Séparer en deux.
Chauffer l'huile (ou du beurre). Cuire chaque arboulastre séparément en retournant fréquemment.
Ajouter le fromage au-dessus de l'omelette et rabattre les bords

de l'arboulastre en rond ou en carré. La manger « ni trop chaude ni trop froide ».

NB — *Cette recette du* Ménagier de Paris *(1393) est un des rares exemples où, à la réserve de la graisse de cuisson et du fromage râpé, les ingrédients sont décrits de façon précise. On doit remarquer que cette omelette fines herbes et fromage comporte plusieurs herbes amères (rue, tanaisie, livèche) dont les propriétés aromatiques se fondent dans l'ensemble, puisque les herbes sont broyées.*

Omelette soufflée à la vanille

Pour 4 personnes
6 œufs entiers et 2 blancs
1 pincée de sel
200 g de sucre
extrait de vanille

Séparer les jaunes des blancs.
Battre les blancs avec la pincée de sel en neige bien ferme.
Battre les jaunes avec le sucre et la vanille. L'ensemble doit être blanchi et mou. Ajouter peu à peu les blancs.
Beurrer un moule haut. Le saupoudrer d'un peu de sucre semoule.
Ajouter l'omelette, lisser la surface.
Cuire 25 minutes au four à 180° (thermostat 6). La hauteur double en fin de cuisson.

NB — *Suivant le même principe, on prépare diverses omelettes soufflées sucrées, au rhum, au calvados, aux zestes d'agrumes. On peut également passer le sommet de l'omelette au gril du four quelques instants pour lui donner un aspect caramélisé, après l'avoir saupoudré de sucre glace. On peut aussi la flamber sur la table avec un peu de liqueur ou d'alcool (omelette soufflée flambée).*

Œuf brouillé

Les œufs brouillés sont proches de l'omelette. La différence tient principalement au mode de cuisson. En effet, les œufs sont d'abord cassés et mélangés à la fourchette. Ils sont ensuite disposés dans une poêle épaisse ou dans une casserole où du beurre a été mis à fondre et on remue sans arrêt à la spatule sur feu doux — ou au bain-marie — jusqu'à obtention d'une sorte de crème épaisse.

Dans les restaurants d'hôtel, on sert souvent cette recette au petit déjeuner, présenté en buffet ; chacun peut ainsi prendre la quantité qu'il souhaite, à la cuillère, dans de grands chaudrons.

Les œufs brouillés sont également une excellente façon d'utiliser un reste de sauce ou de plats de viande, fruits de mer ou légumes, qu'on mêle à la préparation.

Signalons pour les gens pressés qu'une manière non orthodoxe de les préparer consiste à les casser dans une poêle chaude et à les tourner très vite à la spatule. Le résultat ferait frémir un professeur d'art culinaire mais reste très honorable.

Œufs brouillés à l'ail, au persil plat et à la ciboulette

Pour 2 personnes
3 gousses d'ail
1 cuillerée à soupe d'huile d'olive
3 œufs
sel
poivre
1 cuillerée à soupe rase de ciboulette hachée
1 cuillerée à soupe rase de persil plat finement haché
2 belles tranches de pain de campagne frais

Éplucher l'ail, le dégermer et le couper en tout petits morceaux. Le mettre dans une petite poêle avec l'huile et 1 décilitre d'eau. Faire bouillir l'ensemble jusqu'à ce qu'il ne reste presque plus de liquide.

Battre les œufs. Ajouter le sel, le poivre, la ciboulette et le persil.

Baisser le feu, verser les œufs dans la poêle, remuer sans arrêt à la spatule jusqu'à obtention d'une crème épaisse.

Griller les 2 tranches de pain grillé. Les recouvrir des œufs brouillés. Passer 2 minutes au gril du four (salamandre) pour donner un bel aspect doré.

NB — *On peut corser l'ensemble en frottant le pain grillé avec une gousse d'ail.*

LES MÉTAMORPHOSES DU LAIT

Avec le lait, émulsion de gouttelettes de graisse dans un liquide aqueux, on peut obtenir des produits de plus en plus concentrés en lipides : la crème et le beurre. En réduisant cette concentration, l'industrie propose des laits allégés. En faisant coaguler les protéines du lait, on obtient un corps solide : le fromage blanc, à partir duquel on prépare toute la variété des diverses appellations fromagères.

C'est à froid que se font toutes ces transformations. On peut en mentionner une autre : en battant la crème avec une certaine force, on obtient la crème fouettée ou crème Chantilly (en battant plus fort, on finit par faire du beurre).

Quand on fait chauffer le lait, il tend à « se sauver », c'est-à-dire qu'il se met à mousser fortement en augmentant de volume. Si on le laisse refroidir, il se forme une membrane solide sur la surface de la casserole, la peau du lait, fort appréciée de certains. Michel Bras[1] en fait grand usage.

La chaleur, selon la manière dont on la traite, fait bouillonner et épaissir la crème, ou au contraire la fait tourner, c'est-à-dire que les parties solides et liquides se séparent — phénomène non recherché, bien évidemment.

Crème chantilly

La crème chantilly est une transformation de la crème. On la fabrique en battant au fouet de la crème fleurette, c'est-à-dire liquide. Selon l'utilisation — sucrée ou salée —, on ajoute du sucre glace ou du sel.

Il faut battre la crème chantilly avec suffisamment d'énergie pour bien l'émulsionner. Trop battue, elle se transforme en beurre.

Pour obtenir un résultat satisfaisant, il faut que la crème soit

1. *Le Livre de Michel Bras*, Éditions du Rouergue, 1991.

froide. La meilleure manière consiste à la placer dans un bain-marie d'eau glacée.

Charlotte aux framboises

Pour 8 personnes
20 biscuits à la cuillère
200 g de framboises réduites en purée
600 g de crème fouettée chantilly

Chemiser un moule à charlotte avec les biscuits à la cuillère. Mélanger prudemment la purée de framboises et la crème chantilly. Remplir le moule. Laisser les biscuits s'imbiber et éventuellement couper la partie qui dépasse.
Pour servir, retourner la charlotte.

NB — *Il existe de très nombreuses recettes de charlottes, aux fruits, aux marrons, au café, au chocolat, etc. On emploie fréquemment une crème anglaise dans laquelle on fait dissoudre de la gélatine avant qu'elle refroidisse pour lui donner une consistance plus ferme.*

Crème glacée aux framboises

Pour 8 personnes
1 l de crème épaisse
un peu de vanille liquide
800 g de sucre glace
1 kg de framboises

Monter la crème en chantilly épaisse en la battant dans un cul de poule ou un saladier posé sur glace. Incorporer la vanille puis le tiers du sucre, peu à peu, en tournant avec une cuillère en bois. Équeuter, nettoyer les framboises. Les écraser en purée et les passer au tamis. Mélanger la purée avec le reste de sucre. Incorporer avec délicatesse la crème chantilly.
Mettre dans un ou plusieurs récipients et placer au congélateur.

NB — *Il s'agit bien de crème glacée au sens strict du terme. La recette, dont la conception semble due à Charles Barrier à Tours, peut être exécutée avec divers autres fruits, fraises, mûres, etc. Menon (1750) proposait une version inverse : de la crème réduite de volume par la cuisson mélangée à du sucre et de la purée de fraises passées à l'étamine, servie glacée.*

Les beurres mélangés à froid

On peut mélanger le beurre cru avec divers ingrédients. On obtient ainsi des beurres aromatisés dont les noms varient avec ses composants. Ils sont multiples. Les exemples indiqués ci-dessous n'en sont donc que quelques représentants.

Beurre d'anchois. Écraser 50 grammes de filets d'anchois à l'huile épongés et séchés. Passer à travers un filtre fin et mélanger avec 100 grammes de beurre ramolli.

Beurre de crevettes. Écraser finement 50 grammes de queues de crevettes grises cuites et décortiquées. Passer à travers un filtre fin, saler et mélanger avec 100 grammes de beurre ramolli.

Beurre d'escargot. Hacher finement une grosse échalote. Ajouter une cuillerée à soupe de feuilles de persil plat hachées, saler, poivrer et mélanger avec 100 grammes de beurre ramolli.

Beurre maître d'hôtel. C'est un beurre ramolli en pommade, mélangé avec du persil ciselé, du sel, du poivre et un peu de jus de citron. On peut y ajouter un peu de moutarde, ou bien de l'estragon.

Beurre manié. C'est un mélange de beurre (2/3) et de farine (1/3) utilisé pour épaissir les sauces. Le beurre manié doit cuire à petit feu et ne pas bouillir.

Beurre de moutarde. C'est du beurre additionné de moutarde.

Beurre d'oursins. Mélanger 100 grammes de beurre en pommade avec les langues de 8 beaux oursins.

Beurre de légumes. Ils se fabriquent avec des légumes cuits, réduits en purée. On fait sécher cette dernière sur le feu en remuant. On ajoute à 100 grammes de beurre en pommade 50 grammes de la purée choisie.

Brandy butter. Ce classique accompagnement des puddings se compose de beurre battu, de sucre glace (moitié du poids du beurre), de cognac et de jus de citron travaillés ensemble. On

943

peut y ajouter de la cannelle, de la noix de muscade ou d'autres épices, selon son goût.

Les beurres cuits

En faisant chauffer le beurre, on peut obtenir plusieurs résultats. Tout d'abord, en le mettant au grand feu, le beurre brûle, devient noirâtre et âcre. C'est ainsi que certains préparent le « beurre noir » et c'est une erreur : un tel beurre n'est pas un beurre noir, mais un beurre calciné impropre à la consommation. En fait, le beurre ne supporte pas les grandes températures (sinon mélangé avec de l'huile[1]).

En faisant chauffer à tout petit feu le beurre, on le sépare en 3 éléments : un dépôt blanchâtre, une écume qui se condense en surface ; un liquide huileux, le beurre clarifié, le *ghee* des Indiens. C'est de la graisse pure qui supporte mieux le feu.

En chauffant doucement le beurre, on obtient une odeur de noisette, la couleur du beurre devient d'un beau blond : c'est le beurre noisette. En chauffant un peu plus longtemps, il devint brun. On le retire alors du feu et on lui ajoute, lorsqu'il a légèrement refroidi, un peu de vinaigre chaud : c'est le beurre noir (le mélange mousse fort et il faut se méfier des débordements). Le beurre noir est donc brun et non pas noir.

Le beurre additionné par petits morceaux à diverses préparations s'émulsionne quand on le fouette régulièrement sur le feu : c'est le principe du beurre blanc et de nombreuses finitions de sauces. Bien entendu, le beurre, mélangé à froid avec divers ingrédients, reste du beurre.

1. Pour des raisons qui restent mystérieuses.

Les beurres cuits
ne contenant que du beurre

Beurre clarifié. Mettre à tout petit feu du beurre doux et fin. Cuire pendant 40 à 50 minutes en écumant régulièrement et soigneusement. Recueillir la partie huileuse liquide et la conserver dans un pot.

Beurre noisette. Mettre le beurre à feu doux et attendre qu'il devienne blond et sente la noisette, utiliser aussitôt.

Beurre noir. Il succède très rapidement au beurre noisette. Comme indiqué plus haut, le beurre noir n'est pas noir, mais brun. Ce n'est pas du beurre brûlé. L'utilisation du beurre noir, traditionnellement avec la raie, comporte l'adjonction de vinaigre qui doit se faire hors du feu en raison du risque de débordement.

Beurre émulsionné, ou beurre blanc

3 échalotes grises
1 cuillerée à soupe de vinaigre de vin blanc
200 g de beurre
sel
poivre

Éplucher et émincer finement les échalotes.
Les mettre sur le feu avec le vinaigre et, à petit feu, faire réduire à sec.
Mettre la poêle sur feu moyen, ajouter le beurre peu à peu, en petits morceaux, et fouetter sans arrêt. Saler et poivrer en fin d'opération.

NB — *Le beurre blanc est crémeux. Si le feu est mal réglé, qu'il soit trop fort ou trop doux, le beurre risque de tourner en huile.*
Le beurre blanc n'attend guère.
On peut le servir avec les échalotes ou en les enlevant. Le beurre blanc accompagne particulièrement les poissons de la Loire, dont il est originaire : brochet, sandre et même saumon.

Les beurres cuits
contenant d'autres ingrédients

Beurre de homard

10 g de carotte
20 g de céleri branche
20 g d'oignon
20 g de blanc de poireau
250 g de beurre
sel
poivre
2 carcasses de homards de 1 livre (poids de chaque animal entier)

> Couper les légumes en cubes de 3 à 4 millimètres de côté (mire-poix).
> Faire revenir doucement les légumes avec le beurre, le sel et le poivre.
> Mixer les carcasses de homards, les ajouter aux légumes. Cuire doucement une dizaine de minutes.
> Passer au chinois dans une casserole d'eau tiède.
> Laisser refroidir. Le beurre remonte en surface, les fragments de coquille tombent au fond de la casserole. Recueillir le beurre de la surface et l'entreposer au froid.

NB — *On prépare de la même façon des beurres de langoustine, d'écrevisse, de crabes divers ou de crevette.*

CRÈMES AUX ŒUFS ET AU LAIT

La douceur générale de leurs saveurs en fait une catégorie parti-culièrement agréable et populaire. Leur souplesse d'utilisation permet également d'y incorporer les produits de saison, d'être de l'entrée, des hors-d'œuvre, du plat principal, comme des des-serts. D'être du sucré comme du salé. D'être présentés seuls ou dans une pâte à tarte (quiches, tartes légumières, etc.) ou de gar-nir divers autres gâteaux.

Œufs au lait

Pour 8 personnes
1 l de lait
1 gousse de vanille fendue en 2
7 œufs
250 g de sucre

Faire bouillir le lait et le retirer du feu. Ajouter la gousse de vanille et la faire infuser à chaud pendant une demi-heure.
Battre les œufs entiers en omelette.
Retirer la vanille, verser le sucre dans le lait.
Remuer pour bien dissoudre.
Verser le lait sur l'omelette. Bien mélanger.
Passer au tamis fin dans un plat assez haut.
Cuire au bain-marie au four à 150° (thermostat 5) pendant 30 minutes.
Laisser refroidir, puis mettre au réfrigérateur. Servir froid.

NB — *C'est la version la plus simple des crèmes faites d'œufs et de lait. Elle ne doit pas bouillir. On peut varier les parfums, mais la vanille garde la préférence en raison de l'harmonie qu'elle apporte au plat.*

Crème renversée au caramel

Pour 6 personnes
1/2 l de lait entier + 50 ml
2 œufs entiers et 3 jaunes
125 g de sucre en poudre (plus 50 g pour le caramel)
1/2 gousse de vanille fendue

Faire bouillir 1/2 litre de lait. Ajouter la vanille. Laisser infuser une dizaine de minutes hors du feu.
Dans un saladier, mélanger les œufs, les jaunes et le sucre en fouettant, ajouter les 50 millilitres de lait froid, puis, tout doucement, le lait chaud sans arrêter de fouetter.
Faire un caramel dans un moule avec un peu d'eau et les 50 grammes de sucre restants.

947

Verser dans le moule la préparation précédente en la passant au tamis fin.

Cuire au bain-marie au four à 150° (thermostat 5) pendant 45 minutes.

Laisser refroidir. Servir frais ou froid.

Crème brûlée

Pour 8 personnes
200 ml de lait
1 bâton de vanille
8 jaunes d'œufs
150 g de sucre semoule
600 ml de crème épaisse
sucre muscovado ou, à défaut, cassonade

Porter le lait à ébullition. Y mettre la vanille. Laisser infuser 30 minutes au tiède. Retirer la vanille.

Battre les jaunes d'œufs avec le sucre jusqu'à ce que le mélange blanchisse. Ajouter le lait vanillé refroidi et la crème.

Mettre dans de petits moules individuels. Cuire 1 heure à four très doux 110° (thermostat 3-4).

Saupoudrez de muscovado. Caraméliser au gril du four ou au chalumeau. Servir tiède.

Fiadone

Pour 6 personnes
200 g de brocciu frais
100 g de sucre en poudre
4 œufs moyens
zeste râpé de 1 citron

Mélanger vigoureusement l'ensemble des ingrédients avec un fouet.

Verser sur une plaque à four ou sur un moule de grande surface de forme quadrangulaire.

Cuire 20 à 25 minutes à four moyen 160° (thermostat 5-6). La surface doit être dorée.
Couper en carrés de 4 centimètres de côté.

NB — *Gâteau traditionnel corse qui peut être plus ou moins épais selon le travail. Le fiadone réussi est légèrement croustillant sur le dessus, et tendre à l'intérieur. (Recette de Frédérique Perfettini-Derenne.)*
Il existe des variantes : on peut séparer les jaunes et les blancs des œufs, ces derniers étant battus. Certains ajoutent même un peu d'eau-de-vie et remplacent le zeste de citron par celui d'autre agrumes (orange ou cédrat).

Crème de potimarron

Pour 4 personnes
1 potimarron de 15 cm de diamètre
1/2 l de lait
1 gousse de vanille fendue en deux
4 jaunes d'œufs
200 g de sucre

Éplucher et épépiner le potimarron et le cuire à la vapeur.
Faire bouillir le lait. Ajouter la gousse de vanille. Laisser infuser 30 minutes.
Dans un saladier, battre les jaunes. Ajouter le sucre et faire blanchir l'ensemble, puis ajouter le lait et enfin la purée de potimarron.
Mixer à nouveau l'ensemble si la purée n'est pas parfaitement homogène.
Mettre dans un plat. Cuire au four à 180° (thermostat 6).
Sortir du four et laisser refroidir. Se mange froid ou légèrement tiède.

Crème anglaise

Pour 8 personnes
1 l de lait
1 gousse de vanille fendue en deux
12 jaunes d'œufs
300 g de sucre en poudre
1 pincée de farine ou de fécule

Faire bouillir le lait, puis le retirer du feu. Mettre la gousse de vanille à infuser au chaud dans le lait pendant 1/2 heure.
Dans un saladier ou un cul-de-poule, battre les jaunes avec le sucre. Incorporer peu à peu le lait. Ajouter la farine ou la fécule.
Mettre sur feu doux et remuer sans arrêt.
La crème épaissit progressivement et ne doit pas bouillir (la farine est là au cas où...). Quand elle est assez épaisse, la verser dans un saladier froid et laisser refroidir.

NB — *La crème anglaise se consomme seule ou accompagne d'autres desserts sucrés. C'est également la base de nombreuses crèmes glacées.*

Crème au beurre

500 g de crème anglaise
500 g de beurre

Préparer la crème anglaise. Lorsqu'elle est encore tiède, incorporer le beurre par petits morceaux avec un fouet puis battre au fouet jusqu'à obtention d'une crème lisse.

NB — *La crème au beurre peut également se faire en partant d'un sirop avec lequel on fabrique une sorte de crème anglaise sans lait, auquel on ajoute le beurre selon la même technique.*

En ajoutant divers parfums ou essences, on obtient des crèmes au chocolat, au café (crème moka), etc.
La crème moka peut également se faire en partant de bon café fort très fraîchement passé, qui remplace le lait dans la recette de la crème anglaise (cf. recette suivante).

Crème moka

Pour 8 personnes
250 g de sucre en poudre
8 jaunes d'œufs
400 ml de café corsé de bonne origine
400 g de beurre coupé en morceaux de 20 g

Mélanger dans un cul-de-poule sucre et jaunes en remuant sans arrêt jusqu'à ce que l'ensemble devienne d'un blanc crémeux. Ajouter le café chaud, mais non bouillant, en quatre fois sans cesse de tourner.
Mettre le cul de poule sur une casserole d'eau et cuire au bain-marie (qui ne doit pas bouillir) sans cesser de remuer.
Lorsque la crème épaissit, retirer du feu et transvaser dans une terrine froide pour bloquer la cuisson.
Laisser refroidir. Lorsque la crème est tiède, ajouter le beurre peu à peu en fouettant sans arrêt.
On obtient ainsi une crème brun clair, douce et onctueuse aux délicats arômes de café.
Utiliser aussitôt sans mettre au réfrigérateur.

NB — *On peut augmenter le nombre de jaunes.*
Gare aux calories (5 000 au total pour la recette décrite)!
***Parfait au café.** Au lieu de beurre, ajouter, lorsque l'ensemble est bien froid, 1 litre de crème chantilly. Mettre dans des moules individuels et laisser reposer 3 heures au réfrigérateur.*
***Parfait glacé au café.** Même recette, mais laisser les parfaits au congélateur.*

Glace à la vanille

Pour 8 personnes
1 l de lait
1 gousse de vanille coupée en deux
10 jaunes d'œufs
250 g de sucre en poudre

Faire bouillir le lait. Hors du feu, ajouter la vanille. Racler les grains intérieurs de la gousse avec un couteau et les ajouter. Laisser infuser 15 minutes. Retirer la vanille.

Mettre les jaunes d'œufs et le sucre dans une terrine et les fouetter pour obtenir un mélange blanc et mousseux. Ajouter peu à peu le lait.

Cuire au bain-marie sans bouillir jusqu'à ce que la crème épaississe et nappe la cuillère.

Retirer la crème, la laisser refroidir en remuant de temps en temps.

La passer à l'étamine pour enlever d'éventuels grumeaux, la mettre dans la sorbetière. Placer celle-ci dans le congélateur et turbiner pendant 25 minutes environ.

NB — *Sur la même base, on peut fabriquer d'autres glaces :*
Glace rhum raisins. On ajoute 150 grammes de raisins secs gonflés dans le rhum au moment de turbiner.
Glace aux fruits confits. On ajoute 125 grammes de fruits confits finement hachés et trempés quelques instants avec du kirsch authentique d'Alsace au moment de turbiner.
Glace pistaches-amandes. On ajoute 150 grammes de pistaches émondées — non salées évidemment — et 50 grammes d'amandes effilées, le tout finement haché, au moment de turbiner.

Glace au miel et aux pignons

Pour 8 personnes
100 g de pignons
1 l de lait
250 g de miel
20 ml de rhum
10 jaunes d'œufs

Faire sauter à sec très rapidement les pignons pour les dorer très légèrement.

Faire bouillir le lait.

Mélanger le miel, le rhum et les jaunes d'œufs dans une terrine. L'ensemble doit devenir blanc et mousseux. Ajouter peu à peu le lait chaud en remuant toujours.

Cuire au bain-marie sans cesser de tourner et sans faire bouillir. Quand l'ensemble épaissit et nappe la cuillère, le vider dans une terrine froide pour arrêter la cuisson. Laisser refroidir en tournant de temps en temps.

Quand la crème est froide, la passer à l'étamine, la mettre dans la sorbetière avec les pignons. Turbiner 25 minutes au congélateur.

NB — *On peut ajouter des raisins secs, des noisettes, des noix, etc.*

Glace au chocolat

Pour 8 personnes
250 g de crème fleurette
250 g de chocolat de couverture noir haché finement
1 l de lait
150 g de sucre en poudre
1 cuillerée à soupe de poudre de cacao non sucrée
10 jaunes d'œufs

Fabriquer la ganache : faire bouillir la crème. La retirer du feu. Ajouter le chocolat et remuer au fouet pour rendre l'ensemble bien homogène.

Faire bouillir le lait.

Mélanger finement le sucre et le cacao. Ajouter les jaunes. Fouetter l'ensemble jusqu'à ce qu'il mousse. Ajouter peu à peu le lait chaud en fouettant.

Cuire au bain-marie sans faire bouillir. Arrêter la cuisson quand l'ensemble épaissit et nappe la cuillère.

Retirer du feu, ajouter la ganache et bien mélanger.

Verser dans une terrine froide pour stopper la cuisson. Continuer à battre à petite vitesse jusqu'à refroidissement complet.

Passer à l'étamine et à turbiner dans la sorbetière au congélateur pendant 25 minutes. Servir.

LES BAVAROIS

Ce sont des préparations faites d'une crème anglaise à laquelle hors du feu on ajoute de la gélatine. Lorsque la crème est presque froide, on incorpore de la crème chantilly et les agents aromatiques souhaités : alcools, fruits secs, noix, fleurs, etc.

Les bavarois aux fruits sont faits d'un mélange de purée de fruits, de sirop de sucre, et souvent de jus d'agrumes. On ajoute hors du feu de la gélatine, puis de la crème chantilly comme ci-dessus.

LES SABAYONS

Originellement le sabayon est un dessert italien à base de jaune d'œuf, de sucre et de vin de Marsala. Mais le principe général se retrouve très largement dans la cuisine sucrée ou salée.

De quoi s'agit-il ? C'est très simple : en cuisant à feu doux et en fouettant, surtout sans faire bouillir, des jaunes d'œufs légèrement battus avec du liquide, on épaissit progressivement ce dernier qui devient plus onctueux, plus suave. On peut donc traiter en sabayon toutes les sauces, sucrées ou salées, ou en faire des préparations que l'on peut gratiner.

On aura ainsi des soupes en sabayon, des sauces salées en sabayon, des gratins en sabayon, des crèmes en sabayon, etc.

Plusieurs des sauces cuites selon ce principe se retrouvent dans le livre de la chaleur douce.

Sabayon au marsala

Pour 4 personnes
80 g de sucre en poudre
4 jaunes d'œufs
quelques gouttes d'extrait de vanille
100 ml de marsala

Travailler le sucre et les jaunes d'œufs dans une terrine avec un fouet à sauce jusqu'à ce que l'ensemble devienne blanc et crémeux. Ajouter la vanille (facultatif).

Faire chauffer de l'eau dans une casserole et y placer la terrine pour continuer la cuisson au bain-marie, sans faire bouillir.

Continuer à battre doucement en ajoutant le vin peu à peu jusqu'à ce que la crème soit prête — on dit qu'elle nappe la cuillère.

Servir aussitôt.

NB — *Bien que ne contenant pas de produit laitier, cette recette est rangée ici en raison de la méthode utilisée, très proche de celle de la crème anglaise.*

Gratin de fruits rouges. Disposer de petits fruits rouges (fraises, framboises, mûres, groseilles et même cassis) dans de petits plats à four. Arroser de sabayon. Saupoudrer d'un peu de sucre glace. Gratiner au gril du four.

On peut préparer de la même façon du gratin de pêches blanches bien mûres, d'abricots, de mangues, d'oranges, de pomélos, etc. On peut remplacer le marsala par un vin blanc doux naturel (jurançon, sauternes, coteaux-du-layon, etc.).

Lait de poule

Par personne
2 jaunes d'œufs
1 cuillerée à soupe de sucre en poudre
1 cuillerée à café de rhum
250 ml de lait

Battre au fouet (ou à la fourchette) dans un bol les jaunes avec le sucre et le rhum.

Faire bouillir le lait.

Ajouter le lait en le versant tout doucement en fin filet tout en continuant à battre vigoureusement pour éviter de coaguler les jaunes.

Servir aussitôt.

NB — *Cette préparation classique, mousseuse, est une sorte de sabayon instantané dans lequel le vin est remplacé par le lait. Le rhum est facultatif et peut être remplacé par un aromatisant sans alcool (vanille, eau de fleur d'oranger, etc.).*

Langoustines au gingembre en fromage à l'écarlate à la manière de Menon

Pour 4 personnes
20 grosses langoustines très fraîches
130 g de beurre (30 + 100)
8 œufs
500 g de crème
sel
poivre
20 g de beurre clarifié
le jus de 1 citron
poivre de Cayenne

Séparer les queues des langoustines. Hacher grossièrement têtes et pinces. Décortiquer les queues. Éliminer le petit boyau noir central.

Faites revenir le hachis de têtes et de pinces dans 30 grammes de beurre pendant 10 minutes à feu doux.

Pulvériser l'ensemble au mixer, recueillir le jus en passant au chinois.

Dans une casserole, sur feu doux, mettre les œufs, la crème, les débris de carcasses (ce qui a été retenu par le chinois) enveloppés dans une mousseline et la moitié de jus de langoustines. Saler, poivrer, mettre sur feu doux, ajouter le jus de citron.

Lorsque l'ensemble commence à cailler, retirer les restes de carcasses. Filtrer, recueillir la partie solide, la mettre dans un moule à fromage à trous et placer dessus un poids de 2 kilos. Laisser plusieurs heures. Éliminer la partie liquide.

Démouler le fromage, le couper en tranches, les fariner légèrement et les faire frire au beurre clarifié.

Poêler rapidement les queues de langoustines à sec. Passer le reste de jus à l'étamine, ajouter la pointe de poivre de Cayenne, puis ajouter le beurre peu à peu en fouettant pour faire mousser, saler et poivrer.

Service à l'assiette, les langoustines entourant le fromage, recouvrir de sauce et ajouter un peu de gingembre râpé.

NB — *La recette originelle se fait avec des écrevisses. Une adaptation inspirée de celle de Céline Vence et Robert J. Courtine*[1].

Lait lardé

Pour 6 personnes
300 g de lardons coupés en très petits morceaux
10 jaunes d'œufs
1 l de lait bouilli
sel
poivre
muscade (4 râpures)
farine
50 g de beurre clarifié
citrons
salade verte assaisonnée

Mettre les lardons dans une casserole d'eau. A ébullition, retirer les lardons et les faire sauter à cru à la poêle pour les colorer légèrement.
Mélanger les jaunes battus, le lait, le sel, le poivre, les râpures de muscade et les lardons. Cuire au bain-marie à feu doux jusqu'à ce que la crème soit prise.
Renverser la crème sur un moule à fromage blanc à trous. La mettre sous presse (1 à 2 kilos) pendant plusieurs heures.
Lorsque le fromage est ferme, le découper en tranches, les fariner et les frire au beurre clarifié.
Servir avec des citrons et une salade verte.

NB — *Il s'agit d'une adaptation du* Viandier *de Taillevent (1373). Dans la recette originale, le lait lardé se servait poudré de sucre et de clous de girofle. D'autres y mettent du gingembre ou du safran. Il s'agit d'un plat qui ressemble initialement à une quiche lorraine sans pâte, mais qui en diffère par sa transformation en « fromage » ferme, comme dans le fromage à l'écarlate de Menon.*

1. *Les Grands Maîtres de la cuisine française*, Bordas, 1972.

Quiche lorraine

Pour 6 personnes
250 g de poitrine fumée sans couenne
300 g de crème (ou moitié crème, moitié lait)
6 œufs
sel
poivre
muscade (4 râpures)
10 g de beurre
farine
350 g de pâte brisée sans sucre

Couper la poitrine en petits lardons (enlever les parties cartilagineuses). Les mettre dans une casserole d'eau froide. Monter à ébullition. Les sortir et les faire colorer à sec dans une poêle : ils doivent rester moelleux.

Mélanger la crème avec les œufs de façon bien homogène.

Saler, poivrer, ajouter 4 râpures de muscade.

Beurrer et fariner légèrement un moule à tarte de 25 centimètres. Étaler la pâte au rouleau et chemiser le moule. La piquer avec une fourchette. La cuire 20 minutes à blanc (c'est-à-dire remplie de haricots ou de noyaux de cerise) à 180° (thermostat 6).

Sortir la pâte, retirer les haricots ou les noyaux de cerise, placer les lardons de façon régulière.

Ajouter la crème aux œufs.

Remettre au four et cuire 25 à 30 minutes.

NB — *Il existe aussi des variantes, avec de l'oignon fondu dans le gras du lard, qui dans ce cas n'est pas ébouillanté mais mis à frire dans sa propre graisse, ou avec du gruyère râpé. Le succès mondial du mot quiche a fait qu'on y met en fait n'importe quoi.*

958

Tarte aux poireaux

Pour 6 personnes
250 g de pâte brisée
30 g de beurre
500 g de poireaux
400 ml de crème fraîche
4 œufs
sel
poivre
muscade (4 râpures)

Rouler la pâte, en chemiser un plat à tarte beurré (5 grammes). Percer la pâte avec la pointe d'une fourchette pour l'empêcher de gonfler à la cuisson. La cuire 20 minutes à blanc (cf. recette précédente).

Faire une ébouriffée avec les poireaux et 25 grammes de beurre.

Mélanger dans un récipient la crème, les œufs, l'ébouriffée de poireaux, le sel, le poivre, la muscade.

Mettre le mélange sur la pâte en lissant pour former une surface homogène.

Cuire au four à 200° (thermostat 6-7) pendant 25 minutes et servir tiède.

NB — *Autant de cuisines, autant de variantes. Les poireaux peuvent être pochés entiers ou en tronçons, étuvés au beurre, à l'huile, à la crème, frits en rondelles ou en filaments, etc.*

Sur le même modèle on peut réaliser d'autres préparations apparentées.

Tarte aux poivrons. Remplacer les poireaux par 4 beaux poivrons cuits au four à micro-ondes, épluchés et coupés en lanières fines. Ajouter un peu d'huile d'olive. Ne pas mettre de muscade.

Tarte aux légumes du Midi. Même recette que la précédente, mais faite avec 2 poivrons précuits au four à micro-ondes pendant 20 minutes, pelés et coupés en lardons, une petite courgette, 3 tomates épluchées, épépinées et coupées en petits cubes, et une gousse d'ail épluchée, dégermée et râpée.

Tarte aux herbes fraîches. Même recette que la tarte aux poireaux. Remplacer ces derniers par la même quantité de légumes feuilles (épinards, blettes, tétragone, etc.). On peut ajouter un peu d'oseille et des herbes aromatiques fraîches (persil, origan, basilic, etc.).

Tarte aux tomates. Même recette que la précédente, en remplaçant les légumes feuilles par 400 grammes de chair à tomate coupée en petits cubes, additionnée de pistou (10 grammes d'ail mixés avec 50 millilitres d'huile d'olive, 20 feuilles de basilic et 50 grammes de parmesan).

Tarte aux champignons. Même recette que la tarte aux poireaux. Remplacer ces derniers par 500 g de champignons émincés cuits dans 30 grammes de beurre.

Tarte au maroilles

Pour 6 personnes
200 g de maroilles pas trop mûr
150 g de crème
4 œufs
sel
poivre
10 g de beurre
farine
300 g de pâte brisée

Couper le maroilles en cubes de 1 centimètre de côté.
Mélanger la crème avec les œufs, saler, poivrer.
Beurrer un moule à tarte, le fariner légèrement.
Étaler la pâte et en chemiser le moule. Parsemer les cubes de maroilles, verser le mélange œufs-crème.
Cuire au four à 200° (thermostat 6-7) pendant 30 à 35 minutes.

NB — *A l'intérieur de la pâte, on a deux transformations du lait (fromage et crème) avec des œufs.*
La même préparation peut se cuire sans pâte en ajoutant une cuillerée à soupe de farine, comme un clafoutis, ou avec trois cuillerées à soupe de farine, comme un far (clafoutis ou far au maroilles).
Sur le même modèle, on prépare des tartes au brie, au camembert, au munster, au pont-l'évêque, etc.

Omelette mousseuse à la charlotte

Pour 2 personnes
4 pommes de terre charlottes de taille moyenne
100 g de beurre
4 œufs
sel
poivre

Cuire les pommes de terre 4 minutes au four à micro-ondes. Elles doivent être bien cuites. Les éplucher, les couper en gros cubes.

Faire fondre le beurre dans la poêle.

Mettre au mixer les pommes de terre, les œufs (sans les coquilles, bien sûr), le beurre, le sel, le poivre.

Mixer une minute à grande vitesse.

Cuire dans une grande poêle, ou, mieux, dans de petites poêles individuelles. L'omelette doit être bien dorée.

MÉLANGES À BASE DE BLANCS D'ŒUFS BATTUS

Du fait de leur structure et de leur composition chimique particulière — ils sont un des très rares aliments alcalins — les blancs d'œuf battus crus ou cuits, apportent légèreté et onctuosité à certains mélanges. Ils jouent un rôle déterminant dans la qualité des mousses au chocolat. La meringue italienne est un des ingrédients les plus utiles pour réussir les glaces qui ne comportent pas de jaune d'œuf.

Glace aux ananas

Pour 6 personnes
350 g d'ananas réduits en purée très fine
350 g de crème Chantilly
350 g de meringue italienne

Mélanger finement l'ensemble des ingrédients. La crème Chantilly étant fragile, cette opération doit être conduite délicatement.

Mettre dans une sorbetière. Turbiner au congélateur pendant 25 minutes.

L'EAU ET LA FARINE

Les grains des céréales et de certaines plantes auxquelles on les assimile peuvent être moulus; ils donnent alors des farines dont l'homme a fait depuis longtemps une des bases de son alimentation. En les mélangeant avec de l'eau, selon leur concentration relative, on obtient pâtes ou bouillies. L'invention du pain est probablement née d'un oubli, d'une erreur : la pâte laissée à elle-même est colonisée par des levures qui donnent la propriété de la faire gonfler, créant une structure aérée dont les raffinements successifs ont permis d'obtenir une grande variété de pains, tous plus délectables les uns que les autres.

Les pâtes

Les pâtes sont faites d'un mélange de farine — ou plus exactement de semoule fine — de blé dur et d'eau, à quoi s'ajoutent parfois des œufs. Elles peuvent être sèches, et se gardent plusieurs mois, ou fraîches, et dans ce cas, il convient de les consommer le plus vite possible.

Les pâtes constituent un aliment excellent. D'une part, leur goût neutre et doux leur permet de s'harmoniser avec une multitude de sauces et de préparation. La cuisine italienne en a fait depuis Marco Polo la base de son alimentation nationale. D'autre part, les pâtes sont faites avec des amidons, c'est-à-dire des sucres lents[1]. Elles apportent donc les sucres nécessaires à l'alimentation sans trop provoquer de ces à-coups dangereux causés par les sucres rapides. Se rappeler toutefois que les pâtes sèches à l'eau apportent environ 4 calories par gramme. Les pâtes fraîches apportent de 2,5 à 3,5 calories par gramme. Ce sont donc des aliments très énergétiques et il faut en tenir compte si on est amené à limiter sa consommation de calories. Par contre, bien utilisées, c'est-à-dire en quantité raisonnable, les pâtes limitent la sensation de faim entre les repas, ce qui n'est pas le fait des aliments sucrés.

Les *pâtes sèches* sont celles que l'on achète dans les épiceries ou les supermarchés. Il est toujours utile d'en avoir en réserve à la maison. C'est un bon dépannage facile à stocker et qui se garde longtemps. Elles existent sous forme de pâtes à l'eau (mélange de semoule de blé dur, de sel et d'eau) et de pâtes aux œufs, où l'eau est remplacée par des œufs dans une proportion de 7 à 10 œufs par kilo de semoule.

---

1. En fait, ces notions classiques sont aujourd'hui quelque peu battues en brèche. Les pâtes cuites *al dente* sont des sucres plus lents que les pâtes trop cuites. L'ajout d'un corps gras accentue ce phénomène.

Les *pâtes fraîches* peuvent s'acheter dans des boutiques spéciali-sées ou se trouvent en barquettes préemballées dans les super-marchés. Dans ce cas, faire bien attention aux dates de fabrica-tion. Plus une pâte fraîche vieillit, moins elle est bonne. De plus, il faut se méfier des pâtes farcies industrielles (raviolis, etc.), la qualité de la farce étant souvent médiocre.

On peut également fabriquer soi-même les pâtes fraîches. Il existe deux manières.

La première consiste à mélanger les ingrédients, à étaler la pâte et à la découper au couteau. C'est la méthode traditionnelle qui demande du temps et qu'il vaut mieux faire en deux temps : préparation de la pâte la veille, découpage et cuisson le lende-main.

La seconde consiste à utiliser un robot spécial. Les indications sont fournies par le fabricant. Ces robots comprennent un bol avec un batteur dans lequel on introduit la semoule de blé.

Autres ingrédients. A côté des éléments obligatoires, eau, sel et semoule, éventuellement d'œufs, il existe d'autres produits pou-vant entrer dans la composition des pâtes. En Alsace, on ajoute du lait pour confectionner les *Knepfs* et du beurre pour les *Wasserstriwela*. En Italie, on ajoute de la purée d'épinards pour les pâtes vertes, de l'encre de seiche ou de calamar pour les pâtes noires, du concentré de tomate pour les pâtes rouges, du jus de betterave pour les pâtes pourpres. A Nice, c'est du vert de blettes qui entre dans la consommation des *quiques*. Certaines spéciali-tés sont faites avec de la farine de blé complète (*pizzocheri*) ou avec de l'épeautre (*farro*).

Pour obtenir des pâtes colorées, on ajoute, par kilo de pâtes fraîches aux œufs, 250 grammes d'épinards cuits, pressés et réduits en purée, 80 millilitres de jus de betterave, 40 grammes de concentré de tomate ou 25 millilitres d'encre de seiche.

• *Les diverses sortes de pâtes.* Il existe des dizaines de sortes de pâtes. Elles sont de taille, de forme et de composition. Les Ita-liens les divisent en *pasta corta* (courte), *pasta lunga* (longue) et *pasta ripiena* (farcie). On peut mentionner :

– Les pâtes longues de section arrondie : selon le diamètre on a des *capelli d'angelo, capellini, spaghettini, barbine, bigoli, spa-ghetti, spaghettoni, trenette, strangozzi, linguine et bucatini* (ces derniers sont creux).

– Les pâtes courtes de sections sphérique creuse, de diamètre varié, coupées en morceaux très courts : *tubetti et tubettini* ou de

2 à 5 centimètres ; *pennette, penne* et *penne rigate* (cannelées) ; *pennine* et *pennine rigate, marille, sedani, ditali* et *ditali rigati, elicoidali, cannelloni, rigatoni.* Lorsque leur forme est courbée, on a des *maccheroncini,* coquillettes, macaroni, *maccheroni, sedanini, gomiti* et *tortiglioni* (ces derniers étant tortillonnés comme l'indique leur nom), *gramigne, pipe* et *pipe rigate.*

— Les pâtes longues, de section petite et carrée : *spaghetti quadrati, tagliolini.*

— Les pâtes plates et longues : *tagliatelle, fettucine, pappardelle, lingue di passero.* Lorsqu'elles sont festonnées ce sont des *festoni.* Lorsqu'elles sont torsadées, on a des *fusilli.*

— Les pâtes peuvent être mal taillées (*maltagliati).*

— Elles peuvent avoir la forme d'un nœud papillon (*farfalle),* d'oreille (*orecchioni* et *orecchiette),* de conque (*conchiglie)* de roue de chariot (*ruote),* de boule avec deux oreilles (*recchiatelle).*

— Les pâtes peuvent être larges et plates, comme les *lasagnes* qui sont généralement servies en couches alternant avec une farce ou les plus rares *vincisgrassi d'Ancône.*

— Les pâtes farcies peuvent être faites d'une pâte sèche : *panzerotti, anellini, tortelli, tortellini, tortelloni* ou de pâte molle et fraîche (*ravioli, ravioloni, raviolini* selon leur taille, *cannelloni, cappelli).*

— Les pâtes ovalaires, souvent cannelées, de petite taille, constituent les *gnocchi* et *gnocchetti.*

— Les pâtes peuvent être toutes petites, souvent ajoutées à la soupe, en forme de grain de riz (*puntine),* d'étoiles (*stelline),* de vermicelles (*filini),* rondes (*tempestine).*

Parmi les pâtes françaises signalons les *nouilles,* les *coquillettes,* les *Spätzle* aux œufs et les *Knepfs* (nouilles larges aux œufs et au lait), et les *Wasserstriwela,* toutes trois d'Alsace, les *taillerins* et les *crozets* de Savoie (petite pâtes cubiques), les *ravioles* de Romans dans la Drôme et de Fours, et les *quiques* de Nice.

Faire ses pâtes fraîches

La formule dépend du choix, avec ou sans œuf, de la couleur recherchée et de l'utilisation. La pâte à ravioli et à cannelloni est différente de texture. La farine à employer pose un intéressant problème. Les puristes n'admettent que la semoule de blé dur (nécessaire si on se sert d'un appareil automatique). D'autres se contentent de la farine type 55. Certaines recettes se font avec de la farine complète.

Pâtes sans œufs. Faire une fontaine avec la farine, creuser un puits, ajouter l'eau peu à peu et mélanger à la fourchette en tournant. Puis travailler la pâte pendant 15 minutes jusqu'à ce qu'elle devienne élastique et lisse. La laisser reposer au frais pendant 1 heure. Étaler la pâte à la main ou à la machine en la faisant passer successivement entre les rouleaux en réduisant l'écartement au fur et à mesure. Découper selon les formes choisies.

NB — *On peut ajouter 1 à 3 cuillerées à soupe d'huile d'olive par kilo de farine.*

Pâtes aux œufs. Pour un kilo de farine on compte 4 à 12 œufs entiers ou seulement le jaune, selon le goût et les habitudes (Roger Vergé[1] raconte que Danny Kaye y mettait 36 jaunes d'œufs par kilo de farine) et une cuillerée à soupe d'huile. La technique est la même que précédemment, l'œuf et l'huile remplaçant l'eau. Toutefois, on peut y ajouter de l'eau tiède en fonction de la consistance souhaitée.

Pâte à ravioli, cannelloni, tortelli, tortellini, tortelloni, etc.
Pour 1 kilo de farine on compte 10 œufs, un peu de sel, 2 cuillerées à soupe d'huile d'olive. Même technique que précédemment.

Pâte à strozzapretti
Utiliser de la farine type 45 (on compte 4 à 6 œufs pour 1 kilo de farine).

Pâte à Spätzle
Pour 1 kilo de farine, on compte 10 jaunes et 8 œufs, 20 grammes de sel, 1 jus de citron et 3 cuillerées à soupe d'eau. On fait une pâte homogène, on laisse dans un linge pendant 30 minutes et on étale la pâte pour la découper.

Pâte à Wasserstriwela[2]
Pour 1 kilo de farine, on compte 12 œufs et 4 jaunes, 200 grammes de beurre, 8 cuillerées à soupe d'eau, sel et muscade. La pâte est mise dans un conteneur spécial d'où elle coule en forme de longs cylindres dans l'eau bouillante. Les pâtes sont cuites une deuxième fois dans du beurre ou dans une sauce.

1. *Ma Cuisine du soleil, op. cit.*
2. Paul, Marc et Pierre Haeberlin, *Les recettes de l'Auberge de l'Ill*, Flammarion, 1982.

Farces pour pâtes

Comme les sauces, elles sont très nombreuses. On peut utiliser des ragoûts de viande finement hachés, des fruits de mer, des crustacés des champignons, etc. Une des meilleures et des plus simples façons de farcir est d'utiliser des mélanges de fromages blancs type ricotta, brousse, brocciu ou chèvre frais mélangés avec des herbes condimentaires.

Cuisson des pâtes

Les pâtes se cuisent *comme une bouillabaisse*, c'est-à-dire au grand feu dans de l'eau bouillante additionnée de sel et d'une ou de plusieurs bonnes cuillerées à soupe d'huile d'olive. L'émulsion d'huile dans l'eau va légèrement graisser les pâtes et les empêcher de coller tout en les aromatisant très discrètement. On jette les pâtes dans l'eau bouillante et on attend la reprise de l'ébullition.

Il convient de cuire les pâtes dans beaucoup d'eau et de les remuer de temps en temps pour éviter qu'elles ne s'attachent au niveau de parties non ou peu cuites, particulièrement avant la reprise de l'ébullition. Comme le liquide de cuisson peut monter, *prévoir un récipient à haut bord*.

Les pâtes fraîches ou sèches se cuisent de la même manière, le temps de cuisson étant différent. Les temps varient également en fonction de la forme et de l'épaisseur des pâtes ainsi que de leur nombre. Les temps suivants ne sont qu'indicatifs : 3 à 4 minutes après repris de l'ébullition pour des pâtes fraîches, 10 à 12 minutes pour des pâtes sèches. En fait, il est préférable de goûter les pâtes de temps en temps pour arrêter la cuisson à la consistance que l'on souhaite. En général, on préfère les cuire *al dente* comme les Italiens, c'est-à-dire légèrement croquantes. Mais c'est affaire de goût : libre à chacun de les aimer plus cuites.

Lorsqu'elles sont à la consistance désirée, les verser dans une passoire. Mettre dans la casserole encore chaude un peu de beurre, ou de l'huile d'olive, ou de la crème, ou une sauce, et y remettre les pâtes égouttées. Les tourner plusieurs fois pour que la matière grasse ou la sauce les enrobe bien et les empêche de coller.

Cas particulier : les raviolis fins

Les raviolis fins sont faits avec une pâte fragile et contiennent des farces délicates. Il ne faut pas les cuire comme les autres pâtes, mais à chaleur douce.

Dans une casserole on met à feu vif l'eau salée en quantité moindre et de l'huile d'olive. Lorsque l'eau bout, on ajoute les raviolis et on cuit à feu moyen en évitant l'ébullition dont la brutalité crèverait les raviolis.

Spätzle au beurre

Pour 4 personnes
500 g de pâte à Spätzle
100 g de beurre
sel

Découper la pâte en lamelles.
Faire bouillir 3 litres d'eau salée à 20 grammes par litre.
Y pocher les Spätzle pendant 3 minutes.
Les égoutter.
Faire fondre le beurre. Y faire revenir les pâtes pendant 2 minutes à feu doux.

NB — *Une des manières les plus rapides et les plus simples de préparer des pâtes. Les Spätzle sont d'Alsace mais accompagnent tous les plats en sauce.*

Gnocchi

Les gnocchi sont des pâtes particulières puisqu'elles peuvent être préparées avec de la farine, mais aussi avec des pommes de terre.

Pour 6 personnes
1 kg de pommes de terre farineuses non pelées
250 g de farine
sel

Cuire à l'eau salée les pommes de terre pendant 25 minutes. Les peler et les écraser chaudes à la fourchette, incorporer le sel et la farine. On obtient une pâte qu'on coupe en bâtonnets allongés de 2 ou 3 centimètres.

On les poche dans l'eau salée. Quand ils remontent à la surface on les égoutte et on les met dans un plat.

On les cuit une deuxième fois avec divers assaisonnements : sauce Béchamel, sauce tomate ou autre. On les parsème de gruyère ou de parmesan râpé et on les fait cuire au four pour les gratiner.

NB — *Les* gnocchi alla genovese *sont pochés et servis avec du pesto.*

L'assaisonnement des pâtes

Les pâtes étant une forme de pain (il existe en France une catégorie de gâteaux pochés dans l'eau avant d'être cuits au sec, les *échaudés*, dont font partie les *cartelins*[1] ou *craquelins* du Poitou par exemple) — peuvent s'adapter à une multitude de préparations. Chaque région a son style. Les pâtes étant devenues universelles, elles ont trouvé d'autres accompagnements que les recettes traditionnelles — l'association Ketchup-emmental industriel râpé ayant pris le pas sur beaucoup d'autres. Signe des temps...

Les pâtes peuvent se présenter comme compléments d'une soupe ou d'un potage. Les pâtes courtes ou fines (cheveux d'ange, *tubettini, tubetti*) sont bien adaptées à cet usage. Le minestrone comporte des pâtes en plus des légumes traditionnels (excepté dans sa version milanaise).

C'est cependant avec les bouillons qu'on les sert généralement, comme il est d'usage avec nos vermicelles (qui ne sont pas les *vermicelli* italiens).

Les pâtes peuvent être accompagnées de *produits simples* : beurre frais, huile d'olive, crème fraîche éventuellement moutar-

---

1. Pour fabriquer les cartelins, on mélange œufs et farine, puis beurre ramolli, sel, sucre et vanille avec assez d'eau tiède pour pouvoir rouler la pâte. On laisse reposer une nuit. On roule la pâte. On découpe de grands cercles qu'on jette dans l'eau bouillante salée. On les retire quand ils remontent à la surface, on les sèche, on parsème de petits morceaux de sucre et on les cuit au four à 180° pendant 20 minutes. (Selon l'*Inventaire du patrimoine culinaire de la France, Poitou-Charentes*, Albin Michel et CNAC, 1994.)

dée, herbes aromatiques, au premier rang desquelles se trouve le basilic, citron. C'est souvent ainsi qu'elles sont les meilleures. On peut également y ajouter des lardons ou de la ventrèche finement coupée ou encore des petits bouts de jambon cru, type Bayonne ou Parme.

Le compagnon naturel des pâtes est le fromage, ou plutôt un ensemble de fromages. Au premier rang trônent le parmesan ou les divers granas, qui sont des fromages à pâte cuite pressée vieillis en cave ; leur texture est dure. On les râpe sur les pâtes cuites à même l'assiette. On peut aussi utiliser d'autres pâtes cuites pressées : gruyère et apparentés (fribourg, emmental, beaufort, etc.), ou encore les fromages bleus (roquefort, stilton, fourme d'Ambert, gorgonzola), des fromages de brebis comme le pecorino sec, ou de chèvre, ou encore des fromages mous et blancs type brousse, brocciu, ricotta ou mozzarella.

Parmi les ingrédients simples, citons également les câpres, les anchois de conserve, le thon en boîte, les fruits de mer, les champignons et les tomates frais ou secs, l'ail et sa famille (oignons, échalotes, poireaux, etc.), le piment et les truffes — surtout la blanche. Tous peuvent également se combiner simplement avec les corps gras et les fromages, permettant ainsi de composer de nombreuses et personnelles variations.

En Italie, terre d'origine des pâtes telles que nous les connaissons, on peut préparer la *pasta in brodo* (dans le bouillon), *al forno* (au four) ou *asciutta* (servies avec du beurre ou de l'huile, saupoudrées de parmesan râpé, ou accompagnées de sauce).

On peut accommoder les pâtes avec des sauces.

La plus simple est la *sauce tomate*. il en existe de multiples variantes, comportant éventuellement ail, oignon, persil, céleri, basilic, piment etc. La plus simple est l'escargagnasse.

La plus célèbre des sauces est *le pesto ou pistou*.

La sauce dite *bolognaise* est faite de bœuf ou de porc haché, sauté additionné de purée de tomates. On peut raffiner en ajoutant du vin blanc avant les tomates (en fait, nombre de recettes à la bolognaise ont une composition bien différente).

La sauce dite *à la carbonara* est faite de crème et de lardons, ou de ventrèche avec des jaunes d'œufs et du pecorino — il en existe bien des variantes.

La sauce *enragée (all'arrabiata)* comporte des piments.

La sauce *à l'ail et à l'huile* est faite d'huile d'olive dans laquelle on fait dorer des gousses d'ail et du piment.

La sauce *all'amatriciana* est faite de lardons ou de ventrèche rissolés dans leur graisse; on les retire et on ajoute successivement des oignons et un peu de piment rouge, puis des tomates pelées et épépinées; 10 minutes plus tard on remet les lardons.

La sauce *a la marinara* est faite de tomates épépinées et pelées, cuites dans l'huile d'olive, dans laquelle on a fait revenir de l'ail et du piment. On cuit 15 minutes à feu moyen et on ajoute au dernier moment des câpres et des olives dénoyautées et coupées en deux.

La sauce *a la San Giovannara* est un mélange de beurre, crème, parmesan et jaunes d'œufs.

Quelques autres assaisonnements (liste non exhaustive bien évidemment) :
Foies de volaille émincés et sautés à l'huile d'olive
Roquette émincée
Œufs de poisson (boutargue de thon ou de mulet) émiettés
Poissons fumés (saumon, anguille, maquereau) coupés
Légumes taillés en bâtonnets : courgettes, aubergines, poivrons, etc., revenus au beurre ou à l'huile
Chair à saucisse sautée à cru et ajouté à la fin
Poissons frais, maquereau, thon, bonite, sardine, cuits en sauce et ajoutés en lamelles sans arête
Ragoûts divers de viandes, légumes et poissons
Chicorées cuites : trévise, scarole, endives
Olives vertes ou noires
Fines herbes : persil, marjolaine, estragon, fenouil, aneth, coriandre, sauge
Noix, noisettes, amandes, pignons, noix de Cajou, pistaches entières ou concassées ou en poudre
Broccoli à jets (*cime di rapa*) hachés et sautés à l'huile et à l'ail.

Le pain

Quoi, encore du pain ?

En thaï le verbe « manger » n'existe pas seul. Manger se dit *kinkhao*, c'est-à-dire « manger du riz », un plat se nomme *kap kaho*, ce qui veut dire « avec du riz »[1]. Le riz est indissociable de

---

1. Selon Annick D'Hont et Mali, *250 Recettes de cuisine thaïlandaise*, Jacques Grancher, 1995.

la nourriture traditionnelle thaï. Comme est indissociable le maïs de celle du Mexique. Et comme l'est le pain chez nous. A-t-on jamais entendu quelqu'un s'exclamer « Quoi, encore du pain ? » remarque Pierre Lemanissier, minotier à Caen. Le pain, avec ses dérivés, biscottes, gressins, galettes et autres, est de tous les repas, des cassecroutes, des en-cas. Il fait les sandwiches. Même le tout-puissant hamburger n'ose se présenter autrement que flanqué de deux petits pains. Admirable et surprenante fonction : un aliment qui ne lasse pas, qui accompagne quasiment tous les autres, qui leur sert de faire-valoir, qui corrige leur trop-plein d'acidité ou d'amertume, qui donne à la sauce une consistance, qu'on peut à sa guise couper au couteau ou rompre de la main, qu'on tient dans ses doigts sans qu'il tache ou attache. Qui est bon et beau quand il est frais. Mais aussi plaisant rassis, même si sous cette forme il n'est pas à la mode. Et encore grillé, associant le blond et le brun, le craquant et le croustillant, avec cette odeur, ce parfum bien particulier et unique, le pain est un de ces aliments qui sollicitent vivement les cinq sens.

La mie de pain fraîche et tamisée, ou plus généralement le pain rassis, pilé, râpé ou pulvérisé au mixer, forment les chapelures les plus sapides. Trempé dans le lait, le bouillon, la crème ou autres liquides aromatisés, le pain est ensuite pressé pour en ôter l'excès aqueux. Il sert alors de matière aux farces et à certains gâteaux.

Le pain, du fait de sa richesse en sucres et en protéines végétales, et de ses propriétés gustatives uniques, est le pivot de l'alimentation occidentale.

Faire son pain

Le pain. Aliment de base, aliment de la tradition. Après une mise à l'index il y a une vingtaine d'années, le revoilà, bienvenu, fêté, paré de vertus incomparables. C'est qu'il a changé de statut. Le pain c'était d'abord pour les pauvres. D'ailleurs son prix en a été longtemps imposé, garantissant ainsi la paix sociale. Le pain cher n'a-t-il pas coûté son trône et sa vie à Louis XVI ? Le pain et la liberté.

Et puis les pauvres ont eux aussi pu goûter à d'autres aliments, expérimenter d'autres saveurs, d'autres combinaisons. Et le pain, avec la soupe, a subi le contrecoup de ces changements. Il lui a fallu quitter ses habits de misère pour se mettre au goût du jour, trouver un statut aisé, attirant et jeune. Et les boulangeries proposent aujourd'hui de multiplier les sortes de pains, les antiques pains de 6 ou de 4 ont quasiment disparu et, quand on les trouve, c'est affublés de noms nouveaux : de campagne, au levain, etc. Avec la mort du pain des pauvres, est apparue une kyrielle d'appellations, de combinaisons. Le pain noir lui-même, symbole des plus pauvres des pauvres, réapparaît doté d'une image quelque peu sophistiquée. Tant il est vrai qu'on mange à la fois un aliment et l'image qu'on s'en fait. Du coup, que choisir chez le boulanger : le pain blanc ou le pain complet, celui avec du seigle, des « six céréales », du méteil, du pain au maïs, au riz, à l'épeautre, ou bien au cidre, à l'huile d'olive, au vin blanc, avec des graines de cumin, de soja, de sésame, de tournesol, de pavot, ou bien des noix, des noisettes ou de l'oignon et du lard ? On le voit, le pain peut se décliner en consistances, en couleurs, en formes, en associations, en volumes infinis.

Il peut se cuire au four, se frire ou se griller à la poêle. Il est du petit déjeuner et du goûter comme des repas principaux. Il est des repas de privation comme de ceux de fête.

Pourtant, il n'est pas toujours facile de trouver du bon pain. Chacun connaît certains professionnels dont la compétence et le renom peut parfois traverser les frontières mêmes de notre pays. Lionel Poilâne en est aujourd'hui le symbole. Mais à côté de ces hommes de compétence et de goût, combien de paresseux ou de fatigués ne vendent que des produits médiocres, bien souvent simplement du pain industriel congelé et réchauffé. Cela donne un produit attirant au sortir du four, mais qui prend très vite l'aspect du chewing-gum ou du papier mâché.

Faire son pain, c'est une façon de participer à cette célébration d'une forme de tradition réactualisée par la modernité : transformer de l'eau et de la farine en un produit complètement autre, odorant et doux, changeant au gré du cuisinier, de goût et de composition, de taille et de forme.

Les ingrédients

Pour faire du bon pain il faut de la bonne farine. C'est-à-dire le résultat de plusieurs opérations successives : sélection et culture des céréales, traitement ou absence de traitement contre les divers agents pathogènes et parasites, mouture. Il n'y a pas aujourd'hui de règle simple qui permettrait de choisir en toute sécurité le produit idéal. Lionel Poilâne[1] conseille d'utiliser une farine type 70 ou de fabriquer soi-même sa farine avec un moulin à usage ménager électrique ou manuel. En fait, les farines de commerce diffèrent par la qualité des blés utilisés et par le traitement mécanique : meules ou cisaillement. Comme ce qui est proposé au consommateur est la sélection par granulométrie, il semble exister une différence entre les deux types de fabrication, chacune travaillant le grain de blé de façon différente.

On peut si on le souhaite utiliser une farine un peu plus pure type 55, mais on réservera le type 45 pour la pâtisserie. On peut également faire du pain avec des farines complètes ou des mélanges. Ou encore d'autres céréales : épeautre, seigle ou maïs. Le soja peut, en petites quantités, apporter une touche particulière. On peut également ajouter des raisins secs, des noix et amandes diverses.

Il faut aussi de l'eau et, comme le souligne Lionel Poilâne, sa qualité est très importante. L'eau de source et certaines eaux minérales, type Évian, donnent les meilleurs résultats.

Il faut aussi un produit levant. Certaines régions américaines se sont fait la spécialité de pains faits de maïs levé avec de la levure chimique ; ce sont plutôt des gâteaux salés et ils ont des qualités gustatives bien personnelles. On peut se servir d'un levain « originel », c'est-à-dire qu'on laisse se transformer la pâte, la fermentation se produisant lentement. Plus généralement on utilise de la levure de boulanger, fraîche ou sèche, et on l'incorpore à la pâte en direct, ou, mieux, en fabriquant une *poolish*, méthode de la boulangerie française du XIXᵉ siècle et du début du XXᵉ siècle. *Poolish* viendrait de « polonais », cette méthode étant originaire d'Europe de l'Est.

Sauf pour certains produits, il convient de saler. Le sel marin a la préférence des meilleurs boulangers.

Enfin, certains types de pains comportent du lait ou du yaourt, de l'huile ou divers corps gras.

1. *Guide de l'amateur de pain*, Robert Laffont, 1981.

Pain traditionnel

C'est un pain de grande taille, on peut le faire pour une semaine. Il se garde bien.

45 g de levure de boulanger fraîche (on compte la moitié s'il s'agit de levure lyophilisée — en ce cas il faut généralement la dissoudre dans un peu d'eau tiède auparavant)
1 kg de farine blanche de type 55
500 g de farine complète
800 à 900 ml d'eau tiède
30 à 40 g de sel

Ce pain se fabrique en 8 phases.

1. *Fabrication d'une poolish ou d'un levain.* On dilue le 1/3 de levure (poolish) ou la totalité (levain) avec 300 grammes de farine et 300 grammes d'eau. On mélange à la fourchette dans un saladier, on couvre et on met au tiède (20 à 30°) à l'abri des courants d'air. La poolish et le levain sont prêts lorsqu'ils ont doublé ou triplé de volume et que l'ensemble, qui contient de multiples bulles, tend à s'affaisser. (Attention : il ne faut jamais mettre de sel.)

2. *Fabrication de la pâte.* On mélange l'ensemble des ingrédients (le sel peut être dissous dans un peu de l'eau prévue), y compris la poolish ou le levain. On obtient une pâte élastique un peu sèche.

3. *Pétrissage.* Cette opération se fait à la main. On étire la pâte et on la replie un grand nombre de fois pendant 10 à 15 minutes.

4. *Première pousse.* On met la pâte dans un saladier, on la couvre, on la place dans un endroit tiède à l'abri des courants d'air et on la laisse gonfler (pousser) pendant 40 à 60 minutes.

5. *Façonnage.* On affaisse la pâte, éventuellement avec le poing. On façonne selon la forme souhaitée : boule, baguette, bâtard, etc.

6. *Deuxième pousse.* On place les pains façonnés sur un plat ou dans un panier spécial fariné pour éviter de coller. Le plus simple est d'utiliser une plaque qui pourra être glissée dans le four sans avoir à manipuler le pain. On peut aussi se servir de moules si on souhaite une forme géométrique très précise. On les

couvre d'un torchon très propre et sec et on les remet au tiède à pousser pendant 90 à 120 minutes.

7. *Cuisson.* Le four doit être préchauffé. On cuit le pain un temps variable selon la taille. Pour de petits pains de 200 grammes de pâte, le temps de cuisson est de 15 minutes à 250° (thermostat 8-9). Pour un gros pain de 2,4 kilos — quantités indiquées pour cette recette, il faut compter une heure de cuisson à 220-230° (thermostat 7-8).

Il convient d'ajouter un récipient contenant de l'eau pour limiter l'évaporation du pain qui peut atteindre 15 %. On peut, avant ou après cuisson, passer de l'huile d'olive sur la surface du pain pour lui donner une plus belle couleur. S'il n'y a pas de craquelure spontanée de la croûte, il faut y faire au cutter des incisions avant d'enfourner pour éviter qu'elle n'éclate en cours de cuisson. Le pain est cuit s'il sonne creux quand on le percute avec les doigts.

8. *Ressuyage.* Une fois cuit, sortir le pain, le placer sur une grille et le laisser refroidir. Le pain va perdre de l'eau et sa structure va se raffermir. Le pain met plusieurs heures à atteindre la température ambiante. Il se garde plusieurs jours et se congèle très bien.

NB — *La qualité du pain dépend beaucoup du façonnage à la main.*

Pains divers

Pain rapide. Le pain traditionnel, sur levain ou poolish, est meilleur, mais plus long à préparer. Si on manque de temps, on peut utiliser une recette plus rapide. Dans ce cas, on mélange l'ensemble des ingrédients d'emblée et on suit la recette précédente à partir de la deuxième phase (fabrication de la pâte).

Pain blanc. On utilise l'une des deux recettes précédentes. Les ingrédients sont identiques, mais on n'utilise que de la farine blanche de type 55.

Pain d'épeautre. On peut utiliser soit de la farine d'épeautre pure, soit un mélange de farine d'épeautre et de froment blanche. On peut également ajouter 1 ou 2 cuillerées à soupe d'huile d'olive dans la pâte. On utilise soit la préparation rapide, soit la recette sur levain ou poolish.

Pain viennois. C'est une recette de pain rapide fait avec de la farine blanche de type 55. Aux quantités indiquées on ajoute pendant le pétrissage 100 à 150 grammes de sucre et 50 grammes de lait en poudre. En fin de pétrissage, on ajoute 250 grammes de beurre tiède en pommade.

En général on cuit des pains de 200 à 250 grammes de pâte pendant une vingtaine de minutes à 250° (on peut « dorer » la pâte avec de l'œuf battu ou du jaune dilué et battu dans l'eau).

Pain à l'huile. C'est un pain rapide fait de farine blanche de type 55 où on remplace 50 à 150 grammes d'eau par une même quantité d'huile d'olive. C'est un pain à mie serrée et blanche.

Pain à la farine de châtaigne. C'est un pain rapide ou traditionnel dans lequel on remplace 1/3 de la farine de blé par de la farine de châtaigne.

Pain de seigle. C'est un pain traditionnel ou un pain rapide fait avec un mélange de farine de type 55 (75 à 80 %) et de 20 à 25 % de farine de seigle. On peut ajouter des noix ou des noisettes concassés à la pâte, ou encore des fruits secs.

Pain frit

15 g de levure de boulanger
1 yaourt
300 g de farine blanche type 55
100 g de farine de blé complète
8 g de sel
poivre
huile d'arachide

Délayer la levure avec un peu d'eau. Ajouter le yaourt, mélanger.

Verser les farines, le sel, le poivre. Mélanger en ajoutant suffisamment d'eau pour obtenir une pâte élastique et un peu collante.

Pétrir quelques minutes. Mettre en boule dans un saladier. Faire lever 1 heure au tiède.

Mettre l'huile à chauffer dans une poêle. Lorsque l'huile est très chaude, prendre avec une cuillère huilée des morceaux de pâte. Les rouler dans la friture et les aplatir avec le dos de la cuillère pour leur donner une épaisseur de 4 millimètres environ.

Retourner plusieurs fois pour vérifier la cuisson : les petits pains doivent être d'une couleur doré foncé.

Les retirer et les poser sur du papier absorbant pour éponger l'excès d'huile. Servir chaud.

Le pain frit peut se préparer en incorporant diverses épices ou herbes aromatiques.

Pain de châtaigne frit. C'est la même recette que celle du pain frit, en remplaçant la farine complète par de la farine de châtaigne.

Pain noir frit. Même recette, en remplaçant la farine complète par de la farine de sarrasin.

Pain de seigle frit. Même recette, en remplaçant la farine complète par de la farine de seigle. On peut incorporer à la pâte des noix ou des noisettes concassées, des raisins secs réhydratés, de petits bouts de fruits secs marinés dans un liquide aromatisé ou alcoolisé, etc.

Kesra koucha

Pour 3 pains ou 2 galettes de 30 cm de diamètre
500 g de semoule de blé fine
2 pincées de sel
15 g de levure de boulanger
1 cuillerée à dessert bombée à parts égales de graines d'anis, de nigelle et de sésame blanc
1 œuf et 1 jaune
2 cuillerées à soupe de beurre fondu
100 ml de lait
eau tiède

Mettre la semoule dans un récipient à fond plat. Faire un creux au milieu. Ajouter le sel, la levure effritée à la main, les graines aromatiques, l'œuf entier et le beurre.

Mélanger avec les doigts en ajoutant le lait et assez d'eau tiède pour obtenir une pâte collante mais pas trop liquide.

Couvrir d'un linge et laisser doubler de volume au tiède.

Travailler à nouveau pendant 20 minutes avec les mains : déchirer la pâte, puis la remettre en boule et recommencer jusqu'à ce qu'elle devienne bien élastique.

Façonner les pains ou les galettes. L'épaisseur est d'environ 1 centimètre et demi. Piquer le dessus avec une fourchette. On peut aussi dessiner divers motifs. Dorer le dessus avec le jaune d'œuf.

Cuire 35 minutes à 240 ° (thermostat 8). Le pain doit être très doré.

Sortir le pain et le laisser refroidir dans un linge.

NB — *Ce pain d'Afrique du Nord se fait pour les fêtes, les repas de deuil et aussi les jours de hammam et de grande lessive. Typiquement, on travaille la pâte dans une* guasaa, *récipient en bois d'olivier taillé dans la masse.* (Recette d'Ennoufous Bedairia.)

Les pains indiens

Une façon différente de faire son pain, en ration individuelle. Bien sûr, on n'y retrouve pas la texture et la longueur du pain français ou du pain italien, mais c'est une façon amusante et agréable de présenter le mélange de l'eau et de la farine.

Les pains indiens sont agréables dans les pique-niques, ils sont plaisants pour manger certains plats cuits — ragoûts en particulier — ou certains hors-d'œuvre. On en rapprochera leurs cousins germains, les pains du Moyen-Orient.

Ils peuvent être à pâte levée ou non, rôtis ou frits.

Nans ou naans

Les plus fréquemment servis en Inde dans les restaurants avec les chapatis.

Ce sont des pains à pâte levée, rôtis. Leur particularité, c'est l'utilisation de yaourt dans la pâte.

50 à 100 ml d'eau tiède
5 g de sucre
15 g de levure de boulanger fraîche (ou 7 g de levure lyophilisée)
10 g de sel
500 g de farine de type 55
150 ml de lait tiède
1 yaourt

Dans un grand bol, mélanger l'eau, le sucre et la levure. Mettre au tiède et laisser mousser, ce qui prend 10 à 20 minutes.

Dans un saladier, mettre le sel, la farine, le lait, le yaourt, la levure. Pétrir l'ensemble pendant quelques minutes pour obtenir une pâte lisse et élastique.

Couvrir la pâte et la laisser au tiède pendant 60 à 90 minutes. Elle double de volume.

Pétrir à nouveau la pâte pendant quelques minutes. La diviser en morceaux de 40-50 grammes.

Étaler au rouleau les morceaux pour obtenir des cercles d'une vingtaine de centimètres de large et d'un peu moins de 1 centimètre d'épaisseur.

Mettre au four à 250° (thermostat 8-9) pendant une dizaine de minutes en surveillant bien car, selon les origines des ingrédients, le temps de cuisson peut être assez variable.

Pain Jacqueline au yaourt et aux épices douces

Il s'agit d'une version adaptée de la recette des nans, c'est-à-dire qu'il s'agit d'un pain au yaourt qui ne requiert pas de pétrissage et ne nécessite qu'une seule levée. C'est un pain très léger et agréable. Hyperfacile et en plus on ne se salit pas les mains car tout le travail se fait à la fourchette !

30 g de levure de boulanger fraîche
eau tiède
3 yaourts
15 g de sel
1/2 cuillerée à café rase de cannelle pulvérisée
1/2 cuillerée à café rase de fénugrec pulvérisé
1/2 cuillerée à café rase de cumin pulvérisé
1 kg de farine blanche type 55
200 g de farine de blé complète
30 g d'huile d'olive

Délayer la levure dans un peu d'eau tiède. Mélanger avec les yaourts.

Dans un saladier, mélanger le sel, les épices et les farines.

Ajouter le mélange yaourt-levure et incorporer peu à peu à la fourchette en ajoutant suffisamment d'eau tiède pour obtenir une pâte molle et collante.

Huiler un moule à bords assez hauts. Y transférer la pâte. La couvrir et la laisser lever 2 heures au tiède.

Cuire 15 minutes à four chaud 240° (thermostat 8) et 25 à 30 minutes à 160° (thermostat 5/6).

Sortir du four, démouler et laisser ressuyer 30 minutes sur une grille.

NB — *On peut varier les épices selon son goût. Les quantités indiquées sont celles d'épices de première qualité. Ne pas en mettre trop.*

La pizza

La pâte à pizza est une pâte à pain. La pizza vient de Naples. C'était le casse-croûte des pauvres à midi. Car qu'est-ce qu'une pizza? Du pain avec quelque chose dessus, ou dedans si on la referme. Un sandwich pour tout dire. Chaud, fait sur-le-champ, assaisonné et aromatisé à volonté. La pizza décline l'ensemble des possibilités du sandwich salé, à base de poissons, de viandes, de fromages, de légumes, d'aromates, d'herbes et d'épices. Ainsi peut-on être surpris non de la diversité de ce qui est proposé, mais plutôt du conformisme qui préside à la conception de ces tartines chaudes. On peut regretter que les pizzas, pardon, les *pizze*, ne soient plus ce plat typique qu'elles furent, plats de pauvres, donc plats économiques, donc plats faits de peu d'ingrédients. On peut regretter qu'elles soient devenues ces chefs-d'œuvre de mauvais goût quand elles combinent viandes hachées dont le chien ne voudrait que s'il a jeûné avec des poivrons crus et indigestes, fruits de mer surgelés dont les saveurs subtiles ont disparu dans les mers lointaines où ils furent pêchés, avec ces tranches de saucisses dont la nature et l'origine suscitent toutes les conjectures, avec ces fromages dont les éclaboussures parsèment d'étranges motifs blanchâtres la surface à la fois crue et carbonisée de ces produits de haut risque. De haut risque dans nombre de restaurants italiens ou soi-disant tels, spécialisés en apparence. Car la pizza peut être tout autre chose. La pizza, comme la tarte Tatin, est un concept, simple, aisé à mettre en œuvre. La pizza, c'est la cuisson sur pâte à pain. La cuisson de ce que l'on veut, du plus simple au plus sophistiqué. Du plus doux au plus épicé. Du plus élémentaire au plus complexe. La pizza est née en Campanie. Elle est devenue, comme le riz ou les pâtes, universelle. Personne n'en est propriétaire, ou plus exactement seuls ceux qui ont l'exigence de la simplicité peuvent avoir droit de regard sur ce qu'elle est. Exigeante et simple. Multiple et unique.

Elle ne craint qu'un ennemi, l'emphase; qu'un parasite, la multiplication inutile des ingrédients. La pizza, présentation que l'on pourrait qualifier de « biblique », n'est-elle pas le champ d'application de l'adage : pourquoi faire simple et juste quand on peut faire faux et compliqué?

Pâte à pizza

Pour 2 pièces
20 g de levure de boulanger fraîche
500 g de farine type 55 tamisée
40 g d'huile d'olive
5 g de sel

Diluer la levure dans de l'eau tiède.
Mettre la farine sur le plan de travail.
Incorporer successivement la levure, l'huile, le sel, puis de l'eau tiède cuillerée par cuillerée, tout en malaxant avec les doigts.
Bien travailler la pâte comme une pâte à pain. Elle doit être homogène, brillante et un peu molle.
La mettre en boule, la fariner et la laisser lever au tiède, à l'abri des courants d'air, pendant 2 à 3 heures.
La travailler de nouveau 10 minutes. L'étaler pour former un ou plusieurs cercles de la taille souhaitée. L'épaisseur doit être de 5 à 6 millimètres.

Pizza à la marinara

C'est la « vraie », celle des pêcheurs napolitains.

Pour 6 personnes
300 g de pâte à pizza
huile d'olive
150 g de pulpe de tomate fraîche bien mûre
sel
poivre
origan (Origanum heracleoticum)

Étaler la pâte pour former un cercle de 5 à 6 millimètres d'épaisseur.

981

La badigeonner au pinceau avec de l'huile d'olive. Répartir la tomate.

Saler, poivrer, parsemer d'origan (pas trop). Arroser d'un filet d'huile d'olive.

Cuire au four à 250° (thermostat 8-9) pendant 10 à 15 minutes. Servir chaud.

NB — *On peut ajouter quelques olives noires dénoyautées et quelques filets d'anchois au sel dessalés.*

Pizza Reine

Pour 6 personnes
100 g de mozzarella
50 g de jambon en tranches très fines
300 g de pâte à pizza
huile d'olive
100 g de pulpe de tomate fraîche bien mûre
100 g de champignons de Paris cuits au naturel finement émincés
sel
poivre
origan (Origanum heracleoticum)

Couper la mozzarella en petits morceaux.
Couper le jambon en morceaux de 1 ou 2 centimètres de côté.
Étaler la pâte en cercle sur une hauteur de 5 à 6 millimètres.
Huiler très légèrement la surface au pinceau avec l'huile d'olive.
Répartir les ingrédients en formant une mosaïque.
Saler, poivrer, ajouter un peu d'origan.
Arroser d'un filet d'huile d'olive.
Cuire au four à 250° (thermostat 8-9) pendant 15 à 20 minutes.
Le fromage doit être légèrement doré.

NB — *C'est une pizza « fantaisie » très commune. Mais avec de bons ingrédients elle est très agréable. A défaut de la variété typique, préférer les origans Thumble's variety ou Heideturn à l'origan vulgaire ou à la marjolaine. L'origan compact, lui aussi, est excellent, pas le Hopleys.*

Pissaladière

Pour 6 personnes
1 kg de gros oignons épluchés et finement émincés
5 cuillerées à soupe d'huile d'olive
250 g de farine
1 œuf
sel
10 filets d'anchois au sel, dessalés et coupés en deux dans le sens longitudinal
20 olives noires de Nice

Cuire les oignons avec 1 ou 2 verres d'eau à tout petit feu et à couvert pendant 1 heure. Ajouter 3 cuillerées d'huile d'olive. Confire encore 20 minutes à feu doux.

Faire une pâte avec la farine, l'œuf, le sel, 2 cuillerées à soupe d'huile d'olive et un peu d'eau tiède jusqu'à obtention d'une consistance bien homogène et lisse.

Étaler la pâte, en foncer un moule à tarte ou la poser sur une plaque rectangulaire en matière non adhésive. Ajouter la fondue d'oignon. Cuire à four assez doux 170° (thermostat 5-6) pendant 30 minutes.

Sortir la pissaladière, ajouter les anchois et les olives en les répartissant artistiquement. Remettre au four et cuire encore 20 à 25 minutes.

Servir tiède ou froid.

NB — *La pissaladière, plat niçois s'il en est, se faisait avec la « pissala », qui est une macération d'anchois étêtés, éviscérés et écrasés à la main dans du sel. On travaille cette pâte tous les jours pendant 6 semaines, on la passe à l'étamine à grosses mailles et on la conserve au frais. Il existe d'ailleurs une variante au goût « sauvage », où ce sont les têtes et les intérieurs des poissons qui sont utilisés.*
Dans la recette originelle, on ajoute un peu de pissala aux oignons confits, ce qui dispense d'ajouter les filets d'anchois.

Les galettes de maïs

Avec le maïs on fabrique des « pains », en particulier aux États-Unis. On se sert pour les faire lever de levure chimique. Ce sont en fait plutôt des gâteaux salés que de vrais pains, car le maïs n'est pas de composition chimique adaptée à la panification.

Au Mexique, le maïs joue un rôle très important dans l'alimentation, essentiellement sous forme de galettes, les *tortillas, tacos* et *tamales* dont la mode s'est répandue aux États-Unis, principalement dans le Sud à forte concentration hispano-américaine.

En France même, il est de tradition de confectionner des pains ou faux pains de maïs dans le Sud-Ouest et au Pays basque. Les différentes sortes de *milhas*, le *milhassou* se retrouvent sous de nombreuses variantes du Limousin jusqu'au Béarn. La *méture* basque ressemble beaucoup aux gâteaux-pains du Middlewest américain. Le *taloa* basque est plus archaïque. Le *mesturet* des Landes est un compromis entre la méture et les pains au froment (comportant de la farine de blé, il peut lever).

Polenta

Pour 4 personnes
1 l d'eau ou de bouillon
sel
250 g de farine de maïs

Faire chauffer l'eau avec le sel sans bouillir. Verser la farine en pluie en remuant constamment à la cuillère.

Cuire 1 heure à feu doux en remuant souvent. Couvrir la pâte d'un papier sulfurisé huilé pour éviter que la polenta croûte entre les périodes où on la remue.

NB — *Lorsque la polenta est cuite, on peut*
• *incorporer 4 cuillerées à soupe d'huile d'olive,*
• *ajouter en battant 100 grammes de beurre coupé en petits morceaux, ou 100 grammes de parmesan râpé, ou les deux, ou de la crème.*
On peut aussi la laisser refroidir, la découper en petits morceaux et la faire frire ou gratiner avec du parmesan.
*On peut, de la même manière, préparer de la **polenta de châtaigne** en utilisant de la farine de châtaigne.*

Pâtes et galettes de riz

Elles sont fréquemment utilisées en cuisine extrême-orientale. On peut en trouver sèches ou fraîches dans les épiceries spécialisées. Elles sont de forme et d'utilisation très diverse : vermicelles, pâtes plates, pâtés ronds, etc. Particulièrement intéressantes sont les pâtes à farcir utilisées pour les *dim sum*, ces préparations classiques du sud de la Chine, cuites à la vapeur, ou encore pour réaliser des ravioli, comme ceux qu'on trouve dans la soupe *wonton*, grand classique s'il en est.

Enfin, on trouve également des galettes de riz, dont la texture et l'utilisation sont proches de celles des feuilles de brick nord-africaines et du filo.

Pâtes de soja et tofu

Avec le soja, on fabrique surtout des vermicelles qui sont utilisées comme constituant important de diverses préparations culinaires, soupes en particulier, mais aussi divers plats végétariens ou de poissons et de crustacés.

Le tofu — ou plutôt les tofu, car il en existe de très nombreuses variétés — est un élément très important de certaines cuisines extrême-orientales, en particulier chinoise et japonaise. Il apparaît progressivement dans certains pays occidentaux en raison de sa richesse en protéines, de son faible contenu en calories et en graisses saturées, de son absence de cholestérol.

Le tofu se présente le plus souvent sous forme de cubes blancs ayant une consistance proche de celle d'un fromage frais et pressé. Ce tofu blanc, dont il existe deux variantes plus ou moins fermes, peut être grillé et desséché. Ou encore frit, avec diverses variations, à centre creux, à centre plus mou [1].

Le tofu se compose de graines de soja desséchées, d'eau et d'un « acidifiant ». Les graines de soja sont réhydratées, mixées, et cuites avec l'eau. On recueille ensuite le « lait », qui est coagulé avec du citron ou avec certains ingrédients spéciaux comme le nigari. On filtre et la partie solide est mise sous presse ; c'est le tofu « de base ». On peut donc considérer le tofu comme une sorte de « fromage » de soja, assez analogue dans son mode de fabrication au panir indien. Toutefois, sa nature est purement végétale. D'un point de vue diététique, le tofu est donc préférable.

Le tofu se consomme frais en salade ou cuit. On l'ajoute aux soupes claires. On le farcit, on le grille ou on le frit. Les végétariens en font des steaks et des hamburgers.

1. J. Lampert, *The Tofu Cookbook*, Chronicle Books, 1983.

985

Le tofu a un goût assez neutre, mais agréable. Il se marie de ce fait avec de nombreux ingrédients et épices.

FORMES INHABITUELLES DE CÉRÉALES
ET ALIMENTS APPARENTÉS

Le boulghour

C'est un blé germé, cuit, séché et concassé. Il existe des recettes utilisables pour le préparer chez soi, qui sont à vrai dire relativement faciles. Mais le boulghour est généralement acheté dans des boutiques spécialisées, avec le risque de se faire avoir — c'est-à-dire de se faire vendre du boulghour non germé — mais c'est le danger de tout achat de ne pas obtenir ce qu'on souhaite. A chacun donc de faire l'expérience de ses succès et de ses erreurs.

Le frik

C'est un blé vert séché et concassé. On l'utilise pour agrémenter les soupes et certaines préparations où il joue le même rôle que les vermicelles ou le tapioca. La soupe au blé vert (*chorba frik*) est un classique du Constantinois et du nord de la Tunisie.

Autres produits apparentés

A côté des farines de céréales, il en existe tirées de graines, racines ou tiges d'autres végétaux. Certains jouent ou jouaient un rôle important dans plusieurs cuisines traditionnelles. On peut ainsi citer la *farine de pois chiches*, encore utilisée en cuisine, niçoise la *farine de châtaigne*, ingrédient classique en Corse, en Ardèche ou en Italie, avec laquelle on fait bouillies et gâteaux, et qui participe à la fabrication de divers pains. Également le *taro*, le *sagoul* (fécule tirée de certains palmiers) cher à Alexandre Dumas, le *manioc* dont on tire le *tapioca* et l'*attieke*, sorte de couscous très populaire en Côte-d'Ivoire, l'*arrow root*, la *fécule de pommes de terre*, qui jouent un rôle important comme élément de base de plats ou comme épaississants. Et encore le *gomasio*, préparation faite de graines de sésame grillées à sec à couleur blond doré puis écrasées avec du sel en proportion de 12 à 14 cuillerées à café rases de sésame pour une cuillerée à café rase de sel[1].

La socca

Pour 4 personnes
100 g de farine de pois chiches
400 ml d'eau
1 œuf
sel
poivre
2 cuillerées à soupe d'huile d'olive

> Mélanger l'ensemble des ingrédients en prenant soin de ne pas faire de grumeaux.
> Étaler sur une plaque huilée une épaisseur de 2 à 3 millimètres et cuire au four 200° (thermostat 6-7) pendant 20 minutes.

NB — *Tradition niçoise des plus typiques, la socca peut s'utiliser à la place de pain ou se manger seule.*

LES MÉTAMORPHOSES DU SUCRE

Le sucre change de forme et de consistance en fonction de la façon dont on le combine avec d'autres ingrédients et de la température à laquelle on le soumet. Il se dissout aisément dans l'eau et on le retrouve dans un très grand nombre de sirops, boissons industrielles ou domestiques, il est ajouté au jus du raisin pour la fabrication de certains vins (chaptalisation). Il apporte la douceur au goût de la majorité des gâteaux et confiseries. Dans certains cas, il est concurrencé par les divers édulco-

---

1. Selon Emmanuelle Aubert, *Les 9 Grains d'or dans la cuisine*, Le Courrier du livre, 1983.

rants qui sont censés apporter un goût similaire ou apparenté, sans fournir de sucre proprement dit, donc de calories.

La cuisson du sucre amène une transformation progressive de son apparence au fur et à mesure que la température augmente.

Conventionnellement, on place le sucre à cuire dans un récipient épais (cuivre non étamé) très propre, avec 20 % à 30 % de son poids d'eau. Il convient tout particulièrement de veiller que le feu — si on utilise la flamme du gaz — ne déborde pas l'ustensile, car la température trop forte sur les bords empêcherait une cuisson homogène. Les professionnels recommandent d'ajouter un peu de glucose pour éviter que le sucre ne « grène ».

Comme les ingrédients, les quantités et les conditions de travail entraînent des variations diverses, on constate certaines différences dans les indications données, selon les ouvrages.

Les principales phases de la cuisson sont vérifiées au thermomètre à sucre, ainsi qu'en prenant un peu de sirop entre les doigts (on les plonge avant et après dans l'eau bien froide pour éviter de se brûler).

Le *petit*, puis le *grand lissé* (101 à 104°) : il se forme des filaments plus ou moins épais entre les doigts.

Le *petit*, puis le *grand perlé* (105 à 108°) : il se forme une perle plus ou moins grosse.

Le *petit* puis le *grand soufflé* (109 à 114°) : en plongeant une écumoire dans le sirop, puis en la retirant, il se détache quand on souffle dessus des bulles de sucre plus ou moins grandes.

Le *petit* puis le *gros boulé* (115 à 125°) : il se forme une boule plus ou moins grosse.

Le *petit* puis, le *grand cassé* (130 à 150°) : le sucre est dur et de plus en plus cassant.

Le *caramel* commence au-delà de 150°, plus ou moins sombre selon la température.

Le *sucre coulé*, utilisé en confiserie, se fait avec un sucre chauffé aux alentours de 155°.

Il existe en outre des techniques particulières pour obtenir des aspects spéciaux : filé, rocher, soufflé, tiré. Le lecteur intéressé pourra se reporter aux ouvrages spécialisés[1].

Sirop de sucre

500 g de sucre en poudre
500 g d'eau (1/2 l)

---

1. Signalons l'excellente *Pâtisserie des frères Roux*, Solar, 1987.

Mettre les ingrédients dans une casserole.
Chauffer jusqu'à ébullition en tournant. Arrêter le feu immédiatement et laisser refroidir.

NB — *C'est l'ingrédient de base des sorbets et des fruits au sirop.*

Nougat aux amandes

Pour 10 personnes
250 g de sucre
250 g d'amandes émondées et grossièrement hachées
huile

Faire fondre le sucre à sec dans une bassine à confiture.
Dès qu'il est fondu, ajouter les amandes et bien mélanger hors du feu.
Verser dans des moules huilés de forme rectangulaire et de petite hauteur. Laisser refroidir.

NB — *Il s'agit d'une recette simple. On peut ajouter du glucose, du miel, du blanc d'œuf, remplacer tout ou partie des amandes par des pistaches ou des pralines. On peut le mouler sur du papier à hosties. La nougatine se fait en ajoutant à la même quantité de sucre 200 g d'amandes effilées et légèrement colorées au four, puis 30 g de beurre.*

Praliné

250 g de sucre
150 g d'amandes émondées et grossièrement hachées
100 g de noisettes émondées et grossièrement hachées

Procéder comme pour le nougat. Broyer l'ensemble après refroidissement pour obtenir une pâte.

LES RENCONTRES DE LA FARINE, DE L'ŒUF ET DU LAIT

L'œuf et le lait se transforment, seuls ou en combinaison, en une multitude de produits, dans le salé comme dans le sucré. La farine mêlée avec l'eau, et parfois, en quantités contrôlées, quelques transformations dérivées de l'œuf ou du lait, participe à la fabrication de nombreux produits.

La conjonction de l'œuf, du lait et de la farine a, comme on peut s'en douter, des effets intéressants.

Tout d'abord, il faut considérer qu'il n'y a pas une seule formule, une seule manière de combiner ces éléments. Un seul plat ou un plat idéal. Non, les possibilités sont tellement vastes que les résultats sont multiples, divers, bien différents et individualisés. Ils dépendent de la manière d'ordonner leur combinaison, de la façon de les présenter les uns aux autres, du mode de travail mécanique qui leur est imposé, de l'intensité et de la forme d'énergie thermique qu'ils subissent, de la nature des divers agents qui leur sont imposés et de la façon dont ils leur sont appliqués.

La combinaison de l'œuf, du lait et de ses dérivés — crème et beurre —, et de la farine est à la base d'innombrables gâteaux, entremets et hors-d'œuvre, sucrés ou salés. Elle est à l'origine de nombreuses pâtes, à crêpes, à beignets ou à foncer (dite encore pâte brisée), pâtes sablée, sucrée, feuilletée, levées (au levain naturel ou chimique).

Roux et sauces dérivées

Les roux sont à la base de nombreuses grandes sauces classiques de la cuisine française : mêlés à divers ingrédients on en tire : l'*espagnole*, l'*allemande*, la *demi-glace*, la *béchamel*, la *sauce blanche*, etc. Bien qu'elles soient tombées en désuétude, il ne faut pas en sous-estimer l'intérêt car leurs qualités sont éminentes. Ce qui l'est moins est l'uniformité due à leur utilisation systématique. Il y a quelques décennies, toutes les sauces avaient un goût commun, souvent celui de la farine mal cuite, dans un grand nombre de restaurants. D'où la réaction chez les élèves de Fernand Point et de Jean Delaveyne, les Bocuse, Guérard, Troisgros et autres Chapel, créateurs de la Nouvelle Cuisine. Laquelle, malgré ses excès, a permis de passer au crible de la critique l'ensemble du répertoire culinaire, et a généré à son tour des clones aussi peu imaginatifs que certains suiveurs d'Escoffier. D'où la mode maintenant qui consiste à s'en détourner. Pourtant il n'y a pas de vieille ni de nouvelle cuisine. Il y a la bonne et la mauvaise. Il y a l'inventive et la conservatrice. Il y a l'inspirée et la bornée. Il y a celle qui expire, celle qui sombre en route et celle qui découvre un nouveau continent aromatique. Il y a celle qui plaît, puis, ne sachant que se répéter, qui lasse. Il y a celle qui, modeste, se contente d'un répertoire limité et sûr. Il y a celle, acrobatique, qui jongle avec les techniques et les accords aromatiques, et survole les siècles et cultures.

Les roux et les grandes sauces françaises — même si on les a appelées espagnole ou allemande — méritent mieux que la condescendance avec laquelle on les traite aujourd'hui.

• **Les roux (blanc, blond, brun).** Ils sont faits d'un mélange à part égale de beurre et de farine. La difficulté, en cuisine familiale, est liée à la cuisson qui doit être suffisamment longue et cependant douce pour ne pas brûler la farine. Ce qui n'est pas toujours simple lorsqu'on ne traite que de petites quantités. Deux écueils menacent l'opération, pourtant élémentaire : brûler l'ensemble, ou au contraire ne pas atteindre la température optimale, ce qui donnera un mélange graisseux au désagréable goût de farine. Les roux doivent être cuits à petit feu suffisamment longtemps et surveillés avec attention : 10 à 15 minutes sont un minimum.

Selon la durée et l'intensité de la cuisson, on obtient des roux blancs, blonds ou bruns. On les utilise ensuite pour préparer les sauces classiques. Pour ce faire, on mélange au roux froid des liquides bouillants, qu'on ajoute en petites quantités, peu à peu, en fouettant pour éviter les grumeaux. On obtient ainsi une pâte, qu'on dilue peu à peu en l'amenant progressivement à l'ébullition.

• **La sauce espagnole.** On fait fondre du lard de poitrine fraîche coupé en dés avec un oignon et une carotte coupés en cubes de 3 millimètres de côté. On ajoute du roux brun, du vin blanc sec, du bouillon, un bouquet garni et on cuit l'ensemble à petit feu pendant 2 heures en le *dépouillant* (c'est-à-dire en le débarrassant au fur et à mesure de la graisse et des éléments qui remontent en surface). On la passe à l'étamine. On ajoute de la purée de tomate. On cuit à nouveau 1 heure à petit feu en dépouillant.

• **La sauce blanche.** C'est un mélange de roux blond avec du fond ou du bouillon blanc cuit pendant 1 à 2 heures de la même manière. Compter 100 à 200 grammes de roux par litre de fond.

• **La sauce allemande.** Cette sauce française a été rebaptisée parisienne à la suite des guerres franco-allemandes (allez savoir pourquoi). Elle est faite de sauce blanche réduite à laquelle on ajoute en battant au fouet des jaunes d'œufs, un peu de jus de citron, poivre, muscade et éventuellement jus de cuisson de champignons. On prend garde à ne pas faire bouillir. On peut lier cette sauce au beurre.

• **La sauce béchamel.** Elle est faite d'un roux blond mouillé au lait (150 grammes par litre) et cuit pendant 1 bonne heure. On peut y ajouter 50 à 100 grammes de dés de veau maigre, un petit oignon émincé, du sel, du thym et du poivre. Après cuisson, on passe à l'étamine et on recouvre la surface de beurre fondu pour éviter la formation d'une peau.

• **La sauce Mornay.** C'est une béchamel à laquelle on ajoute du gruyère râpé (10 % du poids de la sauce) et qu'on fait chauffer jusqu'à dissolution du fromage. On lie hors du feu la sauce avec des jaunes d'œufs (4 par litre), de la crème (200 grammes par litre) et une noix de beurre.

NB — *Si on considère les opérations qui, du roux blanc à la béchamel, se terminent par la sauce Mornay, il s'agit en définitive d'une blanquette « pure », c'est-à-dire sans ingrédient autre que ceux de la sauce.*

Crème pâtissière

Pour 2 litres de crème (10 personnes)
1 litre de lait
2 œufs + 10 jaunes
125 g de farine type 45
350 g de sucre
20 g de beurre
1 gousse de vanille

Amener à ébullition le lait dans une grande casserole avec la vanille coupée en deux. Arrêter le feu. Laisser infuser 10 à 15 minutes.

Travailler ensemble la farine et le sucre, ajouter peu à peu les œufs, bien mélanger.

Ajouter peu à peu le lait chaud en fouettant avec un fouet à sauce.

Mettre l'ensemble dans une casserole. Chauffer doucement en remuant prudemment à la cuillère le fonds de la casserole pour éviter que l'ensemble s'y colle.

Mener à petite ébullition. Remuer pendant une minute et débarrasser dans une terrine. Ajouter le beurre et remuer fréquemment jusqu'à complet refroidissement. On évite ainsi la formation d'une croûte.

NB — *Une préparation moins délicate que la crème anglaise à cause de la présence de la farine. La légèreté de l'ensemble dépend des œufs ; certains préfèrent incorporer des œufs entiers, d'autres n'y mettent que des jaunes.*
La crème pâtissière est une crème de dessert agréable. Sa consistance en fait également un agent de première qualité pour garnir gâteaux, tartes, choux, etc.
On peut la parfumer avec d'autres arômes que la vanille ; chocolat, café, citron, ou autre.
La crème frangipane est fabriquée selon le même principe, on utilise dans le mélange des proportions un peu différentes, 200 grammes de sucre et autant de farine, un peu moins d'œufs : 3 entiers et 6 jaunes. On procède de même. Lorsque la crème est débarrassée dans la terrine, on ajoute 100 grammes de beurre et 50 grammes de macarons secs réduits en fine chapelure.
La crème chiboust est un mélange de crème pâtissière et de meringue italienne.

Clafoutis et fars

Le clafoutis est du Limousin. Il est fait avec des cerises tardives noires et sucrées. Bien que certains chefs ne le conçoivent que fait avec des fruits dénoyautés, il est traditionnellement fabriqué avec les cerises entières (sans queue bien sûr). Le far est de Bretagne. Tous deux sont des sortes de tartes sans pâte, ou plus exactement composés de pâte et de fruits mélangés. La consistance de la pâte varie en fonction de la quantité de farine. La recette de clafoutis donnée par Raymond Oliver l'apparente à celle du far breton, alors que Marc Meneau, qui écrit dans *Le Musée gourmand* qu'il n'a « jamais pu faire un bon clafoutis », donne la recette de Mme Annie Caen qui est celle d'un gâteau beaucoup plus léger, bien qu'un peu sucré. Il faut également tenir compte de certaines propriétés des fruits : les cerises, comme les pruneaux ou les raisins secs, sont entourés d'une membrane qui empêche ou ralentit les échanges d'eau avec la pâte, alors que l'utilisation de fruits coupés, comme les pêches, les abricots, etc., augmente considérablement l'humidité de l'ensemble. Il faut donc allonger le temps de cuisson, ou modifier la température selon le style que l'on entend apporter au produit final.

Le far breton, du moins celui qui s'apparente au clafoutis, n'en a pas la légèreté. Il est beaucoup plus consistant. Traditionnellement, il est fait aux pruneaux ou aux raisins secs.

Clafoutis aux cerises

Pour 6 personnes
500 g de cerises noires avec leurs noyaux
80 g de sucre
120 g de crème
1 cuillerée à soupe bombée de farine
1 cuillerée à soupe de crème de cerise
1 pincée de sel
2 œufs de 65 g
10 g de beurre pour le moule
1 cuillerée à soupe de sucre cristallisé

Laver les cerises, les équeuter, les sécher.
Mélanger le sucre, la crème, la farine, la crème de cerise, le sel et les œufs pour obtenir une préparation homogène.
Beurrer un plat à tarte. Disposer les cerises, ajouter l'appareil (la pâte) et cuire au four à 180° (thermostat 6) pendant 20 à 25 minutes.
Sortir du four, saupoudrer de sucre cristallisé.

Clafoutis aux pruneaux

Pour 4 personnes
2 sachets de thé
20 pruneaux
10 g de beurre pour le moule
150 g de crème
1 cuillerée à soupe bombée de farine + farine pour le moule
80 g de sucre
2 œufs de 65 g
1 pincée de sel
1 cuillerée à soupe d'armagnac
1 cuillerée à soupe de sucre cristallisé

Faire un thé concentré avec 1/2 litre d'eau chaude non bouillante. Infuser 15 minutes. Passer le thé. Y plonger les pruneaux et les laisser gonfler 12 heures.

Beurrer et fariner un moule à manqué. Y mettre les pruneaux.

Mélanger l'ensemble des autres ingrédients (sauf le sucre cristallisé) dans une terrine pour obtenir une préparation homogène. Verser sur les pruneaux.

Cuire 40 minutes au four à 180° (thermostat 6).

Sortir du four, saupoudrer de sucre cristallisé.

NB — *Se mange tiède ou froid. A comparer au far aux pruneaux. Il est inutile d'utiliser un thé de grande origine. Par contre, la qualité des pruneaux joue un grand rôle dans celle du produit fini.*

Clafoutis aux poivrons verts, olives noires et anchois

Pour 6 personnes
3 poivrons verts
20 filets d'anchois à l'huile
120 g de crème
1 cuillerée à soupe bombée de farine
2 œufs de 65 g
30 olives noires dénoyautées et coupées en 3
sel
poivre
10 g de beurre pour le moule
farine

Cuire les poivrons verts 20 minutes au four à micro-ondes. Les éplucher et les découper en lanières.

Couper les filets d'anchois en toutes petites tranches de 1 millimètre.

Mélanger l'ensemble des éléments et les mettre dans un moule à tarte beurré et légèrement fariné.

Cuire au four à 180° (thermostat 6) pendant 25 minutes.

Clafoutis au lard

Pour 4 personnes
250 g de poitrine fumée
120 g de crème
1 cuillerée à soupe bombée de farine
2 œufs de 65 g
sel
poivre
4 râpures de noix de muscade
10 g de beurre pour le moule
farine

Couper le lard en petits lardons de 5 millimètres de section. Les mettre dans une casserole d'eau chaude. Les laisser bouillir 1 ou 2 minutes.
Sortir les lardons et les faire sauter à cru pour les roussir. Les laisser refroidir.
Mélanger l'ensemble des éléments et les mettre dans un moule à tarte beurré et légèrement farinée.
Cuire au four à 180° (thermostat 6) pendant 25 minutes.

NB — *Une fausse quiche lorraine.*

Gâteau d'olives

6 œufs
200 g de farine
250 g d'olives noires dénoyautées et coupées en rondelles (poids net)
2 cuillerées à soupe d'huile d'olive
sel

Mélanger l'ensemble des ingrédients.
Cuire 25 minutes à four moyen 180° (thermostat 6).
Servir tiède.

NB — *Un far proche de l'« omelette de Sospel ».*

996

Far breton aux pruneaux

Pour 8 personnes
1 livre de pruneaux dénoyautés
100 ml d'eau-de-vie (rhum ou calvados)
10 g de beurre pour le plat
200 g de farine
2 g de sel
100 g de sucre
4 œufs
100 g de beurre fondu
750 ml de lait

Faire gonfler les pruneaux dénoyautés dans l'eau-de-vie. Les mettre dans un plat à four bien beurré à l'intérieur.
Mélanger farine, sel et sucre. Ajouter un à un les œufs et mélanger avec une fourchette en bois.
Ajouter le beurre fondu et le lait. Bien délayer pour obtenir une pâte homogène. Verser sur les pruneaux.
Cuire à 200° (thermostat 6-7) pendant 30 à 40 minutes.
Servir tiède dans le plat de cuisson.

PÂTES À FRITURE

Pour frire on peut placer directement l'aliment cru ou cuit, selon le cas, dans la friture. On peut aussi le tremper auparavant dans une pâte à friture.

Il existe de nombreuses recettes de pâte. Les unes sont à pâte levée : on y met de la levure et on les laisse mousser et monter. D'autres n'en ont pas et nécessitent un repos de 1 heure avant d'être utilisées.

La pâte d'inspiration japonaise, avec laquelle on prépare le tempura, a l'avantage d'être légère et disponible sitôt faite.

On utilise diverses farines, de blé généralement, mais aussi la fécule, la farine de maïs ou de riz, ou encore la farine de châtaignes. Selon les cas, on peut y intégrer de la bière, du lait, de l'huile, du sucre, divers alcools, etc.

Pâte à tempura

Pour 300 g de pâte environ
1 jaune d'œuf
100 g de farine (blé, riz ou maïs)
150 ml d'eau
plusieurs glaçons
sel
poivre

> Battre à la fourchette les ingrédients jusqu'à ce qu'ils soient bien mélangés.
> Tremper les aliments et les frire à forte température.

NB — *Les Japonais utilisent souvent un mélange tout prêt associant les trois farines (blé, riz et maïs), de la poudre d'œuf et de la levure chimique.*

Fleurs de courge ou de courgette en tempura

Pour 4 personnes
pâte à tempura
huile d'arachide
24 fleurs de courge ou de courgette
sel

> Préparer la pâte à tempura.
> Chauffer l'huile à 180°.
> Enlever la base et le pistil des fleurs (préférer les fleurs mâles). *Attention : abeilles et insectes mellifères les adorent. Inutile de se faire piquer par ces animaux utiles.*
> Tremper les fleurs dans la pâte.
> Les plonger dans la friture chaude (les cuire en 3 fois). Quand ils sont croustillants et d'un beau jaune doré, les mettre sur du papier absorbant.
> Les saler et les servir aussitôt.

Crevettes en tempura

Pour 4 personnes
pâte tempura
24 crevettes roses de 20 à 30 g
huile d'arachide
sel

Préparer la pâte à tempura.
Éplucher les crevettes, ne laisser que le dernier anneau et la queue.
Faire chauffer l'huile à 180°.
Tremper les crevettes dans la pâte et les plonger en 3 fois dans la friture. Quand la pâte est d'un beau jaune blond croustillant, les retirer et les mettre sur du papier absorbant. Saler et servir aussitôt.

NB — *On peut manger les crevettes en les tenant par la queue.*

Pâte à beignets pour fruits

Pour 600 à 700 g de pâte
2 œufs et 1 jaune
200 g de farine
1 cuillerée à soupe d'alcool de fruit
1 cuillerée à soupe d'huile
2 cuillerées à soupe de sucre
1 pincée de sel
250 ml de lait

Casser les œufs. Séparer le jaune du blanc.
Battre les blancs en neige.
Dans une terrine, mettre la farine. Faire un puits. Ajouter les jaunes, l'alcool, l'huile, le sucre et le sel.
Délayer le tout en ajoutant progressivement le lait pour obtenir une pâte bien homogène.
Ajouter en dernier les blancs en neige et mélanger délicatement.
Laisser la pâte au tiède pendant une heure avant de l'utiliser.

Beignets mixtes de fruits

Pour 6 personnes
1 kg de fruits divers (bananes, ananas, pêches, abricots, etc.)
huile d'arachide
pâte à beignets pour fruits
sucre cristallisé

Éplucher les fruits et les couper en tronçons d'une trentaine de grammes.
Faire chauffer l'huile à 180°.
Plonger les fruits dans la pâte à beignets. Les égoutter et les mettre dans la friture. Ils doivent devenir blond-brun.
Les sortir et les mettre sur du papier absorbant.
Poudrer de sucre cristallisé.

NB — *On peut tremper les fruits dans divers alcools. On peut aussi, comme le recommande La Reynière[1], mettre de la marmelade ou de la confiture entre deux morceaux de fruit et frire ce « sandwich » (il préconise la marmelade d'abricots avec l'ananas).*

Pâte à crêpes

Pour 16 crêpes
250 g de farine
1 pincée de sel
3 cuillerées à soupe rases de sucre en poudre
3 œufs
eau ou lait ou bière (300 à 500 ml)
facultatifs : une cuillerée à soupe de jus de citron, de rhum, calvados ou alcool blanc de fruit, ou encore d'eau de fleur d'oranger.

Mélanger la farine, le sel et le sucre.
Ajouter les œufs. Bien mélanger.
Amalgamer le liquide choisi jusqu'à obtention de la consistance souhaitée.
Mettre en dernier l'arôme choisi, qui n'est évidemment pas obligatoire.

NB — *Les crêpes se font cuire sur des poêles spéciales qui ne doivent servir qu'à cet usage. Si la poêle est grande et l'épaisseur de la crêpe réduite, la quantité indiquée peut ne correspondre qu'à 12 pièces. Une fois cuites, on les saupoudre de sucre, on les fait flamber à l'alcool, on ajoute du chocolat, de la confiture, de la crème de marrons, etc. Les crêpes Suzette sont recouvertes d'un sirop réduit*

1. *100 Merveilles de la cuisine française, op. cit.*

fait de jus d'orange, de sucre, de zestes d'orange et de liqueur à base d'oranges (Cointreau, Grand Marnier), puis flambées avec le même alcool.

Les galettes de sarrasin se fabriquent de la même façon. Pour des proportions similaires on réduit un peu la quantité de farine (de sarrasin) : 200 grammes. On ne met pas de sucre et on ajoute 1 ou 2 cuillerées à soupe d'huile. On les cuit comme les crêpes et on les sert avec du beurre salé. On peut aussi les cuire une seconde fois avec un œuf, du fromage râpé, du jambon, etc., comme on le voit fréquemment proposé dans de minuscules échoppes en plein vent sur les boulevards des villes.

Les crêpes de châtaigne se font en associant 70 % de farine de châtaigne et 30 % de farine ordinaire, du sel, des œufs et du lait, dans les mêmes proportions que pour la fabrication des crêpes. Elles peuvent être sucrées — on ajoute du sucre.

Les crêpes vonassiennes se font en écrasant 500 grammes de pommes de terre cuites à l'eau avec 50 millilitres de lait. Quand le mélange est froid, on ajoute 3 cuillerées de farine en travaillant à la spatule en bois, puis, un à un, 3 œufs entiers et enfin 4 blancs non battus. On termine en mélangeant 3 cuillerées à soupe de crème double. On les cuit au beurre clarifié et on les mange salées ou sucrées[1].

Les gaufres

Les gaufres constituent un univers à elles seules. Comme les fars ou les clafoutis, elles sont de consistance variable selon le type d'ingrédients utilisés. On achète sur les marchés et dans les foires des Flandres des gaufres molles, tendres et suaves qui fondent littéralement sous la langue — on n'ose dire sous la dent. Il existe d'autres gaufres, plus denses, proches de certains pains sucrés, montés à la levure chimique ou boulangère. Cette diversité se retrouve dans les recettes des livres de cuisine, celles de Mme Saint-Ange[2], de Paul Bocuse[3] et du Conservatoire national des arts culinaires (CNAC[4]), toutes particulièrement estimables, n'ayant en commun que la présence d'œufs, de farine et de sucre. Mme Saint-Ange ajoute beurre et cannelle,

1. Cette célèbre recette de la « Mère Blanc » est rapportée par Fernand Point dans sa *Gastronomie* et par son petit-fils, Georges Blanc, dans *Ma cuisine des saisons*, Robert Laffont, 1984.
2. *La Bonne Cuisine*, Larousse, 1927.
3. *La Cuisine du marché*, Flammarion, 1976.
4. *Produits du terroir et recettes traditionnelles Nord, Pas-de-Calais*, Albin Michel et CNAC, 1992.

Paul Bocuse, du lait, de la crème, du beurre fondu, du rhum et de la levure alsacienne, cependant qu'il préconise de battre les œufs en neige, Céline Vence, pour le CNAC, se contentant de crème et rhum.

Les gaufres se cuisent dans un gaufrier, moule à deux faces formant des alvéoles de formes diverses, 2 à 3 minutes sur chaque face. On les sort, on les poudre de sucre glace ou bien on les tartine de crème chantilly, confitures, crème de marron, ganache, au goût de chacun.

Les gaufres font partie des goûters et des fêtes populaires. Blondes et dorées, elles séduisent la vue comme l'odorat et le goût. Les gaufres plaisent beaucoup aux enfants qui en gardent longtemps l'envie, puis le souvenir.

Gaufres

Pour 10 gaufres
4 œufs
150 g de farine
150 g de sucre
500 g de crème
1 pincée de levure alsacienne
huile d'arachide

Mélanger l'ensemble des ingrédients en faisant attention à éviter les grumeaux. On peut utiliser le mixer.
Huiler au pinceau le moule à gaufres.
Remplir une des faces du gaufrier avec la pâte.
Refermer et mettre sur le feu 2 minutes par face.
Ouvrir le gaufrier et sortir la gaufre qui doit être bien blonde.
La poudrer de sucre glace ou la recouvrir de la préparation choisie (confiture, ganache, crème Chantilly).

NB — *Alexandre Dumas*[1] *recommande de les servir avec un hachis de pistaches.*

---

1. *Petit Dictionnaire de cuisine*, 1871. Réimpression Payot, 1994.

Les gâteaux non levés

Pâte feuilletée

La pâte feuilletée est très utilisée en pâtisserie et en cuisine. On peut en faire des tartes, des croûtes à farcir, des vol-au-vent et certaines pâtisseries telles que le pithiviers[1] originaire de la ville du même nom ou la traditionnelle galette des rois de l'Épiphanie.

A côté de la recette française qui s'est stabilisée aux XVIIIe et XIXe siècles, il existe des formes plus simples, plus anciennes, comme celles utilisées dans la pastilla marocaine et dans le pastis gascon.

La paternité de la pâte feuilletée est discutée. Certains l'attribuent à Claude Gelée, alias le peintre le Lorrain. Si cette hypothèse est exacte, elle aurait donc été inventée par un maître en peinture, amateur en cuisine. Et la légende raconte que c'est parce qu'il s'était trompé : en préparant sa pâte, il avait oublié le beurre, qu'il eut l'idée de le placer d'une manière particulière.

Car ce qui différencie la pâte feuilletée de toutes les autres, ce n'est pas la composition, mais la disposition géométrique des éléments ; le travail mécanique effectué par le pâtissier a pour effet de multiplier les couches de pâte par centaines.

Fabrication de la pâte feuilletée

Pour 1,2 kg le pâte
500 g de farine de blé blanche ultrafluide
10 g de sel fin
500 g de beurre

Sur une surface bien lisse (marbre par exemple) disposer la farine en cercle. Ajouter au milieu le sel et 1 décilitre d'eau froide. Malaxer peu à peu et incorporer encore 1 à 2 décilitres d'eau pour obtenir une pâte de consistance moyenne. On la laisse reposer une vingtaine de minutes.

Le beurre doit avoir la même consistance que la pâte de farine :

1. Jules Gouffé (*Le Livre de pâtisserie*, réédition Henri Veyrier, 1988) décrit une recette de pithiviers qui utilise de la pâte brisée.

on peut donc se trouver obligé de le refroidir l'été et de la réchauffer l'hiver.

Malaxer le beurre, éventuellement dans un linge.

Bien nettoyer le plan de travail, le fariner légèrement, s'assurer que le rouleau à pâtisserie est bien propre et lisse.

Étaler la pâte en carré sur une épaisseur partout égale, d'environ 2 centimètres. Étaler le beurre par-dessus, en laissant une marge d'environ 1 centimètre tout autour.

Rabattre les 4 coins de la pâte vers l'intérieur pour qu'ils se rejoignent. Bien fermer les bords rabattus de façon que le beurre soit mis entre deux couches égales de pâte (on a ainsi 3 couches, 2 de pâte et 1 de beurre). Attendre 10 minutes.

Donner un tour : étaler la pâte de façon à obtenir un rectangle dont la longueur soit le triple de la largeur. Rabattre la pâte en la repliant en 3. Il est important que le travail du rouleau à pâtisserie soit bien régulier pour ne pas faire sortir le beurre. Faire tourner la pâte de 90 degrés et recommencer l'opération, ce qui donne 9 couches.

Laisser la pâte 20 minutes au frais.

Recommencer et donner un troisième et un quatrième tour.

Laisser reposer de nouveau 20 minutes au frais.

Donner un cinquième et un sixième tour.

On voit qu'au terme de ces opérations on a $9 \times 9 \times 9 = 729$ couches de pâte, presque 1 000. D'ailleurs, si on tient compte que la première couche est elle-même faite de 3 couches, on devrait compter 2 187 couches : c'est bien la pâte d'un mille-feuille. A la cuisson, elle va monter et prendre l'aspect bien particulier qui est celui des feuilletages.

Pâtes feuilletées atypiques

Il existe, à côté de la pâte feuilletée classique, d'autres méthodes. Ce n'est pas surprenant puisque ce n'est que vers le XVIIIe siècle que la recette standard s'est stabilisée (quoique mise au point initialement, semble-t-il au XVIIe siècle). Or le principe du feuilletage est beaucoup plus ancien. Par exemple, les Arabes espagnols, et à leur suite les Marocains, utilisaient d'autres procédés, dont la pastilla est aujourd'hui l'emblème. On peut considérer aussi que le pastis gascon, gâteau feuilleté, est inspiré de cette tradition.

Dans certaines régions, on obtient un feuilletage en superposant de très fines couches de pâtes de constitution variée, en les recouvrant au fur et à mesure de saindoux, d'huile ou de beurre. De même peut-on réaliser des feuilletés ressemblant à la pastilla avec des feuilles de brick ou de filo beurrées placées les unes sur les autres.

On peut aussi varier les ingrédients de la pâte feuilletée traditionnelle. Par exemple, il est d'usage dans le Berry de mélanger quasiment en parts égales beurre et fromage de chèvre frais. On continue ensuite la recette comme si c'était uniquement du beurre. Le résultat est évidemment un peu moins gras.

Utilisation de la pâte feuilletée

• **Tartes.** Abaisser la pâte à la hauteur souhaitée (2 à 3 millimètres sont en général suffisants) et faire cuire au four dans un moule ou à l'intérieur d'un cercle à pâtisserie, après avoir garni la tarte de fruits à cuire.

• **Bouchées à la reine.** (Il faut des œufs entiers battus dont le nombre varie en fonction du nombre de pièces.)
Abaisser la pâte à 5 millimètres d'épaisseur. Découper avec un emporte-pièce des cercles de 8 à 10 centimètres de diamètre.
Avec un emporte-pièce de 4 centimètres de diamètre, faire des trous dans la moitié de ces cercles.
Passer l'œuf battu sur les ronds non percés. Poser un rond percé sur chaque rond non percé. Dorer le dessus de chaque rond percé.
Laisser reposer au frais 30 minutes.
Cuire à 250° (thermostat 8-9) pendant 20 à 25 minutes.

• **Poissons, fleurons, papillons, étoiles, etc.** Abaisser la pâte à 3 millimètres. La découper à l'emporte-pièce à la forme choisie.
Dorer la face supérieure à l'œuf battu.
Laisser reposer au frais 30 minutes.
Cuire 15 à 20 minutes à 220° (thermostat 7-8).

Millefeuille

Pour 4 gâteaux
400 g de pâte feuilletée
sucre glace
10 g de beurre mou
10 g de farine
300 g de crème pâtissière

Abaisser la pâte feuilletée.

La découper en 4 rectangles de 30 × 6 centimètres. Les poudrer généreusement de sucre glace.

Beurrer et fariner une plaque à pâtisserie. Y placer les rectangles.

Cuire 20 minutes à 200° (thermostat 6-7).

Les sortir et les laisser refroidir sur une grille.

Les couper en trois rectangles de 10 × 6 centimètres. Tartiner les tiers inférieur et moyen de crème pâtissière. Recouvrir du tiers supérieur.

Petits feuilletés au roquefort

Pour 4 pièces
400 g de pâte feuilletée
1 jaune d'œuf
10 g de beurre mou
10 g de farine
100 g de crème
50 g de cerneaux de noix
200 g de roquefort

Abaisser la pâte feuilletée à 4 millimètres d'épaisseur. Couper des rectangles de 9 × 15 centimètres. Faire des croisillons sur la face supérieure avec un couteau aiguisé. Les enduire au pinceau avec le jaune d'œuf.

Placer les millefeuilles sur une plaque de cuisson après l'avoir beurrée puis farinée.

Cuire 20 minutes à 210° (thermostat 7).

Laisser refroidir. Couper les feuilletés par le milieu dans le sens de l'épaisseur.

Mixer la crème, les noix et le roquefort. Mettre le mélange au réfrigérateur pour le durcir.

Tartiner l'intérieur des feuilletés avec le mélange précédent.

NB — *Servir avec une salade de mâche ou de cresson.*

Pâte à foncer, pâte brisée, pâte sablée, pâte sucrée

Il s'agit d'un ensemble de pâtes dont il existe une telle variété, de telles variations d'un chef à l'autre et d'un ouvrage à l'autre qu'il est impossible d'en donner une définition complète.

La *pâte à foncer* ou *brisée* est utilisée pour fabriquer tourtes, tartes, timbales, diverses croûtes.

La pâte *sablée* est utilisée pour fabriquer des tartes et plus encore des tartelettes.

La pâte *sucrée* est également utilisée pour faire des tartes, mais aussi de nombreux biscuits, en particulier ceux qu'on appelle sablés.

Ces pâtes comprennent toutes de la farine, du sel et du beurre. La différence réside dans la quantité de ce dernier. De plus, elles peuvent contenir de l'eau, du lait, ou de la crème fraîche, des œufs et du sucre en quantités variables.

Elles diffèrent selon la qualité de la farine, qui peut réclamer plus ou moins d'eau. Il faut donc apprécier en cours d'exécution la quantité de liquide additionnel nécessaire. Dernière différence : le travail mécanique, qu'on pourrait qualifier de prudent. Alors que la préparation de la pâte à pain demande une belle énergie, la fabrication de celles-ci se fait, pourrait-on dire, du bout des doigts ; si la paume intervient dans le fraisage — que ne réclame pas la pâte sablée —, c'est en douceur. Un des objectifs est d'éviter l'élasticité ; la pâte doit rester bien plastique. (On sait qu'un corps élastique tend à revenir à sa configuration initiale lorsque la force de déformation cesse : par exemple, un ressort à boudin ; alors qu'un corps plastique garde son aspect, même lorsque la force de déformation a disparu : par exemple, le beurre mou ou la terre glaise du sculpteur.)

Ce sont des pâtes douces à manipuler, qui doivent être faciles à déformer : le doigt en modifie l'aspect presque sans résistance. Mais elles ne doivent pas être collantes.

Pâte écossaise

Pour une tarte (8 personnes)
250 g de farine type 45
3 cuillerées à soupe rases de sucre en poudre
1 pincée de sel
125 g de beurre

Mélanger la farine, le sucre et le sel.

Incorporer le beurre en le « cassant » avec les mains. Rouler de petits bouts de pâte entre les mains, qu'il faut garder ouvertes. Frotter les fragments de pâte l'un contre l'autre. On obtient ainsi une série de petits cylindres plus ou moins réguliers.

Verser goutte à goutte de l'eau tiède sur la pâte en la travaillant au couteau jusqu'à ce que l'ensemble se rassemble en une boule. Fariner cette dernière.
Laisser reposer 1 heure.

NB — *Cette formule a été transmise à Jacqueline Derenne par Mrs. Brodie, de Forfar en Écosse, en 1951. Elle donne d'excellents résultats avec les fruits. Si ces derniers sont très aqueux, on peut ajouter 1 jaune d'œuf.*
Pour les préparations salées (quiches, tartes aux légumes) on ne met pas de sucre et on incorpore 1 jaune d'œuf.
Comme souvent, les résultats sont meilleurs lorsque la tarte est démoulée immédiatement après cuisson et laissée à « ressuyer » sur une grille : l'humidité en excès peut ainsi s'échapper.

Pâte brisée ou à foncer

Pour une tarte (8 personnes)
250 g de farine de blé type 45
125 g de beurre
1 pincée de sel
eau

Pour la pâte sucrée, ajouter
100 g de sucre
1 œuf

La technique est la même : faire un puits dans la farine étalée sur le plan de travail, ajouter les autres ingrédients et amalgamer le beurre avec le sucre, l'eau ou l'œuf. Mélanger ensuite la farine du bout des doigts. On obtient ainsi une pâte pas trop ferme (rajouter de l'eau si nécessaire). Faire des boules de pâte, les écraser doucement avec la paume (cela s'appelle fraiser) et reformer la boule. Recommencer une seconde fois, mais pas une troisième. Rouler en boule. Fariner et laisser reposer 1 heure au frais avant d'utiliser.

Pâte sablée

Pour une tarte (8 personnes)
250 g de farine de blé type 45
180 g de beurre
125 g de sucre
1 œuf
1 pincée de sel

Mettre la farine en fontaine, faire un puits, y réunir les ingrédients.
Mélanger les ingrédients en travaillant le moins possible, sans fraiser. On arrête la manipulation dès que la pâte est homogène.
La mettre en boule, la fariner, la mettre au frais pendant 1 heure avant de l'utiliser.

Les tartes

Ce sont les inévitables, les prévisibles, les attendues. Et pourtant, que de différences entre les recettes! Que de différences dans nos mémoires! Par exemple, la plus bateau, la tarte aux pommes, qui ne peut se souvenir de dix, que dis-je, de cent goûts, formes, arômes, températures, consistances différentes? Les toutes simples, et celles qui comportent de la marmelade, de l'alcool, de la crème, du feuilletage, du massepain même. Et les pâtes sucrées, sablées, brisées. Les cuites en une fois, en deux. J'en connais même une cuite en cinq fois. Plus le sucre, les sauces, la cannelle, que sais-je?
La tarte aux pommes est la plus simple. Que dire des autres? Car la tarte est un spectacle. La pâte, dorée, douce, fondante ou craquante est un écrin, qui enferme et présente le plus généralement des fruits, crus ou cuits, de même nature ou mélangés. Tous sont présents, à pépins ou à noyaux, domestiques ou exotiques, en éventail sans cesse renouvelé. Rien n'est plus naturel que la tarte, car c'est simplement une manière d'honorer la nature, de découvrir ses plus beaux fruits, ses plus belles couleurs, ses plus beaux arômes.
Rappelons-nous toutefois que les pâtes, toutes les pâtes, sont riches, très riches en calories. Il n'y a pas de tarte basses calories parce que la tarte est faite de farine, de sucre et de beurre (qui est une graisse presque pure).

Tarte aux fruits

Il existe d'innombrables recettes de tartes aux fruits tant ce dessert si commun se décline en multiples variétés. La tarte, présentoir recouvert de fruits éventuellement accompagnés de crème ou de sauce reste la plus populaire des pâtisseries. Tant il est vrai qu'elle associe la légèreté douce et légèrement croquante de la pâte avec la fraîcheur des fruits. Car une tarte doit être légère et ne doit pas lasser. Beaucoup de desserts, particulièrement ceux des plus grands des professionnels, sont réservés à l'exception. Ils séduisent par leur richesse, la complexité de leurs arrangements, la force aromatique de leurs ingrédients. Ils participent de la fête, de l'inhabituel, plutôt que du quotidien. Mais, du fait de leur richesse en sucres et en graisses animales, ils représentent une source redoutable de ces calories excessives que condamne la diététique moderne. C'est, il faut le dire, également le cas de certaines tartes — se rappeler que l'essentiel calorique est fourni par la pâte elle-même et par les crèmes pâtissières ou d'amandes dont on peut les garnir. Une tarte « diététique » doit donc être faite d'une pâte mince, ce qui n'est pas toujours simple à réaliser.

Parmi les fruits les plus populaires et les mieux adaptés à la confection des tartes, il faut citer : pommes et poires, pêches, prunes et mirabelles, abricots qui cuisent avec la pâte ; et les fraises, kiwis ou mangues qu'on ajoute crus sur la pâte cuite à blanc. Les cerises peuvent être ajoutées cuites sur la pâte cuite ou crues à mi-cuisson. Sur ces bases élémentaires, on peut décliner toutes sortes de variations en cuisant en plusieurs fois les divers ingrédients.

On peut utiliser toutes sortes de pâtes, levées ou non levées (feuilletée, écossaise, brisée, sablée, sucrée), chaque région, chaque pays ayant sa tradition, son style.

Il existe deux techniques principales de cuisson des tartes aux fruits. Soit on cuit la pâte à blanc (c'est-à-dire sans rien — on place généralement sur la pâte des haricots secs ou des lentilles pendant la cuisson pour éviter que la pâte cloque), on la laisse refroidir et on ajoute les fruits avec leur éventuel accompagnement. Soit on cuit tout ensemble et on mange la tarte chaude, tiède ou froide.

Ce qui ne veut pas dire que la réussite soit assurée. Car si la tarte aux fruits peut être un chef-d'œuvre de légèreté gourmande, vive, espiègle et gaie, elle peut aussi se révéler un pitoyable amalgame de produits secs ou pâteux, lourds et indi-

1010

gestes. En fait, la qualité d'une tarte dépend de plusieurs sortes de facteurs, et d'abord de la qualité des ingrédients. Une tarte faite avec un corps gras inadapté sera, quelle que soit la science du cuisinier, désagréable. Il convient donc de ne se servir que de bons produits. Farine, beurre et fruits doivent être sans défaut. Un deuxième facteur, qui est en pratique le problème principal auquel est confronté le cuisinier, est l'harmonie des cuissons de la pâte et des fruits. En effet, ces derniers perdent de l'eau en cuisant, ce qui a pour conséquence d'humidifier la pâte. Ce peut être un avantage, car ils empêchent celle-ci de se dessécher. C'est plus souvent un inconvénient. Il n'est que de se rendre chez divers pâtissiers pour constater qu'il n'épargne pas les professionnels. Il faut bien maîtriser sa technique de cuisson, connaître le four qu'on utilise et, autant que possible, les ingrédients. C'est bien difficile : les farines sont faites de blés dont les cultivars changent sans arrêt ; les fruits varient de comportement selon l'origine et la saison ; la fabrication de la pâte ne se fait pas à température constante : l'eau peut être plus ou moins minéralisée, etc. Tout cuisinier a ainsi ses échecs qui le surprennent d'autant plus qu'il a choisi une recette éprouvée.

Il faut donc rester vigilant en cours de cuisson et savoir parfois improviser pour « rattraper » une tarte qui court au désastre.

Enfin, sauf exception, la tarte se cuit dans un four à convection. Si on souhaite la réchauffer, il faut bannir le micro-ondes qui a la fâcheuse propriété de transformer la pâte en magma graisseux, mou et désagréable.

Les tartes décrites dans ce chapitre sont formées d'une pâte cuite surmontée des fruits. La disposition inverse (tarte Tatin) est décrite dans le livre des fours.

Tarte aux pommes

Pour 8 personnes
10 g de beurre mou
10 g de farine
350 g de pâte brisée ou de pâte écossaise
1 kg de pommes
30 g de sucre

Beurrer un moule à tarte de 26 centimètres. Ajouter en pluie la farine de façon bien homogène.

Étaler la pâte au rouleau pour lui donner la forme et la surface du moule sans rogner les bords. La placer 30 minutes au réfrigérateur.

Sortir la tarte, égaliser et rogner les bords en passant le rouleau.

Éplucher et couper les pommes en tranches de 5 à 6 millimètres d'épaisseur maximum (mesurée au milieu du bord extérieur arrondi). Les déposer artistiquement sur la pâte en les faisant se chevaucher à partir du bord. Recouvrir l'ensemble du fond. Saupoudrer la surface de sucre.

Cuire 30 minutes au four moyen à 200° (thermostat 6-7). Surveiller la cuisson. Si les bords semblent cuire trop vite, les protéger avec un peu de papier d'aluminium. Si la surface des pommes brunit ou noircit, baisser la température du four vers 150° (thermostat 5).

Quand la tarte aux pommes est cuite, la démouler et la laisser ressuyer sur une grille.

Manger tiède ou froid.

NB — *Certains ajoutent de la cannelle. Il faut être prudent avec cette épice qui peut « fusiller » une excellente préparation.*

La tarte aux pommes n'est pas si facile à faire qu'il y paraît en raison de la variabilité des comportements à la cuisson. Parmi les variétés de fruits les mieux adaptées, signalons les Boskoop, reinettes grises et jaunes et surtout la peu répandue Calville blanche. Certains vantent la Galeuse. Alexandre Dumas préférait la Court-Pendu.

Les tartes cuites dans des cercles amovibles sont plus aisées à démouler.

Tarte aux poires

Pour 8 personnes
10 g de beurre mou
10 g de farine
350 g de pâte brisée ou de pâte écossaise
sucre glace
1 kg de poires
3 œufs
200 g de crème fraîche
30 g de sucre

Beurrer un moule à tarte de 26 centimètres. Ajouter en pluie la farine de façon bien homogène.

Étaler la pâte au rouleau pour lui donner la forme de la surface du moule sans rogner les bords. La placer au réfrigérateur 30 minutes.

Sortir la tarte, égaliser les bords en passant le rouleau. Piquer le fond de la tarte avec une fourchette.

Cuire le fond de tarte à blanc pendant 15 minutes à 200° (thermostat 6-7). Sortir la tarte. En parsemer le fond de sucre glace.

Éplucher et couper les poires en tranches de 5 à 6 millimètres d'épaisseur maximum (mesurée au milieu du bord extérieur arrondi). Les déposer artistiquement sur la pâte en les faisant se chevaucher en partant du bord. Recouvrir l'ensemble du fond de tarte.

Battre les œufs à la fourchette. Ajouter la crème et le sucre. Bien mélanger. Verser sur la tarte de façon régulière.

Cuire 30 minutes à 200° (thermostat 6-7) en surveillant la cuisson. Protéger le bord avec du papier d'aluminium s'il cuit trop vite. Si la surface de la tarte brunit ou noircit, baisser la température du four vers 150° (thermostat 5).

Quand la tarte est cuite, la démouler et la laisser ressuyer sur une grille.

Manger tiède ou froid.

NB — *On peut utiliser (en cas de besoin) des poires au sirop que l'on égoutte puis que l'on place sur le fond de tarte de la même façon que les poires fraîches.*

Tarte aux raisins muscats

Pour 8 personnes
10 g de beurre mou
10 g de farine
350 g de pâte brisée ou de pâte écossaise
800 g de raisins muscats
sucre glace
3 œufs
30 g de sucre
100 g de poudre d'amandes
200 g de crème fraîche

Beurrer un moule à tarte de 26 centimètres de diamètre. Ajouter en pluie la farine de façon bien homogène.

Étaler la pâte au rouleau pour lui donner la forme et la surface du moule sans rogner les bords. La placer au réfrigérateur 30 minutes.

Égrener les raisins. Les tremper quelques secondes dans l'eau bouillante. Les peler (c'est alors facile). Les épépiner (c'est plus long).

Sortir la tarte. Égaliser les bords en passant le rouleau. Piquer le fond avec une fourchette.

Cuire à blanc le fonds de tarte pendant 15 minutes à 200° (thermostat 6-7).

Sortir la tarte et en saupoudrer le fond avec du sucre glace.

Battre les œufs à la fourchette. Ajouter le sucre, la poudre d'amandes et la crème. Bien mélanger. Verser sur le fonds de tarte. Ajouter les raisins. Saupoudrer de sucre glace.

Cuire 30 minutes à 200° (thermostat 6-7) en surveillant. Protéger le bord avec du papier d'aluminium s'il cuit trop vite. Si la surface brunit ou noircit, baisser la température du four vers 150° (thermostat 5).

Quand la tarte est cuite, la démouler et la laisser ressuyer sur une grille.

Manger tiède ou froid.

NB — *On peut utiliser d'autres raisins, blancs (Italia, chasselas) ou rouges. Ou une association des deux ; il faut alors choisir des variétés aux grains de même taille.*

Les fonds de tarte garnis

Nombre de tartes sont faites en cuisant le fond à blanc, c'est-à-dire à vide. On les garnit ensuite de crèmes, fruits, compositions diverses sucrées ou salées. Les exemples donnés sont bien loin d'être limitatifs.

Tarte au chocolat

Pour 8 personnes
10 g de beurre mou
10 g de farine
350 g de pâte sucrée
sucre glace
250 g de crème
300 g de chocolat de couverture haché très finement
3 jaunes d'œufs

Beurrer un moule de 26 centimètres de diamètre. Le fariner de façon homogène.

Étaler la pâte au rouleau à pâtisserie. En chemiser le moule. Mettre au réfrigérateur pendant 30 minutes. Égaliser les bords en passant le rouleau sur les bords.

Faire de petits trous avec une fourchette. Remplir la tarte de lentilles ou des haricots. La cuire 25 minutes à 200° (thermostat 6-7) en surveillant la cuisson. Si le bord cuit trop vite, le recouvrir de papier d'aluminium.

Sortir la tarte, enlever les lentilles ou les haricots. La saupoudrer de sucre glace. Démouler et laisser refroidir.

Faire la ganache : faire bouillir la crème. La retirer du feu, ajouter le chocolat, mélanger intimement, puis les jaunes d'œufs, tout en fouettant. Verser sur le fond de tarte.

NB — *Il s'agit d'une tarte faite de deux entités bien distinctes : le fond et la crème au chocolat.*

Le même fond peut servir à d'autres préparations (sans chocolat, bien sûr).

• **Tarte aux fraises.** *Recouvrir le fond de tarte de 2 millimètres de crème pâtissière (facultatif). Ajouter des fraises crues. Recouvrir, si on le souhaite, de gelée de fraises.*

• **Tarte aux framboises.** *Recouvrir le fond de tarte de 2 à 3 millimètres de crème Chantilly sucrée. Ajouter des framboises crues. Recouvrir, si on le souhaite, avec de la gelée de framboises.*

• **Tarte aux kiwis.** *Recouvrir le fond de la tarte de 3 millimètres de crème pâtissière. Ajouter des kiwis crus épluchés et coupés en tranches de 2 millimètres d'épaisseur. Recouvrir de gelée de pommes.*

Il en existe d'innombrables recettes.

Broyé du Poitou

Pour 2 gâteaux (12 personnes au total)
250 g de sucre en poudre (+ 1 cuillerée)
250 g de beurre mou, tiède mais non fondu
600 g de farine type 45
5 g de sucre vanillé
1 cuillerée à café d'eau de vie de pommes
1 pincée de sel
beurre et farine pour le moule

Avec les mains, malaxer le sucre, le beurre, l'alcool et le sucre vanillé.

Ajouter peu à peu la farine en pétrissant bien. La pâte doit être ferme. La diviser en 2.

Étendre la pâte au rouleau sur une épaisseur de 1 centimètre en lui donnant une forme arrondie.

Faire des cannelures sur le pourtour avec le pouce.

Saupoudrer le dessus de la pâte avec une cuillerée de sucre.

Beurrer et fariner une plaque de cuisson. Y placer la pâte. Cuire au four à 180° (thermostat 6) 25 à 30 minutes.

Démouler, poser sur une grille et laisser refroidir.

NB — *Le broyé du Poitou, gâteau de vieille tradition familiale, est de structure sèche. On le brise à coups de poing. Il est plus difficile à fabriquer qu'il n'y paraît, selon la qualité du pétrissage, on obtient des résultats fort divers. On peut badigeonner la face supérieure avec du jaune d'œuf, dessiner des motifs divers, ajouter des fruits confits, etc. (Recette de Marcelle et Chantal Aladenyse.)*

Merveilles

50 g de beurre
50 g de sucre en poudre
2 cuillerées à soupe de lait
250 g de farine
1 pincée de sel
3 œufs
1 cuillerée à soupe d'armagnac
1 cuillerée à café d'eau de fleur d'oranger
huile de friture
sucre cristallisé (ou semoule)
farine

Faire fondre à feu doux le beurre. Ajouter le sucre et le lait. Quand l'ensemble est fondu, retirer du feu et laisser refroidir.
Tamiser la farine. Ajouter le sel. Ajouter les œufs et mélanger vigoureusement à la spatule pour éviter les grumeaux.
Ajouter le beurre sucré, l'armagnac et l'eau de fleur d'oranger. La pâte doit être bien homogène.
Laisser reposer au frais — pas au réfrigérateur — pendant 12 heures.
Fariner un plan de travail. Étaler la pâte, qui doit être souple et « humide », sur une épaisseur de 2 millimètres.
Découper des rectangles de 2 × 8 centimètres.
Faire chauffer l'huile de friture à 180°.
Mettre les merveilles par petites quantités et les frire environ 3 minutes. Les retourner et les frire encore 3 minutes. Faire attention à ce que les morceaux de pâte ne se collent pas les uns aux autres. Les merveilles doivent être bien dorées.
Les sortir avec une araignée. Les placer sur du papier absorbant et les saupoudrer chaudes avec le sucre cristallisé.
Les laisser refroidir avant de les servir.

NB — *On peut découper les merveilles en formes diverses (recette de Françoise Chalon). On peut varier les agents aromatisants.*
On en rapprochera la recette des **bugnes** *dont la composition peut comprendre des agents levants, levure chimique ou boulangère, et qu'on consomme tièdes.*

Gâteaux levés

On peut faire lever la pâte des gâteaux de trois manières qui donnent des résultats assez différents. Soit on traite la pâte comme une pâte à pain, on mélange les ingrédients avec la levure de boulanger, on la travaille, on la laisse gonfler au tiède pendant un certain temps, on la retravaille éventuellement, puis on la cuit. Soit on intègre au cours du mélange initial de la levure chimique, c'est-à-dire du bicarbonate de soude ou encore du pyrophosphate[1], on met l'ensemble directement au four, et c'est l'action à chaud de la levure chimique qui permet la levée de la pâte. Théoriquement chacune des méthodes a son champ d'application, mais parfois on peut réaliser une même recette avec l'une ou l'autre. Rappelons également qu'il existe une troisième méthode, déjà décrite dans cet ouvrage : l'utilisation du blanc d'œuf battu en neige, qui permet la levée des soufflés, des meringues et qui donne aux macarons leur structure aérienne. Enfin, c'est parfois seulement le travail mécanique lui-même qui emmagasine suffisamment d'air pour faire lever la pâte ; c'est le cas de la pâte à choux.

Pâte à choux

Pour trois douzaines d'éclairs ou de choux à la crème
200 g de beurre
250 g de farine de type 45
8 œufs
1 pincée de sel

> Verser 500 millilitres d'eau dans une casserole avec le sel et le beurre. Chauffer en remuant avec une cuillère en bois.
> A ébullition, ajouter la farine d'un seul coup (c'est important) et continuer à tourner jusqu'à complet dessèchement de la pâte.
> Retirer du feu et incorporer les œufs un à un : il ne faut en ajouter un nouveau que lorsque le précédent est complètement incorporé à la pâte.

NB — *Pas de mystère pour la confection de cette pâte mais de l'énergie et de la force. C'est ce travail qui permet à la pâte de lever. Selon l'utilisation ultérieure, on peut ou non ajouter un peu de sucre. Paul Bocuse[2] propose de remplacer un œuf par la même quantité de*

---

1. Il existe une grande variété de ces *baking powders.*
2. *La Cuisine du marché*, Flammarion, 1976.

lait ou de crème pour obtenir un résultat plus moelleux. Jean-Pierre Billoux[1] *décrit une pâte à pain de La Mecque dans laquelle l'eau est remplacée par du lait. De plus, il incorpore 25 grammes de beurre avec les œufs et 6 grammes de sucre. La cuisson dure 15 à 18 minutes à 120° (thermostat 4) pour de petites pièces.*

Choux à la crème et croque-en-bouche

Ce sont de petits choux faits avec une pâte dans laquelle on remplace l'eau par le lait. On peut y incorporer 1 ou 2 œufs de plus. Les choux sont cuits 20 minutes au four à 200° (thermostat 6-7). Lorsqu'ils sont froids, on les remplit de crème pâtissière.

NB — *Les croque-en-bouche sont des choux à la crème montés en pyramide. Pour solidifier cette dernière, on fait fondre du sucre cristal en caramel brun clair et on le fait couler sur les choux pour les coller les uns aux autres.*
En ajoutant des dragées, des perles et une statuette au sommet, on obtient le plat typique et spectaculaire des mariages, communions, baptêmes, etc.
Les profiteroles au chocolat sont de petits choux sucrés remplis de crème chantilly ou de glace à la vanille, arrosés de sauce chocolat.
Les religieuses sont faites chacune de 2 choux de 3 et 6 centimètres de diamètre, respectivement fourrés de crème pâtissière aromatisée au café ou au chocolat. Les deux choux sont collés avec du fondant caché par de la crème au beurre.
Les éclairs sont des choux allongés fourrés de la même manière. Choux, éclairs et religieuses sont recouvets de fondant.
Le saint-honoré est fait d'un rond de pâte feuilletée recouvert d'un autre de pâte à choux cuits 35 minutes à 200° (thermostat 6-7). On colle au caramel de petits choux cuits 20 minutes sur le pourtour et on remplit l'ensemble de crème chiboust.

Paris-Brest

Pour 8 personnes
700 g de pâte à choux sucrée
200 g de crème pâtissière
200 g de pralin
sucre glace

---

1. *Recettes pour Alexis*, Robert Laffont, 1990.

Faire un grand cercle (ou plusieurs petits) de pâte sur une plaque et cuire 30 minutes à 200° (thermostat 6-7).
Démouler, laisser refroidir et couper le cercle horizontalement en deux parties : on obtient ainsi 2 cercles creux.
Remplir le cercle inférieur d'un mélange moitié crème pâtissière, moitié pralin.
Refermer et saupoudrer de sucre glace.

NB — *C'est un chou à la crème — certains mettent de la crème au beurre ou un mélange de pralin, beurre et crème pâtissière. C'est également excellent avec de la crème moka, excellent mais « hérétique ».*
Ce gâteau a un nom de course cycliste et la forme d'un pneu de vélo, car il fut créé pour honorer la « petite reine ».

Pets-de-nonne

Pour 8 personnes
huile d'arachide pour friture
500 g de pâte à choux
50 g de sucre glace

Chauffer l'huile à 160°.
Façonner de petites boules de pâte avec deux petites cuillères.
Les mettre au fur et à mesure dans la friture (elles gonflent beaucoup).
Lorsqu'elles sont bien blondes, les retirer et les égoutter sur du papier absorbant.
Saupoudrer de sucre glace.

Gougère

Les gougères sont faites avec une pâte à choux dans laquelle
— l'eau est remplacée par du lait ;
— on ne met pas de sucre ;
— on ajoute 125 grammes de gruyère râpé (pour la même quantité que dans la recette de la pâte à choux).
On dépose des petits tas de 3 à 4 centimètres sur une plaque.
La cuisson se fait au four à 200° (thermostat 6-7) pendant une vingtaine de minutes.

Tarte ardennaise

Pour 2 tartes pour 8 personnes chacune
15 g de levure de boulanger
2 cuillerées à soupe de lait
500 g de farine
250 g de beurre
2 œufs
4 cuillerées à soupe bombées de sucre cristallisé
fruits à noyau (griottes, pêches, abricots, etc.) ou rhubarbe additionnée de sucre vanillé
1 pincée de sel
sucre « additionnel »

Diluer la levure de boulanger dans le lait avec un peu d'eau et une cuillerée de farine. Laisser au tiède.

Dans un saladier, mélanger la farine avec le beurre fondu tiède, les œufs, le sucre, le sel et enfin la levure.

Travailler la pâte à la main pendant au moins 15 minutes : elle doit être malaxée, étirée et pétrie longuement pour y faire entrer de l'air. Elle doit être souple ; au besoin on ajoute un peu d'eau tiède.

Remplir d'eau chaude (60°) un récipient plus grand que le saladier, poser sur ce bain-marie le saladier, recouvrir la pâte d'un linge humide et la faire lever 30 à 45 minutes. La pâte doit tripler de volume.

Étaler la pâte à la main sur un moule.

Ajouter les fruits. Cuire 25 à 30 minutes à 150° (thermostat 5).

Démouler la tarte chaude sur une grille. Ajouter le sucre « additionnel » (en cas de besoin).

Manger tiède.

NB — *Une des meilleures sortes de tartes, en particulier pour les pêches et les abricots, excellente aussi avec la rhubarbe.*

Remarquable avec les fruits frais évidemment, exceptionnelle avec les fruits de jardin. C'est une série de recettes de Marie-Thérèse Chaumette. Les temps indiqués sont ceux correspondant à des fruits bien mûrs. Si on utilise des fruits plus verts, baisser un peu la température et prolonger le temps de cuisson.

Tarte ardennaise à la rhubarbe. Ajouter 800 grammes de rhubarbe épluchée, coupée en morceaux de 1 centimètre d'épaisseur. Disposer les morceaux en les serrant au maximum. Sucrer après cuisson, à la sortie du four (150 grammes).

Tarte ardennaise aux cerises. Ajouter 800 grammes de cerises avec leurs noyaux. Sucer après cuisson (100 grammes).

Tarte ardennaise aux reines-claudes. Ajouter 800 grammes de reines-claudes coupées en 2 et dénoyautées, les placer la peau côté pâte. Sucrer après cuisson (50 grammes).

Tarte ardennaise aux mirabelles. Ajouter 800 grammes de mirabelles dénoyautées. Sucrer après cuisson (50 grammes).

Tarte ardennaise aux abricots. Ajouter 800 grammes d'abricots dénoyautés coupés en 2, la peau côté pâte. Sucrer après cuisson (50 grammes).

Tarte ardennaise aux brugnons (1). Ajouter 8 brugnons dénoyautées coupés en 2, la peau côté pâte. Sucrer après cuisson (50 grammes).

Tarte ardennaise aux brugnons (2). Ajouter 8 brugnons dénoyautés, pelés et coupés en lamelles. Les disposer en cercles concentriques en partant de la périphérie. Sucrer après cuisson (50 grammes).

Tarte ardennaise aux pêches. Même recette que la précédente.

Tarte ardennaise aux poires. Ajouter 6 grosses poires épluchées et épépinées et procéder de même.

Tarte ardennaise aux mangues. Ajouter 2 ou 3 belles mangues pelées et émincées, et procéder de même.

Tarte ardennaise aux kiwis. Ajouter 8 à 10 kiwis épluchés et émincés. Procéder de même, en doublant la quantité de sucre.

Tarte levée à la tomate

Pour 8 personnes
20 g de levure de boulanger
300 g de farine de blé de type 55
5 g de sel
huile d'olive
6 belles tomates
2 gousses d'ail épluché et dégermé
20 olives noires dénoyautées
sel
poivre
origan ou marjolaine (quelques feuilles fraîches)

Préparer la pâte : délayer la levure dans l'eau tiède.
Mélanger la farine et le sel. Ajouter la levure puis la quantité d'eau tiède nécessaire pour obtenir la consistance d'une pâte à pain — c'en est une. Bien travailler en rabattant la pâte pour incorporer le maximum d'air. Rouler en boule, mettre dans un saladier recouvert d'un linge.
Faire lever 2 heures au tiède à l'abri des courants d'air.
Retravailler et étaler sur un moule plat ou une plaque de cuisson anti-adhésive.
Badigeonner la surface avec l'huile.
Mixer les tomates épépinées avec l'ail. Saler et poivrer, ajouter l'origan.
Répartir sur toute la surface de la pâte. Ajouter les filets d'anchois en faisant des croisillons ou, si on préfère, d'autres motifs géométriques. Intercaler les olives de façon régulière.
Cuire au four à 210° (thermostat 7) pendant 20 à 25 minutes.
Badigeonner au pinceau la surface avec un peu d'huile d'olive.
Démouler et consommer chaud, tiède ou froid.

Génoise

Pour 6 personnes
moitié poids (des œufs) de sucre
4 œufs
moitié poids (des œufs) de farine
40 g de beurre clarifié
1 pincée de sel

Mettre le sucre et les œufs dans un saladier ou un cul-de-poule.
Battre longuement jusqu'à ce que le volume ait quadruplé.

Ajouter la farine peu à peu en la tamisant et en l'incorporant délicatement à la cuillère en bois.

Ajouter le beurre clarifié en fin filet, et 1 pincée de sel.

Beurrer (au beurre clarifié) un moule rond ou un moule à manqué. Y mettre la pâte.

Cuire à 180° (thermostat 6) pendant 30 à 40 minutes.

Démouler aussitôt, mettre à refroidir sur grille.

NB — *Ce gâteau, dans ses proportions, est une sorte de quatre-quarts où l'œuf prend le 1/4 occupé par le beurre (lequel est facultatif dans la recette).*

On pourrait aussi le définir comme une omelette battue longuement avec du sucre, additionnée de farine. On peut accélérer la fabrication en battant dans un bain-marie à 40°. Il faut alors attendre que le mélange œufs-sucre ait refroidi avant d'incorporer farine et beurre.

On peut ajouter un parfum : vanille, alcool, zeste de citron ou d'orange frotté à vif sur un sucre (c'est celui-ci qui est incorporé après broyage).

La génoise s'utilise pour fabriquer de très nombreux gâteaux si on lui ajoute du chocolat, des crèmes diverses, des fruits confits, etc. : on fend transversalement le gâteau, on le fourre, puis on le glace et on le décore avec l'appareil choisi.

Génoise aux amandes. Remplacer le 1/4 de la farine par de la poudre d'amandes.

Génoise au chocolat. Remplacer le quart de la farine par le même poids de poudre de cacao non sucré.

Forêt noire. C'est une génoise au chocolat, coupée en deux, humectée avec du kirch et fourrée de ganache et de cerises. On la décore de cerises confites, de crème chantilly, de copeaux de chocolat.

Fraisier. C'est une génoise coupée en deux, humectée avec du sirop de sucre parfumé au kirch, fourrée avec de la crème pâtissière ou de la crème au beurre mêlée avec des fraises crues.

Les quatre-quarts

C'est comme une formule magique, d'une simplicité sans pareille : mélanger à parts égales sucre, beurre, farine et œufs. Ce qui veut dire qu'il faut commencer par peser ceux-ci. Ceux qu'on achète pèsent de 50 à 80 grammes. Si chaque élément pèse par exemple 300 grammes, selon la taille des œufs il en faudra de 4 à 6 ; et beaucoup plus si on choisit des œufs de ces poules naines, que beaucoup apprécient pour leur apparence physique.

La pâte à quatre-quarts doit lever. On emploie deux méthodes différentes. La plus simple consiste à utiliser de la levure chimique. L'autre impose de battre les blancs en neige.

Le quatre-quarts est simple à réaliser. Il ne demande pas de connaissance particulière. Il cuit rapidement au four, il ne comporte pas de truc technique particulier. Comme il est particulièrement savoureux et que sa formule de base, à peine remaniée, permet de faire madeleines, cakes, etc., on ne peut que recommander de débuter par sa réalisation. On l'appelle d'ailleurs aussi le *tôt-fait* ou encore le *gâteau à la minute*.

De plus, à partir de cette recette élémentaire, on peut incorporer des ingrédients qui vont changer l'apparence, le goût, et même le nom : on peut ajouter fruits confits, amandes, pignons de pin ou pistaches grillées, fruits à pépins, etc.

Enfin, sur cette base, se décline toute une série de variations. En augmentant ou en diminuant la proportion d'un ou de deux de ses constituants, la pâte va devenir plus élastique, plus molle, plus sèche, plus sucrée, etc. On confectionne ainsi toute une série de gâteaux de nature, d'apparence et de structure fort diverses.

Quatre-quarts

Pour 8 personnes
4 œufs
même poids de farine
même poids de beurre bien mou
même poids de sucre
extrait de vanille
5 g de levure chimique

Mélanger la farine tamisée avec la levure.
Battre au fouet le beurre avec le sucre. Le mélange va blanchir et s'amollir.
Incorporer les œufs. Bien battre avec le fouet.
Ajouter l'extrait de vanille, puis le mélange farine et levure.
Mettre dans un moule à manqué bien beurré au four à 180° pendant 30 minutes.
Vérifier la cuisson, au besoin faire une incision en croix sur le dessus si le gâteau a du mal à lever.
Démouler et laisser refroidir sur une grille (cela permet à la vapeur d'eau de s'échapper et au gâteau de ne pas devenir mou).

NB — *On peut remplacer 1 œuf entier par 2 jaunes. On peut également ajouter des fruits confits et des amandes sur la surface.*

Une variante ajoute 300 à 400 grammes de pommes (poids épluché) coupées en tranches au milieu du gâteau.

On peut aussi utiliser pommes et appareil à quatre-quarts comme dans une tarte Tatin : on fait un caramel sur lequel on place des tranches de pommes. On recouvre de la pâte et on cuit l'ensemble 30 minutes à 180°.

Mme Saint-Ange[1] donne une excellente recette qui ne comporte pas d'élément levant. Elle consiste à incorporer successivement le sucre, un peu de zeste de citron, les œufs entiers pendant 2 minutes seulement, pour mélanger d'une façon bien complète, sans chercher à donner de la légèreté à la pâte, puis à ajouter le beurre fondu en filet et enfin la farine tamisée, qu'on mélange « à la façon dont on procède pour les blancs d'œufs fouettés ». Le résultat est remarquable. On risque de rater cette recette en travaillant trop la pâte.

Quatre-quarts aux amandes. Remplacer le 1/3 de la farine par le même poids de poudre d'amandes.

Madeleines

Pour 6 personnes
3 œufs
même poids de sucre
même poids de farine
même poids de beurre clarifié

Casser les œufs. Les mettre en terrine avec le sucre. Battre longuement pour que l'ensemble quadruple de volume.

Ajouter la farine en pluie en la tamisant et l'incorporer à la cuillère en bois avec précaution.

Ajouter le beurre clarifié peu à peu en tournant pour l'incorporer.

Beurrer un moule à madeleines. Mettre de petits tas de pâte sur les emplacements prévus.

Cuire 15 minutes environ à 180° (thermostat 6) au four.

NB — *Il existe de nombreuses variantes de recettes de madeleine, selon deux principaux types : avec les blancs battus en neige[2] ou avec l'œuf entier battu.*

1. *La Cuisine de Mme Saint-Ange, op. cit.*
2. On lira avec intérêt celle de Bernard Pacaud (*L'Ambroisie, place des Vosges à Paris*, Robert Laffont, 1989), qui utilise les blancs et remplace la farine par de la poudre d'amandes, gardant en plus un tout petit peu de farine. La recette s'étale sur 2 jours, le résultat est excellent.

La recette choisie comporte la particularité d'être à la fois un quatre-quarts et une omelette sucrée soufflée et additionnée de farine et de beurre.
On peut ajouter différents arômes à cette recette.

Gâteau aux noix

Pour 8 personnes
4 œufs
demi-poids de farine
même poids de beurre mou
même poids de sucre en poudre
demi-poids de noix en poudre
1 pincée de sel
5 g de levure chimique

Casser les œufs et séparer les jaunes des blancs, il ne doit y avoir aucune trace de jaune avec les blancs. Mélanger la farine et la levure.
Fouetter le beurre, ajouter les 2/3 du sucre, continuer à fouetter, le mélange doit devenir mou et blanchir.
Ajouter les jaunes puis le mélange farine-levure, toujours en fouettant, puis les noix (ou les amandes).
Fouetter les blancs en neige ferme avec la pincée de sel. Ajouter peu à peu le reste du sucre.
Mélanger délicatement les blancs avec le reste de la pâte.
Beurrer généreusement et fariner légèrement un moule à manqué. Y mettre la pâte et cuire à 180° pendant 30 minutes.
Démouler chaud et laisser refroidir.

NB — *Dans ce quatre-quarts, une partie de la farine est remplacée par de la poudre de noix.*
Gâteau aux amandes. C'est la même recette. Les amandes remplacent les noix.

Gâteau aux amandes 2

Pour 6 personnes
3 œufs
même poids de farine
même poids de sucre
même poids de d'amandes entières

1027

Battre les œufs. Incorporer la farine et le sucre, puis les amandes.
Beurrer un moule à manqué, le fariner légèrement. Mettre la pâte.
Cuire 30 minutes à 180° (thermostat 6).

NB — *C'est un quatre-quarts où le beurre est remplacé par des amandes entières. Le goût est évidemment bien différent.*

Cake familial

Pour 8 personnes
4 œufs
même poids de beurre mou
même poids de sucre
même poids de farine
1 pincée de sel

Battre au fouet le beurre avec les 3/4 du sucre, le mélange va blanchir et se ramollir.
Casser les œufs, séparer les jaunes des blancs (il ne doit pas y avoir de trace de jaune avec les blancs).
Incorporer les jaunes dans le mélange beurre-sucre tout en battant puis la farine tamisée.
Battre à part les blancs avec 1 pincée de sel et les monter en neige. Ajouter le reste du sucre avec délicatesse.
Mélanger délicatement à la cuillère en bois les blancs avec le reste de la pâte.
Mettre la pâte dans un moule à cake largement beurré et légèrement fariné.
Cuire 60 minutes au four à 180° (thermostat 6).
Démouler à chaud et laisser refroidir sur une grille.

NB — *On peut ajouter des fruits confits ou des raisins secs à la pâte; on peut également l'aromatiser de rhum.*
De nombreuses variantes sont possibles :
Gâteau marbré. Diviser la pâte en 2, ajouter 2 ou 3 cuillerées à soupe de cacao noir à la moitié de la pâte et mélanger grossièrement les deux moitiés pour que les marbrures apparaissent.
Cake aux fruits confits. Ajouter un cinquième quart de fruits confits au dernier moment.

Cake aux raisins secs. Ajouter un poids égal à la moitié d'un des quarts de raisins secs macérés dans du rhum, qu'il est recommandé d'incorporer avec la farine.
Cake aux pignons de pin. Ajouter un poids égal de pignons de pin à la moitié d'un des quarts.

Galette charentaise

Pour 8 personnes
3 œufs
même poids de sucre en poudre
double poids de farine
même poids de beurre mou
quelques gouttes d'extrait de vanille

Battre les œufs avec le sucre, ajouter la vanille ; l'ensemble doit mollir et devenir crémeux.
Ajouter la farine tamisée, puis le beurre toujours en battant.
Beurrer largement et fariner légèrement un plat à tarte. Cuire au four à 200° (thermostat 6-7) pendant 15 à 20 minutes.

NB — *On peut passer du jaune d'œuf délayé sur le dessus de la pâte après quelques minutes de cuisson, ou ajouter un peu de sucre cristallisé.*
Il s'agit d'un cinq-quarts (2 quarts de farine).

Pâte à baba et à savarin

Baba et savarin, frères jumeaux, avec leurs thuriféraires, leurs grands prêtres, leurs prophètes. Leurs amateurs et leurs détracteurs. Éponges douces et subtiles, ou mâchouilleuses et médiocres.
Baba et savarin peuvent être exceptionnels. Hélas, ils sont rares et bien souvent décevants.
Car la structure doit en être légère, aérienne, le sirop doit les humecter et, s'ils sont additionnés d'une crème, elle doit être légère, à la mesure de leur style, de leur âme. Pas de complications ni de sophistications excessives, elles ne feraient qu'alourdir ces chefs-d'œuvre de légèreté.

La pâte doit être faite avec de la levure de boulanger. C'est pourquoi on en trouvera une recette. Mais, comme la nature est ce qu'elle est, on en trouvera aussi une seconde, transmise par Bruno Minard : provocation s'il en est, non seulement elle ne comporte pas la levure de boulanger, mais associe le blanc d'œuf et la levure chimique. A essayer, pour décider ce qui est préférable.

Les babas et savarins se cuisent généralement dans des moules particuliers, qui ressemblent à des chambres à air coupées par le milieu. Lorsqu'on les démoule, ils conservent en leur centre un espace qui peut être rempli par de la crème chantilly, ou de la crème pâtissière, ou de la crème anglaise. On peut y parsemer quelques amandes effilées ou des fruits confits. Pas plus.

Baba au rhum 1

Pour 6 personnes
120 g de farine
5 à 10 g de levure de boulanger diluée dans 1 cuillerée à soupe d'eau ou de lait tiède
eau ou lait tiède
1 pincée de sel
4 œufs de 60 g
20 g de sucre
90 g de beurre en pommade
30 g de raisins secs

> *Première opération.* Dans un saladier ou un cul-de-poule, mettre la moitié de la farine et la levure. Ajouter un peu de lait ou d'eau pour obtenir une pâte assez molle.
> *Deuxième opération.* Ajouter le reste de farine, le sel, puis, un à un, les œufs.
> Travailler vigoureusement avec les doigts.
> Ajouter le sucre et le beurre en pommade.
> *Troisième opération.* Recouvrir la pâte d'un linge, placer au tiède pendant 8 à 12 heures (on peut retravailler la pâte au milieu de cette période).
> *Quatrième opération.* Travailler à nouveau la pâte et mélanger les raisins secs. Placer dans le moule préalablement beurré.

Cinquième opération. Mettre au four à 210° (thermostat 7) pendant 20 à 25 minutes. Sortir le gâteau et le placer sur le plat de service, l'arroser du liquide de mouillement (cf. baba au rhum, deuxième recette).

NB — *On peut passer très légèrement les raisins secs dans la farine avant de les incorporer, cela évite qu'ils ne tombent au fond de la pâte.*

Baba au rhum 2

Pour 6 personnes
50 g de beurre
3 œufs
150 g de sucre
1 pincée de sel
3 cuillerées à soupe de lait
120 g de farine
1 cuillerée à café de levure chimique
1 dl de rhum

Mise en route. Beurrer un moule en couronne.
Dans une terrine, mettre les jaunes d'œufs avec le sucre et le sel. Travailler à la spatule jusqu'à ce que le mélange blanchisse et soit onctueux.
Ajouter le lait chaud, puis la farine et le beurre fondu sans trop faire chauffer.
Battre les blancs en neige et les ajouter au mélange.
Ajouter la levure.
Verser dans le moule beurré.
Faire cuire à four chaud environ 25 minutes.
Pour faire le sirop. Chauffer 1/4 de litre d'eau, 1/4 de litre de sucre en sirop, 1 décilitre de rhum.
Retirer du feu au moment où commence l'ébullition.
Finalisation. Mettre le baba sur le plat de service et l'arroser chaud avec le sirop chaud. (Il doit tout absorber.)

NB — *Recette de Muriel Auzou.*

Pâte à brioche

Les brioches sont composées de beurre, œufs et farine — et de sucre aussi. Réussies, ce sont des chefs-d'œuvre d'onctuosité et de douceur. Ratées, ce sont de redoutables pavés de ciment. Ou bien des pâtes aigrelettes.

Ce ne sont pas des pâtes simples à réaliser, car la qualité des produits joue un rôle très important dans le résultat, tout comme la technique employée et les caractéristiques du four. L'amateur y essuiera des échecs. Espérons qu'ils lui ouvriront les portes du succès. Car une brioche réussie en vaut la peine.

La pâte à brioche est riche en beurre (autant qu'en farine) et le résultat dépend également du travail de la levure.

Fabrication de la pâte à brioche

Pour 20 personnes
25 g de levure de boulanger diluée dans 2 cuillerées à soupe de lait tiède.
1 kg de farine fluide
4 pincées de sel fondu dans 1 cuillerée à soupe d'eau
22 œufs de 65 g
1 kg de beurre des Charentes ou d'Isigny bien mou

> *Première opération.* Faire un levain avec la levure, le lait et 100 grammes de farine. On mélange les éléments et on fait une boule molle. On la réserve dans un saladier couvert d'un linge. On la place dans un endroit tiède à l'abri des courants d'air, le temps qu'elle double de volume — ce qui prend 30 à 60 minutes.
>
> *Deuxième opération.* Mettre le reste de la farine en fontaine (couronne) et creuser un puits au milieu. Y mettre le sel, le levain et 3 œufs. Pétrir la pâte avec le bout des doigts.
>
> *Troisième opération.* Intégrer successivement les œufs un à un, puis le sucre, lentement.
>
> *Quatrième opération.* Quand la pâte cesse d'être collante, mélanger délicatement, sans violence, avec suavité, le beurre en morceaux. Mettre la pâte en boule, la saupoudrer de farine.
>
> *Cinquième opération.* Une fois que le beurre est incorporé faire lever au tiède pendant 6 à 7 heures.
>
> *Sixième opération.* Rabattre la pâte à coups de poing, la remettre en boule, la fariner et la remettre à lever à nouveau pendant 6 à 7 heures.
>
> La pâte est alors bonne à utiliser — au réfrigérateur on peut la garder 24 heures.
>
> *Cuisson.* On peut cuire 1 ou 2 grosses brioches ou plusieurs petites. La division doit se faire promptement, pour que la pâte ne colle pas ; elle doit être assez élastique. On la dore à l'œuf battu.

On met la pâte dans des moules de forme et de taille variables. On cuit au four, dont la température et le temps de cuisson dépendent de la taille de la brioche.

A titre indicatif, pour de petites brioches de 80 grammes, mettre à 250° (thermostat 8-9) pendant 15 minutes. Des pièces de 400 à 500 grammes cuisent pendant 25 à 35 minutes à 200° (thermostat 6-7).

Les brioches doivent refroidir dans leur moule avant d'être démoulées.

NB — *Il y a de nombreuses autres brioches, par exemple la* mouna *d'Afrique du Nord. La brioche est un type de gâteau difficile et long à faire bien.*

Moïse

Pour 6 personnes
300 g de farine extra-fluide
20 g de levure de boulanger
125 ml de lait tiède
120 g de beurre à température de la pièce
3 g de sel
3 œufs de 70 g
30 g de sucre en poudre
100 g de raisins de Corinthe
50 g d'amandes douces émondées et effilées

Faire une fontaine avec la farine.

Délayer la levure dans le lait tiède. Verser dans la fontaine.

Ajouter le beurre, puis les œufs, le sel, le sucre et les raisins.

Du bout des doigts travailler l'ensemble de ces ingrédients en évitant de toucher la farine. Lorsque l'ensemble paraît homogène, incorporer peu à peu cette dernière sans la pétrir.

On obtient ainsi une masse assez inhomogène, collante. On rassemble l'ensemble en une boule (y compris les fragments qui peuvent coller aux doigts) qu'on place dans un grand saladier. Couvrir et laisser gonfler à température douce pendant 3 ou 4 heures.

Transférer la pâte sur une plaque de cuisson farinée. Mettre au four moyen (180°) pendant 40 minutes après l'avoir recouverte des amandes.

Sortir le moïse et le mettre à refroidir sur une grille.

NB — *Une pâte proche de celle du kugelhof alsacien. C'est un gâteau un peu sec, agréable pour accompagner le thé ou pour le petit déjeuner.*
Les quantités indiquées peuvent varier en fonction de la qualité et de la température des ingrédients. Le temps de cuisson également.
(Recette de Guy Renou.)

Biscuits à la cuillère

Pour 30 biscuits
3 œufs (3 jaunes + 3 blancs)
200 g de sucre
80 g de farine tamisée

Battre les blancs en neige très ferme. Incorporer la moitié du sucre.
Battre les jaunes au bain-marie avec l'autre moitié du sucre pendant 3 à 4 minutes ; le mélange mousse.
Incorporer délicatement la farine. Il ne doit pas y avoir de grumeaux.
Incorporer peu à peu les blancs dans les jaunes.
Mettre l'ensemble dans une poche à douille. Former des bâtonnets renflés aux 2 extrémités, d'une douzaine de centimètres de long ; les placer sur une plaque beurrée.
Cuire 20 minutes à 170° (thermostat 5-6).
Saupoudrer de sucre glace ou cristallisé.

NB — *Avec les biscuits à la cuillère, dont la tare historique est d'avoir été trempés dans le champagne et d'autres liquides estimables, on fabrique les charlottes et le tiramisu italien.*

Pâte feuilletée levée

C'est un mélange de pâte levée et de pâte feuilletée, utilisée pour certains gâteaux fourrés car elle est plus moelleuse que la pâte feuilletée proprement dite. Elle est aussi beaucoup plus pauvre en beurre.

Pour 2 kg de pâte
30 g de levure de boulanger
300 g de lait
1 kg de farine
60 g de sucre
3 œufs
300 g de beurre
15 g de sel

Dissoudre la levure dans le lait.
Mélanger l'ensemble des éléments (sauf le beurre).
Laisser reposer pendant 1 heure.
Continuer les opérations comme pour la pâte feuilletée.
Avec la pâte feuilletée levée, on fabrique divers petits gâteaux de pâtisserie (pains aux raisins, par exemple).

Chaussons aux pommes

Pour 6 chaussons
500 g de pâte feuilletée levée
200 g de compote de pommes
1 œuf battu en omelette (ou 1 jaune)

Abaisser la pâte à 3 millimètres d'épaisseur.
Découper des cercles de 15 centimètres de diamètre.
Mettre au centre la compote de pommes. Refermer en demi-cercle, bien souder les bords.
Faire à la fourchette ou avec un autre outil le décor souhaité sur la face supérieure. Dorer avec l'œuf ou le jaune battu.
Mettre au repos 1 heure au frais.
Cuire au four à 250° (thermostat 8-9) pendant 20 minutes.

NB — *Se mange froid ou, mieux, tiède.*

Pains aux raisins

Pour 6 pièces
500 g de pâte feuilletée levée
200 g de crème pâtissière
150 g de raisins secs macérés dans le rhum
1 œuf

Étaler la pâte en rectangle sur une épaisseur de 3 millimètres.
Étaler la crème pâtissière sur la pâte. Parsemer les raisins.
Enrouler la pâte pour en faire un cylindre.
Couper des tranches de 1,5 centimètre d'épaisseur.
Laisser lever au tiède pendant 1 heure sur une plaque de cuisson beurrée et farinée.
Battre l'œuf en omelette. Enduire la face supérieure des rondelles.
Cuire 10 minutes au four à 240° (thermostat 8).
Sortir la plaque, retourner les pains, dorer la face supérieure.
Remettre au four pendant une dizaine de minutes (surveiller la cuisson).
Sortir les pains aux raisins et les faire ressuyer, (refroidir et sécher) sur une grille.

Pancakes

Pour 6 personnes
1 œuf et 1 blanc d'œuf
1 cuillerée à thé rase de sel (4 g)
350 g de farine
1 1/2 cuillerée à thé de levure chimique (6 à 8 g)
50 g de sucre
50 g de beurre fondu
lait

Séparer jaunes et blancs des œufs. Battre les blancs en neige.
Mélanger le sel, la farine, la levure et le sucre. Ajouter 1 jaune d'œuf et le beurre fondu, puis du lait en quantité suffisante pour obtenir une consistance à la fois fluide et épaisse (ne pas travailler beaucoup, se contenter d'obtenir un mélange).
Ajouter les œufs battus en neige.
Cuire dans une poêle en fonte sur feu assez fort. La température de cuisson est très importante car, trop chaude, les pancakes brûlent et ne cuisent pas ; trop faible, ils deviennent secs et durs.
La consistance de la pâte doit être telle qu'elle s'étale sur 3 à 4 millimètres d'épaisseur, faisant un disque de 12 à 15 centimètres de diamètre.
Retourner quand les bulles de la surface s'ouvrent sans être sèches. Cuire quelques secondes seulement, simplement le temps de les brunir.

1036

NB — *Les pancakes se servent chauds, on les recouvre de beurre et de sirop d'érable.*
Pour les petits déjeuners de fête et les autres, une très plaisante variante des croissants. (Recette de William A. Whitelaw.)
Pour les cuisiniers très pressés, il existe des poudres « toutes prêtes » qu'il suffit de délayer dans l'eau et de faire cuire comme ci-dessus. Vite fait, vite mangé, vite oublié.
Sur le même principe la revue **Cuisine et Vins de France** *(février 1996) donne une recette de* beghir *marocain : on dilue 50 grammes de levure de boulanger dans 100 millilitres d'eau tiède. On mélange 200 grammes de farine, autant de semoule de blé fine, 1 œuf, 1 pincée de sel, avec 650 millilitres d'eau tiède. On ajoute la levure diluée et 1 cuillerée à café de levure chimique. On laisse reposer 40 minutes au tiède et on poursuit comme pour les pancakes. On peut aromatiser à l'eau de fleur d'oranger et utiliser le miel au lieu de sirop d'érable.*
Les blinis sont faits à partir d'un levain (20 g de levure de boulanger, 200 ml de lait et 50 g de farine mélangés et poussés pendant 2 heures au tiède) auquel on ajoute 150 g de farine et 3 jaunes d'œuf. On laisse à nouveau pousser au tiède pendant 1 heure. On ajoute 3 blancs battus en neige et du sel.

SOUFFLÉS ET QUENELLES

Les soufflés représentent une catégorie de plats proches de l'omelette, de consistance douce et aérienne, dont les tonalités gustatives suaves apportent légèreté et élégance. Ils sont salés ou sucrés, et peuvent être hors-d'œuvre ou desserts.

Mais les soufflés ne sont pas toujours faciles à préparer et peuvent être la source de déconvenues. Il ne faut donc pas se risquer à leur réalisation lorsque le résultat peut influer sur l'issue d'un repas. La nature des ingrédients, les caractéristiques du four, le temps de réalisation interviennent de façon très importantes. Il est très facile de rater un soufflé.

Un soufflé est composé de 4 parties :
• Une sauce Béchamel, c'est-à-dire un mélange de farine à peine cuite dans du beurre tout juste fondu avec du lait chaud ;
• Un élément aromatique (alcool, purée de fruits ou de légumes, hachis de viande ou de poisson, fromage râpé) ;
• Des jaunes d'œufs ;
• Et enfin des blancs d'œufs battus en neige ferme.

Quelques règles simples permettent d'éviter les déconvenues. Il suffit de suivre un ordre précis.

1. La cuisson du beurre et de la farine doit se faire à petit feu : la farine ne doit pas roussir.

2. La béchamel doit être faite assez à l'avance car il ne faut pas incorporer les jaunes d'œufs quand elle est chaude (ils cuiraient) mais quand elle est à peine tiède.

3. L'incorporation des blancs battus en neige doit se faire au dernier moment, juste avant de mettre au four.

Si on prévoit de présenter un soufflé à des invités, on voit que les difficultés peuvent être surmontées assez facilement : on prépare à l'avance l'appareil jusqu'à l'incorporation des jaunes. On bat les blancs et on met à cuire une vingtaine de minutes avant de servir.

Pour vérifier la cuisson, on plonge un couteau au centre du soufflé. La lame ne doit pas ramener de pâte. Dans le cas contraire, il faut prolonger la cuisson autant que nécessaire (selon les cas, la durée est variable, fonction en tout premier lieu du four).

Soufflé au beaufort

Pour 6 personnes
300 ml de lait
40 g de beurre
40 g de farine
300 g de beaufort râpé
8 œufs

Faire bouillir le lait dans une casserole assez haute pour qu'il ne déborde pas.

Faire fondre le beurre à feu doux dans une casserole assez large.

Ajouter la farine, remuer avec une spatule en bois sans cuire la farine.

Ajouter le lait bouillant. Bien mélanger sur le feu. Amener à ébullition. Ajouter le fromage.

Retirer du feu et continuer à remuer pour obtenir un ensemble homogène et onctueux. Laisser refroidir partiellement.

Casser un à un les œufs au-dessus d'un bol en séparant blancs et jaunes. Mettre les blancs dans un récipient assez grand.

Quand la préparation au fromage est à peine tiède, incorporer les jaunes en mélangeant bien.

Battre les blancs en neige très ferme et très blanche. Les incorporer peu à peu avec une cuillère en bois en sorte que l'appareil obtenu soit bien homogène.

Beurrer et fariner un moule à soufflé (c'est inutile s'il est anti-adhésif).

Mettre l'appareil à soufflé dans le moule.

Cuire à 180° (thermostat 6) pendant 20 à 25 minutes.

Servir aussitôt.

NB — *Mme Saint-Ange recommande une source de chaleur située en dessous du plat, ce qui, selon elle, ferait monter le soufflé vers le haut, qui est moins chaud. Elle rappelle dans son remarquable ouvrage la règle absolue : un soufflé ne doit jamais attendre.*

Hervé This[1] donne une recette de soufflé au roquefort dans laquelle, en proportions assez proches de celle au beaufort, le fromage est fondu avec le beurre, les opérations se poursuivant de façon identique.

LA GANACHE

C'est un mélange de chocolat et de crème fraîche mise à bouillir. Il s'agit là de la base des préparations chocolatées. Robert Linxe[2] écrit à ce propos :

« Tout l'art du chocolatier [...] consiste à composer une ganache parfaite. A mes yeux, c'est vraiment la ganache qui fait le chocolatier, c'est à la ganache que l'on peut juger de son talent [...]. C'est vraiment très simple de confectionner une ganache [...]. Dans la pratique ménagère, on se contente du chocolat noir à croquer vendu dans le commerce. Un chocolatier de talent, en revanche, est comme un compositeur de musique. Il connaît les différents crus de cacao, leur arôme, leur personnalité, leurs atouts et leurs défauts éventuels [...]. Tout son art consiste à exalter ces différentes composantes l'une par rapport à l'autre, sans les marquer par une saveur secondaire, marginale, et qui viendrait brouiller les pistes. »

On le voit, il est difficile en pratique amateur de s'aventurer sur le terrain du chocolat avec des ambitions d'excellence. On peut réaliser des crèmes et des gâteaux de qualité honorable. Il est impossible pour la plupart des particuliers de se procurer les ingrédients élémentaires du meilleur et de l'exceptionnel. C'est qu'en ce domaine comme en d'autres, c'est justement la simplicité qui est la plus difficile à réaliser. Le chocolat peut très faci-

1. *Révélations gastronomiques*, Belin, 1995.
2. *La Maison du chocolat*, Robert Laffont, 1992.

lement être plat ou écœurant. De grande classe, il est un des plus grands, des plus subtils des mets sucrés — et Robert Linxe est de ceux qui sont capables d'y parvenir.

La difficulté est donc grande pour l'auteur de cet ouvrage. Car ce serait facile de fabriquer et de donner une recette de crème au chocolat ou de forêt-noire avec, au terme du travail, un résultat honorable. Mais décrire les opérations qui permettent de rivaliser avec les meilleurs est une autre affaire.

Ganache

C'est un mélange obtenu en faisant fondre du chocolat dit de couverture, coupé en morceaux ou râpé, dans de la crème fleurette chaude. La ganache est la base de l'art du chocolat. Selon la qualité des ingrédients et leurs proportions relatives, on obtient des produits de qualité et de consistance variées.

Sauce chocolat

Pour 350 g de sauce

Mélanger 200 grammes de chocolat de couverture avec 100 grammes de crème fleurette chauffée. On peut y ajouter plus ou moins d'eau ou de beurre selon la consistance souhaitée. En travaillant entre 30 et 35°, on obtient une préparation brillante qui recouvre gâteaux et profiteroles.

Cacao du goûter ou du déjeuner

Pour 8 tasses ou 4 bols

Ajouter au mélange précédent 500 à 800 millilitres de lait ou d'un mélange d'eau et de lait.

1040

Mousse au chocolat

Pour 4 personnes
200 g de chocolat amer à 60 % de cacao
100 g de crème fleurette
20 g de beurre
2 jaunes d'œufs
4 blancs d'œufs
1 cuillerée à soupe rase de poudre de cacao non sucré
1 pincée de sel
1 cuillerée à soupe rase de sucre glace

Hacher grossièrement le chocolat.
Faire chauffer la crème. Incorporer le chocolat hors du feu.
Mélanger pour obtenir un ensemble bien homogène (ganache).
Ajouter le beurre et bien mélanger. Laisser tiédir.
Ajouter les jaunes et mélanger.
Battre les blancs avec le sel en neige ferme. Ajouter la poudre de cacao et le sucre. Mélanger.
Ajouter les blancs battus dans la préparation chocolatée. Mélanger intimement.

NB — *Une recette inspirée de celle de Robert Linxe, qui y ajoute de la vanille. On peut aussi y incorporer un peu de cannelle.*

LES FONDS ET LES BOUILLONS

Un des domaines qui sépare le plus nettement le cuisinier amateur du professionnel est celui des fonds.

De quoi s'agit-il? Un fonds est un liquide dans lequel on a concentré goûts et arômes et qui sert de base à d'autres plats. Ce qui signifie que le cuisinier extrait des éléments de sapidité de certains aliments pour les transférer à d'autres. Ces opérations sont longues et nécessitent une certaine quantité d'ingrédients qui n'auront d'autre utilité que d'être « vidés » de leur contenu aromatique et généralement abandonnés ensuite.

Faire un fonds nécessite du temps et certains moyens qui ne sont pas à la disposition de tous. Bien sûr le professionnel qui sert dans son restaurant du canard ou du gibier aura à profusion de la matière première, c'est-à-dire la partie des carcasses qu'il n'aura pas utilisée, et pourra réaliser les opérations simples et longues qui en permettent la préparation tout en confectionnant les plats qu'il va servir[1]. A la rigueur la fermière trouvera dans sa basse-cour la vieille poule juste bonne à faire le jus ou le bouillon, ou le surplus de légumes nécessaire pour confectionner le bouillon que préconise Marc Veyrat[2]. Il lui suffit, comme le disait Denis[3] il y a vingt ans, de réserver à cet effet une journée par mois et de stocker le résultat de cette préparation au congélateur. Mais qui, en ville, a le temps et l'occasion de se livrer à ces activités? Peu, en vérité.

On voit d'ailleurs se dégager deux tendances dans la presse spécialisée en recettes. La première consiste tout simplement à éliminer celles qui contiennent des fonds. La seconde, à utiliser des produits industriels. Il en existe maintenant un certain nombre, vendus sous forme liquide ou en portions individuelles, emballées dans du papier métallique, ou encore en poudre. Le goût de ces préparations est de qualité variable. La lecture de leur contenu sur les étiquettes ne les rend pas particulièrement attractives, l'extrait maigre de veau ou de poulet n'y atteint que des proportions relativement faibles, l'essentiel étant constitué de produits dont la présence surprend le consommateur naïf. De plus, il n'est évidemment pas fait mention de l'origine ni de la qualité des ingrédients.

Doit-on dès lors frapper les fonds d'un ostracisme absolu? Les rejeter au nom du purisme et du respect de la nature des choses?

Il y a là une difficulté. D'un côté, il est facile d'émettre des interdits. De l'autre, doit-on cautionner une évolution qui conduirait à accepter toutes les approximations? La question mérite réflexion. En effet, dans certaines circonstances, l'addition de ces produits améliore la sapidité de l'ensemble mais n'apporte jamais finesse et subtilité. Il semblerait donc raisonnable de ne les utiliser que comme liquides d'appoint dans certaines préparations dont le goût final, net et tranché, provient essentiellement d'autres ingrédients, des épices fortes par exemple.

Doit-on renoncer à fabriquer ses propres fonds et bouillons? La réponse dépend des matières premières et du temps qu'on peut y consacrer. L'amateur n'a à sa disposition que relative-

1. Dans le respect de la réglementation, cela va sans dire.
2. *Fou de saveurs*, Hachette, 1994.
3. *La Cuisine*, Robert Laffont, 1975.

ment peu de déchets carnés. Il peut certes demander des os à son boucher, mais ce n'est qu'occasionnellement qu'il aura des carcasses de poulet, des pinces de crabe ou des bas morceaux de veau. Il est recommandé de les stocker au congélateur et de les utiliser lorsqu'il y en aura une quantité suffisante. On peut aussi s'organiser en programmant une série de repas gigognes qui fourniront, en bout de course, les éléments nécessaires.

En somme, le cuisinier ne peut rester passif. La plupart des recettes domestiques ne font usage ni du fonds blanc ni du fonds brun, ou autres bouillons. Les fabriquer nécessite un acte de décision, donc un projet. Car, en soi, ces ingrédients élémentaires de la cuisine professionnelle sont des armes à double tranchant. Il suffit d'ailleurs de lire ce que Michel Guérard, Freddy Girardet ou Marc Veyrat, entre autres, ont écrit sur le sujet pour, à leur suite, rester circonspect. Combien de sauces ne sont que l'addition du même fond et de quelques ingrédients plus ou moins bien choisis? Il y a une trentaine d'années, une certaine cuisine « d'hôtel » paraissait aussi répétitive et peu inspirée que le produit de certaines chaînes de restauration rapide aujourd'hui.

Il convient donc de bien savoir ce qu'on veut, et ce qu'on peut faire avec les fonds.

Un fonds se prépare en cinq phases :

1. On fait revenir aromates, viandes, poissons ou crustacés dans un corps gras.

2. On mouille l'ensemble, généralement avec de l'eau et on cuit (plusieurs heures) à petit feu.

3. On passe et on laisse refroidir pour pouvoir dégraisser.

4. On clarifie.

5. On concentre.

La première phase n'est pas très longue et peut se conduire en même temps que la préparation du repas. La seconde n'est guère réalisable dans le quotidien citadin. On peut la réserver à la cuisine dominicale. Une solution intéressante est de l'incorporer aux plats de la nuitée, c'est-à-dire de ces préparations qui cuisent à tout petit feu pendant la durée du sommeil. Comme indiqué au chapitre qui concerne ces derniers, il faut être sûr de la puissance de chauffe (ni trop chaud ni pas assez) de la plaque de cuisson ou du four et de leur sécurité (éviter le gaz). Il faut également que l'odeur du plat qui cuit n'incommode personne.

On peut, dans ces conditions, passer le contenu de la cocotte le lendemain matin, les autres opérations étant conduites le soir suivant.

La réalisation d'un fonds devient ainsi possible, même pour le citadin qui rentre tard le soir. Néanmoins, elle comporte suffisamment de contraintes pour n'être réalisée que lorsqu'on en a véritablement besoin.

Les bouillons sont une version simplifiée des fonds, c'est-à-dire qu'ils ne comportent pas la première phase de rissolage. On sait qu'il y a opposition, dans la confection du pot-au-feu, entre ceux qui commencent la cuisson à l'eau froide et ceux qui recommandent l'eau bouillante. La différence n'est pas anecdotique. Dans le premier cas, on privilégie la qualité du bouillon, dans le second celle de la viande [1]. La fabrication d'un bouillon a donc pour base un liquide froid et consiste à cuire lentement les ingrédients. Il va sans dire que, dans le cas du bouillon de légumes, il n'y a pas de temps de dégraissage. Néanmoins, la quantité de végétaux nécessaires pour obtenir un élément suffisamment concentré et sapide pour être ajouté aux sauces est relativement importante. Le dosage des herbes aromatiques éventuellement ajoutées est également délicat, le passage entre insuffisance et excès aromatique étant étroit.

LES JUS ET LES FUMETS

Que le mot jus est plein d'ambiguïté ! S'il est clair qu'un jus de pomme ou de citron est bien celui qui coule du fruit lorsqu'on le presse ou qu'on le centrifuge, il n'en est rien lorsqu'on parle d'un jus de crustacés ou de pigeon. Il s'agit dans ce dernier cas d'une sorte de fond, préparé en quantité relativement limitée et qui ne nécessite qu'un temps de cuisson court.

Les jus de fruits et de certains légumes sont utilisés principalement comme boissons. On peut toutefois les utiliser comme éléments de sapidité. Les agrumes, au premier rang desquels l'orange et surtout le citron, ont même acquis une place éminente. Il n'en est pas de même pour le jus de la majorité des autres fruits et des légumes. Pourtant, ils ont des goûts et des odeurs à fort potentiel culinaire. C'est bien ce que Marc Veyrat [2] a montré en proposant de servir des asperges cultivées avec un

---

1. Surtout quand on utilise des viandes de première catégorie comme dans le cas du bœuf à la ficelle.
2. *Fou de saveurs, op. cit.*

jus d'asperges sauvages légèrement modifié. De même trouve-t-on dans certaines recettes classiques des jus d'épinards et d'herbes culinaires diverses qui entrent dans la confection entre autres de la sauce verte, que La Reynière recommandait avec la truite de mer froide et à laquelle Denis proposait d'ajouter du jus d'ortie blanche. Néanmoins la gamme des jus de fruits et de légumes reste aujourd'hui un espace relativement peu exploré, et en tout cas peu utilisé.

En général, le mot jus employé dans une recette caractérise tout autre chose. Par exemple, un jus de viande n'est que rarement le jus qu'elle rend en cuisant. Parfois, cependant, c'est bien de cela qu'il peut aussi s'agir. Si bien que le jus peut être celui qui coule du gigot ou du poulet rôti, éventuellement mélangé avec de l'eau ou un autre liquide avec lequel on a gratté les sucs caramélisés dans le plat par la cuisson. Il peut n'être que le liquide de déglaçage, réduit, passé et dégraissé.

Il peut enfin être un produit complètement différent. Pour le fabriquer, on procède en plusieurs étapes :

1. On fait revenir au beurre ou à l'huile quelques aromates, oignon, ail, carottes, etc., finement émincés.

2. On fait rissoler les ingrédients avec lesquels on veut fabriquer le jus : coffres de crustacés, abats de pigeon ou de volaille, viandes et os divers.

3. On mouille avec du vin ou de l'alcool, on fait réduire quasiment à sec.

4. On ajoute de l'eau en quantité réduite et on cuit l'ensemble pendant 10 à 30 minutes.

5. On passe la cuisson au chinois en pressant fortement pour recueillir les éléments aromatiques.

On peut ensuite dégraisser et éventuellement passer le liquide recueilli à travers un filtre plus fin (une mousseline) pour obtenir un liquide plus homogène.

La confection de ces petits jus est aisée, elle permet d'utiliser des ingrédients qui ne sont pas directement consommables, mais qui comportent des propriétés gustatives fortes : têtes de crevettes, pattes et coffres de gros crustacés, barbes de coquilles saint-jacques, ailerons de volaille, etc. livrent au cuisinier la quintessence de leur sapidité avant de rejoindre dans la poubelle les autres restes.

Ces jus sont un élément important des repas gigognes. Ils ont également permis de rompre avec certaines traditions, ou plus exactement certaines habitudes. C'est ainsi qu'on a pu constater que les jus de viandes accompagnaient très bien les poissons, que les jus de crustacés rehaussaient certains plats de volaille (rappelant le traditionnel poulet aux écrevisses), etc.

Les jus sont rarement utilisés tels quels. Ils servent de base aux sauces, on y ajoute de la crème, du beurre, des jaunes d'œufs, du foie gras, ainsi que des herbes, des épices, du citron, ou tout autre ingrédient approprié.

Il y a en fait peu de différence entre les jus et les fumets. Le principe de ces derniers est le même : il s'agit de tirer le maximum de saveurs et des flaveurs des parties de l'aliment qui ne seront pas consommées. Les fumets peuvent être de poissons, de mollusques, de crustacés, de gibier et même de légumes. Le mode de préparation est le même que celui des jus. La quantité de liquide utilisée pour la cuisson finale est seulement plus importante. Il existe également des variantes dans la préparation.

Les fumets, passés et dégraissés, peuvent à leur tour être utilisés comme liquides de pochage ou de braisage. Ils servent également de base aux sauces d'accompagnement.

LES COURTS-BOUILLONS

Les courts-bouillons sont des liquides de pochage. On peut pocher les aliments à l'eau : les mouvements des particules solubles se feront vers le liquide, autrement dit il y aura perte de saveur. Selon les cas, ce phénomène pourra être négligé ou au contraire pris en considération.

Le principe du court-bouillon est d'effectuer un mouvement inverse. On ajoute donc à l'eau du sel, des herbes aromatiques ou des épices, du vin ou du vinaigre, des algues, des légumes, etc., bref, des éléments sapides dont la fonction est d'enrichir et d'agrémenter le goût de l'aliment mis à cuire.

Au terme de la cuisson, le court-brouillon peut, enrichi qu'il a été, servir à son tour de base à un potage ou encore être réutilisé pour la cuisson d'un autre aliment. On peut ainsi le concentrer peu à peu, pour lui conférer un goût complexe et délicat.

LES SOUPES

La soupe n'est plus à la mode. Dommage. Elle partage avec le chou, le pain et la pomme de terre la malédiction de rappeler les temps de pauvreté où elle constituait souvent le repas à elle seule, sorte de fourre-tout dans quoi la quantité d'eau chaude dépendait de la saison comme de la richesse ou de la misère. Sans compter les insipides bouillons de cuisine d'hôtel, et le triste ordinaire des réfectoires d'école ou de caserne. L'image populaire de la soupe est fortement misérabiliste.

A côté, on connaît les bisques, les consommés précieux, hier des cuisiniers des nobles et des bourgeois nantis, aujourd'hui des restaurants de luxe. Recettes longues et finalement difficiles à exécuter dans des conditions autres qu'exceptionnelles.

Alors on se rabat de temps en temps sur des soupes toutes prêtes, en boîte ou lyophilisées. Elles ne sont pas toujours mauvaises, d'ailleurs : nombre d'entre elles sont même tout à fait consommables avec un peu de crème, de beurre, d'herbes fraîches, d'œuf cru, etc.

Pourtant, ça peut être bien meilleur, une soupe, beaucoup plus goûteux, et finalement très simple.

Car tout peut se cuire en soupe, les légumes comme les poissons, les fruits comme la viande. La soupe peut être crue ou cuite, chaude ou froide, salée ou sucrée. Elle peut être entrée ou dessert, ou être intercalée entre deux plats, comme un trou normand.

Le composant principal de la soupe reste l'eau : l'eau qu'on ajoute pour faire cuire, l'eau de végétation, qui constitue 90 % du poids des fruits et des légumes frais, et l'eau des viandes qui en représente 80 %. La soupe est donc une autre manière de boire, et de boire chaud en général.

C'est pourquoi la soupe est de l'été comme de l'hiver : elle désaltère et elle réchauffe. On la retrouve dans les cuisines des pays froids, où l'apport calorique domine, et dans celles des pays chauds, avec des goûts souvent plus subtils : une *chorba bil allouch* tunisienne ou un *tom yam kung* thaïlandais offrent des plaisirs gustatifs sans commune mesure avec ceux de l'eau plate, même d'excellente origine. La soupe est diététique, basse en calories par nature.

Mais elle est tolérante : on peut l'enrichir de féculents et de corps gras. Sa structure peut être parfaitement fluide, légère, transparente, ou crémeuse et épaisse, ou comporter des morceaux de légumes, de poissons, de viandes, de petits croûtons, etc. La soupe se décline selon l'humeur et selon la saison en une multitude d'apparences, de couleurs, de goûts et de consistances.

Dans ce chapitre, nous n'envisageons que celles des soupes qui sont des transformations d'aliments, généralement mixés.

Ce sont des sortes de purées liquides. On trouvera d'autres recettes dans les divers chapitres de cet ouvrage.

Soupe bretonne au lard et au sarrasin

Pour 6 personnes
300 g de poitrine fumée
100 g de farine de sarrasin
30 g de beurre salé
sel
poivre
100 g de crème fraîche

> Couper la poitrine en lardons, les mettre à l'eau froide et les faire bouillir 1 ou 2 minutes.
> Délayer la farine avec de l'eau pour obtenir une pâte de la consistance d'une pâte à crêpes. La faire cuire 15 minutes avec le beurre salé, le sel et le poivre, à feu doux.
> Écumer si besoin.
> Faire sauter vivement les lardons pour bien les roussir.
> Verser la soupe dans la soupière. Ajouter la crème. Vérifier l'assaisonnement, ajouter les lardons.

Soupe de flageolets aux herbettes

Pour 8 personnes
400 g de flageolets
1 pomme de terre épluchée coupée en morceaux
3 échalotes épluchées
3 feuilles de sauge
1 brindille de sarriette
1 pincée d'asa foetida
sel
poivre
100 g de crème
1 cuillerée à soupe de cerfeuil ciselé
1 cuillerée à soupe de ciboulette finement hachée

Faire tremper les flageolets, s'ils sont secs, pendant 12 heures.
Les mettre à cuire 1 heure dans 2 litres d'eau avec la pomme de
terre, les échalotes, la sauge, la sarriette, l'asa foetida, le sel et
le poivre. Les flageolets doivent être bien cuits mais non éclatés.
Enlever la sauge et la sarriette.
Mixer la pomme de terre, les échalotes et les 3/4 des flageolets.
Mélanger la purée avec le reste de la soupe, ajouter la crème et
parsemer de cerfeuil et de ciboulette.

NB — *On peut de la même façon cuire d'autres sortes de haricots.*

Potage poireaux-pommes de terre

Pour 8 personnes
4 beaux poireaux
6 pommes de terre
sel
poivre
50 g de beurre
100 g de crème

Laver, éplucher les poireaux. Garder 2 centimètres de vert.
Laver, éplucher les pommes de terre, les couper en quartiers.
Mettre les légumes dans 1 litre et demi d'eau. Saler, poivrer,
cuire 30 à 40 minutes.
Mixer les légumes, mettre en soupière, ajouter le beurre et la
crème.

NB — *Un classique de ménage. On peut faire dorer au beurre les
poireaux et les pommes de terre. On peut aussi ne cuire que les poireaux à l'eau et ajouter la chair des pommes de terre cuites au four à
convexion ou au micro-ondes. On peut mettre des herbes aromatiques pendant ou après cuisson. On peut ne mettre que beurre ou
crème, ou n'en pas mettre. Ou utiliser une ou plusieurs huiles. Ou
ajouter d'autres légumes.*
*C'est aussi un exemple du peu de différence qu'il y a entre une
purée et un potage : avec beaucoup moins d'eau, la même recette
donne une purée d'excellente qualité.*

Soupe aux fanes de radis

Pour 6 personnes
6 pommes de terre de taille moyenne (80-100 g)
les fanes fraîches d'une botte de radis de belle taille
100 g de crème
sel
poivre blanc
quelques pluches de cerfeuil

Cuire les pommes de terre 4 minutes au four à micro-ondes, les éplucher et les écraser grossièrement à la fourchette (elles doivent être bien cuites).
Laver les fanes de radis.
Dans une casserole, mettre 1 litre d'eau chaude. Ajouter les pommes de terre et les fanes de radis. Saler et poivrer. Monter à ébullition.
Cuire 2 minutes. Ajouter la crème. Cuire encore une minute.
Mixer l'ensemble. Rectifier l'assaisonnement. Servir en soupière, parsemer le cerfeuil.

NB — *Une formule express grâce à la cuisson combinée.*

Crème de persil

Pour 4 personnes
3 échalotes grises épluchées finement émincées
500 g de persil plat ou frisé
20 g de beurre
200 g de crème
sel
poivre

Cuire doucement les échalotes dans le beurre pendant 5 minutes dans une cocotte.
Pocher le persil à l'eau bouillante salée pendant 5 minutes. Égoutter soigneusement.
Ajouter le persil et la crème dans la cocotte. Mélanger. Saler, poivrer. Cuire doucement pendant 10 minutes.
Mixer pour obtenir une crème mousseuse et légère. Éventuellement passer à l'étamine.

NB — *Selon la consistance on peut en faire une soupe ou une purée.*

1050

Soupe mousseuse de courgettes aux rubans de fleur et à la ciboulette

Pour 6 personnes
1 kilo de courgettes
200 g de pommes de terre pour purée (Bintje, Urgenta, etc.)
100 g de crème fraîche
sel
poivre
4 fleurs mâles de courgette

Laver les courgettes, ne pas les éplucher mais enlever le pied et la partie toute terminale (l'origine de la fleur femelle).
Éplucher les pommes de terre.
Couper les légumes en gros dés, les cuire 15 à 20 minutes à l'eau salée. Passer légumes et eau de cuisson au mixer. Passer la purée ainsi obtenue au tamis.
Battre la crème légèrement au fouet ou à la fourchette. L'ajouter à la soupe en tournant.
Saler, poivrer, rectifier l'assaisonnement. Mettre en soupière.
Laver les fleurs, enlever leur pédoncule, les découper longitudinalement en une multitude de petits rubans jaune d'or. Ciseler la ciboulette. Ajouter fleurs et ciboulette sur la soupe.

NB — *Selon la quantité d'eau on obtient une soupe ou une purée.*

Gaspacho

Pour 6 personnes
800 g de tomates bien mûres épluchées, épépinées et hachées grossièrement en récupérant l'eau de végétation
1 petit concombre épluché, épépiné et grossièrement haché
1 poivron rouge épluché, équeuté, épépiné et grossièrement haché
100 g d'oignons doux épluchés et finement émincés
1 gousse d'ail épluchée, dégermée et râpée
100 g de mie de pain coupée en petits morceaux, en faisant attention à ne pas la presser
sel
poivre
1 œuf
20 ml d'huile d'olive
vinaigre de vin

Mixer l'ensemble des légumes. Arrêter le mixer.

Ajouter la mie de pain et la laisser reposer 15 minutes.

Mixer à nouveau. Saler et poivrer. Goûter.

Battre l'œuf et l'huile à la fourchette. Ajouter dans le bol du mixer. Battre à nouveau.

Rectifier l'assaisonnement. Ajouter du vinaigre selon son goût. Passer au chinois.

Mettre 1 heure au réfrigérateur. Servir glacé.

NB — *Soupe espagnole d'été aux multiples variantes avec lesquelles on peut servir de petits crustacés poêlés et qu'on peut agrémenter d'herbes diverses.*

LES PURÉES DE LÉGUMES

Tout le monde connaît la purée, celle des enfants et des malades, la nourriture sans goût, sans consistance et dont on pourrait penser qu'elle a été faite pour les édentés. La purée de pommes de terre, bien sûr, pourquoi pas précuite, en flocons blanchâtres ? Et puis, il y a la purée de pommes de terre dont s'enorgueillit chacun de nos grands chefs, avec sa sélection de variétés et de cultivars, sa manière de les écraser sans qu'elles collent, sa quantité de crème, de beurre et les arômes subtils, épices ou aromates, parfois du jaune d'œuf, servie telle quelle ou gratinée, seule, maîtresse et triomphante, ou en subtil complément d'une viande, d'une sauce.

C'est dire que selon votre choix, votre inspiration, la purée sera princière ou misérable.

La purée de légumes pose un problème simple : les légumes sont faits de 90 % d'eau environ et ne comportent généralement que des sucres, ou presque. La structure du légume lui assure une consistance et un goût spécifique. La réduction en purée brise cette présentation naturelle et révèle tout d'abord le composant principal : l'eau. Les purées sont donc souvent aqueuses, diluées. De plus, le goût du légume peut apparaître unidimensionnel, sans longueur, sans subtilité. Il importe donc tout d'abord de « sécher » la purée lorsque la consistance apparaît trop liquide en la faisant cuire à sec (en remuant pour qu'elle n'attache pas) jusqu'à obtenir la consistance souhaitée. Dans un deuxième temps, il faut généralement ajouter un composant complémentaire, par exemple des fruits ou des corps gras. Ces derniers sont de loin les plus employés.

Résultats : les purées sont généralement très riches en calories et, comme elles ne demandent pas de travail de mastication, on a tendance à en consommer beaucoup. Attention à la prise de poids.

Purée de pommes de terre

Pour 4 personnes
1 kg de pommes de terre type Bintje ou Urgenta, lavées et épluchées
350 g de beurre coupé en morceaux de 20 g
250 ml de lait
sel

Cuire les pommes de terre à l'eau salée pendant 20 à 30 minutes selon leur taille (elles doivent être facilement traversées par une aiguille).
Les égoutter. Les écraser à la fourchette et les passer au moulin à légumes, grille fine.
Mettre la purée dans une casserole. Placer cette dernière sur le feu pour la dessécher. Ajouter peu à peu le beurre en remuant (comme pour une pâte à choux) puis, peu à peu, le lait.
Rectifier l'assaisonnement. Servir aussitôt (ou utiliser pour un hachis Parmentier).

NB — *Le type de pommes de terre peut être différent puisque Joël Robuchon utilise des rattes. On peut aussi accélérer le processus en cuisant les pommes de terre au four à micro-ondes — dans ce cas, on les épluche après cuisson.*

Purée d'épinards aux 4 coings du jardin

Pour 4 personnes
4 petits coings de jardin
1 bon kg d'épinards
sel
poivre

Éplucher les coings, les couper en quartiers, les faire cuire dans suffisamment d'eau pour les recouvrir pendant 30 minutes.

Nettoyer soigneusement les épinards. Les équeuter.

Faire bouillir de l'eau et du sel dans une grande bassine. Y jeter les épinards. Cuire 1 ou 2 minutes après la reprise de l'ébullition. Retirer les épinards et les mettre dans une casserole d'eau glacée pour les refroidir et leur garder leur couleur.

Mixer ensemble les épinards et les coings. Passer la purée au chinois.

Si la purée apparaît trop liquide, la mettre à sécher en faisant attention à éviter qu'elle noircisse. Saler, poivrer.

NB — *Si on a comme coing le Monstrueux de Vranja, on n'en utilisera que 1 ou 2.*

Purée de poireaux

Pour 4 personnes
1 kg de poireaux
150 g de beurre
sel
poivre

Nettoyer soigneusement les poireaux.

Faire bouillir de l'eau salée. Y cuire les poireaux pendant 10 à 15 minutes.

Retirer les poireaux, les égoutter, les presser pour faire sortir l'excès d'eau.

Les couper en rondelles et les passer au mixer, au besoin avec un peu de liquide de cuisson.

Passer la purée au chinois.

La mettre dans une casserole et monter le feu en remuant pour sécher la purée en évitant qu'elle ne s'accroche au fond de la casserole.

Lorsque la purée a atteint la consistance souhaitée, ajouter le beurre peu à peu par morceaux de 10 grammes en battant la purée avec un fouet pour la faire mousser.

Saler, poivrer.

LES JEUX DU FROID

Si le chaud modifie la structure des aliments, c'est également le fait du froid. Toutefois, il ne s'agit pas d'un changement symétrique. La cuisson chaude altère la composition physico-chimique et crée de nouveaux composés en sorte que, au terme des opérations, apparaisse un ensemble aromatique différent, et ce de façon irréversible.

Le froid est utilisé principalement pour une raison inverse, c'est-à-dire pour essayer de conserver l'aliment sans le modifier. Ce n'est pas toujours le cas, ce qui explique que la surgélation restitue les qualités de certains produits d'une manière quasiment identique à celles du frais, alors qu'elle en détériore d'autres de façon plus ou moins importante. Une des raisons est la présence d'eau, qui représente la plus grande partie des viandes, des poissons et des végétaux. Selon les cas, il y a ou non destruction de la structure de l'aliment.

A côté de sa fonction de conservation, le froid moins intense est utilisé pour aider à la maturation des viandes, en particulier du bœuf : il faut 1 à 3 semaines pour atteindre l'optimum gustatif. Bien sûr, le froid modéré est très utilisé pour conserver les aliments car les réactions chimiques qui sont responsables de leur altération y sont ralenties.

Il y a enfin le froid recherché pour lui-même, pour les sensations gustatives qu'il procure. Les formes les plus courantes sont les sorbets, généralement faits de jus de fruits additionnés de sirop de sucre, et les crèmes glacées qui ont pour élément de base une crème cuite, type crème anglaise, que l'on parfume à la vanille, au café, au chocolat, etc., ou que l'on additionne de divers fruits, d'alcool, de noix ou d'amandes, de pain d'épice, de macarons écrasés, de meringue italienne, etc. Les produits sont placés dans une sorbetière au freezer ou au congélateur.

Un troisième type de crème glacée est fait de crème fouettée sucrée additionnée de purée de fruits, d'alcool, de vanille, de café, de chocolat, etc. Enfin, une forme amusante consiste à faire cristalliser un vin doux naturel en le mettant au congélateur dans un récipient et en le remuant avec une fourchette assez fréquemment dès qu'il commence à geler. On obtient ainsi un tas de paillettes qui peuvent agrémenter une préparation sucrée ou être servies en trou normand.

LES CRÈMES DE FRUITS, SOUFFLÉS GLACÉS, SORBETS, ETC.

Ce sont des desserts très simples, tous conçus sur le même principe. On écrase la pulpe des fruits bien mûrs et on la passe à travers un chinois. On mélange cette purée avec du sirop de sucre ou de la crème chantilly plus ou moins sucrée. L'ensemble peut être mis au congélateur : on obtient alors un sorbet ou un soufflé glacé. On peut ajouter un peu de gélatine diluée dans de l'eau tiède si on souhaite donner une consistance légèrement ferme et molle. On peut bien sûr varier à l'infini ces recettes de base en ajoutant de l'alcool, des fruits confits, en décorant avec des fruits frais, des coulis, des crèmes aromatisées, etc. A chacun d'exercer son imagination et son sens des combinaisons gustatives et visuelles car la méthode est inratable. Se rappeler toutefois que ce traitement ne convient pas aux fruits trop aqueux (les agrumes par exemple) ni à ceux de consistance trop ferme (fruits peu mûrs, pommes, litchis).

Sorbet aux fraises

Pour 6 personnes
500 g de fraises équeutées et lavées
400 g de sirop de sucre
1 citron

> Mixer les fraises à petite vitesse. Passer la purée au tamis fin pour retenir les petits grains.
> Mélanger la purée de fraises, le sirop et le jus de citron et mettre à turbiner dans une sorbetière placée au congélateur pendant 25 minutes.

NB — *On prépare de la même manière divers autres sorbets : petits fruits rouges et noirs, agrumes (on dilue plus ou moins le jus selon l'acidité du fruit), fruits à noyau et divers fruits exotiques. La proportion relative entre purée de fruits et sirop dépend à la fois de la maturité des ingrédients et du goût recherché — plus sucré pour un dessert, plus aigre pour un trou normand.*

LES JEUX DU FROID, DU TIÈDE ET DU CHAUD

Sous ce titre se cache un mode de cuisson classique, qu'on trouve chez Escoffier[1], mais développé ces dernières années par Marc Meneau[2], qui exerce à Saint-Père et qui trouve son inspi-

1. *Le Guide culinaire*, Flammarion, 1921.
2. *La Cuisine en fêtes, op. cit.*

ration face à ce monument de la spiritualité occidentale qu'est l'église, ou la basilique, de Vézelay.

Il s'agit d'une utilisation subtile de la transformation de la nature physique de certains aliments avec le feu et avec le froid. Marc Meneau présente ainsi du beurre frit — c'est-à-dire du beurre malaxé à température normale et façonné en boulettes — proche à vrai dire du beurre rôti à la landaise de Vuillemot, rapporté par Alexandre Dumas[1].

Ces boules sont mises à durcir au réfrigérateur, puis panée à l'anglaise, c'est-à-dire deux fois avec du jaune d'œuf, et enfin frites. En les crevant, on libère un beurre fondu et « frit ». De même Marc Meneau prépare-t-il des croque-en-bouche avec une crème de foie gras. C'est le même principe qui est utilisé pour fabriquer les dragées de gousses d'ail de Jacques Maximin[2].

On retrouve aussi des recettes de glace frite, dans lesquelles on les enrobe d'un matériel à friture (il faut dans ce cas que la glace soit vraiment très froide et de grande taille), et d'autres dans lesquelles elles sont entourées d'une préparation à base de blancs d'œufs battus : c'est l'omelette norvégienne.

On voit ainsi que le jeu de la succession ou de la juxtaposition des contraires — ici le chaud, voire le brûlant, et le froid ou le très froid — permet de préparer certains mets, amuse-gueule et desserts originaux, amusants, étonnants et parfois réellement élaborés et subtils. Ils demandent cependant un peu d'attention et, si on veut innover, de créativité.

JUS MÉLANGÉS DE FRUITS ET DE LÉGUMES. COCKTAILS

Parmi les formes les plus usuelles de transformations, il faut considérer les changements de consistance et d'apparence que prennent fruits et légumes lorsqu'on les soumet à l'action mécanique et brutale des presse-agrumes, mixers et autres centrifugeuses. Que les agrumes, le raisin ou la tomate se transforment en jus ne surprend guère, vu leur texture. Mais il n'en est pas de même des carottes ou du céleri. Il est vrai que le chimiste sait que ces aliments sont faits d'eau pour l'essentiel, mais cette vérité n'est guère apparente.

1. *Petit Dictionnaire de cuisine, op. cit.*
2. *Couleurs, Parfums et Saveurs de ma cuisine, op. cit.*

Le jus de fruit ou de légume peut être servi tel quel, avec ou sans assaisonnement — le sel de céleri classiquement associé au jus de tomate par exemple.

Il peut aussi être mélangé à d'autres, dans ce cas il est parfois malaisé de discerner la contribution relative de chacun. Une marque commerciale présente un mélange de huit légumes dont le goût est proche de celui de la tomate. Les sept autres jouent apparemment le rôle d'aromate, de faire-valoir.

Jus de fruits et de légumes peuvent aussi être mélangés avec des boissons alcoolisées, ils participent à une kyrielle de cocktails dont certains sont devenus emblématiques de leur pays d'origine : caïpirinha du Brésil, daïquiri et punch des Antilles, etc. D'autres sont des grands classiques internationaux (Bloody Mary). Il est enfin des cocktails dans lesquels on ne trouve pas de fruits ni de légumes.

Jus et mélanges sans alcool

Citronnade. Il en existe de multiples recettes. Quelques exemples :

1re recette. La plus simple, consiste à mélanger 1 litre d'eau avec le jus de 3 citrons et 50 grammes de sucre. On obtient six verres de citronnade que l'on sert avec des glaçons.

2e recette. (Mêmes proportions.) On utilise du sucre en morceaux que l'on frotte sur la peau des citrons — non traités, cela va de soi — et on procède comme ci-dessus.

3e recette. (Mêmes proportions.) On prélève le zeste. On fait bouillir pendant 2 minutes zestes, eau et sucre. On laisse refroidir. On filtre et on sert froid avec des glaçons.

4e recette. C'est la même que la troisième, à laquelle on ajoute du jus de citron pressé en quantité variable selon son goût au moment de servir.

Orangeade. Se prépare comme la citronnade. Selon la qualité des oranges, on en utilise un plus ou moins grand nombre. Il est parfois nécessaire de relever l'ensemble en ajoutant un jus de citron.

Jus d'orange et citron. C'est un mélange de jus de ces deux agrumes. Par personne, compter 2 oranges et 1 citron (ou 1/2 seulement, selon le goût de chacun).

Cocktail pêche et citron. Pour 6 personnes : mélanger un jus de citron avec 250 millilitres de jus de pêche mûre obtenu à la centrifugeuse, 100 grammes de sirop de canne à sucre, 1 litre d'eau pure et des glaçons.

Sur le même modèle, on peut utiliser cerises, abricots, petits fruits rouges, raisins, grenades, ananas, fruits exotiques ou autres, remplacer le citron par l'orange ou les additionner, aromatiser avec de la menthe, de la verveine, de l'eau de fleur d'oranger, de la cannelle, de la vanille, du gingembre frais, etc. Les variations sont infinies. On peut aussi préférer une eau gazeuse plus ou moins pétillante.

Cocktail de pêches et de fruits au lait et au sirop d'érable. Pour 6 personnes : 10 pêches, 250 grammes de fraises, 500 millilitres de lait, 100 millilitres de sirop d'érable.

Éplucher les fruits. Passer l'ensemble au mixer. Servir avec des glaçons ou de la glace pilée.

A partir de cette recette mère, on peut varier le type de fruit, modifier les proportions, remplacer le sirop d'érable par du sirop de canne à sucre, du miel, du sucre de palme, ajouter des herbes aromatiques ou des épices, allonger avec de l'eau gazeuse, acidifier avec des jus d'agrumes, etc.

Jus et mélanges alcoolisés

Bloody Mary. Par personne : mélanger 200 millilitres de jus de tomate, 40 millilitres de gin ou de vodka, un trait de Tabasco. Servir avec des cubes de glace et 1 tranche de citron.

Caïpirinha. Par personne : écraser 1/2 citron vert dans un verre. Ajouter 20 millilitres de sirop de canne à sucre, 40 millilitres de *cachaça* (sorte de « rhum » blanc du Brésil). Mélanger. Compléter avec de la glace pilée.

Batida de coco. Par personne : mélanger 20 millilitres de crème de coco, 40 millilitres de cachaça. Compléter avec de la glace pilée.

Piña colada. Par personne : mélanger dans un shaker 40 millilitres de rhum blanc, 100 millilitres de jus d'ananas, 20 millilitres de crème de coco et 100 grammes de glace pilée. Secouer énergiquement et servir.

Margarita. Par personne : Mélanger dans un shaker 40 millilitres de tequila, 20 millilitres de Cointreau, le jus de citron vert et 150 grammes de glace pilée. Secouer énergiquement et servir dans un verre dont on aura auparavant humidifié le bord avant de le placer sur du sel grossièrement concassé : il se forme une couronne de sel sur le bord du verre.

Mint julep. Par personne : 6 feuilles de menthe, 20 millilitres de sirop de canne à sucre, 50 millilitres de rhum blanc, jus de 1/2 citron vert. Écraser les feuilles de menthe dans le fond du verre, ajouter l'ensemble des ingrédients. Bien mélanger. Compléter avec de la glace pilée.

Martini à l'américaine. Par personne : mélanger 20 millilitres de vermouth blanc avec 80 millilitres de gin. Ajouter 1 petite olive verte. Les ingrédients doivent être bien froids. Servir avec un cure-dent pour attraper l'olive.

Daïquiri. Par personne : mélanger 40 millilitres de rhum blanc, 20 millilitres de jus de citron et un peu de sirop de canne à sucre. Compléter avec de la glace pilée.

Punch au citron vert. Même recette que la caïpirinha. Remplacer la cachaça par du rhum blanc.

Long drinks

Ce sont des boissons alcoolisées allongées avec des liquides pétillants ou des jus de fruits qui se servent dans de grands verres à haut bord.

Screw driver. Par personne : mélanger 40 millilitres de vodka et 150 millilitres de jus d'orange. Servir avec des cubes de glace.

Gin tonic. Par personne : mélanger 40 millilitres de gin et 150 millilitres de tonic. Servir avec des cubes de glace et une tranche de citron.

Gin fizz. Par personne : mélanger le jus de 1/2 citron, 40 millilitres de gin, 1 cuillerée à café de sucre. Compléter avec du soda. Servir avec des cubes de glace et 1 tranche de citron.

Americano. Par personne : mélanger 40 millilitres de Campari, 100 millilitres de vermouth rouge. Compléter avec du soda. Servir avec des cubes de glace et 1 tranche de citron.

Planteur. Pour 10 personnes : mélanger 500 millilitres de jus d'orange, 500 millilitres de jus d'ananas, 1 litre de rhum blanc et 500 millilitres de sirop de canne à sucre. Servir très frais avec de petits morceaux de fruits : ananas, cerise à l'eau-de-vie, etc. (Le résultat est bien meilleur avec des jus de fruits frais. Faire attention, il est aisé de trop boire de tels mélanges. Gare aux lendemains de peine !)

Sangria. Pour 10 personnes : mélanger 2 litres de vin rouge, 50 à 200 grammes de sucre, ajouter 1 bâton de cannelle, 3 clous de girofle et 20 grains de poivre. Cuire à petit feu pendant 10 minutes. Laissez refroidir. Ajouter 30 oranges coupées en roudelles et 1 kilo de fruits divers épluchés et coupés en petits morceaux (pêches, abricots, bananes, etc.). Placer au réfrigérateur pendant 2 bonnes heures. Ajouter 1/2 litre d'une eau gazeuse. Servir très frais.

Comme on l'a indiqué dans la première partie de cet ouvrage, on peut contrefaire les apparences. Une manière amusante de semer le doute dans l'esprit des invités, sans malice.

Andouillettes contrefaites

Pour 6 personnes
1 livre de pommes de terre
4 gousses d'ail
1 kg de potiron épépiné et épluché
4 œufs entiers et 2 jaunes
100 gr de crème fraîche
herbes diverses (ciboulette, persil plat, cerfeuil, etc.) finement émincées
200 g de champignon de Paris (poids lavé et épluché)
sel
poivre
farine
chapelure de pain

Cuire les pommes de terre 4 à 6 minutes au four à micro-ondes. Cuire l'ail non épluché et le potiron coupé en gros dés 15 minutes à la vapeur.
Cuire durs 4 œufs (10 minutes), les écaler après les avoir refroidis.
Émincer les champignons et les faire sauter 5 à 6 minutes au beurre. Passer la chair des pommes de terre, l'ail, le potiron, les œufs durs et les champignons au presse-purée ou au tamis. Bien mélanger la purée obtenue.
Ajouter la crème, les herbes, saler, poivrer. On obtient une purée assez épaisse.
Mettre les jaunes d'œufs dans une assiette creuse. Les battre avec 2 cuillerées à soupe d'eau.
Façonner des cylindres ressemblant à des andouillettes.
Rouler les andouillettes dans la farine, puis les passer dans le jaune d'œuf et finalement dans la chapelure.

1061

Faire dorer au beurre ou griller en retournant prudemment les andouillettes pour ne pas les briser.
Mettre dans un plat et servir parsemé de cerfeuil.

NB — *Pour faire plus « vrai », on peut ajouter une sauce : faire blondir au beurre 4 échalotes finement émincées. Ajouter 50 millilitres de vin blanc (vouvray par exemple). Saler et poivrer. Faire réduire de moitié. On obtient ainsi de fausses andouillettes au vouvray parfaitement convaincantes. Une recette inspirée de celle de Bonnefous (1654), rapportée par Céline Vence et Robert J. Courtine dans* Les Maîtres de la cuisine française, op. cit.

Faux escargots

Pour 4 personnes
2 filets de canard
beurre mou
ail
basilic
sel
poivre
chapelure

Détailler les filets de canard en morceaux de la taille d'un escargot. Les placer dans les creux d'un plat à escargots.
Mélanger le beurre, l'ail épluché (germe enlevé) et écrasé au mortier ou coupé en dés minuscules, le basilic très finement coupé, le sel et le poivre.
Recouvrir chaque « escargot » avec le beurre. Parsemer de chapelure.
Passer au gril.

Steak à l'ivrogne

Pour 2 personnes
300 ml de vin rouge
6 échalotes épluchées et finement émincées
sel
poivre
1 tranche de thon de 2 cm d'épaisseur
1 cuillerée à café d'huile d'olive vierge
100 g de beurre
persil ciselé

Faire chauffer le vin rouge dans une casserole, le faire flamber puis réduire d'un bon tiers (il reste 150 à 200 millilitres). Ajouter les échalotes, saler, poivrer, cuire à petit feu pendant 10 minutes. Huiler le steak de thon. Le mettre sur le gril très chaud 2 minutes de chaque côté en le quadrillant. Ajouter le beurre en petits morceaux dans le vin en fouettant. Mettre le steak sur un plat. Récupérer les échalotes dans la sauce avec une petite passoire et les disposer sur le steak. Verser la moitié de la sauce, le reste en saucière. Parsemer de persil et servir.

NB — *Pour faire plus convaincant, il faut s'assurer qu'il ne reste plus de peau ni d'arêtes.*

Tajine « poisson » (Tadjin el hout)

Pour 6 personnes
400 g d'épaule d'agneau dégraissée coupée en 8 morceaux
4 cuillerées à soupe d'huile d'olive
3 oignons de petite taille épluchés et hachés très fins
1 gousse d'ail épluchée, dégermée et finement râpée
1 tomate pelée, épépinée et coupée en petits cubes
2 cuillerées à café de ras el hanout
2 cuillerées à café de cumin en poudre
sel
poivre
1 œuf
2 biscottes pilées
500 g de viande d'agneau hachée
farine
vinaigre

Faire revenir à feu moyen dans la moitié de l'huile les morceaux d'épaule avec 2 oignons, l'ail, la tomate, la moitié du ras el hanout et du cumin, sel et poivre. Lorsque la viande est dorée, mouiller à hauteur avec de l'eau. Couvrir. Cuire à feu moyen pendant 1 heure.
Mélanger le reste du ras el hanout et du cumin, l'œuf, le

1063

troisième oignon et les biscottes avec la viande hachée. Saler et poivrer.

Former 12 boulettes allongées, en forme de poisson.

Passer les boulettes dans la farine. Les faire frire dans le reste de l'huile. Les égoutter sur du papier absorbant pour éliminer l'excès d'huile. Ajouter les boulettes dans le plat de viande. Laisser réduire à découvert pendant 15 minutes.

Mettre les morceaux de viande et les boulettes sur un plat. Ajouter un trait de vinaigre à la sauce. La verser sur la viande.

NB — *Un plat de poisson sans poisson originaire de l'Est algérien. C'est un plat de fêtes. Il est ainsi appelé parce que l'association d'épices est celle utilisée pour un poisson. L'origine de ce plat masqué plutôt que contrefait serait intéressante à connaître. (Recette de Meriem et Ennoufous Bedaïria.)*

Quatrième Partie

A table

1

Quand faut-il manger?

Existe-t-il un rythme normal, une répartition idéale de l'alimentation dans la journée? On peut présumer qu'il n'y ait pas de réponse simple et univoque si on compare les habitudes des Français et celles des Anglo-Saxons. La composition des repas, leurs horaires, la répartition des diverses sources d'énergie — sucres, graisses et protides — sont tellement différents entre ces deux peuples séparés par les trente-deux kilomètres de la Manche qu'on est forcé de constater que la seule caractéristique commune est l'existence d'un fractionnement de la prise alimentaire. Il ne semble pas exister, sauf en cas de nécessité, de règle religieuse (par exemple au cours du ramadan) ou de disette, d'exemple de peuple qui consomme sa nourriture en une seule fois. On peut dire que l'étalement des repas au cours de la quinzaine d'heures où l'homme est éveillé est commune aux diverses cultures.

Les divergences tiennent au contenu et aux horaires, et conduisent à s'interroger sur la rationalité de ces différences. Existe-il un rythme qui serait commun à tous, qui serait celui de l'homme « en soi »? Des expériences menées en Allemagne il y a une trentaine d'années ont apporté des informations à ce sujet. Trois volontaires furent enfermés dans un appartement souterrain, privé de connexions avec l'extérieur, et pourvus de nourriture, boissons, livres, etc. Le rythme du jour et de la nuit pouvait être modifié à volonté par les expérimentateurs (la lumière centrale était réglée par eux; en cas de « nuit », les sujets pouvaient allumer la lumière comme dans la vie normale). En allongeant ou en raccourcissant progressivement la durée du nyctémère au-delà ou en deçà des vingt-quatre heures normales, les sujets prirent ensemble leurs repas jusqu'à ce que la différence soit de l'ordre de deux heures. Chacun reprit alors un rythme personnel, situé entre 23 et 25 heures de période, en sorte qu'au bout de quelques jours, ils se retrouvèrent tous trois ensemble à table, l'un pour le petit déjeuner, le second pour le déjeuner alors que le dernier dînait. Ces différences, bien évidemment, ne concernaient pas que l'ingestion alimentaire, mais aussi les autres activités.

Il y a donc un rythme optimum chez chacun, qui est compatible avec des horaires communs jusqu'à un certain seuil. Ce phénomène étant également retrouvé chez les oiseaux, on distingue les *early birds* et les *late birds* selon le rythme de leur mode de vie. Certains se lèvent immédiatement éveillés et sont prêts à se jeter sur la nourriture, quand d'autres restent beaucoup plus longtemps embrumés et sans appétit. Inversement, ceux-ci se sentent en pleine forme le soir alors que les premiers ont du mal à rester éveillés.

Ainsi y a-t-il des différences culturelles mais aussi biologiques. Il faut y ajouter les contraintes liées au travail, aux horaires et à l'éloignement éventuel du lieu d'habitation. Et celles liées aux voyages de longue distance. Un commerçant de primeurs travaillant seul ou avec son épouse dispose d'une liberté d'horaires beaucoup plus grande que celle de l'employé de la SNCF qui fait les trois huit.

On constate toutefois une évolution vers la disparition progressive de l'arrêt de la mi-journée, traditionnel en France, et son remplacement par la halte anglo-saxonne — juste le temps d'ingurgiter une nourriture industrielle et stéréotypée —, pour rentrer plus vite chez soi l'après-midi, préparer le repas du soir qui devient ainsi le seul temps convivial de la journée.

On peut douter du bien-fondé de ce rythme pour l'organisme humain. On sait que les maladies cardiovasculaires sont beaucoup plus fréquentes dans les pays anglo-saxons que dans le pourtour méditerranéen — d'où la faveur actuelle du régime dit méditerranéen : pain, vin, huile d'olive. Le rythme méditerranéen comporte un arrêt de longue durée à midi, pour un repas convivial et consistant, préparé à la maison, consommé en commun avec les enfants, le conjoint et éventuellement d'autres parents. Suivi d'une sieste réparatrice. En sorte que l'après-midi apparaît comme une deuxième demi-journée aussi efficace que la première.

Il ne faut pas rêver, le choix du rythme de travail et de l'alimentation dépend avant tout des contraintes sociales. Néanmoins, on constate que l'évolution actuelle se fait dans un sens néfaste au bien-être et à la santé, ne serait-ce que parce que la nourriture consommée le soir est beaucoup plus largement transformée en graisse, comme si l'organisme reconnaissait que les besoins d'énergie étant moindres au cours du sommeil, il convenait de ranger les excédents dans les stocks lipidiques.

On le voit, la réponse à la question posée est complexe et dépend de facteurs multiples, dont certains peuvent être modifiés individuellement, alors que d'autres échappent à la volonté de chacun.

Combien de fois par jour doit-on se nourrir? Il n'y a pas de réponse unique car les besoins de chacun ne sont pas les mêmes. On ne saurait comparer l'adolescent en pleine croissance, le travailleur de force, le sportif de haut niveau, le sédentaire actif et l'octogénaire vivant dans une maison de retraite. Le nombre de repas peut donc varier de trois — chiffre minimum et en même temps adapté à la plupart des individus — à cinq chez ceux qui ont des besoins accrus. Notons cependant qu'il faut se tenir à un nombre fixe et ne pas « grappiller » en dehors des repas. De même faut-il également considérer la structure physique des aliments. Si on veut affamer un vieillard malade et édenté, il suffit de lui présenter de la viande bien coriace : quelques mouvements mandibulaires et il s'arrête, ayant dépensé le peu d'énergie dont il dispose à essayer de rompre la structure fibreuse de l'aliment. Inversement, il suffit de consommer régulièrement des crèmes suaves et riches pour, en fin de journée, avoir ingurgité un nombre impressionnant de calories dont un bon nombre douillettement rangées sous forme de ces bourrelets graisseux que le rondouillard exhibe en se plaignant du sort que lui résume la nature, à lui qui ne mange pas tant qu'on croit.

Se nourrir avec régularité, à horaire régulier, sans prise extérieure, avec un meilleur équilibre entre repas du midi et du soir, en prenant son temps, telles sont, semble-t-il, les réponses modestes que l'on peut apporter à l'interrogation initiale.

Dans les chapitres suivants nous reprendrons l'ordre classique des repas français, petit déjeuner, collation matinale, déjeuner, goûter et souper.

2

Le petit déjeuner

Les hôtels internationaux proposent au voyageur le choix entre deux petits déjeuners : le continental et l'américain. Le premier comprend au choix café, chocolat ou thé, du lait, du pain ou des biscottes, un croissant, du beurre, du miel et des confitures. Le café, originaire d'Éthiopie, fut longtemps la boisson des Arabes (d'où le nom d'arabica donné à une de ses variétés). Il n'a commencé à pénétrer réellement la France qu'au xviie siècle, de façon à vrai dire anecdotique, comme un divertissement réservé aux aristocrates — Racine passera comme le café, déclarait une Mme de Sévigné mal inspirée[1]. Cependant il fallut longtemps pour qu'il pénètre les demeures des humbles. Le chocolat est américain et il a également pris du temps pour passer de son état de racine amère à son image actuelle, onctueuse et sucrée. Quant au thé, originaire de Chine, on conçoit qu'il n'ait pas été très répandu chez nos aïeux. Le croissant, comme chacun sait, fut inventé par les pâtissiers viennois pour célébrer la levée du siège que les Turcs menèrent au xviie siècle : le croissant de lune était l'étendard des Ottomans.

Ainsi, les éléments les plus typiques de ce petit déjeuner continental, qui est en fait français car le croissant est, en changeant de mode de fabrication (pâte feuilletée levée), devenu un des symboles de notre pays, sont d'importation récente. Seuls le pain, le beurre, le miel et les confitures restent traditionnels.

Le petit déjeuner américain ne comporte pas de croissant mais des œufs, du bacon, des saucisses, des pommes de terre sautées (*hash brown*), des jus de fruit, du fromage, des crêpes ou des pancakes.

1. Cette célèbre citation est en fait, vraisemblablement, une fabrication attribuée *post mortem*.

Curieusement, il est beaucoup plus proche de ce que mangeaient nos ancêtres. Tout d'abord, il y avait la soupe — le lait était pour les enfants — du pain et des charcuteries et éventuellement du fromage. Ainsi rassasié, on pouvait partir aux champs.

Quelle est la meilleure façon de commencer la journée? Faut-il faire un vrai repas comme les Américains, se contenter de la frugale biscotte[1] ou prendre une position intermédiaire? Ce n'est pas simple à trancher.

Tout d'abord, il faut considérer le type d'activité et l'âge. Un travailleur de force, un enfant en pleine croissance ont des besoins énergétiques plus importants. Et puis, il existe des variations individuelles selon qu'on est du soir ou du matin. Selon le déroulement de la journée de travail aussi : dans certaines entreprises, il est d'usage de prendre une collation en milieu de matinée, alors que la plupart des employés doivent attendre 12 ou 13 heures pour déjeuner. Il faut également considérer l'heure du lever. Celui qui se lève à 5 heures doit emmagasiner plus de calories que le lève-tard, si l'heure de son déjeuner est la même.

Quoi qu'il en soit, le petit déjeuner doit être un véritable repas, même pour celui qui se contente d'une frugale collation. Il doit comprendre suffisamment de liquide pour éviter soif et déshydratation, apporté sous forme de jus de fruit et de liquide chaud, café, thé ou chocolat, ou encore soupe. Regrettons la disparition de celle-ci tant est grande la diversité de ses goûts, consistances et arômes.

Il doit également comprendre suffisamment de calories dont la combustion puisse s'étaler sur la matinée. On préférera systématiquement les sucres lents aux rapides. Les céréales sont indispensables, sous forme de pain[1], de porridge, de muesli, de présentation industrielle de type corn flakes et ses multiples dérivés. Il vaut mieux limiter le sucre — ce qui ne veut pas dire le supprimer. Et puis, on pourra consommer des fruits et des produits laitiers, dont le fromage.

Le choix entre le style continental et le style américain — c'est-à-dire ajouter des viandes — est affaire de goût et de rythme. Il faut cependant tenir compte de ce choix pour organiser la répartition de l'alimentation dans la journée.

---

1. Rappelons que les informations les plus récentes rangent biscottes et pains parmi les sucres rapides. Il ne faut donc pas les consommer sans les agrémenter d'ingrédients qui permettent une assimilation étalée : la tartine beurrée, pas trop, est plus recommandable que du pain sec.

Un petit déjeuner « équilibré » — si tant est que ce terme signifie quelque chose — doit être adapté tout à la fois à la nature de l'individu et aux circonstances. Il ne sera donc pas le même selon qu'on se rend à son travail ou qu'on souhaite faire la grasse matinée, le dimanche par exemple. Dans ce dernier cas, il peut devenir un petit repas de fête. Il peut même être fusionné avec le déjeuner pour former ce brunch des Anglo-Saxons qui marque de son empreinte élégante et nonchalante le rythme des dimanches de paresse sensuelle.

3

La collation matinale

Entre le petit déjeuner et le déjeuner s'écoule un temps qui dépend surtout de l'heure du lever. Il se peut donc que vers 10 ou 11 heures on ait faim. C'était l'heure où la fermière apportait aux hommes un panier de pain, de charcuterie et de fromage pour leur permettre de reconstituer leurs forces, le tout arrosé de cidre ou de vin. Plus modestement, il était d'usage, il y a encore une vingtaine d'années, dans les hôpitaux de l'Assistance publique de Paris, d'offrir à tous, malades, infirmières ou médecins, du bouillon de légumes ou de viande — ce bouillon de onze heures était attendu, il était léger, peu calorique, convivial et vivifiant. Sacrifié aux modes modernes, il a disparu (il n'en reste que le nom, associé à la mort, ce qui est curieux).

Pour les enfants, la collation du milieu de matinée est de règle, car ils ont faim.

Aujourd'hui, dans nombre d'entreprises, la collation a disparu. On ne se retrouve que pour une tasse de café parfois sorti d'une cafetière domestique apportée sur le lieu de travail, mais de plus en plus souvent, d'un appareil industriel et anonyme.

La collation est-elle indispensable? Certes non. Elle fait partie de ces repas qui trouvent leur justification, dans la majorité des cas, dans le souhait de couper en deux le rythme de la matinée. Indépendamment des propriétés stimulantes du café qui en est devenu le pivot quasi obligé, il s'agit surtout d'un bref temps de repos, d'une pause où la prise de nourriture solide n'est généralement pas la règle.

Mais la collation considérée comme un vrai repas est nécessaire au travailleur de force. En ce cas, elle comporte généralement du pain, du saucisson ou du jambon et du fromage. Elle convient également, comme il est mentionné plus haut, aux enfants qui préfèrent les aliments sucrés, gâteaux, chocolat, miel, confiture et les diverses pâtisseries et confiseries industrielles dont la télévision leur vante les mérites de façon si convaincante.

Selon le lieu où se prend la collation, son contenu pourra comprendre des éléments divers. Au domicile, les préparations fluides (par exemple les mousses de légumes émulsionnées) seront bienvenues, par exemple pour tartiner du pain. Si le lieu du travail est éloigné, la collation sera surtout faite de produits solides et qui ne risquent ni de se détériorer sous l'effet de la chaleur ou d'éventuels frottements, ni de salir, et on préférera le pain, les fromages secs, les fruits durs comme les pommes, ou protégés comme les oranges, les viandes séchées, etc.

De même, les boissons — car s'il n'est généralement pas indispensable de faire plus de trois repas par jour, il est par contre recommandé de boire avec régularité — seront-elles transportées dans des conteneurs étanches et résistant aux chocs (le plastique est préférable).

4

Le déjeuner

On peut distinguer plusieurs types de déjeuner. Selon le mode anglo-saxon et nord-américain, il s'agit d'une collation légère : une soupe, un sandwich ou un hamburger, un fruit ou un gâteau. Le tout arrosé de thé ou de café. Cette sorte de repas correspond clairement à un emploi du temps fondé sur le concept de la journée continue. On peut ainsi ne s'arrêter qu'une demi-heure, ou même, comme c'est le cas dans beaucoup d'universités et de centres de recherches, ainsi que dans certaines entreprises, profiter de ce temps pour l'intégrer à une séance de travail. Il n'y a alors plus aucune coupure significative au cours de la journée. Cela permet parfois de rentrer plus tôt chez soi. Mais pas toujours, car pour nombre de cadres et de dirigeants, il s'agit en fait d'une manière d'allonger la durée réelle du travail.

Ce rythme correspond donc à certaines professions, en particulier à un niveau hiérarchique élevé. Il est adapté aussi à ceux qui ont un long trajet à effectuer pour se rendre à leur travail. On conçoit mal en effet que le banlieusard qui passe matin et soir une heure dans les transports en commun ait envie de disposer d'une longue coupure à midi. Plutôt que de faire un vrai repas pour le déjeuner, il préfère en réduire la durée au minimum afin de rentrer chez lui le plus tôt possible.

On a dit plus haut les réserves que ce mode d'alimentation suggère. Doit-on cependant le rejeter ? Certes pas. Mais est-il normal que celui qui se nourrit ainsi n'ait le choix qu'entre une soupe industrielle médiocre, un cheeseburger fait de viande grasse et écœurante surmontée d'une rondelle orangée baptisée, on ne sait trop pourquoi, du nom de fromage, avec parfois une tranche d'une de ces espèces de tomates dont les seules qualités sont d'être rouges et, ne produisant pas d'acétylène, de se garder des semaines sans s'abîmer? Le tout flanqué d'un pain dont le goût et la consistance se différencient mal de ceux d'une éponge industrielle. Et en dessert un fruit insipide ou un beignet à peine frit et imbibé d'une graisse écœurante?

N'est-ce pas justement dans ce type de restauration que le consommateur devrait être le plus exigeant? Qu'on lui serve de la bonne charcuterie, de vraies soupes, des pains divers, des fruits savoureux, de petits gâteaux de qualité. Et, à côté des inévitables eaux minérales et boissons industrielles, un choix de bières et de vins corrects. Et puis du vrai café.

Il n'est pas certain que cela coûterait plus cher. Celui qui se promène dans les rues de Paris trouve un choix considérable de sandwichs, crêpes, gaufres, viennoiseries. Et si le commerce des pizzas et des hamburgers s'est calé sur la médiocrité qui sert de référence internationale, l'amateur peut cependant en trouver d'excellents. Qu'est-ce qui empêche les restaurants d'entreprise d'en faire autant? Faire du bon pain ne coûte pas plus cher que d'en faire du mauvais. Ceux des boulangers, des cafetiers et des traiteurs qui proposent des produits de qualité le savent bien : il n'est que de voir les queues à midi pour le constater avec eux.

Le mode anglo-saxon gagne du terrain. Il faudrait que les produits soient de qualité.

Le déjeuner de type français est différent puisqu'il s'agit d'un vrai repas. Il commence pas un hors-d'œuvre, plus rarement une soupe, suivi d'un plat principal de viande ou de poisson accompagné de légumes. Classiquement on mange ensuite et successivement une salade verte, un fromage et un dessert. Souvent, on supprime certains de ces plats, l'usage se limitant plutôt au chiffre 3 : entrée ou salade, plat principal, fromage ou dessert. Il s'agit là d'une sorte de compromis entre le déjeuner traditionnel et le lunch anglo-saxon. D'ailleurs, lorsque les Anglo-Saxons dérogent à leurs habitudes, c'est généralement ainsi qu'ils déjeunent (remarquons que la salade verte est souvent servie systématiquement, en particulier en Amérique du Nord, avant ou avec le plat principal).

L'importance et le volume de l'alimentation dans le déjeuner français dépendent de plusieurs facteurs. Du temps dont ont dispose : on ne conçoit pas de manger beaucoup en très peu de temps. De l'activité de l'après-midi : un trop gros repas expose à la somnolence postprandiale. A moins d'avoir le temps et l'emplacement nécessaires pour faire la sieste, il vaut donc mieux ne pas trop manger les jours de semaine. Les jours fériés, la latitude est plus grande, évidemment.

Ce qu'on boit à midi dépend aussi de l'horaire et des activités de l'après-midi. Selon son inclination et ses convictions, on peut être amené à consommer des boissons contenant ou non de l'alcool. On sait qu'il est aujourd'hui bien établi que les maladies cardiovasculaires sont plus fréquentes chez ceux et celles, fumeurs ou non fumeurs, qui ne boivent pas d'alcool que chez ceux qui en boivent modérément. Du point de vue médical, une consommation raisonnable d'alcool n'est en rien contre-indiquée. Les uns préfèrent boire un peu à midi et le soir. D'autres, suivant l'adage britannique « *Never before sunset* », n'en consomment que le soir. C'est affaire de convenance personnelle. A chacun donc de savoir s'il souhaite consommer un peu d'alcool (sous forme de vin, de spiritueux, de cidre ou de bière) au déjeuner.

Bien entendu, l'augmentation éventuelle de la quantité de nourriture et de boissons alcoolisées au déjeuner doit s'accompagner d'une réduction concomitante des autres repas. Si le rythme traditionnel français (et méditerranéen) est peut-être préférable, il ne s'agit pas pour autant de justifier l'ingestion incontrôlée et illimitée de nourriture et de boisson.

5

Le goûter

Les enfants vers 16 heures et les Anglais vers 17 heures ont faim. Les premiers se jettent sur des tartines de confiture ou de miel, des biscuits industriels variés, des boissons pétillantes, parfois des fruits ou des boissons chaudes, souvent chocolatées. Chez les Britanniques, le *five o'clock tea* est une institution, centrée sur la consommation du thé, accompagné de quelques-uns de ces gâteaux qui font la renommée de la Grande-Bretagne : scones, buns, muffins, etc. Pour le thé, on choisit Chine ou Ceylan, parfois un produit plus rare. On peut le boire tel quel, le sucrer ou encore y ajouter un nuage de lait[1].

Les enfants, grands consommateurs d'énergie, éprouvent en commun avec certains travailleurs de force et avec les sportifs de haut niveau la nécessité de manger régulièrement afin de répondre à la demande de leur organisme.

Dans le cas des Britanniques, il s'agit d'un phénomène purement culturel, le thé étant d'ailleurs pris à la fin de la journée de travail. La courte pause de la mi-journée permet de rentrer plus vite chez soi. Étant donné la faible, ou relativement faible, quantité d'aliments consommés à midi, les petits gâteaux qui accompagnent le thé sont un complément qui permet d'étaler la prise alimentaire. D'ailleurs, il est suivi d'un souper beaucoup plus léger que dans d'autres pays. Le goûter est souvent absent ailleurs, y compris dans les pays où le rythme anglo-saxon s'impose peu à peu. Il n'y a guère d'endroits où, vers 16 ou 17 heures, est prévu un temps d'arrêt avec prise de nourriture. De plus, cette dernière, lorsqu'elle est effectivement consom-

1. Les amateurs de thé récusent la rondelle de citron qui en détruit la complexité aromatique.

mée, est généralement trop grasse ou trop sucrée et ne constituent pas, comme c'est le cas chez les Britanniques, une partie du processus de « décélération » progressive de la prise alimentaire. C'est plutôt une sorte de « c'est toujours ça de pris », dont la fonction est inverse, c'est-à-dire occasion d'augmenter la quantité totale d'aliments ingérés.

C'est que le rythme anglais a sa sagesse intérieure, sa logique, il correspond à une façon de vivre. Celui qui additionnerait le breakfast britannique, le casse-croûte matinal du travailleur de force, le déjeuner français, le *five o'clock tea*, le dîner à la française et pourquoi pas le souper tardif à l'espagnole, ne ferait que chercher le prétexte à doubler sa consommation. Or bien manger, manger avec plaisir, avec recherche et exigence de qualité, est le contraire du trop-manger. Il ne s'agit pas plus de voir dans la nourriture le triste moyen de survivre, comme le veut un fort ambigu dicton (« il faut manger pour vivre et non vivre pour manger ») que de justifier la goinfrerie.

Celui qui, *volens nolens*, choisit le lunch anglo-saxon aura intérêt à s'inspirer de la répartition alimentaire qui est celle d'outre-Manche. Rien ne l'oblige cependant à consommer les mêmes produits. Il faudra qu'il prenne garde à ne pas multiplier la prise alimentaire ni à reporter la quasi-totalité de sa consommation sur le repas du soir. En effet, la même quantité d'aliments — identiques dans leur nature et leur contenu — n'est pas utilisée de la même façon le jour et la nuit. L'organisme stocke l'énergie la nuit. Trop manger le soir fait grossir.

6

Le dîner et le souper

La dernière prise alimentaire de la journée est de composition et d'horaire très variables. Traditionnellement, elle avait lieu vers le coucher du soleil, terminologie mal précise et changeante selon la saison. Cette tradition subsiste chez certains qui se mettent à table relativement tôt, vers 18 ou 19 heures. Néanmoins, c'est entre 19 et 21 heures que la grande majorité se réunit pour célébrer ensemble le dernier repas. Car dans le rythme de la vie moderne, parents et enfants ne prennent pas toujours tous ensemble le petit déjeuner. A midi, la réunion familiale est rare. Finalement le repas du soir devient le seul réellement convivial. Le seul où tout le monde se retrouve et peut échanger. De ce fait, le repas du soir peut être consistant, le seul au cours duquel des boissons alcoolisées sont consommées. Il est souvent long et comporte les quatre ou cinq plats successifs qui définissent l'ordre traditionnel du repas à la française (cf. « Le déjeuner »). Le dîner devient ainsi le seul repas qui garde le style français, ou plutôt méditerranéen, pourrait-on dire.

Le repas du soir doit être soigné. Car on se réunit pour manger, pas pour ingérer la nourriture nécessaire à la vie. Il est difficile, au rythme de la vie moderne, de faire chaque soir un menu compliqué et élaboré. Cependant, il faut se rappeler que qualité n'est pas synonyme de complication, qu'exigence ne veut pas dire surcharge ou boursouflure, mais appelle plutôt la simplicité. Un grand repas peut être fait de mets simples; la qualité des produits et la minutie de la préparation serviront de repères. Il ne faut pas jeter l'anathème sur les surgelés, les conserves ou les produits lyophilisés. Les produits frais sont en général supérieurs, mais le cuisinier n'a pas toujours les moyens de se les procurer. A lui de juger de l'opportunité d'utiliser les substituts industriels ou de conserve. Attention cependant à certains produits. Souvent les grosses crevettes et les gambas surgelées sont de bonne qualité alors que la majorité des crustacés les plus nobles (langouste, homard) y perdent leurs qualités les plus éminentes. Certains légumes gardent l'essentiel de leur spécificité gustative, alors que d'autres se transforment en tristes éponges colorées. De même certaines conserves sont remarquables : anchois ou sardines à l'huile, thon au naturel, confits de canard ou d'oie, foie gras, etc. sont des aliments autonomes pourrait-on dire, différents de nature des produits frais et irremplaçables dans leur usage. Il faut simplement veiller à leur qualité, qui est évidemment variable. Quant aux produits secs, ainsi qu'il a été décrit dans le chapitre qui leur est réservé, ils constituent une entité particulière.

Le repas du soir ne doit pas devenir un prétexte à trop manger et à trop boire. Il est raisonnable de le consommer à une distance suffisante du coucher. Il est préférable que deux ou trois heures séparent la fin de la consommation alimentaire du début du sommeil pour limiter les effets néfastes de la prise tardive de nourriture (prise de poids, mauvaise qualité du sommeil, impression de malaise).

On le voit, le dîner, devenu dans le quotidien moderne le repas de référence, demande un minimum de réflexion et de considération pour qu'il puisse pleinement jouer son rôle de cérémonie conviviale et familiale.

7

Les banquets et repas d'exception

Par nature, ils échappent au classement. Les repas d'exception sont ceux de fête. Les diverses sortes de célébrations ont été évoquées dans la première partie de cet ouvrage. Il s'agit donc ici de traiter des repas exceptionnels par leur importance, leur horaire, leur durée.

Ce sont en quelque sorte les descendants des banquets traditionnels, aristocratiques ou plébéiens. Ceux qui marquaient les grandes cérémonies festives destinées à célébrer les événements les plus importants : naissances, mariages, entre autres.

Il faut prévoir un étalement du repas. Car il y aura des plats nombreux et copieux. Le repas exceptionnel devra être le seul de la journée, de préférence au milieu. On se contentera donc d'un petit déjeuner succinct. Le soir, un potage, une salade ou quelques plats froids seront suffisants. Dans les banquets d'autrefois, on faisait deux grands repas dans la journée. Ce n'est guère compatible avec la vie moderne. Même si, lors d'une telle occasion, la consommation d'aliments est plus importante que de coutume, il n'y a guère d'avantage à manger et à boire en quantités telles qu'on en soit incommodé. Le repas exceptionnel ne doit pas tourner au banquet de goinfres ou à l'orgie romaine.

Un repas exceptionnel peut comporter plusieurs hors-d'œuvre servis soit ensemble, soit successivement. Ils sont suivis de poisson, volaille, viande rôtie ou apprêtée de façon élaborée. Ensuite la salade verte, des fromages, des desserts, des fruits. Et enfin, du café ou des infusions, des biscuits, des chocolats, des confiseries diverses. Le tout est accompagné de vins, blancs et rouges, choisis en fonction des plats, et d'alcools. Sans oublier les eaux minérales. De plus, on peut prévoir entre chaque séquence un ou plusieurs trous normands, c'est-à-dire des préparations liquides ou solides dont la fonction est de « refaire » le palais et d'assurer une transition. Le vrai trou normand est constitué d'un petit verre de calvados, mais on peut le remplacer par d'autres alcools, par exemple un alcool blanc, ou par des sorbets. Bien entendu, le volume doit être faible. Il s'agit seulement d'un intermède.

Il va sans dire qu'un repas ne saurait être exceptionnel que par la quantité. Il doit l'être aussi par la qualité, l'apprêt, l'esthétique. Un repas exceptionnel n'est pas forcément fait des aliments les plus chers. D'ailleurs cette notion est variable dans le temps et dans l'espace. La lotte, poisson de luxe en France, était à Montréal, il y a vingt ans, vendue sous le nom de *belly fish*, le moins cher de tous. L'exception doit donc être surtout liée à l'ordonnancement, à l'alliance des mets et des vins, à un cérémonial.

Un repas exceptionnel doit durer longtemps car on ne peut goûter une longue série de plats à la va-vite. De plus, le volume total d'aliments étant plus important que d'habitude, il faut également éviter, par une ingestion trop rapide, d'importuner les convives.

On prévoira des sièges confortables afin que chacun ait ses aises. Un banquet, particulièrement familial, rassemble les parents, les proches et les amis, sans distinction d'âge. Il faut penser que les enfants n'aiment pas rester immobiles à table pendant des heures. Si on désire leur laisser le souvenir d'autre chose que d'un interminable pensum, il convient de prévoir des divertissements, des périodes où ils auront le droit de quitter la table pour aller jouer. De même les plus âgés pourront-ils s'éclipser de temps à autre en toute dignité si des besoins naturels les y contraignent.

Le repas d'exception doit être l'occasion de se réjouir ensemble, ce n'est pas une figure obligée, une sorte de marathon de la table. Il ne faudra pas s'offusquer que certains refusent de prendre ou de reprendre de tel ou tel plat. D'autres au contraire se resserviront autant qu'ils le désirent.

Faut-il ou non faire un menu spécial pour les enfants ? C'est affaire de choix personnel. Parfois, ils préfèrent, si l'ordinaire est le même que celui des parents, qu'on leur fasse pour les fêtes un assortiment de mets dont la médiocrité qualitative peut surprendre le puriste : hamburgers et plats cuisinés industriels peuvent leur apparaître comme le summum de la gastronomie. Parfois, au contraire, ils souhaitent manger la même chose que les adultes, même si certains plats au goût marqué n'ont pas toujours leur faveur. Point de règle dans la fête que celle-ci : ce doit être une fête.

8

Les en-cas

Malgré une répartition raisonnable des repas tout au long de la journée, il peut se trouver des moments où la faim vient tenailler l'estomac. Il faut manger. Non pas faire un grand repas, mais consommer, en quantité modérée, des aliments qui font disparaître ces sensations. Nous ne parlerons pas ici des sensations de fringale que ressentent certains malades, en particulier diabétiques. Cet ouvrage n'est pas un livre de médecine, même si des préoccupations relevant de cette discipline sont régulièrement présentes, car se nourrir relève de règles gustatives et nutritionnelles dont il convient de tenir compte. Mais il s'agit ici de considérations générales qui s'appliquent à tous.

Manger pour calmer ces « petites faims » demande réflexion et circonspection. Tout d'abord, il faut savoir qu'elles ne sont parfois, chez certaines personnes, que le prétexte à satisfaire des tendances boulimiques. On a longtemps cru que les grands obèses ne mangeaient pas plus que les autres, parce qu'ils déclaraient ingérer beaucoup moins qu'ils ne le font en vérité : en monitorant, c'est-à-dire en contrôlant en continu la prise alimentaire, on s'est récemment aperçu que dans nombre de cas l'obésité majeure correspond à une consommation presque continue de gâteaux, sandwichs, morceaux de fromage, etc.

Il faut éviter de suivre cet exemple, si c'est possible, et se rappeler que la sensation de faim peut disparaître spontanément. Parfois, elle est entretenue simplement par l'habitude. Si cependant elle perdure, avec éventuellement malaise, sueurs, il vaut mieux consulter un médecin. Dans le cas où celui-ci élimine une maladie significative et si les sensations se maintiennent, il faut organiser précisément la prise alimentaire.

Tout d'abord, il suffit parfois de diminuer ou au contraire

d'augmenter le volume et la qualité du repas précédent pour que la sensation disparaisse. Quand la prise régulière d'en-cas devient inévitable, il convient d'en limiter le contenu calorique. Pour cela, on peut en augmenter le volume, par exemple en prenant un liquide chaud : soupe, thé ou autre. On peut également jouer sur la consistance : on recherchera les aliments dont la structure mécanique nécessite une mastication suffisamment longue qu'on ne cherchera pas à réduire en choisissant des consistances plus molles. On évitera les crèmes, les gâteaux humides, les crèmes glacées, bref, tout ce qui peut apporter une grande quantité de calories pour un effort minimum.

L'en-cas est l'occasion de manger des tartines de pain, éventuellement agrémentées de divers accompagnements, des gâteaux très secs, des fruits frais, voire des légumes.

Il ne faudra pas non plus oublier de comptabiliser ces en-cas dans les repas de la journée pour réduire le volume des autres en proportion.

9

Les formes nouvelles des repas

A côté de l'organisation traditionnelle du repas, dont on a vu qu'elle était battue en brèche par les contraintes du travail et des déplacements, par les canons de la mode et de la diététique, sous l'influence également du brassage culturel intensif qui caractérise les dernières années du xxᵉ siècle, se profilent des formes moins strictes, variables dans le temps, changeantes selon les individus et chez une même personne, modifiables en fonction de l'âge, des rencontres, des fluctuations de l'environnement affectif et familial.

On assiste ainsi à une parcellisation, à un émiettement des rythmes nutritionnels; le repas peut lui aussi se modifier. Bien des réceptions amicales n'en comportent plus au sens classique du terme. On se réunit autour d'un buffet dans lequel chacun se sert à sa guise — forme froide et généralement impersonnelle — ou bien autour d'un plat unique. La crainte du trop manger qui caractérise le rythme classique encourage le développement de ces réunions d'un nouveau genre. La diététique y trouve-t-elle son compte ? On peut en douter car les calories sont souvent cachées là où on ne les attend pas. Les buffets plantureux des clubs de vacances n'ont pas pour résultat de faire maigrir, en général.

A vrai dire on sent pointer une autre évolution déjà bien enracinée en Amérique du Nord : faire venir le repas de l'extérieur, avec comme avantages le prix souvent intéressant et la possibilité de disposer à domicile de plats de style et d'origine étrangère : extrême-orientale, latino-américaine, italienne ou autre.

Il y a là matière à réflexion. Disons d'abord que discuter en détail la consommation d'une nourriture qui n'est pas cuisinée chez soi n'entre pas dans le propos d'un ouvrage consacré à la fabrication domestique de la cuisine. Mais, dans la mesure où elle est à la fois une solution et un complément de plus en plus fréquents, il convient d'en parler brièvement.

Consommer à domicile une nourriture fabriquée ailleurs n'est évidemment pas criticable en soi. Sinon il faudrait éliminer non seulement tous les plats cuisinés, conserves et surgelés, mais aussi toute la charcuterie, la pâtisserie achetée à l'extérieur, etc. Il est donc absurde de jeter l'anathème contre cette forme d'alimentation. D'autant plus qu'elle peut être l'occasion de s'offrir une sorte de voyage gustatif, rappel d'authentiques ou imaginaires déplacements. De ce point de vue, l'introduction massive de cuisines d'origine fort diversifiée se situe dans la ligne droite de la cuisine française telle qu'elle s'est constituée à la suite des croisades et de l'influence de la Renaissance italienne (cf. le chapitre « Éloge de la cuisine française »). La cuisine reste l'un des rares domaines où se manifeste encore en France l'idéal de l'honnête homme de l'âge classique, qui considérait que l'ouverture d'esprit à l'ensemble des activités humaines caractérisait l'être civilisé. Dans un univers marqué par la parcellisation de l'information et par la poussée de l'ignorance, de l'arrogance et de la violence, il s'agit là d'un mouvement paradoxal dont on ne doit pas sous-estimer le caractère positif.

Cependant, ce n'est pas parce que le *thali* est supposé indien, le *taco* mexicain et le *dim sum* cantonais que ce sont des plats de qualité. Et là, se profile le risque majeur : que l'arrivée des cuisines lointaines ne s'accompagne de la pénétration insidieuse du bâclé, du bas de gamme, de l'approximatif, du vulgaire, du dangereux même — par l'abus de certains produits, tel le glutamate de sodium. Quant aux faibles coûts, indépendamment du non-respect de la législation du travail par certains, ils sont souvent liés à l'extrême médiocrité, pour ne pas dire plus, des ingrédients.

Comme on le constate, il n'y a pas de voie royale pour la cuisine et seuls peuvent parvenir à ses sommets lumineux ceux qui ne craignent pas de gravir ses chemins parfois rocailleux, de goûter, de critiquer, en bref, d'exprimer l'exigence de sensations fortes et diverses, mais aussi équilibrées et élégantes.

Cette même exigence s'applique à toutes les sortes de repas. Le buffet unique et commun peut être élaboré, à la fois subtil et convivial. Quant aux plats de tradition étrangère, ils ont comme difficulté principale l'accessibilité des produits (les petits

1087

haricots noirs de la feijoada brésilienne et le mélange d'épices du satay indonésien ne se trouvent pas partout) mais, réalisés avec des ingrédients de qualité, une recette et une technique authentiques, ils ont une légitimité égale à celle des plats d'origine hexagonale.

Épilogue

« Un peu d'humour
Beaucoup d'amour. »

Marcel REGGUI.

Manger consiste à faire pénétrer à l'intérieur de soi des corps étrangers afin de les détruire et d'en assimiler les propriétés. De tout temps, l'homme s'est interrogé sur cette mystérieuse activité : incorporer à sa propre substance des produits extérieurs à lui. Dès l'origine, il s'est ainsi trouvé confronté au choix, déterminé par la disponibilité des produits et par son propre goût. Mais aussi par l'utilité ou le danger pour sa santé. Ces préoccupations se retrouvent dans tous les anciens traités de cuisine, comme dans ceux de médecine[1]. Ce lien, cet échange entre ce qui est bon au goût et ce qui est bon pour la santé a, comme dans les autres domaines de la connaissance, varié avec le temps. L'introduction de nouveaux concepts, l'intrusion de l'analyse scientifique dans l'alimentaire, ont amené des bouleversements des croyances, bouleversements hésitants, contradictoires et dont nous sommes loin de connaître les développements définitifs. D'autant plus que la production agroalimentaire utilise de plus en plus de produits de synthèse ou d'extraits d'animaux et de végétaux à des fins sans aucun rapport avec leur destination initiale, comme l'idée d'utiliser des farines d'origine animale pour nourrir des bovins — une manière de transformer des vaches herbivores en carnivores.

L'analyse économique[2] retrouve une grande régularité dans les comportements. On sait que certaines consommations augmentent plus vite que le niveau de vie (santé, transports, loisirs).

---

1. On lira à ce propos les textes d'Hippocrate, tirés de l'Ancienne médecine et rapportés par Jacques Jouanna : *Hippocrate*, Fayard, 1992.
2. Pierre Combris, *Mangeurs et aliments : que nous apprend l'analyse économique ?* 1995.

Il est, au contraire, constant que les dépenses de nourriture augmentent moins vite (loi d'Engel) et même que pour certains aliments elles diminuent, c'est le cas des pommes de terre. Ces évolutions s'accompagnent d'une redistribution du type d'aliments consommés, plus de graisse, moins de sucre avec l'enrichissement.

L'alimentation devient de plus en plus hétérogène : ainsi Pierre Combris montre bien que si la consommation de viande diminue au fur et à mesure que le revenu augmente, elle tend à augmenter chez ceux qui en consomment. Autrement dit, moins d'achat systématique et de masse. Plus de choix, donc plus d'exigence.

Parallèlement, on note un accroissement du nombre et de la variété des produits achetés lorsque le revenu augmente, surtout chez les jeunes.

Ce qui guide le choix des consommateurs est complexe (disponibilité, publicité, conseils, etc.), mais on note qu'il correspond souvent à un arbitrage entre plaisir gustatif et préoccupations nutritionnelles.

De ce fait, l'homme moderne se comporte de façon identique à ses ancêtres.

On conçoit l'importance de l'enjeu. D'une part son goût peut se modifier, en bien comme en mal, et il peut être aspiré par la puissante broyeuse qu'est la médiocrité ou tendre vers un élargissement de ses capacités et une exigence de qualité.

Encore faut-il qu'il dispose d'informations.

Il s'agit là d'un enjeu majeur et décisif pour l'avenir de nos sociétés. La multiplication des produits disponibles augmente les risques sanitaires de toutes sortes en même temps qu'elle permet l'exploration de sensations nouvelles. Il convient donc que ces deux exigences soient prises en considération. D'une part la nature et la traçabilité des produits doit devenir une obligation à la vente. Le consommateur doit savoir ce qu'il achète, son mode de production, sa qualité, son origine, son trajet. L'exemple des vaches folles montre à quel point c'est l'intérêt de tous — professionnels et consommateurs.

Un deuxième point concerne les qualités gustatives des produits. L'information doit être disponible mais elle doit être indépendante et éclairée. Il y a de ce point de vue un long chemin à faire, les idéologies confusionnistes mêlant souvent en la matière leurs interventions à celles de certains « experts » salariés par les puissances d'argent, le tout dans un tintamarre dont les victimes sont successivement les consommateurs puis à leur tour les producteurs.

Un pays qui fabrique et cultive de grands produits doit avoir l'exigence critique appropriée à ses ambitions : imagine-t-on un de nos grands parfumeurs se contenter du niveau d'élaboration sensorielle d'un produit utilisé pour désinfecter des lieux d'aisances ?

Qui dit conseil ne dit pas dictature. Il n'y a rien qui puisse justifier les velléités autocratiques de certains. La médecine, de ce point de vue, est redevenue ce qu'elle doit être : sage et prudente. « Tout excès et toute carence quant à la quantité et à la qualité des aliments peuvent entraîner un déséquilibre et, à la longue, la maladie », écrit Jean Raymond Attali, professeur d'endocrinologie, diabétologie et nutrition à l'hôpital Jean-Verdier dans sa préface à *Savoir manger pour savoir vivre*[1].

L'excès ou la mesure, la témérité ou la sagesse sont les choix individuels du consommateur. Ils le sont plus encore du cuisinier car ce dernier fabrique les plats et apprête les aliments à la fois pour lui et pour d'autres. Il est en permanence acteur et décideur. « Ceux qui savent bien cuisiner savent bien gouverner », disait un empereur de Chine.

Le cuisinier organise par son travail l'alimentation de ceux qui se nourrissent de ses réalisations. Il est l'arbitre du plaisir gustatif et des préoccupations nutritionnelles. Mais il est plus que cela. Par ses choix, par son style, par son humeur, il peut brimer et opprimer, ou au contraire renouveler repas après repas, jour après jour, de subtiles et discrètes déclarations d'amitié et d'amour. Modeste, ne craignant pas l'erreur et sachant en rire, soucieux aussi de s'améliorer à cause d'elle et grâce à elle, le cuisinier peut faire sa maxime de celle de Marcel Reggui : « Je n'existe que par les autres.[2] »

1. M.-S. Zhu, M. Angles, S. Darakchan, Éditions du Rouergue, 1993.
2. Bernard Cassat, *Marcel-Mahmoud Reggui*, Éditions Felix, 1995.

Index thématique des recettes

Dés de laitue à la pêche en saumure et foies de rougets 542
Frisée aux lardons et œuf poché 932
Juliennes de légumes racines en salade 513
Laitue de printemps à la crème 531
Légumes de pot-au-feu en salade 540
Légumes racines aux sauces mousses 511
Petit tartare tiède d'endive et poivron rouge à l'anchois 506
Petite assiette de fin d'été 545
Petite salade de crosses de fougère aigle 656
Petits légumes crus 511
Rougets à l'huile d'anchois et quinoa 547
Salade cauchoise 538
Salade de chicons à la pomme de terre et aux noix 533
Salade de feuilles et fleurs du jardin 544
Salade de figues fleurs et jambon de San Daniele 536
Salade de haricots au drapeau italien 651
Salade de haricots verts et de champignons de Paris 537
Salade de moules 542
Salade de pommes de terre 539
Salade de pot-au-feu 540
Salade de pourpier à la tunisienne 533
Salade de radis 505
Salade de rougets aux plants de poireau, aux mauvaises herbes de printemps 841
Salade de tomates à la mozzarella 535
Salade d'épinard, avocat et noix 534
Salade d'hémérocalles, cœurs de laitue asperge et côtes de blettes à la mélisse et thym herba barona 548

Salade du Puy 539
Salade folle 538
Salade tiède de foies de volaille à la roquette et à la mâche 541
Tartare tiède d'artichauts et crevettes au vinaigre balsamique 507
Tartare tiède de concombre aux noix et à la roquette 509
Tartare tiède de radis à la coriandre fraîche 508
Tartares de légumes 504
Vinaigrette de queues d'écrevisses, pignons, jeunes feuilles d'épinard et fleurs de souci 546

Mousses de légumes et mixtes

Anchoïade au thym Silver Queen 523
Caviar d'aubergine 525
Guacamole 510
Hommos 527
Mousse de champignons de Paris 528
Mousse de harengs aux poireaux 529
Mousse de haricots rouges à la sarriette alternipilosa 528
Mousse de pois chiches à l'huile de sésame 527
Mousse de poivrons au gingembre 527
Mousse d'olives au poivre vert 521
Rougail bringelle 526
Tapenade 521
Tarama 529

Œufs

Œufs crus 509
Asperges à la Fontenelle 655
Frisée aux lardons et œufs pochés 932

Marguerite de haddock à l'huile de tournesol 746
Œufs à la coque 929
Œufs à la paille 693
Œufs à la Toupinel 892
Œufs au plat 931
Œufs brouillés 939
Œufs brouillés à l'ail, au persil plat et à la ciboulette 940
Œufs durs 936
Œufs en cocotte à la crème 934
Œufs en cocotte au saumon fumé 749
Œufs en cocotte aux crevettes grises et au curry 934
Œufs en meurette 642
Œufs frits 935
Œufs frits aux petits oignons et au vinaigre de xérès 935
Œufs heaumés 928
Œufs heaumés au curry 928
Œufs mollets 935
Œufs pochés 932
Œufs pochés à l'oseille 852
Œufs pochés aux moules 933

Omelettes salées

Arboulastre 938
Omelettes 936
Omelette à la crème 938
Omelette à l'harissa de mai (harissat mayou) 938
Omelette au fromage 937
Omelette au jambon 937
Omelette aux champignons 938
Omelette aux lardons 937
Omelette fines herbes 937
Omelette mousseline 938
Omelette mousseuse à la charlotte 960
Omelette paysanne 937

Gâteaux salés et préparations apparentées

Bouchées à la reine 1005
Clafoutis au lard 996
Clafoutis aux poivrons verts, olives noires et anchois 995
Crostini (croûtons) 815
Croûtons au beurre d'ail 820
Gâteau d'olives 996
Lait lardé 957
Pâte à pizza 981
Pissaladière 983
Pizza à la marinara 981
Pizza reine 982
Quiche lorraine 958
Tarte au vert de blettes et à l'émincé de courgettes 890
Tarte aux blettes et au jarret de veau à la mandarine impériale 889
Tarte aux champignons 960
Tarte aux herbes fraîches 959
Tarte aux légumes du midi 959
Tarte aux poireaux 959
Tarte aux poivrons 959
Tarte aux tomates 959
Tarte Émile Loux 890
Tarte levée à la tomate 1023

Plats à base de fromage (entrées ou plats principaux)

1. Entrées
Croûton à la ricotta fraîche et au basilic 819
Croûton au beurre de roquefort 820
Fromage frit 718
Gougères 1020
Panir 686
Petits feuilletés au roquefort 1006
Soufflé au beaufort 1038
Tarte aux maroilles 960

Rognons de veau aux funghi porcini secs 731
Tajine à la cervelle d'agneau 900
Tête d'agneau rôtie (ras mosli) 779

Abats blancs

Andouille de Guéméné 502
Andouille de Vire 501
Andouillette de Troyes aux lentilles du Puy 753
Andouillettes grillées à la moutarde 878
Cassoulet de tripes d'agneau au safran 806
Gras double à la lyonnaise 619
Oreilles de veau grillées 876
Pieds de porc 312
Tablier de sapeur 320
Tête de veau au cidre et à l'estragon 619
Tripes à la mode de Caen 641

Chevreau

Blanquette de chevreau à l'ail nouveau 582
Blanquette de chevreau à l'oseille 582

Lapin

Cuisses de lapin à la normande 583
Lapin au miel et au thym odoriférant 628
Potjevleisch 670

Gibier à poil

Civet de lapin de garenne 627
Cuissot de sanglier aux poires épicées et à la crème de céleri 901
Filet de renne sauce à la pomme 753
Gigot de marcassin en croûte (P. Paillon) 772
Lièvre au sauternes 907
Noisettes de chevreuil poêlées 754

Poulet, coq, poularde

Blanc de poulet au beurre d'ail 780
Choua de poulet 744
Compote de poulet aux deux olives 659
Coq au riesling 620
Courgette farcie en corne d'abondance 799
Croûton au poulet et au reblochon fermier 818
Cuisses de poulet frites à la bière 862
Cuisses de poulet frites à la mode du Sud 754
Poulaille farcie (Taillevent) 871
Poularde demi deuil aux racines d'autrefois 640
Poularde farcie aux escargots 779
Poularde farcie aux viandes épicées 870
Poularde (ou poulet) rotie 780
Poulet à la vapeur 743
Poulet à l'ail en gratin 903
Poulet au citron vert (yassa) 875
Poulet au lait de coco 623
Poulet au vinaigre de cidre, échalote et persil plat 624
Poulet aux herbes 621
Poulet aux poires 623
Poulet basquaise 622
Poulet en croûte de sel 825
Poulet frit 716
Poulet sauté au gingembre 858
Poulet tandoori 781

Canard

Brochette de cœurs de canard 763
Canard à la vapeur 328
Canard aux raisins 782
Canard rôti 328
Cannette à l'aïoli d'épices et de fleurs de courgettes 781
Faux escargots 1062
Foie gras (M. Meneau) 657
Foie gras de canard, sel et poivre 763
Magret à la moelle de laitue confite 762
Magret aux pêches, verjus et miel rose 769
Pâté chaud de caneton (Escoffier) 874

Pintade

Croûton au blanc de pintade et à la ricotte 818
Pintade aux coings et à la badiane 783
Pintade aux noix fraîches en deux services 906
Pintadeau aux piments verts et au whisky pur malt des îles 625

Pigeon

Pigeon à la poêle 332
Pigeon à la vapeur 333
Pigeon découpé et rôti 332
Pigeon en cocotte (deux recettes) 332-333
Pigeon rôti (quatre recettes) 332-333
Pigeonneaux aux mirabelles et au cubèbe 786

Dinde

Ailerons de dinde farcis 764
Choua de dinde 744
Cuisse de dinde rôtie à la crème de moutarde 783
Escalope de dinde au basilic 755
Sauté de dinde aux olives 698

Oie

Oie farcie aux coings et fruits d'automne 785
Rillettes d'oie 659

Gibier à plume

Caille aux raisins 626
Chartreuse de perdreaux (La Reynière) 874
Perdreaux grillés sauce aux groseilles 836
Perdreaux rôtis sauce aux groseilles 837
Poule faisane aux girolles 835

Poissons crus

Carpaccio de thon rouge 496
Damier de poissons crus aux deux olives 497
Daurades cuites au citron 557
Escalopes de thon cuites au citron en chantilly piquante 556
Harengs frais au vinaigre et au miel 558
Rillettes de saumon 496
Rollmops 358
Sardines crues au sel et au citron 556
Sashimi 498
Saumon cru à l'aneth et au citron (2e recette) 558
Saumon cru au citron vert et à l'aneth 498
Tartare de carpe 504

Mollusques crus

Carpaccio de coquilles saint-jacques aux trois poivres 497

Poissons cuits

Friture de petits poissons 722
Galette de poissons frits 723
Légumes et poissons sautés à la japonaise 734
Poisson au barbecue 766
Poissons à la vapeur 743
Poissons vivants en papillottes 828

Poissons d'eau douce

Alose confite dans son nid d'oseille, beurre blanc 804
Anguille à la bière 630
Anguille à la gerbe de blé 647
Brême grillée au beurre blanc 768
Brochet à la vapeur au beurre blanc 748
Brochette d'esturgeon au lard 767
Carpe braisée à l'oseille 805
Dos de sandre aux épices 646
Dos de saumon aux amandes cuit à la bilatérale avec sa peau croustillante 830
Escabèche de petits gardons et d'ablettes 684
Filet de barbeau aux noix fraîches 602
Filets de perche meunière 759
Friture de goujons 717
Lamproie à la bordelaise 632
Matelotte d'anguilles 631
Omble chevalier à l'ancienne 846
Omble chevalier aux cèpes et au lard épicé 845
Omble chevalier rôti à l'ail et à l'échalote 789
Pochouse 729
Poivronnade de sandre 846
Terrine de saumon aux pistaches 672
Truites au bleu 648
Truites au lard (1re recette) 759
Truites au lard (2e recette) 760
Truites farcies à la coriandre fraîche 747

Poissons de mer

Anchois frits 717
Barbue au cidre et à l'estragon 787
Bolletée cauchoise 703
Bolletée de coquilles saint-jacques et de raie 850
Bollettée de maquereaux de ligne 702
Bouillabaisse 701
Bourride 645
Brandade de morue 678
Carrelet de sable blond vivant au beurre clarifié 756
Cassoulet de lotte aux herbes fraîches 909
Chapon de mer farci 798
Charmoula de serre 844
Croûton à l'anchois et à l'olive 818
Dés de laitue à la pêche en saumure et foies de rougets 542
Escalope de lieu aux poireaux 842
Escalope de veau de mer à la crème et au poivre vert 758
Espadon aux petits lardons 842
Filet d'empereur à l'huile de poivron 601
Filet de grenadier aux piments 840
Filet de merlan meunière 600
Filets de rouget barbet à l'anchois et aux courgettes 844
Filets de sole meunière aux légumes frits 757
Flétan en feuilles de vigne fraîches 828
Haddock à l'anglaise 643
Harengs au cidre 684

1102

Langues de morue aux courgettes 859

Lotte à l'ail et aux piments rouges 700

Lotte au curry 600

Lotte au safran du gatinais 584

Marguerite de haddock à l'huile de tournesol 746

Merlan Berthomier 788

Merlan enragé 843

Merlan frit 721

Mérou à la pizzaiola 758

Morue bahianaise 583

Mulet en poisson complet comme à La Goulette 839

Murène grillée au thym 765

Pagre au lard et aux herbes 788

Pavé de cabillaud au confit d'oignon 840

Pavé de turbot à l'ail et au citron confit 746

Ragoût de congre aux rattes 629

Raie à la moutarde à l'ancienne 644

Raie au beurre noir et aux câpres 745

Rougail de morue 863

Rougets à l'huile d'anchois et quinoa 547

Rougets grillés aux fanes de carottes 765

Salade de rougets aux plants de poireaux et mauvaises herbes de printemps 841

Sole meunière 601

Steak à l'ivrogne 1062

Steak de raie au poivre et aux poivrons rouges 726

Steak de thon rouge à l'émincé de roquette 722

Terrine de hâ à la tétragone 671

Terrine de lotte à la tomate 671

Thon à la roquette et vinaigre balsamique 726

Tranche de thon panée 756

Turbot tiède à la salade méchouia 767

Vatapa 603

Vives à l'ail en papillotes 747

Zarzuela de pescado 910

Crustacés

Crevettes au lait de coco 732

Crevettes en tempura 998

Crevettes grises vivantes à l'eau de mer 692

Crevettes grises vivantes au beurre 692

Crevettes grises vivantes au cidre 692

Crevettes grises vivantes au vin blanc 692

Crevettes grises vivantes sautées 692

Gambas grillées 849

Gratin d'écrevisses à la Nantua 815

Homard à l'américaine 705

Langouste rose de Bretagne juste grillée au beurre salé de Noirmoutier 814

Langoustines au curry et à la fleur de livèche 848

Langoustines au foie gras 912

Langoustines au gingembre en fromage à l'écarlate à la manière de Menon 956

Langoustines en mousse de bouillabaisse de fleurs de courges et courgettes safranées 706

Petit gratin d'araignée de mer à la crème d'oursin 878

Pommes de terre Georgette 892

Queues d'écrevisses à la Nantua 604

Scampi fritti 723

Vinaigrette de queues d'écrevisses, pignons, jeunes feuilles d'épinard et fleur de souci 546

Coquillages, Mollusques, etc.

Bolletée de coquilles saint-jacques et de raie 850
Bolletée de moules au safran 707
Bulots tièdes rémoulade 648
Coquilles saint-jacques aux légumes safranés 586
Coquilles saint-jacques safranées aux chicons et jus de clémentine 913
Court potage clair d'escargots à la menthe 801
Crème d'oursins 678
Eclade 741
Escargots à la mode de Fès 649
Moules à la marinière 885
Moules aux poireaux de la Saint-Sylvestre 586
Œufs pochés aux moules 933
Palourdes de pêche à pied, pain et beurre salé 733
Persillade de couteaux 708
Petit gratin de moules à la provençale 914
Petite cassolette d'escargots à la livèche fraîche 708
Petits gratins de praires, flions, clovisses, coques, etc., à la provençale 914
Poularde farcie aux escargots 779
Salade de moules 542
Tandoori de coquilles saint-jacques au jus de lotte 850

Céphalopodes

Calamari fritti 718
Calamari ripieni 806
Encornets à l'encre 679
Natura morta con sepia 680
Poulpe froid mayonnaise 737
Salade de poulpe au persil plat 649
Seiche à l'ail 733

Toasts à l'encre 679

Grenouilles

Cuisses de grenouille au beurre frais, basilic et ciboulette 859
Cuisses de grenouille aux herbes fraîches 860

Légumes

Andouillettes contrefaites 1061
Anguille à la gerbe de blé 647
Asperges vinaigrette 654
Asperges à la Fontenelle 655
Asperges au beurre 880
Asperges au parmesan 655
Aubergines à la parmigiana 807
Aubergines farcies en bouillabaisse de légumes 920
Aubergines panées 720
Bananes plantains frites 720
Blanquette d'asperges en gratin 592
Bouillabaisse de légumes d'été aux amandes, basilic et thym Silver Queen 919
Boulghour aux carottes 635
Brocolis braisés au gratin 605
Carottes tandoori à la bière 590
Cèpes farcis 791
Cerfeuil tubéreux sauté 869
Cervelas et pommes à l'huile de pistache 642
Champignons (cuisson) 193
Chapeaux de coulemelles (M. Bisson) 193
Chayottes farcies 873
Chicorée frisée braisée aux lardons 575
Chou de Bruxelles au lard 882
Chou-fleur aux épices 852
Choux farcis 650

Tarte ardennaise aux abricots 1022
Tarte ardennaise aux brugnons (2 recettes) 1022
Tarte ardennaise aux cerises 1022
Tarte ardennaise aux kiwis 1022
Tarte ardennaise aux mangues 1022
Tarte ardennaise aux mirabelles 1022
Tarte ardennaise aux pêches 1022
Tarte ardennaise aux poires 1022
Tarte ardennaise aux reines-claudes 1022
Tarte au chocolat 1015
Tarte aux fraises 1015
Tarte aux framboises 1015
Tarte aux kiwis 1015
Tarte aux poires 1012
Tarte aux pommes 1011
Tarte aux raisins muscats 1013
Tarte Tatin aux abricots, pêches, kumquats, etc. 889
Tarte Tatin aux pommes 888
Tartes feuilletées 1005

Gâteaux secs

Biscuits à la cuiller 1034
Broyé du Poitou 1016
Bugnes 1017
Cartelins 968
Churros 721
Génoise 1023
Génoise au chocolat 1025
Génoise aux amandes 1024
Macarons 927
Meringues 926
Meringues (F. Muller) 927
Meringues italiennes 926
Merveilles 1017
Moïse 1033
Poissons, fleurons, etc. 1005
Spaghetti frits au sucre 869

Gâteaux divers

Autres charlottes 942
Baba au rhum I 1030
Baba au rhum II 1031
Bourdelots 826
Brioche 1032
Charlotte aux framboises 942
Chaussons aux pommes 1035
Choux à la crème 1019
Croquembouche 1019
Éclairs 1019
Forêt noire 1024
Fraisier 1024
Galette charentaise 1029
Millefeuilles 1005
Pains aux raisins 1035
Parfait au café 951
Paris-Brest 1019
Pets-de-nonne 1020
Profiteroles au chocolat 1019
Religieuses 1019
Saint-Honoré 1019

Quatre-quarts

Cake aux fruits confits 1028
Cake aux pignons de pin 1029
Cake aux raisins secs 1029
Cake familial 1028
Gâteau aux amandes I 1027
Gâteau aux amandes II 1027
Gâteau aux noix 1027
Gâteau marbré 1028
Madeleines 1026
Quatre-quarts 1025
Quatre-quarts aux amandes 1026

Desserts aux fruits crus

Fraises à la crème 513
Goyaves à la sauce goyave 515
Petits cubes de reinettes au cassis et au whisky irlandais 514

Praliné 989
Sirop de sucre 988
Sucre coulé 988
Sucre : petit et grand cassé 988
Sucre : petit et grand lissé 988
Sucre : petit et grand perlé 988
Sucre : petit et grand soufflé 988
Sucre : petit et gros boulé 988

Boissons chaudes

Cacao (chocolat) du goûter ou du
déjeuner 1040
Café 689
Café turc 689
Thé 690
Thé à la menthe 690
Thé aux pignons 690
Thé japonais 691
Thé russe 691
Thé tibétain 691

Boissons froides sans alcool

Citronnade (4 recettes) 1058
Cocktail de pêches et de fruits au
lait et au sirop d'érable 1059

Cocktail pêche et citron 1058
Jus d'orange et de citron 1058
Orangeade 1058

Cocktails

Batida de coco 1059
Bloody mary 1059
Caïpirinha 1059
Daïquiri 1060
Margarita 1059
Martini à l'américaine 1060
Mint julep 1059
Piña colada 1059
Punch au citron vert 1060

Long drinks

Americano 1060
Gin fizz 1060
Gin tonic 1060
Planteur 1060
Sangria 1060
Screw driver 1060

Liqueur

Crème de cassis 550

Index alphabétique des recettes

1121

1123

1127

1130

Index des produits

1141

Table

crus, champignons cuits, 192. — Les meilleurs champignons, 193. — *les graines et les légumineuses*, 200. — *les céréales*, 204. — *L'ail et sa famille. Les légumes bulbes.*, 212. — *les minilégumes*, 216. — *les herbes sauvages et les mauvaises herbes*, 217. — *les algues*, 225.

les mammifères, 269. — *le goût de la viande*, 272. — *la tendreté de la viande*, 273. — *savoir acheter la viande de boucherie*, 275. — *les quatre grands*, 276. — *de profundis*, 276. — *le bœuf*, 278. — Les meilleures races de bœuf, 280. — Le rôtissage et les morceaux à rôtir, 282. — Les steaks et pièces à griller et à poêler, 285. — Les ragoûts, les daubes et les sautés, 288. — Le bouilli, 290. — Le haché, 292. — *le veau*, 293. — La découpe du veau, 295. — Les pièces à rôtir, 295. — Les pièces à griller et à poêler, 296. — Les pièces à braiser, 296. — Les pièces à ragoût et à pot-au-feu, 297. — Les pièces farcies, 297. — *le mouton et l'agneau*, 298. — La découpe de l'agneau, 301. — Les pièces à rôtir, 301. — Les pièces à griller et à poêler, 302. — Les pièces à sauter, à braiser et les ragoûts, 303. — Le bouilli, 304. — L'agneau de lait, 305. — *le porc*, 305. — Les races de porc, 307. — Les pièces à rôtir, 308. — Les pièces à griller et à poêler, 308. — Les pièces à ragoût et à braiser, 309. — Le travers de porc, 310. — La viande hachée, 310. — Les jambons crus et les viandes demi-sel, 310. — La charcuterie vraie, 312. — Le cochon de lait, 313. — *autres viandes de boucherie et gros gibier*, 313. — *les abats*, 316. — Les muscles, 316. — Les reins ou rognons, 317. — Ris de veau, ris d'agneau, 318. — Le foie et la rate, 319. — Les tripes, 320. — Cervelle et amourettes, 320. — Tétines et rognons blancs, 321. — La tête, le museau et le palais, 321. — Les oreilles, la queue et les pieds, 322. — *le lapin domestique*, 322. — *le lièvre et le lapin de garenne*, 323. — *autres animaux comestibles*, 324. — *serpents, sauriens, lézards, etc.*, 325. — Le livre des oiseaux, 326

4. Les animaux des eaux douces et marines 337
le livre des poissons, 338. — *les cuissons du poisson*, 344. — Le pochage, 345. — Le gril de plein air, 345. — Le four, 346. — La cuisson meunière, 347. — Braisage et sauté, 347. — La friture, 347. — *les aristocrates marins*, 348. — *Les humbles de la mer*, 354.

1148

QUATRIÈME PARTIE
A TABLE

Cet ouvrage a été composé par EURONUMÉRIQUE
92120 Montrouge

Achevé d'imprimer
par Maury-Eurolivres S.A.
45300 Manchecourt

N° d'édition : 9886
Dépôt légal : Décembre 1996
54-23-4519-05/2
ISBN : 2-234-04519-3